憲法

第7版

Tsujimura Miyoko

辻村みよ子

日本評論社

第7版　はしがき

本書『憲法（第6版）』（2018年4月刊）からわずか3年弱の間に、世界と日本の憲法状況、政治・経済・社会状況は大きく変化した。

世界では、2019年末からの新型コロナウイルス感染の拡大によって、全世界の感染者数が1億人・死者数が210万人を突破し（2021年1月27日現在、米ジョンズ・ホプキンス大集計）、日本でも2020年5月と2021年1月の緊急事態宣言以来、大都市を中心に社会・経済生活と人権の制約が強いられた。緊急事態法制を憲法改正によって法制化しようとする保守派の主張や、財務省公文書改ざんなど国民の「知る権利」「安全」に係る問題、感染症法に罰則を加える問題などもあり、社会不安が拡大して予断を許さない憲法状況にあると言える。

さらに、日本の法制度や裁判例にも注目すべき変化があった。

①2019年5月1日からの元号の令和への変更、新天皇の即位に係る儀式とそれに対する違憲訴訟の提起、②2018年公職選挙法改正による参議院定数の変更（6増・248人）と2019年選挙における新制度（特定枠制度等）の実施、③民法改正による成人年齢（18歳）、婚姻適齢（男女とも18歳）の変更（2022年4月1日施行）、④ジェンダーギャップ指数（世界経済フォーラム GGI 2020）121位〔政治分野153ヵ国中144位〕のもとでの女性活躍推進・働き方改革の課題、⑤ハンセン病家族補償訴訟熊本地裁判決や旧優生保護法仙台地裁違憲判決、⑥デジタル手続法制定（2019年5月）と個人情報保護の課題、⑦日本学術会議会員任命拒否問題（2020年10月）、⑧2020〈令2〉年11月18日参議院議員定数最高裁合憲判決、⑨2021〈令3〉年2月24日孔子廟政教分離訴訟最高裁違憲判決など、制度に係る憲法問題も山積している。

日本の憲法学界でも、芦部信喜『憲法（第7版）』（2019年）、長谷部恭男＝

石川健治＝宍戸常寿編『憲法判例百選（第７版）Ⅰ Ⅱ』(2019年)、高橋和之『現代立憲主義と日本国憲法（第５版)』(2020年)、長谷部恭男編『注釈日本国憲法(3)』(2020年)、初宿正典＝辻村編『解説　世界憲法集（第５版)』(2020年)、佐藤幸治『日本国憲法論（第２版)』(2020年）など、重要な刊行物が相次ぎ、新しい判例についても『重要判例解説令和元年度』(2020年）等で検討されている。

世界の憲法状況に目を向ければ、中国やロシアでは2018〜2020年の憲法改正によって独裁的権力者の任期が撤廃・延長され、習近平国家主席の終身制、プーチン大統領の2036年までの任期延長が可能になった（前掲『新解説世界憲法集』第５版参照)。イギリスでは2020年12月末にEU 離脱の移行期間が完了し、アメリカでも反人種差別デモなど社会の「分断」が拡大する中で、2021年１月のバイデン新大統領就任後もひき続き政治課題が多発している。

本書では、これらの内外の憲法状況の変動や新しい人権問題等に目配りしつつ、憲法学の基本的な学習や司法試験等の国家試験準備に不可欠な最新の情報を掲載することを心がけている。

基本書を通読して学ぶことが少なくなり、大学の講義もオンライン講義が続いている状況下で、広い視座にたって新たな立法や学説・判例の動向に即して改訂した本書を役立てて頂ければ幸いである。

『憲法（初版)』(2000年）以来20年以上、その他の著書を加えれば40年以上にわたって大変御世話になってきた日本評論社の中野芳明さんに、こころより、お礼を申し上げる。

2021年２月

辻村みよ子

第6版　はしがき

本書は2000年の初版以来４年ごとに改訂を重ねてきたが、第５版の出版（2016年４月）後に、重要な立法等が続いたこともあり、急遽、第６版を前倒しして刊行することにした。

本書の改訂に関連する新たな立法と判例の動きには、「天皇の退位等に関する皇室典範特例法」（2017年６月公布・2019年４月30日施行）、「安全保障関連法」（平和安全法制整備法・国際平和支援法等）（2016年９月施行）、「組織犯罪処罰法」改正（2017年６月公布・一部を除き７月施行）、刑法177条等の改正（強姦罪から強制性交等罪への変更等）（2017年６月公布・７月施行）、「本邦外出身者に対する不当な差別的言動の解消に向けた取組の推進に関する法律」（ヘイトスピーチ解消法）（2016年６月公布・施行）、民法733条（再婚禁止期間規定）２項等改正（2016年６月公布・施行）、公職選挙法４条改正（衆議院議員定数10人削減、2016年６月公布・施行）、最高裁2017〈平29〉年９月27日参議院定数不均衡合憲判決、同2017〈平29〉年12月６日 NHK 受信料契約合憲判決など、多数がある。

加えて、2017年５月３日の憲法施行70周年当日に、憲法９条に自衛隊を明記する等の憲法改正案が首相（自民党総裁）から提案され、これをもとに憲法改正論議が推進されることになった。同年６月国会閉会後の臨時国会開催要求が実現されないまま、９月28日に衆議院が解散され10月22日に総選挙が実施された経過をめぐっても、憲法論として、解散権の制約や臨時国会召集期限等に関する問題が再燃した。また。LGBT などの性的マイノリティの権利保護の問題や夫婦別姓制をめぐる（男性からの）訴訟提起、非正規労働者の働き方改革など、社会の変化を示す論点も多い。

総じて、日本の政治と社会が、国際的な政治・社会変動のなかで、速く、大きく揺れ動いている状況が示されている。このような憲法変動を見据えて、眼前の憲法問題に正面から取り組むためにも、憲法をもう一度学び直す必要性が高まっていることは間違いない。

新たな立法や学説・判例の動向に即して改訂した本書第６版が、これらの課題にこたえることができ、司法試験等を目指す読者の皆様に対して有益な支援をすることができるのを、切に願っている。最後に、初版以来引き続きお世話を頂いてきた日本評論社中野芳明部長に、心からお礼を申し上げる。

2018年３月

辻村みよ子

第５版　はしがき

この第５版では、第４版（2012年）以後の重要な判例や法律の改廃について補充し、憲法理論上の新しい論点に関する検討を加えている。

最近の最高裁判決には、婚外子相続分差別訴訟違憲決定（2013〈平25〉年９月４日）・再婚禁止期間規定違憲判決（2015〈平27〉年12月16日）などの家族法関係や、衆議院「一人別枠方式」・参議院議員定数訴訟「違憲状態」判決（2013〈平25〉年11月20日、2014〈平26〉年11月26日）などの投票価値をめぐる訴訟、堀越・世田谷事件判決（2012〈平24〉年12月７日）、君が代訴訟（不起立懲戒処分事件）判決（2011〈平23〉年５月30日・６月６日・６月14日）などの精神的自由に関する訴訟、老齢加算廃止訴訟判決（2014〈平26〉年10月６日）などの社会権に関する訴訟など、重要なものが多く含まれる。

さらに立法・行政面でも、集団的自衛権に関する政府解釈変更（2014年７月１日）を受けたいわゆる安全保障関連法成立（2015年９月19日）や、18歳への選挙権年齢引下げのための公職選挙法改正（2015年６月17日）、婚外子の相続分等に係る民法改正（2013年12月５日）、女性活躍推進法成立（2015年８月28日）からマイナンバー制導入（2016年１月から実施）に至るまで、われわれの生活にとって直接的な影響を持つ変容や展開が認められる。

折しも、戦後70年、日本国制定憲法施行68年を経た段階でわれわれが経験することになったこれらの立法・行政・司法の動向は、今後にとって重要な「岐路」となるべきものといえる。

実際、70年間のうち21世紀初頭の16年間を振り返るだけでも、日本国憲法にとっては「山あり谷あり」で、憲法原理の定着と現実との乖離を際立たせる期間だったことがわかる。

例えば、2000年の憲法調査会発足から、国民投票法（2007年制定、2010年施行）、自民党政権復帰と総選挙での「圧勝」（2012年・2014年12月）、上記安保法制成立を経て、2016年1月には、第三次安倍政権への高い支持率を背景に、「いよいよ、どの条項を改正するかとの新たな現実的な段階に移った」と公言されるまでになった（2016年1月21日午前の参院決算委員会での首相発言）。憲法改正論議が、具体的な政治課題になったことを示している。

しかし、現時点で、国民が本当に憲法改正を望んでいるのかと問われれば、その答えは微妙であろう。

憲法改正の国会発議には衆参両院でそれぞれ3分の2の賛成が必要であるため、同日選挙を実施してでも3分の2を確保し、「国民が考えて自らの一票を投ずる初めての〔明文改憲の〕経験をする」ことが標榜され、18歳選挙権もその布石であるといわれている。しかしこれは、1955年以来自主憲法制定を党是としてきた自民党（2005年「新綱領」でも明示）が、長年の悲願をいよいよ実現できる見通しがたった、という「政治の論理」にほかならない。国民のため、国民主権だから、と説明される場合も、どのように国民のためになるのか、憲法のどこをどう変えれば人権が一層保障されるようになるのか、という議論ではない。とにかく憲法改正を実施するという目的のために、どの条文から始めるか、という目的論的な「為にする議論」ではないだろうか。

このような状況下で、憲法学界やマスコミでは、2013年春以降、「96条改正論」や閣議決定による憲法解釈変更（集団的自衛権容認）に対して、戦後最大の「立憲主義の危機」であると警告してきた。

実際、憲法の本質や硬性憲法・立憲主義の意義をふまえ、内容と手続についての熟議を経ないで、ただ「政治の論理」や数の論理でやみくもに改正を実施すればいいというものではない。以前には、国民の賛成を得やすい規定として、環境権の明記や私学助成の容認などが検討されたが、今では、緊急事態規定の新設がささやかれている。このような目的で国民投票が実施されるとすれば、それは、「プレビシット」（ナポレオン三世やヒトラーが多用した独裁権力を信認させるための国民投票）の典型例ともいえるであろう。

憲法問題を真面目に捉えて対応するために求められていることは、グローバリゼーション等に特徴づけられる現代の憲法状況に対応した新しい憲法問題を、できるだけ幅広く検討することである。例えば、人権の国際的保障と平和的生存権、生殖補助医療や選択的夫婦別姓制など現代家族の問題、ポルノグラフィやインターネット規制等の表現の自由の問題など、今日の社会に新たに出現している憲法問題は、数限りなく存在する。

これらの諸問題を理論的かつ真摯な態度で検討してゆくことが、憲法を学ぶことの意味でもある。世界や日本の憲法状況の変化をしっかりと認識し、現実の政治状況を踏まえたうえで、憲法学や憲法理論、立憲主義の意味を考え直し、理論を深めることこそが、今、私たちに求められている。

本書が、法科大学院・法学部の学生、国家試験受験生のほか、政治家、法曹、マスコミ関係者や市民など、憲法を学ぶ必要のあるすべての人にとって、お役にたてれば幸いである。今回の改訂にあたり、講義や研究会等で貴重なコメントを頂いた多くの皆様や、日本評論社法律編集部長中野芳明さんから多大な御助力を頂いた。

あらためて、皆様に心からお礼を申し上げる。

2016年2月

辻村みよ子

第４版　はしがき

2000年に初版を刊行して以来４年ごとに改訂を重ね、第４版を上梓することができた。ひとえに、多くの読者に支えて頂いたお蔭である。

この第４版では、2008〈平20〉年６月４日国籍法違憲判決から、2011〈平23〉年１月20日砂川政教分離（空知太神社）訴訟違憲判決、同年３月23日衆議院小選挙区格差訴訟（違憲状態）判決、同年11月16日裁判員制度合憲判決、2012〈平24〉年１月16日君が代訴訟判決にいたる最高裁の最新判決や重要な下級審判決など、新しい判例についてほぼ網羅的に解説を加えた。また、「三段階審査」論などの最近の学説展開や、ポジティヴ・アクション、間接差別等に関する国内外の動向、政権交代後の「ねじれ国会」、改憲動向や世論調査結果等についても加筆して、日本国憲法下の憲法状況を理論的・歴史的・比較憲法的に理解できるように配慮した。

とくに、最近の日本の最高裁判決では、補足意見や反対意見などの個別意見のなかで緻密な論理が展開されることも多いため、その理論的課題の解明に重点を置いた。ちなみに、近年の最高裁の判例理論の深化には、2010年４月に退官された藤田宙靖元裁判官（東北大学名誉教授）や2009年12月退官の今井功元裁判官（東北大学法科大学院客員教授）など、職場の先輩を含む、多くの裁判官の貢献があったことに対して、心より敬意を表したい。

また、2011年３月11日の東日本大震災と福島原発事故によって新たに注目を集めることになった生命権や生存権等についても加筆した。実際、天災・人災を含む種々のリスク、憲法の「危機」がいわれる状況のなかで、個人の人権や安全・安心を確保することは容易ではない。ただ、比較憲法的視点から診ると、平和的生存権や生存権・生命権等に関する明文規定をもつ日本国憲法の先駆性を再認識せずにはいられない。

これらの権利を活かして、平和で安全な環境のなかで健康的・文化的な生活を実現するためには、思想・表現・教育の自由などの精神的自由権の保障や違憲審査制の強化、そのための最高裁判官国民審査の活性化、国民主権［市民主権］行使のための選挙権の実質的保障（「一票の格差」の解消）、国民投票・住民投票の有効・適切な実施、男女共同参画と共生の観点に立った地域コミュニティの再生、そのためのポジティヴ・アクションの導入など、民主的コントロールの確保が不可欠であることがわかる。人権原理と主権原理のトータルな理解が必要とされるゆえんである。

本書第4版では、これらの加筆・補完にも拘わらず総ページの増加を防ぐため、憲法総論等に関わる叙述をやむなく短縮した。近代憲法の生成・発展に関する部分や諸外国の諸制度などについては、最近刊行した拙著『比較憲法〔新版〕』（岩波書店、2011年）、『フランス憲法と現代立憲主義の挑戦』（有信堂、2010年）、『フランス憲法入門』（辻村みよ子＝糠塚康江著、三省堂、2012年）、さらに最新の憲法理論動向については『憲法理論の再創造』（辻村みよ子＝長谷部恭男編著、日本評論社、2011年）、下級審判決に注目した憲法判例研究については『憲法判例を読み直す〔新版〕』（樋口陽一＝山内敏弘＝辻村みよ子＝蟻川恒正著、日本評論社、2011年）などを併せて参照して頂ければ幸いである。

なお、第4版の刊行にあたっては、（第3版に関する）有益なコメントを中林暁生東北大学准教授、菅原真名古屋市立大学准教授をはじめ多くの方々から頂戴した。また、初版から引き続き、日本評論社の中野芳明さんに大変お世話になった。ここに記して、心からの感謝を申し上げる。

2012年2月

辻村みよ子

第3版はしがき

第2版からの4年間に、憲法状況も、学習環境も、大きく変動した。
2005年4月に両院の憲法調査会が「報告書」を提出し、2007年5月には「国民投票法」が成立して憲法改正の準備が整えられた。3年間の凍結後、2010年からは国会で憲法改正案を発議することが、少なくとも手続上は、可能となる。この国の憲法を、いったいどうするのか。どうしたいのか。国民投票の投票権を有する満18歳以上の国民はすべて、今こそ憲法問題に正面から向き合い、真剣に取り組むことが求められている。

他方、2004年に法科大学院（ロースクール）が開校し、2007年9月には、未修コースの第一期生が新司法試験に合格した。法科大学院での講義や新司法試験では、予想通り、判例重視の傾向が進んだ。一気呵成に刊行された多くの法科大学院用テキストは、アメリカのケースブックを模して最高裁判例を中心に編集された。しかし、基礎的な学習を抜きにして憲法判例を理解することは不可能である。憲法には、国民主権や平和主義、基本的人権の本質に関わる多くのテーマが含まれている。さらにこれらの憲法原理の根底には、世界各国で革命や独立運動などを経て憲法を起草した無数の先人の血と汗の結晶がある。日本国憲法の解釈に限ってみても、これらの基本原理をふまえなければ、憲法判例を理解することなど、とてもできない。

そこで、本書では、法科大学院や新司法試験への対応を念頭において、多くの事例や判例をとりあげているが、それを理解するために必要な基本原理や権利の本質論など、基礎に遡って検討することを重視している。基本原理軽視の傾向に抗して、あえて「科学的・動態的・比較憲法史的視座」にたって、「世界の憲法変動を見渡す広い視野から日本の憲法問題を主体的に学ぶ」ことをめざした本書は、初版以来、幸いにも多くの読者に支えられてきた。単に最高裁判決（多数意見）の結論だけでなく、事実の概要・少数意見や下級審判決、憲法状況や基本原理に遡って解説している本書が、法学部・法科大学院の憲法学テキストとして、また、主体的に憲法問題と向き合おうとしている主権者「市民」の皆さんの憲法学習にも役立つことができれば、これにすぐる喜びはない。

この第3版では、初版「はしがき」と「序章」で明らかにした三つの視座と憲法学方法論を継承しているが、最新の重要判例を可能な限り網羅しただけでなく、近年の内外の憲法状況に対応した叙述を大幅に追加した。2007年7月の参議院選挙後の（衆・参院の）「ねじれ国会」や「国民投票法」、2009年から実施予定の「裁判員制度」など、国内の新しい憲法問題は、これからの私たちの生活を左右する重要問題ばかりである。国外の憲法状況についても、4年に一度開催される国際憲法学会世界大会（2007年6月、アテネ）等の成果と課題（テロや武力攻撃に対峙する立憲主義の意義、グローバル化時代の多文化共生の課題など）をふまえて検討を深めることを心がけた。また、私自身が2003年から5年間、文部科学省の21世紀COEプログラム「男女共同参画社会の法と政策」拠点の拠点リーダーとして、ジェンダー法・政策研究叢書（全12巻）の監修・編著などに携わってきたことから、本書でもジェンダーに敏感な視点を重視している（本書と相前後して日本評論社から刊行された拙著『ジェンダーと人権』も、併せて参照して頂ければ幸いである）。

ともあれ、横組みにして装いを新たにした本書が、第2版と同様、多くの読者の期待に応えられることを念じている。今回も日本評論社の中野芳明さんにたいへん御世話になり、東北大学大学院博士後期課程の院生諸君の協力も得ることができた。憲法学界の多くの研究者の皆さんをはじめ、これまでご指導・ご教示をいただいたすべての方々に、心よりお礼を申し上げる。

2008年2月

辻村みよ子

第２版はしがき

初版から早くも４年近くが過ぎた。この間、本書は幸いにも多くの読者に支えられ、とりわけ、司法試験など国家試験受験生達に受け入れられてきた。予備校の論点主義や教科書軽視の傾向に抗して、あえて「科学的・動態的・比較憲法史的視座」にたって、「世界の憲法変動を見渡す広い視野から日本の憲法問題を主体的に学ぶ」ことをめざした本書が、多くの支持を得たことは、憲法研究者として、これ以上の幸せはない。

また、今後は、法科大学院（ロースクール）の開校にともなって、ますます判例重視の傾向が進むことが予想される。この点でも、単に最高裁判決だけでなく、事実の概要や下級審判決にも遡って解説している本書が、ロースクールの憲法学テキストとしても多くの読者の期待に応えるものであると信じている。さらに、最近では、法学をジェンダーの視点から再検討する「ジェンダー法学」の意義が重視され、ジェンダー法学会も昨年末に創設された。この傾向のなかで、本書が、ジェンダーの視点を謳った憲法学教科書としても、一定の歴史的意義を担えることを念じている。

この第２版では、初版「はしがき」と「序章」で明らかにした三つの視座と憲法学方法論はそのまま継承している。ただ、比較憲法的視座からの検討については、2003年３月に拙著『比較憲法』（岩波書店）を上梓することができたため、詳細はこれに委ねることにした。初版で明らかにした「市民主権」論の構想についても、2002年５月に出版した『市民主権の可能性――21世紀の憲法・デモクラシー・ジェンダー』（有信堂）で詳述したため、これに関連する主権・代表制・選挙権・外国人参政権・住民投票等をめぐる本書の項目については、大幅な加筆を避けた。これら以外の憲法総論（平和主義等）・人権総論・人権各論（精神的自由権等）・統治機構に関する項目については、初版以降の重要な新判例を網羅的に紹介し、新たな問題点や立法の要点について加筆した。これにより、初版にみられた叙述の軽重等のアンバランスも修正されたものと思う。

全体として、初版の視座・方法・体裁を変更することなく、新判例等の内容の充実をめざしたこの第2版が、初版同様、多くの読者のお役に立てることを願ってやまない。なお、今回も、日本評論社の中野芳明さんに多大な御世話になり、東北大学大学院法学研究科助手の中林暁生さん（2004年4月より東北学院大学法学部専任講師）に内容全体にわたる示唆や助力を頂いた。また、東北大学大学院博士後期課程の皆さんにも索引校正時に協力して頂いた。ここに記して感謝の意を表したい。

2004年1月

辻村みよ子

初版はしがき

世界の憲法は、いま統合と分権化のなかで大きな変動期を迎えている。日本でも、情報化社会のなかでさまざまな憲法問題が提起され、政治改革・行政改革等の名のもとに急激な法制度改革が進められている。議会制民主主義や国民主権を危うくするような憲法政治によって、個人の人権や平和的な環境が脅かされているといってもよい。

そして、このような憲法状況にある今こそ、個人の尊重を基調とする人権保障と平和主義、国民主権の基本原理を掲げる日本国憲法が、市民を主体とする現代社会の「生きた規範」となることが求められている。また、序章で述べるような「科学的・動態的・比較憲法史的視座」にたって、世界の憲法変動を見渡す広い視野から日本の憲法問題を主体的に学び、各自の憲法解釈論をたしかなものにすることによってこそ、市民が「真の主権者」になることができる。

本書は、このような問題意識から、21世紀の憲法状況を展望しつつ執筆した、私の最初の憲法学テキストである。これまで幾度か教科書の刊行を勧められてきたが、体系的な教科書は、なるべく「学者として大成してから（もう少し年齢を重ねてから）出版すべきである」と教えられ、そうしたいと願ってきた。現在でも、本格的な体系書を刊行するには（実年齢や客観的評価は別として）「まだ早い（若い？）」と考えている。

したがって、本書はまだそのような体系書とはいえない（それに向かう一里塚である）が、大学などでの憲法の講義や国家試験の準備等に役立つ、信頼のおけるテキストをめざして執筆した。そのために、本書では、日本国憲法の基本原理や構造をしっかり理解できるように、最新の学説・判例や制度改革の実態に即して、可能な限り客観的に叙述しようと心がけた。最近では、私より若い世代の研究者によって、必ずしも先行業績にとらわれない大胆な構想の教科書が出版されていることもあり、戦後憲法学が確立した「社会科学としての憲法学」の成果を継承し発展させようとする本書の構成や手法があまりにもオーソドックスすぎるのではないかと躊躇した。しかし、反面、だからこそ、いま憲法を基礎から本格的に勉強したいと考えている多くの読者のためにも（また、私自身、所属大学を変わって国公立大学法学部初の女性の憲法学教授として新たな一歩を踏みだすためにも）、戦後憲法学の到達点をふまえつつ、これまでの研究・教育の成果を本書のようなテキストにまとめることに、多少の意味があるのではないかと思えてきた。序章に示すような基本的視座や憲法課題のもとで、（主権者人民を構成する市民の役割に注目した）「市民主権」の立場や、（文化的・社会的性差としての）「ジェンダー」の視点などを模索しつつ検討を加えた本書が、わずかでも読者の役にたてれば幸いである。

なお、これまでに共著書として憲法教科書・参考書を分担執筆した際の検討が、本書のベースになっている（それには、樋口陽一＝山内敏弘＝辻村みよ子『憲法判例を読みなおす——下級審判決からのアプローチ（改訂版）』〔日本評論社、1999年〕、奥平康弘＝杉原泰雄編『憲法を学ぶ（第3版）』〔有斐閣、1996年〕、永井憲一編『戦後政治と日本国憲法』〔三省堂、1996年〕、大須賀明編『憲法』〔青林書院、1996年〕、樋口陽一『改訂版・憲法概論』〔放送大学教育振興会、1993年〕、佐藤幸治編著『要説コンメンタール・日本国憲法』〔三省堂、1991年〕、小林孝輔＝芹沢斉編『基本法コンメンタール・憲法（第4版）』〔日本評論社、1997年〕など多数がある）。また、憲法の研究・教育にたずさわった20数年の間に、成城大学と東北大学のほか、一橋大学・名古屋大学（大学院）・明治大学（大学院）・東京女子大学・津田塾大学・放送大学や各地の市民大学、NHK 教育テレビなど、多くの機会に憲法の講義や演習を担当したことも糧となっている。

これらの執筆や講義等でお世話になった方々、とりわけ、研究者のあり方や作法を含めて懇切なご指導をたまわってきた杉原泰雄先生と樋口陽一先生、そして本書の出版に際して、校正段階でお読みくださり多くの有益なご指摘やご教示をいただいた筑波大学の内野正幸教授、東北大学の蟻川恒正助教授、校正や検索に多大な協力をいただいた東北大学法学部助手の中林暁生さん、同大学院博士後期課程の新村とわさん、そして辛抱強く脱稿を待ってすべての刊行の労をとってくださった日本評論社の中野芳明氏に心よりお礼を申し上げたい。

2000年3月

辻村みよ子

憲法〔第7版〕

目次

はしがき　i

凡例　xxxii

序章　憲法を学ぶ視点――1

第1部　憲法総論――5

第1章　憲法の意義と立憲主義の展開――6

一　憲法と立憲主義……6

1　憲法と国家――立憲主義の考え方……6

(1)国家の意義と目的　(2)立憲主義の意義と展開

2　憲法の定義……7

(1)「実質的意味の憲法」と「形式的意味の憲法」　(2)「近代的意味の憲法」と「現代的意味の憲法」

3　憲法の種類と法源……9

(1)憲法の種類　(2)憲法の法源

4　憲法の特性……11

(1)基本価値秩序の基礎　(2)授権規範性と制限規範性　(3)最高規範性

二　近代憲法の現代的展開……12

1　近代憲法の成立……12

2　近代憲法の変容と現代憲法への展開……13

3　現代憲法の特徴と課題……14

4　憲法の国際化と国際的人権保障……15
(1)憲法の国際化　(2)国際人権条約の展開

第2章　日本国憲法の成立――19

一　日本憲法史の展開……19
1　日本国憲法制定の意義と日本憲法史の系譜……19
(1)日本国憲法の憲法史的意義　(2)日本憲法史の系譜
2　自由民権期の憲法草案と大日本帝国憲法……20
(1)自由民権運動と私擬憲法草案　(2)大日本帝国憲法の制定と特徴
(3)大日本帝国憲法の展開
二　日本国憲法の制定……24
1　マッカーサー草案と日本国憲法制定過程……24
(1)ポツダム宣言の受諾と憲法改正　(2)マッカーサー草案（総司令部案）の作成と新憲法制定　(3)憲法問題に対する反応
2　日本国憲法制定の法理と旧憲法下の法令の効力……32
(1)日本国憲法制定の法理に関する学説　(2)大日本帝国憲法下の法令の効力
三　日本国憲法の規範構造……35
1　日本国憲法の構造と基本原理……35
2　前文の性格と効力……35
3　憲法と国際法……36
(1)国際協調主義の意義　(2)条約の国内的効力

第3章　国民主権――日本国憲法の基本原理Ⅰ――39

一　国体論争と主権論の展開……39
1　国体論争の展開……39
2　主権論の展開……41
二　国民主権の意味……42
1　「主権」の意味……42

2　「国民」の意味と主権の「帰属」――四つの類型……43
(1)国民の意味　(2)主権の帰属の意味　(3)折衷説の展開　(4)「人民主権」説の意義と課題

三　国民主権下の象徴天皇制……45

1　象徴天皇制の意義と皇位……45
(1)象徴天皇制の特徴　(2)天皇の地位――象徴の意味　(3)君主・元首との関係　(4)皇位の継承　(5)天皇の生前退位特例法

2　天皇の権能……50
(1)国事行為の性格　(2)内閣の助言と承認　(3)国事行為の内容　(4)国事行為の代行

3　象徴天皇制をめぐる諸問題……56
(1)象徴としての行為　(2)天皇制をめぐる判例　(3)元号制と君が代・日の丸

4　皇室の経済……59
(1)皇室財政の原則　(2)皇室の事務に関する機構

第4章　平和主義――日本国憲法の基本原理Ⅱ――61

一　平和主義の現代的意義……61

1　世界の平和主義の流れ……61

2　日本国憲法の平和主義……62
(1)意義　(2)理論上の諸課題

二　憲法9条の解釈と運用……64

1　9条の制定過程……64

2　9条の解釈……65
(1)9条の語義をめぐる学説　(2)9条解釈の諸類型

3　9条の運用と訴訟の展開……71
(1)9条の運用　(2)9条をめぐる訴訟の展開

三　平和的生存権と「人権としての平和」……79

1　人権と平和の関係……79

2　平和的生存権の意義と性格……80

四　自衛権と国際貢献……82
1　自衛権の観念……82
2　集団的自衛権と日米防衛協力……84
3　国際貢献をめぐる問題……85

第５章　基本的人権の尊重——日本国憲法の基本原理Ⅲ——87

一　基本的人権の憲法的保障……87
二　人権をとりまく国際環境……88

第２部　権利の保障——93

第１章　総論——94

一　人権の観念と憲法上の諸権利……94
1　人権の観念……94
(1)人権と基本的人権の用法　(2)人権の淵源と根拠
2　人権内容の拡張と限定……98
(1)人権の量的拡張を認める立場（量的拡張説）　(2)人権の質的限定を求める立場（質的限定説）
二　権利の体系……99
1　古典的分類と修正論……99
2　制度的保障論と人権規定の性格……100
三　人権の主体……102
1　国民……103
(1)　国民の要件　(2)国籍法違憲判決　(3)人権主体の態様

2 外国人……112
(1)外国人の権利主体性 (2)外国人の類型 (3)諸権利の保障態様
3 法人……118
4 特別の法律関係にある者……121
(1)公務員 (2)刑事施設被収容者（受刑者等）
四 人権の保障範囲……126
1 私人間の人権保障……126
2 判例……129
五 人権保障の限界と「公共の福祉」……130
1 人権の一般的制約原理……130
2 「公共の福祉」と権利制約の論理……132
3 比較衡量論と「二重の基準」論……133
(1)比較衡量論 (2)「二重の基準」論 (3)違憲審査基準と「三段階審査」・比例原則

第2章 包括的権利と基本原則——138

一 個人の尊重と幸福追求権……138
1 憲法13条の意義と内容……138
(1)個人の尊重 (2)幸福追求権
2 幸福追求権の射程と「新しい人権」の根拠……141
(1)包括的権利の内容 (2)人格権と人格的利益——氏名権ほか
3 プライバシーの権利と名誉権……144
(1)プライバシーの権利 (2)名誉権
4 自己決定権……150
二 法の下の平等と平等権……153
1 「平等」の意味と憲法14条……153
(1)平等思想の展開 (2)憲法14条の内容
2 憲法14条1項の意味と論点……154
(1)相対的平等・絶対的平等 (2)立法者拘束・非拘束 (3)平等原則と平等権

3　差別の違憲審査基準と実質的平等……157
(1)形式的平等と実質的平等、積極的格差是正措置　(2)差別の違憲審査基準　(3)ポジティブ・アクションの場合　(4)間接差別と直接差別
4　平等権をめぐる問題……164
(1)14条1項後段の事由　(2)性差別をめぐる問題
三　家族と平等……170
1　憲法13条・14条と24条……170
2　民法改正と判例の動向……171

第3章　自由権——177

I　精神的自由権——177

一　思想・良心の自由……177
1　意義……177
2　判例……179
二　信教の自由……182
1　意義と内容……182
(1)意義　(2)信教の自由の内容
2　信教の自由の限界……184
3　政教分離の原則……186
(1)意義　(2)政教分離の基準と限界　(3)判例
三　表現の自由……196
1　意義と現代的展開……196
(1)表現の自由の「優越的地位」をめぐる議論　(2)近現代における表現の自由の展開　(3)「知る権利」とアクセス権
2　表現の自由の規制……201
(1)「二重の基準」論と規制の態様　(2)違憲審査基準
3　表現の自由の形態と内容……207
(1)報道・取材の自由　(2)性的表現の自由とわいせつ罪　(3)名誉毀損表現・犯罪の煽動・差別的表現・営利的言論の自由　(4)放送の自由とインターネット規制　(5)政治的表現の自由　(6)集会・結社の自由

4　通信の秘密……228

四　学問・教育の自由……229

1　学問の自由の意義と内容……229

(1)意義　(2)学問の自由の内容

2　大学の自治……232

3　教育の自由……233

(1)意義と主体　(2)教育権論争の展開　(3)判例

Ⅱ　経済的自由権——238

一　職業選択の自由……239

1　意義……239

2　判例の展開……240

(1)初期の判例　(2)小売市場許可制事件と薬事法判決　(3)その後の展開

二　居住・移転の自由……244

1　意義……244

2　海外渡航の自由……245

3　国籍離脱の自由……246

三　財産権……247

1　意義……247

2　財産権の制約と判例……248

3　正当な補償……250

(1)財産権の制約と補償の要否　(2)正当な補償

Ⅲ　身体的自由権（人身の自由）——255

一　奴隷的拘束からの自由……256

二　適正手続の保障……257

1　意義と要件……257

(1)意義　(2)適正手続の要件——告知と聴聞

2　31条と行政手続……259

三　捜査手続と被疑者の権利……260
1　逮捕手続……260
(1)令状主義　(2)不当逮捕からの自由
2　抑留・拘禁手続……262
3　住居等の不可侵……263
四　刑事被告人の権利……264
1　公平な裁判所の迅速な公開裁判を受ける権利……264
2　証人審問権と弁護人依頼権……265
(1)証人審問権・証人喚問権　(2)弁護人依頼権
3　不利益供述強要の禁止……267
(1)意義　(2)自白の証拠能力・証明力
五　残虐刑の禁止……269
六　刑罰法規の不遡及・二重処罰の禁止……272
1　事後法の禁止……273
2　一事不再理と二重処罰の禁止……273

第4章　国務請求権（受益権）――275

一　裁判を受ける権利……275
1　意義と性格……275
2「裁判所」・「裁判」の意味……276
(1)裁判所の意味　(2)「裁判」の意味
二　国家賠償請求権……278
1　意義と性格……278
2　要件と内容……278
(1)要件　(2)立法行為に対する賠償請求
三　刑事補償請求権……282
1　意義……282
2　要件と内容……282

四　請願権……283
1　沿革と現代的意義……283
2　権利行使の手続……284

第５章　社会権――285

一　生存権……286
1　意義と法的性格……286
(1)意義　(2)法的性格
2　判例の展開……288
二　環境権……292
1　現代的意義と法的性格……292
(1)意義　(2)法的性格と根拠
2　判例の展開……294
三　教育を受ける権利……296
1　学習権と国の責務……296
2　義務教育の無償……297
四　労働権……298
1　労働権の意義と性格……298
(1)歴史的展開　(2)法的性格
2　労働基本権の意義と制約……299
(1)労働基本権保障の意義　(2)労働基本権の内容
3　公務員の労働基本権……301
(1)公務員労働者の権利の制限　(2)判例の展開
4　労働者の権利をめぐる問題……306
(1)特徴　(2)女性労働者の権利

第６章　参政権――310

一　意義……310
二　選挙権と被選挙権……311
1　選挙の法的性格……311

2　選挙権の法的性格……311
(1)学説　(2)権利説とその射程
3　被選挙権の法的性格……313
(1)学説・判例の展開と立候補の自由　(2)選挙犯罪者・受刑者と選挙権・被選挙権の制限　(3)連座制の合憲性
三　選挙の原則と選挙権訴訟の展開……317
1　選挙の基本原則……317
2　選挙資格と選挙権行使の制限……319
(1)公職選挙法９条・11条の要件　(2)成年被後見人の選挙権　(3)在宅投票制廃止違憲訴訟　(4)在外国民選挙権訴訟
3　投票価値の平等と議員定数不均衡……322
(1)訴訟の展開　(2)衆議院議員定数訴訟　(3)小選挙区制導入後の「一人別枠方式」訴訟の展開　(4)参議院議員定数訴訟
4　選挙活動の自由と戸別訪問の禁止……332

第７章　国民の義務――334

一　教育の義務……334
二　勤労の義務……335
三　納税の義務……336

第３部　統治機構――337

第１章　統治原理と権力分立――338

一　統治の基本原理――国民主権・人権保障・権力分立の関係……338
二　権力分立の現代的意義……340

三　法の支配・法治主義と違憲審査制……341

第2章　選挙と代表——344

一　国民主権と国民代表制……344
1　代表制の展開……344
2　日本国憲法と「半直接制」……346
3　「市民」の政治参画と「市民主権」……348
二　選挙と選挙制度……350
1　選挙の機能と展開……350
2　選挙制度の種類と特徴……352
(1)選挙区制　(2)多数代表制と少数代表制　(3)比例代表制　(4)複合制
(5)投票方式・選挙区割
三　政党制をめぐる問題……359
1　現代における政党の意義……359
2　政党をめぐる諸問題……360

第3章　国会——362

一　国会の地位……362
1　国民の代表機関……362
2　国権の最高機関……363
3　唯一の立法機関……364
(1)「立法」の意味　(2)国会中心立法の原則　(3)国会単独立法の原則
二　国会の組織……368
1　二院制……368
2　両院の組織と関係……370
(1)両院の組織　(2)両院の活動
3　会期制と国会の開閉……372
(1)会期制度　(2)常会・臨時会・特別会　(3)休会・閉会

4　参議院の緊急集会……376

(1)緊急集会の意義と手続　(2)緊急集会の権限と効果

5　会議の原則……379

(1)定足数・議決方法　(2)定足数・議決数を欠いた議決の争訟　(3)会議の公開等

三　国会議員の地位と権能……382

1　国会議員の身分と兼職禁止……382

(1)身分の得喪・任期　(2)兼職の禁止

2　議員の特権……383

(1)不逮捕特権　(2)免責特権　(3)歳費請求権

3　国会議員の権能……388

四　国会の権能……389

1　法律案の議決……389

2　予算の議決……390

3　条約の承認……391

4　その他の権能……392

五　議院の権能……393

1　国政調査権……393

(1)国政調査権の性格　(2)国政調査権の限界

2　議院の自律権……398

3　その他の権能……400

第4章　内閣――402

一　行政権と内閣……402

1　行政権の観念……402

2　行政権の主体としての内閣……404

二　議院内閣制……405

1　議院内閣制の本質と類型……405

2　日本の議院内閣制……407

三　内閣の組織と権能……408
1　内閣と行政組織……408
2　独立行政委員会……409
3　内閣総理大臣と国務大臣……410
(1)内閣構成員の要件　(2)内閣総理大臣の地位と権限　(3)国務大臣の地位と権限
4　内閣の権能……416
(1)内閣の職権　(2)内閣の権限行使の方法
四　内閣の責任と衆議院の解散……420
1　内閣の責任……420
2　総辞職……421
3　衆議院の解散……422
(1)解散権の根拠　(2)解散権の制限

第5章　裁判所――426

一　司法権の意義……426
1　司法権の観念……426
2　司法権の範囲……427
(1)司法権と裁判作用　(2)法律上の争訟　(3)客観訴訟の場合　(4)法律適用による解決可能性
3　司法権の限界……432
(1)立法権との関係における限界　(2)行政権との関係における限界
(3)統治行為　(4)部分社会
二　司法権の独立……436
1　司法権独立の意義……436
2　裁判官の職権の独立……437
3　裁判官の身分保障……439
4　司法府の自律……442
三　裁判所の組織と権能……444
1　裁判所の組織……444

2　最高裁判所……445
(1)最高裁判所の構成　(2)最高裁判所の権能

3　下級裁判所……447
(1)下級裁判所の構成と管轄　(2)下級裁判所の裁判官

4　司法の民主的統制……449
(1)最高裁裁判官の国民審査　(2)裁判の公開　(3)陪審制・参審制・「裁判員制度」

四　違憲審査制……455

1　意義と類型……455
(1)意義　(2)二類型と合一化傾向　(3)日本の違憲審査制　(4)司法消極主義と司法積極主義

2　違憲審査権の主体と対象……462
(1)違憲審査権の主体　(2)違憲審査の対象　(3)憲法訴訟の要件

3　違憲審査の方法と基準……466
(1)審査の方法　(2)審査の基準――「二重の基準」論と「三段階審査」論　(3)憲法判断の方法と回避　(4)違憲判断の方法

4　違憲判決の効力……473

第6章　財政――475

一　財政の基本原則――財政民主主義……475

二　租税法律主義……477

1　意義……477

2　適用範囲……480

三　国費の支出と国会の議決……481

1　国費の支出および国の債務負担行為……481

2　公金支出の制限……482
(1)意義　(2)宗教団体に対する公金等の支出　(3)慈善・教育・博愛事業に対する公金等の支出

四　財政監督制度……486
1　予算制度……486
(1)予算の内容　(2)予算の法的性格　(3)予算と法律の不一致　(4)国会の予算修正権
2　決算……490
3　財政状況の報告……491

第7章　地方自治――492

一　地方自治の意義……492
1　地方自治制度の意義と展開……492
2　「地方自治の本旨」――地方自治保障の性格と根拠……494
二　地方公共団体……495
1　地方公共団体の意味と二段階制……495
(1)二段階制　(2)特別区
2　地方公共団体の組織と権限……498
(1)地方公共団体の組織　(2)地方議会における議員定数の均衡　(3)地方公共団体の事務
3　条例制定権……501
(1)条例の意味と根拠　(2)条例制定権の限界　(3)条例をめぐる諸問題
三　住民自治と住民投票……505
1　住民自治の意義……505
2　地方自治特別法の住民投票……507
3　住民投票の意義と課題……508
(1)住民投票の諸類型　(2)住民投票の問題点と課題

第8章　憲法改正と憲法保障――514

一　憲法改正……514
1　憲法改正の意義……514
2　憲法改正の手続……515
(1)憲法上の改正手続　(2)法律上の憲法改正手続

3　憲法改正の限界……518
二　憲法の変動と憲法保障……520
1　憲法の変動と変遷……520
2　憲法保障と憲法尊重擁護義務……521
3　抵抗権と緊急権……522
三　改憲論と国民の意識……523
1　戦後の改憲論の展開……523
2　熟議のために……526

参考文献　529
事項索引　537
判例索引　554

凡　例

一　文献略語一覧

(1)　体系書・概説書

赤坂・講義	赤坂正浩『憲法講義（人権）』信山社、2011年
芦部・憲法学ⅠⅡⅢ	芦部信喜『憲法学Ⅰ・Ⅱ・Ⅲ（増補版）』有斐閣、1992・1994・2000年
芦部・憲法	芦部信喜『憲法（第7版・高橋和之補訂）』岩波書店、2019年
芦部編・憲法ⅡⅢ	芦部信喜編『憲法Ⅱ・Ⅲ人権(1)(2)』有斐閣、1978～81年
市川・憲法	市川正人『憲法』基本講義新世社、2014年
伊藤・憲法	伊藤正己『憲法（第3版）』弘文堂、1995年
鵜飼・憲法	鵜飼信成『憲法（新版）』弘文堂、1968年
浦部・教室	浦部法穂『憲法学教室（第3版）』日本評論社、2016年
大石・講義ⅠⅡ	大石眞『憲法講義Ⅰ（第3版）・Ⅱ（第2版）』有斐閣、2014・2012年
大石・憲法	大石眞『日本国憲法』放送大学教育振興会、2005年
大石・憲法史	大石眞『日本憲法史（第2版）』有斐閣、2005年
奥平・憲法Ⅲ	奥平康弘『憲法Ⅲ』有斐閣、1993年
奥平＝杉原編・憲法学	奥平康弘＝杉原泰雄編『憲法学1～6』有斐閣、1976～77年
清宮・憲法Ⅰ	清宮四郎『憲法Ⅰ（第3版）』有斐閣、1979年
小嶋・憲法	小嶋和司『憲法概説』良書普及会、1987年［再版・信山社、2007年］
小嶋＝大石・概観	小嶋和司＝大石眞『憲法概観（第7版）』有斐閣、2011年
小林・講義(上)(下)	小林直樹『憲法講義（上・下）新版』東京大学出版会、1996年
阪本・憲法理論ⅠⅡⅢ	阪本昌成『憲法理論Ⅰ（補訂第3版）・Ⅱ・Ⅲ』成文堂、1993～2000年
佐藤幸・憲法	佐藤幸治『憲法（第3版）』青林書院、1995年
佐藤幸・憲法論	佐藤幸治『日本国憲法論（第2版）』成文堂、2020年
渋谷・憲法	渋谷秀樹『憲法（第3版）』有斐閣、2017年
渋谷＝赤坂・憲法1・2	渋谷秀樹＝赤坂正浩『憲法1（人権）・2（統治）（第5版）有斐閣、2013年

初宿・憲法１・２	初宿正典『憲法１・２（第３版）』成文堂、2001・2010年
杉原・憲法ⅠⅡ	杉原泰雄『憲法Ⅰ・Ⅱ』有斐閣、1987～89年
高橋・憲法	高橋和之『立憲主義と日本国憲法（第５版）』有斐閣、2020年
高橋・憲法訴訟	高橋和之『体系　憲法訴訟』岩波書店、2017年
辻村・市民主権	辻村みよ子『市民主権の可能性』有信堂、2000年
辻村・改憲論	辻村みよ子『比較のなかの改憲論』岩波書店、2014年
辻村・選挙権と国民主権	辻村みよ子『選挙権と国民主権――政治を市民の手に取り戻すために』日本評論社、2015年
辻村・憲法と家族	辻村みよ子『憲法と家族』日本加除出版、2016年
辻村・概説ジェンダー法	辻村みよ子『概説ジェンダーと法（第２版）』信山社、2016年
辻村・比較憲法	辻村みよ子『比較憲法（第３版）』岩波書店、2018年
辻村・著作集(1)	辻村みよ子『フランス憲法史と立憲主義（辻村みよ子著作集第１巻）』信山社、2020年
戸波・憲法	戸波江二『憲法（新版）』ぎょうせい、1998年
戸松・憲法	戸松秀典『憲法』弘文堂、2015年
戸松・憲法訴訟	戸松秀典『憲法訴訟（第２版）』有斐閣、2008年
野中他・憲法ⅠⅡ	野中俊彦＝中村睦男＝高橋和之＝高見勝利『憲法Ⅰ・Ⅱ（第５版）』有斐閣、2012年
橋本・憲法	橋本公亘『日本国憲法（改定版）』有斐閣、1988年
長谷部・憲法	長谷部恭男『憲法（第７版）』新世社、2018年
樋口・憲法	樋口陽一『憲法（第３版）』創文社、2007年
樋口・憲法Ⅰ	樋口陽一『憲法Ⅰ』青林書院、1998年
樋口・国法学	樋口陽一『国法学　人権原論（補訂）』有斐閣、2007年
松井・憲法	松井茂記『日本国憲法（第３版）』有斐閣、2007年
美濃部・原論	美濃部達吉（宮沢補訂）『日本国憲法原論』有斐閣、1952年
宮沢・憲法Ⅱ	宮沢俊義『憲法Ⅱ（新版）』有斐閣、1971年
毛利他・憲法ⅠⅡ	毛利透＝小泉良幸＝淺野博宣＝松本哲治『憲法Ⅰ　統治』『憲法Ⅱ　人権』（LEGAL QUEST）有斐閣、2011・2013年
安西他・読本	安西文雄＝巻美矢紀＝宍戸常寿『憲法学読本（第３版）』有斐閣、2018年
吉田・憲法論	吉田善明『日本国憲法論（第３版）』三省堂、2003年
渡辺他・憲法ⅠⅡ	渡辺康行＝宍戸常寿＝松本和彦＝工藤達朗『憲法Ⅰ　基本権』『憲法Ⅱ　総論・統治』日本評論社、2016・2020年

(2) 注釈書・コンメンタール

芦部監修・注釈憲法(1)	芦部信喜監修・野中俊彦他編『注釈憲法(1)』有斐閣、2000年
木下＝只野・新コメ	木下智史＝只野雅人編『新・コンメンタール憲法（第2版）』日本評論社、2019年
基本法コメ	小林孝輔＝芹沢斉編『基本法コンメンタール・憲法（第5版）』日本評論社、2006年
基本法コメ（第3版）	有倉遼吉＝小林孝輔編『基本法コンメンタール・憲法（第3版）』日本評論社、1986年
佐藤功・註釈(上)(下)	佐藤功『憲法（上・下）（新版）』ポケット註釈全書・有斐閣、1983・1984年
新基本法コメ	芹沢斉＝市川正人＝阪口正二郎編『新基本法コンメンタール・憲法』日本評論社、2011年
辻村他・概説コメ	辻村みよ子＝山元一編『概説　憲法コンメンタール』信山社、2018年
長谷部編・注釈(2)(3)	長谷部恭男編、川岸令和＝駒村圭吾＝阪口正二郎＝宍戸常寿＝土井真一著『注釈　日本国憲法(2)(3)』有斐閣、2017・2020年
樋口他・注解ⅠⅡⅢⅣ	樋口陽一＝佐藤幸治＝中村睦男＝浦部法穂『注解法律学全集・憲法Ⅰ～Ⅳ』青林書院、1994～2004年
樋口他・注釈(上)(下)	樋口陽一＝佐藤幸治＝中村睦男＝浦部法穂『注釈日本国憲法（上・下）』青林書院、1984・1988年
法協・註解(上)(下)	法学協会編『註解日本国憲法（上・下）』有斐閣、1953・1954年
宮沢・コメ	宮沢俊義（芦部信喜補訂）『コンメンタール日本国憲法』日本評論社、1978年

(3) 法科大学院テキスト・判例解説・演習・講座・入門書等

芦部・演習	芦部信喜『演習憲法（新版）』有斐閣、1988年
安念他・論点	安念潤司＝小山剛＝青井未帆＝宍戸常寿＝山本龍彦（編著）『論点　日本国憲法――憲法を学ぶための基礎知識』東京法令出版、2010年
石村他編・憲法判例	石村修＝浦田一郎＝芹沢斉編著『時代を刻んだ憲法判例』尚学社、2012年
市川・憲法	市川正人『ケースメソッド憲法（第2版）』日本評論社、2009年
井上他・憲法学説	井上典之＝小山剛＝山元一『憲法学説に聞く』日本評論社、2004年
井上・憲法判例	井上典之『憲法判例に聞く』日本評論社、2008年

岩波講座憲法(1)〜(6)	長谷部恭男＝土井真一＝井上達夫＝杉田敦＝西原博史＝阪口正二郎編『岩波講座　憲法（全6巻）』岩波書店、2007年
内野・論点	内野正幸『憲法解釈の論点（第4版）』日本評論社、2005年
大石＝大沢・判例憲法	大石眞＝大沢秀介編『判例憲法』有斐閣、2009年
岡田・日本国憲法	岡田信弘『事例から学ぶ日本国憲法』放送大学教育振興会、2013年
木下他編・事例研究	木下智史＝村田尚紀＝渡辺康行編『事例研究憲法（第2版）』日本評論社、2013年
木下＝伊藤・基本憲法	木下智史＝伊藤健『基本憲法Ⅰ』日本評論社、2017年
木村＝西村・再入門	木村草太＝西村裕一『憲法学再入門』有斐閣、2014年
清宮他編・憲法講座(1)〜(4)	清宮四郎＝佐藤功編『憲法講座（全4巻）』有斐閣、1963〜1964年
工藤編・憲法	工藤達朗（編）『よくわかる憲法』ミネルヴァ書房、2006年
講座人権論の再定位(1)〜(5)	市野川容孝＝愛敬浩二＝長谷部恭男＝斎藤純一＝井上達夫編『講座　人権論の再定位（全5巻）』法律文化社、2010〜2011年
駒村・憲法訴訟	駒村圭吾『憲法訴訟の現代的転回』日本評論社、2013年
小山・作法	小山剛『「憲法上の権利」の作法（第3版）』尚学社、2016年
小山＝駒村編・論点	小山剛＝駒村圭吾編『論点探究憲法（第2版）』弘文堂、2013年
佐々木＝宍戸・現代社会	佐々木弘通＝宍戸常寿編著『現代社会と憲法学』弘文堂、2015年
佐藤＝土井編・判例	佐藤幸治＝土井真一編『判例講義　憲法Ⅰ（基本的人権）・Ⅱ（基本的人権・統治機構）』悠々社、2010年
宍戸・憲法解釈論	宍戸常寿『憲法解釈論の応用と展開（第2版）』日本評論社、2014年
渋谷他・演習	渋谷秀樹＝大沢秀介＝渡辺康行＝松本和彦『憲法事例演習教材』有斐閣、2009年
初宿他・入門	初宿正典＝高橋正俊＝米沢広一＝棟居快行『いちばんやさしい憲法入門（第3版）』有斐閣、2005年
重判	ジュリスト『重要判例解説』有斐閣
杉原＝樋口編・論争	杉原泰雄＝樋口陽一編『論争憲法学』日本評論社、1994年
争点（第3版）	高橋和之＝大石眞編『憲法の争点（第3版）』有斐閣、1999年
争点	大石眞＝石川健治編『憲法の争点』有斐閣、2008年
曽我部他・教室	曽我部真裕＝尾形健＝新井誠＝赤坂幸一『憲法論点教室（第2版）』日本評論社、2019年
高橋編・ケースブック	高橋和之編『ケースブック憲法』有斐閣、2011年

只野・憲法　只野雅人『憲法の基本原理から考える』日本評論社、2006年
辻村・十五講　辻村みよ子『人権をめぐる十五講――現代の難問に挑む』岩波書店、2013年
辻村編・憲法研究　辻村みよ子責任編集『憲法研究』創刊号～7号、信山社、2017～2020年
辻村＝長谷部編・憲法理論　辻村みよ子＝長谷部恭男編『憲法理論の再創造』日本評論社、2011年
辻村他編・憲法判例　辻村みよ子＝山元一＝佐々木弘通編『憲法基本判例――最新の判決から読み解く』尚学社、2015年
戸松・憲法　戸松秀典『プレップ憲法（第3版）』弘文堂、2007年
戸松＝初宿・憲法判例　戸松秀典＝初宿正典『憲法判例（第7版）』有斐閣、2014年
中村・30講　中村睦男『憲法30講（新版）』青林書院、1999年
中村・憲法学　中村睦男（編著）『はじめての憲法学（第2版）』三省堂、2010年
野坂・憲法判例　野坂泰司『憲法基本判例を読み直す（第2版）』有斐閣、2019年
長谷部編・現代憲法　長谷部恭男編著『リーディングズ現代の憲法』日本評論社、1995年
長谷部・Interactive　長谷部恭男『Interactive 憲法』有斐閣、2006年
長谷部他・ケースブック　長谷部恭男＝中島徹＝赤坂正浩＝阪口正二郎＝本秀紀（編著）『ケースブック憲法（第2版）』弘文堂、2007年
樋口編・講座1～7　樋口陽一編『講座憲法学（全7巻）』日本評論社、1994～95年
樋口他・憲法判例　樋口陽一＝山内敏弘＝辻村みよ子＝蟻川恒正『新版　憲法判例を読みなおす――下級審判決からのアプローチ』日本評論社、2011年
樋口・入門　樋口陽一『憲法入門（3訂補訂版）』勁草書房、2005年
百選ⅠⅡ（第6版）　長谷部恭男＝石川健治＝宍戸常寿編『憲法判例百選（第6版）Ⅰ・Ⅱ』有斐閣、2013年
百選ⅠⅡ　長谷部恭男＝石川健治＝宍戸常寿編『憲法判例百選（第7版）Ⅰ・Ⅱ』有斐閣、2019年
松井・Law　松井茂記『Law in Context 憲法』有斐閣、2010年
南野・憲法学　南野森（編）『憲法学の世界』日本評論社、2013年
棟居・人権論　棟居快行『人権論の新構成（改版新装第1刷）』信山社、2008年
棟居・演習　棟居快行『憲法解釈演習（第2版）』信山社、2009年
棟居他・事件簿　棟居快行＝松井茂記＝赤坂正浩＝笹田栄司＝常本照樹＝市川正人『基本的人権の事件簿――憲法の世界へ（第6版）』有斐閣選

	書、有斐閣、2019年
棟居他・プロセス憲法	LS憲法研究会（編）（棟居快行＝工藤達朗＝小山剛＝赤坂正浩＝石川健治＝内野正幸＝大沢秀介＝宍戸常寿著）『プロセス演習憲法（第3版）』信山社、2007年
安西他・論点	安西文雄ほか『憲法学の現代的論点（第2版）』有斐閣、2009年

(4)　憲法集・資料集・事典

浅野＝杉原監修・答弁集	浅野一郎＝杉原泰雄監修・浅野善治他編『憲法答弁集1947～1999』信山社、2003年
芦部他編著・資料全集	芦部信喜他編著『日本国憲法制定資料全集(1)～(6)』（日本立法資料全集第71～76巻）信山社、1997～2009年
大須賀他編・辞典	大須賀明＝栗城寿夫＝樋口陽一＝吉田善明編『憲法辞典』三省堂、2001年
憲法調査会・小委員会報告書	憲法調査会『憲法制定の経過に関する小委員会報告書』1964年
清水伸編・審議録	清水伸編著『逐条日本国憲法審議録（全4巻）』日本世論調査研究所、1962年
初宿＝辻村編・憲法集	初宿正典＝辻村みよ子編『新解説世界憲法集（第5版）』三省堂、2020年
杉原編・資料(上)(下)	杉原泰雄編『資料で読む日本国憲法（上・下）』岩波書店、1994年
杉原他編・日本国憲法史年表	杉原泰雄編集代表（山内敏弘＝浦田一郎＝渡辺治＝辻村みよ子編）『日本国憲法史年表』勁草書房、1998年
杉原編・事典	杉原泰雄編集代表（山内敏弘＝浦田一郎＝辻村みよ子＝阪口正二郎＝只野雅人編集委員）『新版　体系憲法事典』青林書院、2008年
高橋編・憲法集	高橋和之編『新版世界憲法集（第2版）』岩波書店、2012年
高柳他・制定過程ⅠⅡ	高柳賢三＝大友一郎＝田中英夫編著『日本国憲法制定の過程Ⅰ・Ⅱ』有斐閣、1972年
辻村編・資料集	辻村みよ子編著『最新　憲法資料集――年表・史料・判例解説』信山社、2018年
根森・資料集	根森健『資料集　人権保障の理論と課題』尚学社、2002年
畑＝小森田編・憲法集	畑博行＝小森田秋夫編『世界の憲法集（第5版）』有信堂、2018年
渡辺・改正問題資料	渡辺治編『憲法改正問題資料』旬報社、2015年

（上の略記以外の文献・論文等は本文中に記載。参考文献の主要なものを巻末529頁以下に列挙し、本文では「後掲」と記した。）

二　判例の略記

最大判（決）	最高裁判所大法廷判決（決定）
最一判（決）	最高裁判所第一小法廷判決（決定）
高判（決）	高等裁判所判決（決定）
地判（決）	地方裁判所判決（決定）
民集	最高裁判所民事判例集
刑集	最高裁判所刑事判例集
家月	家庭裁判所月報
集民	最高裁判所裁判集民事
集刑	最高裁判所裁判集刑事
高民集	高等裁判所民事判例集
高刑集	高等裁判所刑事判例集
下民集	下級裁判所民事判例集
下刑集	下級裁判所刑事判例集
行集	行政事件裁判例集
労民	労働関係民事事件裁判集
訟月	訟務月報
刑月	刑事裁判月報
判時	判例時報
判タ	判例タイムズ
労判	労働判例

序章――憲法を学ぶ視点

21世紀前半の世界の憲法状況は、グローバルな立憲主義の展開のなかで、さまざまな問題を提起している。近代国民国家とともに確立した国民主権原理は、欧州連合などの統合と地方の分権、移民やテロリズムに対抗する排外主義や「ポピュリズム」の影響下で動揺している。近代的人権原理もまた、西欧中心文化に異議を唱える「多文化主義」や外国人排外主義などによって、その普遍性が挑戦を受けている。

日本国内でも、日本国憲法制定後70年以上経過して、憲法改正手続を定める法律の施行（2010年）後、第二次安倍政権下での集団的自衛権容認の閣議決定（2014年7月）、安全保障関連法の制定（2015年9月）、首相（自民党総裁）による9条への自衛隊明記の提唱（2017年5月）など、「立憲主義」の危機が叫ばれる状況が続いてきた。

一方では、人権の裁判的保障や地方自治（地域創生）、18歳選挙権実現、男女共同参画社会基本法・女性活躍促進法などによって、日本国憲法の諸原理の定着がようやく進んできた面がある。他方では、少子高齢社会、北朝鮮のミサイルの脅威、東日本大震災・原発事故、新型コロナウイルス感染症などによる国民の不安が高まり、個人の生命尊重や「安全」が希求されている。また、財務省の公文書改ざん問題など、国民の「知る権利」に関わる課題も多発している。

このような内外の憲法状況のなかで、現代憲法の本質をふまえつつ憲法を学ぶためには、21世紀の憲法状況を見通す広い視野と鋭い国際感覚が求められる。また、他の法律学の方法とは多少とも異なる方法、すなわち、条文や制度の理解を中心に学ぶ注釈学的な方法ではない、いわば「社会科学的」なアプローチが不可欠となる。

そこで、以下では、まず、憲法を学ぶ視点として重要な、三つの基本的視座について述べておこう。

第一は、憲法規範と憲法現象の両方を検討対象として、憲法を動態的に学ぶことである。憲法学では、日本国憲法という最高法規の規範の内容を明らかにするだけでなく、現実の運用の実態をふまえて機能的・動態的に憲法現象を捉えることが求められる。いいかえれば、憲法の理念とその運用の実態とを総合的に捉えることなくしては、憲法を学んだことにならないということである。それはいうまでもなく、憲法の理念と運用との間に大きな矛盾が存在してきたからにほかならない。

例えば、すべての戦争と軍備を放棄した憲法９条の非武装平和主義の理念に対して、世界でも上位に属する大きな装備をもつ自衛隊が存在する（防衛費による国際比較では、2019年度は、アメリカ、中国、インド、ロシア、サウジアラビア、フランス、ドイツ、イギリスについで世界第９位とされている。ストックホルム国際平和研究所SIPRI調査結果による。本書74頁参照）。また、憲法28条が労働基本権保障について公務員を区別していないのに対して、現行法では公務員労働者には争議権が一律に禁止され、警察・消防等の一部の公務員については団結権さえ保障されていない。このため日本は、国際人権規約に加盟する際にも一定の条項を除外せざるをえず、世界の人権保障のレベルからみても大きな問題を残している。その他、憲法上や法制度上の保障に反して、現実の運用や法慣習の局面で人権が侵害されている事例も、枚挙にいとまがない。憲法14条では「法の下の平等」と差別の禁止が明示されているにもかかわらず、実際には、性別や障害の有無、性的指向（セクシュアル・オリエンテーション）に由来する差別問題等が存在していることも、周知のところであろう。女性やLGBT（性的マイノリティ、本書111頁参照）に対する差別等の現実は、憲法規範の不十分さに由来するものというよりは、おもに政府や裁判所の憲法解釈、国民一般の人権意識、社会構造などに起因するものである。そのこと自体の意味や歴史的経緯を明らかにすることも、憲法学の対象にほかならない。

第二は、憲法を科学的に分析し、それを憲法解釈に役立てるという目的を明確にすることである。憲法を科学的に分析するとは、かつて、宮沢俊義が、現状を隠蔽する虚偽表象としての「イデオロギー」批判を科学の目標として掲げたように（本書41頁参照）、特定の政治的目的等とは一線を画して、社会科学のなかの歴史学や政治学、社会学など近隣領域の研究成果を吸収して、客観的で合理的な検討を行うことを意味する。また、憲法解釈については、憲法の条文の単なる文理解釈や、裁判所の憲法判断をもっぱら問題にするのではなく、科学的検討によって得られた論理的かつ歴史的な認識をふまえたうえで、憲法の条文についての自己の理解を明確にし、諸学説や判例理論について自己の見解を確立することが必要となる。

第三は、憲法の科学的検討に際して、歴史的方法や比較憲法的方法を重視することである。まず、歴史的検討によって近代憲法から現代憲法への展開過程を明らかにし、日本国憲法の位置づけを明確にすること、そして国際的な視野にたって世界の憲法の動向に注意をはらい、西欧やアジアの憲法問題を比較憲法的に検討し、国際連合を中心とした国際人権条約の展開にも注目することによって、人権保障や統治原理の展開のなかに日本国憲法の状況を正確に位置づけることが不可欠である。

しかも、従来の憲法学が、近代的人権から現代的人権への展開を論じる際に見落としてきた、あるいは軽視してきた近代憲法の「陰」の部分、すなわち、女性・子どもやマイノリティなどの人権を保障しえなかった近代的人権の限界部分を直視し、従来の人権論の欠落を明らかにすることが求められる。憲法学にジェンダーの視点（社会的・文化的な性差に敏感な視点）を導入して、憲法14条や家族・労働等にかかわる人権問題を再検討することも、今日とくに必要となっている（この問題は本書106頁、167頁以下参照）。日本が抱えている諸課題の解決策を模索するためにも、比較憲法史的アプローチが必要であるといえよう。

さらに、このような歴史的・比較憲法的研究方法を基礎にしつつ21世紀の憲法を学ぶためには、新たな目標を掲げなければならない。それは、国際化やグローバリゼーション等に特徴づけられる現代の憲法状況に対応した新しい憲法問題をできるだけ幅広く検討することである。例えば、人権の国際的保障ないし国際人権法の展開と平和的生存権の問題、国民国家の動揺が叫ばれるなかでの主権論の今日的意義、さらには、生殖補助医療や夫婦別姓、同性パートナーなど新しい課題を抱える現代家族の問題、ライフスタイル等についての自己決定権やプライバシー、女性・子ども・障害者等のさまざまな人権主体が抱える人権問題、ポルノグラフィやインターネットの規制、ヘイトスピーチに関する表現の自由の制約、国民の「知る権利」の問題など、新たに出現している憲法問題・人権問題の射程は非常に広い（諸国の憲法制度や憲法問題については、初宿＝辻村『解説　世界憲法集（第5版）』三省堂、2020年、辻村『比較憲法（第3版）』岩波書店、2018年、同『選挙権と国民主権』日本評論社、2015年、家族やジェンダー、人権の問題については、同『憲法と家族』日本加除出版、2016年、同『概説ジェンダーと法（第2版）』信山社、2016年、同『人権をめぐる十五講――現代の難問に挑む』岩波書店、2013年、辻村責任編集『憲法研究』5号［特集　政治改革と選挙制度の課題］、6号［特集　「知る権利」と「安全」］信山社、2019-2020年などを参照して頂ければ幸いである）。

このように、憲法規範と憲法現象を同時に対象とする動態的視座、憲法科学と憲法解釈を区別しつつ「社会科学としての憲法学」をめざす科学的視座、近代憲法から現代憲法への展開と現状を世界の憲法史のなかで明らかにする歴史的・比較憲法的視座（比較憲法史的視座）、という三つの視座が、憲法を学ぶためにはとくに不可欠である。そしてこのことは、法科大学院や法曹界で憲法を検討する場合にも基本的に変わりはない。判例中心に実務的な検討を行う際にも、上記のような広範かつ深遠な視座や根源的な問題意識がなければ、最終的な憲法解釈論に到達することはできないからである。

以上のような問題意識のもとで、幅広い視野にたって、各自が主体的に憲法を学ぶことによってはじめて、「主権者市民」として日本の憲法問題を解決し、日本国憲法の理念を現実のものとするための指針を得ることが可能となるといえよう。憲法の意味は第1部第1章で述べるように多義的であるが、現代の憲法は、何よりも、（主権者としての人民を構成する）市民が、政治的権力を行使する条件を定めるための、「市民の規範（l'acte des citoyens）」（O. Duhamel et Y. Mény, *direction, Dictionnaire constitutionnel*, PUF, 1992, pp. 208-212.）であり、いわば「市民の、市民による、市民のための規範」でなければならないといえる。

そして、憲法を学ぶことは、そのような真の「主権者市民」になるための、基礎的な一歩を踏みだすことにほかならない。

第1部　憲法総論

第1章　憲法の意義と立憲主義の展開

一　憲法と立憲主義

1　憲法と国家——立憲主義の考え方

⑴　国家の意義と目的

およそ法というものの意義を考える際に、社会や集団の存在をぬきにすることはできない。人が社会を形成してはじめて社会のルール（規範）としての法が必要となるという意味では、社会の存在が法の前提であるといえる。憲法もそのような社会の規範の一つであり、とりわけ近代国民国家の成立以降、憲法は、国家の基本法、国家や公権力の組織を定める法規範として定義されてきた。

一方、国家は、特定の地域に定住する人々が強制的な統治権力によって組織されている法的・政治的な共同体として定義され、領土・国民・主権がその三要素と解されている（三要素説。国際法上は「他国からの承認」を第四の要素に加える場合もある。外務省ウェブサイトによれば、2020年３月６日現在、日本が承認した国は195カ国、世界の国の数は196カ国、国連加盟国は193カ国である）。

国家の発生や存在意義、正当化理由について多くの議論が存在するが、いずれの場合も成立した国家の権力をどのようにコントロールするかが重要な課題となり、権力をコントロールするための立憲主義のあり方が問題とされる（主要な国家論については、杉原編・事典３頁以下、本書(第３版) 8 - 9 頁参照)。

⑵　立憲主義の意義と展開

立憲主義とは、もともと権力者の権力濫用を抑えるために憲法を制定するという考え方のことをいい、広く「憲法による政治」のことを意味している。立憲主義の概念は本来多義的であり、前近代の君主制のもとで君主の権力を制限しようとする立憲君主制とも結びつくことができた。

一般には、近代以降に、国民主権・権力分立・基本的人権保障の基本原理を伴った近代憲法が成立して立憲主義（constitutionalism〔英〕、constitutionnalisme〔仏〕、Konstitutionalismus〔独〕）が定着したため、これを近代立憲主義の意味で用いられる。そして、近代立憲主義は、20世紀前半以降、現代立憲主義と称すべきものに展開していった。（本書8頁、14頁以下参照）。

これに対して、同じく立憲主義の憲法でありながら、国民主権・権力分立・基本的人権保障の原理をもたない憲法を「外見的立憲主義」と呼んでこれと区別している。例えば、1871年のドイツ帝国憲法や、これを一つの模範とした大日本帝国憲法（いわゆる明治憲法、以下、本書では「旧憲法」とも記す）が、君主主権・権力集中・基本的人権の否認などの特徴をもっていた点で、外見的立憲主義の憲法に含まれる。

2　憲法の定義

憲法（constitution〔英〕、constitution〔仏〕、Verfassung〔独〕）の概念は、諸国で歴史的に形成された多義的な概念である。日本の憲法学では、一般に、「国家の根本秩序に関する規律」あるいは「国の統治組織や作用の基本原則を定めた最高法規」、すなわち国の統治の基本や諸制度に関するルールとして理解されてきた。これは、法規範の内容の実質的意味に注目した定義であり、このほかに法規範の形式や原理などに注目した定義も可能である。そこで、まず、「実質的意味の憲法」と「形式的意味の憲法」とを区別することが、従来の説明の仕方である（美濃部・原論54-56頁、芦部・憲法学Ⅰ 4-8頁参照）。

⑴　「実質的意味の憲法」と「形式的意味の憲法」

法規範の存在形式や名称・効力にかかわらず、実質的内容に注目して、国家の基本構造や根本秩序を定める法規範を憲法と定義する場合、それは「実質的意味の憲法」といわれる。およそ国家が成立している以上は、成文であれ、不文であれ、また内容にかかわらず、「実質的意味の憲法」が存在する。

この点から、国家の根本秩序を定める法を「固有の意味の憲法」と称することもある（芦部・憲法4頁参照）。

これに対して、法規範の存在形式に注目して、「憲法（典）」という名称・形式・効力をもつものを憲法と定義する場合、それは「形式的意味の憲法」と呼ばれる。

例えば、イギリスでは、「憲法（典）」という名称をもった実定法は存在しないため、「形式的意味の憲法」は存在しない。しかし、国家の基本構造を定める法規範がないわけではなく、「実質的意味の憲法」は存在する（イギリスでは、国会主権の原則のもとに国会で制定された法律が最高法規であり、国家の基本構造を定める成文法としての諸法律が、「実質的意味の憲法」となっている）。

⑵「近代的意味の憲法」と「現代的意味の憲法」

憲法の原理に着目した場合に、近代以降の諸憲法を「近代的意味の憲法」ないし「立憲的意味の憲法」（芦部・憲法5頁）として捉える見方が成立する。これは、近代市民革命の成果として制定された近代憲法を念頭において憲法を定義するもので、基本的人権の保障、国民主権、権力分立という基本原理がその要素である。1787年にアメリカ独立革命の成果として合衆国憲法が制定され、フランス革命の成果としてフランス1791年憲法が成文憲法として制定される過程で、これらの近代憲法の基本原理が採用された。1789年のフランス人権宣言が国民主権の原理を掲げ、16条で「権利の保障が確保されず、権力の分立が定められていないすべての社会は、憲法をもたない」と述べたことに、国民主権・基本的人権の保障・権力分立という近代的意味の憲法の要素が示される。

近代憲法は、上記の基本原理が一定の変化を被ることによって現代憲法へと展開をとげた。その背景には、国家機能の三つの変化ないし展開が存在する。第一は、近代の消極国家・夜警国家・自由国家（国家が治安・警察・防衛等の最小限の機能を果たす以外は、自由放任原則に委ねられた国家）から、現代の積極国家・社会国家（資本主義の展開に伴った社会経済的不平等是正等の社会正義の実現を目的として国家の機能が拡大・強化された国家）への展開。第二は、立法国家（立法権を中心とする国家）から、行政国家（法を執行する行政権が強大な力をもつ国家）への展開。第三は、人権保障の拡充や人権の裁判的保障を重視する法治国家や司法国家への展開である。

これによって、現代立憲主義の憲法では、例えば、(i)抽象的な国籍保持者としての国民を主体とする国民主権原理に対して、政治的意思決定能力をもった具体的な存在である市民やその総体としての人民を主体として、主権者みずからが主権を行使しうる直接民主制手続によって意思形成を行う「市民主権」や人民主権原理が導入され（辻村・市民主権、同・選挙権と国民主権参照）、(ii)従来の権力分立原理を修正する新しいデモクラシー論や違憲審査制が確立され、(iii)女性・子ども・障害者や少数民族等の権利を軽視した近代的人権保障原理に対して、人間の尊厳や個人の尊重・自律を基調として実質的平等の実現をめざす現代的人権保障への展開が認められる（本書14頁以下参照）。

3　憲法の種類と法源

(1)　憲法の種類

憲法（典）は、①存在形式、②改正手続、③制定主体、④経済・社会体制、⑤存在の態様（次元）などとの関係でさまざまに分類される。

①　成文憲法と不文憲法　　憲法の存在形式に基づく分類では、憲法規範が文字で書き表された成文法として成立している「成文憲法」と、成文法の形式をとらない「不文憲法」が区別される。今日では、ニュージーランドのように単一の憲法典をもたない国もあるが、イギリスなど若干の例外を除き、ほとんどの国が成文の憲法典をもっている。

②　硬性憲法と軟性憲法　　憲法改正手続に関する分類では、憲法に法律より強い効力が認められる結果、その改正には通常の立法手続より厳格な手続が要請されている「硬性憲法」と、通常の立法手続と同等の要件のもとで改正が可能な「軟性憲法」が区別される。各国の憲法改正手続は千差万別であるが、今日では憲法の安定性や永続性を確保するために圧倒的多数の国が硬性憲法をもっている（本書515頁、辻村・改憲論27頁以下参照）。

③　欽定憲法・民定憲法・協約憲法・国約憲法　　憲法制定主体に関する分類では、君主が制定主体である「欽定憲法」と、国民（ないし人民）が直接もしくは間接に憲法を制定する「民定憲法」、君主と国民の合意で制定する「協約（協定）憲法」、国家間の合意で成立する「国約（条約）憲法」等が区別される。

④　資本主義憲法と社会主義憲法　　生産関係や経済・社会体制に関する

分類では、私的所有と自由競争経済原理に立脚する資本主義的生産関係に基づく「資本主義憲法」と、私的所有の否定と社会主義的生産関係に基づく「社会主義憲法」とが区別される。前者は、近代憲法原理を確立したアメリカ・フランス・ドイツその他多くの国で採用され、独占資本主義段階・国家独占資本主義段階等の過程に即して近代憲法原理を徐々に修正しつつ、社会的法治国家（福祉国家）を基礎とする現代型の資本主義憲法への変容をとげた。また、社会主義憲法は、ソヴィエト社会主義共和国連邦憲法（1936年ソ連憲法）が代表的であるが、ソ連邦は1991年末に崩壊した。1982年制定の現行中華人民共和国憲法は社会主義体制を明示しているが、経済の市場化に伴う改正を繰り返して社会主義憲法の要素も揺らいでいる（初宿＝辻村編・憲法集321頁以下のロシア憲法解説、365頁以下の中華人民共和国憲法解説参照）。

⑤　規範的憲法・名目的憲法・意味論的憲法　　レーヴェンシュタイン（Loewenstein, K）が提唱したような存在論的な分類も可能であり、現に統治の規律として規範性を発揮している憲法としての「規範的（normative）憲法」、重要部分について実際に規範性を発揮するにいたっていない憲法としての「名目的（nominal）憲法」、独裁国家や開発途上国など政治権力担当者が自己のために憲法を解釈して定式化したにすぎない「意味論的（semantic）憲法」が区別される。この区別は、「〔憲法が〕どの程度現実の国民生活において実際に妥当しているのかを測るうえで、有用なもの」（芦部・憲法９頁）とされる。

(2)　憲法の法源

①　憲法法源の種類　　法源とは、一般に、広義には法規範の存在形式、狭義には裁判の基準（裁判規範）を指すと説明される。広義の法規範の存在形式に注目し、かつ、実質的意味の憲法を問題とする場合には、日本国憲法以外にも、公権力の組織にかかわる国会法、内閣法、裁判所法、地方自治法、皇室典範などの諸法律や最高裁規則、衆議院規則、参議院規則などの諸規則も、実質的意味の憲法の成文法源に含めることが理論上可能となる（野中他・憲法Ⅰ９頁以下〔高橋和之執筆〕参照）。しかし、憲法を制定して公権力を抑制する立憲主義の目的を考慮する場合には、法源の範囲を拡大しすぎることは妥当ではない。そこで憲法学では、日本国憲法98条が「この憲法は、国の最高

法規であ〔る〕」と定める場合の「最高法規としての憲法」とは日本国憲法であり、成文憲法をもつ国では、憲法の法源（存在形式）は通常の場合、憲法典をさすと解してきた。また、81条の違憲立法審査の基準としての憲法の範囲（狭義の法源）については、条約や、判例などの不文法源を認めるか否かが問題となる（条約の審査につき、本書462頁参照）。

②　不文法源　　不文法源については、憲法慣習（ないし憲法的習律）、判例、条理などが問題となる。大日本帝国憲法下では、条理や学説などの「憲法的理法」を含めて「不文憲法」を法源として捉える傾向があったが、日本国憲法下では、不文法源を広く認めることは立憲主義に反するおそれがある。

憲法慣習については、議会制の運用等を中心に憲法的習律を認めるイギリスの例などを参考に、日本でも、長期の反復性や国民の合意などを要件としてこれを認めようとする傾向がある（国会解散権や議院の運営等）が、憲法慣習には憲法規定に反するものもありうるため、一般的に憲法慣習の法源性を認めることは困難である（憲法慣習が憲法典を改廃する効力をもつか否かに関する「憲法の変遷」については、本書520頁参照）。

判例についても、裁判の先例として（狭義の裁判規範としての）法源となりうるかをめぐって議論がある。判例の先例としての拘束力を認め、「先例拘束性（stare decisis）の原則」を採用している英米法圏では、判例（とくに主文を構成する判決理由部分 ratio decidendi）は判例が法源に含められるが、日本では、判例の法的拘束力は認められず、「事実上の拘束力」にすぎないと解するのが通説である（芦部・憲法391頁参照）。

4　憲法の特性

⑴　基本価値秩序の基礎

憲法は国家の根本秩序を定める法規範であり、他の法規範の基礎になる根本法であることから、法規範全体の基本的価値が明確でなければならない。とくに、近代的意味の憲法（および現代的意味の憲法）では、人間の尊厳に由来する「個人の尊重」原則に基づいて個人の自由や人権を保障することが、憲法の基本的な目的であり、憲法の存在意義である。そのために、統治の構造は人権保障の目的に仕えるものでなければならず、憲法の諸規定もそのような基本価値に適合するように解釈されなければならない。

⑵　授権規範性と制限規範性

憲法は、国法秩序のなかで最終的な授権規範（他の法規範の制定者に対してその権限を授ける規範）としての性格をもち、同時に、制限規範（他の国家行為の内容を規律し制限する規範、すなわち、権力を制限する基礎法）としての性格も有する（清宮・憲法Ⅰ16-24頁、芦部・憲法学Ⅰ50頁参照）。

⑶　最高規範性

憲法は、国法秩序の段階構造のなかで最も強い形式的効力をもち、最高規範性という特性を帯びている（98条1項）。このため、憲法96条で憲法改正手続に国民投票制を導入し、硬性憲法とすることで、最高法規性を担保している。ただし憲法改正の範囲・内容について限界論、公務員の憲法尊重擁護義務の性格などの諸問題が検討課題として存在する（本書521頁、辻村・改憲論59頁以下参照）。

二　近代憲法の現代的展開

1　近代憲法の成立

近代憲法（近代市民憲法）の基本原理は、17世紀のイギリス名誉革命やジョン・ロック（Locke, J.）の理論等の影響をうけて、18世紀後半にアメリカの「独立宣言」と合衆国憲法で明らかにされ、さらにこれらの諸要素やジャン＝ジャック・ルソー（Rousseau, J.-J.）等の影響をうけてフランス革命期の諸憲法のなかで確立された。これによって、基本的人権の保障・国民主権原理・権力分立原理を主な内容とする近代憲法原理が、各国の諸憲法で保障されることになった（イギリス、アメリカ、フランスにおける近代憲法制定の経緯は、本書（第3版）19-22頁、辻村・比較憲法23頁以下参照）。

このうちの国民主権原理については第3章で検討するが、主権概念はフランスで生成され歴史的に展開された概念であり、国家権力の最高独立性を示すために生成され、ジャン・ボダンによって理論化された。ボダン（Bodin, J.）は、

『国家論六篇』のなかで、主権を「国家の絶対的で永続的な権力」、すなわち「最高・唯一・不可分の権力」で神と自然法以外に拘束されないものとして捉え、その具体的な内容として、立法権、宣戦講和権、高官任命権、最高裁判権、恩赦権、忠誠と服従の要求権、貨幣鋳造権、課税権を掲げた。ボダンは、このように国家権力自体をさす概念として定義した最高・絶対の主権を、君主の権力と統一的に理解することで君主主権を理論化した。実際に、絶対王政下で「朕は国家なり」というルイ14世の言葉どおり君主主権と国家権力が一体化された。

その後、フランス革命期に国民主権が確立された。1789年の人権宣言３条で「あらゆる主権の淵源は国民にある」として国民主権（広義）が宣言されたが、この国民主権の担い手や統治制度をめぐってブルジョアジーと民衆との間に対立が生まれ、そのなかから抽象的な国籍保持者を主体とする「国民(ナシオン)」主権と具体的な市民の総体としての人民を主体とする「人民(プープル)」主権という二つの主権理論が成立した。

前者では主権者の各構成員がみずから主権を行使することができず、主権保持者（全国民）と主権行使者（国民代表）が分離される結果、一定の国民代表が主権者から法的に独立して主権を行使する国民代表制と結びつくことができた。これに対して後者では、主権主体としての人民を構成する各市民が主権行使（政治的な意思決定）の能力をもつことから主権保持者と主権行使者が分離されず、1793年憲法に示されたような普通選挙制や人民拒否制度など、民主的な直接制の手続を採用することができた（辻村・選挙権と国民主権233頁以下参照）。

このような二つの主権の区別や国家権力自体として捉えるフランス流の主権論は第三共和制期の公法学説によって理論化され、1970年代以降の日本の憲法学界における国民主権論や代表制論の展開にも大きな影響を与えた（本書41-42頁参照）。

2　近代憲法の変容と現代憲法への展開

1789年のフランス人権宣言は、その後「世界を一周した」といわれるほど多くの国に影響を与え、19世紀にかけて自由主義的な近代立憲主義を定着させた。それは経済的自由権を中心とする人権保障が資本主義の要請に適合し、また、硬性憲法による法的安定性と予測可能性の保障が市民社会の展開にとって不可欠であったからである。近代立憲主義定着期の特徴として、議会中心主義や自由権を中心とする人権保障の進展（「国家からの自由」）をあげることができる。

反面、近代憲法の定着には必然的な限界が伴っていた。第一に、資本主義経済自体が構造的に変化し、産業資本主義から独占資本主義、国家独占資本主義への移行によって、近代憲法が前提としていた市民の等質性が否定され、社会経済的な不平等が固定された。第二に、社会主義思想の展開に伴って、労働者たちが自己の隷属性を自覚して無産階級が成立し、イギリスでの選挙法改革運動やアメリカでの奴隷解放運動等が展開された。第三に、法理論的にも、自然法理論の限界（実証不可能性）が批判され、実証主義理論が優勢になった。

これらの状況に遭遇して、近代憲法は根本的な修正の必要を迫られ、次の三つの対応が認められた。(I)資本主義憲法の枠内で社会的不平等を是正し、福祉国家を実現することをめざす社会国家憲法への移行。(II)ドイツ帝国憲法や大日本帝国憲法のような外見的立憲主義の憲法を経て、「ファシズム憲法」への移行。この系譜は、ナチス・ドイツの独裁など反民主的原理やユダヤ人虐殺などの反人権的状況をもたらした結果、第二次大戦の終結によって崩壊に至る。(III)ロシア革命からソ連憲法への展開に示される社会主義憲法への移行。社会主義憲法では、労働者・農民など搾取された被支配階級を主体とする社会主義的基本権を保障し、統制経済下での国民の生活保障をめざした。しかし個人の思想・信条・表現の自由などを厳しく制限したため、その矛盾が露呈し、1991年のソ連崩壊後は退潮の一途をたどった。

3　現代憲法の特徴と課題

西欧資本主義諸国における社会国家憲法への移行という上記(I)の系譜では、20世紀前半（とくに第一次大戦以降）から近代憲法原理が大きく変容した。これによって成立した現代憲法では下記の諸特徴が現れた。

①　「社会国家」理念の採用と社会権の出現

1919年のワイマール憲法で、「すべての人に対して人間たるに値する生活を保障する」(151条) などの形で生活保障が宣言され、この特徴が示された。第二次大戦後には、「フランスは社会的共和国である」ことを明らかにした1946年フランス第四共和制憲法や、1946年制定の日本国憲法、1947年制定のイタリア共和国憲法、1949年制定のドイツ連邦共和国基本法などで社会国家理念が採用され、労働権などの社会権が確立された。

②　近代の議会優位の構造から行政府優位の構造への展開

社会国家理念を実現するため国家が積極的役割を担うべく行政機能が強化され、行政国家現象下で権力分立原則が行政権中心のものに変容した。

③　人権保障の拡大と国際化

人権保障については、(i)主体の拡大（有色人種・女性・障害者等の人権保障の実現）のほか、(ii)社会国家憲法における人権内容の拡大がはかられ、自由権から社会権（第二世代の人権）への展開が認められる。さらに「第三世代・第四世代の人権」といわれる「新しい人権」が出現し、環境権、プライバシー権、発展の権利、平和的生存権などが認められるようになった。(iii)人権保障の範囲も拡大され、本来、国家対個人の二極対立構造のなかで問題とされてきた人権保障が、社会的権力による人権侵害の発生によって私人間でも問題となった。(iv)人権保障の手段も拡大され、法律の違憲審査という手法を通じての人権の裁判的保障が確立された。今日では、司法裁判所型（付随的審査型、アメリカ・日本など）・憲法裁判所型（抽象的審査型、ドイツ・イタリアなど）・フランス型（事前審査型）などの類型に分かれているものの、「違憲審査制革命」といわれるほど、世界の多くの国で憲法裁判による人権保障が実現されるようになった（本書455頁以下参照）。さらに、(v)国際化による人権規範の拡大と国際的な人権保障の展開が認められる（初宿＝辻村編・憲法集8頁以下、辻村・比較憲法43頁以下参照）。

4　憲法の国際化と国際的人権保障

(1)　憲法の国際化

第二次大戦後、国際連合等を中心とする国際人権条約が締約国での批准をとおして国内法化されることによって、国際化による人権規範の拡大がもたらされ、国際的人権保障が進展した。1998年7月には国際刑事裁判所設立条約（ローマ規程）が採択され、国際法違反の犯罪等を裁くための常設裁判所が設立された（138カ国が署名し、76カ国が批准して2002年7月に発効。日本は、2007年10月に条約に加盟）。欧州では、ヨーロッパ共同体（EC）から欧州連合（EU）への展開のなかで、加盟国が市場や貨幣を統一し、欧州人権条約（ヨーロッパ人権規約、1953年採択）と欧州人権裁判所による集団的人権保障や政治参加について国民国家の枠をこえる統合を実現してきた。2000年には欧州基本権憲章が制定されて欧州憲法制定への道のりが進み、2009年12月にはリスボン条約が発効し、2013年7月のクロアチア加盟後は加盟国28カ国、2021年現在27カ国体制が進展している。

(2) 国際人権条約の展開

国際連合を中心に締結された国際人権条約には数多くのものが存在し、締約国に報告義務等を課して実効性を確保する歩みが続けられてきた（以下、条文および締約国数等は、原則として、外務省ウェブサイト参照）。

① 国際連合憲章（1945年採択）　第二次大戦中のユダヤ人に対する強制収容・ジェノサイド（集団殺害）などの重大な人権侵害などを念頭において、人権尊重を強調した。1条3項では「人種、性、言語又は宗教による差別なく、すべての者のために人権及び基本的自由を尊重するように助長奨励することについて、国際協力を達成すること」を国際連合の目的の一つに掲げた。しかし、国際連合憲章には人権の内容と保障手段に関する具体的規定がなかったため、その後世界人権宣言が採択された。

② 世界人権宣言（1948年採択）　前文と30カ条からなり、すべての人間の自由と平等、身体の安全、奴隷・苦役・拷問等の禁止、私生活の保護、所有権、思想・表現の自由などの自由権的規定（1～20条）と参政権（21条）のほかに、経済的・社会的・文化的権利を実現する権利、労働権、教育を受ける権利などの社会権的権利（22～27条）を保障し、権利の制限や実現に関する一般規定（28～30条）をおいた。反面、条約としての性格を有しないため法的拘束力が伴わないという弱点があったため、これを条約化する作業が開始され、国際人権規約の採択に至った。

③ 国際人権規約（1966年採択）　「経済的、社会的及び文化的権利に関する国際規約（A規約）」と「市民的及び政治的権利に関する国際規約（B規約）」およびB規約選択議定書からなる。内外人平等主義を基礎として、締約国が「人

種、皮膚の色、性、言語、宗教、政治的意見その他の意見、国民的若しくは社会的出身、財産、出生又は他の地位によるいかなる差別もなしに」諸権利の行使を保障することを定め（A規約2条2、B規約2条1）、締約国に対して人権保障の義務を定めた。さらに実効性を担保するために、A規約では締約国に定期的な報告書を提出することを義務づけ、人権委員会に勧告権限を認めた。B規約では、規定された人権を実現するための立法的措置等や救済措置をとることを締約国に義務づけ、その義務の履行を監視するため人権委員会による政府報告書の審査や勧告の制度を導入した。また、選択議定書を採択した締約国には、個人通報に基づく審査の制度も認めている。国際人権規約は、発効までに10年を要した（A規約は1976年1月3日、B規約は同年3月23日発効）が、その後、締約国は、2019年8月末現在、A規約170カ国、B規約173カ国にまで拡大した（個人通報制度を含むB規約選択議定書には116カ国が加盟）。

日本は、1979年に両規約に加入したが、A規約について、公の休日の報酬確保（7条d）・一部公務員のストライキ権保障（8条1項d）・中高等教育の無償（13条2項b・c）の3点について留保し、両規約にいう警察職員のなかに消防職員が含まれるという解釈宣言を付した。また、B規約選択議定書に加入していないだけでなく、B規約人権委員会から人権救済機関等の不備を指摘され、改善の勧告を受けている。

④　女性差別撤廃条約（1979年採択、1981年9月3日発効）　「女子に対するあらゆる形態の差別の撤廃に関する条約」は、男女平等の観点から女性差別を排除するための原則や実効的措置を掲げただけでなく、自己の国籍を子どもに与える権利や教育・雇用・婚姻等について男性と同等な女性の権利（9条・10条・11条・16条）を明確にし、立法上のみならず慣習や慣行上の差別を撤廃するための措置を求めている（2条(f)）。また、母性保護のための特別措置のほか積極的な暫定的特別措置を認め（4条）、アパルトヘイト等の根絶と軍縮平和が男女の人権実現に不可欠であることを示して平和と人権の相互依存関係を明確にした（前文）、などの特徴をもつ（締約国数は2020年10月現在189カ国、日本は1985年に批准）。さらに実効性を高めるために、個人通報制度などを導入した選択議定書が1999年に採択された（2010年10月までに100カ国が加盟し、2020年10月現在で114カ国が批准しているが、日本は、選択議定書については、署名も批准もしていない）。

そのほか、女性に対する暴力撤廃やリプロダクティブ・ライツ（性と生殖に関する権利）等については、1993年6月の世界人権会議のウィーン宣言、同年12月の女性に対する暴力撤廃宣言、1994年の国際人口開発会議のカイロ行動綱領、1995年世界女性会議の北京行動綱領などで明らかにされた。2011年から国連の諸機関がUN Womenに改組・統合されて、女性の人権を強化するために重要な役割を果たしている。また国連女性差別撤廃委員会からは日本政府の報告に対する最終見解のなかで、民法改正等がしばしば勧告されており、国内の法改正にも大きな影響を与えている（本書171頁以下、婚外子相続分差別最高裁違憲決定、再婚禁止期間規定違憲判決等参照）。

⑤　子どもの権利条約（1989年採択、1990年9月2日発効）　「児童の権利に関する条約」は、従来はもっぱら保護の対象として捉えられてきた18歳未満の者（child）を明確に権利の主体として捉え、生命に対する権利（6条）、意見表明の権利（12条）、私生活への干渉に対して保護を受ける権利（16条(2)）などの具体的な権利を明確にし、虐待等からの子どもの保護を締約国の義務としたことなどの特徴をもつ（日本は1994年に批准。2019年8月現在の締約国は196カ国で、ソマリアと米国を除いてすべての国連加盟国が批准または加入した）。

⑥　人種差別撤廃条約（1965年採択、1969年1月4日発効）　「あらゆる形態の人種差別の撤廃に関する国際条約」は1969年に発効（2019年8月現在、締約国は181カ国。日本は1995年に批准し、翌年に発効）。この条約は、締約国に対して人種差別を撤廃する政策をとることを義務づけ（2条）、国連事務総長に対して報告書を提出することを要請している（9条）。また、人種差別撤廃委員会を設置して、付託案件の調査や調停にあたる（11・12条）ほか、条約上の義務不履行の場合には、締約国の承認のもとに個人または集団からの通報を検討できることなども定めている（14条）。

⑦　障害者権利条約（2006年採択、2008年5月発効）　「障害者（Persons with Disabilities）の権利に関する条約」は、2008年に発効（2019年8月現在、締結国は179ヵ国。日本は、2007年9月に署名し2014年1月に批准した）。この条約は、障害者の人権や基本的自由の享有を確保し、障害者の固有の尊厳の尊重を促進するため、障害に基づくあらゆる「差別」（直接差別だけでなく、「合理的配慮の否定」も含む）の禁止や障害者の社会参加と含容の促進を定める。日本は、2009年12月に「障がい者制度改革推進本部」を設立して国内法制度改革を進め、障害者基本法改正（2011年8月）、障害者総合支援法制定（2012年6月）、障害者差別解消法制定・障害者雇用促進法改正（2013年6月）などの法制度整備を行った（本書109頁参照）。

第2章　日本国憲法の成立

一　日本憲法史の展開

1　日本国憲法制定の意義と日本憲法史の系譜

(1)　日本国憲法の憲法史的意義

日本国憲法は、大日本帝国憲法の「改正」という形態をとりつつ、これとまったく異なった内容をもって成立した。このような日本国憲法の憲法史的意義について、最初に二点を指摘しておかなければならない。

第一は、日本国憲法の比較憲法史的意義である。日本国憲法は、その基本原理からみれば、近代立憲主義憲法の嫡流にあり、近代憲法原理を具備するとともに20世紀的な現代型人権規定を併有し、資本主義型の現代憲法の特徴を備えている。第二は、原理のうえで近代立憲主義憲法に属しつつ、それとは内容を異にする外見的立憲主義の憲法である大日本帝国憲法の「改正」によって成立したという「特殊日本憲法史的意義」である。

そのことから、外見的立憲主義の憲法の諸原理をすべて「改正」によって根底的に変更しうるのか、という憲法改正の限界にかかわる理論的な論点が生じる（改正の限界については本書518頁以下参照）。また、マッカーサー草案（総司令部案）を基礎に成立した日本国憲法と明治期以降の日本の憲法思想とがまったく無縁ではないこと、すなわち、自由民権期に提示された憲法思想と日本国憲法との間には一定の関係があることを明らかにして、日本憲法史の系譜を再検討しなおすことも、重要な課題となる。

このような「特殊日本憲法史的」な事情が、戦後の憲法政治や今日の憲法現象にも重大な影響を与え、序章で述べた憲法規範と憲法運用との乖離を生みだした根本原因となったことを重視する必要があろう。フランス憲法やアメリカ憲法などと異なって、日本では市民革命が先行せず、国民や政権担当者の意識変革が存在しない形で占領軍総司令部の意向に沿って日本国憲法が成立したために、日本政府の憲法擁護姿勢が十分でなく、戦後の憲法政治のなかで憲法原理の定着が遅れたといえる。さらに、同じ憲法制定過程の特殊事情から、その後の改憲論の主張のなかに総司令部の押しつけによる憲法であるという「押しつけ憲法」論が強固に存在した。このため、「押しつけ」の事実が存在したのか否かを明らかにすることなど、日本国憲法制定過程を検討することの意義は限りなく大きいものになった。その具体的検討に入るまえに、明治時代以降の日本憲法史の系譜を明らかにしておこう。

(2)　日本憲法史の系譜

日本憲法史の検討に際して、従来は、大日本帝国憲法と日本国憲法との「連続」と「断絶」の関係を問題にするのが通例であった。その結果、原理的に異なる二つの憲法の「断絶」が強調され、それをもたらしたマッカーサー草案（総司令部案）の「押しつけ」が問題視されることが一般的であった。しかし近年では、草案起草過程で総司令部が参照した鈴木安蔵らの「憲法研究会案」の存在やその他の原資料が注目され、その背景に伏流していた自由民権期の私擬憲法草案との関連なども検討されるようになってきた。日本の自由民権運動に対するフランス人権宣言の影響や近代憲法原理の継受をめぐる憲法史的研究からも、フランスなど西欧の近代憲法を淵源とする日本憲法史の系譜を認めることが可能となる（本書（第3版）33頁、家永三郎後掲『植木枝盛研究』、家永他編後掲『明治前期の憲法構想（増補版）』参照）。

このような近代憲法から日本国憲法に至る間接的な系譜を念頭においたうえで、次に、自由民権期から大日本帝国憲法制定を経て日本国憲法制定に至る過程を概観しておくことにしよう。

2　自由民権期の憲法草案と大日本帝国憲法

(1)　自由民権運動と私擬憲法草案

1868年の明治維新によって成立した明治政府は、五箇条の御誓文を発し、

「広ク会議ヲ興シ万機公論ニ決スヘシ」という原則のもとに新しい政体を模索しはじめた。政府が版籍奉還・廃藩置県や地租改正によって基盤強化をはかる一方で、1873年の征韓論争で敗れた板垣退助らが「民撰議院設立建白書」を発し、旧士族層の不満を背景に自由民権運動が展開された。当時は、福沢諭吉の『西洋事情』（1866年）が約20万部のベストセラーになったといわれるほど西欧への関心が高く、1870年代からの自由民権運動のなかで、西欧の人権宣言の影響をうけた天賦人権論が展開された。

また、明治政府は、憲法制定と民選議会設立にむけて「模範国の選択」のとりくみを進め、元老院の『各国憲法類纂』などで主要国の憲法が翻訳されて紹介された。元老院では、1878年に進歩的な「日本国憲按」が起草され、1880年12月に「国憲」が成立したが、草案のままでおわった。

同じ1880年頃からは、植木枝盛が起草した「東洋大日本國國憲按（日本國國憲按）」（1881年）や千葉卓三郎らの「五日市草案」（1881年）など民間の私擬憲法草案が数多く作成された。そのうち立志社の「日本憲法見込案」（1881年）にはアメリカ・イギリスの自由権論やフランス憲法の影響が認められる（1873年の大井憲太郎訳『佛國政典』や井上毅の『治罪法備攻上編（第一）』などでフランス人権宣言が部分的に紹介されていたが、全文を最初に完全な形で紹介したのは、当時通訳として雇われていたジブスケ Du Bousquet の口訳である。ジブスケ口譯生田精筆録『佛蘭西憲法』1876年、辻村後掲『人権の普遍性と歴史性』258頁以下参照）。

(2)　大日本帝国憲法の制定と特徴

1881年になると、自由民権運動は一段と激化し、大隈重信ら急進派は意見書を提出して憲法の早期制定を求めた。これに対して、政府は集会・政社条例等で自由民権運動を弾圧し、事態を収拾するために、1889〈明22〉年を期して国会を開設する旨の詔書を発した。また岩倉具視は、参議の伊藤博文らの憲法調査団をヨーロッパに派遣した。彼らは、グナイスト（Gneist, R. von）やシュタイン（Stein, L. von）からプロイセン・ドイツの憲法思想を学んで1883年に帰国し、翌年、伊藤は井上毅・伊東巳代治・金子堅太郎とともに憲法の起草に着手した。神奈川県金沢の夏島で起草された「夏島草案」などいくつかの草案をもとに1888年までに確定案が作成され、新設された枢密院での審議の後に完成して、1889年2月11日の紀元節の日に大日本帝国憲法が発布された。

大日本帝国憲法の特徴は、下記の三点に認められる。

①　神権主義による天皇主権の統治構造

その上諭（憲法発布勅語）は、「朕カ祖宗ニ承クルノ大権ニ依リ」、「国家統治ノ大権ハ朕カ之ヲ祖宗ニ承ケテ之ヲ子孫ニ伝フル所ナリ」等と述べ、国家の統治権が、神勅（神の意思）によって本来的に「万世一系の天皇」にあることを示した。憲法では、「大日本帝国ハ万世一系ノ天皇之ヲ統治ス」（大日本帝国憲法1条）、「天皇ハ国ノ元首ニシテ統治権ヲ総攬シ此ノ憲法ノ条規ニ依リ之ヲ行フ」（同4条）として神聖不可侵の天皇の統治権を定めた。さらに、大権政治制のもとで、陸海軍の統帥権（同11条）と国務大権が定められ、立法権（「天皇ハ帝国議会ノ協賛ヲ以テ立法権ヲ行フ」（同5条））のほか法律の執行権と勅令発布権、議会の解散権も天皇に委ねられた。帝国議会は、民選の衆議院と、勅選議員と世襲の皇族・華族議員からなる貴族院との二院制をとり、天皇の立法権を協賛する参与機関にすぎなかった。行政権を担当する国務大臣は「天皇ヲ輔弼（ほひつ）シ」、天皇に対して責任を負った。なお、内閣制度は憲法上に明文はなく、「内閣官制」（勅令）で定められた。内閣総理大臣も、国務大臣に対する指揮命令権や罷免権をもたず、同輩中の首席であった。司法権も「天皇ノ名ニ於テ法律ニ依リ裁判所之ヲ行フ」（同57条）とされ、違憲立法審査権も存在しなかった。

②　皇室典範を憲法とは別の法体系に位置づけて憲法と同等の最高法規性を認めていた国法二元主義

この考えは、皇室自律主義に基づいて皇室典範を頂点とする宮務法と、憲法を頂点とする政務法とに区別するものであった。

③　基本的人権を否認し臣民の権利のみを認める権利保障規定

大日本帝国憲法は、自由民権運動のなかで要求された「天賦人権」論を排斥し、臣民としての国民の権利は国法によって与えられるとする考えを採用した。臣民の権利義務に関する第2章に列挙された臣民の権利には、居住・移転の自由、裁判を受ける権利、信書の秘密、所有権、信教の自由、言論・著作・印行・集会及び結社の自由などが含まれたが、これらは、いずれも前国家的な自然権的性格を否定され、天皇によって恩恵的に認められた権利にすぎなかった。

しかも、居住・移転や言論等のほとんどの自由について「法律の留保」が付され、「法律ノ範囲内ニ於テ」・「法律ニ定メタル場合ヲ除ク外」などの制約が定められた。「法律の留保（Vorbehalt des Gesetzes）」とはドイツ公法学上の観念で、もともとは行政権・司法権からの侵害に対して権利を保障することに主眼があり、法律の根拠に基づかなければ行政権を発動しえないことを意味していた。しかし、大日本帝国憲法では、権利を制限する場合には法律を必要とする（法律の定めがあれば権利制約ができる）という意味に用いられた。そのほか、信教の自由は「安寧秩序ヲ妨ケス及臣民タルノ義務ニ背カサル限ニ於テ」臣民が有するものとされ、所有権に関する条文には「公益ノ為必要ナル処分ハ法律ノ定ムル所ニ依ル」という文言が付加された。これらの留保に基づいて、実際に治安維持法体制下で精神的自由や身体的自由が大幅に制限された。

(3)　大日本帝国憲法の展開

第1回帝国議会選挙以来、政党が勢力をもち、1898年には最初の政党内閣も成立した。その後1912年に第一次憲政擁護運動がおこり、1918年に原敬首相の政党内閣が成立。1924年からは第二次憲政擁護運動のもとで加藤高明を首相とする政党内閣が実現して1932年の犬飼毅内閣まで続いた。吉野作造の民本主義に代表される大正デモクラシーを背景にした「憲政擁護」の動きは普通選挙運動とも連動し、1925〈大14〉年に男子普通選挙制の実現をみた。

一方、この同じ年に治安維持法が制定された。その後1931〈昭6〉年の満州事変を転換点に、1932年の5・15事件、1935〈昭10〉年の国体明徴問題（天皇機関説事件）、翌年の2・26事件を経て、1937〈昭12〉年の日中戦争、1941〈昭16〉年の太平洋戦争へと、日本は軍国主義の道を邁進していった。その間、統帥権の独立によって軍の権限が増大し、議会の機能が崩壊して翼賛政治が展開された。治安維持法下での国家による人権侵害は著しく、社会主義者・無政府主義者のみならず自由主義者や戦争に疑義を唱える一般市民や知識人の言論が封圧された。憲法上の身体の自由の保障は有名無実となり、特高警察による強制連行や拷問も日常茶飯事となった。

憲法学説では、1912年の国体論争（天皇機関説論争）と1935年の天皇機関説事件が、大日本帝国憲法の運用に大きな影響を与えた。国体論争では、超然主義の立場から天皇主権説を唱えて正統学派と呼ばれた穂積八束や上杉慎吉と、天皇機関説を唱えて立憲学派と呼ばれた美濃部達吉の見解が対立した。東京帝国大学で最初の憲法学講座を担当した穂積八束は、「主権ノ所在如何」を「国体」と解して「統治権行動ノ形式」としての「政体」と区別したうえで、「君主ノ意思即チ国家ノ意思タリ」と述べて、君主としての天皇を国家と同視し天皇自身に主権があると解した。これを継承した上杉慎吉は、ドイツ国家法人説の立場から天皇を国家の機関と解した美濃部達吉の天皇機関説を批判し、論争に発展した。憲法制定当初は正統学派が有力であったが、明治末期からしだいに憲法の立憲主義的な運用が進展したのに伴って美濃部の天皇機関説が支配的になった。しかし、1925年の治安維持法制定の後、軍部と右派からの攻勢が強まると、政府は1935年に美濃部の著書を発禁処分にした。さらに国体明徴の声明を発して、天皇機関説は「神聖ナル我国体ニ悖(もと)り、「万邦無比ナル我国体ノ本義」をあやまるものと解し、「厳に之を芟除(さんじょ)せざるべからず」と宣言して天皇機関説を禁止した。

二　日本国憲法の制定

1　マッカーサー草案と日本国憲法制定過程

(1)　ポツダム宣言の受諾と憲法改正

1945〈昭20〉年に入ると戦局はますます悪化し、3月の東京大空襲、6月の沖縄決戦を経た7月26日に、連合国は日本の降伏条件を定めるポツダム宣言を発表した。このポツダム宣言は、大日本帝国憲法を否定する原理を内包していたため、その受諾は新憲法制定過程の始まりとなるべきものであった。

ポツダム宣言の第10項は、「日本国政府は、日本国国民の間に於ける民主主義的傾向の復活強化に対する一切の障礙(しょうがい)を除去すべし。言論、宗教及思想の自由並に基本的人権の尊重は、確立せらるべし」と定めて民主主義と基本的人権の尊重という指導原理を示し、同12項の「前記諸目的が達せられ且日本国国民の自由に表明せる意思に従ひ平和的傾向を有し且責任ある政府が樹立せらるるに於ては、聯合国の占領軍は、直に日本国より撤収せらるべし」として、平和的政府の樹立と責任政治の原則を示していた。また同13項では、「右以外の日本国の選択は、迅速且完全なる壊滅あるのみとす」として、本土攻撃（実際には原爆の使用）が示唆されており、これによって日本は戦争終結のための最後通牒をつきつけられた。

戦局は最終局面を迎え、政府も6月中旬には米国との終戦交渉を打診しており、ポツダム宣言受諾は不可避であった。しかし8月14日まで受諾を引き延ばした間に、8月6日の広島市への原爆投下による20万人死亡、8日のソビエト参戦によるシベリア抑留の悲劇、9日の長崎市への原爆投下による14万人死亡という莫大な犠牲が生じた（死者数は1950年までの集計による）。

このようにポツダム宣言受諾が遅れた理由は、「国体の護持」にあった。一般には国家の形態や主権の所在について用いられる「国体」の語は、ここでは「万世一系の天皇に主権がある」という天皇制と結合した特殊日本的な用法で捉えられ、権力中枢部も「国体の護持」すなわち天皇制の擁護をめざした。

8月10日の御前会議では、「国家統治ノ大権ヲ変更スルノ要求ヲ包含シ居ラザルコトノ了解ノ下ニ受諾ス。帝国政府ハ右了解ニ誤リナキヲ信ジ本件ニ関スル明確ナル意向ガ速ニ表示サランコトヲ切望ス」としてポツダム宣言の条件つき受諾の通知をした。これに対する翌11日の連合国側の回答（バーンズ回答）では、「降伏ノ時ヨリ天皇及ヒ日本国政府ノ権限ハ降伏条件ノ実施ノ為其ノ必要ト認ムル措置ヲ執ル連合国最高司令官ノ制限ノ下ニ置カルルモノトス」となっており、「国体」の護持は明らかではなかった。しかし天皇制は維持されるという読み取りも可能と判断して、軍部の反対を押し切って14日にポツダム宣言を受諾した。そして15日に放送された終戦の詔書では、「朕ハ茲ニ国体ヲ護持シ得」たという表現が用いられた。

ポツダム宣言受諾（8月14日）と終戦の詔書（同15日）を経て、東久邇宮内閣が成立した（同17日）。政府は、「一億総懺悔論」によって戦争責任を曖昧にし、「国体の護持は皇国の最後の一線」であるとした（同28日）。そしてポツダム宣言と降伏文書の実施にあたっても、大日本帝国憲法の改正は不要であると考えていた。しかし、9月26日に哲学者三木清が未決勾留のまま獄死した事件を外国人記者が批判的に報じたことで、日本政府のポツダム宣言不履行が表面化した。連合国軍最高司令官マッカーサー（MacArthur, D.）は、10月4日、「政治的市民的宗教的自由に対する制限除去に関する覚書」（いわゆる自由に対するGHQ指令）を発して、治安維持法等の廃止、政治犯の即時釈放、特高警察の廃止等を命じた。東久邇宮内閣は総辞職し、幣原内閣が成立した。

マッカーサーは、10月4日に近衛国務大臣と会談し、大日本帝国憲法の改正の必要を示唆した。ついで11日の幣原首相との会談でも憲法の民主化の必要を指摘したため、同日、閣議の了解によって憲法問題調査委員会の設置が決定された（25日設置）。松本烝治国務大臣を委員長とするこの委員会は、当初は憲法改正について消極的な態度を崩さなかったが、内外の改正必要論の高まりに押されて憲法改正草案の起草を開始した。12月8日、松本委員長は憲法改正の基本原則（松本四原則）を発表し、翌1946年1月4日には、委員会はこの四原則を基礎に大改正・小改正の試案をまとめる方針をたてた。

松本四原則の要点は、(i)天皇が統治権を総攬するという大日本帝国憲法の根本原則にはなんらの変更も加えない。(ii)議会の議決を要する事項を拡大し、天皇の大権事項をある程度削減する。(iii)国務大臣は全国務につき議会に責任を負うものとし、国務大臣が補弼責任を負わない大権は存在しないものとする。(iv)人民の権利自由の保障を拡大し、議会と無関係な立法によって権利と自由を侵害しえないものとし、侵害に対する救済方法を完全なものとすること、であった。これらはいずれも、天皇主権や法律の留保による権利保障など、旧来の憲法原理の枠組みを変更するものではなかった。

その後、宮沢俊義・入江俊郎・佐藤達夫の三委員からなる小委員会で成文の起草が開始された。松本私案をもとに小改正案（甲案）と大改正案（乙案）が提示され、これらをもとにした草案（松本案）が後に政府の「憲法改正要綱」として2月8日に総司令部に提出された。この「憲法改正要綱」は、天皇について「神聖ニシテ侵スヘカラス」の「神聖ニシテ」を「至尊ニシテ」と改め、軍の編制大権を削除するなど、若干の修正をしただけでほとんど旧憲法の規定を維持しており、天皇制絶対主義の枠は不変であった。

(2)　マッカーサー草案（総司令部案）の作成と新憲法制定

1946年2月1日、毎日新聞は宮沢委員の私案を憲法問題調査会試案として発表した（そこには「第1条　日本国は君主国とす、第2条　天皇は君主にして此の憲法の条規に依り統治権を行ふ、第4条　天皇は其の行為に付き責に任ずることなし…」などの規定が掲げられ、天皇の統治権や臣民の権利という旧来の枠組みが維持されていた）。このスクープ記事に驚いたのは、政府や国民だけではなかった。マッカーサー自身、これをみて“とてもだめだ”と判断し、その日のうちにホイットニー（Whitney）民政局長に対して政府案拒否理由作成を指示した。日本側の憲法試案は、マッカーサーが同意を与えることができるような線からはるかに離れたものであり、これが公表されれば連合国内の対日強硬論の火に油を注ぐことになるからであった。マッカーサーは、2月

3日、「マッカーサー・ノート」を定めてマッカーサー三原則と呼ばれる基本項目を提示し、それを考慮して日本側に提示するモデルとなる憲法草案を秘密裏に作成するようにホイットニー民政局長に指示した。

「マッカーサー・ノート」に定められた三原則は、次の内容を含んでいた。

①　天皇は、国の元首の地位にある。皇位は世襲される。天皇の職務および権能は、憲法に基づき行使され、憲法に示された国民の基本的意思に応えるものとする。②国権の発動たる戦争は、廃止する。日本は、紛争解決のための手段としての戦争、さらに自己の安全を保持するための手段としての戦争をも、放棄する。日本は、その防衛と保護を、今や世界を動かしつつある崇高な理想に委ねる。日本が陸海空軍をもつ権能は、将来も与えられることはなく、交戦権が日本軍に与えられることもない。③日本の封建制度は廃止される。（以下略）」（高柳他・制定過程Ⅰ99頁、辻村編・資料集35頁以下参照）。

この後、ホイットニーは、20名余の民政局員を集めて、新憲法草案を秘密裏に作成することを指示した。早速、7個の小委員会に分かれて起草作業が始められ、9日間でそれが完成した。当時22歳の通訳であったベアテ・シロタ（Beate Sirota）によれば、人権に関する小委員会のメンバーは、ピーター・ロウスト中佐、ワイルズ博士とベアテ・シロタであり、ロウストは主に自由権、ワイルズは刑事手続に関する人権に関する条文を起草し、ベアテ・シロタは、ワイマール憲法やソ連の憲法、スカンジナビア諸国の法制などを参照して、男女平等や家族の保護を中心とする規定を起草した（いわゆるベアテ・シロタ草案）。

彼女の案文には、「すべての人間は法のもとに平等である。人種、信条、性、門地、国籍による、政治的、経済的、教育的、社会的関係における差別はいかなるものも認めず、許容しない。……」「家族（family）は、人類社会の基礎であり、その伝統は、よきにつけ悪しきにつけ、国全体に浸透する。それ故、婚姻と家族とは、法の保護を受ける。……」などのほか、婚外子の権利と平等、児童の医療費保障、社会保険システムの完備などの規定が含まれていた（ベアテ・シロタ・ゴードン後掲『1945年のクリスマス』186頁参照）。これらは人権に関する小委員会で承認されたのち運営委員会でその多くが削除された。運営委員会は、ケイディス大佐を中心に、ラウエル中佐、ハッシー海軍中佐とルース・エラマンの4人で構成されていた。このほかの小委員会を構成したメンバーも、法律専門家や知識人がほとんどであった。

こうして作成された民政局案をマッカーサーが承認し、総司令部案が確定されたのは、日本政府が総司令部に松本案を提出した後の2月12日のことである。翌13日に日本政府に提示されたが、外務大臣公邸で総司令部案が日本側（吉田茂外務大臣・松本烝治国務大臣・白洲次郎終戦連絡事務局参与）に手渡された際、ホイットニーは、「〔日本〕政府は、それ〔総司令部案〕を最大限考慮し改正憲法作成のための新な努力における指針として用いるよう勧告される」（憲法調査会・小委員会報告書、1964年、350頁）と述べたことが知られている。これは（命令ではなく）勧告であって、日本側は強制されないことも付言されていたが、日本側は「革命的要求」であると驚愕し、閣議にも公表できなかった。松本国務大臣は幣原首相らと相談して、総司令部案によって急激な改革を行うならば、保守的な多数国民の反発を招き反民主主義的な方向に走らせることになるとして、「憲法改正要綱」についての追加説明書を作成し、18日に総司令部に提出した。しかし、総司令部は「再考の余地は全然ない」とし、総司令部案を基礎として進行する意思があるかないか、20日までに回答しなければ総司令部案を発表するとして、期限をつけて回答を迫った。

日本政府は、19日の閣議で、とりあえず22日まで回答期限を延期するよう申し入れることを決め、21日に、幣原・マッカーサー会談が3時間にわたって行われた。マッカーサーは、そのとき、象徴天皇制と「人民ノ主権」を定めた第1章と、戦争放棄を定めた第2章が総司令部案の要点であり、これらの2点が確保されなければ、近く開始される極東委員会で天皇の安泰を確保することが困難になることを強調した。そこで、翌22日に閣議が開かれ、総司令部案に沿う方針が決定された。この日の閣議が「沈痛な空気のうちに」行われ、「もしこの線に沿っていかないと、どういうことになるかわからぬ。先方の眼目は天皇象徴の規定と戦争放棄の規定であるが、このようなことなどは、そのときまで日本は全然考えたこともなかった」。しかし、「さらに何かもっと大きなものを失なうおそれがある」として総司令部案に沿う方針を決定したことが、入江法制局次長談話として伝えられている（憲法調査会・小委員会報告書368頁参照）。

日本政府は、2月22日に総司令部案に沿って憲法改正案を作成する方針を決定した。その後、2月26日に案文の起草にかかり、3月2日に脱稿して英訳に移った。3月4日に総司令部の要請によって提出した日本文の草案が、「3月2日案」である。この草案は、総司令部案から「前文」を削除しており、しかも1条の「人民ノ主権意思」を「日本国民至高ノ総意」と改めて天皇主権の廃棄を曖昧にすることを企図していた。そのほか、総司令部案12条の封建制廃止の部分や、土地・天然資源の所有権に関する条文を削除し、言論・出版等の自由について法律の留保を付し、刑事手続に関する規定を骨抜きにするなどの修正を施したものであった。

3月4日からは、総司令部と政府側の双方が徹夜で検討を行ったが、松本国務大臣は天皇の規定をめぐってケイディスと激論の末に中座し、その後は佐藤達夫一人が折衝にあたった。結局、総司令部案で後退した部分の多くが復活されたが、「人民ノ主権」や土地・天然資源の規定など回復されなかった部分も相当残った。それでも3月6日には、字句の修正を行い、天皇の勅語と首相談話を付して「憲法改正草案要綱」を確定した。マッカーサーもこれに全面的な支持の声明を行い、3月6日中に公表して、憲法改正という形式下での新憲法制定の準備作業が実質的に完了した。

以上の経過のなかで、総司令部が新憲法制定を異例といえるほどに急いだ理由は、①極東委員会との関係、②国内の政治状況との関係で考えることができる。①極東委員会は、1945年12月27日に米英ソ三国外相会議で設置が決定され、翌年2月26日に発足して3月7日の第2回会合から実質的活動が始められることが決まっていた。当時は委員会内で天皇の戦争責任をめぐって対立があり、ソ連やオーストラリア、ニュージーランドなどは天皇を戦争犯罪人として指名していたため、アメリカが占領政策を潤滑に進めるためには、大日本帝国憲法の天皇制を否定した新たな統治体制案を示しておく必要があった。②総司令部は、日本政府にポツダム宣言の原則に沿った新憲法の制定の意思と能力がないと判断し、みずから新憲法の草案を起草することにした。その際には憲法研究会案など民間の知識人たちの草案の動向も参照にした。また、1946年1月に野坂参三が帰還して民主人民戦線が結成されるなど共産党や労働組合の活動が再び活発化することが予想された。天皇制に対する批判や総司令部案に対する批判がおこることも必至であり、国民が憲法問題に到達する前に憲法問題を終わらせる必要があったと考えられる。

1946年2月1日の歴史的なスクープから3月6日に至る経過をみれば、この期間に総司令部の「押しつけ」があったと解することも十分可能であろう。これについては、大日本帝国憲法の改正を望まない日本政府に対して、総司令部案を起草して新憲法制定を促した経過には、たしかに強制的な要素が認められる。しかし反面、日本政府のほうも、3月15日の閣議で「天子様を捨てるか、捨てぬかという事態に直面して」「すべてのものを犠牲にしても」天子様の安泰をはかることが明示されていたように（憲法調査会・小委員会報告書415-416頁）、天皇の安泰という目的のために憲法改正を急ぐ利益を総司令部と共有していた。ここでは、平和主義や人権保障などは政府にとって「犠牲」であり、あくまで主眼が天皇制の存続にあったことが理解される。一般に日本国憲法が「避雷針憲法」と呼ばれたのも、その趣旨である。また当時の政府にとっては、国内の混乱に対処するため早期に憲法問題を処理する必要があった。この点では、憲法改正(新憲法制定)を急ぐ必要が日本政府にも総司令部にもあったと解することが妥当であろう。

こうして1946年3月6日に「憲法改正草案要綱」が確定された後、かな書きの口語体に改められた政府の「憲法改正草案」が4月17日に公表された。5月16日に第90帝国議会が召集され、6月8日に枢密院を通過した政府の憲法改正案が、「帝国憲法改正案」として6月20日に帝国議会の衆議院に提出された。衆議院では、憲法改正特別委員会小委員会や本会議での審議を経て8月24日に修正可決された。その後、10月6日貴族院で修正可決、翌10月7日に衆議院で可決された。衆議院での審議過程では、衆議院特別委員会の芦田均委員長の提案に沿って、主権の所在に関する前文と1条の「日本国民の至高の総意に基く」が「主権の存する日本国民の総意に基く」と修正され、国民主権原理が明確になった。このほか、9条1項の冒頭に「日本国民は、正義と秩序を基調とする国際平和を誠実に希求し」の語句が、2項の冒頭に「前項の目的を達するため」の語句が追加された(「芦田修正」の解釈論上の意義は本書65頁以下参照)。また、第3章の国民の権利義務については、10条(国民の要件)、17条(国家賠償請求権)、40条(刑事補償請求権)、30条(納税の義務)の規定が新設されたほか、25条の生存権の規定が、社会党の森戸辰男議員らの提案によって新設された。また、貴族院の審議では、15条3項の普通選挙制の規定や、66条の「文民」規定、59条の両院協議会の規定などが追加された。旧来の「家制度」を護持する立場と社会主義憲法的な立場の双方から家族保護規定も提案されたが、採用されなかった。

その後、議会を通過した憲法改正案は10月29日に枢密院で採択され、11月3日に日本国憲法として公布された後、1947年5月3日に施行され、ついに新憲法が誕生した。

(3) 憲法問題に対する反応

1946年初頭の段階では、一般国民はほとんど憲法「改正」問題を知らなかったが、政党の間では憲法諸草案が起草されていた。

日本自由党が1月21日に発表した「憲法改正要綱」は、国家主権論を基礎に、天皇が統治権を総攬することとしており、二院制や内閣制度、司法権の独立などの特徴をもっていた。日本進歩党は、2月14日に「憲法改正案要綱」を発表したが、天皇主権を基礎に天皇の統治権、緊急勅令権や戒厳大権を認め、臣民の権利保障を提示するなど、旧憲法の枠組みにとどまっていた。

これら与党の草案に比べて、野党である日本社会党は、2月24日に「新憲法要綱」を発表し、民主主義と社会主義のために憲法制定を行うことを明らかにした。それは、権利保障の点では、社会権を確立するなど注目すべき条文を掲げていたが、主権原理はドイツ国法学の枠内にとどまって国民主権ではなく国家主権を掲げており、天皇を含む国民共同体に主権があるとしていた。日本共産党は、1945年11月11日に骨子を発表した後、翌年6月29日に「日本人民共和国憲法草案」を発表し、諸政党のなかでは唯一、天皇制を廃止して共和制にし、人民主権の立場をとることを明確にしていた。「人民の人権」については、社会権や刑事手続の保障を重視していた。

ほかに民間の憲法草案として、1945年12月27日発表の憲法研究会案「憲法草案要綱」がある（辻村編・資料集31頁以下参照）。

これは、憲法学者の鈴木安蔵によって起草されマッカーサー草案にも影響を与えた点で重要な意味をもった。この草案は、「日本国ノ統治権ハ日本国民ヨリ発ス」として国民主権の立場を明らかにし、「天皇ハ国民ノ委任ニヨリ専ラ国家的儀式ヲ司ル」として妥協的に天皇制を存続させていた点で、総司令部案に類似していた。基本的人権の規定についても、社会権を保障し、財産権の公的制限に言及するなど現憲法に近い内容となっていたが、この草案に採用されていた一院制や比例代表制などは、総司令部案には採り入れられていない。

また、憲法研究会の一員である高野岩三郎による私案「改正憲法私案要綱」（1945年12月28日発表）は、国民主権の基礎のうえに「元首ハ国民ノ選挙スル大統領トスル」として、天皇制を否定して大統領制を採用していた。さらに生存権、休養権、教育を受ける権利などの社会権を強調し、土地の国有化を掲げたほか、国民投票制を考案していた点でも注目すべき草案であった（資料は、芦部他編著・資料全集(2)339頁以下、辻村編・資料集33頁参照）。

これらの憲法草案に特徴的なことは、与党・保守党の草案を除いて、いずれも国民主権や社会権など現代憲法への展望が示されつつあったことである。

この点からすれば、合衆国憲法やワイマール憲法など当時の諸憲法を参考にして起草された総司令部案は、日本の進歩的部分の憲法思想の形成を先取りし、憲法研究会案のような中庸をえた憲法案を採用しようとしたものと解することができる。

国民が、1946年4月17日の「憲法改正草案」を好意的に受け入れたことは、同年5月27日、毎日新聞に公表された世論調査（有識層2,000人）の結果に示される。ここでは、象徴天皇制に賛成するものが85％、戦争放棄に賛成するものが70％であった。また、天皇制廃止への賛成が11％にすぎなかった点からも、象徴天皇制と平和主義という新憲法の原理に対して、大多数の国民が共鳴していたと解することができる（辻村編・資料集45頁）。

西欧諸国のように近代市民革命の経験をもたず、その成果として憲法を制定するという過程を経なかったために、日本国民の多くは憲法の基本原理の法的意味や歴史的意味を十分理解する段階まで到達していなかった。にもかかわらず、多くの国民が新憲法を歓迎したことは、――「押しつけ憲法」論に対する反論の根拠になりうる要点として――注目しておく必要があろう（辻村・改憲論77頁以下参照）。

2　日本国憲法制定の法理と旧憲法下の法令の効力

(1)　日本国憲法制定の法理に関する学説

日本国憲法は、大日本帝国憲法73条等の憲法改正手続に従って成立したが、ポツダム宣言受諾による敗戦を契機に占領下で制定され、しかも旧憲法の原理を根本的に変更するものとなった。そのため、憲法改正の限界や占領下での憲法制定の有効性など、法理論的な論点をめぐってさまざまな議論がおこった。

日本国憲法制定の法理に関する学説として、無効説（A説）と有効説（B説）に分かれ、後者はさらに、大日本帝国憲法と日本国憲法との法的連続性を認める立場（B_1説・大日本帝国憲法改正説）と、これを認めない立場（B_2説・新憲法制定説）に分かれた。

A説（日本国憲法無効説）は、(i)憲法改正には限界があるという改正限界説にたてば改正の限界をこえているという点、(ii)改正が占領期間中に占領軍の干渉によって行われたことが、ハーグ条約（1907年の陸戦法規43条の内政不干渉原則）および「日本国国民ノ自由ニ表明セル意思ニ従ヒ……政府ガ樹立セラルル」ことを保障したポツダム宣言12項等に反するという点から、大日本帝国憲法改正手続には「違法又は重大且明白なる瑕疵がある」とした。しかし、現憲法が有効に施行されてきたことからして、今日ではこの説の意義は小さく、形式的な法理論上の否認にすぎないといえる。

B_1説（大日本帝国憲法改正説）は、(i)憲法改正には内容上の限界はないという改正無限界説にたてば日本国憲法への改正は法理論的に問題がないうえ、手続的にも天皇の名で改正が行われているため欽定憲法の改正として法的連続性が認められるという点、(ii)ポツダム宣言12項は天皇を含めた日本国民の意思に基づくことを求めているにすぎず、大日本帝国憲法はポツダム宣言受諾後も全面的に効力をもっていた点から、大日本帝国憲法の改正と解される、とした（佐々木惣一説）。

憲法改正の限界については、（本書第3部第8章518頁以下で後述するように）改正には内容上の限界があるとするのが通説であり、「憲法制定権力（pouvoir constituant）」と区別された「憲法によって設けられた権力（pouvoir constitué）」にすぎない改正権がその根源を変更することはできないことからすれば、改正限界説が妥当であろう（本書519頁参照）。さらに国民主権原理に立脚する日本国憲法は、旧憲法の天皇主権を否定してはじめて存立しうるものであり、日本国憲法は新しい原理に基づいて制定されたものと解するのが説得的である。

戦後の憲法学では、B_2説（新憲法制定説）が通説となり、宮沢俊義の「八月革命説」が支配的な地位を占めた。

この学説は、憲法改正限界説にたち、以下のことを指摘した。(i)憲法の根本建前（基本原理）によって改正手続そのものが基礎を与えられているのであるから、その手続によって「その根本建前を変更するというのは、論理的な自殺を意味し、法律的不能」と解すべきであり、神権主義（天皇主権）の憲法から国民主権主義の憲法への転換は、天皇の意思によっても合法的にはなしえないことであって、憲法的には「革命」というべきである。(ii)その「革命」はポツダム宣言の受諾によってなされたというべきであるから、日本国憲法の国民主権主義の承認は「八月革命」によることになる。8月11日の「バーンズ回答」で日本の最終的な政治形態は国民の自由な意思により決せられる旨が認められ、日本がその前提にたってポツダム宣言を受諾した時点で「八月革命」によって国民主権が成立し、国体が変革されたと解すべきである。(iii)もっとも、「八月革命」によって明治憲法が全面的に失効したと考えるべきではなく、新しい建前に抵触する限度において明治憲法の規定の意味が変化したと解するべきであるとする。こうして、宮沢説では、新しい建前に抵触しない限度では明治憲法を運用しうることになり、表面上はその73条で改正することを認めることになった（宮沢俊義「日本国憲法生誕の法理」1955年、同後掲『憲法の原理』375頁以下所収参照。宮沢説につき、高見勝利後掲『宮沢俊義の憲法学史研究』172頁以下参照）。

「八月革命説」には、理論上いくつかの疑問が存在するが、「八月革命説」自体が法理論上のフィクションであり、国民主権への転換によって特定の憲法制定手続が要請されるという理論的前提にたっていない以上、旧憲法の改正手続を用いたことを理由に、ただちに日本国憲法を無効と解することまでは認められないだろう。理論上は、旧憲法73条の適用が必然的なものであったのではなく、その規定を「便宜借用し、行為の形式的合法性をよそおった」（清宮・憲法Ⅰ51頁）政治的配慮に基づく仮装にすぎないという見方によれば整合性を保つことができると思われる（主権論との関連は、本書39頁以下参照）。

(2)　大日本帝国憲法下の法令の効力

日本国憲法制定について、大日本帝国憲法との法的連続性を否定する通説にたてば、形式的には、旧憲法下の法令はすべて無効とする全面無効説が帰結される。しかし、現実には、「日本国憲法施行の際現に効力を有する命令の規定の効力等に関する法律」（1947年4月18日法律72号）が、旧憲法下の命令の多くについて、1947年末までの暫定的な効力を認めた。

判例・通説も、日本国憲法98条1項の最高法規性に関する条文を経過規定と解釈することにより、「旧憲法上の法律は、その内容が新憲法の条規に反しない限り、新憲法の施行と同時にその効力を失うものではなく、なお法律としての効力を有する」と解した（最大判1948〈昭23〉. 6. 23刑集2巻7号722頁など）。また、「日本国憲法施行の際、現に効力を有する勅令の規定の効力等に関する政令」（1947年5月3日政令14号）によって、前記1947年法律72号で明記するもの以外の勅令についても、政令としての効力が認められた。

三　日本国憲法の規範構造

1　日本国憲法の構造と基本原理

日本国憲法は、前文と本文11章103ヵ条で構成される。

憲法前文の前に付されている上諭は大日本帝国憲法73条による帝国議会の議決を経た旨を記載したもので、前文と異なって憲法の一部をなさず、法的効力のない前書きにすぎない。日本国憲法の本文は、第1章天皇、第2章戦争の放棄、第3章国民の権利及び義務、第4章国会、第5章内閣、第6章司法、第7章財政、第8章地方自治、第9章改正、第10章最高法規、第11章補則からなる。戦争放棄に関する第2章を除いて、第1章（天皇）から第7章（財政）までの配列は大日本帝国憲法と同様であるが、第8章（地方自治）と第10章（最高法規）が新設され、第3章では11条・97条の基本的人権尊重の理念に従って国民の権利・義務に関する豊富な規定がおかれている。前文で国民主権原理を掲げる日本国憲法の基本構造からすれば、本来は第1章の表題は「国民主権」とされるべきであったが、大日本帝国憲法の改正手続によったことなど憲法制定過程の特殊性に由来する事情から、表題が「天皇」となった。

日本国憲法は、基本原理として国民主権、平和主義、基本的人権の尊重を掲げ、権力分立や法の支配の原則を採用することで、それが近代市民憲法の嫡流にあることを示している。さらに、国際協調主義を宣言し、違憲立法審査制を確立している点や、人権原理の基本として個人主義を掲げつつ社会権を保障している点など、現代立憲主義憲法の主要な特徴や原理をそなえた現代憲法である。

2　前文の性格と効力

日本国憲法前文は、4段からなり、憲法の基本原理を宣言して重要な役割を担っている。

その第1段は、「日本国民は、……ここに主権が国民に存することを宣言し、この憲法を確定する」と述べて、主権者である国民こそが憲法制定権力の主体であること、したがってこの憲法が民定憲法であることを明らかにする。さらに、国民が憲法制定を決意した動機が「自由のもたらす恵沢」の確保と平和の達成にあること、国政が国民の信託に基づくもので国民がその福利を享受するという、「人類普遍の原理」としての民主主義をその基本原理とすることを宣言する。ついで第2段は、恒久平和を念願する日本国民が、「平和を愛する諸国民の公正と信義に信頼して、われらの安全と生存を保持しようと決意した」こと、そして「全世界の国民が、ひとしく恐怖と欠乏から免かれ、平和のうちに生存する権利を有すること」を確認し、そうすることで、国際社会で「名誉ある地位」を占めることを念願している。これをうけて第3段は、自国のみに専念して他国を無視することなく、国際協調主義を旨とすることが「各国の責務」であることを指摘する。そして第4段で、日本国民は、国家の名誉にかけてこれらの「崇高な理想と目的を達成すること」を誓っている。

前文の裁判規範性については、従来の通説は否定説をとっていた（伊藤・憲法59頁など）が、最近では肯定説が有力となっている。前文の理念・原則がすべて本文で具体化されているという理由では前文の裁判規範性を否定しえないこと、比較憲法的にみてもフランス第五共和制憲法前文など裁判規範として機能するものが多い（樋口他・注解Ⅰ41-42頁〔樋口執筆〕）ほか、国民主権や民主主義、平和主義や国際協調主義など憲法の基本原則を定めた前文の内容の重要性からしても、その裁判規範性を否定することは困難であろう。

3　憲法と国際法

(1)　国際協調主義の意義

憲法98条は憲法の最高法規性と国際協調主義について規定する。1項では、この憲法の条規に反する「法律、命令、詔勅及び国務に関するその他の行為の全部又は一部は、その効力を有しない」と定めて、国内法体系での憲法の最高法規性を確認している。同時に2項では、「日本国が締結した条約及び確立された国際法規は、これを誠実に遵守することを必要とする」と定め、国際協調主義を宣言する。この場合、条約等が1項に列挙されずに、2項に別に記されたことから、国内法としての憲法体系と国際法体系の関係、および条約（国家間の文書による法的合意、協約、協定、議定書等の名称のものもこれに含まれる）の国内的効力が問題となる。

国際法と国内法との関係については、両者を「法体系を異にする別個の法秩序」と捉える二元論と、両者を「同一の法体系に属するもの」と捉える一元論が対立してきた。憲法学界では、国内法優位の一元論をとる見解が長く優勢であったが（清宮・憲法Ⅰ448-449頁、野中他・憲法Ⅱ429頁〔野中執筆〕）、「本来は、国際法の法形式に属する規範を包括的に国内法秩序のなかにくみ入れたもの」であるとして、「今日の国際法秩序のありように照らしてみるならば、後者［二元論］の理解の方が実態に即している」と解する見解もある（樋口・憲法102頁）。国際法学では「調整理論」ないし「等位理論」により調整義務を論じ、個別具体的に解決する方向に進んだ（山本草二後掲『国際法（新版）』85頁参照）。

理論的には、一元論を前提にした場合には、一元的に捉えられた法体系の妥当根拠（効力の根拠）を国際法と国内法のどちらに求めるかという点に関して、国際法を上位秩序とみる国際法上位説と、国内法を上位秩序とみる国内法上位説が存在しうる（この対抗は、後述の形式的効力の優劣とは異なるが、実際には、国際人権法の重要性が高まるにつれて、条約の国内的効力が大きな課題となってきた。森肇志他・座談会「憲法学と国際法学との対話に向けて」法律時報87巻9号89頁以下、同10号65頁以下参照）。

(2)　条約の国内的効力

国際法の諸規範を国内で実施するためには、それをまず国内法秩序に組み入れることが必要となる。実際には、別段の立法措置なしに当然に国内法としての拘束力をもつことが定められる自動執行型（self-executing）の条約の場合と、立法措置を要する場合とを問わず、国内法秩序のなかで憲法と条約のいずれが形式的効力の点で優位するかが問題とならざるをえない。

このような条約の国内的効力については、憲法と条約との関係をめぐって(A)憲法優位説（憲法学の通説）と(B)条約優位説が対立してきた。(A)説の根拠として、条約締結権は憲法に根拠を有し、締結および国会による承認は憲法の枠内においてのみ許容されること、憲法99条は条約締結にかかわる内閣構成員や国会議員に憲法尊重擁護義務を課していること、憲法改正には厳格な手続が定められているのに対して条約優位説だと条約による憲法改正が容易になること、などが指摘される（芦部・憲法学Ⅰ92-93頁）。一方、(B)説は、憲法の国際協調主義を強調し（宮沢・コメ818頁）、98条１項の列挙事項に条約が含まれていないこと、憲法81条の違憲審査の対象からも条約が除かれていることなどを指摘する。(A)の憲法優位説が通説であるが、他方で、「確立された国際法規」あるいは領土や降伏等に関する条約は憲法に優位するとみる見解も有力である（橋本・憲法680-683頁、小嶋＝大石・概観65頁等）。

また、条約が違憲審査の対象になり得るか否かという論点について、通説（芦部・憲法385頁、樋口・憲法（第３版）103-104頁）もこれを認め、判例（最大判1959〈昭34〉. 12. 16刑集13巻13号3225頁）も、旧日米安保条約について高度の政治性を理由に憲法判断をせず、条約に関する違憲審査自体は否定しないとした。

法律と条約の関係については、条約を法律より上位におく理解が通説である（芦部・憲法学Ⅰ91頁）。国際人権規約などの人権条約が批准されて国内的効力をもっている今日では、「法律以下の国内法規範の人権規約違反の主張を憲法違反の主張に準ずるもの、したがって上告理由に該当するものとして扱うことを可能に」している（樋口・憲法Ⅰ411頁）。実際に、夫婦別姓訴訟や再婚禁止期間規定違憲訴訟など、多くの訴訟で条約違反を理由に提訴してきた。司法府は、条約が日本国民に対して直接に権利を保障するものではないとして条約違反の争点を問題視しない判断を続けている。しかし、民法733条・750条は女性差別撤廃条約16条ｂ・ｃ・ｇなどに明示的に抵触するため、課題が残っている（本書171頁以下参照）。

公衆浴場での外国人の入浴を拒否した経営者の行為が、憲法14条１項、国際人権規約Ｂ規約26条および人種差別撤廃条約（２条１項ｄ、６条）に反するとして争われた訴訟では、これらの趣旨に照らし、「私人間においても撤廃されるべき人種差別にあたる」として不法行為による損害賠償を一部認めつつ、地方公共団体の損害賠償を否定する判決が下された（札幌地判2002〈平14〉. 11. 11判時1806号84頁、重判平成14年度260頁〔佐藤文夫執筆〕参照。控訴審札幌高判2004〈平16〉. ９. 16も地方公共団体の不法行為の成立を否定して控訴棄却し、最高裁（最一決）2005〈平17〉. ４. ７も上告を棄却した）。判決では、上記諸条約は私人間で直接適用されないが、民法１条・90条等の解釈にあたって「基準の一つとなりうる」として私人間における条約の間接適用を認めたことが注目された。

第3章　国民主権――日本国憲法の基本原理Ⅰ

一　国体論争と主権論の展開

1　国体論争の展開

日本国憲法の制定過程で、天皇制の処遇と「国体」護持が最も重要な論点となった経緯を前章でみた。「国体」とは、一般には国家体制を示す用語であるが、旧憲法下の政府や学説にとっては、とくに万世一系の天皇が統治権を総攬するという天皇主権に基づく体制を意味していた（本書25頁参照）。そこで、日本国憲法で国民主権と天皇象徴制が導入された際に、「国体」に変更が生じたかどうかが議論された。1946年の帝国議会での金森徳次郎国務大臣の答弁は、「建国の体」としての国体とは「天皇を憧れの中心として、心の繋がりを持って結合して居る国家」であるとして「憧れの中心」説を展開し、法的意味よりも精神的・倫理的な結合関係を重視した。新憲法によって「政体」は変わっても根本的な「国の体質」はとくに変わったわけではない。「天皇を憧れの中心として、国民が統合をして居る」ということは、少しも変わりはないのだから、「国体」は変革していないとされた（清水伸・審議録、第1巻871頁、827頁参照）。

このような（精神的・倫理的な）国体概念を前提とすれば、天皇が国民の精神的な支柱であるような国家の姿は変更されていないことになり、また、これと異なる（法的意味における）国体概念を前提とすれば、天皇主権から国民主権の変化は国体の変更にほかならないことになる。この問題をめぐる論争が、戦後初期の論壇および学界でおこった。一つは憲法学者佐々木惣一と哲学者和辻哲郎との間の「佐々木・和辻論争」、もう一つが憲法学者宮沢俊義と法哲学者尾高朝雄との間の「宮沢・尾高論争」である。

① 佐々木・和辻論争　佐々木は、論文「国体は変更する」(1946年)、「国体の諸論点——和辻教授に答う」(1947年) のなかで、国体には、政治の様式からみた概念と精神的倫理的観念よりみた概念の二種類があり、憲法学で問題にするのは前者であり天皇が統治権の総攬者でなくなったのであるから国体は変更したといわざるをえない、とした。これに対して、和辻は、「国体変更論について佐々木博士の教えを乞う」「佐々木博士の教示について」(1947年) のなかで、天皇が国民の憧れの中心であるという歴史的事実は変更していないとし、さらに「国民の統一を天皇が象徴するとすれば、主権を象徴するものもほかならぬ天皇ではなかろうか」と考えて国体に根本的な変更はないことを論じた。この論争は国体概念の捉え方の相違から生じていたが、憲法理論的には、法的概念としての国体を問題とした佐々木説のほうに説得力が認められた。

② 宮沢・尾高論争　宮沢の「八月革命と国民主権主義」(1946年) を尾高が『国民主権と天皇制』(国立書院、1947年) で批判し、宮沢「国民主権と天皇制についてのおぼえがき——尾高教授の理論をめぐって」、尾高「ノモス主権について」、宮沢「ノモス主権とソフィスト——ふたたび尾高教授の理論をめぐって」、尾高「事実としての主権と当為としての主権」が著されて宮沢・尾高論争が展開された。

尾高は、「国家において最高の権威をもつものを主権と呼ぶのならば、主権はノモスにあるというべきである」として、「矩 (のり)」すなわち正しい法の理念や正しい筋途を意味する「ノモス」に主権の本質を求めた (ノモス主権論)。ノモスを最高の政治原理とする点では天皇の統治も国民主権も同じであるとして天皇制と国民主権との調和的把握を説いて宮沢を批判した。これに対して、宮沢は、主権が国民に存するか、君主ないし天皇に存するかという問題は残るとして、主権の主体を具体的人間に求め、主権とは「国家の政治のあり方を最終的にきめる力」または「権力ないし権威」、「国家における最高の意志」であると定義した。宮沢は、天皇主権から国民主権に変わったことは国家組織の根本性格の変化であり、ノモス主権論が、天皇制の致命的な傷を包む「ホウタイの役割」を果たしうるという政治的機能を批判した (宮沢「国民主権と天皇制についてのおぼえがき」1948年、同後掲『憲法の原理』281頁以下所収)。

宮沢・尾高論争は、主権ないし国体の概念について異なる次元にたっていたため、論理の点では平行線をたどったが、憲法理論としては、宮沢説が通説の地位を占めた (杉原泰雄後掲『国民主権と国民代表制』10頁以下、野中他・憲法 I 85頁以下〔高橋執筆〕、高見後掲『宮沢俊義の憲法学史的研究』339頁以下参照)。

2　主権論の展開

宮沢説を中心とする戦後第一期の主権論には、次の特徴が認められる。

①国民主権ないし国民代表概念の現状隠蔽機能（イデオロギーとしての機能）を批判する、いわゆる「イデオロギー批判」の手法を採用したこと（イデオロギーとは、「本質上現実と一致しなければならぬ科学的概念として自らを主張する表象であって実は現実と一致しないもの」（宮沢「国民代表の概念」1934年、同『憲法の原理』186頁）と定義される）。②天皇制を擁護する「天皇制のアポロギア」の否定としての国民主権の意義を明確にしたこと（尾高説や和辻説が天皇制擁護の政治的機能をもつことを指摘し、旧憲法下の天皇主権と国民主権との断絶の意味を確認することで、「科学としての憲法学」と主権論の意義を確立した）。③主権を、国の政治のあり方を最終的に決める「権力あるいは権威」（宮沢『憲法の原理』285頁）として捉え、主権の建前ないし正当〔統〕性の側面を認めたことである。

ついで戦後第二期ともいえる1970年代には、1970年日本公法学会総会における杉原泰雄・樋口陽一・影山日出彌会員の報告を契機として、フランスの主権論に依拠して「国民（ナシオン）主権」・「人民（プープル）主権」の区別を前提にした議論（「70年代主権論争」）が展開された。

杉原説は、通説的見解では主権者国民が国政の重要問題を最終決定しえない事実を説明できないとしてそのイデオロギー性を批判し、主権を「国家権力それ自体を意味するもの」と捉えた。また、主権原理は「国家権力の国内における法的帰属を指示する憲法原理」であるとしてフランスの「人民（プープル）主権」論を日本の解釈論にも適用し、「人民主権」に適合的な解釈を展開して国家法人説の払拭と民主的統治原理の確立をめざした（杉原『国民主権と国民代表制』59頁以下参照）。これに対して、樋口説も、「イデオロギー批判」の手法と「方法二元論」（認識と評価、存在と当為を区別する方法）において宮沢説を継承したが、主権を「権力の正当性の所在の問題」として捉え、国民主権の建前が定着した段階では主権の出番を抑制することを説いた（樋口後掲『近代立憲主義と現代国家』287頁以下、同『近代憲法学にとっての論理と価値』第2章参照）。

1980年代以降は、「イデオロギー批判」の手法をこえて制度論や手続論へとパラダイムを転換すべきことが説かれるようになり、代表制や議会制度上の具体的問題に関連して論じる傾向が強まった。その後は、国際化の進展や「近代国民国家の揺らぎ」によって、主権論の意義を否定ないし疑問視する議論が生じた。この結果、主権論の意義（機能と効用）を積極的に評価するポジティブな主権論

（杉原説など）と、主権概念の排除論を含めて主権論の意義を消極的に解するネガティブな主権論に分化し、芦部説の通説化の後は主権論自体の停滞が言われてきた（辻村・選挙権と国民主権18頁以下参照）。

二　国民主権の意味

1 「主権」の意味

「主権（sovereignty, souveraineté, Souveränität）」の意味については、それが多義的で歴史的な概念であることから、多くの解釈や議論が存在する。一般には、(i)国家権力そのもの（統治権）、(ii)国家権力の最高・独立性、(iii)国政についての最高の決定権、という三つの用法があると解されてきた。

このうち第一の用法は、ポツダム宣言８項の「日本国ノ主権ハ本州、北海道、九州及四国……ニ局限セラルベシ」という場合の用法であり、自国の領土に対する統治権、すなわち立法権・行政権・司法権など複数の「国家の権利」（宮沢）ないし「統治活動をなす権力」（清宮）を総称する観念である（芦部・憲法学Ⅰ220頁以下参照）。第二の用法は、「国家の主権」すなわち国家権力が、対外的には他のいかなる権力主体からも独立し、対内的には他のいかなる権力主体にも優越して最高であるという、主権の最高独立性を意味する用法である。憲法前文第３段（「自国の主権を維持し」）で対外的な独立性に重点をおいて用いられる。第三の用法は、「国家における主権」の問題として主権の対内的側面に注目して国民主権や君主主権などという場合の用法であり、憲法前文第１段や１条で用いられる。

憲法学界の通説的見解は、第三の意味で、主権を「国の政治のあり方を最終的に決める力または権威」（芦部・憲法学Ⅰ221頁）のように解してきた。ここでは、主権は国家権力ないし実力そのものなのか、「権威」（正当〔統〕性・建前）なのか、「国民」とは、国籍保持者の総体としての「全国民」なのか、政治参加能力をもった市民の総体としての「人民」なのか、あるいは国家法人説でいう「有権者」（後述）なのかという基本的な論点について、十分に解明されなかった。そこで、主権の観念と帰属の意味、主体について明確にすることが必要となるため、以下で検討しておこう。

2　「国民」の意味と主権の「帰属」――四つの類型

(1)　国民の意味

国民主権における「国民」の意味、すなわち、主権主体の理解について、日本の戦後憲法学では、従来から、国民主権の「国民」を「日本人の全体」として捉える「全国民主体説」と、「有権者の総体（選挙人団）」と捉える「有権者主体説」とが対立してきた。宮沢・尾高論争によって通説の地位を確保した宮沢説が「全国民主体説」をとったのに対して、「有権者主体説」には、国家法人説にたつ美濃部（達吉）説のほか、主権を憲法制定権力と同視する清宮（四郎）説などが存在した。今日の憲法学説でも、国民主権の「国民」を全国民と解するA型が通説であるように見えるが、国民のなかの政治的意思決定能力者と解するB型も有力である（国家法人説の立場から国法上の「有権者」とするB_1型とフランスの「人民（プープル）主権」を前提に市民の総体としての「人民」と解するB_2型とに分かれる）（下記の表参照）。

(2)　主権の帰属の意味

主権が「国民」に帰属するという場合、「国民」の意味だけでなく「帰属」の意味も問題となる。1970年代の「主権論争」では、杉原説が、主権を第一の用法である国家権力として捉えつつ、主権の帰属を権力的契機で理解し、主権原理を「国家権力の帰属関係の法的表明」と解した（杉原後掲『国民主権の研究』53頁以下参照）。これに対して、樋口説では、主権を憲法制定権力として捉え、それが近代憲法に取り込まれた際に、「主権＝憲法制定権力」は憲法制定権と憲法改正権に概念上分離され、前者は「永久に凍結された」と理解した。したがって、主権原理はあくまで「権力の正当性の所在」を示す原理（建前＝到達目標にすぎないもの）とし

表　四つの類型

主権の主体＼主権の帰属	全国民（A）（国籍保持者の全体）	有権者（B_1）・人民（B_2）（政治的意思決定能力をもった市民の全体）
権力(実体)の帰属（X）	AX型	B_1X型 [B_2X型] 人民（プープル）主権説
正当性(建前)の帰属（Y）	[AY型] 国民（ナシオン）主権説	BY型

て正当〔統〕性の契機で論じられ、国民に正当性が帰属することを意味するとされた（樋口『近代立憲主義と現代国家』300頁以下）。

こうして、主権の帰属について、権力の実体の帰属と解するＸ型と、権力の正当〔統〕性・権威の帰属と解するＹ型を区別することが可能となり、「国民」についてのＡ型（全国民）とＢ型（国家法人説的な意味での有権者＝$Ｂ_1$型、あるいは政治的意思決定能力者としての人民＝$Ｂ_2$型）という分類との組みあわせによって、国民主権の理解について、ＡＸ型・ＡＹ型・ＢＸ型・ＢＹ型の四つの類型が成立しうる。これらのうち、従来の通説的見解がおもにＡＹ型（権力の正当性が全国民に帰属すると解する立場）であったのに対して、$Ｂ_2$Ｘ型（権力の実体が人民に帰属すると解する立場）から批判が展開されてきた（43頁の表を参照）。

(3)　折衷説の展開

その後、ＡＹ型とＢＸ型の両者の併存を認める折衷的な説明が芦部説によって有力に展開された。ここでは「主権の保持者が『全国民』であるかぎりにおいて、主権は権力の正当性の究極の根拠を示す原理であるが、同時にその原理には、国民自身――実際には『有権者の総体』――が主権の最終的な行使者（具体的には憲法改正の決定権者）だという権力的契機が不可分の形で結合している」と説明した（芦部・憲法学Ｉ243頁、芦部・憲法43頁以下では「併存」）。

国民主権には憲法制定権力の正当性を示す側面と、実定法上の統治権を示す側面の両者を識別しうるため、折衷的理解は妥当であるといえる。しかし両者を混同しないように峻別することこそが重要であり（野中他・憲法Ｉ90頁〔高橋執筆〕）、「融合」や「結合」等の表現が混乱を招いただけでなく、憲法解釈論でも種々の課題が残った。例えば、「権力的契機と正当性の契機の融合ないし不可分の結合」と解するが、実際には、理論上二つの契機を一つにまとめることは不可能であり、とくに解釈論上はいずれかの立場にたつことが求められる（代表制についての自由委任説〈芦部説〉と命令的委任に近いものとして捉える杉原説は、それぞれ「国民（ナシオン）主権」と「人民（プープル）主権」に適合的であり、芦部説は、全国民主体説、自由委任説の系譜に立っている（本書347頁参照））。

(4)　「人民主権」説の意義と課題

従来の通説（全国民主体説）にたって、日本国籍をもつ全国民に主権が帰属すると考える場合には、老若男女を問わずすべての日本人が主権者とされ

て主権主体が広く解される反面で、本来意思決定能力をもたない幼児なども
これに含まれるため、主権者がみずから主権（権力）を行使することは不可
能となる。そこで、実際に主権を行使することのできる政治的意思決定能力
者を主権主体と解し、可能な限り主権者自身の直接的な意思決定を求める
「人民主権」説（上記のB_2Ｘ型）による解釈が主張された。

この説では、日本国憲法が、公務員の選定・罷免権を定める15条１項や国民投票・住民投票等を定める96条・95条などがフランスでいう半直接制や「人民（プープル）主権」に適合的な規定をおいていることを重視して、これを「人民主権」として捉えるものである。日本国憲法には43条１項や51条など「国民（ナシオン）主権」に適合的な規定も混在しているため、いずれの立場にたって解釈論を展開してゆくかは一つの選択の問題となるが、民主政治の原理を徹底し国民主権原理を単なる建前として凍結するのでなく、これを活性化・現実化することをめざす解釈が求められる。後述の「市民主権」論もその試みである（本書348頁以下、辻村・市民主権50頁以下、同後掲『国民主権と選挙権――「市民主権」への展望』第１・２章参照）。

三　国民主権下の象徴天皇制

1　象徴天皇制の意義と皇位

(1)　象徴天皇制の特徴

日本国憲法は、大日本帝国憲法の神権天皇制を廃止して、国民主権原理の
もとで象徴天皇制を採用した。旧憲法と比較した場合のその特徴は、次のと
おりである。第一に、天皇主権から国民主権に転換したことから、天皇の地
位が主権者である国民の総意に基づくことになった。このことを、憲法１条
は「この地位は、主権の存する日本国民の総意に基く」と表現した。これに
より天皇制の改廃自体も憲法改正手続のもとで主権者国民の意思によって決
定できるようになった。第二に、天皇の地位が主権者から象徴へと変化し、
天皇の象徴権限の行使が主権者の意思に従属することとなった。したがって、
天皇はいかなる政治的権力をも行使できず、政治的表現をはじめ多くの権利
が制約される。第三に、国法二元主義から一元主義に転換したことで、皇室
典範が憲法体系のもとにおかれ、皇室自律主義も否定されることになった。

第四に、天皇大権を否定し内閣の責任政治を確立して、天皇の権限を内閣の監督責任のもとにおくことで近代立憲主義を実現できるようになった。

(2) 天皇の地位――象徴の意味

天皇という言葉には、憲法上の機関（象徴職）名と、その機関につく個人の両者が含まれる。憲法1条が「日本国の象徴であり日本国民統合の象徴」とするのは前者であり、天皇の憲法上の地位が象徴（職）にあることは疑いがない。ただし、象徴の語にも社会的意味と法的意味の両面がある。

まず、社会的意味において、象徴とは、本来、抽象的・精神的・無形的なものを表す具体的・物質的・有形的なものを意味する。例えば、鳩が平和の象徴であるという場合がそれである。「日本国と日本国民統合の象徴」という場合も、国民の多くが天皇をとおして日本国や日本国民の統合体、アイデンティティを得られればよいという程度の意味しかない。しかし、厳密には、象徴である天皇と象徴される国民統合との関係については、憲法論上重要な意味が含まれる。この点では、(a)あくまで天皇を国民統合の中心として捉え、国民の「憧れの中心」である（国民は天皇を中心に統合されている）と解する見解と、(b)国民の統合は、平等な個々人相互間の結合によって成立しており、そうして成立した国民統合の象徴であると解する見解が区別される。憲法制定過程で金森国務大臣が天皇を国民の「憧れの中心」としたのは(a)の立場と考えられる（本書39頁参照）が、憲法の国民主権や人権の原則をふまえる場合には、(b)が妥当となる。

次に、法的意味において、象徴天皇制はより重要な意味を有する。憲法1条は、天皇が旧憲法下から継続して象徴の性格をもったことを確認する規定と解する見解（確認説）と、旧憲法とはまったく異なる新たな象徴天皇制を創設したと解する見解（創設説）が存在するが、法的意味としては後者が妥当である。また、学説には、象徴の法的意味を否定する見解（無意味説）もかつて存在したが、国民主権下の象徴天皇制の意義からすれば、法的意味を肯定する通説（有意味説）が妥当となる。すなわち、憲法が天皇を象徴としたことは次のような一定の法的意味をもつと解される。それは、第一に、天皇が政治的権力をもってはならないことを含意する。さらにこのような象徴職の政治的中立性から、参政権や政治的表現の自由など一定の権利を制約されることになる。また、天皇は憲法上の国事行為について政治責任を問われないことが帰結される。第二に、象徴の法的効果として、天皇は君主の地位や元首の地位を否定されていることを意味する。この点は、君主や元首の定義にも関連して議論がある。

(3)　君主・元首との関係

一般に、君主とは、世襲の機関で統治権の重要な部分、少なくとも行政権を現実に行使する機関を意味するため、統治権をもたない天皇は君主ではない（世襲の独任機関で統治権を行使するものという定義が維持される限り天皇は君主ではないが、実際にはイギリスのように君主の統治権は名目化しているため、実質的な区別が困難な側面も生じている）。

また、元首（head of the state, chef d'Etat）の言葉も、君主と同様、定義が必ずしも一定していない。一般に、対内的には行政府の首長として国政を統轄し、対外的には国家を代表する地位にあるものが元首と呼ばれる。このように行政権の長として先進国首脳会議（サミット）などに出席する首脳の意味であれば、日本の元首は天皇ではなく内閣総理大臣である。他方、天皇には、名目的であれ、対外的に日本を代表する地位が憲法で与えられているため、外交上は天皇が元首として扱われることが慣行である（しかし、対外的に日本を代表する国事行為が天皇に認められていても、実際の大使・公使の信任状発行など、外交権限をもつのは内閣であるため、元首は天皇ではない）。学説では否定的見解が強く（新基本法コメ24-26頁〔芹沢斉執筆〕参照）、「憲法学上は無意味な議論」（野中他・憲法Ⅰ110頁〔高橋和之執筆〕）とするものもある。

(4)　皇位の継承

憲法2条は「皇位は、世襲のものであつて、国会の議決した皇室典範の定めるところにより、これを継承する」と定める。皇位とは国家機関としての天皇の地位、その継承とは新しい人がその地位につくことを意味するが、憲法は、世襲主義と法定主義の原則だけを定めて、資格や順位の決定を皇室典範に委ねている。世襲とは、天皇の地位につくものが現天皇の血統に属する者に限定されることを意味する。

皇室典範は、皇位継承資格者を、「皇統に属する男系の男子」（1条）で「皇族」に属する者に限定する。皇統は天皇の血統、男系は男子の系列を意味するから、天皇の血統に属する女子とその子孫には資格が認められない。また、皇室典範は、世襲制を維持するために天皇および皇族からなる皇室の制度を定め、皇位継承の諸原則を規定する。それによれば、皇位継承の順序は、長系および長子を優先して、皇長子、皇長孫、その他の皇長子の子孫、皇次子およびその子孫の順と定められる（2条）。このような長系長子主義は、旧来の家制度下の家督相続方式を踏襲するもので、憲法24条が定めた家族をめぐる憲法原則に抵触する。皇族身分は出生によって取得するが、女性の場合は、天皇および皇族男子との婚姻によっても取得しうる。皇族身分の離脱については、法律上当然に離脱する場合（(i)皇族女子が天皇および皇族以外の者と婚姻したとき、(ii)皇族以外の女子で親王妃・王妃となった者が離婚したとき）、皇室会議の議決により強制的に離脱させる場合（(iii)親王、内親王、王、王妃についてやむをえない特別の事由がある場合、(iv)皇族以外の女子で親王妃、王妃となった者がその夫を失ったときで、やむをえない特別の事由がある場合）などが定められる（11～14条）。また、天皇と皇族男子の結婚は皇室会議の承認を要する（10条）。このような性別による取扱いの差異は、憲法14条や女性差別撤廃条約2条との関係で問題となる（本書167頁参照）。

なお、小泉政権下で設置された「皇室典範に関する有識者会議」が2005年11月に報告書を提出し、皇位の安定的な継承を維持するために「女性天皇・女系天皇への途を開くことが不可欠」であると判断し、皇位継承制度の早期の改正を提言した。しかし翌年、皇族男子が誕生したことにより、法制度改革論議は凍結された。2011年には、女性皇族の皇室からの離脱を避けるための「女性宮家」創設が議論されたが、これも凍結された。

(5)　天皇の生前退位特例法

日本国憲法は、世襲主義（2条）を定め、皇位継承については皇室典範に委ねている。皇室典範4条は「天皇が崩じたときは、皇嗣が、直ちに即位する」と明示しており、生前退位は認めていない。しかし、2016年8月の天皇のメッセージを発端として、「天皇の公務の負担等に関する有識者会議」が設置され、「生前退位」をめぐる議論が進められた。皇室典範本文の改正によらずに、特例法によって、生前退位を一代限りで許容する方針が定められ、（両院議長の要請という形を取って）2017年5月に政府が天皇退位特例法案を閣議決定した。同年6月9日に「天皇の退位等に関する皇室典範特例法」（平成29年法律第63号）が可決成立し、同年6月16日に公布された。（同年12月1日の皇室会議で施行期日について決定されたことを受けて、2017〈平成29〉年12月13日付で施行期日を定める政令が制定され、2019〈平成31〉年4月30日の施行が決定された）。

この法律は、第1条で、天皇の高齢等による不安と国民の共感等の状況に鑑み、「皇室典範第4条の規定の特例として、天皇陛下の退位及び皇嗣の即位を実現するとともに、天皇陛下の退位後の地位その他の退位に伴い必要となる事項を定めるもの」と説明された。第2条では、この法律の施行日に天皇が退位し「皇嗣が、直ちに即位する」ことを明示した。退位した天皇は上皇、敬称は陛下とし（第3条1・2項）、継承は上皇の后は上皇后とした（第4条1項）。さらに、（第2条による）「皇位継承に伴い皇嗣となった皇族に関しては、皇室典範に定める事項については、皇太子の例による」（第5条）とした。特例法の附則では、「この法律は、公布の日から起算して3年を超えない範囲内において政令で定める日から施行する」（附則第1条）と定めるとともに（政令では、上記のように平成31年4月30日と決定）、附則の第3条では、「皇室典範の一部を次のように改正する。附則に次の一項を加える。『この法律の特例として天皇の退位について定める天皇の退位等に関する皇室典範特例法（平成29年法律第63号）は、この法律と一体を成すものである』」と規定した。これを受けて、皇室典範の附則に第4項が追加された。

この法律は、一代限りの特例法の形式をとっているものの、「先例になりうる」との政府見解が示されているため、今後の運用の仕方が課題となる。また、皇位継承に関する皇室典範4条等の改正によらずに制定され、その附則3条に、皇室典範附則に追加して両法の「一体性」を明示するにとどめられた。本来は皇室典範4条の改正が必要であったと思われるところから、立法過程の問題点を含め、多くの課題が残された（残された皇室典範改正の諸課題につき、辻村・憲法研究第1号の辻村、大石眞、高見勝利、芹沢斉の各論稿参照）。

2019年には、4月30日の天皇退位に際して「退位礼正殿の儀」が国事行為として実施され、5月1日に新天皇が即位して、元号が令和となった。10月22日に、即位を内外に宣言するための儀式として、「即位礼正殿の儀」と「饗宴の儀」が、11月10日に「祝賀御列の儀」（パレード）が国事行為として実施された。続く11月14-15日に大嘗宮の儀（いわゆる大嘗祭という神事が国事行為ではなく皇室行事として実施され、宮廷費24億円が支出された。国事行為、元号、皇室費用については後述）。

これに先立って、「即位・大嘗祭等違憲訴訟」が提起され、政教分離違反であることが主張されたが、国費支出差止訴訟について東京地裁判決（2019〈平31〉.

2.5 LEX/DB25563072）は、当該訴訟を不適法とした（第一次訴訟は最高裁で棄却決定、第二次差止請求訴訟で東京高裁判決がこれを破棄して一審に差し戻した（2019〈令元〉.12.24、本書194頁も参照））。

2　天皇の権能

(1)　国事行為の性格

憲法は、象徴としての天皇に対して、その権限として「国事に関する行為」（以下「国事行為」と記す）を認めた。国事行為について3条で「天皇の国事に関するすべての行為には、内閣の助言と承認を必要とし、内閣が、その責任を負ふ」と定め、4条1項で「天皇は、この憲法の定める国事に関する行為のみを行ひ、国政に関する権能を有しない」と規定する。「国政に関する権能」（powers related to government）は、統治に関する権力を意味するが、それに影響をもつと考えられる参政権行使や、政党への加入、政治的表現活動なども禁止される。この点で、日本国憲法下の天皇制は、天皇の行為を内閣の意思のもとにおいただけではなく、一切の政治的活動を禁じたのであり、その意味で天皇の権限を完全に名目化・儀礼化したものと解するのが通説である（宮沢・コメ77頁、80頁、106頁。野中他・憲法Ⅰ116頁〔高橋執筆〕）。

天皇の国事行為については、憲法3条と4条の関係とりわけ国事行為の性格と内閣の助言・承認の性格について議論がある。

(2)　内閣の助言と承認

日本国憲法3条の内閣の「助言と承認」を、(a)「助言および承認」と解するか、(b)「助言または承認」と解するか、(c)助言・承認を不可分一体のものと捉えるか、について議論がある。

天皇の発意も可能と解する立場からすれば、「助言と承認」は(b)の助言または承認の一方でよいと解することになるが、天皇の発意を認めない立場（宮沢説）では、一方でよいと解することはできない。今日では、両者を一つの行為と見る(c)が通説であり、先例も同様である。なぜなら、助言・承認制度の目的は、「天皇がその単独の意志によって行動することを禁じ、天皇の行動がすべて内閣の意志にもとづくべきことを要求する趣旨」（宮沢・コメ62

頁）だからである。しかし、天皇の発意を認めないという憲法の趣旨を厳密に解するならば、仮に(c)を認めるとしても、事後承認のみでは足りず、内閣による事前の助言・承認行為は必ず必要であると解すべきであろう。

なお、憲法3条は、天皇の国事行為について「内閣が、その責任を負ふ」と規定する。この場合の責任は政治責任であり、内閣の政治的権限の行使、すなわち天皇の国事行為の助言・承認に関する政治的裁量の行使について責任を負う。責任は国会に対して負い、連帯責任である。政治的権限をもたない天皇は政治責任も負わないため、内閣の責任は天皇のそれの肩代わりではなく、自己の権限についての責任である。

(3)　国事行為の内容

天皇の国事行為は、憲法上に明示されるものに限定される。それは、7条1号から10号までの10の行為、および6条（内閣総理大臣および最高裁長官の任命）と4条2項（国事行為の委任）の行為である。6条と4条2項の行為については、それ自体を国事行為と捉えるべきか議論があるが、これを除外する理由はなく、国事行為の憲法的限定を明確にするうえでも、これらのすべてを国事行為と考えるべきである。したがって、内閣総理大臣・最高裁長官の任命や国事行為の委任についても内閣が助言・承認を行い、また、5条に従って摂政はその行為を天皇にかわって行うことができる。国事行為として限定列挙されている行為は以下のとおりである。

①　内閣総理大臣の任命（6条1項）　　天皇は「国会の指名に基いて」内閣総理大臣を任命する。国会の指名どおりに任命しなければならないという趣旨であり、天皇に裁量の余地はまったくない。国会による指名方法は、憲法67条で定められており、実質的任命権者は国会であるが、内閣の助言と承認に基づく天皇の形式的宣示行為によってそれが完結する。実際には、国会で内閣総理大臣が指名されると、衆議院議長が内閣を経由して奏上することになっている（国会法65条2項）。もっとも、天皇に助言・承認を行う内閣は、憲法71条で定められる総辞職後の残務処理内閣であり、この内閣は、国会の指名後ただちに任命の助言をすべきものと考えられている。

②　最高裁判所長官の任命（6条2項）　　天皇は「内閣の指名に基いて」最高裁長官を任命する。憲法制定過程では、最高裁長官の任命も他の裁判官と

同様に内閣が行うことになっていたが、帝国議会の審議で6条2項が追加されて最高裁長官の任命だけ天皇の国事行為とされた。しかし実際には、内閣の指名によるのであるから内閣が任命することにかわりはない。なお、最高裁長官の任命を天皇の国事行為とした理由については議論があるが、三権の長であるからという理由は両院議長との関連で説得的ではない。また天皇の任命により権威を高めるという理由も十分ではなく、天皇に象徴としての「場」を与える目的と解する（野中他・憲法Ⅰ125頁〔高橋執筆〕）しかないであろう。

③　国事行為の委任（4条2項）（本書55頁参照）

④　憲法改正・法律・政令および条約の公布（7条1号）　公布とは、広く国民に知らせるために表示する行為である。憲法改正は憲法96条、法律は59条、政令は73条6号に基づいて制定され、条約は73条3号・61条に基づいて締結される。これらの国法の成立はいずれも憲法所定の手続によるもので、国民に対して効力をもつためには公布行為が必要となる。公布の形式は法定されていないが、実際上は旧憲法下の慣習に従って官報への登載によって行われる。判例も、官報が販売所等で一般希望者の閲覧に供される時点までには公布されているとする（最大判1958〈昭33〉.10.15刑集12巻14号3313頁）が、一般希望者が閲覧・購読しうる最初の時点を公布時と解すべきであろう。

⑤　国会の召集（7条2号）　国会の召集とは一定期日に国会議員を集会させ、会期を開始させる行為であり、その要件については憲法52条以下で定められる（本書374頁参照）。天皇による召集は、詔書をもってなされる（国会法1条）。通常召集日の数日後に行われる開会式は単なる儀式であって法的意味はない。召集の決定権の所在については、天皇の国事行為が形式的儀礼的行為であるか否かに関連して解散権と同様に議論があるが、一種の憲法規範の欠缺であり、助言・承認権をもつ内閣に実質的決定権限があると考えるのがやむをえない帰結といえよう。助言・承認が国事行為の実質的決定権を含まないという立場にたつと召集決定権者を確定することが困難となるからである。この点、学説では、国事行為には本来実質的決定権が含まれないとすると、7条以外に根拠を求めることが必要となるため、憲法53条が臨時会の召集について「内閣は、国会の臨時会の召集を決定することができる」と定めることから、すべての召集権が内閣にあると類推するものが多い。しかし、常会（52条）や特別会（54条）については召集権の主体は明示されておらず、比較憲法的にみても国会の自律集会制度もありうる以上、類推によることは立憲主義に反する。そこで、7条2号を国会召集の原則的根拠規定と解さざるをえないと主張する見解もある（杉原・憲法Ⅱ500頁）が、他方、天皇が実質的決定権をもつと考えることは象徴天皇制

の構造自体から問題があり、いずれの場合も論理的には疑問が残る。

⑥　衆議院の解散（7条3号）　解散とは、議員の任期満了前に議員の身分を終了させることである。解散は詔書をもって行われる。なお解散は天皇が行うとしても、その実質的決定権が誰にあるかについて憲法では明示されていないため、召集の場合と同様の議論がある。（詳細は本書422頁以下参照）。

⑦　国会議員の総選挙の施行の公示（7条4号）　「国会議員の総選挙」とは、ここでは全国の選挙区で同時に実施される選挙のことで、公職選挙法上の衆議院議員選挙にとどまらず参議院議員選挙も含まれる。その施行を公示するとは、選挙期日を決めて国民に知らせることである。選挙期日の実質的な決定権について憲法上の規定はないが、憲法54条と公選法で定められる所定の期間内（衆議院議員の任期満了前30日以内、または解散の日から40日以内、参議院議員の任期満了前30日以内）で適切な期日の決定権が内閣に帰属すると解すべきことになる。なお、選挙施行の公示は、衆議院議員選挙の少なくとも12日前、参議院議員選挙の少なくとも17日前にされなければならず（公選法31条4項・32条3項）、立候補の届出は原則として公示のあった日になされる（同86条以下）。

⑧　国務大臣および法律の定めるその他の官吏の任免の認証ならびに全権委任状・大使・公使の信任状の認証（7条5号）　認証とは、一定の行為が正当な手続でなされたことを公に証明することを意味する。本条は国務大臣その他の官吏の任免の認証を定めるが、ここでいう国務大臣には憲法6条との関係から内閣総理大臣は含まれない。国務大臣の任免権は憲法68条が明示するように内閣総理大臣にあり、天皇はそれを認証するだけである。この認証には内閣の助言・承認は不要とする見解もある（宮沢・コメ132頁）が、内閣総理大臣の決定に拘束されて内閣が助言・承認を決定すると解すべきであろう。天皇が任免を認証する官吏を一般に認証官と呼ぶ。本号の「法律の定めるその他の官吏」には、最高裁判所裁判官、検事総長・次長検事・検事長・検察官、人事官、公正取引委員会委員長、宮内庁長官・侍従長などがあり、公務員のなかの国会議員や国会職員、地方公務員は除かれる。

また、全権委任状とは、特定の条約締結に関して全権を委任する旨を表示する文書である。大使・公使の信任状とは、外交使節としてその者を派遣する旨を表示する文書である。これらの外交文書は、国際慣行では元首から元首に宛てて出されるのが通例であるが、日本国憲法では、外交関係を処理する権限は内閣に帰属するため、内閣がこれらの文書を発行する権限をもち、天皇は内閣の発行した文書を認証するにすぎない。

⑨　大赦、特赦、減刑、刑の執行の免除および復権の認証（7条6号）

大赦以下に列記されている事項は、訴訟法上の手続によらずに刑の言渡の効果を全部または一部消滅させたり公訴権を消滅させる行為で、これらを総称して恩赦という。恩赦は行政権が犯罪者を赦免することであり、もともと君主制下で君主が特権的に恩恵を民衆に与える行為として行われたものである。現代では、国民主権原理のもとで、司法権に対する重大な干渉となるこのような恩赦制度を正当化することには疑問があるため、法律上の刑罰規定が社会的状況の変化に対応できずに硬直化するに至った場合などに、例外的に具体的妥当性の回復措置として利用される制度として理解されている。恩赦の決定権限は内閣にあり（73条7号）、天皇は認証するのみである（本書419頁参照）。

⑩　栄典の授与（7条7号）　栄典とは、特定人の国家に対する功労や栄誉を表彰するために与えられる位階や勲章などの特別の待遇のことをいう。憲法14条が栄典の世襲を禁じたため旧憲法下の爵位などが廃止された。栄典の授与は、伝統的に、恩赦と同様君主の特権と考えられてきたものであり、さらに平等原則の例外であるため、日本国憲法の国民主権や人権原理に照らして合理的な運用が求められる。憲法が、恩赦については認証を天皇の行為としながら、栄典については、認証ではなく授与そのものを天皇の行為としたことには疑問があり、実質的な決定権も天皇ではなく内閣にあると解するのが相当である。本来は、国民主権下での栄典授与主体は主権者国民であるべきであり、天皇の国事行為以外に名誉市民の制度などを設けることも認められると解される。

⑪　批准書および法律の定める外交文書の認証（7条8号）　批准書とは、国家間の合意である条約の内容を確定する書面であり、本号は批准書とその他の外交文書とを公に証明する行為を天皇の国事行為として定めている。もともと条約の成立は、全権委任状を携えた外交使節による条約の交渉と署名・調印の後、批准を要する条約の場合は本国政府が承認して効力を確定させる。その批准を行う外交文書が批准書であり、天皇が認証するその他の外交文書には、大使・公使の解任状、領事官の委任状、外交領事の認可状等がある。

⑫　外国の大使・公使の接受（7条9号）　本号は、外国の大使・公使を接見する行為を定める。本来、国際法では、接受とは外国の外交使節に対してアグレマン（承認）を与え、その大使・公使が携えてきた派遣国政府の信任状を受理する行為を意味する。しかし、この権限は、外交関係を処理する権限をもつ内閣にある（73条2号）ため、天皇は儀礼的な接見行為のみを行うと解すべきである。もっとも、外交上の実例では、信任状の宛先は天皇であり天皇に提出される。日本政府も憲法でいう接受に信任状の受理という法的行為を含むと解しているため、学説からの批判が強い（野中他・憲法Ⅰ131頁〔高橋執筆〕）。

⑬　儀式を行うこと（７条10号）　通説は「儀式を行ふこと」の意味を、天皇が儀式を主宰することと解している。この場合の儀式とは、私的な性格のものを含まず、国家的性格のものを意味する。さらに政教分離原則からして宗教的なものであってはならない。天皇が主宰しない儀式に参列することも含むとする見解もあるが、本号の文言や国事行為の限定からして範囲を拡大することは適切ではない。現実には、外国の国王戴冠式等の公的な儀式に参列することも含めているが、問題があろう（本書56頁参照）。

(4)　国事行為の代行

天皇が国事行為を行えない場合には、他の者が天皇にかわってそれを行うことが認められている。憲法上は臨時代行と摂政の二種を定める。

①　臨時代行　憲法４条２項は、「天皇は、法律の定めるところにより、その国事に関する行為を委任することができる」と規定する。これに基づいて「国事行為の臨時代行に関する法律」が制定され、委任は、天皇の心身の疾患または事故があるときで摂政をおくべき場合以外に認められる。実際には、天皇の病気のほか外国訪問などの例が多い。

②　摂政　憲法５条は「皇室典範の定めるところにより摂政を置くときは、摂政は、天皇の名でその国事に関する行為を行ふ」と定める。摂政は、天皇が未成年の場合、および精神もしくは身体の重患または重大な事故により国事行為を行うことができないと皇室会議で判定されたとき（皇室典範16条）に設置される天皇の法定代行機関である。摂政は、「天皇の名で」その国事行為を行うため、天皇が行ったのと同じ法的効果をもつ。

したがって、憲法３条および４条１項は、当然摂政の行う国事行為にも適用されると考えるべきであり、憲法５条が４条１項のみを準用しているとしても、３条を排除する趣旨ではない。摂政の就任資格をもつ者は成年の皇族に限られ、その順序は、皇室典範17条で皇太子または皇太孫、親王および王、皇后、皇太后、太皇太后、内親王および女王と定められる。女性も摂政に就きうるとされている点は旧皇室典範と同じであるが、皇位継承者からの女性の排除とどのような関連にあるのかが問題となろう。なお、摂政は天皇の国事行為を代行するが、象徴としての性格は天皇に専属するため摂政にはこれは認められず、「象徴としての行為」の存在を仮に承認する場合も、摂政はこれを行うことはできない。また、「摂政は、その在任中、訴追されない。但し、これがため、訴追の権利は、害されない」と規定されている（同21条）。

3　象徴天皇制をめぐる諸問題

(1)　象徴としての行為

天皇は、憲法が定める国事行為以外にも、地方巡幸、国会開会式での「お言葉」、外国国王戴冠式への列席などの公的行為を行っている。国事行為を限定的に捉える通説からすれば、これらの公的行為の位置づけが問題になる。

例えば天皇が国会の開会式に参列して挨拶したり、「内奏」で発言する行為が、国事行為以外の公的行為であるか否か、また、憲法上許容されるか否かが問題となる。初期の政府解釈は、天皇の行為を国事行為と私的行為とに区別したうえで、後者のなかに「宮内庁職員が手助けする公的な行為」が含まれるというものであった。やがて、学説のなかに、天皇の行為について、国事行為と私的行為以外のいわば「象徴としての行為（象徴行為）」という第三の類型を認めるもの（三分説）が出現した（(i)象徴行為説）。この見解は、象徴としての天皇と国家機関としての天皇に区別することを前提とするが、これに対して、象徴規定から公的行為を導くのではなく公人としての地位から公的行為を認める修正論が主張された（(ii)公人的行為説）。

現在では、学説は、(A)国事行為以外の行為を認めない二分説（杉原・憲法Ⅱ496頁、浦部・教室531頁など）、(B)象徴行為を認める三分説（清宮・憲法Ⅰ154頁、長谷部・憲法81頁など）、さらには(C)国事行為に関連の深い行為だけを準国事行為とする見解（樋口・憲法Ⅰ122頁）に分かれている。

上記(B)(i)の象徴行為説が通説的見解とされ、実務上も公的行為が拡大される傾向にある。

ただし、憲法規定からすれば理論的には二分説が原則であり、「お言葉」などは国事行為としての国会召集行為には当然には含まれないといえる。その他の地方巡幸や外国元首への親電、さらに外国国王戴冠式への出席なども、憲法の制約からすれば、法的には私的行為と解しても問題はないと思われる（私的行為についても財政面でのコントロールがありうる）。解釈論としては、内閣のコントロールを要するという側面から、国事行為の範囲内に位置づけること、例えば、憲法７条10号の「儀式を行ふこと」のなかに「お言葉」を含める見解も存在する（国事行為説）（宮沢・コメ142頁、野中他・憲法Ⅰ142頁〔高橋執筆〕）。

(2)　天皇制をめぐる判例

①　不敬罪　　旧憲法下では、その神勅天皇制のもとで旧刑法に「皇室に対する罪」が規定され、天皇や皇族に対して危害を加えたり不敬の行為をしたものを厳しく罰していた。ポツダム宣言受諾によって不敬罪の規定も失効したと考えられた。1946年５月の「食糧メーデー」の際、「詔書（ヒロヒト曰く）国体はゴジされたぞ　朕はタラフク食ってるぞ　ナンジ人民　飢えて死ね　ギョメイギョジ」というプラカードをもって行進した男性が不敬罪で起訴された。同年11月２日の東京地裁判決は、不敬罪は適用できないとし、名誉毀損罪を適用して懲役８月を宣告した。しかし新憲法公布後、不敬罪について大赦令が出されたため、控訴審判決（東京高判1947〈昭22〉. 6.28）は、「不敬罪は名誉毀損罪の特別罪としてなお存続している」と解したうえで大赦の効力を認め免訴とした。最高裁判決は、免訴を支持して上告を棄却した（最大判1948〈昭23〉. 5.26刑集２巻６号529頁）。その後、1947年10月の刑法改正で不敬罪は廃止された。

②　天皇コラージュ事件　　昭和天皇の肖像に関して、天皇のプライバシーや肖像権が問題になった事件である。富山県立近代美術館が天皇コラージュ連作版画４点を所蔵していたが、天皇に対する不敬を主張する団体の圧力によって７年間非公開にしたうえ売却したことに対して、作者と住民が提訴した。一審・二審とも「天皇についてはプライバシーの権利や肖像権の保障は制約を受ける」としつつ、二審では県立美術館長らに広範な裁量を認めた（名古屋高金沢支判2000〈平12〉. 2.16判時1726号111頁）。最高裁も上告を棄却して控訴審判決が確定した（最二決2000〈平12〉. 10.27）が、表現の自由、「知る権利」との関係では問題も残った（重判平成12年度14頁〔鈴木秀美執筆〕、本書199頁参照）。

③　記帳所事件（天皇の民事裁判権）　　昭和天皇が重病の床にあった1988年秋以降、国民の間に歌舞音曲を謹む「自粛ムード」が広がり、各地で病気快癒を願う記帳が行われた。同年９月23日から翌年１月６日まで、千葉県知事が天皇の病気快癒を願う県民の記帳所を公費で設置したことに対して、住民から知事に対して損害賠償請求訴訟が提起され、あわせて天皇の不当利得の返還を相続人たる現天皇に対して請求する民事訴訟が提起された。

一審の千葉地裁判決（1989〈平元〉. 5.24民集43巻10号1166頁）は、公人としての天皇の行為に対する責任は内閣が負うため、「天皇に対しては民事裁判権がない」と解釈し、訴えを不適法として却下した。二審東京高裁判決（1989〈平元〉.7.19民集43巻10号1167頁）は、天皇に民事裁判権が及ぶとすることは天皇の憲法上の地位にそぐわない、と判断して訴えを却下した。最高裁判決（最二判1989〈平元〉.11.20民集43巻10号1160頁）は、「天皇は日本国の象徴であり日本国民統合の象徴であることにかんがみ、天皇には民事裁判権が及ばないものと解するのが相当である」として上告を棄却した。このように、判例が、天皇の私的行為について民事裁判権を否定したことに対して、学説上重大な疑義が提示された（野中他・憲法Ⅰ112頁〔高橋執筆〕参照）。

(3)　元号制と君が代・日の丸

①　元号制　　元号（年号）は年についての呼称であり、中国の制度に由来する。中国で漢の武帝が元号制を定めて以来の制度が日本にも伝播し、日本では645年に大化と号したのが最初とされる。明治以降一世一元制が採用されたが、日本国憲法下で制定された皇室典範には元号に関する規定がないため、元号に関する法的根拠が問題となった。そこで1979年に元号法が制定され、「元号は、政令で定める」（1項）、「元号は、皇位の継承があった場合に限り改める」（2項）と規定され、附則として「昭和の元号は、本則第1項の規定に基づき定められたものとする」とされた。2019年5月1日には、新天皇の即位によって元号が平成から令和に変わった（本書49頁参照）。

②　君が代・日の丸　　元号制と同様、戦前の天皇制と深く結びついて使用されてきたものに「君が代」と「日の丸」がある。

世界には国歌と国旗を憲法で明示している国もあるが、日本では憲法や法律に明確な根拠がないままに長年使用されてきた。1999年8月に法制化され、学校現場等での使用強制問題が現実化した。

「君が代」はもともと明治天皇の誕生日を祝してその栄光の存続を願うものとして天皇主権・神権天皇制と結びついて使用されてきた点で、その歌詞が現行憲法の国民主権と相いれるかは疑わしい。また「日の丸」は、1870年の太政官布告（商船規則）で国旗と定められたことがあるほかは国旗としての明確な根拠を得てこなかったが、第二次大戦時に戦争を鼓舞する機能を果たしたことは否定できない。文部省は1977年の学習指導要領で「君が代」を国歌とし、89年の学習指導要領改訂では入学式や卒業式などで「国旗を掲揚するとともに国歌を斉唱するよう指導するものとする」と定めたが、教育委員会・校長らと教職員組合・保護者らとの間に混乱がもたらされた。そこで1999年８月９日に「国旗・国歌法」が国会で可決・成立し、８月13日に公布（即日施行）された。当時の政府解釈では「君が代」の「君」とは象徴天皇をさすとされ、学校現場等で児童・生徒の思想・良心に反する形での国旗・国歌の強制はされないと説明された。しかし実際には、学校現場での処分等の形で国歌斉唱等の強制が行われたことから、思想・良心の自由の侵害が問題となった。

卒業式において君が代の伴奏を強制することが思想・良心の自由等を侵害するものであるとして、東京都教育委員会教育長の通達による処分の事前差止などを求めた「日の丸・君が代」予防訴訟の一審判決（東京地判2006〈平18〉.９.21判時1952号44頁）は、通達に基づく校長の職務命令には重大な瑕疵があり、教職員には国歌を斉唱する義務、ピアノ伴奏をする義務はないとして、原告の主張を一部認容した。これに対して、別件の（国旗・国歌法施行前の）ピアノ伴奏強制の事案では、最高裁が憲法19条に違反しないと判断した（最三判2007〈平19〉.２.27民集61巻１号291頁、本書181頁参照）。

また、公立高校の校長が教諭に対して卒業式における国家斉唱時に国旗に向かって起立し国歌を斉唱することを命じた職務命令が、憲法19条に反するか否かが争われた一連の訴訟では、最高裁は、職務命令の目的・内容・制約の態様等を総合的に較量して合憲判断を下した（最二判2011〈平23〉.５.30、最一判2011〈平23〉.６.６、最三判2011〈平23〉.６.14、同６.21、野中他・憲法Ⅰ314頁〔中村睦男執筆〕参照）。その他、卒業式の国家斉唱時に着席してほしいと保護者らに呼び掛けを行って会場を騒がせた来賓の元教諭を刑法234条（威力業務妨害罪）の罪に問うことが憲法21条１項に違反しないとした最高裁判決も出現した（最一判2011〈平23〉.７.７判時2130号144頁、その後の判例等は本書182頁参照）。

4　皇室の経済

(1)　皇室財政の原則

憲法は、旧憲法下での皇室財政自律主義の弊害を改めるため、88条で「すべて皇室財産は、国に属する。すべて皇室の費用は、予算に計上して国会の議決を経なければならない」と定めた。ここで皇室財産の国有化と皇室費用の国会議決が原則とされたわけである。この原則のもとで、三種の神器や宮中三殿などの私的財産を除き皇室財産が国有とされ、皇室の財政はすべて国会の議決する予算に基づいて支出される経費でまかなわれる。また、皇室財産の蓄積を防ぐために、皇室への財産移転に一定の制限も設けられた。

憲法８条は「皇室に財産を譲り渡し、又は皇室が、財産を譲り受け、若しくは賜与することは、国会の議決に基かなければならない」と定めて、皇室の財産の授受を制限している。皇室が私有財産を蓄積・運用・増大させることを防ぐために私有財産についても国会のコントロールを加えたものである。

皇室経済法は、天皇や皇族の生活費、宮廷の事務費等を内廷費・宮廷費・皇族費の三種に分けて予算に計上することを定める。内廷費は、天皇・皇后・皇太后・皇太子など内廷にある皇族の日常費用等に充てられる天皇家の私費である。宮廷費は、宮廷の公務に充てられ宮内庁で経理する公費である。皇族費は内廷にある者以外の皇族の生活費に充てられる。毎年支給されるものと、独立の生計を営む際などに一時的に支給されるものがある（皇室経済法３－６条）。また、国会の議決を要しないものとして、相当の対価による売買等通常の私的経済行為、外国交際のための儀礼上の贈答、公共のためになす遺贈または遺産の賜与、その他年間合計額が法律で定める一定額以内の財産授受を列記している（同２条）。（なお新天皇即位に関する大嘗祭の国費支出違憲訴訟については、本書49-50頁参照。）

(2)　皇室の事務に関する機構

旧憲法下の皇室自律主義が否定されたことから、現憲法下では、皇室に関する事務もすべて法令に基づいて処理される。国事行為以外の皇室関係の事務について憲法に定めはないが、現実には内閣のもとに宮内庁が設置され、皇室典範と皇室経済法で皇室会議と皇室経済会議の設置を定めている。

皇室会議は、皇位継承の順序の変更や立后および皇族男子の婚姻の承認、皇族の身分離脱の承認等の権限をもち、皇族２人、衆参両院の議長および副議長、内閣総理大臣、宮内庁長官、最高裁判所長官、その他の裁判官１人の合計10人で構成され（皇室典範28条）、内閣総理大臣が議長となる。皇室経済会議は、内廷費の額についての意見提出や、皇族の独立生計の認定、皇族身分離脱の際の一時金額の決定などの権限をもち、衆参両院の議長および副議長、内閣総理大臣、財務大臣、宮内庁長官、会計検査院長の計８人で構成される（皇室経済法８条）。

第４章　平和主義――日本国憲法の基本原理Ⅱ

一　平和主義の現代的意義

1　世界の平和主義の流れ

人類の長い戦争の歴史のなかから、戦争を制限して平和を実現するための平和主義思想が生みだされてきた。17世紀のグロチウス（Grotius, H.）の『戦争と平和の法』（1625年）は不正戦争と正戦（正当防衛戦争など）を区別し、18世紀のサン・ピエール（Saint-Pierre）の『永久平和の計画』（1713～17年）やカント（Kant, E.）の『永遠平和のために』（1795年）などは、永久平和のための諸条件を示して今日にも通ずる問題点を指摘していた。

近代市民憲法の成立以後、政府による軍隊統制の仕組みが明確にされるようになり（アメリカ合衆国憲法など）、フランス1791年憲法では、「フランス国民は、征服の目的でいかなる戦争を企てることも放棄し、いかなる人民の自由に対してもその武力を決して行使しない」（第６篇１条）と定めた。このような立憲平和主義の立場は、侵略不正戦争のみを放棄するにとどまったにせよ、その後のフランス1848年憲法、ブラジル1891年憲法、スペイン1931年憲法、フランス1946年憲法、1947年イタリア共和国憲法、1949年ドイツ連邦共和国基本法などに引き継がれた。

また、国際法の領域でも、18世紀後半にヴァッテル（Vattel, E. de）が正戦か否かをとわず戦争を国際法の手続に従わせる理論を提示し、20世紀前半のハーグ陸戦法規（1907年）や不戦条約（1928年）によって、国際法による規制と戦争の違法化の方向が示された。実際、近代以降の軍備拡大や化学兵器の開発は驚異的であり、核兵器による地球規模の破壊をも招来しうる今日では、世界の人々の平和的生存権を守り地球上の生物を保護するためには部分的な軍縮では足りず、全面的な非軍備平和主義の実現が求められてきた。

このような流れをうけて、また人類初の原子爆弾の使用を招いた第二次世界大戦への反省から、日本国憲法は、世界に先んじて、いわば平和主義の現代的あり方を先取りする形で、戦争放棄・戦力不保持と平和的生存権を保障した。この平和的生存権は、「第三世代ないし第四世代の人権」といわれ、21世紀的な「新しい人権」の一つに数えられる（後述）。アメリカのオーヴァービー教授（Overby, Ch.）（オハイオ大学）らの「九条の会」のように、世界的にも憲法9条が重視される傾向があるのも、このような平和憲法の現代的意義に注目したうえのことである。

ところが、日本の現実はこれとは大きく異なっているため、以下では、日本の平和主義の現実と9条解釈の展開を明らかにすることにしよう。

2　日本国憲法の平和主義

(1)　意義

日本国憲法は、前文で、「政府の行為によつて再び戦争の惨禍が起ることのないやうにすることを決意し」主権が国民に存することを宣言した（第1段）。また、「日本国民は、恒久の平和を念願し、……平和を愛する諸国民の公正と信義に信頼して、われらの安全と生存を保持しようと決意した。われらは、平和を維持し、専制と隷従、圧迫と偏狭を地上から永遠に除去しようと努めてゐる国際社会において、名誉ある地位を占めたいと思ふ。われらは、全世界の国民が、ひとしく恐怖と欠乏から免かれ、平和のうちに生存する権利を有することを確認する」と述べて国際社会の動向に先んじて平和主義を徹底することを宣明し、平和的生存権を明示した（第2段）。さらに9条で全面的な戦争放棄と戦力の不保持、交戦権の否認に関する明文規定を定めたうえ、憲法全体の構成上も、宣戦布告や国家防衛の規定をおかないことで、世界の平和主義の系譜のなかで最も徹底した平和憲法原理を確立するに至った。

世界の現行憲法を概観すると、平和主義について言及をするものが多いが、その形態は概ね次の七つの型に分類できる。(i)抽象的な平和条項を置く国（フィンランド、インド、パキスタンなど）、(ii)侵略戦争・征服戦争の放棄を明示する国

(フランス、ドイツ、大韓民国など)、(iii)国際紛争を解決する手段としての戦争を放棄し、国際協調を明示する国（イタリア、ハンガリーなど)、(iv)中立政策を明示する国（スイス、オーストリアなど)、(v)核兵器等の禁止を明示する国（パラオ、フィリピン、コロンビアなど)、(vi)軍隊の不保持を明示する国（コスタリカ)、(vii)戦争放棄・戦力不保持を明示し、かつ平和的生存権を確認する国（日本）である。このうち、核兵器の恐怖をふまえ、核軍縮の国際的機運が生じた1980年代以降に制定された太平洋沿岸諸国、中南米諸国等の憲法のなかに、核・生物・化学兵器の禁止を明記した(v)の類型が登場したことが注目される。

また、軍隊をもたない国として注目されているのが、中米の小国コスタリカである。近隣諸国で紛争やクーデターが絶えない地域にあって、コスタリカは、1949年11月7日制定の憲法第12条1項で「常設制度としての軍隊は禁止される」と定めて常備軍を廃止した。しかし、3項では「大陸協議によるか、もしくは国の防衛のためにのみ、軍隊を組織できる」等と規定しており、大陸協定（実際には米州機構、米州援助条約等）の要請あるいは自衛の必要があるときは軍隊の保持も可能とされている。実際には、コスタリカでは50年以上も軍隊は設置されず、1983年の「コスタリカの永世的・積極的・非武装中立に関する大統領宣言」によって非武装中立が宣言されるなど、平和主義の実践が注目されてきた。

このような検討からすれば、少なくとも憲法の条文上では、戦争放棄と戦力不保持をともに明示する（さらに平和的生存権を明示する）点で、日本が、他国とは異なり、最も徹底した平和主義の規定をもっていることが確認できる（詳細は、辻村・比較憲法227頁以下、同・改憲論159頁以下参照)。

しかし、このような平和主義の理想や憲法規定とは裏腹に日本の再軍備と自衛隊の活動範囲の拡大が促進された。日米安保条約という日米軍事同盟下の軍事協力は1996年の安保再定義後強化され、国連平和維持活動（PKO）参加による自衛隊の海外派兵や危機管理の名目による自衛隊の拡大が定着した。

2005年11月の自由民主党「新憲法草案」や2012年4月の同党「憲法改正草案」（辻村編・資料集86頁、119頁以下参照）では正規の軍隊の保持が明記され、2014年7月には、第二次安倍政権下で集団的自衛権を合憲とする政府解釈の変更が行われた。2015年9月には安全保障関連法が成立・公布され、同年10月1日には防衛装備庁が発足した（本書74-75頁、辻村編・資料集135頁以下、水島朝穂後掲『平和の憲法政策論』215頁以下参照)。

⑵　理論上の諸課題

理論的にも、平和的生存権の権利性やこれを保障した憲法前文の憲法規範性、自衛権などをめぐって解釈論上の論点が数多く存在している。

憲法前文については、通説はその憲法規範性を肯定しているものの、裁判規範性についてはこれを否定する説も有力で、判例も裁判規範性を明示的に承認したものは（後述の長沼訴訟一審判決、自衛隊イラク派兵違憲訴訟判決など）ごく少数にすぎない（本書77頁、81頁参照）。9条についても、憲法本文に掲げられている以上その裁判規範性を認める学説が圧倒的多数であるが、過去にはこれを否定する見解も存在してきた。それには、⒜政治的マニフェスト説（公権力を直接的に拘束する現実的規範と国家の理想を示す理想的規範に区別し、9条は後者の国際政治のマニフェストにすぎないと解する立場・高柳賢三説）や、⒝政治規範説（9条を法規範として認めるとしても、高度の政治的判断を伴う理想が込められていて裁判所がその規範的意味を確定することが困難なため、裁判規範性はきわめて希薄であると解する立場・伊藤正己説）が含まれる。また、司法審査に関して、高度に政治的な問題について司法判断を避ける統治行為論や、裁判規範性を認めたうえで憲法をとりまく状況が変遷したとする「憲法変遷論」なども存在する（本書434頁、520頁参照）。

二　憲法9条の解釈と運用

1　9条の制定過程

1946年2月3日のマッカーサー三原則では、「自己の安全を保持するための手段としての戦争」も「紛争解決のための手段としての戦争」も含めて「国権の発動による戦争」がすべて放棄され、いかなる日本陸海空軍も交戦権も認められないことが定められていた（本書27頁参照）。その後、同年2月13日の総司令部案では、「自己の安全を保持するための手段としての戦争」の明文が削除された。同年6月20日に帝国議会に提出された案文は「国権の発動たる戦争と、武力による威嚇又は武力の行使は、他国との間の紛争の解決の手段としては、永久にこれを抛棄する。陸海空軍その他の戦力は、これを保持してはならない。国の交戦権は、これを認めない」とされていた。

帝国議会での審議の際、衆議院憲法改正特別委員会の芦田均委員長のイニシアティヴによって、1項冒頭に「日本国民は、正義と秩序を基調とする国際平和を誠実に希求し」、2項冒頭に「前項の目的を達するため」の文言が追加された（芦田修正）。その趣旨として、芦田は、当初は、戦争放棄・軍備撤廃を決意するにいたる動機を明らかにしたものであると説明し、政府もこの修正で9条の意味が変わるものではないと釈明していた。

しかし、1960年代に改憲論が高まった際、芦田は「私は一つの含蓄をもつてこの修正を提案いたしたのであります。『前項の目的を達するため』という辞句をそう入することによつて原案では無条件に戦力を保有しないとあつたものが一定の条件の下に武力を持たないということになります。日本は無条件に武力を捨てるのではないということは明白であります」（憲法調査会・小委員会報告書503頁）と述べ、新たに芦田の日記も公表されて、9条解釈上、議論を呼んだ。

2　9条の解釈

(1)　9条の語義をめぐる学説

①　「国権の発動たる戦争」と「武力の行使」

9条1項が、「永久にこれを放棄する」と宣言した対象は、「国権の発動たる戦争と、武力による威嚇又は武力の行使」であり、「国権の発動たる戦争」と「武力の行使」さらに戦争と武力行使との関係が問題となる。これについて、学説はおおむね二つに分かれる。A説は、近代戦を単独で有効適切に遂行しうる人的物的装備が「戦力」であり、実力の程度がそれに至らないものが「武力」であるとして、戦力の行使である戦争と武力の行使とを実力の程度によって区別する。これに対して、B説では、「国権の発動たる戦争」とは、戦時国際法の適用をうける国際法上の正規の戦争を意味し、国家主権の発動としての宣戦布告を伴って実施された戦力の行使がこれにあたるとする。また、「武力の行使」は、宣戦布告を伴わず戦時国際法の適用をうけない事実上の戦争を意味し、歴史上存在した満州事変（1931年）や支那事変（1937年）がこれにあたると解する。B説は実力の程度によって戦力と武力とを区別しない立場で、通説である（辻村他・概説コメ48頁〔愛敬浩二執筆〕）。

② 「国際紛争を解決する手段としては」

9条1項は、「国権の発動たる戦争と、武力による威嚇又は武力の行使」を「国際紛争を解決する手段としては」永久に放棄すると定める。この「国際紛争を解決する手段としては」という語句を挿入したことで、放棄する戦争を限定する趣旨が加わったかどうかが問題となる。

甲説は、限定放棄説であり、これは不正戦争のみを放棄するもので自衛戦争・制裁戦争等は放棄していないと解する。その論拠は、(i)すべての戦争を放棄すると解することはこの語句の存在を軽視することになること、(ii)国際法の歴史上は、不戦条約以降自衛戦争までは排除していないこと、(iii)この語句の起源であるマッカーサー三原則でも、「紛争解決のための手段としての戦争」と「自己の安全を保持するための手段としての戦争」を区別して用いており、前者には自衛戦争は含まれないこと、(iv)自衛戦争は違法な侵略を排除することを目的とし、国際紛争を解決する手段ではないことなどである（この立場から、9条2項についても戦力限定的不保持説にたつものに、西修『よくわかる平成憲法講座』TBSブリタニカ、1995年、71頁以下がある。なお、9条2項を戦力全面的不保持と解する説は、後述の乙$_2$説となる）。

これに対して、乙説は全面放棄説（無限定説）であり、およそ国家間の紛争を解決する手段としてのすべての戦争を放棄していると解する立場である。その論拠は、(i)自衛戦争を含めてすべての戦争が紛争解決の手段となりうるため、この語句が挿入されたからといって、放棄する戦争を区別するわけではないこと、(ii)日本国憲法は、人類初の核兵器使用後に制定されたもので従来の用例にこだわらずに解すべきであること、(iii)侵略戦争（不正戦争）と自衛戦争を区別することは、実際には困難である、等である。

学説は、9条1項ですべての戦争を放棄したものと考える「9条1項全面放棄説」（乙$_1$説）（宮沢・コメ163頁、浦部・教室434頁など）も有力であるが、9条1項の解釈では基本的に甲説にたちつつ、2項の解釈によって全面放棄したとする「9条2項全面放棄説」（乙$_2$説、9条2項戦力全面不保持説）が通説といえる（憲法制定当時の政府見解、後述の長沼訴訟一審判決がこの立場をとる。芦部・憲法学Ⅰ261頁、芦部監修・注釈憲法Ⅰ408頁〔高見勝利執筆〕、新基本法コメ54頁〔愛敬執筆〕、辻村他・概説コメ「9条」〔愛敬執筆〕、麻生多聞後掲書第1章参照）。

なお、戦争の種類については、従来から、国際法上の概念として「不正戦争」と「正当戦争（正戦）」とに分類され、前者には侵略戦争（法的に正当な理由なく自国の一方的な利益を実現することを目的とする戦争）と自救戦争（紛争の平和的解決の義務を無視して自国の権利の実現を目的とする戦争）、後者には自衛戦争（外国からの違法な武力攻撃から自国を防衛するための戦争）と制裁戦争（第三国の侵略に対する制裁目的のための戦争）が含まれると考えられてきた。しかし核時代の今日では、自衛戦争などは許容されるとする、従来の「正戦論」が支持を得られる状況ではなくなっているといえよう。

③「前項の目的を達するため」

「芦田修正」によって挿入されたこの文言が何を意味するかをめぐって学説が分かれている。Ｘ説は、「前項の目的」を１項前段の平和保持の目的（「日本国民は、正義と秩序を基調とする国際平和を誠実に希求し」）を意味すると解するもので、その目的を達することが戦力不保持の動機であるとする。Ｙ説は、「前項の目的」を１項全体の目的と捉えるもので、日本国民が正義と秩序を基調とする国際平和を誠実に希求して戦争等を全面的に放棄することを意味すると解する。このような戦争放棄という動機のもとに、その実効性を確保するために、２項の戦力不保持の規定が設けられたとするもので、通説的見解である。Ｚ説は、前記②の論点における「９条１項限定的（部分的）放棄説」を前提としつつ、「前項の目的」を１項後段と捉えるもので、侵略戦争放棄という目的を達するために、その限りで必要な戦力の不保持を定めたと解する（９条１項後段戦力限定的不保持説）。この立場では、自衛戦争のための戦力の保持が許容されることになる。

④「戦力」の不保持

９条２項の「陸海空軍その他の戦力」の語が何を意味するかについても、見解が分かれる。もともと「戦力」の語は最広義には国家の戦争遂行能力、最狭義には軍隊の直接的な戦闘能力をさすが、学説および政府見解は、㈠「潜在的能力」説（戦争に役立つ可能性のあるもの一切を含むとする説）（鵜飼・憲法61-62頁）、㈡「警察力を超える実力」説（超警察力説、警察力と戦力は目的や実体から区別可能であり、警察力を超える戦争遂行目的と機能をもつ組織を戦力と解する説）（小林・講義199頁他、多数説）、㈢「近代戦争遂行能力」説（1952

年の政府見解で、近代戦争に役立つ程度の装備、編成を備えたものを戦力とする説)、(エ)「自衛のために必要な最小限度の実力」をこえる実力説（超自衛力説）の四つに分かれている。学説の多数は(イ)説を支持するが、政府見解は、自衛隊を正当化するために定義された(エ)説をとっている。

⑤「国の交戦権」

9条2項後段は、「国の交戦権は、これを認めない」と定めるが、その内容についても、立場は大きく二つに分かれる。(I)説は、「国の交戦権」とは、国際法上交戦国に認められる権利、すなわち、敵国領土の占領や敵国兵力の破壊など戦時国際法上の権利のことを意味すると解する。この立場では、国家が戦争する権利を認めないという趣旨ではないことになり、自衛戦争を認める道を可能とする。これに対して、(II)説は、「国の交戦権」とは、国家が戦争する権利自体を意味するものと解するものである。(III)説は、(I)・(II)の両者を含むとするもので、「国が戦争する法的権利」を認めない結果、これにより、日本が一切の戦争をしないことを意味すると解する。

(2)　9条解釈の諸類型

以上の9条の語意に関する諸学説は、相互に関連をもっている。類型的に整理すれば、以下の[1]～[5]の五つの立場が成立しうる（次頁の表参照）。

まず、第[1]説は、9条1項全面放棄説（9条2項全面放棄＝確認規定説）である。この立場は、前記①の「国権の発動たる戦争」と「武力の行使」の関係についてB説（「戦力＝武力」説）をとり、②の「国際紛争を解決する手段としては」の解釈について放棄する戦争を限定しない乙説にたつ。このように9条1項の解釈においてすでに、自衛戦争も含めたすべての戦争を放棄したと解する（9条1項全面放棄説）ため、2項の解釈は1項を確認しさらにこれを具体化するためのものと解される。すなわち2項の③の「前項の目的を達するため」の解釈はXないしY説、④の「戦力」の解釈は(イ)説、⑤の「国の交戦権」の解釈は(II)ないし(III)説をとり、いずれにしても、9条2項では警察力をこえる実力を保持することと戦争することが禁じられる結果、すべての戦争が放棄されたものと解する点で一致する（宮沢・コメ163頁以下、樋口他・注解I155頁〔樋口執筆〕、浦部・教室434頁、基本法コメ46頁〔水島朝穂〕参照）。

表　憲法9条の解釈

1 9条1項全面放棄説（2項確認規定説）
（①B戦力＝武力 ②乙説 全面放棄 ③X／Y説 平和目的 ④(イ)警察力を超える実力　⑤交戦権(Ⅱ)／(Ⅲ)戦争をする権利）

2 9条1項限定的放棄説—2項限定放棄説
（①A戦力≠武力 ②甲説 限定放棄 ③Z説 ⑤(Ⅰ)国際法上の権利）

3 9条1項限定的放棄説—2項全面放棄説……通説、政府解釈1（憲法制定時）
（①B戦力＝武力 ②甲説 ③X／Y説 平和目的 ④(イ) ⑤(Ⅱ)／(Ⅲ)説）

4 （①B戦力＞警察力 ④(ウ)近代戦争遂行能力…政府解釈2（警察予備隊設置時）

5 （①B戦力＞自衛力［個別的自衛権］、④(エ)自衛のための必要最小限の実力）…政府解釈3（自衛隊設置時以降）
（①B戦力＞自衛力［集団的自衛権容認］）……政府解釈4（第二次安倍内閣）

（政府解釈の変遷）

なお、この立場からは自衛隊は憲法（9条1項）違反となることになるが、駐留米軍については見解が分かれる。

第2説は、9条1項・2項限定的（部分的）放棄説である。この立場は、①の「国権の発動たる戦争」と「武力の行使」の関係についてA説にたち、さらに②の「国際紛争を解決する手段としては」について甲説、③の「前項の目的を達するため」についてZ説（1項後段・戦力限定的不保持説）、⑤の「国の交戦権」について(Ⅰ)説をとることで、結論として、自衛戦争は放棄されず、自衛戦争のための戦力の保持も許されると解することになる。この立場は、自衛隊を合憲と解し、さらに駐留米軍も合憲と解する立場であるが、この第2説にたつものは少数である（旧佐々木惣一説、西修前掲『よくわかる平成憲法講座』71頁以下）。

第3説は、9条2項全面放棄説（9条1項限定的放棄・2項全面放棄説）および「戦力＝武力」説であり、通説である。9条1項の解釈では自衛戦争や制裁戦争は放棄されていないが、2項で一切の戦力の不保持と交戦権が否認された結果、自衛戦争・制裁戦争を含めてすべての戦争が放棄されたと解するものである。ここでは、まず9条1項の①の「国権の発動たる戦争」と「武力の行使」の関係についてB説（「戦力＝武力」説）をとるが、②の「国際紛争」を解決する手段としては」の解釈については、国際法や諸国憲法など国際社会の用法を重視することから自衛戦争は放棄しないという限定放棄説

（甲説）にたつ。そこで9条1項の解釈からは9条1項限定的（部分的）放棄説が導かれるが、9条2項の③の「前項の目的を達するため」の解釈をXないしY説（1項を戦力不保持の動機と捉える説）にたち、④の「戦力」の解釈は(イ)説、⑤の「国の交戦権」の解釈は(Ⅱ)ないし(Ⅲ)説をとり、いずれにしても、9条2項からは自衛戦争を含めたすべての戦争を放棄したものと解する（芦部・憲法学Ⅰ261頁、芦部監修・注釈憲法Ⅰ408頁〔高見執筆〕など多数）。この立場は、戦力＝武力と解する点で特徴をもち、このような9条2項全面放棄説・「戦力＝武力」説（第3説）を通説と解することができる。これに対して、同じく9条1項限定的（部分的）放棄・2項全面放棄説にたちながらも、戦力や武力の解釈に関連してさらに二つの見解（第4説、第5説）が存在する。

第4説は、9条1項限定的（部分的）放棄・2項全面放棄説、および、「戦力＞武力＞警察力」説であり、④の「戦力」の解釈において(ウ)「近代戦争遂行能力」説をとる。警察力（国内の治安を維持する必要最小限度の実力）をこえる実力であっても近代戦争遂行能力に至らないものは「戦力」ではなく、憲法上保持が許されると解することで、1952年の警察予備隊の保安隊改組を正当化するために主張された（今日ではほとんど意味をもたない）。

第5説は、9条1項限定的（部分的）放棄・2項全面放棄説、および、「戦力＞自衛力」説であり、④の「戦力」の解釈において(エ)「超自衛力」説をとる。自衛隊設置を正当化するために1954年以降政府が採用してきた見解であり、自衛隊は近代戦争遂行能力のみならず「自衛のために必要な最小限度の実力」をこえる実力でもないと解するものである。

以上のうち、第4・5説は、次にみるように戦後の憲法政治における政府見解の変遷のなかで、日本の再軍備を正当化するための目的論的解釈として形成されたもので、解釈論上に無理があり、妥当ではないといえよう。第2説は今日ではごく少数しか支持者がいないが、9条2項の「前項の目的」を「侵略戦争放棄目的」とまで限定的に解釈することは、1項の構造や前文等に示された平和主義の特徴からして不自然である。そこで、同じく自衛隊の存在を正当化してきた政府解釈も第2説は採用せず、第5説を表明するに至った（阪田雅弘編著後掲『政府の憲法解釈』8頁以下、本書73頁参照）。この第5説の政府（内閣法制局）解釈は、2013年までは現実の政治において重要な位置を占めてきたが、2014年7月に第二次安倍政権下で集団的自衛権を認める憲法解釈変更が行われた（本書74-75頁）。

3　9条の運用と訴訟の展開

以上の五つの立場を前提にして考察すると、自衛隊創設に至る過程で政府解釈が第③説→第④説→第⑤説と変遷したことが一目瞭然となる（以下の資料は、有斐閣編後掲『憲法第9条（改訂版）』67頁以下、浅野＝杉原監修・答弁集41頁以下、阪田後掲編著7頁以下参照）。

(1)　9条の運用

①　憲法制定時　　憲法制定段階では、政府を代表して答弁した吉田茂首相自身が、次のように述べて第③説（9条1項限定的放棄・2項全面放棄説および「戦力＝武力」説）を表明していた。

(i)「自衛権に付ての御尋ねであります。戦争抛棄に関する本案の規定は、直接には自衛権を否定はして居りませぬが、第9条第2項に於て一切の軍備と国の交戦権を認めない結果、自衛権の発動としての戦争も、又交戦権も抛棄したものであります。従来近年の戦争は多く自衛権の名に於て戦われたのであります。満州事変然り、大東亜戦争亦然りであります。……故に我が国に於ては如何なる名義を以てしても交戦権は先ず第一自ら進んで抛棄する、抛棄することに依って全世界の平和の確立の基礎を成す、全世界の平和愛好国の先頭に立って、世界の平和確立に貢献する決意を先ず此の憲法に於て表明したいと思うのであります。」〔1946年6月26日衆議院帝国憲法改正本会議・吉田茂内閣総理大臣答弁〕

(ii)「戦争抛棄に関する憲法草案の条項に於きまして、国家正当防衛権に依る戦争は正当なりとせらるゝようであるが、私は斯くの如きことを認むることが有害であると思うのであります。（拍手）近年の戦争は多くは国家防衛権の名に於て行われたることは顕著なる事実であります。故に正当防衛権を認むることが偶々戦争を誘発する所以であると思うのであります。……」〔1946年6月28日衆議院帝国憲法改正本会議・吉田茂内閣総理大臣答弁〕

②　警察予備隊時代　　1950年6月に朝鮮戦争が勃発すると、即座に「警察予備隊」が設置された。これは米軍将校が指揮する75000人からなる部隊であったが、吉田首相は、「警察予備隊の目的は治安維持であり、軍隊では

ない」（1950年7月30日衆議院での答弁）という解釈を示した。これに先立って、同年1月にマッカーサーが「この憲法の規定は……相手側から仕掛けてきた攻撃に対する自己防衛の侵しがたい権利を全然否定したものとは絶対に解釈できない。……」と述べたのに呼応して、吉田首相は、以下のように発言して日本は武力によらない自衛権をもつことを明確にし、自衛力保持の可能性を示唆した。

(i)「……武力なき自衛権についてのお尋ねでありましたが、……いやしくも国が独立を回復する以上は、自衛権の存在することは明らかであって、その自衛権が、ただ武力によらざる自衛権を日本は持つということは、これは明瞭であります。」〔1950年1月28日衆議院本会議・吉田茂内閣総理大臣答弁〕

(ii)「独立をした以上は、国民の考うるところによって、すべて自衛の方法を考えるということは当然のことであります。……未来永劫軍備を捨てることは、これは今後の状態によるわけであって、もし経済力その他ができ、また国民も軍備を持つことを必要とするというようになって来れば、自然そのときに考うべきでありましょうが、今日においてはまだその時期でないのみならず、また力がない。ゆえに軍備以外の力を考えて行くべきではないか。」〔1951年2月16日衆議院予算委員会・吉田茂内閣総理大臣答弁〕

③　保安隊時代　　1952年4月に講和条約と日米安保条約（旧安保）が発効すると、警察予備隊は保安隊に改組され、海上警備隊も設置された。以下のような政府統一見解がだされ、近代戦争遂行能力を備えるものとしての戦力の定義が明確にされた。

「一、憲法第9条第2項は、侵略の目的たると自衛の目的たるとを問わず『戦力』の保持を禁止している。一、右にいう『戦力』とは、近代戦争遂行に役立つ程度の装備、編成を備えるものをいう。一、『戦力』の基準は、その国のおかれた時間的、空間的環境で具体的に判断せねばならない。……一、『戦力』に至らざる程度の実力を保持し、これを直接侵略防衛の用に供することは違憲ではない。……一、保安隊および警備隊は戦力ではない。これらは……戦争を目的として組織されたものではないから、軍隊ではないことは明らかである。また客観的にこれを見ても保安隊等の装備編成は決して近代戦を有効に遂行し得る程度のものではないから、憲法の『戦力』には該当しない。」〔1952年11月25日参議院予算委員会・吉田内閣統一見解〕

④　自衛隊創設期　　1954年6月9日に自衛隊法が制定され、「直接侵略

及び間接侵略に対してわが国を防衛することを主たる任務と〔する〕」(同法3条) 自衛隊が同年7月1日に発足した。第一次鳩山一郎内閣は、次のように「自衛力」という概念を用いてこれが憲法9条2項の禁じる戦力にあたらないとし、戦力とは自衛のため必要な限度をこえるものをいうと解した。

(i)「……国家が自衛権を持っておる以上、国土が外部から侵害される場合に国の安全を守るため……の実力を国家が持つということは当然のことでありまして、憲法がそういう意味の、今の自衛隊のごとき……自衛力というものを禁止しておるということは当然これは考えられない。すなわち第2項におきます陸海空軍その他の戦力は保持しないという意味の戦力にはこれは当らない……。」〔1954年12月21日衆議院予算委員会・林修三法制局長官答弁〕

(ii)「第一に、憲法は自衛権を否定していない。……第二に、憲法は戦争を放棄したが、自衛のための抗争は放棄していない。……従って自衛隊のような自衛のための任務を有し、かつその目的のため必要相当な範囲の実力部隊を設けることは、何ら憲法に違反するものではない。……自衛隊は外国からの侵略に対処するという任務を有するが、こういうものを軍隊というならば、自衛隊も軍隊ということができる。しかしかような実力部隊を持つことは憲法に違反するものではない。」〔1954年12月22日衆議院予算委員会・大村清一防衛庁長官答弁〕

⑤　防衛力増強期　　1960年安保改定後、第二次 (62～66年)・第三次 (67～71年)・第四次 (72～76年) 防衛整備計画によって軍備が拡張された。その結果、1985年には、隊員27万人、予算規模で世界第7位の実力に膨れ上がった。その間に自衛力の内容が拡大し、核兵器や細菌兵器をも持つことができるという解釈が示されてきた。

まず、1970年に、第三次佐藤栄作内閣は「憲法の命ずるところに従って日本は専守防衛の国である。……しかし国力、国情に応じて、それはまた客観情勢に応じて変化していくものだろう……。」〔1970年2月20日衆議院予算委員会・中曽根康弘防衛庁長官答弁〕と述べる一方、第一次田中角栄内閣以降、以下の統一見解を示し、戦力についての政府見解が変化をとげたことを確認した。

(i)「……政府は、昭和29年12月以来は、憲法第9条第2項の戦力の定義といたしまして、自衛のため必要な最小限度を超えるものという……趣旨の答弁を申し上げて、近代戦争遂行能力という言い方をやめております。」〔1972年11月13日参議院予算委員会・吉国一郎内閣法制局長官答弁〕

(ii)「我が憲法の下で、武力行使を行うことが許されるのは、我が国に対する急迫、不正の侵害に対処する場合に限られるのであって、他国に加えられた武力攻撃を阻止することをその内容とする集団的自衛権の行使は、憲法上許されない」〔第69回国会参議院決算委員会提出資料　政府見解「集団的自衛権と憲法との関係」1972年10月14日〕

(iii)「憲法第9条第2項が保持を禁じている『戦力』は、自衛のための必要最小限度を超えるもの〔であり〕、……性能上専ら他国の国土の潰滅的破壊のためにのみ用いられる兵器（例えばICBM、長距離戦略爆撃機等）については、いかなる場合においても、これを保持することが許されないのはいうまでもない。」〔1978年2月14日衆議院予算委員会・福田内閣・金丸信防衛庁長官〕

(iv)「憲法の純粋な解釈論といたしましては、……自衛のため必要最小限の兵備はこれを持ち得る、こういうことでございまして、それが細菌兵器であろうがあるいは核兵器であろうが差別はないのだ。自衛のため必要最小限のものである場合はこれを持ち得る、このように考えておる次第でございます。」〔1978年3月24日衆議院外務委員会・福田赳夫内閣総理大臣答弁〕

⑥　海外派兵、防衛省への昇格、集団的自衛権の容認　　1991年にPKO（Peace Keeping Operations）協力法が制定されて以来、国連のPKO活動やテロ対策の名のもとに自衛隊の海外派兵が実施されてきた（本書85頁参照）。第一次安倍政権下の2007年1月には、防衛庁が省に昇格して防衛省が発足した。「自衛のため必要最小限」という不明確な基準のもとで、実質的には、あらゆる兵器も持てるような解釈が行われてきた（前記⑤(iii)参照）。実際には、日米安保条約に基づく「日米防衛協力の指針（ガイドライン）」のもとで自衛隊の装備が拡充され、防衛支出の規模では、日本は、以前は世界第3位ないし第4位の地位を保っていた時期もあった。ストックホルム国際平和研究所（SIPRI）調査（本書2頁、Trends in World military expenditure 2019, https://www.sipri.org/sites/default/files/2020-04/fs_2020_04_milex_0_0.pdf）によれば、2019年度の防衛費は世界第9位（上位10カ国は、米・中・印・露・サウジアラビア・仏・独・英・日・韓国）である。2020年度の予算額（2019年12月の概算要求額）では5.3兆円を超えて過去最高となり、予算規模が拡大した（防衛省編『防衛白書（令和2年版）』資料13によれば2019年度の国防費は5兆6070億円であったが、2020年度の要求額は5兆3133億円となった）。

⑦　さらに第二次安倍政権下では、2014年7月1日に閣議決定で集団的自衛権容認の政府解釈変更を行い、2015年9月には、法律11本からなる安全保

障関連法案を委員会の強行採決等で可決させた。これによって、第三国の戦争にも日本が参加しうる新たな段階に入った（本書84、86頁参照）。

従来の政府見解は「我が憲法の下で、武力行使を行うことが許されるのは、我が国に対する急迫、不正の侵害に対処する場合に限られるのであって、他国に加えられた武力攻撃を阻止することをその内容とする集団的自衛権の行使は、憲法上許されない」（第69回国会参議院決算委員会提出資料　政府見解「集団的自衛権と憲法との関係」1972年10月14日）として集団的自衛権行使が違憲であることを明確にしてきたが、安倍内閣は閣議決定で従来の解釈を変更した。すなわち「我が国に対する武力攻撃が発生した場合のみならず、我が国と密接な関係にある他国に対する武力攻撃が発生し、これにより我が国の存立が脅かされ、国民の生命、自由及び幸福追求の権利が根底から覆される明白な危険がある場合において、これを排除し、我が国の存立を全うし、国民を守るために他に適当な手段がないときに、必要最小限度の実力を行使することは、従来の政府見解の基本的な論理に基づく自衛のための措置として、憲法上許容されると考えるべきである」と判断した（2014年７月１日閣議決定、新三要件につき本書84-85頁参照）。

これに対して、上記のような武力行使を容認する安保関連法案（2015年９月成立、本書85頁参照）は違憲であるとして、憲法学研究者の圧倒的多数や元最高裁判事、元法制局長官らからも強い批判が続いた（憲法学者の見解について報道各社がアンケート調査を試み、一部が朝日新聞2015年７月17日朝刊等に掲載された。芦部・憲法60頁〔高橋加筆〕、長谷部・憲法61頁、浦部・教室472頁以下参照）。

ところが安倍首相（自民党総裁）は、2017年５月３日憲法施行70周年の日に憲法改正推進を明言し、９条への自衛隊追加論を提案した。同年10月22日の総選挙の際にも、具体的な４点の改正項目を公約の中で示し、2018年３月には９条の２新設案が提示されるなど、自民党内で審議が続けられた（本書86頁参照）。

⑵　９条をめぐる訴訟の展開

日本の再軍備の過程で、その違憲性を問う憲法訴訟が相ついで提起された。以下に検討する一連の訴訟では、砂川事件上告審と長沼二審判決以降、一見明白に違憲である場合や社会の一般的観念上反社会的行為である場合など顕著な場合を除いて、高度に政治的行為（統治行為）あるいは私法的行為であるという理由から、自衛隊や駐留米軍の合憲性については司法判断しえないとする立場が定着してきた。憲法判断回避原則を明らかにした恵庭判決を含めて司法消極主義の原則が採用されており、憲法学説上も批判が多い（この点は本書434頁、469頁参照）。

① 警察予備隊違憲訴訟　1952年7月、日本社会党の鈴木茂三郎が、国を被告として、警察予備隊令に基づく警察予備隊設置行為が憲法第9条に違反するとして、違憲確認訴訟を最高裁判所に直接提起した。これに対して最高裁判所は、日本の違憲審査権は司法権の範囲内で行使されるものであり、原告の主張するように法律命令の抽象的な無効宣言をなす権限は有しないという理由で訴えを不適法として却下し、警察予備隊の違憲性や憲法9条との関係については触れなかった（最大判1952〈昭27〉. 10. 8民集6巻9号783頁、本書458頁参照）。

② 砂川事件　1954年7月、東京調達局が東京都下（現・立川市）砂川町の米国駐留軍基地の測量を行った際、反対派のデモ隊の一部が米軍基地内に立ち入った行為が、日米安保条約3条に基づく行政協定に伴う刑事特別法2条に反するとして起訴された。被告人らは、日米安保条約に基づく米軍駐留が憲法前文と9条に違反すると主張したところ、一審東京地裁（伊達秋雄裁判長）は、日米安保条約は違憲であるとして被告人を無罪とする判決を下した（1959〈昭34〉. 3. 30下刑集1巻3号776頁、本書463頁）。理由は、(i)合衆国軍隊の駐留によって、自国と直接関係のない武力紛争の渦中に巻き込まれるおそれが絶無ではなく、それは憲法の精神に反する、(ii)米国軍隊の駐留を許容していることは、指揮権の有無等にかかわらず、9条によって禁止されている戦力の保持に該当するといわざるをえない、ということであった。

これに対して、検察側が最高裁に跳躍上告を行い、最高裁は異例の速さで審理して原審破棄差戻の判決を下した（最大判1959〈昭34〉. 12. 16刑集13巻13号3225頁）。判旨は、(i)「憲法9条は、わが国がその平和と安全を維持するために他国に安全保障を求めることを、何ら禁ずるものではない」、(ii)9条で保持を禁じられている戦力とは「わが国がその主体となってこれに指揮権、管理権を行使し得る戦力」をいい、「外国の軍隊は、たとえそれがわが国に駐留するとしても、ここでいう戦力には該当しない」、(iii)日米安保条約のような「主権国としてのわが国の存立の基礎に極めて重大な関係をもつ高度の政治性を有する」問題は、「一見極めて明白に違憲無効であると認められない限りは、裁判所の司法審査権の範囲外のもの」である、として統治行為論を採用し、「〔米軍の駐留は〕憲法9条、98条2項および前文の趣旨に適合こそすれ、これらの条章に反して違憲無効であることが一見極めて明白であるとは、到底認められない」とした。

この事件では、裁判は差戻審の一審から上告審まで継続され、最高裁決定（最二決1963〈昭38〉. 12. 25判時359号12頁）によって被告人らの有罪が確定した（百選

Ⅱ354頁〔本秀紀執筆〕参照）。

③　恵庭事件　　北海道千歳郡恵庭町にある陸上自衛隊の演習場付近で酪農業を営む野崎兄弟は、爆音等による乳牛の被害に対する補償も認められず、演習の事前連絡などの紳士協定も守られなかったことに抗議して自衛隊演習本部と射撃陣地を連絡する電話線を数カ所切断した。この行為が、自衛隊法121条の「防衛の用に供する物を損壊」する行為にあたるとして起訴され、被告人は自衛隊と自衛隊法の違憲を主張した。札幌地裁の憲法判断が期待されたが、1967〈昭42〉年3月29日の判決（下刑集9巻3号359頁）は、通信線が自衛隊法121条の「防衛の用に供する物」にあたらないとして被告人を無罪にした。構成要件に該当しない以上自衛隊の違憲性について判断を行う必要がないのみならず、判断すべきではないとして憲法判断を回避し、議論を呼んだ（百選Ⅱ358頁〔芦部信喜執筆〕本書469頁参照）。

④　長沼ナイキ基地訴訟　　第三次防衛計画に基づき北海道夕張郡長沼町に航空自衛隊のナイキ基地を建設するため、防衛庁の申請により農林大臣が保安林の指定解除処分を行った。これに対して、地元住民らが、憲法9条違反の自衛隊基地建設のための保安林指定解除処分は森林法26条2項の「公益上の理由」を欠き違法であるとして、処分取消を求めて提訴したところ、一審の札幌地裁判決（福島重雄裁判長）は、自衛隊の違憲性を認めて処分を違法とし処分を取消した（1973〈昭48〉. 9. 7判時712号24頁）。判旨は、(i)保安林制度の目的は、地域住民の「平和的生存権」を保障しようとしていると解され、本件ナイキ基地は原告らの平和的生存権を侵害する危険性があるので、原告らの訴えの利益は認められる。(ii)自衛隊の憲法適合性を司法審査の対象から除外すべき理由はなく、憲法9条2項で「一切の『戦力』を保持しないとされる以上、軍隊、その他の戦力による自衛戦争、制裁戦争も事実上おこなうことが不可能となった」ことからすると、自衛隊は9条で保持を禁じられた「陸海空軍」に該当して違憲である、とし、9条解釈における9条2項全面放棄説を採用して初めて自衛隊の違憲性を明言した。これに対して、二審札幌高裁判決（1976〈昭51〉. 8. 5行集27巻8号1175頁）は、防衛庁の代替設備により洪水の危険性等の具体的な訴えの利益がなくなったとして原判決を破棄し訴えを却下した。上告審判決（最一判1982〈昭57〉. 9. 9民集36巻9号1679頁）も、控訴審と同様、代替施設の完備によって原告らの訴えの利益がなくなったとして、上告を棄却したため、14年間争われた訴訟は、最高裁が自衛隊の合憲性や平和的生存権についてまったく触れないまま終了した（百選Ⅱ360頁〔鈴木敦執筆〕参照）。

⑤　百里基地訴訟　　航空自衛隊基地の建設予定地である茨城県東茨城郡小

川町百里ヶ原の土地を基地反対派のYに売却した住民Xは、所有権移転登記（一部は仮登記）をした後、契約を解除して防衛庁との間に売買契約を結んだ。Xと国がYに対して所有権移転登記抹消等の訴えを提起したため、Y側は憲法違反の自衛隊基地建設を目的とする契約は無効であると主張した。一審の水戸地裁は、Xと防衛庁の売買契約を有効とする判決を下したが、自衛隊の合憲性については、自衛隊は一見明白に侵略的であるとはいえないので、統治行為として司法審査の範囲外にあり、違憲無効と断ずることはできないとした（1977〈昭52〉. 2.17判時842号22頁）。二審東京高裁は、売買契約をめぐる一審の事実認定を支持し、自衛隊基地建設のための土地取得行為は公序良俗違反ではないとして、控訴を棄却した（1981〈昭56〉. 7. 7判時1004号3頁）。

最高裁は、憲法98条1項の「国務に関するその他の行為」には私法的行為は含まれないという立場にたって、国が行う私法的行為については憲法9条の直接適用をうけず民法90条の公序良俗の一部を形成していると解し、当該行為が反社会的行為であるとする「社会の一般的な観念」は成立していないとして、上告を棄却した（最三判1989〈平元〉. 6.20民集43巻6号385頁）（本書463頁、百選Ⅱ368頁〔榎透執筆〕参照）。

⑥　小西反戦自衛官訴訟　　航空自衛隊佐渡レーダー基地勤務の小西誠三曹は、基地内で「デモ鎮圧訓練、治安訓練を拒否せよ」などと書いたビラを貼って自衛隊法64条（怠業または怠業的行為遂行のせん動）等違反で起訴された。新潟地裁は、幕僚長の通達を証拠として提出することが拒まれた状況下では有罪宣告しえないとして被告を無罪とした（1975〈昭50〉. 2.22判時769号19頁）。二審東京高裁が原判決を破棄して差戻した（1977〈昭52〉. 1.31刑月9巻1・2号14頁）のち、新潟地裁差戻審では、自衛隊の違憲性にはまったく触れずに、被告人の行為は「政府の活動能率を低下させる怠業的行為の遂行のせん動」に該当しえないとして無罪の判決を言い渡し（1981〈昭56〉. 3.27刑月13巻3号251頁）、検察が控訴を断念したため、無罪判決が確定した。

⑦　沖縄県知事代理署名拒否訴訟　　沖縄住民の土地を米軍基地として強制使用するため駐留軍用地特別措置法に基づいて使用認定告示がなされたのに対して、土地所有者の署名拒否、市町村長の代理署名拒否に続いて、県知事も代理署名の代行を拒否したため、内閣総理大臣が県知事を相手取って職務執行命令訴訟を提起した。福岡高裁那覇支部は、実体審理をほとんど行うことなく職務執行を命じた（1996〈平8〉. 3.25行集47巻3号192頁）。ついで最高裁も、砂川事件最高裁判決の判旨をふまえて（駐留米軍が9条等の趣旨に適合するという前提にたって）前記特別措置法が合憲であるとし、県知事に代理署名を命ずる判決

を下した（最大判1996〈平８〉．８．28民集50巻７号1952頁）。

⑧　横田基地夜間飛行差止請求訴訟　　在日米軍横田基地周辺の住民が米軍機の夜間飛行による騒音被害に対して夜間の離発着禁止差止と損害賠償を米国に請求した事件で、一審判決（東京地八王子支判1997〈平９〉．３．14判時1612号101頁）および控訴審判決（東京高判1998〈平10〉．12．25判時1665号64頁）は、それぞれ国際慣習法および在日米軍地位協定を根拠に、米国の民事裁判権からの免除を認めた。最高裁は、「外国国家の主権的行為については、民事裁判権が免除される旨の国際慣習法の存在を引き続き是認することができる」として上告を棄却した（最二判2002〈平14〉．４．12民集56巻４号729頁）が、いわゆる主権免除について理論的課題が残存している（重判平成14年度257頁〔薬師寺公夫執筆〕参照）。

⑨　自衛隊イラク派兵違憲訴訟（名古屋高判2008〈平20〉．４．17判時2056号74頁、本書81頁参照）。

三　平和的生存権と「人権としての平和」

１　人権と平和の関係

今日の国際社会では、「平和なくして、人権なし」、「人権の確立・徹底なくして、平和なし」という認識が一般化し、平和と人権の相互依存性が認められてきた。世界人権宣言（1948年）は、前文で「人類社会のすべての構成員の固有の尊厳と平等で譲ることのできない権利とを承認することは、世界における自由、正義及び平和の基礎である」と宣言して、人権が平和の基礎であることを明らかにした。1966年採択の国際人権規約（Ａ規約・Ｂ規約）も、この世界人権宣言の前文を確認した（本書16-17頁参照）。

一方、1968年のテヘラン国際人権会議では、「平和は人類の普遍的な熱望であり、平和と正義は人権及び基本的自由の完全な実現にとって不可欠である」（前文）として、平和が人権の実現にとって不可欠であることが明らかにされた。1979年の女性差別撤廃条約や1985年の「ナイロビ将来戦略」でも、平和や軍縮の達成と男女の人権確立との関係について言及し、「平和は……すべての基本的人権の享受により……促進」される、と述べて平和と人権の相互依存関係を確認した。また1978年12月15日の国連総会の「平和的生存のための社会の準備に関する宣言」は、「すべての国民とすべての人間は、人種、信条、言語または性のいかんにかかわりなく、平和のうちに生存する固有の権利を有している」ことを明らかにした。1984年11月12日の「人民の平和への権利についての宣言」に続いて、翌年11月11日の国連総会で「人民の平和への権利」に関する決議を採択した。

2　平和的生存権の意義と性格

人権と平和の相互依存関係を重視する以上の潮流のなかで、日本国憲法が前文で「平和的生存権」を明示したことは先駆的な意義をもつ。ルーズヴェルト（Roosevelt, F. D.）の「四つの自由」の教書（1941年）や大西洋憲章が、欠乏・恐怖からの自由と平和的生存を掲げたにとどまったのに対して、日本国憲法前文はこれを明確に権利として確立したのであり、人権の発展段階論において「21世紀的人権」として評価される所以となっている。さらに国際条約上の「平和への権利」が戦争の全面否定に基づいていないのとは異なって、日本国憲法では、９条で戦争の全面放棄と非武装を掲げたことによって、その意味内容が具体化された点に特徴がある。

反面、その権利の構造（主体・内容・法的性格）や規範性に関して多くの理論的課題が残存している。平和的生存権の意義や法的性格について、日本の憲法学界では、1960年代に自由権的基本権→社会権的生存権→平和的生存権といういわば人権の発展段階論のなかに、憲法の平和的生存権を位置づける理解が示され、ついで、憲法13条や25条との関連で実定憲法上の権利としての平和的生存権の構造を捉えることが検討されてきた。平和的生存権の法的権利性を認める積極説とこれを否定する消極説が併存するなかで、なお消極説が多数といえる（芦部・憲法38頁、松井・憲法190-191頁参照）。

積極説は、平和的生存権の法的根拠について、(i)前文を主たる根拠とするもの、(ii)９条が客観的な制度的保障の意味をもつとして９条を根拠とするもの、(iii)憲法前文や９条のみならず、13条、第３章の諸条項によって複合的に保障された権利として捉えるものに分かれているが、(iv)前文を直接の根拠規定としつつも13条・９条を含めて広く捉える傾向が主流である（山内敏弘後掲『平和憲法の理論』275頁以下参照。学説状況は、野中他・憲法Ⅰ153頁以下〔高見執筆〕参照）。平和的生存権が日本国憲法の前文に明示されている以上、その法的権利としての性格を承認し、「平和的手段によって平和状態を維持・享受する権利」（樋口他・注解Ⅰ37頁〔樋口執筆〕）のように解することが妥当であろう。根拠規定について前記(iii)(iv)説のように前文と9条・13条を併存させる場合には、憲法前文で「全世界の国民」の権利として確認された（広義の）平和的生存権と、（前文と結合した）9条・13条から抽出される個人の実定法的権利としての（狭義の）平和的生存権とを区別して権利の主体や裁判規範性を再検討すべきであろう。

裁判規範性についても、否定説と肯定説に分かれ、後者も、国民全体に原告適格を認める立場と限定的に捉える立場に分かれる。判例も後述の長沼訴訟一審判決や自衛隊イラク派兵違憲訴訟控訴審判決等が裁判規範性と原告適格を認めた以外は、長沼訴訟二審、百里基地訴訟一審・控訴審・上告審などいずれも、裁判規範性を認めてこなかった。しかし、イラク派兵違憲訴訟控訴審判決も指摘するように、「抽象的概念であること」をもってこれを否定しえない以上、裁判規範性や具体的権利性を認めることも可能となるであろう。

自衛隊イラク派兵違憲訴訟は、イラクが大量破壊兵器を開発し保有していることを理由にアメリカが2003年3月に始めたイラク攻撃を支援するため、日本政府が同年7月の「イラク特措法（イラクにおける人道復興支援活動及び安全確保支援活動の実施に関する特別措置法）」に基づいて同年12月から自衛隊を派遣したことに対して、①その差止め、②違憲性の確認、③原告らの平和的生存権が侵害されたことに対する損害賠償を求めて、各地で提訴された。

このうち、名古屋訴訟では、一審名古屋地裁（2006〈平18〉. 4 . 14）がすべての請求を棄却した後、控訴審判決（名古屋高判2008〈平20〉. 4 . 17判時2056号74頁）が、自衛隊のイラクでの活動の違憲性を認め、平和的生存権の具体的権利性を認める画期的な違憲判決を下した（辻村他編・基本判例436頁以下参照）。ただし、この判決主文は、上記の三点の請求をすべて棄却するものであったため、勝訴した国側が上告することができず、判決が確定した。この判決（青山邦夫裁判長）は、平和的生存権について、下記のように指摘した。

「平和的生存権は、……『核時代の自然権的本質をもつ基本的人権である。』などと定義され、……極めて多様で幅の広い権利である……。全ての基本的人権の基礎にあってその享有を可能ならしめる基底的権利であるということができ、単に憲法の基本的精神や理念を表明したに留まるものではない。法規範性を有するというべき憲法前文が上記のとおり『平和のうちに生存する権利』を明言している上に、憲法9条が国の行為の側から客観的制度として戦争放棄や戦力不保持を規定し、さらに、人格権を規定する憲法13条をはじめ、憲法第3

章が個別的な基本的人権を規定していることからすれば、平和的生存権は、憲法上の法的な権利として認められるべきである。そして、この平和的生存権は、局面に応じて自由権的、社会権的又は参政権的な態様をもって表れる複合的な権利ということができ、裁判所に対してその保護・救済を求め法的強制措置の発動を請求し得るという意味における具体的権利性が肯定される場合があるということができる。例えば、憲法9条に違反する国の行為、すなわち戦争の遂行、武力の行使等や、戦争の準備行為等によって、個人の生命、自由が侵害され又は侵害の危機にさらされ、あるいは、現実的な戦争等による被害や恐怖にさらされるような場合、また、憲法9条に違反する戦争の遂行等への加担・協力を強制されるような場合には、平和的生存権の主として自由権的な態様の表れとして、裁判所に対し当該違憲行為の差止請求や損害賠償請求等の方法により救済を求めることができる場合があると解することができ、その限りでは平和的生存権に具体的権利性がある。

なお、『平和』が抽象的概念であることや、平和の到達点及び達成する手段・方法も多岐多様であること等を根拠に、平和的生存権の権利性や、具体的権利性の可能性を否定する見解があるが、憲法上の概念はおよそ抽象的なものであって、解釈によってそれが充填されていくものであること……からすれば、ひとり平和的生存権のみ、平和概念の抽象性等のためにその法的権利性や具体的権利性の可能性が否定されなければならない理由はない。」

その後、岡山訴訟でも、平和的生存権の裁判規範性を認めるともに、「すべての人権の基底的権利であり、懲役拒否権や良心的兵役拒否権、軍需労働拒絶権等の自由権的基本権として存在する」という見解を示した。具体的侵害がある場合には損害賠償請求も可能であるとしたが、本件についてはこれを否定した（岡山地判2009〈平21〉. 2 . 24判時2046号124頁)。

四　自衛権と国際貢献

1　自衛権の観念

政府の9条解釈の変遷にも示されたように、自衛権の問題は重要な理論的課題であり続けてきた。自衛権とは、国際法上で一般に、国家が、急迫または現実の不正な侵害に対して自国を防衛するために、やむをえず一定の実力行使を行う権利であると解される。歴史的には、この考え方は、自然法上の正当防衛権として説かれたり、あるいは、正しい理由に基づく戦争（正戦）を構成するものとされた。このような正戦論は、自然法が衰退した後の19世紀の法実証主義下で退けられたが、第二次大戦後には、すべての戦争が原理的に否定されたことから、武力攻撃が発生した場合の国家固有の権利（国連憲章51条）として理解することが定着してきた。そして、この自衛権の行使が正当化されるためには、急迫不正の侵害の存在（違法性）、侵害排除の必要性、自衛のための実力行使が侵害行為を防ぐために必要な限度で釣り合っていること（均衡性）という三要素が必要であると解されてきた。

このような自衛権について、日本国憲法がどのような態度をとっているかが問題となる。学説は、自衛権放棄説（A説）と自衛権留保説（B説）に大別され、おのおの以下のように細分される。

自衛権放棄説のうち、A_1説（実質的放棄説）は、9条は形式的には自衛権を放棄していないが、「近年の戦争はおおく自衛の名に於て戦われた」という事実から実質的に放棄されていると解するもので、憲法制定時に吉田首相の答弁に示された解釈である。A_2説（形式的放棄説）は、実質のみならず形式にも、憲法上は自衛権自体が放棄されたと解する徹底した見解である（山内『平和憲法の理論』121頁、235頁参照）。

これに対して、通説は、自衛権留保説のうちのB_1説（非武装自衛権説、「武力なき自衛権」説）で、国家の固有権である（個別的）自衛権自体は放棄されてないが、憲法9条2項で武力を放棄した結果「武力によらざる自衛権」のみが残ったとする。この見解では、（個別的）自衛権は、外交交渉による回避や、警察力による排除、民衆の実力行使による抵抗などによって行使されることになる（芦部・憲法学Ⅰ266頁）。一方、B_2説（自衛力肯定説）は、B_1説と反対に、国家の固有権としての自衛権が放棄されない以上、自衛のために必要な自衛力の行使も認められるとするもので、自衛隊を合憲とする見解（政府解釈）である。

このほか、9条を「準則」でなく「原理」と解して自衛隊を合憲とした「穏和な平和主義」と称される見解（長谷部恭男後掲『憲法と平和を問い直す』128頁以下、これに対する批判として麻生後掲書43頁以下参照）があるが、あくまで個別的自衛権の限度であり、集団的自衛権には反対の立場である。

2　集団的自衛権と日米防衛協力

国連憲章51条が、「この憲章のいかなる規定も、国際連合加盟国に対して武力攻撃が発生した場合には……個別的又は集団的自衛の固有の権利を害するものではない」と定めるように、自衛権は一般に、個別的自衛権と集団的自衛権に区別されている。前項で問題にした自衛権は、国際法上の本来の用法である個別的自衛権を指していた。これに対して、武力攻撃をうけた国と密接な関係にある国が、自国への攻撃がない場合にもその国を援助して共同で反撃する行為が集団的自衛権の行使であるとされる。日本政府は、前述のように、個別的自衛権の存在を前提として最低限度の自衛力の行使を認めてきたが、これは個別的自衛権のみが憲法上認められるという立場をとることに由来する（1954年・1972年に明らかにされた政府見解では、憲法上集団的自衛権は認められないとされた）。実際には、1960年に改定された日米安保条約の5条で認められている「日本国の施政の下にある領域における、いずれか一方に対する武力攻撃」に対する「共同防衛行動」も、米国側は集団的自衛権行使と解するのに対して、日本政府は、個別的自衛権の行使であると説明してきた。しかし、第二次安倍内閣では、2014年7月1日に集団的自衛権を容認する解釈変更を行い、2015年9月にこれを法制化した（集団的自衛権・海外派兵の禁止に関する政府見解につき、浅野＝杉原監修・答弁集86頁、126頁以下、水島朝穂『集団的自衛権』岩波書店、2015年、215頁以下、浦部・教室447頁以下、本書74-75頁参照）。

日米安保条約については、1960年改定以前の旧条約（「日本国とアメリカ合衆国との間の安全保障条約」）による駐留米軍の合憲性が問題になった砂川事件一審東京地裁判決において、9条2項の「戦力」にあたるとして違憲判断が下された。これに対して、最高裁判決は、外国軍隊は9条2項の「戦力」にあたらないとした（本書76頁参照）。その後1999年5月に周辺事態法が成立し、第一次安倍政権下の2006年に設置された「安全保障の法的基盤の再構築に関する懇談会」報告書を踏まえて、集団的自衛権を認める閣議決定が、2014年7月1日に行われた。ここでは、武力行使のための「新三要件」といわれる次の基準が示された。「①我が国に対する武力攻撃が発生したこと、又は我が国と密接な関係にある他国に対する武力攻撃が発生し、これにより我が国の存立が脅かされ、国民の生命、自由及び幸福追求の権利が根底から覆される明白な危険があること、②これを排除し、我が国の存立を全うし、国民を守るために他に適当な手段がないこと、

③必要最小限度の実力行使にとどまるべきこと」である。

これを受けて、2015年5月に安全保障関連法（11本の改正法等の総称）案が提出されたが、同年6月4日の衆議院憲法審査会に出席した憲法学者の3人がいずれも違憲という意見をのべたことから、法案に反対する運動が高まった。しかし、法案は、強行審議の結果、同年9月17日に成立した（9月30日公布、2016年9月施行）。

成立した法律は、(a)自衛隊法・武力攻撃事態法等の10本の関連法を一括して改正するための「平和安全法制整備法（「我が国及び国際社会の平和及び安全の確保に資するための自衛隊法等の一部を改正する法律」）」と、(b)他国軍に対する後方支援を随時行うことを可能にする「国際平和支援法」からなる（辻村編・資料集135頁以下参照）。

(a)には、米軍の後方支援活動を目的とする「重要影響事態安全確保法」（周辺事態法の改正）や、存立危機事態（「我が国と密接な関係にある他国に対する武力攻撃が発生し、これにより我が国の存立が脅かされ、国民の生命、自由及び幸福追求の権利が根底から覆される明白な危険がある場合」）に対応する自衛隊法の改正などが含まれる。

しかし、いずれも概念や限界が不明確で、多くの課題を残している。とくに、政府が集団的自衛権の合憲性の根拠として1959〈昭34〉年12月16日の砂川事件最高裁判決を引用したことに対して、当時の判決が日本の集団的自衛権を問題とする土俵になかったこと、1972年政府解釈も最高裁判決後に集団的自衛権を違憲と解釈してきたことなどから、批判論が絶えない状況にある（本書75頁、百選Ⅱ356〔本秀紀執筆〕参照）。

3　国際貢献をめぐる問題

1980年代から、国連の平和維持活動（PKO = Peace Keeping Operations）が活発化し、国連中心主義のもとでの選挙監視や停戦監視などが行われるようになった。1990～91年の湾岸危機・湾岸戦争を契機として、1991年11月にいわゆるPKO協力法（国際連合平和維持活動等に対する協力に関する法律）案が国会に提出され、PKO五原則の条件を付して1992年6月に可決された。

日本政府は、この法律に基づいて輸送・建設・医療業務等に参加するため、実際にカンボジア、モザンビーク、ルワンダ周辺地域、ゴラン高原、東ティモール、パキスタン（アフガニスタン難民支援）、ソマリアなどに自衛隊部隊を派遣してきた。さらに2001年9月11日のアメリカ同時多発テロの後、国際テロリズムの防止等を目的として、テロ対策特別措置法やイラク特措法が成立した。これらの法律がいずれも時限立法であったことから、海外派兵を永続的なものにするための恒久法の制定がめざされ、2008年1月11日に新テロ対策特別措置法が成立した。

さらに2015年9月には、前述の安全保障関連法の一環として、国際平和共同対処事態における協力支援活動等の実施が「国際平和支援法」(新法、前記(b))で認められ、日本の安全保障政策に大きな転換がもたらされた。実際に、2016年11月には、南スーダンでのPKO活動に派遣する自衛隊員に対して、新法に基づいた「駆けつけ警護」の任務が付与された(2017年5月に全隊員が帰国した)。

憲法理論的にみれば、自衛隊の合憲性の問題を別としても、憲法9条のもとでこのような自衛隊海外派兵や集団的自衛権を認めることは困難であろう。そこで、国際貢献や抑止力強化の名目で、平和主義や立憲主義が損なわれたことに対して、憲法学者・市民や野党からの批判が続いてきた。これに対して、政府・自民党は、9条2項を残したままで9条の2を加えて自衛隊を明記する改憲案を中心に検討中である(2018年3月〜2021年1月現在)。

しかしその場合も、9条2項と9条の2との間の矛盾は解消されず、憲法解釈上の課題は尽きないといえる。とくに、これまで9条が果たしてきた戦争抑止の機能に照らして、改憲が実行された場合の結果(集団的自衛権の合憲化、防衛力の無制約な増強、非核三原則の廃棄などの可能性)を十分に考慮に入れて検討しておく必要があろう。

第５章　基本的人権の尊重――日本国憲法の基本原理Ⅲ

一　基本的人権の憲法的保障

日本国憲法11条は、「国民は、すべての基本的人権の享有を妨げられない。この憲法が国民に保障する基本的人権は、侵すことのできない永久の権利として、現在及び将来の国民に与へられる」として、基本的人権の永久・不可侵性を明らかにする。また、憲法制定過程ではマッカーサー草案（総司令部案）に至るまでこの条文と一体のものとして位置づけられていた97条も、「この憲法が日本国民に保障する基本的人権は、人類の多年にわたる自由獲得の努力の成果であつて、これらの権利は、過去幾多の試練に堪へ、現在及び将来の国民に対し、侵すことのできない永久の権利として信託されたものである」と述べて、基本的人権の歴史的な重要性を明らかにする。ここでは、人権の普遍性と歴史性をふまえたうえで、日本国憲法が、過去の世代からの信託として、永久・不可侵の基本的人権を現在および将来の人民に対して保障していることが示される。また第３章「国民の権利及び義務」（10～40条）では、豊富な人権規定をおいて基本的人権の尊重を具体化している。

日本国憲法のこのような基本的人権尊重の表明が、大日本帝国憲法下における「天賦人権」論の排斥および治安維持法のもとで顕著となった国家による人権侵害（とりわけ身体の自由や思想・信条の自由の侵害）に対する反省にたっていることはいうまでもない。憲法制定過程についてみたように、とくに、マッカーサー草案の作成過程で世界的にみても進んだ内容をもつ詳細な人権規定がおかれていたことは、このことを十分に物語っている（本書26-28頁参照）。なお、日本国憲法11条・97条では、基本的人権の主体は日本国民と記されているが、マッカーサー草案の原文ではpeopleであり、もともとは国籍や時代に関係なく、すべての世代に属する人間の普遍的な権利を意味していた。ところが、憲法制定過程で、1946年の3月2日案以降、「国民」と訳出されて現在の文言になった。今日では、国際的人権保障や「外国人の人権」論の展開によって、国籍保持者としての国民以外にも、権利の性質に応じて憲法第3章の諸権利が保障されている（本書112頁以下参照）。

もっとも、理論的には、すべての人に認められるとされる「普遍的な人権」をどのような根拠で承認し、また、どのように保障すべきか、あるいは、このような普遍的人権以外にどのような権利が憲法上保障されていると解するか、さらには、そもそも人権とは何かという問題について、なお多くの課題が存在している。後にみるように、これまでの憲法学では、人権や基本的人権の用法ひとつとってみても、論者によって理解が異なっている現状があった。そこで1980年代以降、日本の憲法学でも、人権の観念や根拠、主体・体系などの人権総論について再検討の必要が論じられてきた。これらの課題は、今日の国際的な人権状況や法哲学・政治哲学における人権理論の展開とも深くかかわっているため、以下では日本国憲法下の人権総論を検討するまえに、人権をとりまく国際環境についてみておこう。

二　人権をとりまく国際環境

国際的な視野でみると、すべての人間の自由・平等を宣言したアメリカ独立宣言やフランス人権宣言から232～245年、1948年の世界人権宣言から73年を経た現在では、人権という価値は、世界の多くの国でコンセンサスを得ているようにみえる。国連や欧州連合等を中心に国際的な人権保障システムが採用されて効果をあげており、今日では、人権の普遍性を基礎として、世界的規模での人権保障の実現が追求されている（国際的な人権保障の展開については、本書16頁以下を参照）。しかし反面、世界中で人権侵害があとを絶たず、人権侵害の容認や人権否定の言説が存在することも事実である。とくに、人権を西欧諸国の「文化帝国主義」やキリスト教文化の産物として批判する諸国では、国内法に基づく拷問や身体の自由の侵害、体制批判の自由を認めないことによる思想・信条の自由の侵害、社会の伝統や宗教に由来する性差別や女性・少女の虐待などが現存している。内政干渉であるとして「人権外交」に反発してきた中国をはじめとして、これらの諸国では、「文化相対主義」の見地から人権という価値観の押しつけを批判する議論も盛んであり、理論的にも無視しえない点を含んでいる。また、「人権先進国」内部でも、従来から普遍的とされてきた人権の限界を指摘することで、その本質を批判的に検討しようとする動向が認められる。例えば、人権宣言200周年祝賀にわく1989年７月のパリでは、アンチ・サミットの集会やフェミニストの集会で近代的人権のブルジョア的性格や反フェミニズム的性格が批判され、その後も人権史の批判的な再検討が続けられてきた。これらの批判論は、フランス人権宣言に対して18世紀末以来提起されていた諸批判の潮流をくむものである（辻村後掲『人権の普遍性と歴史性』３頁以下、154頁以下参照）。

その第一は、保守主義ないし功利主義的立場からの古典的な批判であり、主として近代的人権の形而上学的・抽象的・自然権的性格に対してむけられた。例えばバーク（Burke, E.）の伝統主義的批判は、人権の抽象化とルソーの人民主権原理から生じる人民の専制を忌避し、1789年宣言の形而上学的性格、非現実性を攻撃した。また、ベンサム（Bentham, J.）は、すべての権利は実定法によって生じるものであり、自然権の存在や社会契約の理論自体がフィクションであるとして、人権宣言に対して痛烈な批判をあびせた。彼によれば、永久普遍の自然権とはナンセンスであり、自然権を前提にしたフランス革命期の議論は無政府的な詭弁にすぎなかった。さらに、フランス国内でも、19世紀前半にドゥ・メストル（De Mestre）のいわゆる摂理主義からの批判やコンスタン（Constant, B.）の自由主義・合理主義的歴史主義からの批判が出現した。近代的人権批判の第二の潮流は、人権の階級的性格（ブルジョア性）に対するマルクスとマルクス主義法学の立場からの批判である。マルクス（Marx, K.）は1843年の『ユダヤ人問題によせて』のなかで、人権が利己的人間・ブルジョアジーの権利にほかならないとして、最も急進的な憲法としてのフランス1793年憲法の人権宣言をも俎上にのせて、利己的人間の権利としての「私的所有権を中核とする人権」の抽象性・欺瞞性を批判した。第三の潮流は、人権主体論からの「人権の普遍性」論に対する批判である。フェミニズムの観点から女性の人権の排除を批判したり、先住民族や障害者など社会的弱者の人権の立場からその排除を批判するものである。このように近代的人権の確立以降も人権の価値とその普遍性の意義が問われ続け、近代人権論で排除されていた女性や子ども、障害者などの人権が現実に保障されるようになってきた（詳細は、辻村『人権の普遍性と歴史性』第二章115頁以下、同後掲『人権の歴史と理論』第1章参照）。

さらに、20世紀後半以降、環境破壊や科学技術の進歩に対応して、「新しい人権」が認められるようになり、近代以降の自由権を中心とする「第一世代の人権」、社会権や平等権を導入した現代的人権としての「第二世代の人権」に加えて、発展（開発）の権利や環境権などが「第三世代の人権」として主張されてきた。こうして、人権の主体や内容が歴史的に拡大されてきた反面、例えば、先住民族などの集団や法人、あるいは、地球環境破壊の被害をうけた動物まで権利主体とする考えが出現するなど、いわゆる「人権のインフレ化」現象があることに対して、人権の観念・主体や適用範囲・制約などの人権総論の論点を総合的に再検討する必要が痛感されるようになった。実際、国際連合を中心とする世界人権会議の動向など、人権論の重要性が強調される今日でも、例えば1993年のウィーン世界人権会議に集まった人々の間でさえ、人権の観念についての理解が一致していないという現状があり、自律した人間を人権主体としてきた近代人権論の意義があらためて問われることになった。

また、1980年代以降は、「近代」自体のもつ種々の矛盾や自律的個人を主体とする近代的人権論を批判する、いわゆる「ポスト＝モダン」の潮流からの人権批判論が出現し、従来の西欧近代型の人権論が、文化的な観点からの再検討を迫られている。これらの問題は、1960年代以降の欧米の法哲学・政治哲学における人権論の変容や展開を背景にしている。すなわち、「すべての人間が生まれながらに普遍的な人権をもつ」ことを確立した近代的人権論とりわけ古典的・伝統的なリベラリズム（古典的自由主義）が、普遍主義や個人主義を信奉し、「自律した人格的な個人」を中心とする人権論・自由論を提示してきたことに対する修正や批判が強まってきた。このような広義のリベラリズムの内部にも、福祉国家型の「ニューディール・リベラリズム」に対して、「極小国家（最小国家）」観に基づく、ノージック（Nozick, R.）らの「リバタリアニズム」が台頭した。このようなリベラリズムに対する批判論のなかには、もっぱら個人の「国家からの自由」が追求された近代の人権論に対して、個人の権利よりも共同体を重視しようとする共同体論（コミュニタリアニズム）や、社会的・政治的な市民としての権利や政治参加の構成要素としての人権を重視する共和主義（リパブリカニズム）など、種々の立場が含まれる。さらに、人権主体に重点をおいた個人の人権論から主体間の関係に重点をおいた「諸関係の人権」論（関係性の理論）や、人種・民族・文化の多元性や「差異への権利」を重視する「多文化主義」の人権論など、ポスト＝モダンや多元主義（プリュラリズム）の名のもとで、さまざまな議論が出現した（辻村後掲「近代人権論批判と憲法学」『憲法問題13』2002年参照）。

日本の憲法学界でも、これらの欧米の新傾向に関心を寄せる人権論が出現し、例えば、自己愛追求型の「ありのままの人間」像に基づく「脱道徳的」人権論（阪本・憲法理論Ⅱ13頁以下参照）や、アメリカのプロセス理論等に依拠しつつ、「プリュラリズム的パラダイム」にたって「基本的人権は国民の政治参加のプロセスに不可欠な諸権利を保障しようとしたもの」とする「プロセス的基本的人権観」（松井・憲法4頁、303頁以下）などが主張された。その後も、国際人権論の展開や人権主体の多様化・差異化を前提にした議論が高まっており、新たな人権論の総点検が行われている（講座人権論の再定位（全5巻）、辻村＝長谷部編・憲法理論、辻村・十五講、中村睦男他編後掲『世界の人権保障』など参照）。

これらの新潮流と新たな研究の成果が、今後の人権論の深化と人権保障の充実、21世紀の複雑な人権問題の解決に寄与することが期待される。

第２部　権利の保障

第1章　総論

一　人権の観念と憲法上の諸権利

1　人権の観念

(1)　人権と基本的人権の用法

従来の憲法学の通説では、人権（human rights, droits de l'homme, Menschenrechte）を、「人がただ人間であるということのみに基づいて当然にもっている権利」、「人間が生まれながらにもっている権利、すなわち、生来の権利」、「奪うことのできない権利または他人に譲り渡すことのできない権利」と定義し（宮沢・憲法Ⅱ77頁）、固有性・不可侵性・普遍性などの特徴をもつと解してきた（芦部・憲法学Ⅱ55頁以下、同・憲法80頁）。固有性とは、人間であることにより当然に有すること、不可侵性とは、歴史的にはおもに公権力との関係で（今日では、私人間の関係においても）不当に侵害ないし制約されないことを意味する。また、普遍性とは、人種や性などの区別に関係なくすべての人間が当然に有することを意味し、一般性・全体性の趣旨が含まれる。

しかし、このような定義は、憲法11条・97条が定める基本的人権の観念にはあてはまっても、憲法第3章のなかで国民の権利として具体的に保障される権利のすべてにあてはまるわけではない（後述のように参政権等はこれにあたらない）。また、憲法学では人権・基本的人権・基本権などの用法や理解が一定していない。そこで、これらの用法（人権と基本的人権との用語上の異同や憲法上の権利との関係）、人権ないし基本的人権の淵源と特性（自然権および実定法上の権利との関係）、権利の具体的内容について明確にしておく必要が生じる。

まず、人権と基本的人権（fundamental human rights）の用法については、憲法学説の多くは、これらを同義のものとして使用してきた。基本的人権の語は「人権のうち基本的なものという意味ではなく、人権が基本的な権利であることを明らかにしたもので、両者を区別して考えるべきではない」（芦部・憲法学Ⅱ46頁）からである。ただし、両者を同義に用いる場合にも、これらを前国家的な（自然権的な）権利として捉えるか、実定法上の権利として捉えるか、後者の場合にいかなる内容を認めるかについて見解が分かれる。というのは、日本国憲法は、ポツダム宣言の「言論、宗教及思想の自由並に基本的人権の尊重は、確立せらるべし」という文言をうけて、11条・97条に基本的人権の語を用い、すべての人間が当然享有する権利としての基本的人権を、（実定法としての）憲法によって国民に対して保障する、という構成をとっているためである。

この点で、佐藤（幸治）説は、「人権」が「直ちにすべて憲法の保障する『基本的人権』となるのではなく、そのような『人権』のうち特定的な内実をもち、基本的重要性をもつに至ったと認められるとき、憲法典中に明記され、あるいは包括的基本権規定等を通じて憲法の保障する『法的権利』となる」（樋口他・注解Ⅰ179頁〔佐藤執筆〕）とした。ここでは、背景的権利と法的権利との対比のなかで、「基本的人権」を実定法上の権利として捉えたうえで、最狭義・狭義・広義・最広義における基本的人権の概念を区別した（佐藤幸・憲法論140頁、本書141-142頁参照）。

奥平説では、人権と基本的人権の語を同義に相互交換的に用い、両者とも一面では実定法上の用語であると認めつつ、本質的には、人権ないし基本的人権は「超実定法的あるいは実定法挑戦的な性格の強い」観念と解することで、人権の用法の拡大に反対し、実定法上の権利を「憲法が保障する権利」と称してこれと区別した。

諸外国でも、国によって人権の用法が異なる。基本的人権（fundamental human rights）の語が用いられるのは主としてアメリカであり、最近では憲法上の権利（constitutional rights）と区別する傾向も認められる。イギリスでは、従来から自然権的な人権観念を用いず、市民的自由（civil liberties）として実定法上の権利を一元的に論じてきたが、1998年の人権法（Human Rights Act）制定以降は、欧州人権条約との関係などから、人権（human rights）の観念を用いる傾向が強い。これに対して、実証主義法学の影響が強いドイツでは、自然権的な人権（Menschenrechte）と区別された実定法上の基本権（Grundrechte）を問題にしてきた。このためドイツ憲法学に依拠する日本の学説では、人権の用法を自然権的に狭義に捉え、憲法上の権利には「基本権」の語をあてる用法が一般的であり、「憲法に明文上ないし解釈上の十分な根拠を有する場合」に基本権と称する用法が採用される（初宿・憲法2〔基本権〕43頁）。

フランスでは、1789年人権宣言以来、「人の権利」と「市民の権利」とを区別し、さらに前者の自然権としての人権（droits de l'homme）と区別して、実定的な公的自由（libertés publiques）の概念を用いることで、人権の語を、歴史的な生成過程に忠実に、質的に限定してきた。最近では、憲法院判例の展開のなかで、憲法裁判の規範として認められる基本権（droits fondamentaux）の概念を発展させてきた（辻村＝糠塚康江『フランス憲法入門』三省堂、2012年151頁以下参照）。

このように人権と基本的人権を同義に捉える場合にも、その理解や用法が異なっているため、明確に定義づけをすることが求められる。その際、少なくとも、実定法上の観念と自然権的な観念とを区別することが必要であり、奥平説のように「憲法が保障する権利」と「基本的人権」を区別して論じることが妥当となろう。結局、「人権」（ないし基本的人権）の語については、以下のような用法を区別することが可能となる。第一は、(a)一般的・概括的な最広義の用法（例えば、「人権保障」や「21世紀は人権の世紀である」等の概括的な言い方をする場合で、本書でも前章や見出し等で包括的に用いている）であり、実定法上の権利や背景的権利などを厳密に区別することなくすべてを含む用法である。第二は、憲法学などで理論上その内容や射程を問題とするような(b)広義の用法（おもに実定法上の権利を対象とし、「市民の権利」としての参政権や「人の権利」としての自由権等を含む用法。佐藤説のいう最広義の用法にあたる）が区別される。さらに第三に、「市民の権利」と区別された「人の権利」を問題にする場合には（後述のように自由権のみならず社会権も含む用法として）(c)狭義の用法を認めることができる。第四に、この第三の用法における「人の権利」のなかで憲法上の権利としての社会権・受益権を除いた自由権、および、抵抗権のような超実定法的権利を意味する(d)最狭義の用法が区別される。ここでは当面(a)は除外され、以下、(b)(c)(d)について検討する（人権の定義と展開につき、樋口・国法学（人権原論・補訂）第1章参照）。

(2)　人権の淵源と根拠

基本的人権ないし人権の用法の問題は、その淵源や根拠の問題と深く結びついている。憲法11条に定められるような永久不可侵の権利（前記(d)）は、一般に人間性に基づく前国家的な権利すなわち自然権として捉えられる。自然権の概念自体も、その基礎にある自然法思想自体が近世以降歴史的変遷をとげているため一義的ではないが、すでにみたようなフランス人権宣言やアメリカ独立宣言の規定に即して理解することができる。日本の憲法学では、宮沢説が基本的人権を「人間性から論理必然的に派生する前国家的・前憲法的な性格を有する権利」と解したのをはじめとして、これを自然権のように捉えたうえで、同時に憲法第3章でも保障されていることを認めてきた。

さらに、憲法上の権利と区別された最狭義の人権（前記(d)）について、その根拠が問題となる。これは、人権論の本質的・法哲学的課題であるといえるが、世界の法哲学者たちの見解には、神の意思を根拠とする神学説、自然法を根拠とする自然法説、社会通念・慣習等を根拠とする社会通念説のほか、最近でも理性的な人々の合意から正義のルールや権利をひきだして社会契約を根拠とする説（ロールズ Rawls, J.）、権利は制度のもつルールに根拠をおく行為からひきだされるとする制度説（ハート Hart, H. L. A）、人間の理性や合目的性から論理的に人権を導き出す修正された自然主義の立場（ゲワース Gewirth, A.）など数多くの立場が存在する（辻村「人権の観念」樋口編・講座(3)21頁参照）。従来は、功利主義的な人権論を批判して、個人の人権を「切り札（trumps）」として捉えたうえで多数者の利益によって制限されない自由を追求しようとするドゥオーキン（Dworkin, R.）など、全体として自由主義的（リベラル）な人権論が有力であったが、最近では、その普遍主義や個人主義的性格を批判する共同体主義・共和主義や多文化主義的な議論が強まっている（本書90-91頁参照）。

人権の根拠の問題は、人間の本質論や文化論にもかかわるため、簡単に論じることはできない。人権思想自体が近代以降の個人主義や合理主義哲学のもとに形成された一定の価値選択の帰結であることからすれば、人権の根拠についての完全無欠な論証は困難であり、今日では、人間の尊厳や人間主義を基礎にして、人権を人間の尊厳に基づく固有の価値として捉えておくことが妥当である（芦部・憲法80－82頁）。

2　人権内容の拡張と限定

(1)　人権の量的拡張を認める立場（量的拡張説）

次に、憲法第3章で保障される権利と基本的人権との関係、およびそれらの内容が問題となる。憲法学の通説は、これまで、自由権を中心とする自然権的権利のみならず、社会権や参政権も基本的人権の観念に内包されるものと解し、賠償請求権や刑事補償請求権などの受益権のみが基本的人権に含まれないと理解してきた（宮沢・憲法Ⅱ200頁、伊藤・憲法190頁）。有力説である佐藤説では、（前記96頁(b)と(c)の区別と異なり）自由権を最狭義の基本的人権、これに参政権を加えたものを狭義の基本的人権、さらに社会権をも加えた内容を広義の基本的人権と呼び、歴史的展開に従ってしだいに基本的人権概念が拡大したことを明らかにする（樋口他・注解Ⅰ176頁〔佐藤執筆〕）。ここでは、「“自由権から社会権へ”といったスローガンはミスリーディングな表現として適切でない」としつつも、人格的自律の存在を基準に人権か否かを判断すべきである、という観点から「自由権のみならず、参政権も社会権も人権として把握されなければならない」とする（佐藤幸・憲法395頁）。今日では、一般に、自由権を中心とする近代的な人権から社会権を中心とする20世紀的人権・現代的人権へ、さらに環境権等の「新しい人権」や「集団の人権（グループ・ライツ）」としての発展の権利などを中心とする「第三世代の人権」へ、という展開をふまえて人権の内容を拡張する傾向が定着している。

(2)　人権の質的限定を求める立場（質的限定説）

人権ないし基本的人権（前記(d)）を極小概念として捉えて、「人間が人間である以上当然に具わっている権利」としての自然権的権利と「国家からの自由」だけをあててこれを「憲法が保障する権利（憲法上の権利）」と対置する奥平説などの立場が出現した。また、樋口説も、近代における人権概念の成立が国家対個人の二極対立の産物であったことから、人権概念の「質的限定」説と「量的拡張」説のうち前者を重視する。それは、人一般の権利としての人権、という定式のもつ意味の重みを重視し、人権という呼び名を限定的に使うことによって「『切札としての人権』を確保しようとする立場」であり、そこから「法人の人権」という定式化への疑問が提起された（樋口・

憲法153頁以下、161頁参照)。

前記のような量的拡張説の問題点を考慮するならば、最狭義の((d)の)個人の「切り札としての人権」に限定する質的限定説が支持されるが、この場合にもその具体的内容が問題になる。

また、権利の内容自体をどのように画定するのか、という点について、通常は憲法13条の幸福追求権の解釈に関連して問題になる「一段階画定説」と「二段階画定説」の考え方を取り入れて考察することも必要となる。後者は、何をしてもよい自由(一応の自由)を想定したうえで公共の福祉などによる制約を加える二段階のアプローチを意味し、前者は、歴史的背景によって自由は一定の輪郭をもつと解して一段階のアプローチをとる見解である(本書140頁、争点(第3版)50頁以下〔辻村執筆〕、樋口・国法学(人権原論・補訂)193頁参照)。

この議論は、人権主体論や類型論、人権制約原理と適用範囲等との関係なども重要なかかわりをもつため、以下、これらの問題を順次検討することにしよう。

二　権利の体系

1　古典的分類と修正論

日本の憲法学では、ゲオルク・イェリネック(Jellinek, G.)が国民の国家に対する地位(消極的・積極的・能動的・受動的地位)を問題とする観点から提示した分類を基調にして、人権類型論を構築してきた。これは、戦前の公法学でドイツ公権論の分類が美濃部達吉などによって紹介されたことが影響している。イェリネックの分類に基づく日本の(自由権・受益権・社会権・参政権の)類型論では、自由権とは「国家に対して不作為を請求する権利(国家の侵害を排除する、国家からの権利)」であり、国民の国家に対する消極的地位に基づくものとされる。受益権とは「国家に対して作為を請求する権利」、社会権とは「国家に対して具体的な給付を請求する権利」であり、これらは、国民の国家に対する積極的地位に対応する。参政権は「国民が国家活動に参加する権利」であり、国民の能動的地位に基づいている(受動的地位に基づくものが、国民の義務である)。

憲法学界では、以上の分類を基本的に承認しつつ、社会権的基本権と自由権的基本権とを対置させる修正論が展開されてきた。しかし、例えば環境権や教育権のように、自由権的性格と社会権的性格の両者をもった権利も存在するため、類型論は相対的とならざるをえない。今日でも確固とした統一的な類型論は確立されておらず、イェリネックの伝統的理解はなお根底では継承されているといえる（新基本法コメ71頁以下〔小山剛執筆〕参照）。

最近では、機能的な視点から解説されるようになり、例えば、集会の自由や参政権、国家賠償請求権などをすべて「共同生活」としてまとめて論じるテキストも出現している（渋谷・憲法第３編第４章）。また、解釈論の対象は（「人権理念」そのものでなく）「憲法上の権利」であることを明示する方が生産的である、という指摘もある（安西他・論点233頁〔宍戸常寿執筆〕参照）。たしかに、解釈論では、憲法上の権利を必要な限りで検討するほうが効率的に見えるが、反面、権利の歴史的生成過程が不明であるだけでなく、国家と個人の対抗関係や、自由権と参政権における権利主体の差異などを明らかにすることができないという難点もある。少なくとも、権利の性格や本質に忠実な分類を踏まえておくことが必要であろう。

そこで本書では、日本国憲法の諸規定について、次のような分類をもとに検討を進める。

（最狭義の）「基本的人権」の原則的規定（11条・97条）、憲法上の権利保障の原則的規定（12条・13条・14条・24条）、個人尊重と平等原則に基づく幸福追求権と平等権の包括的規定（13条・14条・24条）、（本来自然権としての本質を有する）精神的自由権（19条～21条・23条）と身体的自由権（18条・31条～39条）、現代憲法的な修正をうけた経済的自由権（22条・29条）、現代憲法の特徴として実質的平等の観点から保障された社会権（25条～28条）、国家や公共団体に対する請求権としての受益権（16条・17条・32条・40条）、これらの諸権利の保障を実現するための主権者の権利としての参政権（15条）、という分類である。このような見方は、（外見上は国家と国民の関係を問題としたイェリネックの伝統的分類に近似するとしても）イェリネックの分類が権利の主体や現代的意義を前提にしたものではない点で、それとは基本的に異なっている。

2　制度的保障論と人権規定の性格

人権保障の実効性の観点からすれば、人権を個人について保障する人権規定のほかに、一定の客観的な制度を保障することを目的とする規定を認めるかどうかが問題となる。ワイマール憲法下のカール・シュミット（Schmitt, C.）の理論に起源をもついわゆる制度的保障論は、「権利宣言の諸条項には、権利ではなく制度を保障した規定が含まれる場合がある」ことを前提としていた（シュミット〔尾吹善人訳〕『憲法理論』創文社、1972年、212-217頁）。そして、歴史的に形成された地方自治や大学の自治、私有財産制度などを法制度上保障することによって、人権保障の実現にも寄与することがめざされた。日本の憲法学説でも、政教分離、大学の自治、婚姻・家族制度、私有財産制度、地方自治などについて、制度的保障論を認める立場が中心であった（川添利幸『憲法保障の理論』尚学社、1986年、250頁以下参照。これに対して、シュミット理論の理解や制度的保障論を批判するものとして、石川健治後掲『自由と特権の距離——カール・シュミット「制度体保障論」・再考（増補版）』参照）。

しかし、人権保障の内容が憲法第3章で具体化されている日本国憲法下で、ドイツのような制度的保障論を維持することが妥当か否か、仮にそれを認める場合も「制度」を限定的に理解する必要はないかなどの疑問が残った。ドイツの学説に従って、「制度」を「憲法の人権規定のなかで権利とは区別して保障され、しかも、当該憲法が制定される以前からその国に存在してきた制度」と解するならば、上記は「いずれも制度的保障規定とは言えない」という指摘も存在する（争点（第3版）60-61頁〔赤坂正浩執筆〕）。芦部説も、伝統的な制度的保障の理論を日本国憲法の人権について用いる場合、「①立法によっても奪うことのできない『制度の核心』の内容が明確であり、②制度と人権との関係が密接であるもの、に限定するのが妥当」であるとする（芦部・憲法86頁）。

判例では、政教分離についての津地鎮祭訴訟最高裁判決（最大判1977〈昭52〉.7.13民集31巻4号533頁）は「政教分離規定は、いわゆる制度的保障の規定であって、信教の自由そのものを直接保障するものではな（い）」と述べ、政教分離を緩和する結論を導いているが、制度的保障の内容や範囲を明確にしているわけではない（本書190頁）。それればかりか、論理的にそれを明確にすることができないため、制度的保障のためにかえって個人の人権保障が弱まるという難点が指摘される。個人の人権を二次的なものにする点を重視する場合は、ドイツ公法学における権利と制度との対立的把握を前提としたこの制度的保障の概念の利用には消極的にならざるをえない（高橋説では、財産権について制度的保障を否定する立場に改説している。高橋・憲法ⅰ、88-90、288頁、佐藤幸・憲法398頁など。ドイツの議論につき、新基本法コメ73頁以下〔小山剛執筆〕参照）。

また、家族制度についても、憲法24条は、家族制度自体の保障よりも家族を構成する夫婦の平等や個人の尊厳を重視する観点にたっており、制度の強調はこれと相いれないと解される（本書170頁以下参照）。

私有財産制度についても、憲法29条の個人の財産権の保障と同時に「私有」財産制度を保障したことの理論的根拠は必ずしも明確ではない。公共の福祉による制限を認めている同条では、政策的に個人の私有を制限することを可能としており、この場合に私有財産制度が制約されたことをもって違憲と解することが妥当かどうかは疑わしい。これらは、いずれも制度的保障論に対する消極説の論拠となりうるものであり、ドイツ憲法学説に依拠した制度的保障論の安易な採用を避けて、個別の権利について検討することが必要となろう。

三　人権の主体

従来の憲法学では、憲法第3章が国民を権利・義務の主体とすることから、国民を本来の人権主体としつつ「一般国民のほかに、いかなる者が人権を享有するか」を問題とし、天皇・皇族、法人、外国人を中心に検討してきた（芦部・憲法88頁以下）。そのため、国際条約との関係でも重要な論点になっている女性や子ども、少数民族（先住民族）、障害者等の人権について、具体的に検討してこなかった。しかし、現実の人権問題ではこれらの具体的な人権主体に即して検討することが必要となる（最近では、女性、子ども、外国人、難民、民族文化的少数者、犯罪被害者の人権や権利が考察対象とされるようになっている。「アニマル・ライツ」論への言及もあって興味深い（愛敬浩二編後掲『人権の主体』238頁以下〔青木人志執筆〕参照）。そもそも、人権を質的に限定して、人間である以上当然に享有する普遍的な権利と解する場合には、当然に自然人が主体となるため、（動物はもちろんのこと）法人はこれに入らない）。

また、自然人の権利としての人権の享有は、出生とともに始まり、死亡によって終了すると考えられるが、現実には、その始期と終期に関連して、胎児と死者が問題になりうる。胎児について、学説には、「胎児は将来人として誕生する存在である以上、胎児の人権享有主体性そのものを肯定する余地がある」（戸波・憲法150頁、基本法コメ57-58頁〔戸波江二執筆〕）とする肯定説も存在するが、一般に享有主体性を認めることには消極的である（初宿・憲法２、69頁など）。この問題は、とりわけ女性の妊娠中絶の自由との関係をめぐって各国で議論されている難問である。これについて、アメリカやフランスでは、女性の権利を重視して胎児の生命に対する利益を相対化しているのに対して、ドイツでは、国家の基本権保護義務の対象として胎児の生命（権）を重視している。また、死者についても、死者の人格権や名誉権などが問題になり、学説には、これを認める見解も存在する（戸波・憲法150頁）。判例にも、遺族の利益を中心に救済をはかることで死者の人格権を間接的に保護しようとしたものがある（東京高判1979〈昭54〉. 3 . 14高民集32巻１号33頁）。

人権の始期と終期の理解は、人権の観念の捉え方に依拠している。すなわち、意思や自律の観念を中核として人権を捉え、人格的自律の程度を基準にする立場では、胎児や死者の人権は認められないが、（ドイツのように）国家の基本権保護義務、人間の尊厳や利益を中心に捉える場合には、これを肯定する余地が生じる。もっとも、前者佐藤説も、胎児について「人間という個別的生命の萌芽」を、死者について「人間という個別的生命の残映」を認める立場から「端的に人権享有主体ではないとしても、個別的利益主体として憲法的に扱うべき存在」であると主張する（佐藤幸治後掲「人権の観念と主体」22頁以下参照）。

1　国民

(1)　国民の要件

国民の権利・義務を定める憲法第３章の冒頭で、10条は「日本国民たる要件は、法律でこれを定める」と規定する。ここでは、権利・義務の主体としての「日本国民」の資格をもつための要件（日本国籍の要件）が国会で議決された形式的意味の「法律」で定められるという「国籍要件法定主義」が明示される。具体的には、日本国籍の得喪の要件は、1950年制定の国籍法で定められる。その２条が、当初、出生時に父が日本国民ならば子が日本国籍を取得するいわゆる父系優先血統主義を採用していたのに対して、憲法の両性平等原則との抵触や無国籍児の問題などを改善するため、女性差別撤廃条約批准に先だつ1984年に法改正され、父母両系主義（父または母が日本国民ならば、子が日本国民となるという原則）が採用された。

判例は、1984年国籍法改正以前の日本国籍取得の基準について立法裁量を認め、父系優先血統主義の規定を憲法14条・24条2項に違反しないとしていた（日本人の父から生後認知された子の国籍をめぐるシャピロ華子事件。当時の国籍法2条1号は、生後認知の遡及効を認めず出生時に父が日本国民であることを要求していた。東京地判1981〈昭56〉. 3 . 30行集32巻3号469頁。東京高判1982〈昭57〉. 6 . 23行集33号6号1367頁）。最高裁（最二判2002〈平14〉. 11. 22判時1808号55頁）判決は合憲と判断していたが、2008年に、最高裁大法廷で画期的な違憲判決が下されることになった。

(2)　国籍法違憲判決（最大判2008〈平20〉. 6 . 4民集62巻6号1367頁）

法律上の婚姻関係にない日本人の父とフィリピン人の母（在留期限を超過して日本に在留）との間に、日本で1997年に出生した男児Xが、出生後父から認知を受けたことを理由に、2005年に法務大臣あてに国籍取得届を提出したところ、国籍取得要件を備えていないとして日本国籍が認められなかった。そこで日本国籍を有することの確認を求めて出訴した。

当時の国籍法3条1項は、「父母の婚姻及びその認知により嫡出子たる身分を取得した子で20歳未満のもの（日本国民であった者を除く）は、認知をした父又は母が子の出生の時に日本国民であった場合において、その父又は母が現に日本国民であるとき、又はその死亡の時に日本国民であったときは、法務大臣に届け出ることによって、日本の国籍を取得することができる。」と規定していた。ここでは、婚外子の父または母が認知をした場合に、母が日本国民であれば、出生と同時に法律上の母子関係が生じると解されていることから、子は日本国籍を得ることができる。また父子関係についても、日本国民である父が胎児認知した子は、出生時に父との間に法律上の親子関係が生ずることとなり、それぞれ同法2条1号により生来的に日本国籍を取得する。このため、この3条1項は、実際上は、法律上の婚姻関係にない日本国民である父と日本国民でない母との間に出生した子（国際婚外子）で、父から胎児認知を受けていないものに適用されることになり、本件のように出生後に認知された場合には、国籍取得が認められない。

一審東京地裁は、準正子と非嫡出子との間の国籍取得上の合理性のない区別は憲法14条1項に違反するという判決を下し、Xの請求を認容した（東京地判2005〈平17〉. 4 . 13判時1890号27頁）。しかし控訴審東京高裁判決（2006〈平18〉. 2 . 28家月58巻6号47頁）は、仮に国籍法3条1項の規定が違憲無効になったところで、Xが国籍を取得することは不可能である等の理由で、一審判決を取り消してXの請求を棄却した。最高裁大法廷は、国籍取得に父母の婚姻による嫡出身分の付与（準正）を要件とした国籍法3条1項を憲法14条違反として、上告していた子ら10人全員に日本国籍を認めた。15人の裁判官は、10人の多数意見（以下A、藤田意見Bを含む）と5人の反対意見に分かれたが、反対意見のうち2人は違憲判断（堀籠・甲斐中裁判官、以下C）、3人は合憲判断（横尾・津野・古田裁判官、以下D）に分かれ、全体として、違憲と判断したのは12人（A＋C）である。多数意見は違憲判断により原審破棄自判、反対意見は上告棄却の結論となった。

主な論点は、[1]国籍法3条1項の合憲性と、[2]救済（国籍取得確認）の2点に分かれ、A多数意見の（藤田意見を除く）9人は、[1]国籍法3条1項は違憲、[2]同条の違憲部分を（過剰な規定として）除いて解釈したうえで国籍を確認した。[1]の理由として、一審判決で認められた区別①（父母が内縁関係にある非嫡出子と、父母が婚姻した準正子との間の区別）のほか、②胎児認知と生後認知との区別、③父子関係と母子関係との区別についても、立法目的（血統主義を基調としつつ、我が国との密接な結び付きの指標となる一定の要件を設けて国籍取得を認めたこと等）との間において、裁量権を考慮してもなお、「合理的な関連性を欠くものになっていた」と判断した（この点が、一審判決との相違点である）。[2]について、上記の違憲の部分は、「過剰な要件」を課すものであるため、これを除いた3条1項の要件が満たされるときは国籍取得が認められるべきであるとした。これに対して、Bの藤田意見は、「過剰な要件」ではなく「不十分な要件」であるという理解を前提として、[1]については、立法不作為を理由とする違憲判断、[2]については、不十分な点を補充する意味で、拡張解釈の手法で解決すべきであるとして国籍を認めた（[1]の点ではCに近い）。

反対意見のうちCは、[1]非準正子には規定がないことを立法不作為と解して違憲確認にとどめ、[2]について解釈で国籍取得を認めることを否定して上告棄却とした。多数意見に対して「法律にない新たな国籍取得の要件を創設するものであって、実質的に司法による立法に等しい」と批判を加えた。

反対意見のDは、[2]については、上記Cと同様の立場であるが、[1]について広い立法裁量を認めて合憲（仮に違憲であっても上告棄却とすべき）と解して、司法権の限界から、国籍取得を否定したものである（百選Ⅰ74頁〔井上典之執筆〕、

辻村他編・憲法判例2頁〔菅原真執筆〕参照)。

以上のように本判決には多くの論点が含まれている。とくに、上記①〜③の三種類の差別についての認定の可否、および、国籍法3条1項が過剰な規定か不十分な規定か、という論点は、これまで十分検討されてこなかっただけに、重要である。さらに、家族と平等という観点からみると、本判決多数意見が、家族生活や親子関係に関する意識の多様化や（婚外子の増加など）家族生活や親子関係の実態の多様化を認めたたことが注目された。多数意見は、国際的な婚外子の増加などの現状をもとに、婚外子に対する法的な差別的取扱いを解消する方向性を示したものと解されたため、民法900条の婚外子相続分差別訴訟における違憲判決が期待された。そして2013〈平25〉年9月4日最高裁決定（民集67巻6号1320頁）で違憲判断が下された（本書174頁以下、辻村・憲法と家族第Ⅲ章1節、152頁以下参照)。

その後、国籍法12条が国外で出生した子に対する差別的取扱いを定めているとして提訴された訴訟で、最高裁は合憲判決を下している（最三判2015〈平27〉.3.10民集69巻2号265頁、重判平成27年度14頁〔大石和彦執筆〕参照)。

(3)　人権主体の態様

社会における人権状況を念頭におく場合も、さまざまな人権主体の態様を認めることができる。1994年国連総会での「人権教育のための国連10年」の決議をうけて日本政府が1997年にまとめた国内行動計画、さらに2000年制定の「人権教育及び人権啓発の推進に関する法律」に基づいて刊行されている『人権教育・啓発白書』などでは、女性・子ども・高齢者・障害者・同和関係者・アイヌの人々・外国人・HIV感染者等・刑を終えて出所した人・犯罪被害者その他の項目をあげて個別に課題を提示している。これらの主体の多くは、法的・社会的な差別の対象となってきたため、おもに憲法14条の平等権の問題として捉えられてきた。しかし、最近では、人権の内容を明らかにして、人権を完全に保障するための議論が求められている。

①　女性　　女性の権利は、普遍的な人権が確立されたはずの近代以降も、長い間無視ないし制限されてきた。女性の参政権の実現は男性のそれに比べてかなり遅く、妻の所有権や居住権、離婚請求権等も制限されてきた。さらに、

従来はこれらの問題をもっぱら男性との差別の問題として扱ってきたために、男性との身体的性差や女性の特性論（ステレオタイプ化）・性別役割分業論を理由に、男性との異なる取扱いを正当化させることになり、現実の差別を固定化する面があった。そこで単に女性差別撤廃の観点から論じるのではなく、むしろ女性の人権の実現を求めるという方向に視座の転換が求められた。このことは、女性差別撤廃条約の後、1993年のウィーン人権会議を経て1995年の第4回世界女性会議に至る過程で「女性の権利は人権である」というスローガンが掲げられたことに端的に示されている。ウィーン宣言や「女性に対する暴力撤廃宣言」、北京宣言等でも、女性の身体の自由や性的自由が人権として強調され、リプロダクティブ・ライツ（性と生殖に関する権利）や自己決定権（本書150頁以下参照）などの女性の人権を確立する傾向が定着してきた。

日本では、大日本帝国憲法下では女性の諸権利（選挙権・被選挙権、政治結社の自由・政治集会傍聴の自由など政治的表現の自由、所有権・相続権・離婚請求権など）が制限されていた。これに対して、日本国憲法下で両性の平等が表明されたが、その後も、性による不合理な差別として憲法違反の疑いの強い規定が残存する（後述167頁以下参照）。また、法律の運用上や事実上の女性の権利侵害（雇用差別や賃金差別、セクシュアル・ハラスメントなど）は、通常は憲法14条の性差別問題として扱われるが、女性の労働権や身体の自由・人格権など、権利侵害として問題となる（辻村・概説ジェンダー法（第2版）52頁以下参照）。

この点で、第二次大戦中の元従軍慰安婦が国家賠償を求めた訴訟（関釜訴訟）で、山口地裁下関支部判決が、従軍慰安婦制度は徹底した女性差別・民族差別思想の現れであり、女性の人格の尊厳を根底から侵すものであるとして、請求を一部認容したことが注目される（1998〈平10〉. 4 . 27判時1642号24頁）。しかし、二審広島高裁判決は、立法不作為の国家賠償に関する最高裁判決（1985〈昭60〉. 11. 21民集39巻7号1512頁）に従って原審の原告勝訴部分を取り消し、新たな請求に係る訴えを却下した（2001〈平13〉. 3 . 29判時1759号42頁）。

現在では、男女共同参画社会基本法（1999年）の下で、「ストーカー行為等の規制等に関する法律（ストーカー行為規制法）」（2000年制定・2013年改正）や「配偶者からの暴力の防止及び被害者の保護等に関する法律（いわゆるDV＝ドメスティック・バイオレンス防止法」）（2001年制定、2004年・2007年・2013年改正）などが制定され、女性の人権侵害を撤廃して男女共同参画を推進するための積極的な取組みが各方面で実施されている。しかし世界経済フォーラムのジェンダーギャップ指数（GGI）は153か国中121位（2020年度）にとどまっている（辻村他編後掲『女性の参画が政治を変える』15頁以下参照）。

②　未成年者（子ども）　子どもないし未成年者が、人間である以上当然に人権の主体であることは、国連「児童権利条約（子どもの権利条約）」でも明確にされ、18歳未満がchild（子ども）と解されている（本書18頁）。反面、いまだ成長段階にある存在であるために、その能力等に関して一定の制限が加えられることが多く、国家や公権力の介入による過度な保護主義（パターナリズム）も認められる。

理論上は、子どもないし未成年者の権利の実現は、その自立と成長の過程で必要な条件を整備し、阻害要因を除去することによってなされるべきであり、公権力等の介入は、「未成年者が成熟した判断を欠く結果、長期的にみて未成年者自身の目的達成能力を重大かつ永続的に弱化せしめる場合に限られる」（佐藤幸治「人権の観念と主体」41頁）。

日本では、2015年6月に選挙資格年齢を18歳以上に引き下げる公職選挙法改正が実施された（本書319頁参照）後、2018年6月に民法が改正されて、民法上の成年が18歳以上に引き下げられた（2022年4月1日から施行）。これにより、婚姻適齢（民法731条）も男女とも18歳以上とされた（本書171頁）が、養親となる年齢（民法792条）が20歳とされたほか、飲酒・喫煙年齢等も20歳に据え置かれた。少年法上の年齢制限も含め、今後の課題が存在している。

また、パターナリズムないし公権力の介入・保護主義との関係が問題になる事例として、少年法の保護のほか、地方自治体が制定している青少年保護育成条例などで自動販売機による「有害図書」の購入の制限をする場合や、いわゆる「淫行条例」などで行動を制約する場合がある。憲法学では、青少年保護育成条例は未成年者の表現の自由を制約する危険があるため、青少年保護の目的と手段との関係の合理性を問題にしてきた（本書213頁参照）。さらに教育現場では、校則等による自己決定権の制約など多くの問題があり、子どもの権利条約との関係でも議論の余地がある。「児童買春、児童ポルノに係る行為等の処罰及び児童の保護等に関する法律（児童買春・児童ポルノ禁止法）」（1999年）や「児童虐待の防止等に関する法律（児童虐待防止法）」（2000年）が制定されて子どもの人権尊重の観点から、人権教育推進の取組みが進められてきた。

③　高齢者　高齢化社会の進展のなかで「高齢社会対策基本法」が制定され（1995年）、高齢者の人権についても関心が高まりつつある。理論的な検討の視座としては、高齢者のなかに精神的・経済的・身体的側面において自律性が不十分な個人が多く存在するという観点から、そういう人たちの生存にとって必要と思われる保護や介入が認められると解される。実際に日本では高齢者の生活条件が好ましくない（内閣府編『高齢社会白書（令和2年版）』によれば、

2019年10月現在、65歳以上の高齢者人口は、過去最高の3,589万人となり、総人口に占める割合（高齢化率）も28.4％と過去最高となった（https://www8.cao.go.jp/kourei/whitepaper/w-2020/html/zenbun/s1_1_1.html)。65歳以上の高齢者人口を男女別にみると、男性対女性の比は約3対4となっている。65歳以上の一人暮らし高齢者の増加は男女ともに顕著で、2015年には男性約192万人、女性約400万人、高齢者人口に占める割合は男性13.3％、女性21.1％となった。75歳以上の高齢者の要介護者数は急速に増加しており、主に女性の家族が介護者となり「老老介護」も多い)。ケアの社会化などの問題点を、人権論の立場から明確にする課題がある（本書292頁、老齢加算訴訟参照)。

④　障害者　　障害者についても、人権の主体として、学校教育・社会教育をうける権利や労働の権利などの実現、差別・偏見の除去などが課題となる。実際には、身体障害者に対する受験資格制限や入学拒否などの例が多いが、受入れの設備が不十分であるという理由のみで公立学校が入学を拒否することなどは許されない（公立高校が筋ジストロフィの学生の入学を拒否した事例につき、神戸地判1992〈平4〉.3.13行集42巻3号329頁)。2003年に旧心身障害者対策基本法が障害者基本法と改題され（平成5年法律94号)、2004年6月改正によって、障害者の自立と障害を理由とする差別禁止が明確にされた（1条・3条3項)。2005年には障害者自立支援法が制定され（翌年から施行)、障害者の地域生活と就労を進め、自立を支援する観点から、福祉サービスや国の財政支援等を明確にした。また、2006年に国連総会で「障害者の権利に関する条約」が採択され、2009年12月に「障害者制度改革推進本部」が設置されて法改正等が行われたことなどが背景となって、2013年の公職選挙法改正によって成年被後見人の選挙資格が認められた（本書18頁、319-320頁、辻村・選挙権と国民主権161頁以下参照)。

⑤　アイヌの人々　　国連では1993年を国際先住民族年と定めて先住民族の人権に目を向けた。日本政府も、1995年に人種差別撤廃条約を批准し、先住民族であるアイヌの人々の人権保障にのりだした。1997年5月に「北海道旧土人保護法」（1899年公布）を廃止し、アイヌ新法（「アイヌ文化の振興並びにアイヌの伝統等に関する知識の普及及び啓発に関する法律」）を制定した。アイヌとは、カムイ（アイヌ語の神）に対する人間の意味であり（同胞という意味のウタリの語も呼称として用いられる)、北海道の日高地区等を中心に、制定当時約24000人が居住していた。1993年の調査結果では彼らの10％近くが学校や職場での差別や結婚差別などを受けており、これらの差別解消とアイヌ文化の振興、人権教育の徹底などが課題とされていた。判例も、ダム建設のための土地収用裁決の取消を求めた二風谷ダム事件判決（札幌地判1997〈平9〉.3.27判時1598号33頁）に

おいて、アイヌの人々はわが国の統治が及ぶ前から居住し、統治に取り込まれた後も、独自の文化およびアイデンティティを喪失していない社会的な集団であり「先住民族に該当する」と認め、アイヌ民族の文化を不当に無視しているとして事業認定を違法とした（詳細は、中村睦男『アイヌ民族法制と憲法』北海道大学出版会、2018年参照）。

⑥　同和関係者　　前記「人権教育のための国連10年に関する国内行動計画」（1997年）でも主要な問題として位置づけられたように、性別や年齢など本人の属性とかかわりのない不合理・不条理な差別として存在してきたのが、部落差別問題ないし同和問題である。日本の旧身分制度に由来するこのような不合理・不条理な差別の解消をはかるために、1996年に「同和問題の早期解決に向けた今後の方策について」（同年7月閣議決定）が出され、社会全体での人権の確立をめざす視点にたった人権教育・人権啓発事業の重要性が指摘された。しかし、現実には、なおも結婚差別、就職差別、教育現場での差別事件、インターネット等を利用した差別事件等がある。このため、国・地方自治体・民間企業や学校等での一層の人権教育・人権啓発事業の推進と被害者救済制度の確立等による解決が求められてきた。

⑦　HIV・ハンセン病等の疾病感染者　　前記「国内行動計画」は、エイズ患者やHIV感染者、ハンセン病などについて、正しい知識の普及を促進し、差別や偏見を除去するためのとりくみの重要性を指摘した。実際に、血液製剤や性行為、母子感染等の経路を通じてHIVに感染した人々に対する偏見や無知からくる差別が存在し、人権保障の観点からの解決が求められてきた。

判例では、国立療養所に入所していたハンセン病患者127名が、強制隔離政策の違法性や、「らい予防法」（1953年制定の新法）を1996年まで改廃しなかった立法不作為の違法性を主張して、国家賠償法に基づく賠償を求めたハンセン病訴訟が重要である。熊本地裁判決（2001〈平13〉.5.11判時1748号30頁）は、同法の隔離政策が憲法13条に根拠を有する人格権の制約に当たり、「遅くとも昭和35年には……その違憲性は明白になっていた」として、「遅くとも昭和40年以降に新法の隔離規定を改廃しなかった国会議員の立法の不作為につき」違法性を認定した（国が控訴を断念したため、本判決が確定し、「ハンセン病療養所入所者等に対する補償金の支給等に関する法律」が制定された）。その後、元患者家族が被った損害等に対する国賠訴訟が提起され、熊本地裁判決（2019〈令和元〉.6.28判時2439号4頁）が、ハンセン病隔離政策等による患者家族等への憲法13条、24条1項の保障する権利・自由の侵害を認めて請求を一部認容した（判時2439号4頁、重判令和元年度14頁〔山崎友也執筆〕参照）。政府は控訴を断念したが、同年7月

12日に閣議決定して国賠法解釈上の課題等に関する政府声明を発した。また同年11月15日には、ハンセン病家族補償法とハンセン病問題基本法が成立した。

2018年1月には、旧優生保護法下で強制的な不妊手術を強制された女性から国家賠償請求訴訟が提起され、仙台地裁で違憲判断が示された（2019〈令元〉. 5.28判時2413=2414号3頁。本判決は、リプロダクティブ権を「憲法13条の法意に照らし（て）」人格権として認定し、その侵害を違憲無効と判断したが、賠償責任は否定した（重判令和元年度8頁〔糠塚康江執筆〕参照）。

⑧　性的マイノリティ　　同性愛者などの性的マイノリティ（LGBTもしくはLGBTI）等をめぐる差別問題が存在する。性的指向（セクシュアル・オリエンテーション）に由来するL（レズビアン）G（ゲイ）B（バイセクシュアル）、性自認に関わるT（トランスジェンダー）、もしくはI（インターセックス）については、社会的にも認識が未だ十分ではないだけでなく、理論的にも、性的自由ないし性的指向の自由に関する構造分析、また、14条の平等原則と平等権の規定を適用する場合の違憲審査基準（本書159頁以下）など、多くの課題が存在している。

判例では、東京都立「府中青年の家」に同性愛者のグループが宿泊を申し込んだところ、所長が男女別室の原則を理由に宿泊を認めなかったため訴訟になった事件で、東京地裁判決（1994〈平6〉. 3.30判タ859号163頁）に続いて東京高裁判決も、不当な差別的取扱いと認めた（1997〈平9〉. 9.16判タ986号206頁）。また、「性同一性障害者特例法」（2004年）3条4項のいわゆる「生殖腺除去要件」の合憲性が問題となった訴訟で、最高裁（最二決2019〈平成31〉. 1.23判時2421号4頁）は、本規定の目的・制約の態様・社会的状況等を総合的に衡量して、憲法13条・14条1項に違反しないと判断した（重判令和元年度10頁〔齊藤愛執筆〕参照）。

欧米諸国を中心に世界的に性的マイノリティの人権を保障する傾向が進み、2020年5月末現在、28カ国で同性婚法が制定されている。登録されたパートナーシップに関する法律もスウェーデンやフランスなど多くの国で制定されている。例えばフランスでは、1999年に民事連帯契約法（PACS）を制定した後、2013年には、「同性の個人にも婚姻を可能とする法律（同性婚法）を成立させ、同性婚カップルによる共同の養子縁組等も認めた（辻村・憲法と家族第Ⅰ章2節参照）。アメリカでは、2015年6月の合衆国最高裁判決（Obergefell v. Hodges, 576 U.S.644（2015））で、同性婚を根本的な人権と解して、その禁止を違憲と判断した（長谷部編・注釈(2)509頁以下〔川岸令和執筆〕参照）。日本では、2015年3月以降、東京都渋谷区等でパートナーシップ条例が制定されて、性的マイノリティの権利保護のため、同性カップルの共同生活を認証する制度が導入された（2020年5月現在24自治体）。しかし、憲法上・法律上の婚姻制度の導入等については議論が進んでいない。憲法論としても、13条（個人の尊重）、14条（差別の禁止）の問題として、十分な検討が必要である。

なお、米国ニューヨーク州で婚姻登録証を取得した同性カップルの離婚訴訟で、憲法24条１項は、「およそ同性婚を否定する趣旨とまでは解されない」とした宇都宮地裁真岡支部の判決（2019〈令元〉．９．18裁判所ウェブサイト https://www.courts.go.jp/app/files/hanrei_jp/944/088944_hanrei.pdf）がある。

2　外国人

(1)　外国人の権利主体性

外国人が憲法第３章の「国民の権利・義務」の主体になりうるかどうか、さらにどのような権利が保障されるべきかという問題は、国際化時代における重要な論点である。憲法制定過程では、もともと権利の主体が people となっていた13条・14条等の条項でこれが国民と訳された経緯があり、また、外国人も当然に自然権的な人権の主体であること、国際人権諸条約の批准により日本が外国人にも人権を保障する国際的な義務を負っていることなどからも、外国人の人権主体性は広く認められる必要がある（本書16頁以下参照）。

外国人を憲法第３章の権利主体として認めるか否かという論点について、旧来は否定説が有力であったが、今日の判例・通説は肯定説となった。肯定説は、(a)文言説や(b)権利性質説（性質的適用説）、(c)準用説に区別されたが、現在では、(b)の権利性質説が通説・判例であり、憲法上の権利の性質を検討したうえで、外国人にも可能な限り保障を及ぼそうとする立場にたっている。

判例では、外国人の政治的活動（外国人べ平連への参加や基地向けのベトナム戦争反対放送への参加等）を理由に法務大臣が在留延長の許可申請を拒絶したことを合憲とした1978〈昭53〉年10月４日のマクリーン事件最高裁大法廷判決（民集32巻７号1223頁）において権利性質説を採用した。

マクリーン事件は、米国国籍を有する外国語教師Xが、１年間の在留期間の更新時に120日間の出国準備期間の更新を許可され、さらに１年間の在留期間の更新を申請したところ、不許可とされた事件である。不許可の理由がXの無断転職と政治活動であったため、Xは不許可処分取消を請求した。一審判決（東京地判1973〈昭48〉．３．27行集24巻３号187頁）はXの主張を認めて不許可処分を取り消したが、二審判決（東京高判1975〈昭50〉．９．25行集26巻９号1055頁）は、法務大臣の裁量権の範囲内であるとして一審判決を破棄した。Xは上告したが、最高裁は「憲法第3章の諸規定による基本的人権の保障は、権利の性質上日本国民のみをその対象としていると解されるものを除き、わが国に在留する外国人に対しても等しく及ぶと解すべきであり、政治活動の自由についてもわが国の政治的意思決定又はその実施に影響を及ぼす活動等外国人の地位にかんがみこれを認めることが相当でないと解されるものを除き、その保障が及ぶものと解するのが、相当である。しかし、……外国人は在留の権利ないし引き続き在留することを要求しうる権利を保障されているものではなく」、在留の許否は国の裁量に委ねられる、として上告を棄却した。

(2)　外国人の類型

以上のように通説・判例が権利性質説を採用している昨今では、どのような権利が外国人に保障されるかを具体的に明らかにすることが問題となる。また定住外国人の参政権問題などが議論されるようになると、外国人を一律に扱うことはできず外国人の類型化が問題となった。最近では、定住外国人・難民・一般外国人という分類も有力であるが、類型化の仕方や定義は一定していない。

「出入国管理及び難民認定法」上は、同法別表第2に規定される永住者（法務大臣が永住を認める者）、日本人の配偶者等（日本人の配偶者もしくは特別養子または日本人の子として出生した者）、永住者の配偶者等（永住者もしくは特別永住者の配偶者または永住者等の子として日本で出生し在留する者）、定住者（法務大臣が一定の在留期間を指定して居住を認める者）の四類型の外国人と、同法でいう難民（難民条約の適用をうける者）が区別される。また、永住者は、上記の（一般）永住者のほか、（法定）特別永住者（日本国との平和条約に基づき日本の国籍を離脱した者等の出入国管理に関する特例法〔1991年〕に定める特別永住者、いわゆる在日韓国・朝鮮人）が区別されている。したがって外国人の類型としては、(a)永住資格を有する永住外国人（一般永住者と特別永住者、およびその配偶者・子ども等）、(b)永住資格はもたないが一定期間の在留資格を有する定住外国人、(c)その他の在留外国人（(a)(b)を除く90日以上の在留者）、(d)（(a)〜(c)以外の）一般外国人（90日未満の一時滞在者）、(e)難民、に区別できる。2009年7月の法改正により新たな在留制度が導入され、2012年から施行された。これにより日本人の配偶者等や定住者・永住者など中長期間適法に在留する外国人に「在留カード」が交付され、さらに特別永住者証明書も交付されてこれまでの外国人登録制度が廃止された。2019年末現在、中長期在留者数と特別永住者数を合わせた在留外国人数は293万3,137人（総人口の2.32％）である（法務省出入国在留管理庁編『出入国管理（2020年版）』http://www.moj.go.jp/content/001335865.pdf 参照）。

(3)　諸権利の保障態様

従来の憲法学説では、権利の性質が許す限り外国人にも人権規定が適用されるという立場をとれば、自由権、平等権、国務請求権（受益権）は、原則としてすべて外国人にも保障されると解してきた。精神的自由権については、マクリーン事件最高裁判決の引用を通じてみたように、参政権的機能を果たすような政治活動の自由は保障されない（判例・通説）としてきた。経済的自由権については、権利の性質上、国民と異なる特別の制約が求められる場合がある（公証人法・電波法・鉱業法・銀行法・船舶法・外国人土地法上等の制約がある）ことが認められている（芦部・憲法97頁参照）。ただし、これらも、その根拠を再検討する余地はあろう（ゴルフクラブ入会拒否差別について、東京高判2002〈平14〉. 1 . 23判時1773号34頁、入浴拒否の外国人差別について、札幌地判2002〈平14〉. 11. 11判時1806号84頁参照）。

これに対して、入国の権利、社会権、さらに国政参政権や公務就任権など国民主権の原則から国民に限ると考えられる権利などは、外国人には保障されないと解することが一般的であったが、再検討の必要が生じている。

(ア)　入国の自由

外国人の権利保障の問題は日本に在留する外国人を対象とするものであって、外国人が日本に入国する権利は日本国憲法下では保障されていないと解するのが通説の立場である。これは、国際慣習法上、国家には外国人の入国を規制する自由が認められることや、現実にも自国や自国民の安全等を守るために入国規制の利益が存在することなどを理由とする。判例も先のマクリーン事件最高裁判決のなかで、「憲法22条1項は、日本国内における居住・移転の自由を保障する旨を規定するにとどまり、外国人がわが国に入国することについてはなんら規定していないものであり、……外国人を自国内に受け入れるかどうか、また、これを受け入れる場合にいかなる条件を付するかを、当該国家が自由に決定することができる」と指摘してこの立場を採用した。

外国人の再入国の自由についても、判例は、指紋押捺拒否を理由とする法務大臣の再入国不許可処分を合憲とした森川キャサリン事件の最高裁判決（最一判

1992〈平4〉.11.16集民166号575頁）のなかで、この権利が憲法22条では保障されておらず、および、わが国に在留する外国人が他国に一時旅行する自由も憲法上保障されていないことは、判例（最大判1957〈昭32〉.6.19刑集11巻6号1663頁・最大判1978〈昭53〉.10.4）の趣旨に徴して明らかであるとした。

しかし、外国人の出国の自由や「自国に戻る権利」を保障し、移動の自由を可能な限り広く認めようとするのが、国際人権規約（B規約12条2・4項）等の趣旨であるとすれば、外国人の再入国の自由や一時旅行の自由を国家が自由裁量によって制約できると解することは妥当ではない。これらの権利が憲法上保障されていると解すべきか否かは議論があるとしても、「自国に戻る権利」の「自国」を国籍国のみならず定住国と解する余地は大いにあると考えられる（上記2009年の出入国管理法及び難民認定法改正により、2012年7月から、出国後1年以内の再入国には、原則として許可が不要となった）。

また、指紋押捺については、前記森川キャサリン事件1992〈平4〉年最高裁判決では、指紋押捺拒否を理由とする法務大臣の不許可処分は「社会通念に照らして著しく妥当性を欠くとはいえない」としていた（指紋押捺制度は、1993年の外国人登録法改正によって特別永住者について指紋押捺義務が免除され、1999年の法改正で、その他の外国人についてもこの制度が廃止されて署名と写真提出になった）。最高裁は、（1982年改正前の外国人登録法による）指紋押捺に関する1995〈平7〉年12月15日第三小法廷判決（刑集49巻10号842頁）（アメリカ国籍のXが外国人登録法違反で罰金1万円に処せられた事件、神戸地裁1986〈昭61〉.4.24）の上告審判決）で、初めて指紋押捺制度に関する判断を下した。「採取された指紋の利用方法次第では個人の私生活あるいはプライバシーが侵害される危険性がある」、「憲法13条は国民の私生活上の自由が……保護されるべきことを規定している」ので、「個人の私生活上の自由として、何人もみだりに指紋の押なつを強制されない自由を有する」と明示したうえで、「方法としても、一般的に許容される限度を超えない相当なものであった」ため憲法13条に違反しないとした。また、「在留外国人を対象とする指紋押なつ制度は……目的、必要性、相当性が認められ、……その取扱いの差異には合理的根拠がある」ため憲法14条に違反しないとした（百選Ⅰ6頁〔志田陽子執筆〕参照）。

(イ)　社会権

社会権についても、従来の通説は、「〔社会権は〕各人の所属する国によって保障されるべき権利を意味するのであり、当然に外国によっても保障されるべき権利を意味するのではない」（宮沢・憲法Ⅱ242頁）として、外国人には保障を認めない立場をとってきた。近年では、「外国人に対して原理的に排除されていると解するのは妥当でない」としたうえで、「生存の基本にかかわるような領域で一定の要件を有する外国人に憲法の保障を及ぼす立法がそもそも社会権の性質に矛盾するわけではない」（芦部・憲法学Ⅱ136-137頁）として、立法政策上外国人に社会権を保障する傾向が強い。実際に、生存権に関する社会保障政策では、国際人権規約や難民条約への加盟を契機に、1982年に国民年金法が改正されて受給資格要件から国籍要件がはずされた（福祉年金、児童扶養手当等も同様）。生活保護法は国民を対象とするが、実務上は永住者等の長期滞在者のほか生活に困窮する外国人について一般国民に準じてきた。健康保険や雇用保険などの被用者保険の受給資格には国籍要件がないことから、かなり広範囲にわたって、納税義務を果たしている一定の外国人の生存権が保障されているといえる。

判例では、塩見訴訟最高裁判決（最一判1989〈平元〉. 3 . 2 判時1363号68頁）が、社会保障政策について広範な立法裁量を認め、「限られた財源の下で福祉的給付を行うに当たり、自国民を在留外国人より優先的に扱うことも、許される」として、障害福祉年金の受給資格の国籍条項を合憲とした。しかし、在日韓国人としての事情を別としても、少なくとも帰化時に障害が存する限り、障害を有する国民に変わりはないため、判例の判断には疑問があるといえよう。

なお、戦傷病者戦没者遺族等援護法や恩給法の受給資格の国籍条項に対しても、憲法14条１項違反が争われてきた。台湾人元日本兵が個人補償を請求した訴訟で、最高裁は、合理的根拠があるとして上告を棄却した（最三決1992〈平４〉. 4 . 28判時1422号91頁、百選Ⅰ14頁〔飯田晶子執筆〕）。また、在日韓国人の元日本軍属が前記支援法の処分却下取消しを求めた訴訟でも、立法裁量権の範囲内であるとして上告棄却した（最一判2001〈平13〉. 4 . 5 判時1751号68頁）。戦争損害補償につき、本書252頁参照）。不法残留者である外国人への生活保護法の適用についても最高裁は否定した（最三判2001〈平13〉. 9 . 25判時1768号47頁）。

(ウ)　参政権

参政権には、選挙権・被選挙権・公務就任権・政治活動参加権等が含まれるため、これらを区別したうえで、さらに選挙権について国政選挙権と地方選挙権とを区別しつつ論じることが必要となる。従来の通説はこれらの区別なしに、また、外国人の種類を区別せずに、一律に、憲法の国民主権の原理から外国人の参政権を否定する傾向があった。ところが、1980年代以降、在日韓国・朝鮮人や永住資格を有する外国人からとくに地方参政権を求める訴訟が相つぎ、定住外国人の参政権問題が社会問題化したため、理論の精緻化が求められた（選挙資格要件については、本書319頁参照）。

①　選挙権・被選挙権　　定住外国人の参政権に関する訴訟は、(a)永住外国人の国政選挙権を求めるアラン参議院選挙権訴訟（最二判1993〈平5〉. 2. 26判時1452号37頁）、(b)在日朝鮮人の国政被選挙権を求める李英和訴訟（大阪高判1996〈平8〉. 3. 27訟月43巻5号1285頁、最二判1998〈平10〉. 3. 13集民187号409頁）、(c)在日韓国人の地方選挙権・被選挙権を求めるキム（金正圭）訴訟（大阪地判1993〈平5〉. 6. 29判タ825号134頁）などがあり、(a)(b)は国家賠償請求訴訟、(c)は選挙人名簿の登録異議却下処分取消訴訟として争われた。

判例は、(a)(b)の国政選挙権・被選挙権については、国民主権の原則から憲法15条の「国民」を国籍保持者と解して訴えを斥けたが、(c)の上告審判決である1995〈平7〉年2月28日の最高裁判決（最三判・民集49巻2号639頁）では、立法政策により定住外国人に地方選挙権を認めることは憲法上禁止されていないという判断（いわゆる許容説の立場）を示した。この判決は、(i)憲法15条1項は、権利の性質上日本国民のみをその対象として日本国に在留する外国人には及ばない、(ii)憲法93条の「住民」についても「地方公共団体の区域内に住所を有する日本国民を意味するものと解するのが相当であり」、日本国に在留する外国人に対して選挙権を保障したものと解することはできない、(iii)しかしながら、第8章の地方自治の制度の趣旨からすれば、在留外国人のうちでも永住者等で居住区域と特段に密接な関係をもつに至ったと認められる者については、その意思を公共的事務処理に反映させるべく地方公共団体の長・議員等の選挙権を付与することは憲法上禁じられていない、と結論した（百選Ⅰ8頁〔柳井健一執筆〕参照）。

学説は、外国人参政権を一切認めない従来の禁止説から脱して、しだいに地方参政権を法律上で認める見解（許容説、厳密には、国政禁止・地方許容説）が有力となった（ただし、韓国では2009年の法改正で比例代表制の国政選挙について在外投票制が認められたため、在日韓国人に対して日本で国政選挙権が与えられれば二重投票になるが、地方参政権のみであれば抵触はなくなる。辻村・比較憲法158頁参照）。

②　公務就任権　　外国人の公務就任権については、議員よりもむしろ行政担当公務員について問題になってきた。従来は、国民主権原理を根拠に国会議員や大臣などのほか公権力の直接的な行使は外国人には認めないという「当然の法理」（1953年の内閣法制局見解に由来）が適用されてきたが、主権論の再検討とともに、この問題を見直すことが求められた。実際にも、地方自治体のなかに川崎市など地方公務員の資格要件から国籍要件を撤廃するものが出始めている昨今では、「当然の法理」の合理性を批判的に検討し、可能な限り外国人の

公務就任権を広く認める立論が要請されている。判例では、東京都の在日韓国人の保健婦（保健師）、鄭香均（チョン・ヒャンギュン）が、管理職の受験資格を拒否されたため提訴した東京都管理職就任権訴訟が重要である。

一審の東京地裁判決（1996〈平8〉．5．16判時1566号23頁）は、(a)国の統治権力を直接行使する公務員と、(b)間接的にかかわる公務員、(c)補佐的・補助的な事務などに従事する公務員の三種類を区別し、前二者(a)・(b)とりわけ管理職の国籍要件について、国民主権原理や「当然の法理」を持ち出して合憲の判断をした。控訴審の東京高裁判決は、第二類型(b)の公務員についても、職務の内容や権限と統治作用とのかかわり方等を具体的に検討して外国人の就任を認めるかどうかを検討すべきであるとし、さらに、特別永住者等の地方公務員就任についいては国家公務員と比べて就任し得る職務の範囲は広くなる、と解して、当該管理職受験資格拒否は管理職への昇任の途をとざすもので憲法22条1項、14条1項に違反すると判示した（1997〈平9〉．11．26判時1639号30頁）。

しかし、2005〈平17〉年1月26日の最高裁大法廷判決（民集59巻1号128頁）は、原判決のうち上告人敗訴部分を破棄し、労働基準法3条、憲法14条1項に違反しないとして合憲判断を下した（破棄自判）。この判決では、国民主権の原則に基づき日本国籍を有する者が「公権力行使等公務員」に就任することが想定されており、普通地方公共団体が「一体的な管理職の任用制度を構築して人事の適正な運用を図ること」は合理的理由に基づいているため労働基準法3条にも憲法14条1項にも違反しない、と判断した。本判決は憲法22条の職業選択の自由には言及しなかったが、学説では一般職への公務就任権を憲法22条との関係で論じるのが多数説である。また、特別永住者の地位や憲法14条の違憲審査基準についても今後も詳細な検討を要する（百選Ⅰ10頁〔近藤敦執筆〕参照）。

3　法人

人間の尊厳や人間性を人権の根拠と解する場合には、当然に、人権の主体は人間でなければならない。したがって、自然人ではない法人を人権享有主体と解することは背理であり、安易に法人の人権享有主体性を認めてきた従来の議論は批判の対象にならざるをえない（近代の人権が中間団体の排除による国家と個人の二極対立構造のなかで成立したことから、従来の「法人の人権」論を根底的に批判したのが樋口説（樋口・憲法182頁など）である）。しかし、人権の観念を限定して憲法上の権利と区別し、一定の憲法上の権利については享有主体が自然人に限られないとするならば、法人の権利主体性を認めることは可能となる。実際に、社会における法人の活動の重要性が増大してきたこともあり、1949年制定のドイツ連邦共和国基本法のように「基本権は、その本質上内国法人に適用されうる限り、これにも適用される」(19条3項) と明文で定める憲法も出現した。

日本では、憲法学説や判例のなかで、資本主義社会における法人の役割の増大等を前提に、性質上可能な限り、広く法人にも憲法上の権利主体性を認める立場が主流を占めた。その結果、憲法29条の財産権、22条の営業の自由や居住移転の自由などの経済的自由権のみならず、16条の請願権、32条の裁判を受ける権利、17条の国家賠償請求権などの国務請求権、31条以下の刑事手続に関する諸規定が法人にも適用されることを認めてきた (芦部・憲法学Ⅱ169頁)。これに対して、精神的自由や生命・身体の自由、生存権などの諸権利は、本来自然人を主体とするものであって、法人の設立目的に照らし、原則として法人には適用されないと解することが妥当である。選挙権・被選挙権も法人には認められないことは当然であるが、広義の参政権に含まれる政治活動の自由や政治献金の自由などが法人に認められるかどうかについては議論がある。

この点、八幡製鉄献金事件の最高裁判決 (最大判1970〈昭45〉. 6 . 24民集24巻6号625頁) が安易に株式会社の政治活動の自由を認定したことが問題となった (樋口他・憲法判例3章〔樋口執筆〕)。

> 八幡製鉄献金事件では、八幡製鉄株式会社が自由民主党に政治資金を寄付したことについて、株主Xが同社の取締役Yらの責任を追及したところ、一審 (東京地判1963〈昭38〉. 4 . 5下民集14巻4号657頁) は、Xの主張を容認した。二審 (東京高判1966〈昭41〉. 1 . 31高民集19巻1号7頁) は、社会的存在としての会社の社会的有用行為には政党への献金も含まれる、として原判決を取り消した。最高裁は、「憲法第3章に定める国民の権利および義務の各条項は、性質上可能なかぎり、内国の法人にも適用されるものと解すべきであるから、会社は、自然人たる国民と同様、国や政党の特定の政策を支持、推進しまたは反対するなどの政治的行為をなす自由を有する」と解して政治資金の寄付の自由を含む政治活動の自由を広く認め、株主の訴えを斥けた。最高裁は、可能な限り内国の法人にも憲法第3章の保障を適用すべきであると判断したが、この判示は傍論に留まると

の指摘がある（高橋・憲法104頁、百選Ⅰ18頁〔毛利透執筆〕参照）。

もともと政治活動の自由など本来自然人を主体とする精神的自由権を、営利目的の民間企業についても広く保障することには疑問がある。「自然人＝個人の憲法上の権利と『同様』の資格でそれと対抗的に法人が主張することはできないもの、と考えるべき」（樋口・憲法183頁）であり、再検討が求められる。法人の権利を個人のそれに対抗的にあるいは優先的に保障することは本来の人権保障原理とは相いれないものであり、現実にも企業社会における法人の優位を許す点で問題がある。さらに、法人の構成員の人権保障との関係からの制約が不可避となる（芦部・憲法学Ⅱ172頁以下、佐藤幸・憲法427頁以下参照）。

法人の構成員の権利保障にかかわる問題では、構成員の思想・信条の自由の侵害という観点から、広島国労地本事件判決、南九州税理士会政治献金拒否事件、群馬司法書士会事件で争われたが、営利法人・労働組合・公益法人の場合で、それぞれの事案に応じて最高裁の結論が異なっている。

①　広島国労地本事件　　労働組合が、安保反対闘争および選挙運動支援金として臨時組合費を強制徴収した場合に、組合員の思想・信条との関係が問題となった事件である。原審の広島高裁判決（1973〈昭48〉. 1 . 25判時710号102頁）はこれらを目的の範囲外であるとし、選挙応援資金の拠出を強制することは組合員の政治的信条の自由に対する侵害となるから許されないとして臨時組合費の徴収決議も法律上無効であるとした。

これに対して、最高裁判決（最三判1975〈昭50〉. 11. 28民集29巻10号1698頁）は、「労働組合は、労働者の労働条件の維持改善その他経済的地位の向上を図ることを主たる目的とする団体」であり、組合員の協力義務も「当然に右目的達成のために必要な団体活動の範囲に限られる」が、組合の活動は「流動発展するもので」拡大している。しかし、(i)春闘資金には協力すべきで、(ii)安保反対闘争資金も、民事上又は刑事上の不利益処分を受けた組合員救援費用については協力を否定する理由はない反面、(iii)立候補者支援のための政治意識高揚資金についての強制は許されないとして、原判決を破棄したうえで、(i)(ii)の各資金分を被上告人（組合員）が上告人（組合）に対して支払うことを命じた（天野・高辻裁判官の反対意見は(ii)も強制はできないとした）（井上・憲法判例294頁、樋口他・憲法判例35頁〔樋口執筆〕、百選Ⅱ314頁〔井上武史執筆〕参照）。

②　南九州税理士会事件　　税理士法改正にかかわる政治献金のために徴収された特別会費の支払いを拒んだ会員の税理士が、役員の選挙権・被選挙権を停止されたため特別会費納入義務の不存在の確認や慰謝料の支払いを求めて

出訴した事件である。一審熊本地裁判決（1986〈昭61〉．2．13判時1181号37頁）は、政治団体に対する寄付が強制加入制の公益法人である税理士会の目的の範囲内とはいえないとして請求を認めたが、二審福岡高裁判決はこれを覆した（1992〈平4〉．4．24判時1421号3頁）。

最高裁判決は、税理士法が税理士会を強制加入の法人としている以上、会員にはさまざまの思想・信条および主義・主張を有する者が存在することは当然に予定されるから会員に要請される協力義務にも限界があり、とくに政治団体に対する寄付は会員各人が自主的に決定すべき事柄であるから、税理士法49条2項所定の「税理士会の目的」の範囲外の行為である、として無効とした（最三判1996〈平8〉．3．19民集50巻3号615頁）。これは、八幡製鉄献金事件判決と比較して検討すべき判決といえよう（百選Ⅰ80頁〔二本柳高信執筆〕、本書119頁参照）。

③　群馬司法書士会事件　　税理士会と同様に、公益法人で強制加入団体である司法書士会における総会決議が会員の思想・信条の自由を害するか否かが問題となった事件である。この決議は、阪神・淡路大震災で被災した兵庫県司法書士会に3000万円の復興支援拠出金を寄付するため、会員から登記申請事件1件につき50円の特別負担金の徴収をする内容であった。一審の前橋地裁判決（1996〈平8〉．12．3判時1625号80頁）は、南九州税理士会事件最高裁判決をうけて、「司法書士会の目的」の範囲外の行為であるとして原告の主張を認めたが、二審東京高裁判決（1999〈平11〉．3．10判時1677号22頁）は、本件寄付は目的の範囲内であるとした。

最高裁判決（最一判2002〈平14〉．4．25判時1785号31頁）は、本件負担金の徴収は、「会員の政治的又は宗教的立場や思想・信条の自由」を害するものではないとして上告棄却した。南九州税理士会事件判決と本件判決の結論が異なった理由は、法人の目的の範囲および負担金徴収目的の捉え方の相違にある（前者が政治献金であったのに対して、後者が被災団体への支援金であり、被災地における司法書士業務の円滑な遂行による公的機能回復目的に資する目的であった）と考えられる。もっとも、本件最高裁判決は3対2の僅差で下され、深沢・横尾裁判官の反対意見が、3000万円という拠出金額の大きさから、権利能力の範囲を超えたものと判断していた点では、疑問がないわけではない。

4　特別の法律関係にある者

旧憲法下で支配的であった理論として、「特別権力関係」論がある。これは、ドイツ19世紀の国法学における理論であり、国家権力と国民との間の支配・服従関係から、公務員や国公立学校の生徒、受刑者、強制入院患者等について、特殊な法律関係（「特別権力関係」）の成立を認めたものである。これによれば、公権力は特別権力関係内部では包括的な支配権をもち、個別の法律の根拠がなくてもその特別権力関係内の私人を規律し権利を制約できる。さらに、それについては司法審査が及ばない、とする。

しかし、このような旧来の理論は、基本的人権尊重と国民主権を原理とし、議会制民主主義や法の支配を確立した日本国憲法下では採用することはできない。学説・判例上もこれを採用するものは見当たらないが、実際には、現行法上、公務員や刑事施設被収容者（受刑者等）について、特別の法律関係に基づく種々の権利制約がなされている。

(1)　公務員

公務員には、現行法上、政治的表現の自由や労働基本権について重大な制限が付されている。政治的表現の自由ないし政治的行為の制限については、国家公務員法102条が、政党や政治的目的のために寄付金等の利益を受けることなどのほか、選挙権行使を除いて人事院規則で定める政治的行為を禁止しており、110条で罰則規定（3年以下の懲役または10万円以下の罰金）も適用している。人事院規則14-7は、これをうけて5項1号～8号で政治的目的の定義を示し、6項1号～17号に列挙する政治的行為をすべての一般職の職員に対して禁止または制限している。そこには、政治的目的のための署名運動の企画・主宰・指導・参与や示威運動の企画・組織・指導・援助、集会等での（拡声器等を用いた）意見の表明や文書等の掲示、演劇の主宰・援助など広範な活動が含まれているだけでなく、同規則では、勤務時間外の行為や、職員以外の者と「公然又は内密に」共同して行う場合、代理人等を通じて間接的に行う場合なども規制されている（1項～4項）。

このような公務員の政治的行為の制限をめぐる判例では、猿払事件（最大判1974〈昭49〉.11.6刑集28巻9号393頁）が重要であり、その後の堀越事件・世田谷事件判決（最二判2012〈平24〉.12.7刑集66巻12号1337頁、同66巻12号1722頁）との関係が問題となる（本書220頁、471頁、樋口他・憲法判例126頁以下〔蟻川恒正執筆〕、百選Ⅰ30頁〔長谷部恭男執筆〕参照。堀越事件上告審判決によって、公務員の政治活動に関する「合理性の基準」が修正されたか否かの問題につき、本書220頁参照)。

①　猿払事件　　猿払事件は、1967年衆議院選挙の際に、北海道宗谷郡猿払村の郵便局員（郵政事務官）が、同地区の労働組合協議会事務局長として日本社会党を支持する目的で、勤務時間外に、職務を利用する意図なく、友人の候補者の選挙用ポスター6枚を掲示し、184枚の掲示を他に依頼して配付した行為が、国家公務員法102条、人事院規則14-7（6項13号）違反とされた事件である。被告人は罰金5000円の略式命令をうけ正式裁判を請求したところ、一審旭川地裁は、労働組合活動の一環として行われた行為を罰する同法110条1項19号は、「行為に対する制裁としては相当性を欠き、合理的にして必要最小限の域を超えて」おり、当該行為に「適用される限度において、同号が憲法21条及び31条に違反する」として無罪判決を下した（1968〈昭43〉.3.25下刑集10巻3号293頁)。二審の札幌高裁判決も一審の判断を支持した（1969〈昭44〉.6.24判時560号30頁)。

しかし、最高裁判決は、原判決を破棄自判し被告人を有罪とした。判旨は、公務員の政治的中立性を損なうおそれのある公務員の政治的行為を禁止することは合理的で必要やむをえない程度である限り憲法で許容されると解し、規制目的（行政の中立的運用と、それに対する国民の信頼の確保）と規制手段との間には合理的関連性があるとした（1974〈昭49〉.11.6刑集28巻9号393頁、本書206頁、219頁、百選（第5版）Ⅱ444頁〔芦部信喜執筆〕、百選Ⅰ28頁〔青井未帆執筆〕参照)。このような「猿払三基準」(「合理的で必要やむを得ない限度かどうか」を、(i)禁止の目的、(ii)目的と禁止される政治的行為との関連性、(iii)禁止によって得られる利益と禁止によって失われる利益との均衡という三要素で判断する基準）の妥当性をめぐって、憲法学界で議論があったところ、2012〈平24〉年12月7日の堀越事件最高裁判決（刑集66巻12号1337頁）ではこの論証方法が採用されず無罪が認定されたことから、実質的な判例変更があったかどうかが問題とされた（百選Ⅰ30頁〔長谷部恭男執筆〕参照。本書124-125頁、220頁参照)。

②　堀越・世田谷事件　　堀越事件は、社会保険庁東京社会保険事務局目黒社会保険事務所に年金審査官として勤務していた厚生労働事務官Xが、2003年11月の総選挙に際して、日本共産党を支持する目的をもって、東京都中央区内で同党の機関紙である「しんぶん赤旗」等の機関紙等を配布した事件である。これが国家公務員法旧110条1項19号（平成19年)、102条1項、人事院規則14-7（政治的行為）6項等（「本件罰則規定」という）違反に当たるとして起訴された。一審判決（2006〈平18〉.6.29刑集66巻12号1627頁）は、憲法21条1項、31条等に違反せず合憲であるとし、本件配布行為を有罪と認め、罰金10万円、執行猶予2年に処した。控訴審判決（2010〈平22〉.3.29刑集66巻12号1687頁）は、本件配

布行為が本件罰則規定の保護法益である国の行政の中立的運営及びこれに対する国民の信頼の確保を侵害すべき危険性は、抽象的なものを含めて、全く肯認できないから、本件配布行為に対して本件罰則規定を適用することは、……必要やむを得ない限度を超えた制約を加えたもので、憲法21条1項及び31条に違反するとして、一審判決を破棄し、Xを無罪とした。最高裁第二小法廷も、Xを無罪として検察官からの上告を棄却した（2012〈平24〉.12.7）。

最高裁は、「本法102条1項による公務員の政治的行為の禁止は、国民としての政治活動の自由に対する必要やむを得ない限度にその範囲が画されるべきものである」とし、「公務員の職務の遂行の政治的中立性を損なうおそれが実質的に認められるかどうかは、当該公務員の地位、その職務の内容や権限等、当該公務員がした行為の性質、態様、目的、内容等の諸般の事情を総合して判断するのが相当である」とした。また規制の必要性・合理性は、「目的のために規制が必要とされる程度と、規制される自由の内容及び性質、具体的な規制の態様及び程度等を較量して決せられる」（最高裁昭和52年(オ)第927号同58年6月22日大法廷判決・民集37巻5号793頁等）とした。本件Xの「本件配布行為は、管理職的地位になく、その職務の内容や権限に裁量の余地のない公務員によって、職務と全く無関係に、公務員により組織される団体の活動としての性格もなく行われたものであり、公務員による行為と認識し得る態様で行われたものでもないから、公務員の職務の遂行の政治的中立性を損なうおそれが実質的に認められるものとはいえない」として、被告人を無罪とした原判決を支持した。

他方、世田谷事件の方は、厚生労働省大臣官房統計情報部社会統計課長補佐として勤務する国家公務員（厚生労働事務官）Yが、日本共産党を支持する目的で、東京都世田谷内の警視庁職員住宅等で上記と同様政党の機関紙等を配布して起訴された事件である。一審判決（2008〈平20〉.9.19刑集66巻12号1926頁）は、本件罰則規定は憲法21条1項、31条等に違反せず被告人は有罪であると認め、罰金10万円に処した。控訴審判決（2010〈平22〉.5.13刑集66巻12号1964頁）も控訴を棄却した。最高裁第二小法廷は、原審を支持して有罪とした（2012〈平24〉.12.7刑集66巻12号1722頁）。

両判決の主な差異は、堀越事件ではXの職務の内容や権限が「管理職的地位にはなく」「裁量の余地のないものであった」のに対して、世田谷事件では、Yが「指揮命令や指導監督等を通じて他の多数の職員の職務の遂行に影響を及ぼすことのできる地位にあった」ことであり、管理職的地位の有無が有罪・無罪の差異をもたらした。

また、堀越事件判決が猿払事件最高裁判決に対して「判例違反」に当たるか否かについては、堀越事件判決は「事案を異にする判例を引用するものであって、本件に適切ではな（い）」と述べた。このほか、両判決には、千葉裁判官の補足意見が付されて、猿払事件判決との整合性について論じている（この点は、本書220頁以下参照）。

また、公務員の労働基本権について、現行法制上、争議権の一律全面禁止等の規制が定められている。初期の判例は、「公共の福祉」や「全体の奉仕者」（憲法15条2項）をその根拠としていたが、後に、労働基本権をめぐる判例の展開のなかで、国民全体の利益の保障や、公務員の「地位の特殊性」と「国民全体の共同利益」（全農林警職法事件）などが理由とされた（本書301頁以下参照、芦部・憲法学Ⅱ251頁以下参照）。

(2)　刑事施設被収容者（受刑者等）

刑事施設被収容者とは、刑事施設に強制的に収監されている者のことで、既決の受刑者（懲役・禁錮または拘留の刑の執行のために拘置されている者）、死刑確定者（死刑の言渡しを受けて拘置されている者）のほか、未決拘禁者（被逮捕者、被勾留者その他未決の者として拘禁されている者）や留置施設の被留置者、海上保安留置施設の被留置者を含む。旧監獄法（1908年制定）では、集会・結社の自由、職業選択（営業）の自由等の制約のほか、同施行規則によって、図書・新聞の閲読、信書の発受・接見等の制限や飲酒・喫煙の禁止など厳しい制約が課せられていた。受刑者等については、親族以外との接見や信書発受が原則禁止（特に必要がある場合に例外的に許可）とされており、批判があった。このため、2005年の「刑事施設及び受刑者の処遇に関する法律」によって旧監獄法が一部改正された後、2006年に「刑事施設及び受刑者の処遇に関する法律」は「刑事収容施設及び被収容者の処遇に関する法律」と改称され、その施行によって旧監獄法は2007年6月1日をもって廃止された（受刑者の選挙資格につき、本書316頁参照）。

旧監獄法では、収監の目的は、受刑者の場合には矯正・教化、未決拘禁者の場合は逃亡・証拠隠滅防止の目的に加えて、拘禁の確保や監獄内の秩序維持等であり、そのために人権制約が許されると一般に解されてきた。この点、新法では、受刑者の処遇の原則として「改善厚生の意欲の喚起及び社会生活に適応する能力の育成を図ること」（30条）、未決拘禁者の処遇の原則として「逃走及び罪証の隠滅の防止並びにその防御権の尊重に特に留意しなければならない」(31条）と定められた。

以下の判例は、いずれも旧監獄法下のものであるが、未決拘禁者に対する喫煙禁止や新聞閲読の制限について、最高裁は「必要性・合理性の基準」や「相当の蓋然性」の基準などを用いて合憲判断を下しており、厳格な審査基準にたって必要最小限の規制にとどめるべきであるとする学説から批判をうけていた（芦部・憲法学Ⅱ273頁以下参照）。

①　未決勾留中の喫煙禁止違憲訴訟　　一・二審は旧来の特別権力関係論に言及して国家賠償請求を棄却したが、最高裁判決は、この理論には直接言及することなく、喫煙の禁止という程度の制限は必要かつ合理的であるとして上告を棄却した（最大判1970〈昭45〉. 9 . 16民集24巻10号1410頁、百選Ⅰ54頁〔江藤祥平執筆〕)。

②　よど号ハイジャック事件記事抹消事件　　1969年の国際反戦デー闘争中の公務執行妨害罪の容疑により未決勾留中の者が講読していた新聞記事の一部を拘置所長が墨で塗りつぶして配付した処分の違法性・違憲性が問題となった。一・二審はこれを合憲とし、最高裁大法廷も全員一致で上告を棄却した（1983〈昭58〉. 6 . 22民集37巻5号793頁)。

③　接見制限違憲訴訟　　旧監獄法施行規則が、受刑者の接見制限が憲法13条・32条に反するとして争われた国家賠償請求訴訟で、最高裁は、合憲と判断した（最一判2000〈平12〉. 9 . 7判時1728号17頁）(接見につき、本書266頁参照)。

④　信書発信不許可事件　　刑務所長が受刑者の新聞社あての信書の発信を不許可としたことの合憲性が争われた国家賠償請求訴訟で、最高裁は、[旧] 監獄法46条2項を合憲としつつ、当該刑務所長の不許可は裁量権の逸脱（国家賠償法1条1項の適用上違法）として、1万円の支払いを命じた（最一判2006〈平18〉. 3 . 23判時1929号37頁)。

四　人権の保障範囲

1　私人間の人権保障

近代市民憲法の成立期には、個人の人権を保障するために国家が存在するという考えに基づいて、人権保障の構造は、基本的に、個人対国家のように二極対立的に捉えられていた。しかしその後、資本主義の進展に伴って社会的権力や集団による人権制約が問題となり、ワイマール憲法が私人間においても団結権が適用される旨の規定をおくなど、人権規定の第三者効力ないし私人間適用が問題になった（ドイツの学説の展開が注目される。棟居・人権論1頁以下参照）。

日本国憲法では、15条4項（「選挙人は、その選択に関し公的にも私的にも責任を問はれない」）で私的関係にふれるほかは、人権保障規定の私人間適用について明らかにしていない。この問題について、学説の立場は次の三つに分かれるが、今日の学説・判例では、間接的な適用であれ、憲法規定の私人間への適用を認める傾向が強まっている。

第1説は、無効力説ないし不適用説（無適用説）であり、もともと憲法の人権規定が国家対個人の関係を規律するものであったことを理由に、私人間への適用を否定する見解である（佐々木惣一説など）。第2説は、直接適用説であり、人権規定が私人間にも直接的な効力をもつと解する。現代社会において、国家類似の巨大な組織・集団が社会的権力として個人の人権を制約する危険に対処しようとする見解である（稲田陽一説など。これにつき、芦部・憲法学Ⅱ284頁以下参照）。しかし、この見解については、私的自治の原則との関係で問題はないか、国家対個人の二極対立構造における本来の人権保障を逆に希薄化しないか、当事者間の意思決定に基づくものであれば権利・自由の制約が許される場合も存在するのではないか、等の疑問が指摘された。

これに対して、通説・判例の立場は、第3の間接適用説である。これは「公の秩序又は善良の風俗に反する事項を目的とする法律行為は、無効とする。」と定める民法90条の公序良俗規定のような私法上の一般条項を介在させて、間接的に憲法の趣旨を私人間の権利保障にも及ぼそうとする見解である（宮沢・憲法Ⅱ250頁など多数）。直接適用説に対する疑問点を払拭しつつ、「公法（公権）と私法（私権）との二元性と私的自治の原則を尊重しながら、人権規定の効力拡張の要請を満たす法的構成をこころみることが望ましい」（芦部・憲法学Ⅱ289頁）とするところから、広く支持されてきた。もっとも、人権保障を実効的なものにするためには、民法等の援用という手法は理論的に問題がないわけではなく、理論的には、間接適用説をこえて、古典的な自由権や平等権など一定の人権規定に関しては直接適用を認めることができるような立論が求められているといえる。また、アメリカのステート・アクション（state action）の理論（一定の私的行為を州ないし政府の行為と同視することで憲法の効力を私人間に及ぼす手法についての理論）などを援用して、社会的権力の行為を国家の行為と同視することで、憲法規定を適用して人権保障をはかる方法も有効であろう（学説の展開につき、渋谷・憲法131頁以下、君塚正臣後掲『憲法の私人間効力論』、長谷部編・注釈(2)21頁以下〔長谷部執筆〕参照）。

最近では、従来の私人間効力ないし第三者効力論の問題設定自体について再検討が進み（棟居・人権論1頁以下参照）、ドイツ憲法学における基本権保護義務論との関係で、従来の通説や公序良俗論が見直されてきた（小山剛『基本権保護の法理』成文堂、1998年、争点86頁〔小山執筆〕、山本敬三『公序良俗論の再構成』有斐閣、2000年、公法研究65号、ジュリスト1244号特集の小山・山本論文参照）。通説はこれに対して批判的であり、「国の保護義務は一定の類型の権利・自由については認められるけれども、それをすべての権利・自由について強調し、直接適用説に結びつけることは、日本においては、かえって人権の不当な制限を招くおそれがすくなくない、という反論にも十分傾聴すべきものがあろう」（芦部・憲法117頁）と述べている。

また、ドイツ流の基本権保護義務論を批判する視点から、あらためて、上記の無効力（無適用）説を唱える見解（高橋和之「『憲法上の人権』の効力は私人間に及ばない」ジュリスト1245号137頁以下、高橋・憲法118-119頁以下）が出現した（「新無効力説」につき、長谷部編後掲『人権の射程』33頁以下〔宍戸執筆〕参照）。後述の三菱樹脂事件最高裁判決を無効力説と解する点や、フランス革命期以来もともと自然権を保全する国家の責務が前提とされてきたことから基本権保護義務論を批判する視点は共有できるとしても、この議論の前提となったフランスに関する理解には多くの反論が提起されている（辻村後掲『フランス憲法と現代立憲主義の挑戦』172頁以下、山元一「憲法理論における自由の構造転換の可能性(1)」長谷部＝中島編『憲法の理論を求めて』日本評論社、2009年、31-33頁参照）。また、雇用差別等の現実からすれば、最近の無効力説支持論が従来の差別の正当化論（住友電工事件判決（大阪地判2000〈平12〉. 7 . 31労判792号48頁）等に見る「憲法14条の趣旨には反するが、公序良俗には反しない」という論理など）に理論的糧を与えるために援用されることが危惧される（本書309頁参照）。

2　判例

判例では、企業と労働者間の雇用関係、私立大学と学生の関係、組合組織と構成員の関係などが問題になっている。雇用関係では、三菱樹脂事件や日産自動車定年差別訴訟などが代表的なものであり、私立大学と学生との関係については、昭和女子大事件がある。

①　三菱樹脂事件　　東北大学卒業後3ヶ月の試用期間を付して採用された原告が、大学時代の学生運動経験等を入社試験時に申告しなかったことを理由に解雇されたのに対して地位保全の仮処分を申請して認容された後、解雇権の濫用を理由に地位保全確認および賃金支払いを求めて本案訴訟を提起した事件である。一審判決（東京地判1967〈昭42〉.7.17労民18巻4号766頁）と控訴審判決（東京高判1968〈昭43〉.6.12労民19巻3号791頁）は、憲法19条の思想信条の自由を重視して原告の主張を認めたのに対して、最高裁判決（最大判1973〈昭48〉.12.12民集27巻11号1536頁）は破棄差戻した（その後、高裁での審理中に和解が成立して原告は職場に復帰した）。最高裁判決の判旨は、「〔憲法19条・14条は〕もっぱら国または公共団体と個人との関係を規律するものであり、私人相互の関係を直接規律することを予定するものではない」としつつ、「私的支配関係においては……立法措置によってその是正を図ることが可能であるし、また、場合によっては、私的自治に対する一般的制限規定である民法1条、90条や不法行為に関する諸規定等の適切な運用によって、一面で私的自治の原則を尊重しながら、他面で社会的許容性の限度を超える侵害に対し基本的な自由や平等の利益を保護し、その間の適切な調整を図る<u>方途も存する</u>」（下線本書筆者）と述べて、間接適用説も採りうることを示唆した（ただし原則は不適用説であり、三菱樹脂事件判決が間接適用説を明確に採用したわけではない。高橋・憲法117頁。学説の動向につき、百選Ⅰ22頁〔川岸令和執筆〕参照。最高裁は、日産自動車事件〔下記③〕や、入会権資格事件〔本書169頁⑥、最二判2006〈平18〉.3.17〕などでは、明確に間接適用説を採用している）。三菱樹脂事件最高裁判決は、一方で憲法14条・19条の適用を排除しつつ、他方では憲法22条・29条を根拠として企業者の経済活動の自由、契約締結の自由を広く認め、「企業者が雇傭の自由を有し、思想、信条を理由として雇入れを拒んでもこれを目して違法とすることはできない」と判断して思想調査や申告を求めることまでも合法とした。これに対して憲法学界では強い批判が生じた。この判決が入社試験時の思想調査等を正当化したことは重大であり、企業社会のなかでの思想信条の自由や労働権の侵害という実態がさらに問題とされなければならない。

② 昭和女子大学事件　政治団体等に加入したことが大学の「生活要録」に違反するとして退学処分をうけた学生が地位確認を求めた訴訟である。最高裁判決（最三判1974〈昭49〉. 7 .19民集28巻5号790頁）は、三菱樹脂事件最高裁判決を踏襲して、憲法19条、21条、23条等の自由権的基本権規定が「私人相互間の関係について当然に適用ないし類推適用されるものでない」とし、私立大学側の裁量を優先して処分を有効と判示した（百選Ⅰ10頁〔木下智史執筆〕参照）。

③ 日産自動車定年差別訴訟　日産自動車株式会社の女子従業員Xが、男子55歳、女子50歳の定年制を定める同社の就業規則に従って1969年に満50歳の時点で定年退職を命じられたため地位保全の申請を行ったところ、一審・控訴審とも、この男女別定年制の合理性を認めて申請を斥けた。ところが、同社の前身A社を相手どりXらが雇用関係の確認を求めて提起していた本訴の一審（東京地判1973〈昭48〉. 3 .23判時698号36頁）・控訴審（東京高判1979〈昭54〉. 3 .12判時918号24頁）判決はともに、このような男女別定年制が民法90条に違反して無効であるとし、最高裁も上告を棄却した（最三判1981〈昭56〉. 3 .24民集35巻2号300頁）。判旨は、「上告会社の就業規則中女子の定年年齢を男子より低く定めた部分は……性別のみによる不合理な差別を定めたものとして民法90条の規定により無効である」と判示して、間接適用説の立場を明らかにした（女性の労働権につき本書306頁以下、百選Ⅰ11頁〔春名麻季執筆〕参照）。

これらの事例では、株式会社などの営利法人や学校法人、宗教法人などの利益と個人の人権が衝突した場合に、個人の人権保障規定の適用を排除して社会的権力である法人の利益のほうを保護する傾向がある。しかし、人権保障の観点からは疑問とすべきであろう。この意味でも、三菱樹脂事件判決の影響が大きいため、その論旨を再検討する必要がある。また、実際の訴訟の場では、男女雇用機会均等法などの個別的な法律に明確な規定があれば問題が解決することも多いことから、社会的権力から個人の人権を守るために立法化を推進することが、人権保障にとって有効かつ必要といえるであろう。

五　人権保障の限界と「公共の福祉」

1　人権の一般的制約原理

近代立憲主義成立期には、例えばフランス人権宣言（1789年）が明らかにするように、人権の本来的な制約原理を「他人の人権」に求める内在的制約論が中心であった。「自由とは、他人を害しないすべてのことをなしうることにある。各人の自然的諸権利の行使は、社会の他の構成員にこれらと同一の権利の享受を確保すること以外の限界をもたない。これらの限界は、法律によってでなければ定められない」という4条の文言は、このことを示している。同時に1789年人権宣言では、自然権という前国家的権利を承認する一方で、その制限が後国家的な法律に基礎をおくことを定め、法律中心主義の立場をとっていた。また、1条では「社会的差別は共同の利益に基づくのでなければ設けられない」として、共同の利益に基づく制約をも認めていた。

日本では、大日本帝国憲法が「法律の留保」の仕方で権利の制約を定めたのに対して、近代立憲主義の嫡流にある日本国憲法では、「公共の福祉」を制約原理として掲げた。すなわち日本国憲法では、12条で、国民は常に「公共の福祉のために」憲法が保障する自由および権利を利用する責任があることを定め、13条は、「生命、自由及び幸福追求に対する国民の権利については、公共の福祉に反しない限り、立法その他の国政の上で、最大の尊重を必要とする」と定めた。

帝国議会の審議過程では、12条について、国民の権利濫用の禁止と「公共の福祉」のための利用責任が強調され（清水伸・審議録第2巻257頁以下）、13条についても、「公共の福祉」を権利保障の枠づけと捉える傾向が強まり、天皇制排除や戦力保持を目的とする団体の活動等は公共の福祉に反すると回答されていた（金森国務大臣1946年7月9日衆議院委員会答弁）。憲法制定直後の解釈論でも、18世紀的な「自由権的基本権」の現代的な修正という観点から、12条について、権利濫用禁止義務と公共の福祉のための利用義務を強調する傾向が続いた（我妻栄「基本的人権」国家学会編『新憲法の研究』有斐閣、1947年、86頁では、「国家協同體理念への推移」を強調し、『註解日本国憲法』も「国家協同體的思想をもそこに内包しているものであることを示した點において、注目すべき意味をもつ」（法協・註解(上)332頁）と指摘した）。13条の「公共の福祉」についても、これを権利制約の根拠規定と捉える傾向が強かった。

これに対して、今日では、12条前段の権利保持規定を中心に国民の自律性を強調する解釈に変化してきた。このような展開をふまえる場合には、12条が定めた「公共の福祉」のために自由・権利を利用する義務も、法的には特別の意味をもつものとはいえず、後段の規定は前段を補強するためのものにすぎないと解するのが妥当であろう。また、13条の「公共の福祉」についても、しだいに権利制約の根拠規定と解する立場は弱まった。

2 「公共の福祉」と権利制約の論理

13条の「公共の福祉」の解釈は、大別すると、それを権利制約の根拠規定と解する立場（A説）と、「公共の福祉」に反しない限り基本的人権を最大限に尊重すべきとする訓示規定と解する立場（B説）に区別される。A説は本条後段を前段と同義に捉える初期の学説（美濃部説）や初期の最高裁判例の立場であり、「公共の福祉」は一般的に憲法上の権利を制約する根拠と解された（一元的外在制約説）。しかし、この説では日本国憲法下の人権尊重原理と整合的でないばかりか、憲法22条・29条で特に「公共の福祉」を権利制約原理として掲げたことの説明が困難となる。そこで、B説のように12条・13条を訓示規定と解しつつ、12条・13条の「公共の福祉」は権利に内在する制約を示し、22条・29条が保障する諸権利と他の自由権とを区別する内在・外在二元的制約説（法協・註解(上)293-298頁、鵜飼・憲法69頁以下）が出現した。しかし、この理解についても、諸権利の区別の困難性や12条・13条の法的意義を否定する点などが批判された。

そこで、その法的意義を承認したうえで、「公共の福祉」は人権相互の矛盾・衝突を調整するための実質的公平の原理にすぎないと考える立場（C説・宮沢説）が一般的になった。

こうして、憲法12条・13条は消極的な「自由国家的公共の福祉」、22条・29条は積極的・政策的な「社会国家的公共の福祉」という区別をしつつ、ともに人権に論理必然的に内在する制約と考える一元的内在制約説（宮沢説）が通説となった（宮沢・憲法Ⅱ228頁以下、芦部・憲法学Ⅱ195-196頁）。ただし一般には、権利の制約を内在的制約の考え方だけで根拠づけることは困難であると考えられており、「公共の福祉」の具体的内容は人権の種類や性質に従って確定されるべきであるとして、規制目的や権利の性質を考慮することが求められている（芦部・憲法学Ⅱ198頁）。また、22条について「現代社会の要請する社会国家の理念を実現するためには、政策的な配慮……に基づいて積極的な規制を加えることが必要」（芦部・憲法234頁）と説明されている。

そこで、通説と同様の前提にたちつつも、前者（13条の「公共の福祉」）を内在的制約、後者（22条・29条の「公共の福祉」）を政策的制約として二元的に捉える見解も有力となった（新内在・外在二元的制約説）（浦部・教室91頁）。ただし、この見解に対しては、後者の制約に服する権利として経済的自由権のほか生存権的基本権等をどう解するかが問題とされている（樋口他・注解Ⅰ274-276頁〔佐藤執筆〕）。ちなみに、佐藤説は、憲法の「公共の福祉」はすべて、内在的制約原理と外在的制約原理の両者を含むと解している（佐藤幸・憲法論152頁）。

また、従来の一元的内在制約説を国家権力の正当化の観点から批判し、13条前段を個人の「切り札」としての人権の保障の宣言、後段を国家権力の行使を公共の福祉に適う場合に限定するための規定と解する見解も示される（長谷部・憲法145頁。「切り札としての権利」と「公共の福祉」に基づく権利との関係については、長谷部編・注釈(2)6頁〔長谷部執筆〕参照）。この立場は、「切り札としての人権」が「公共の福祉」を覆すとする考え方を基礎としており、人権の観念についての理解が人権制約原理とも密接な関係をもっていることを示している。すなわち、人権の観念を前国家的・自然権的な権利と捉える場合には、国家と個人との関係のみならず私人間の人権保障が問題となり、また、最近のように発展途上国や少数民族などの集団の人権まで認める議論からすれば、従来の国民国家と個人との関係をこえた国際的な人権保障の問題が提起されざるをえない。

このほか、通説としての内在的一元説を再検討する傾向があり個人の尊厳に関連づけて「すべての個人にひとしく人権を保障するために必要な措置」のように捉える見解（高橋・憲法129頁以下）も主張されている。学説は様々な見解に分かれているが（宍戸・憲法解釈論第1章参照）、人権保障の範囲や制約、制度的保障の問題等は、人権の観念とあわせて論じることが基本となる。また、後述のように自己決定権が問題となる場面では、これを制約する「パターナリズム」についての検討も不可欠である（本書152頁、樋口他・注解Ⅰ276頁〔佐藤執筆〕参照）。

3　比較衡量論と「二重の基準」論

判例は、初期の食糧緊急措置令違反事件判決（最大判1949〈昭24〉.5.18刑集3巻6号839頁）では外在的一元説の立場から安易に制約を認めたが、しだいに、憲法上の権利と「公共の福祉」とを調整するための利益衡量や違憲審査基準に関心が集まるようになった。そこでアメリカの判例理論の影響下で支配的となった理論が、比較衡量論と「二重の基準」論であり、近年になってドイツ憲法判例理論に依拠して提唱されているのが「三段階審査」論である。

(1)　比較衡量論

比較衡量論とは、具体的事件において対立する諸利益を衡量する手法であり、人権の限界を明確にするための憲法解釈に不可欠な手続であると同時に、違憲審査の基準として論じられる（芦部・憲法学Ⅱ208頁は、これらを「憲法解釈の方法としての比較衡量論（利益衡量論）」と「違憲審査基準としての比較衡量論」に区別するが、一般には、後者の意味で用いられることが多い）。違憲審査基準としての比較衡量論は、具体的な事件において、人権の制限によって得られる利益と、人権の制限によって失われる利益（あるいは人権を制限しない場合に維持される利益）とを比較衡量し、前者のほうが後者より大きい場合には制限を合憲とし、後者のほうが前者より大きい場合には制限を違憲とする判断方法である（野中他・憲法Ⅰ262頁以下〔中村執筆〕参照）。

日本の最高裁判所は、1960年代後半以降（全逓東京中央郵便局事件判決前後から）、従来の観念的・抽象的な「公共の福祉」論を安易に用いる段階を脱して、比較衡量論を用いる段階に移ってきた。とくに全逓東京中郵事件判決は、「（公務員の）労働基本権の制限は、労働基本権を尊重確保する必要と国民生活全体の利益を維持増進する必要とを比較衡量して……決定すべきであるが……その制限は、合理性の認められる必要最小限度のものにとどめなければならない」（最大判1966〈昭41〉. 10. 26刑集20巻8号901頁）として、比較衡量論と必要最小限度の原則を結びつけることで、権利の制約を必要最小限度にすることを明確にしたことが注目された（本書303頁参照）。

このように、比較衡量の方法は、具体的事例に即して判断できる点で「公共の福祉」論を多用することよりは優れているといえるが、実際には限界も存在する。それは、(i)比較の基準が明確でなく比較対象の選択が恣意的になるおそれがあること、(ii)国家による人権制約が問題になる場合に、国家（あるいは国民全体）と個人の利益を比較衡量すると、前者のほうが重視されるおそれがあること、などである（公務員の争議権や、環境権をめぐる訴訟等ではこれらの危険性が大きくなるといえる。例えば、後述する名古屋新幹線訴訟では、一方の〔住民の健康を害する騒音・振動を発するような〕新幹線の速度を維持することによって得られる利益を、国民全体の高速度交通から得られる利益・効用と捉え、他方の新幹線の速度を遅くすることによって得られる利益を住民の健康と捉えることで、国民全体と一部の住民の利益を対抗させ、前者を重視して住民に受忍を強いたのである）（本書295頁参照）。

そこで、比較衡量論を用いる場合には、比較の基準を可能な限り明確にするほか、国家と個人との関係ではなく「国家が第三者的な仲裁者としての立場で、対立するほぼ同じ程度に重要な利益の調整を行う場合」に限定して用いることが提唱されている（芦部・憲法学Ⅱ210頁）。例えば、表現の自由とプライバシーの衝突（「宴のあと」事件など。本書147頁参照）や、報道の自由と公正な裁判の実現との衝突（博多駅事件など。本書208頁以下参照）がこれにあたる。

また、性的表現の場合などでは、定義の段階ですでに衡量が行われると解して規制を限定しようとする「定義づけ衡量」（definitional balancing）の手法も用いられている（本書212頁参照）。これに対して、個別の事例ごとに問題となるすべての利益を衡量して結論を出す場合は、「個別的衡量」（ad hoc balancing）と呼ばれる（高橋・憲法137頁参照）。また、日本の最高裁が用いてきた比較衡量には、この個別的衡量型のほかに、総合衡量型（博多駅事件最高裁決定、本書210頁、成田新法事件最高裁判決、本書259頁など）、目的手段着目型、別基準設定型などが存在すると分析する見解も示されている（市川正人後掲『司法審査の理論と現実』381頁以下参照）。

(2) 「二重の基準」論

「二重の基準」論とは、表現の自由を典型とする精神的自由が経済的自由に対して優越的地位を占めるため、精神的自由を制約する立法についての合憲性審査基準は、経済的自由制約立法について一般的に用いられる基準よりも厳しい基準でなければならないとする考え方である。前者の厳しい基準は、通常、「厳格審査基準」と呼ばれ、後者の緩やかな基準は「合理性の基準」と呼ばれる。

その具体的な内容は、①「合理性の基準」とは、規制目的が正当な利益（legitimate interest）をもち、手段に目的との合理的関連性が認められることで足りると考える基準論であり、②「厳格審査基準」とは、規制目的がきわめて重大な（やむにやまれぬ）政府の利益（compelling interest）に関わり、手段も目的達成のための必要最小限のものであることを求める基準論である。

③両者の中間の「厳格な合理性の基準」は、立法目的が重要な利益（important interest）をもち、規制手段が目的との間に実質的関連性を有することを求めるものである（本書201頁以下、240頁以下、芦部・憲法127頁参照）。

「二重の基準」論の根拠は、(a)精神的自由の重要性（精神的自由が民主的な政治過程にとって不可欠な権利であること等を理由とする）と、(b)経済的自由の規制立法についての裁判所の審査能力の限界（司法の能力の限界）であると一般に解されている。アメリカでは、1938年の合衆国最高裁のカロリーヌ判決におけるストーン判事の法廷意見以来、この理論（カロリーヌ・ドクトリン）が支配的となった。しかし、1970年代以降は、根拠（とりわけ前記(a)）や適用領域をめぐって議論がある（本書201頁、芦部・憲法学Ⅱ213頁以下、松井後掲『二重の基準論』108頁以下、高橋140-141頁参照。とくに芦部説の「厳格な合理性の基準」論については、アメリカの学説動向を踏まえた批判論も提示されている。市川『司法審査の理論と現実』415頁以下参照）。

日本の最高裁判例も、1970年代以降の小売商業調整特別措置法判決（最大判1972〈昭47〉. 11. 22刑集26巻9号586頁）や薬事法判決（最大判1975〈昭50〉. 4. 30民集29巻4号572頁）などで一般論として「二重の基準」論を採用してきたが、本来の精神的自由権の尊重の趣旨に反して、経済的自由権保障のために用いられてきたことに大きな問題があった（本書201頁以下、241頁、466-467頁参照）。

理論的にも、1975〈昭50〉年4月30日（民集29巻4号572頁）の薬事法違憲判決について、「アメリカ流『二重の基準』論を奉ずる学説の立場」とは異なる視点からの再検討が進められてきた（百選Ⅰ（第6版）205頁〔石川健治執筆〕、本書242頁、468頁参照）。

(3)　違憲審査基準と「三段階審査」・比例原則

近年では、上記のアメリカ起源の「二重の基準」論に対する批判も認められるようになり、ドイツの連邦憲法裁判所の判例理論をもとにした「三段階審査」が注目を集めてきた（本書467-468頁参照）。この審査論は、第一段階で、ある憲法上の権利が何を保障するのか（保護領域）を確定し、第二段階で、法律および国家の具体的措置が保護領域に制約を加えているのか（制限）を明らかにし、第三段階で、制限は憲法上、正当化されるのか、という順で審査を行うものであり、「保護領域—制限—正当化」の三段階図式で示される（小山・作法11頁以下、宍戸「『憲法上の権利』の解釈枠組み」安西他・論点10章、渡辺

他・憲法Ⅰ58-81頁〔松本和彦執筆〕、新基本法コメ75頁〔小山執筆〕、長谷部編・注釈(2)35頁以下〔長谷部執筆〕参照）。

この原則は、基本的に、比例原則（proportionality）を基礎においており、ドイツ以外の欧州諸国やカナダでも採用される傾向にある。日本でも、比較衡量論等において比例原則の手法は採用されていたが、従来の比較衡量論ではなく、予め利益衡量の基準を設定することによって裁判官の恣意的な裁判を防止しようとする利益衡量論も提唱されてきた（高橋和之「審査基準論の理論的基礎（上・下）」ジュリスト1363、1364号）。この意味で、ドイツとアメリカの理論的背景の差異を認めつつも、従来のアメリカ的な審査基準論や利益衡量論とは抵触しない形で、憲法上の権利保護を実現するための審査基準論の深化をめざして検討が進められつつあるといえる（青井未帆「三段階審査・審査の基準・審査基準論」ジュリスト1400号68頁以下、長谷部編・注釈(2)157頁以下〔土井真一執筆〕、市川「三段階審査論」『司法審査の理論と現実』363頁以下参照）。

日本の憲法訴訟に三段階審査論が導入された場合の効果や問題点、「司法審査と民主主義」の問題など、今後の検討課題はなお多いにせよ（佐藤幸・憲法論664頁）、比例原則を基礎とする審査基準論の進化が期待される（芦部・憲法106-107頁〔高橋執筆〕、高橋・憲法訴訟239頁以下、佐藤幸・憲法論718頁参照）。

第2章　包括的権利と基本原則

一　個人の尊重と幸福追求権

1　憲法13条の意義と内容

憲法13条は、前段で個人尊重の原則を掲げ、憲法11条・12条・97条とともに人権の総則的規定をなすと同時に、後段で「生命・自由及び幸福追求の権利」を包括的な権利として保障し、いわゆる「新しい人権」の根拠規定となっている。この規定は、1776年のヴァージニア権利宣言やアメリカ独立宣言（「われわれは自明の真理としてすべての人が平等に造られ、造物主によって、一定の奪いがたい権利を付与され、そのなかに生命、自由および幸福追求が含まれることを信じる」という文言）に由来し、ジェファーソン（Jefferson, T.）に影響を与えたロックの思想が背景にあったと考えられている。日本国憲法の制定過程では、総司令部案で「日本国ノ封建制度ハ終止スヘシ　一切ノ日本人（all Japanese）ハ其ノ人類タルコトニ依リ個人トシテ尊敬セラルヘシ　一般ノ福祉ノ限度内ニ於テ生命、自由及幸福探求ニ対スル其ノ権利ハ一切ノ法律及一切ノ政治的行為ノ至上考慮タルヘシ」（12条）とされ、日本の封建制廃止の脈絡で個人の尊重原則が語られていた。そのため日本人が権利の主体として提示されたが、「すべての日本人は、人間であるが故に個人として尊重される」（小委員会案、高柳他・制定過程Ⅰ217頁）として、広く一般的な人間の本質と関係づけて論じられた。

(1)　個人の尊重

13条前段の「すべて国民（all of the people）は、個人として尊重される」という規定は、いわゆる個人主義の原理を掲げたものと解される。個人主義の原理とは、「人間社会における価値の根源が個人にあるとし、何にもまさって個人を尊重しようとする原理」である。一方では、「他人の犠牲において自己の利益を主張しようとする利己主義」を否定し、他方では「『全体』のためと称して個人を犠牲にしようとする全体主義」を否定することで、「すべての人間を自主的な人格として平等に尊重」（宮沢・コメ197頁）している。

また、13条の「個人の尊重」原則は、24条の「個人の尊厳」やドイツ連邦共和国基本法1条1項の「人間の尊厳」と同義に解されてきた（樋口他・注解Ⅰ247頁〔佐藤執筆〕）。これに対して、「個人は人間として尊厳を有する」のであって「個人として尊厳を有するものではない」として両者の区別を主張する見解も存在する（ホセ・ヨンパルト後掲『人間の尊厳と国家の権力』77頁以下）。たしかに「個人の尊厳」と「人間の尊厳」は、後者が前者よりも一般的・普遍的な人間を問題にしている点などで異なるため、用法の厳密化が要請されよう。なお、日本国憲法は、24条で個人の尊厳と両性の本質的平等を家族の原則として定めている。ここで「個人の尊厳」という用語がおかれたのは、憲法制定過程で家族主義よりも個人主義が重視されて個人の尊重に重点をおいた改革が志向された結果であり、「個人の、人間としての尊厳」の趣旨であると解される（24条の制定過程は、辻村後掲『憲法とジェンダー』237頁以下、24条の意義は本書170頁参照）。

(2)　幸福追求権

初期の学説では、個人の自由・生命・幸福追求権の尊重を人権保障の一般原則として表明したものと捉え、13条後段を「国政の基本として宣言」したものにすぎない（美濃部・原論145頁）と解することによって、その具体的権利性を否認していた。しかし、1960年代以降の下級審判例や1969〈昭44〉年12月24日の京都府学連事件最高裁大法廷判決（本書147頁参照）をふまえて学説はしだいにその具体的権利性を承認するようになり、後段の権利を「人格的生存に必要不可欠な権利・自由を包摂する包括的な権利」（樋口他・注解Ⅰ263頁〔佐藤幸治執筆〕、佐藤幸・憲法443頁以下、同・憲法論196頁）と解する立場が通説となった（芦部・憲法学Ⅱ338頁以下）。この立場では、包括的権利と個別的権利との関係は一般法と特別法との関係を形成し（芦部編・憲法Ⅱ138頁〔種谷春洋執筆〕）、補充的保障説にたって、「特別法たる各個別的基本権規定によってカバーされず、かつ人格的生存に不可欠ないし重要なもの」が一般法としての13条の保障対象になるとする（樋口他・注解Ⅰ266頁〔佐藤執筆〕)。この場合、13条後段の自由・生命・幸福追求権の三者の関係については、これらを統一的に幸福追求権として捉えるのが通説であるが、最近では異なる規範的内容をもつと解する見解が有力になっている（棟居快行「幸福追求権について」ジュリスト1089号179頁参照)。とくに、生命権は、他の人権の基礎となる権利として独自の意義が認められ、国際人権規約（B規約6条）や欧州人権条約（2条）の「生命に対する権利」に対応するものとして注目されている。生命に対する侵害排除権と保護請求権の両面からその権利内容を捉える見解が支持されよう（山内敏弘後掲『人権・主権・平和――生命権からの憲法的考察』2頁以下参照)。

幸福追求権の保障範囲・内容については、二つの見解が対立してきた。①個人の人格的生存に必要不可欠な権利・自由を包摂する包括的な主観的権利と解する人格的利益説ないし人格的自律説（佐藤幸・憲法445頁以下、芦部・憲法学Ⅱ339頁）と、②ドイツ連邦共和国基本法2条1項の解釈に依拠しつつ、あらゆる生活活動領域に関して成立する「一般的な行動の自由」と解する一般的自由説（橋本・憲法219頁、戸波・憲法161頁、内野・論点53頁）である。このような一般的自由説に対する批判としては、(a)積極的な論拠の不足、(b)反射的利益との区別が不明確、(c)殺人の自由等も保障範囲に含むことになる（ただし、他者加害は禁止するという修正を施すことが一般的である)、(d)人権のインフレ化を招く、等がある。また人格的利益説に対する批判としては、(a)人間を人格的存在と考えることは妥当でない、(b)人格的生存に不可欠か否かの二分法は危険、(c)人格概念が不明確、等がある（阪本・憲法理論Ⅱ235頁以下、戸波「幸福追求権の構造」公法研究58号14頁以下)。

以上の見解の対立は、基礎にある人権観念や人間像の捉え方の差異に由来する。さらに権利の内包の理解の仕方について、前述の「一段階画定説」と「二段階画定説」とも関係している（本書99頁参照)。①の人格的利益説は、権利の内包を人格的利益や自律等の観点で枠づけようとするため「一段階画定説」と結びつくが、②の一般的自由説は、何をしてもよい自由（一応の自由）を想定したうえで制約を加えることになる（なお、「一段階画定説」と「二段階画定説」の用法は、樋口・憲法207頁によるが、諸見解の相違については、長谷部編・注釈(2)102頁〔土井真一執筆〕も参照)。

このように①人格的利益説と②一般的自由説は、いずれも異なる人権観に基づいており、軽々に優劣を論じることはできない。たしかに一般的自由説が指摘するように、人格的利益という不明確な概念で人権を捉えようとすることに問題は残るが、逆にすべての自由を人権と同視する場合にも、それに対する制約が曖昧になる危険があるため、制約基準を確定する時点で同様の議論を迫られることになり、一長一短がある。しかし、フランス人権宣言4条がもともと他人の自由を制約しない範囲内でのみ自由権という人権が成立することを指摘していたように、一般的な自由と自由権（人権）は異なること、そしてそのような人権の歴史性と普遍性の根源をふまえ、人権の観念を質的に限定して国家や社会全体の利益にも対抗して保障されるべき「切り札」として捉えるならば、人格的利益説が妥当とされよう。実際には、人格的利益説にたった場合でも「個人の人格的生存に不可欠な利益」といえない一般的自由にも憲法上の保障が及び、不当な制約は許されないと解されるため、違憲審査基準の検討が課題となる（本書151頁参照）。

2　幸福追求権の射程と「新しい人権」の根拠

(1)　包括的権利の内容

幸福追求権が、個人の尊重原則と結びついて個人の人格的生存に不可欠な権利・自由を包摂する包括的権利であるとすれば、その射程は非常に広くなり、具体的内容を網羅的に論じることはできない。佐藤説は、生命・身体の自由、精神活動の自由、経済活動の自由のほか、（補充的保障説の立場から独自の役割を果たすべき領域に属するものとして）(a)人格価値そのものにまつわる権利、(b)人格的自律権（自己決定権）、(c)適正な手続的処遇を受ける権利、(d)参政権的権利、(e)社会権的権利に分類し、(a)のなかに名誉権・プライバシーの権利・環境権（人格権）をあげる（佐藤幸・憲法449頁以下参照）。

これらのうち、プライバシーの権利、名誉権、（狭義の）自己決定権、人格権などは、いわゆる「新しい人権」として重要な意味をもっている。

人権論について研究を先導してきた佐藤説によれば、憲法典から離れて、時代の状況や要請に応じて種々主張される「人権」は、憲法の保障する基本的人権にとって「背景的権利」と称すべきもので、これが「明確で特定化しうる内実をもつまでに成熟し」、「憲法の基本的人権の保障体系と調和するかたちで特定の条項（その際、包括的基本的人権規定が重要な役割を果たす）に定礎することができ、憲法の保障する権利、すなわち『法的権利』としての地位を獲得する」。もっとも「法的権利」の「すべてが直ちに司法的救済の対象になるとは限らない。裁判所に対してその保護・救済を求める法的強制措置の発動を請求しうる権利を『具体的権利』と呼ぶとすれば、憲法の保障する『法的権利』の中には、『具体的権利』とそうではない権利（「抽象的権利」）の二種があることになる。換言すれば、『具体的権利』というには、司法的救済にふさわしい一層の明確性・特定性が求められるということになる」（佐藤・憲法論142頁、本書95頁）。このように考えれば、訴訟において「新しい人権」を承認させるハードルは相当高いといえるであろう。

他方、芦部説では、「社会の変革にともない、『自律的な個人が人格的に生存するために不可欠と考えられる基本的な権利・自由』として保護するに値すると考えられる法的利益は、『新しい人権』として、憲法上保障される人権の一つだと解するのが妥当である。その根拠となる規定が憲法13条……である」（芦部・憲法120頁）とする。これに対して高橋説では、「新しい人権が承認されるとは、裁判所がその侵害に対し救済を与えるということであり、新しい人権の創設にあたって最も重要な役割を果たすのは裁判所だということになる」として、「国会と対立する政策判断・価値選択を裁判所が『憲法上の人権』の名において行う」には、「国民の間に新しい人権の原理的承認について広範なコンセンサスが形成され、その基本的な内容が……明確になった段階で初めて認められるものだと考えなければならない。ただし、人権は基本的には社会の少数派の保護を目的とするから、『新しい人権』が広範なコンセンサスの下に個別人権として承認されれば、その個々具体的な適用についてのコンセンサスまでは必要でない。」として「少なくとも①自律的生のために不可欠な利益であること、②その利益の確保が非常に困難となっていること」の二点の論証が必要であるとした（高橋・憲法149-150頁）。

⑵　人格権と人格的利益——氏名権ほか

最高裁は、2015年〈平27〉12月16日の夫婦別姓訴訟［民法750条が憲法13・14・24条に反するとする国家賠償請求事件］の上告審大法廷判決（民集69巻8号2586頁）において、上告人が「新しい人権」として主張した「氏の変更を強制されない権利」について、「憲法上の権利として保障される人格権の一内容であるとはいえない。本件規定［民法750条］は、憲法13条に違反するものではない」とした（本書173頁参照）。

判例は、「氏名は、社会的にみれば、個人を他人から識別し特定する機能を有するものであるが、同時に、その個人からみれば、人が個人として尊重される基礎であり、その個人の人格の象徴であって、人格権の一内容を構成するものというべきである」(最三判1988〈昭63〉.２.16民集42巻２号27頁参照）と認めつつ、「氏は、婚姻及び家族に関する法制度の一部として法律がその具体的な内容を規律しているものであるから、氏に関する上記人格権の内容も、憲法上一義的に捉えられるべきものではなく、憲法の趣旨を踏まえつつ定められる法制度をまって初めて具体的に捉えられるものである。したがって、具体的な法制度を離れて、氏が変更されること自体を捉えて直ちに人格権を侵害し、違憲であるか否かを論ずることは相当ではない」とした。「現行の法制度の下における氏の性質」に鑑みて憲法13条違反ではないと判断したものであるが「憲法上の権利としての人格権とまではいえないものの、……人格的利益であるとはいえる」とした点は重要である。

「氏が、名とあいまって、個人を他人から識別し特定する機能を有するほか、人が個人として尊重される基礎であり、その個人の人格を一体として示すものでもあることから、氏を改める者にとって、そのことによりいわゆるアイデンティティの喪失感を抱いたり、従前の氏を使用する中で形成されてきた他人から識別し特定される機能が阻害される不利益や、個人の信用、評価、名誉感情等にも影響が及ぶという不利益が生じたりすることがあることは否定できず、特に、近年、晩婚化が進み、婚姻前の氏を使用する中で社会的な地位や業績が築かれる期間が長くなっていることから、婚姻に伴い氏を改めることにより不利益を被る者が増加してきていることは容易にうかがえるところである。これらの婚姻前に築いた個人の信用、評価、名誉感情等を婚姻後も維持する利益等は、憲法上の権利として保障される人格権の一内容であるとまではいえないものの、……氏を含めた婚姻及び家族に関する法制度の在り方を検討するに当たって考慮すべき人格的利益であるとはいえるのであり、憲法24条の認める立法裁量の範囲を超えるものであるか否かの検討に当たって考慮すべき事項である」。

このほか、人格価値そのものにまつわる権利に関するものとして、強制採尿に関する最高裁決定（最一決1980〈昭55〉.10.23刑集34巻５号300頁）がある（カテーテルを尿道に挿入して尿を採取する方法による強制採尿は犯罪の捜査上真にやむを得ないと認められる場合には許されると判示したが、学説では批判がある）。

2000年に制定された「ストーカー行為等の規制等に関する法律」の合憲性が

争われた訴訟で、最高裁は、同法は「恋愛感情その他好意の感情等を表明するなどの行為のうち、相手方の身体の安全、住居等の平穏若しくは名誉が害され、又は行動の自由が著しく害される不安を覚えさせるような方法により行われる社会的に逸脱したつきまとい等の行為を規制の対象としたうえで……相手方の処罰意思に基づき刑罰を科すもので、規制の目的、内容の合理性、相当性にかんがみれば憲法13条、21条1項に違反しない」としたが（最一判2005〈平17〉.12.11刑集57巻11号1147頁）、ここでは13条の具体的権利内容は明らかにされていない。

環境権については、判例は、人格権として認めるに至っている（本書293頁）。学説では、その根拠について25条説、13条説、13条・25条競合説がなどに分かれている。「一定水準の生活環境を維持し、形成すること」が幸福追求権の内容である（芦部編・憲法Ⅱ人権(1)187頁〔種谷執筆〕）とすれば、憲法25条・13条をともに根拠と解することが妥当であると考える（本書293頁以下参照）。

このほか、判例は、肖像権（「その承諾なしに、みだりにその容貌・容態を撮影されない自由」）・「みだりに指紋の押捺を強制されない権利」などを憲法13条が保障していることを認めているため、本書では、プライバシーの権利、名誉権、（狭義の）自己決定権について、項を改めて検討することにしよう。

3　プライバシーの権利と名誉権

(1)　プライバシーの権利

プライバシーの権利は、アメリカにおける判例理論の展開のなかで、「一人にしてもらう権利（the right to be let alone）」、私生活を干渉されない権利として確立された。その後、この定義に近い意味で「欲せざる意見や刺激によって心をかき乱されない利益」（(i)静穏のプライバシー）、さらに、避妊・堕胎など私的生活領域における自己決定の利益（(ii)人格的自律のプライバシー）をも含めて広義に捉えられるようになり、今日では、情報化社会のもとで自己に関する情報をコントロールする権利としてのプライバシー権（(iii)情報プライバシー）が重視されるようになった（樋口他・注解Ⅰ281頁〔佐藤執筆〕参照）。日本でも、1960年代以降議論が高まり、これらの三要素に関して、広義（(i)(ii)(iii)）、狭義（(ii)(iii)）、最狭義（(iii)）に概念規定がなされてきた。そのなかで「個人が道徳的自律の存在として、自ら善であると判断する目的を追求して、他者とコミュニケートし、自己の存在にかかわる情報を開示する範囲を選択できる権利」として「情報プライバシー権」に限定し、他の二者（(i)(ii)）を人格的自律権（自己決定権）の問題として捉える佐藤説が通説的地位を占めた（佐藤幸・憲法453-455頁、同・憲法論203-204頁）。

これに対して「他者による評価の対象になること」からの自由とする阪本説（阪本昌成後掲『プライヴァシー権論』１頁以下）や、「社会関係の多様性に応じて、多様な自己イメージを使い分ける自由」とする棟居説が批判的な検討を行ってきた（棟居・人権論173頁以下）。プライバシー権の権利内容や性格（作為請求権的側面や不作為請求権的側面）の検討はなおも今後の課題である（争点98頁〔竹中勲執筆〕参照）が、自己決定権とは区別された狭義のプライバシー権概念として、本来の私生活の秘匿性という要素を残存させつつ情報プライバシー権を中心に捉えること（(i)(iii)説）が妥当といえよう。

日本の判例も、「宴のあと」判決（東京地判1964〈昭39〉．９.28下民集15巻９号2317頁、後掲①判決）が人格権の一つとして「私事をみだりに公開されない権利」を認め、その根拠は憲法13条の「個人の尊厳という思想」にあることを示した後、京都府学連事件（後掲②判決）以降、「みだりに容ぼう・姿態を撮影されない権利」（肖像権）の承認について展開をとげた。最高裁判決では、肖像権という言葉は明示していないが、「人は、みだりに自己の容ぼう等を撮影されないということについて法律上保護されるべき人格的利益を有する」としてその侵害による不法行為の成立を認めた（最一判2005〈平17〉.11.10民集59巻９号2428頁）（後掲⑥判決参照）。さらに、プライバシー侵害等を理由に出版物の差止めを請求した事例には、モデル小説に関する「石に泳ぐ魚」事件（後掲③判決）がある。最高裁判決（最三判2002〈平14〉．９.24判時1802号60頁）は、人格権侵害に関して差止めを認める基準について「侵害行為の対象となった人物の社会的地位や侵害行為の性質に留意しつつ、予想される侵害行為によって受ける被害者側の不利益と侵害行為を差止めることによって受ける侵害者側の不利益とを比較衡量して決すべきである」とし、原告が公的立場になく、表現内容が公共の利害に関する事項ではないことなどを理由として、出版の差止めを認めた。これに対して、公人の私生活については、国民の知る権利との関係もあり、プライバシー侵害や名誉毀損さらにそれによる差止めを認めるべきかどうかについて、問題が残っている。公職の候補者に関する表現の差止めが問題となった北方ジャーナル事件では、公共の利害に関するものであることから、「事前差止めは、原則として許されない」とした（本書203頁参照）。

また、情報コントロールに関連するものでは、前科照会事件最高裁判決（最三判1981〈昭56〉. 4.14民集35巻3号620頁）が、「前科及び犯罪歴……は人の名誉、信用に直接にかかわる事項であり……みだりに公開されないという法律上の保護に値する利益を有する」と述べてその開示が公権力の違法な行使にあたることを示している。学生の住所・氏名・電話番号・学籍番号等の個人情報の扱いが問題になった事例（後掲⑤判決）では、最高裁判決（最二判2003〈平15〉. 9.12民集57巻8号973頁）のなかで「本件個人情報は、……プライバシーに係る情報として法的保護の対象となる」ことを明示した。この事例は、民間事業者を対象とした個人情報保護法（2003年5月制定・施行）の制定前のものであるが、同法の成立以降、情報化社会における個人のプライバシー情報保護のあり方が真剣に問われている（本書149頁参照）。

とくに、個人情報保護法によって本人情報の開示・訂正・利用停止権等が承認されるようになった反面、他方では、1999年の住民基本台帳法改正以降、2002年から「住基ネット」と通称される全国共通の本人確認システムが導入され、プライバシー侵害か否かが各地の多くの訴訟で争われた。最高裁は、大阪高裁判決の上告審判決（最一判2008〈平20〉. 3. 6民集62巻3号665頁）と同日に他の3件についても合憲判断を下して住民側の請求を棄却した（後掲⑦判決）。ここでは「憲法13条は、国民の私生活上の自由が公権力の行使に対しても保護されるべきことを規定しているものであり、個人の私生活上の自由の一つとして、何人も、個人に関する情報をみだりに第三者に開示又は公表されない自由を有するものと解される（昭和44年12月24日大法廷判決・刑集23巻12号1625頁参照）」（後掲②判決）とした（下線本書著者）。

2019〈令元〉年5月には「デジタル手続法（情報通信技術を活用した行政の推進等に関する法律）」が制定され（翌年1月施行）、住民基本台帳法やマイナンバー法の一部改正により行政事務のオンライン化が推進されており、これに対する個人情報保護法制のあり方が課題となる。他方で、個人データの削除を求める「忘れられる権利」論の展開と諸外国での法制化が注目される（山本龍彦後掲『プライバシーの権利を考える』、辻村編・憲法研究6号〔寺田麻祐執筆〕、奥田喜道編後掲『ネット社会と忘れられる権利』参照）。

①「宴のあと」事件　元外務大臣で衆議院議員のXが、料亭の女将であるその妻との私生活をモデルとしたY（ペンネーム三島由紀夫）の小説「宴のあと」の出版中止を申し入れたが聞き入れられなかったため、Yおよび出版社を相手どり、プライバシーの侵害を理由として謝罪広告と慰謝料を請求する訴えをおこした事件である。東京地裁判決（1964〈昭39〉.9.28下民集15巻9号2317頁）は、（プライバシーの尊重が）「単に倫理的に要請されるにとどまらず、不法な侵害に対しては法的救済が与えられるまでに高められた人格的な利益であると考えるのが正当であり……これを一つの権利と呼ぶことを妨げるものではない」。さらに「いわゆるプライバシー権は私生活をみだりに公開されないという法的保障ないし権利として理解されるから、その侵害に対しては侵害行為の差し止めや精神的苦痛に因る損害賠償請求権が認められるべき」であるとして、プライバシー侵害を認め、Xに対する80万円の損害賠償の支払を命じた（その後和解が成立した）。その後、「エロス＋虐殺」事件の高裁決定（東京高決1970〈昭45〉.4.13高民集23巻2号172頁）でもプライバシー権を認めた。

②　京都府学連事件　デモ行進に参加した学生Xが、写真撮影した警察官に抗議し傷害を加えて公務執行妨害・傷害罪で起訴された事件である。一審で有罪とされ控訴棄却後、本件写真撮影は憲法13条の保障するプライバシーの権利の一つである肖像権の侵害にあたるとして上告した。最高裁は、「個人の私生活上の自由の一つとして、何人も、その承認なしに、みだりにその容ぼう・姿態を撮影されない自由を有する。……これを肖像権と称するかどうかは別として少なくとも、警察官が、正当な理由もないのに、個人の容ぼう等を撮影することは、憲法13条の趣旨に反し、許されない。……しかしながら、右自由も、……公共の福祉のため必要のある場合には相当の制限を受けることは同条の規定に照らして明らかである」として上告を棄却した（最大判1969〈昭44〉.12.24刑集23巻12号1625頁）。

③「石に泳ぐ魚」事件　「石に泳ぐ魚」というモデル小説におけるモデルのプライバシーの権利と、作家の表現の自由との対抗が問題となった事件である。「宴のあと」事件以後、名誉毀損に関する「名もなき道を」事件判決（東京地判1995〈平7〉.5.19判タ883号103頁、作家側の勝訴）と、「捜査一課長」事件判決（大阪地判1995〈平7〉.12.19判時1583号98頁、作家側の敗訴）の間で判断が分かれていたが、本件一審判決（東京地判1999〈平11〉.6.22判時1691号91頁）は、プ

ライバシー侵害を認定し、単行本の差止めを認めた。本件では、モデルの容姿や事実の摘示によって読者が実在モデルと作中人物を同定しうることから、虚構と事実を混同する危険が高いことを認め、名誉感情の侵害も認めた。控訴審東京高裁判決（2001〈平13〉. 2.15判時1741号68頁）も、プライバシー侵害と名誉感情の侵害、名誉毀損を認定し、控訴を棄却した。最高裁（最三判2002〈平14〉. 9.24判時1802号60頁）も原審の判断を維持し、上告を棄却した。

④ 犯罪捜査とプライバシー　弁護士の所属団体・政党を記載した捜査報告書を警部が地検検事に、副検事が簡裁に提出したことが、プライバシー侵害に当たるかが争われた。一審東京地裁八王子支部判決（2000〈平12〉. 2.24判タ1031号285頁）は、警部の行為についてプライバシー侵害を認定したが、控訴審東京高裁判決（2000〈平12〉.10.25判タ1046号296頁）は、副検事の行為について認定し10万円の慰謝料等を認めた。

また、GPS端末を利用した捜査について、名古屋高裁判決（2016〈平28〉. 6.29判時2307号129頁）は、プライバシー侵害の危険性から強制処分に当たり違法であるとした。最高裁大法廷（2017〈平29〉. 3.15刑集71巻3号13頁）も、令状が必要な強制処分であるとした（令状主義につき本書263頁参照）。

⑤ 早稲田大学江沢民講演会事件　大学主催の講演会に参加申込みした学生の氏名・住所等を記載した名簿の写しを警視庁戸塚署に提出した大学の行為がプライバシー侵害にあたるとして学生らが損害賠償を請求した事件である。一審（東京地判2001〈平13〉. 4.11判時1752号3頁）につづき、控訴審判決（東京高判2002〈平14〉. 1.16判時1772号17頁）はプライバシー侵害を認めたうえで損害賠償請求を棄却した。最高裁判決（最二判2003〈平15〉. 9.12）は、本件個人情報を任意に提供した行為は「プライバシーに係る情報の適切な管理についての期待を裏切るものであり、プライバシーを侵害するものとして不法行為を構成する」として、原審判決の一部を破棄して高裁に差戻した。その後、差戻審の東京高裁判決（東京高判2004〈平16〉. 3.23判時1855号104頁）により、学生一人5,000円の慰謝料が認められた（百選Ⅰ40頁〔棟居快行執筆〕参照）。

⑥ 和歌山カレー毒物混入事件　刑事被告人が被疑者段階での勾留事由開示手続中の隠し撮り写真の週刊誌掲載等によって肖像権および名誉権を侵害されたとして慰謝料等を請求した事件で、一審は、不法行為の成立を認めて220万円の支払いを命じた。控訴審の請求認容後、最高裁（最一判2005〈平17〉.11.10民集59巻9号2428頁）は、「法律上保護されるべき人格的利益」を認めた前記②事件判決を踏襲したうえで不法行為上の違法性を認めたが、イラスト画の一部については、違法性はないとして原審判決を一部破棄し差戻した。

⑦　住民基本台帳ネットワーク（「住基ネット」）事件　　改正住民基本台帳法（1999年）に基づいて本人確認情報を同ネットワークシステムに取り組むことがプライバシーの権利等の人格権侵害に当たるとして、住民が居住する市に対して、各地で国家賠償請求訴訟が提起された。最初に一審判決が出た金沢の事件では、金沢地裁判決（2005〈平17〉．５．30判時1934号３頁）がプライバシー侵害を認めたが、名古屋高裁金沢支部判決（2006〈平18〉．12．11判時1962号40頁）はこの主張を斥けた。大阪の事件では、一審大阪地裁判決（2004〈平16〉．２．27判時1857号92頁）が請求棄却後、控訴審大阪高裁判決（2006〈平18〉．11．30判時1962号11頁）は「本人確認情報は、……自己情報コントロール権の対象となる」として請求を一部認容した。最高裁は、本人確認情報のうち、氏名・生年月日・性別・住所の４情報は「秘匿性の高い情報とはいえない」として、行政機関が住基ネットにより情報を管理する行為・利用等する行為は、「憲法13条により保障された上記の自由を侵害するものではない」として上告人敗訴部分を破棄・自判した（最一判2008〈平20〉．３．６民集62巻３号665頁）（百選Ⅰ42頁〔山本龍彦執筆〕）。

⑧　Ｎシステム事件　　道路上に国が設置・管理した車両ナンバー読み取りシステム（Ｎシステム）によって、運転席等の前面を撮影され、ナンバープレートを判読され自動車登録情報を記録・保存されたことが、肖像権の侵害に当たるとして国家賠償請求訴訟が提起されたのに対して、一審東京地裁（2007〈平19〉．12．26訟月55巻12号3430頁）は請求を棄却。控訴審東京高裁も、(i)一時的に搭乗者の容ぼう等を撮影するものの画像情報として保存しないため肖像権侵害に当たらない、(ii)自動車登録者情報の収集についても、目的・方法は正当である、として控訴を棄却した（2009〈平21〉．２．29判タ1295号193頁）。傍論として、ドイツ連邦憲法裁判所判決でも基本法に反しない旨、日本では警察法２条１項が法的根拠になりうる旨を明示した（重判平成21年度10頁〔小泉良幸執筆〕参照）。

⑨逮捕歴の削除要求事件　　児童買春容疑の逮捕歴をウェブサイトから削除するよう求めた事件で、さいたま地裁決定（2015〈平27〉．12．22判時2282号78頁）は、「忘れられる権利」に言及して請求を認容した。最高裁（最三決2017〈平29〉．１．31民集71巻１号63頁）は、公共利害に関する事項であるとして、削除請求を退けた原審の判断を支持した（重判平成28年度14頁〔木下昌彦執筆〕参照）。

(2)　名誉権

名誉権もまた、人格価値そのものにかかわるものとして憲法13条によって根拠づけられる。名誉権は通常、内部的名誉（自己や他者の評価をこえた真実の名誉）・外部的名誉（人の社会的名誉）・名誉感情（主観的自己評価）に区別されるが、後二者が法的保護の対象とされる。北方ジャーナル事件では、最高裁判決（最大判1986〈昭61〉. 6.11民集40巻4号872頁）は、名誉を「人の品性、徳行、名声、信用等の人格的価値について社会から受ける客観的評価」であるとして「人格権としての名誉権」を認め、これと表現の自由との調整について判示した（本書203頁参照）。刑法は、事実の有無にかかわらず名誉毀損罪が成立するとしつつ（230条）、真実の証明があったとき等は罰せられないことを定める（230条の2）が、名誉侵害にならない場合も、社会的評価にかかわらない私的領域でのプライバシー侵害を別に主張することができる。

夕刊和歌山時事事件では、最高裁は、「吸血鬼Ｓの罪業」と題する記事について名誉毀損罪の成立を認めた一審・二審の判決を破棄し、前記刑法上の事実の証明がない場合でも、真実であると誤信したことについて相当の理由がある時は、名誉毀損罪は成立しないとして和歌山地裁に差戻した（最大判1969〈昭44〉. 6.25刑集23巻7号975頁）（本書215頁参照）。

4　自己決定権

自己の個人的な事柄について、公権力から干渉されずに自ら決定する権利としての（狭義の）自己決定権は、プライバシーの権利に含まれる権利として、あるいはこれと並ぶ権利として幸福追求権の重要な内容をなす。幸福追求権に関する通説である人格的利益説は、個人の人格的生存に不可欠な重要事項についての自己決定権が憲法上保障されると解する。その内容について、佐藤説は、(a)自己の生命、身体の処分にかかわる事柄（自殺・安楽死・治療拒否など）、(b)家族の形成、維持にかかわる事柄（結婚・離婚など）、(c)リプロダクションにかかわる事柄（妊娠・出産・妊娠中絶など）、(d)その他の事柄、に分類する（佐藤幸・憲法460頁、同・憲法論212頁）。芦部説は、(i)リプロダクションの自己決定権、(ii)生命・身体の処分に関する自己決定権、(iii)ライフスタイルの自己決定権、に分類する。これらの学説では、例えば、髪形や服装の自由は自己決定権に含めても、バイクに乗る自由や喫煙の自由はこれに含めないとする（芦部・憲法学Ⅱ394頁、405-406頁参照。なお佐藤説では(iii)に示される諸自由はいずれも人権として認められないとする）。

これに対して一般的自由説では、これらを含めてすべての自由が幸福追求権の具体的内容として保障されることになる。この場合にも、人格的生存の核心部分と周辺部分とを区別し、後者については規制の合理性判断は比較的緩やかに審査されるとして、違憲審査基準の点で人格的要素を取り込む見解（戸波・憲法168頁）がある。ここでは、人格的利益説との調整がはかられるのに対して、自己愛を追求する自由を本質と捉える見解では人格的要素を一切認めない（阪本・憲法理論Ⅱ238頁）。このような一般的自由説に対しては、自由と自己決定権が同視されるためあえて自己決定権という概念をもちだす必要はないのではないかという疑問が提示され、人格的利益説についても、基本的人権を人格的自律に根ざしたものと考える理由が問われている。

判例は、①校則に関して、下級審判決では「原付免許取得をみだりに制限禁止されない」自由が憲法13条の保障する私生活における自由の一つであると解しつつ、結論的には校則による制約を認めたものがある（高松高判1990〈平２〉. ２. 19判時1362号44頁）が、最高裁では校則が社会通念上不合理であるとはいえないとして、上告を棄却した（最三判1991〈平３〉. ９. ３判時1401号56頁）。髪型についても、下級審では「個人が頭髪について髪形を自由に決定しうる権利は……憲法13条により保障されている」と解したが（修徳学園高校パーマ事件一審東京地判1991〈平３〉. ６. 21判時1388号３頁）、最高裁では、パーマの禁止は「高校生にふさわしい髪型を維持し、非行を防止するためであることから社会通念上不合理であるとはいえない」とした（最一判1996〈平８〉. ７. 18判時1599号53頁）。

②エホバの証人の信仰上の理由に基づく輸血拒否について、「人が信念に基づいて生命を賭しても守るべき価値を認め、その信念に従って行動すること」は他者の権利や公共の利益・秩序を害しない限り公序良俗に反しないとし、「各個人が有する自己の人生のあり方（ライフスタイル）は自らが決定することができるという自己決定権に由来する」として、生命喪失にかかわる自己決定権をはじめて認めた高裁判決が出現した（東京高判1998〈平10〉. ２. ９高民集51巻１号１頁。この判決では、無輸血治療を望んだ患者側の慰謝料請求を一部認容して医師側に50万円の支払いを命じた）。その後、最高裁も、「患者が、輸血を受けることは自己の宗教上の信念に反するとして、輸血を伴う医療行為を拒否するとの明確な意思を有している場合、このような意思決定をする権利は人格権の一内容として尊重されなければならない」と述べ、医師の説明不足について不法行為を認定して精神的損害の賠償を認めて上告棄却した（最三判2000〈平12〉. ２. 29民集54巻２号582頁、百選Ⅰ50頁〔淺野博宣執筆〕参照）。

③喫煙の自由について最高裁は「喫煙の自由は、憲法13条の保障する基本的人権の一に含まれるとしても、あらゆる時、所において保障されなければならないものではない」として、未決拘禁者に対する（法改正前の）喫煙禁止処分を合憲とした（最大判1970〈昭45〉. 9.16民集24巻10号1410頁）（本書126頁）。

④個人消費のための酒類製造の自由について争われた「どぶろく訴訟」の上告審判決（最一判1989〈平元〉. 12. 14刑集43巻13号841頁）でも、「（制約が）著しく不合理であることが明白であるとはいえず憲法31条、13条に違反するものでない」と判示したにとどまり、これらの自由が幸福追求権の内容であるか否かは明らかにしていない。

このように、髪形や服装の自由、バイクに乗る自由や喫煙の自由など、身なりや嗜好、ライフスタイルについて学説や判例で議論されているが、自己決定権の意義と内容の検討、パターナリズムを理由とする国家の干渉の可否と範囲の問題は、なお今後の課題である（本書133頁参照）。また、家族形成権やリプロダクションの自由等についても、人工妊娠中絶や生殖補助医療問題等をめぐってこれから大きな議論を呼ぶことが予想される。憲法理論上も憲法24条と13条の関係が明確にされているわけではないため課題は多い。

さらに、代理母（ホストマザー）契約の有効性をめぐって、生殖補助医療を利用する権利としてのリプロダクティブ・ライツや、「子をもつ権利」について検討することが必要である。日本では、子の福祉との関係で子の国籍や戸籍の問題が注目を集めているため私法からのアプローチが中心であったが、2000年施行の現行スイス連邦憲法に代理出産の禁止等が明示されているように、この問題はすでに憲法問題を形成している。今後は、生殖補助医療を利用する権利の存否や保障の要否を、憲法13条の保障する幸福追求権の一環としてのリプロダクティブ・ライツや家族形成権、および24条の保障内容に照らして検討し、理論構築することが急務である。判例も、アメリカ合衆国のネバダ州での代理出産後の出生届をめぐって、最高裁決定（最大決2007〈平19〉. 3.22民集61巻2号619頁）と高裁決定（東京高決2006〈平18〉. 9.29判時1957号20頁）の判断が対立していることもあり、検討を要する（辻村・比較憲法142頁以下、同後掲『代理母問題を考える』、13条と24条の関係については、本書170頁、同第2版197頁、辻村・憲法と家族125頁以下参照）。

二　法の下の平等と平等権

1　「平等」の意味と憲法14条

(1)　平等思想の展開

平等の思想は、古代ギリシアの哲学以来の長い歴史をもっている。アリストテレス（Aristoteles）は、配分的正義（具体的事実や能力が同じならば取扱いも同じにする考え方）と均分的正義（事実にかかわらず取扱いを均一にする考え方）に分類して、配分的正義の考え方を強調した。また、キケロ（Cicero）は、理性の支配下にあるという本質において人間は等しいとする永久的人間性平等論を説いた。中世には、神の前ではすべての人間が等しく罪を負っており平等であるとする考えから、人間の価値の平等が説かれた。近代になると、合理主義的な自然法思想のもとで、自然法を根拠とした平等論が展開された。ロックやルソーなどは自然状態における人間の平等を前提にして、人間は生まれながらにして自由であり平等であるという考えを理論化した。これに従って、1776年のアメリカ独立宣言は、すべての人は平等に造られていることが自明の真理であると述べ、1789年のフランス人権宣言は、「人は自由かつ権利において平等なものとして生まれ、生存する」（１条）とした。

近代には人間性の平等を基礎とした形式的平等が重視されたが、やがて19世紀の資本主義の展開による社会・経済的不平等の拡大によって、実質的平等の要求が強まっていった。1919年のワイマール憲法による社会権の保障はその例である。またアメリカ合衆国では、南北戦争後の憲法修正（第14修正）で「法の平等保護」（equal protection of law）の保障を定めて以降、しだいに立法上や司法上の救済をとおして平等を実現する傾向が強まった。

(2)　憲法14条の内容

日本国憲法14条１項は「すべて国民は、法の下に平等であつて、人種、信条、性別、社会的身分又は門地により、政治的、経済的又は社会的関係において、差別されない」と定める。この条文は、マッカーサー草案（総司令部案）では「一切ノ自然人ハ法律上平等ナリ政治的、経済的又ハ社会的関係ニ於テ人種、信条、性別、社会的身分、階級又ハ国籍起源ノ如何ナル差別的待遇モ許容又ハ黙認セラルルコト無カルヘシ」(13条)、「外国人ハ平等ニ法律ノ保護ヲ受クル権利ヲ有ス」(16条) のように定められており、国籍による差別を排していた。しかし、1946年３月６日の憲法改正草案要綱では外国人への平等保護規定は削除され、「すべて国民は」という文言が定着した。

さらに14条２項は、旧憲法下で存在していた「華族その他の貴族の制度」を認めないことを定めた。これはマッカーサー三原則ですでに明らかにされていた内容であり、14条１項でも掲げた出生による差別禁止の一環として、戦前の特権的な貴族制度の一掃を企図していた。ついで14条３項は、「栄誉、勲章その他の栄典の授与は、いかなる特権も伴はない。栄典の授与は、現にこれを有し、又は将来これを受ける者の一代に限り、その効力を有する」と定めて、栄典によって国民のなかに特権的地位を認めることや、栄典が世襲的な効力をもつことを禁止した。栄典とは、旧憲法下では天皇によって与えられるものが中心であったが、現憲法ではそれに限らず公的に栄誉の地位を与えられるものを広く含むと解すべきであり、政治的・経済的な特権を伴うものは許されない。したがって文化勲章受領者への年金支給も合憲性が問題となるが、学説は一般に、「功労に報いるための合理的な物的利益として、常識的な限度にとどまるかぎり」(小林・講義(上)344頁) 本条の特権にはあたらないと解している。

2　憲法14条１項の意味と論点

(1)　相対的平等・絶対的平等

14条１項が定める「平等」とは、いかなる場合にも各人を絶対的に等しく扱うという絶対的平等の意味ではなく、「等しいものは等しく、等しからざるものは等しからざるように」扱うという相対的平等を意味するもので、合理的な理由によって異なる取扱いをすることは許されると解するのが通説・判例の立場である (相対的平等説)。したがって、合理的な理由によらない不合理な差別のみが禁止されることになるが、何が合理的な区別で、何が不合理な差別になるかという基準を設定することは必ずしも容易ではない。最近の学説では、人種・性別・信条その他、14条１項後段に列挙されている事由に基づく差別的取扱いについては「厳格審査基準」が適用されて合憲性の推定が排除されると解している（後述、159頁以下参照）。

(2)　立法者拘束・非拘束

また、14条1項の規定は、単に法律の執行にあたって行政府等を拘束するだけではなく、法律の定立について立法府をも拘束すると解するのが通説的見解である（立法者拘束説）。実際に、司法府は、違憲立法審査制により、制定・施行された法律について不合理な差別的規定が含まれていないかを審査することになる。現に最高裁は、刑法の尊属殺重罰規定判決（最大判1973〈昭48〉. 4. 4刑集27巻3号265頁）や、公職選挙法の衆議院議員定数配分規定判決（最大判1976〈昭51〉. 4. 14民集30巻3号223頁、最大判1985〈昭60〉. 7. 17民集39巻5号1100頁）等で憲法14条を根拠に違憲判断を下してきた。

これに対して、立法者を拘束しないとする見解（立法者非拘束説）は、旧来のドイツの議論の影響をうけて「法律の前の平等」原則が法律の適用の平等のことを意味すると解するが（佐々木惣一説）、今日では支持されていない。もっとも、この見解は平等の意味について絶対的平等説を前提にし、さらに14条1項前段と後段を区別して後段列挙事由を限定列挙と解することを前提としており、平等の意味を絶対的に解するかわりにその適用領域を狭めようとするもので論旨は一貫している。他方で、通説は、平等を相対的に緩く捉えるかわりに、立法者を拘束し、さらに14条1項前段と後段の関係について、後段の内容を例示列挙と解することで保障範囲を広めようとするものである。

このように、従来の諸説は、「絶対的平等説・立法者非拘束説・限定（制限）列挙説」と「相対的平等説・立法者拘束説・例示列挙説」との二つの系譜に分類することができる。ただし、後者の系譜のなかでも、違憲審査基準についての最近の学説が、14条1項後段列挙事由についてとくに厳格審査基準を適用することから、従来のような例示列挙説を維持することは困難となる。そこで「単なる例示とみることは妥当でな〔く〕」、「後段列挙事由に基づく別異取扱いは、原則として不合理なものとみなすという意味で、本項が特に規定したもの」で、（それ以外の事由に基づく場合も不合理なものとみるべきものがあるとしても）後段列挙事由に基づくものは「原則として絶対的に禁止されると解する」とされる（樋口他・憲法Ⅰ318頁〔浦部執筆〕）。一見して二つの系譜の接近傾向の現れのようにもみえるが、これは現代社会における人種・性別等の不合理な差別の完全撤廃がなかなか実現しないという状況を反映したもので、歴史的意義・背景は異なることに注意が必要である。

(3)　平等原則と平等権

アメリカ独立宣言以来、自由と不可分一体のものとして、法の下の平等原則が確立されてきた。フランスでも1789年人権宣言では平等原則が保障されたが、「自由の第４年、平等元年」として民衆による実質的平等の要求が強まった1793年には平等自体が権利であると主張されるようになり、1793年憲法冒頭の人権宣言では、平等は自然権の筆頭に掲げられた。このように、平等は本来、権利の平等という原則を意味するものであったが、差別を禁止する趣旨を強調するために平等自体を権利として「平等権」を確立することも行われてきた。

この点について、日本国憲法では、憲法14条１項は平等原則と平等権の二面性をもつと解される。すなわち、前段で法の下の平等を原則として定めるだけでなく、後段では、人種・信条等による差別を禁じることによって、一定の事由により不合理な差別をされない権利という意味での「平等権」を保障したものと解することができる（原則か権利かをめぐる論争が1990年代に生じたことについては、辻村「女性の権利と『平等』」杉原＝樋口編・論争201頁以下参照）。

憲法学界では、原則と権利を区別すべきであるとする有力説（川添利幸・阿部照哉説など）に対して、批判的な見解も強い（戸松秀典・野中俊彦説など）。これについては、平等を原則として捉える場合は実体的権利と併せて主張することが前提となる（どのような権利・利益の平等が害されたかを前提にしたうえでその差別的取扱いの合理性を問題にする）のに対して、平等権のみを問題にする場合にはこれと異なる結果が生じる点には注意が必要である（例えば、男女別定年制などの性差別を女性の平等権侵害として立論する場合には、単に「男性と差別されない権利」が害されたことが問題になるため、男女とも35歳を定年とする制度は14条違反にはならないが、実体的権利を問題にして労働権に関する差別と捉える場合は、60歳前後まで平等に働く権利など、権利内容の吟味が必要となろう（本書307頁②判決参照））。

3　差別の違憲審査基準と実質的平等

(1)　形式的平等と実質的平等、積極的格差是正措置

憲法14条の保障が形式的平等か実質的平等か、という基本的な問題については、その定義を含めて憲法学説は必ずしも一致しているわけではない。一般には、形式的平等とは法律上の均一的取扱いを意味し、事実上の差異を捨象して「原則的に一律平等に取り扱うこと」を意味するのに対して、実質的平等は、現実の差異に注目して格差是正を行うこと、「すなわち配分ないし結果の均等を意味する」と説明されてきた（野中他・憲法Ⅰ282頁〔中村睦男執筆〕参照）。

従来は、「実質的平等（結果の平等）」（芦部・憲法130頁）と記載されるように、実質的平等を結果の平等と同視し、形式的平等と機会の平等を結びつける傾向があったが、厳密にはそれぞれを区別すべきである。機会の平等と結果の平等という区別は平等実現の過程ないし場面に関するものであるのに対して、形式的平等と実質的平等との区別は平等保障の在り方に関するものと考えることができよう。

例えば、入社試験や大学入試等の受験資格に関して男女を同じに扱う場合には機会の平等（機会均等）が問題になるのに対して、実際の採用や合否判定の場面であえて男女を同数にする場合などは結果の平等の問題になる。また、授業料免除などの場面で経済的能力の格差を考慮して是正する場合は実質的平等の要請が働くが、同じ条件の下では形式的平等が原則とされる。累進税の場合も、「同じ所得の人には同じ税率を適用する」という次元では形式的平等原則が適用されているが、「所得の少ない人には税金を免除し所得の多い人から高率で税金を徴収する」という次元では実質的平等原則が適用されているといえる。この後者の場合には、最終的な財政的負担を公平にするという意味で、実質的平等の原則が結果の平等と結びついているが、両者の関係がたえず不可避的であるわけではない。機会の平等を形式的に保障する場合もあれば、機会の平等を実質的に保障する場合もあるといえよう（結果の平等と機会の実質的平等を混同すべきでないことについては、高橋・憲法162頁も指摘する。また、後述のポジティブ・アクションは結果の平等を要請するものと解する傾向があるが、誤解であるので注意を要する）。

また、憲法14条1項が、形式的平等と実質的平等のいずれを保障しているか、という点でも、問題が残っている。従来は、憲法14条1項にはまず法律

上の均一的取扱いという意味での形式的平等が含意されているため、通説的見解は14条1項を裁判規範としては形式的平等として捉えつつ、実質的平等の実現は社会権に委ねられていると解していた。しかし、上記のように、平等の観念自体に変化が生じ、実質的平等保障の要請が強まっていることによって、14条にも実質的平等の保障が含まれると解することが妥当となる（浦部・教室109頁、高橋・憲法162頁以下参照)。ただし、実質的平等を保障していると解する場合にも形式的平等の原則が放棄されたわけではない。理論上はあくまで形式的平等保障が原則であり、法律上の均一的な取扱いが要請されるが、一定の合理的な別異取扱いの許容範囲内で実質的平等が実現される（実質的平等実現のための形式上の不平等を一定程度許容する）と解するのが筋であろう（芦部・憲法130頁、浦部・教室110頁、内野・論点50頁など)。

この点で、積極的格差是正措置（アファーマティブ・アクション〈AA〉ないしポジティブ・アクション〈PA〉）が問題となる。これらは日本の男女共同参画社会基本法などの用法では「積極的改善措置」、国連の用法では「暫定的特別措置」と称される。これらはもともと歴史的に形成された人種差別や性差別などを解消する目的で、アメリカなどを中心に欧米で理論化されたが、最近では国連や欧州連合などの指針のもとで、世界各国で多くの場面で活用されている。

この措置は、実質的平等を積極的に実現するために形式的平等原則に例外を認めるものであるが、アメリカでは、差別されてきた人種的マイノリティについて州立大学への入学などを優先処遇する傾向が進展した反面、「逆差別」やスティグマ（劣性の烙印）の弊害も生じたため、合憲性がたえず問題となってきた。合衆国最高裁は、1978年のバッキ判決ではカリフォルニア大学入試で100人中16人を人種的マイノリティに割当てたAA（クオータ制）を違憲としたが、ミシガン大学のロースクールで人種の要素を考慮したAA（プラス要素方式）に関する2003年のグラッター（Grutter）判決では、（従来の、過去の差別に対する救済という根拠ではなく）多様性確保という理由により合憲とした。性差別については、女性差別撤廃条約の規定（「締約国が男女の事実上の平等を促進することを目的とする暫定的な特別措置をとることは、この条約に定義する差別と解してはならない〔4条1項前段〕」）などをうけて、性差別解消を促進するための積極的格差是正措置が各国で導入されている（辻村後掲『ポジティヴ・アクション』第1章、同『憲法とジェンダー』第6・7章参照)。

日本でも、1999年制定の男女共同参画社会基本法に積極的改善措置についての規定が置かれ、2015年12月に閣議決定された「第四次男女共同参画基本計画」でもその推進が要請されている。実際に性別による格差が著しい日本では、社会的合意を得ながら、憲法違反にならないPAを有効・適切に活用してゆくことが求められている。ただし、憲法学説の14条解釈では、「優先処遇を受ける権利まで含むとは解されていない」（高橋・憲法164頁）とされており、社会経済的条件等によって特定者の権利実現が著しく制約されている場合や（将来にわたって）実質的平等を実現する要請が強い場合など、根拠や目的・手段が合理的な範囲に限って、14条のもとで特別の措置が認められると解される。実際に、その手法によっては「逆差別」やスティグマの危険があるだけでなく、選挙における強制的なクオータ制（割当制）では合憲性が問題となる。とくに予め議席の一定割合を女性に留保する議席割当（リザーヴ）制などは、憲法44条からして違憲になると考えられるが、反面、クオータ制のなかでも、世界の50カ国以上で採用されている政党による自発的クオータ制（比例代表制の場合に、政党の綱領などに基づいて、女性候補者比率を30%ないし50%にするなどの措置）は、日本国憲法下でも（合法的に）導入することができる（辻村・選挙権と国民主権272頁、286頁参照）。

フランスでは、1999年に憲法を改正してパリテ（男女同数）政策を推進し、韓国では2004年以降、政党法や公職選挙法を改正して、比例代表制の候補者名簿を男女交互制にして女性候補者を50%にする制度を実施している。日本でも、今後、法律によって強制的なクオータ制などを導入する場合には、その強制の度合いなどによって違憲判断もありうると思われる。

ただし前記女性差別撤廃条約4条1項但書が、「これらの措置は、機会及び待遇の平等の目的が達成された時に廃止されなければならない」とするように、PAは、例外的・暫定的性格をもっている。このため、判例上、立法裁量を重視する傾向が強い日本では、一時的な特別措置であるPAについては、立法裁量を理由にその合憲性が認められる可能性が高いともいえるが、いずれにせよ具体的に検討することが必要となる（詳細は、辻村後掲『ポジティヴ・アクション』第3・4章参照）。

(2)　差別の違憲審査基準

今日の学説では相対的平等説が通説であり、合理的な区別的取扱いは許容される。しかし、何が合理的な区別的取扱いで、何が不合理な差別的取扱いであるかの基準を明らかにすることは容易ではない。そこで日本の最高裁は、憲法14条について、立法目的が正当で、目的と手段との間に合理的関連性があれば足りるとする「合理性の基準」で判断してきた。

このことは、2015〈平27〉年12月16日の最高裁判決（再婚禁止期間規定違憲訴訟、本書171-172頁）多数意見でも、「憲法14条1項は、法の下の平等を定めており、この規定が、事柄の性質に応じた合理的な根拠に基づくものでない限り、法的な差別的取扱いを禁止する趣旨のものであると解すべきことは、当裁判所の判例とするところである（最高裁昭和37年(オ)第1472号同39年5月27日大法廷判決・民集18巻4号676頁、最高裁昭和45年(あ)第1310号同48年4月4日大法廷判決・刑集27巻3号265頁等）」としている。民法733条の再婚禁止期間規定については、「再婚をする際の要件に関し男性と女性とを区別しているから、このような区別をすることが事柄の性質に応じた合理的な根拠に基づくものと認められない場合には、本件規定は憲法14条1項に違反することになると解するのが相当である」として合理性の基準を採用した。

この点について、さらに、千葉裁判官の補足意見では（従来の合憲判断を違憲判断に転じた理由に関して、違憲審査基準論を変更したわけではないことをあえて指摘するために）以下のように述べた。「従前、当審は、法律上の不平等状態を生じさせている法令の合憲性審査においては、このように、立法目的の正当性・合理性とその手段の合理的な関連性の有無を審査し、これがいずれも認められる場合には、基本的にはそのまま合憲性を肯定してきている。これは、不平等状態を生じさせている法令の合憲性の審査基準としては、いわゆる精神的自由を制限する法令の合憲性審査のように、厳格な判断基準を用いて制限することにより得られる利益と失われる利益とを衡量して審査するなどの方法ではなく、……理論的形式的な意味合いの強い上記の立法目的の正当性・合理性とその手段の合理的関連性の有無を審査する方法を採ることで通常は足りるはずだからである」。

反面、千葉補足意見は、多数意見が合憲と判断した（再婚禁止期間が100日を超えない）部分についても、「立法目的が正当なものでも、その達成手段として設定された再婚禁止期間の措置は、それが100日間であっても、……再婚への制約をできる限り少なくするという要請が高まっている事情の下で、形式的な意味で上記の手段に合理的な関連性さえ肯定できれば足りるとしてよいかは問題であろう。このような場合、立法目的を達成する手段それ自体が実質的に不相当でないかどうか（この手段の採用自体が立法裁量の範囲内といえるかどうか）も更に検討する必要があるといえよう」とした。ここでは、従来の合理性の基準論を採用しつつも、手段審査について、いわゆる審査密度を濃くすることによって、多少とも厳密に審査することを示唆したもので、2008〈平20〉年６月４日国籍法違憲判決などにおいて、従来の合憲判決を違憲判決に転じたことの理由づけを明確にしたものといえよう（本書104頁以下、国籍法違憲判決参照）。

さらに、2013〈平25〉年９月４日の婚外子相続分差別違憲決定が合理性の基準論を採用せずに「総合考慮」基準を採用したことに関しても、学説等から疑問や批判があることについて、千葉補足意見が、次のように理由を補足して本件民法733条事件との違いを明確にしていることが重要である（本書172頁、175頁、辻村・憲法と家族230頁参照）。

「平成25年大法廷決定が対象とした民法900条４号ただし書前段については、その立法理由について法律婚の尊重と嫡出でない子の保護の調整を図ったものとする平成７年の大法廷決定（最高裁平成３年(ク)第143号同７年７月５日大法廷決定・民集49巻７号1789頁）の判示があり、その趣旨をどのように理解するかということも検討した上での平成25年大法廷決定の説示があるのである。ところが、本件規定［民法733条］については、多数意見は、前記のとおり、その立法目的を、直接的には『父性の推定の重複を回避する』と明示しており、立法目的が単一で明確になっているため、本件については、正に、立法目的・手段の合理性等の有無を明示的に審査するのにふさわしいケースであるから、全体的な諸事情の総合判断という説示ではなく、そのような明示的な審査を行っており、『手段として不相当でないかどうか』（手段の相当性の有無）の点も、その際に、事柄の性質を十分考慮に入れた上で、合理的な立法裁量権の行使といえるか否かという観点から検討しているものといえる」（2015〈平27〉. 12. 16最高裁判決千葉補足意見）。

これに対して、アメリカの判例を参考にして体系化された学説では、以下のように、より厳格な基準論が確立されてきた。

まず、人種・信条等による差別や精神的自由等について平等原則が問題となる場合には、立法目的が必要不可欠（やむにやまれぬ公共的利益を追求するもの）でその目的達成のための手段が必要最小限度のものであるかを検討し、いわゆる「厳格審査基準」を適用する。また、経済的自由の積極目的規制や社会・経済的規制立法などについて平等原則が問題となる場合には、広範な立法裁量が認められ、上記の緩やかな基準（「合理性の基準」ないし合理的関連性のテスト）が用いられる。そして、その中間の、性差別や経済的自由の消極目的規制の立法等については、「厳格な合理性の基準」すなわち、立法目的が重要で、目的と規制手段との間に、事実上の実質的関連性があることを要求する基準を適用する、という考え方である（芦部・憲法学Ⅲ人権各論⑴24頁以下、芦部・憲法133-135頁、235頁以下参照）。しかし今日では、憲法14条1項後段の列挙事由については、（人種・性別などは生まれながらに決定された属性であることから）、これに由来する差別については厳格審査基準を適用し、その他の事項については、合理性の基準を適用しようとする見解がしだいに有力となって通説的位置を占めている（樋口他・注解Ⅰ318頁〔浦部執筆〕参照）。

このように、14条1項後段列挙事由について厳格審査基準を適用すると解する最近の通説的見解に従えば、性差別の合憲性をめぐる審査基準については厳格審査基準が適用されるはずであるのに対して、芦部説（芦部・憲法学Ⅲ⑴24頁以下など）はアメリカの判例理論に従って中間審査基準を適用して「厳格な合理性の基準」を妥当としてきた。アメリカでは人種差別等については「疑わしい範疇（suspect classification）」に分類して厳格審査の対象にするのに対して、性差別をめぐる事例は、中間審査基準を適用する立場が確立しているからである。

しかしそれを日本の問題に適用することの可否はなお今後の課題といえよう。厳格審査基準を採用する場合には、法律等が「やむにやまれぬ」目的をもち、その目的を達成するための必要最小限の手段であることを（合憲を主張する側が）挙証しなければならないのに対して、中間審査基準では、目的と手段との間に実質的な関連性があるか否かが問題とされ、これを具体的問題に結びつけて論じることが不可避となる。従来の日本の判例や学説は、性差別にかかわる問題について必ずしも明確に審査基準論を示さず、判例ではむしろ合理的基準を用いて立法裁量を広く認めてきたため、具体的問題への適用はあまりなされていない。判例は前述のように合理性の基準で理解してきたが、14条1項後段列挙事由について厳格審査基準を採用するという通説的立場にたつ限りは、性差別についてもこれによると解すべきであろう（君塚正臣後掲『性差別司法審査基準論』91頁以下参照）。

⑶　ポジティブ・アクションの場合

ポジティブ・アクション（PA）ないしアファーマティブ・アクション（AA）の違憲審査基準については、アメリカでも議論がある。上記の2003年のグラッター判決以降は、人種のAAについても厳格審査基準が適用されるとされたが（安西文雄「ミシガン大学におけるアファーマティブ・アクション」ジュリスト1260号、茂木洋平後掲『Affirmative Action 正当化の法理論』62頁以下参照)、性別については、上記のようにアメリカではもともと中間審査基準であるため、性別に関するAAについても中間審査基準によるものと解される。

日本では、14条1項後段について厳格審査基準を適用する場合には、性別についても厳格審査基準を適用したうえで、PAないしAAについては、人種や性別を問わず、中間審査基準ないし厳格な合理性の基準による、という解釈が妥当となろう。しかしいずれにしても、判例・学説は、性別をめぐるPAの違憲審査基準については明確にしておらず、議論の進展が求められている（高橋・憲法171頁、辻村・十五講68頁以下参照)。

(4)　間接差別と直接差別

欧米では、基準が性中立的（形式的平等）であるにもかかわらず一方の性（実質的に）に差別が生じている場合に、使用者に対して性差別的効果の有無や正当化理由の有無に関する説明を求めることで差別を是正する「間接差別」禁止の法理が確立され、日本の議論や法制にも影響を与えている。

イギリスでは、1975年の性差別禁止法で明示され、身長・体重・体力・年齢等を要件としたり、シングル・マザーの差別をもたらす事例等について、判例理論が確立されてきた。アメリカでは、「不利益効果の法理（disparate impact theory)」が合衆国裁判所判例によって確立され、1991年の改正公民権法第7編のなかで明確にされた。EC／EUでは男女均等待遇指令（1976年）で「直接的であれ、間接的であれ、性別とくに婚姻上または家族上の地位に関連した理由によるいかなる差別も存在してはならない（2条1項)」とし、1997年の「性差別訴訟における挙証責任に関する指令97・80・EC」によって間接差別の存在について定義した。さらに欧州司法裁判所はこれについて詳細な判例理論を確立し、正当性の抗弁を企業側の挙証責任のもとにおくことで、実際に女性労働者たちの救済に寄与してきた。

日本では、2003年7月の国連女性差別撤廃委員会の最終コメントで間接差別の定義を明確にすべきことが指摘されたことをうけて、2006年6月に成立した改正男女雇用機会均等法において、「労働者の性別以外の事由を要件とするもののうち、……実質的に性別を理由とする差別となるおそれがある措置として厚生労働省令で定めるもの」を禁止し（同法7条）、同省令のなかで、間接差別の定義と禁止対象を明示した。さらに、改正均等法施行規則（2007年4月施行）2条において、「法第7条の厚生労働省令で定められる措置」として、(i)労働者の身長・体重・体力に関する事由を要件とするもの、(ii)住居の移転を伴う配置転換に応じることを要件とするもの、(iii)昇進に関する措置で、異なる事業所への配置転換の経験を要件とするもの、の三つの要件に限定して列挙した。

しかし、上記のような間接差別禁止の法理や日本の法制については、憲法理論的にみれば多くの課題があると思われる。直接差別（例えば、年齢や身長による差別）との関係、間接差別法理の両面性（例えば、「身長170センチ以上採用」という身長条件を課すことは女性に対する間接差別になるが、「身長160センチ以下採用」とすれば男性に対する間接差別になりうるため、両面性を前提にした議論が必要である）、性別以外のカテゴリーによる差別との関係などである。日本では、コース別採用や世帯主要件の名のもとに実質的な性差別が行われている例が多いため、憲法学においてもこれらの諸課題の理論的検討が期待される（本書309頁、辻村・概説ジェンダー法57頁、95頁以下参照）。

4　平等権をめぐる問題

(1)　14条1項後段の事由

14条1項後段は、人種、信条、性別、社会的身分または門地による差別を禁止している。

①　**人種**　　人種とは、本来は人類学上の種類であるが、社会学的概念として、地域的・宗教的・言語的な集団を人種として特徴づけることも認められている。人種差別は、アメリカ合衆国をはじめ多くの国で深刻な社会問題となっており、国連でも1965年に人種差別撤廃条約を採択した（本書18頁参照）。日本では、アイヌ民族をめぐる問題があり、1997年にアイヌ新法が制定された（本書110頁参照）。また、民族は人種とは同じではないが、民族差別は人種差別と同様に不合理なものであるため、在日朝鮮人であることを理由とする婚約破棄や解雇が民族的差別を内容とする不法行為にあたると判断した判決も存在する（大阪地判1983〈昭58〉．3．8判タ494号167頁）。

②　信条　　信条とは、本来は宗教上の信仰を意味する概念であったが、ここでは、広く宗教観や人生観、政治的意見等を含めて、個人が内心において信ずる事柄と広く解することが妥当であろう。学説には、「根本的なものの考え方」に限り、単なる政治的意見や政党所属関係を含まないとする見解もあるが（宮沢・憲法Ⅱ277頁）、政治的意見等による差別は根本的信念による差別にもつながりうることから根本的信念と意見との区別は困難であるといわざるをえない。三菱樹脂事件の例でみたように、特定のイデオロギーの存在を基礎とする傾向企業を除いては、思想・信条による雇用等の差別は認められない（本書129-130頁、179頁）。

③　性別　　性別は、本来、男女の生物学的・身体的性差のことを意味するが、今日では、社会的・文化的性差としてのジェンダーによる差別が問題になる。とりわけ、身体的性差から導かれた男女の定型化された特性に基づく差別的取扱いや、（家事・育児は女性の役割であるというような）性別役割分業観に根ざした差別的取扱いについては、違憲判断基準について厳格な基準が適用されるべきであり、合憲性の推定は排除されると解すべきであろう。このような視点にたつと、現行法上も問題になるものが少なからず存在するため次項(2)で概観する。

④　社会的身分および門地　　社会的身分（social status）の意味については、三つの説が存在する。広義説である第1説は、人が社会において占める継続的な地位と解する説（佐藤功・註釈(上)217-218頁）であり、第2説は、人が社会において後天的に占める地位であって、一定の社会的評価を伴うものと解する説（田畑忍「法の下の平等」公法研究18号13頁）である。最も狭義の第3説は出生によって決定される社会的な地位または身分と解する（宮沢・憲法Ⅱ284頁）が、ここでは「門地」との違いが問題となり、出生によって決定される社会的な地位または身分のうちで「門地」を除いたものになる。なお「門地」（family origine）とは、家系や血統などによる家柄を意味する概念である（旧憲法下の華族や士族などが門地にあたるが、今日では廃止されて意味をもたない。これに対して、部落差別が今日でもなお社会関係上重大な人権侵害をひきおこしていることは本書110頁参照。なお、樋口他・注解Ⅰ322頁〔浦部執筆〕は、上記の第3説の立場からこれを「社会的身分」に含めている）。

結局、違憲審査基準の理解について後段列挙事由に特別の意味をもたせる場合には、第1説のような広義説は妥当ではなく、第3説の狭義説ないし中間の第2説が妥当となろう。この場合に、親子の関係や婚外子という地位などは、出生によって個人に付与される地位であり、社会的身分に該当すると解してよい。

憲法14条をめぐる判例には、①尊属殺重罰規定違憲訴訟（最大判1973〈昭48〉. 4. 4刑集27巻3号265頁）、②サラリーマン税金訴訟（最大判1985〈昭60〉. 3. 27民集39巻2号247頁、百選Ⅰ68頁〔戸波江二執筆〕）、③売春等取締条約違反事件（最大判1958〈昭33〉. 10. 15刑集12巻14号3305頁）、④議員定数違憲訴訟、⑤堀木訴訟などがある（本書では性差別や家族に関する問題は、次頁以下に項を改めて検討し、④は参政権、⑤は社会権の項目で扱う）。

このうち①の尊属殺重罰規定違憲訴訟については、最高裁大法廷で1973〈昭48〉年4月4日に違憲判断が下された。当時の刑法は、1907（明治40）年に制定されたもので、200条は、通常の殺人罪（199条）について「死刑又ハ無期若クハ三年以上ノ懲役」を定めたのに対して、尊属殺については「自己又ハ配偶者ノ直系尊属ヲ殺シタル者ハ死刑又ハ無期懲役ニ処ス」として刑を著しく重くしていた。また、205条2項も、自己又は配偶者の直系尊属に対する傷害致死罪について「無期又ハ三年以上ノ懲役」と定め、一般の傷害致死罪より重く罰していた。これらの規定は、尊属の殺傷を「大罪」とする儒教的な家族道徳観に基づいて制定されたもので、憲法14条の平等原則に反するか否かが争われた。1973〈昭48〉年4月4日最高裁大法廷判決で違憲判決が確定し、1995年の刑法の口語化による改正の際に、尊属殺・尊属傷害致死重罰規定は削除された。

1967年の尊属殺人被告事件は、14歳で実父に姦淫され、その後15年間にわたって夫婦同然の関係を強いられて5人（内2人は死亡）の子まで産んだ被告人が、職場の同僚との結婚を望んだところ、父に監禁・暴行されたため、思いあまって酩酊中の父を絞殺したという事例である。被告人は刑法200条の尊属殺人罪で起訴されたが、一審宇都宮地裁1969〈昭44〉年5月29日判決（判タ237号262頁）は、この規定が違憲無効であると判断し適用を排除（刑を免除）した。控訴審判決（東京高判1970〈昭45〉. 5. 12判時619号93頁）が、刑法200条を合憲としたのち、上記最高裁1973〈昭48〉年判決はこれを違憲と判断して、被告に2年6カ月の懲役、執行猶予3年の刑を言い渡した。判旨は、(i)尊属に対する尊重報恩は社会生活上の基本的道義であり尊属殺の重罰自体は憲法14条1項に反しない、(ii)刑罰加重の程度如何によっては不合理な差別となり、尊属殺の法定刑はあまりにも厳しいゆえに違憲であるとした。この最高裁判決多数意見の立場は、尊属殺の刑の加重についての立法目的を合憲、目的達成の手段を違憲とした点で「目的合憲論（手段違憲論）」と呼ばれる。これに対して、6人の裁判官が、尊属殺の刑の加重自体（立法目的）とその程度（目的達成手段）がともに違憲であるとして「目的違憲論」の立場をとった（百選Ⅰ56頁〔渡辺康行執筆〕）。

(2)　性差別をめぐる問題

性別を理由にする差別問題は、事実上や慣習上だけでなく法制度上にも存在する。憲法14条に照らしてその合憲性が問題になる例について概観しておこう（民法の親族規定に関する問題は、本書171頁以下の三２で扱う）。

①　皇室典範の男系男子主義　　皇位継承資格からの女性の排除や皇族身分の性差別的な取扱い（本書47-48頁参照）が憲法14条に違反しないかどうかが問題となる。従来は、皇位継承資格からの女性排除が旧憲法下の用語法によって「女帝」問題として論じられ、憲法学説の多くは、そもそも憲法が平等原則の例外として世襲を認めている以上違憲とまではいえないとして皇室典範への憲法14条・24条の適用を否定してきた。これに対して、女性差別撤廃条約２条違反の点や違憲性をめぐってジェンダー法学の立場から憲法学への批判が提起され（辻村編・憲法研究創刊号71頁以下〔若尾典子執筆〕参照）、憲法学説でも違憲説が説かれるようになった。

違憲説に与する横田説は、世襲制を憲法上の例外と解しつつも「世襲制に合理的にともなう差別以外の差別は……認められるべきではない」として「例外を拡大する方向で」問題をたてることに反対した（横田耕一「皇室典範をめぐる諸問題」法律時報48巻４号43頁）。私見も、身分制の「飛び地」を認める通説の論拠（長谷部編・注釈(2)20頁〔長谷部執筆〕参照）だけでは皇室典範の形式的不平等規定を合理化することはできず、むしろ立憲主義を弱めるおそれがあると考える。たとえ世襲原則が憲法14条の例外だとしても、世襲原則が当然に性差別を内包するものでない以上、性差別を合理化する積極的根拠が見出せないからである。もちろん女性の天皇になる権利等を問題にしているわけではないため、権利侵害の問題ではない。しかし、性別による法的取扱いの合理性を厳密に解するならば、象徴としての天皇の地位（形式的・儀礼的な行為だけを行う象徴職）に就くのに性別要件が必然的なものではないこと、このような性別に基づく異なる取扱いが日本の法制度や慣習上の性差別を助長・温存する機能を果たしていることなどからすると、合理的理由のない差別的取扱いであると認めることができよう。また、あらゆる法制上や慣習上で性別に基づく不合理な差別的な取扱いを排除しようとする女性差別撤廃条約２条（とりわけ(f)）に抵触するためイギリスなどの諸国で法改正が続いており、日本でも皇室典範改正が急務となろう。

なお、本書第１章でみた「皇室典範に関する有識者会議報告書」（2005年11月）では、女性天皇を許容することが提言されたが、ここでは「女子や女系の皇族が皇位を継承することは憲法の上では可能である」と指摘するにとどまり、現行法の合憲性が前提とされていた（本書48頁参照）。

②　刑法177条（旧強姦罪）　1907年制定の刑法177条の強姦罪規定が「女子」（旧規定では「婦女」）のみを対象としていたことについて、判例は「被害者たる『婦女』を特に保護せんがため」であるとして合憲と解し、憲法学の通説も「おそらく異論はない」（芦部・憲法学Ⅲ43頁）としてきた。しかしその後、処女性の保護に根拠をもつものである限り違憲と解する説などが出現し、男女の性的自由に対する侵害行為の多様化に即した法改正を主張する見解がしだいに有力になった。そして法務省の法制審議会専門部会で2015年10月以降、強姦罪の構成要件等の見直しが進められ、2017年6月に刑法改正が実現した。改正法では、男女両性を保護の対象とする強制性交等罪（177条）、準強制性交等罪（178条）に改訂され、親告罪が廃止されるとともに、監護者わいせつ及び監護者性交等罪（179条）が新設された。

③　国立女子大学　女子のみに入学を認める国立大学の設置を「違憲」ないし「合憲性は相当に疑わしい」と解する憲法学説が、今日では有力であるようにみえる。1949年に戦前の女子高等師範学校を前身として国立女子大学二校が発足した段階では、戦前と同様、女性に高等教育の機会を与えるための特別の機能を果たしていた。しかし、女性の大学進学率が上昇し（2014年度では、短大を含め56.5%）、男女格差が小さくなった今日では、一種のポジティブ・アクションや実質的平等保障としての意味づけがほとんど失われたと解することができるからである。そうである以上、性別による入学機会や教育内容の別異取扱いを容認する根拠は乏しいであろう。しかし反面、学術分野における男女共同参画を実現する目的のもとで、理系分野の女子学生・女性研究者が少ないなどの不均衡を是正するためのポジティブ・アクションの意義を認めることは可能であろう。今日では、公立高等学校の男女共学制・別学制の問題が議論を呼んでいるが、このようなポジティブ・アクションの意義と多様性の確保という点からすれば、一律に別学制を廃するかどうかではなく、多様性を確保できる制度を構築しうるか否かという方向での議論が望ましい。

④　労働法上の母性保護と女性保護　日本では、女性差別撤廃条約批准に際して、1985年に男女雇用機会均等法制定と労働基準法改正がなされ、この条約に適合するように女性労働者の地位改善がはかられた。同条約4条2項が母性保護のための特別措置を差別と解してはならないと定めるように、妊娠・出産にかかる母性保護は身体構造に基づくものであって、男性との別異取扱いが許容される。従来は実質的平等保障の名のもとに母性保護と一般女性保護の両者を広く認める傾向があったが、最近では、特性論や性別役割分業論に根ざ

した別異取扱いを排する点で、女性の深夜業・休日労働禁止や危険業務禁止などの女性保護の見直しが進んだ。1997年の労基法改正（1999年施行）で女性保護が撤廃されたことは、前提となる男女の労働条件整備の点で実際上の課題を残しているものの、理論的には、労働権の保障の観点からの形式的平等保障の方向が認められたものであり、女性差別撤廃条約11条３項の保護法令見直し規定に沿うものといえる。ただし、「保護か平等か」という論点は、なお今後の検討課題であり、コース別採用等における間接差別の問題と併せて検討する必要があろう（本書163頁、309頁参照）。

⑤　逸失利益の算定　　交通事故死した女児の逸失利益算定にあたって、賃金の男女格差を容認することが判例の立場であり（最二判1987〈昭62〉．１．19民集41巻１号１頁）、その結果、年少者の賠償額に男女格差が存在してきた。これに対する憲法学からの議論は少ないが、下級審判例では、「年少者の将来の就労可能性の幅に男女差はもはや存在しないに等しい状況にある」ことから、算定基準に「女子労働者の平均賃金を用いることは合理性を欠くものといわざるを得ず、男女を併せた全労働者の平均賃金を用いるのが合理的である」とした東京高裁判決（2001〈平13〉．８．20判時1757号38頁）など実務上で再検討が進んでいる。

⑥　入会権資格における男女差別　　沖縄県のＡ部落では入会権者の資格要件として、世帯主要件のほかに、Ａ部落住民の男子孫であること等を要求しており、これらが公序良俗に反するか否かが争われた。一審（那覇地判2003〈平15〉．11．19判時1845号119頁）は、憲法14条１項および民法旧１条の２（現２条）の趣旨に反し公序に違反して無効と判断したが、控訴審（福岡高那覇支判2004〈平16〉．９．７判時1870号39頁）は、公序良俗に反しないとしてこれを取り消した。最高裁（最二判2006〈平18〉．３．17民集60巻３号773頁）は、「本件慣習のうち、男子孫要件は、専ら女子であることのみを理由として女子を男子と差別したものというべきであり、遅くとも本件で補償金の請求がされている平成４年以降においては、性別のみによる不合理な差別として民法90条の規定により無効である」と判断して間接適用説の立場を示した。性差別に関する違憲審査基準が、従来の合理性の基準よりも厳格になったか否かが注目されるが、この点は明らかではない（重判平成18年度12頁〔佐々木雅寿執筆〕参照）。

⑦　労災保険における男女差別　　労働者災害補償保険法施行規則別表では、「女性の外貌に著しい醜状を残すもの」と定めて男女間で異なる基準を設けていることから、障害補償金の支給額に男女差が生じている。これを不服として処分取消訴訟が提起されたところ、一審の京都地裁判決（2010〈平22〉．５．27判時2093号72頁）は、厚生労働大臣の裁量を広く認める立場を取りつつも、差別的

取扱いの合理性・適法性の立証責任は行政庁の側にあるとし、当該障害等級表を憲法14条違反として処分を違法と判断した（重判平成22年度11頁〔糠塚康江執筆〕参照）。同表作成当時の社会通念や最近のポジティブ・アクションを考慮に入れてもなお、合理性を認定できないケースであり、その後2011年に厚生労働省令によって改正された。

三　家族と平等

1　憲法13条・14条と24条

憲法13条（個人尊重原則）や14条１項（平等原則と平等権）の規定をうけて、24条は、１項で婚姻の自由と夫婦同等の権利、２項で「婚姻及び家族に関するその他の事項」に関する法律がすべて個人の尊厳と両性の本質的平等に立脚して制定されなければならない旨を定めた。憲法24条は一般に平等の規定と解されてきたが、婚姻の自由を中心とする家族形成に関する個人の自己決定権や、夫婦同権を定めた条文として重要な意味をもつ。

これらの諸規定に従って、1947年には、戦前の「家制度」を廃止すべく親族・相続に関する民法第４・５編が全面改正され、刑法についても姦通罪廃止などの改正が行われた。しかし、民法上には、731条・733条・750条など、憲法24条のみならず、憲法13条・14条の内容にも抵触すると思われる現行法上の諸規定が残存してきた（後掲①〜③）。現実の社会生活上も、憲法施行後約70年を経てもなお、家族をめぐる憲法24条の原理や価値観が完全に根づいたとはいいがたい（戸籍や冠婚葬祭など、家族関係のなかに旧来の家制度の慣行が残存し、個人の尊厳や両性の平等を侵害する例が多い）。

このような状況にあって、女性差別撤廃条約や「子どもの権利条約」など国連を中心にした国際的人権条約の進展のなかで、日本の家族法制のあり方が見直され、2013〈平25〉年９月４日には婚外子相続分差別規定について最高裁が違憲と決定した（民集67巻６号1320頁、百選Ⅰ61頁〔高井裕之執筆〕参照）。また、女性の社会的進出を背景に夫婦別姓制問題が社会問題化し、民法750条の夫婦同氏原則の強制が憲法24条２項や女性差別撤廃条約16条に反するとして訴訟が提起されてきた（樋口他・憲法判例60頁以下〔辻村執筆〕、辻村・憲法と家族246頁以下、本書173頁以下参照)。憲法理論上は、家族領域での実質的平等の保障は24条に委ねられているという原則を確認しつつ、24条と14条の保障内容を明らかにすること、さらに、これらの平等規定と13条の関係を明らかにすることが課題といえよう。なお、同性パートナーシップ制度や同性婚をめぐる問題は、性的マイノリティの項目（本書111頁）を参照されたい（家族の諸問題につき、辻村・憲法と家族、長谷部編・注釈(2)495頁以下〔川岸令和執筆〕参照)。

2　民法改正と判例の動向

①　民法731条（婚姻適齢）　女性16歳・男性18歳という男女別の婚姻適齢を定める民法731条について、従来の判例・学説は、男女の身体的成熟度の違いを理由とする男女の区別的取扱いであるから合理的であると解してきた。しかし、身体的成熟度には個人差があり、女性16歳・男性18歳という基準が性差のステレオタイプ化の結果であるとすれば、その合理性はかなり疑わしい。今日でもなお、戦前の旧民法下での妻の無能力制度を背景に、社会的・経済的に独立しえていない16歳の女性に婚姻による成年擬制を認めていたことの影響が残存しているようにみえる。立法目的がこのような「夫への妻の依存性」に依拠する場合のみならず、それ以外の場合でも、個人差の大きい身体的成熟度や女性の特性を理由にあげること自体が合理性に乏しいといえる。

国際的にも成年年齢とあわせて婚姻最低年齢を18歳にする傾向にあり、1996年の法制審議会民法部会の答申として発表された民法改正要綱案で、男女とも18歳への改正の方向が示されていた。2018年６月の民法改正による民法上の成年引下げ（本書108頁）に伴い、婚姻適齢についても男女とも18歳以上とされた(2022年４月１日から施行)。

②　民法733条（再婚禁止期間規定）　民法733条は「女は、前婚の解消又は取消しの日から６箇月を経過した後でなければ、再婚をすることができない」と定める。この規定は、民法772条が「妻が婚姻中に懐胎した子は、夫の子と推定する。婚姻の成立から200日を経過した後又は婚姻の解消若しくは取消しの300日以内に生まれた子は、婚姻中に懐胎したものと推定する」と定めることから、離婚後100日以内に再婚した場合には論理的に前婚の夫と後婚の夫の嫡出推定が重複する。このため、嫡出推定の重複を避け、父子関係の混乱を防止するために６箇月の再婚禁止期間が設けられたが、立法目的を達成するためには100日の期間でたりるはずであり、また懐胎してないことが明らかな場合も含めて、女性のみに再婚の自由を過度に（６箇月も）制限する規定であるため、憲法

13条・14条・24条との適合性が問題となってきた。

学説では、従来から有力な反対論があり、最近では特に医科学技術の進歩によって妊娠の有無や父子関係確認が容易になったことから、廃止論あるいは100日への期間短縮論などの法改正論が強まっていた（「父性推定の重複回避にとって不必要に長い再婚禁止期間を設ける点で過剰包含であり、14条1項、24条1項に反する疑いが強い」（百選Ⅰ65頁〔糠塚康江執筆〕）参照)。さらに、100日を超えない期間についても、妊娠していないことが証明できる女性にまで一律に再婚禁止期間を課すことは憲法14条・24条違反にあたる（辻村後掲『憲法とジェンダー』151頁、同・概説ジェンダー法116-117頁、同・憲法と家族221頁以下）と解されてきた。

現実にも、DV等のために離婚後300日以内に別の再婚男性の子を出産した場合に、前夫の嫡出推定が及ぶため出産届が出されず子が無戸籍児となるケースなど（いわゆる離婚後300日問題）が生じており、法改正が待たれていた。

最高裁は、国家賠償法上の違法性をもっぱら問題にした結果、民法733条が憲法の文言に一義的に反するとはいえない、として違憲の主張を斥けてきた（最三判1995〈平7〉.12. 5判時1563号81頁）が、2015〈平27〉年12月16日大法廷判決において、初めて100日を超える部分について、憲法14条1項および24条2項に違反することを認めた（国家賠償請求については棄却、民集69巻8号2427頁参照)。

最高裁2015年判決多数意見では、「婚姻をするについての自由が憲法24条1項の規定の趣旨に照らし十分尊重されるべきものであることや妻が婚姻前から懐胎していた子を産むことは再婚の場合に限られないことをも考慮すれば、再婚の場合に限って、前夫の子が生まれる可能性をできるだけ少なくして家庭の不和を避けるという観点や、……父性の判定を誤り血統に混乱が生ずることを避けるという観点から、厳密に父性の推定が重複することを回避するための期間を超えて婚姻を禁止する期間を設けることを正当化することは困難である。他にこれを正当化し得る根拠を見いだすこともできないことからすれば、本件規定のうち100日超過部分は合理性を欠いた過剰な制約を課すものとなっているというべきである。以上を総合すると、本件規定のうち100日超過部分は遅くとも上告人が前婚を解消した日から100日を経過した時点までには、婚姻及び家族に関する事項について国会に認められる合理的な立法裁量の範囲を超えるものとして、その立法目的との関連において合理性を欠くものになっていたと解される」とした。

ただし、多数意見のうち、櫻井龍子裁判官ら6裁判官の共同補足意見では、100日を超えない期間を含めて適用除外の拡大が求められており、千葉補足意見でも前述のように（本書161頁）手段審査について審査密度を上げて相当性の有無について審査をすべきことが指摘された。このほか、鬼丸裁判官の意見は100日を超えない期間についても違憲とし、山浦裁判官の反対意見は違憲のみならず国賠請求も認める判断をした。

この最高裁一部違憲判決をうけて、2015〈平27〉年12月16日判決当日の法務大臣会見で、民法改正を待たずに、離婚後100日を超える再婚届も受理するよう通達を出すことが発表された。その後、2016年6月に民法733条2項が改正され、「前婚の解消又は取消しの時に懐胎してなかった場合」に再婚が認められることになった。

③　民法750条（夫婦同氏原則）　民法750条は「夫婦は、婚姻の際に定めるところに従い、夫又は妻の氏を称する」と定めて、夫婦が同一の氏を選択すべきことを求めている（夫婦同氏制は明治31年に導入された）。この規定は、（733条とは異なって）男女のいずれかを差別する規定とはなっておらず、形式的平等違反の規定ではないが、実際には、96％の夫婦において夫の氏が選択されており、旧姓の維持をのぞむ女性などが事実婚を選ぶ例も生じている。そこで、夫婦別姓問題への関心の高まりと共に夫婦同氏原則を定めた民法750条の合憲性を争う訴訟が1980年代以降複数提起され、別姓選択の婚姻届不受理事件（1989年岐阜家裁合憲判決）などがある。

2011年に原告5人が提訴した国家賠償請求訴訟では、2013〈平25〉年5月29日東京地裁判決（判時2196号67頁）、2014〈平26〉年3月28日東京高裁判決（民集69巻8号2741頁）に続いて、2015〈平27〉年12月16日最高裁大法廷で判決が下された。上告人は、憲法13条（氏名権など）・14条・24条・女性差別撤廃条約16条G項違反を指摘したが、最高裁多数意見は下記のように指摘して違憲の主張を斥け、国家賠償請求も棄却した（民集69巻8号2586頁参照）。

「氏名は、社会的にみれば、個人を他人から識別し特定する機能を有するものであるが、同時に、その個人からみれば、人が個人として尊重される基礎であり、その個人の人格の象徴であって、人格権の一内容を構成するものというべきである（最高裁昭和58年(オ)第1311号同63年2月16日第三小法廷判決・民集42巻2号27頁参照）。……しかし、現行の法制度の下における氏の性質等に鑑みると、婚姻の際に「氏の変更を強制されない自由」が憲法上の権利として保障される人格権の一内容であるとはいえない。本件規定は、憲法13条に違反するものではない」（本書143頁参照）。

「本件規定は、夫婦が夫又は妻の氏を称するものとしており、夫婦がいずれの氏を称するかを夫婦となろうとする者の間の協議に委ねているのであって、その文言上性別に基づく法的な差別的取扱いを定めているわけではなく、……本件規定は、憲法14条1項に違反するものではない」。

「憲法24条2項は、具体的な制度の構築を第一次的には国会の合理的な立法裁量に委ねるとともに、その立法に当たっては、同条1項も前提としつつ、個人の尊厳と両性の本質的平等に立脚すべきであるとする要請、指針を示すことによって、その裁量の限界を画したものといえる。……本件規定の定める夫婦同氏制それ自体に男女間の形式的な不平等が存在するわけではなく、夫婦がいずれの氏を称するかは、夫婦となろうとする者の間の協議による自由な選択に委ねられている。……近時、婚姻前の氏を通称として使用することが社会的に広まっているところ、上記の不利益は、このような氏の通称使用が広まることにより一定程度は緩和され得るものである。以上の点を総合的に考慮すると、本件規定の採用した夫婦同氏制が、夫婦が別の氏を称することを認めないものであるとしても、上記のような状況の下で直ちに個人の尊厳と両性の本質的平等の要請に照らして合理性を欠く制度であるとは認めることはできない。したがって、本件規定は、憲法24条に違反するものではない」。

多数意見は、規制の程度の小さな、氏に係る制度（例えば、選択的夫婦別氏制）に合理性がないと断ずるものではないとしつつ、「この種の制度の在り方は、国会で論ぜられ、判断されるべき事柄にほかならない」とした。なお、岡部喜代子裁判官ら女性3裁判官と木内裁判官、山浦裁判官ら5人はいずれも民法750条を違憲と判断し、山浦裁判官は国家賠償請求も容認する立場を採った。

本件では、多数意見が婚姻に関連する諸権利よりも制度を優先した点が批判される。また、例外を許さない現行法規（夫婦同氏強制）の違憲性をLRAの基準に照らして主張することも今後の課題であろう（辻村・憲法と家族263頁以下、重版平成28年度21頁〔小山剛執筆〕参照）。

本判決後も多くの訴訟が続いているが、改氏した男性社長等が「旧氏続称制度の不存在」が離婚や国際結婚の場合と比較して不合理であることを主張した戸籍法上の夫婦同氏制違憲訴訟で、東京地裁は、立法裁量等を理由に請求を棄却した（東京地判2019<平31>. 3. 25LEX/DB25562555、重判令和元年度12頁〔武田万里子執筆〕参照）。ほかに「信条」の差別を主張した第二次選択的夫婦別姓訴訟等も一審請求棄却・控訴・上告が続いており、2020年12月9日最高裁大法廷に回付された。今後の展開が注目される。

なお、最近のアンケート調査では、選択的夫婦別姓制に賛成する傾向が強く、2020年11月18日に公表された調査（7,000人対象）の結果でも賛成が7割（70.6%）に及ぶことが明らかとなった（2020年11月19日朝日新聞朝刊、https://www.asahi.com/articles/ASNCL3TYQNCKUTIL04S.html 参照）。立法的な対応が待たれる。

④　民法900条４号（婚外子相続分差別規定）　民法900条４号ただし書（2015〈平13〉年改正前のもの）は、「嫡出でない子の相続分は、嫡出でない子の相続分とし……」と定めて婚外子（非嫡出子）を嫡出子との関係で差別した規定となっていた。このほかにも、住民票続柄差別訴訟など差別的法制度が憲法14条や国際条約（国際人権規約Ｂ規約24条１項、子どもの権利条約２条など）に反するものとする訴訟が数多く提起されてきた。婚外子相続分差別については、1993〈平５〉年６月23日の東京高裁決定（高民集46巻２号43頁）が民法900条４号ただし書を違憲とする画期的判断を下して注目されたが、最高裁は別の事件の1995〈平７〉年７月５日決定（最大決・民集49巻７号1789頁）で合憲と判断した。この多数意見は、法律婚主義を採用した民法のもとで法律婚の尊重という基本理念を掲げること自体は不合理ではなく、手段も著しく不合理とはいえない、として緩やかな「合理性の基準」を採用した（５裁判官が明確な違憲判断を示したこともあり、1996年の「民法改正案要綱」でも嫡出子と嫡出でない子の相続分を等しくするための改正案が提案されていた）。

その後、最高裁では、2000〈平12〉年１月27日第一小法廷判決（判時1707号121頁）、2003〈平15〉年３月28日第二小法廷判決（判時1820号62頁）、同年３月31日第一小法廷判決（判時1820号64頁）など、いずれも前記1995〈平７〉年７月５日大法廷決定に従って違憲の主張を斥けたが、2008〈平20〉年国籍法違憲判決において、家族観の変化や国際的動向などを考慮したことから、婚外子相続分差別訴訟についての判例変更が期待されてきた（本書104頁参照）。そして、1995年最高裁決定から20年近くを経た2013〈平成25〉年９月４日、最高裁大法廷は全員一致で違憲決定を行って、原審に差し戻した（民集67巻６号1320頁）。

最高裁は、家族観や国際情勢、国際的な法改正の状況等をふまえて、「婚姻・親子関係に対する規律、国民の意識、相続制度の考慮要因等を総合的に考慮」した。そして、子どもの個人の尊重を重視する視点から違憲判断を導き、「以上を総合すれば、遅くともＡの相続が開始した平成13年７月当時においては、立法府の裁量権を考慮しても、嫡出子と嫡出でない子の法定相続分を区別する合理的な根拠は失われていたというべきである。」として憲法14条１項に違反していた、と決定した。

これに対して、憲法学説では、従来の判例理論の要素であった立法目的が明瞭にされず、従来の目的手段の合理性審査の基準にも言及していないことなどに対して批判論が噴出したが、後に前記2015〈平27〉年12月16日判決（民集69巻８号2427頁）の千葉補足意見において、立法目的を特定しないで「総合考慮」基準を採用した理由が説明された（本書160-161頁、辻村・憲法と家族195頁、230頁、

評釈として百選Ⅰ61頁〔高井裕之執筆〕、蟻川恒正・法学教室397号110頁、糠塚康江・法学教室400号86頁参照）。

なお、2013〈平25〉年違憲決定の直後の同年12月５日に民法が改正され、900条４号ただし書の部分が削除されて、立法的にも解決した。反面、戸籍法49条２項１号に基づいて出生届に嫡出子又は嫡出でない子の別を記載すべきことを定めている箇所については、最一判2013〈平25〉年９月26日判決（戸籍法判決、民集67巻６号1384頁）は、憲法14条１項に違反しないと判示して上告を棄却した。理由は、下記のとおりである。

「民法及び戸籍法において法律上の父子関係等や子に係る戸籍上の取扱いについて定められている規律が父母の婚姻関係の有無によって異なるのは、法律婚主義の制度の下における身分関係上の差異及びこれを前提とする戸籍処理上の差異であって、本件規定は、上記のような身分関係上及び戸籍処理上の差異を踏まえ、戸籍事務を管掌する市町村長の事務処理の便宜に資するものとして、出生の届出に係る届書に嫡出子又は嫡出でない子の別を記載すべきことを定めているにとどまる。……以上に鑑みると、本件規定それ自体によって、嫡出でない子について嫡出子との間で子又はその父母の法的地位に差異がもたらされるものとはいえない」（辻村・憲法と家族205頁以下参照）。

第3章　自由権

I　精神的自由権

人権の歴史と体系についてすでにみたように、自由権は、人権の歴史的展開過程において最初に確立された重要な人権であり、「国家からの自由」の保障の中心をなす。精神的自由権（精神活動の自由）、経済的自由権（経済活動の自由）、身体的自由権（人身の自由）の三つに分類され、精神的自由権は、日本国憲法では思想・良心の自由（19条）、信教の自由（20条）、表現の自由（21条）、学問の自由（23条）について保障されている。

一　思想・良心の自由

1　意義

思想・良心の自由は、精神活動の自由のなかでも最も基本的な内心の自由である。欧米の憲法では、信仰の自由や表現の自由と結びつけて思想の自由を保障するのが通例だが、日本では旧憲法下の治安維持法等によって特定の思想が弾圧されたこともあり、日本国憲法は、精神的自由に関する諸規定の冒頭に19条をおいて、その総則的な規定として、明示的に思想・良心の自由を保障した（新基本法コメ145頁〔佐々木弘通執筆〕参照）。

通説は、「思想」と「良心」の意味については、両者をとくに区別せずに一体として捉えているが、その内容に関して学説は二つに分かれる。A説は、

「思想及び良心」は世界観や人生観、イデオロギー、主義・主張など、個人の内面的な精神作用（内心におけるものの見方ないし考え方）を広く含むものと解するものである（内心説・広義説）（宮沢・憲法Ⅱ338頁など）。これに対して、宗教的信仰や主義・イデオロギーなどの「信条」に限定するＢ説（信条説・狭義説）（佐藤功・註釈(上)300頁、佐藤幸・憲法485頁など）が区別されてきたが、両説を機械的に区別することには疑問も提起されている（芦部・憲法学Ⅲ103-105頁）。たしかに学説によって概念規定が異なるため形式的に両説を区別することに問題があるとはいえ、良心の自由がおもに信仰の自由を意味する欧米の憲法とは異なり、日本では20条で別に信教の自由を保障していることから、あえて狭義に解してこれと重複させる必要はなく、保障対象の広いＡ説の理解が妥当であるといえよう。

19条が、「思想及び良心の自由は、これを侵してはならない」と保障することの意味には、次の三つがある。第一は、公権力が特定の思想を禁止ないし強制できないことであり、精神活動に対する国家の中立性原則が内容とされる。第二は、公権力が個人の世界観や人生観等の内心の精神作用を理由として不利益を課すことが禁止されることである。日本の終戦直後におこったレッド・パージ事件などがその例である。また、社会主義憲法が社会主義原理を否定する思想を拒んだり、ドイツ連邦共和国基本法が（ナチズムに対する反省から「闘う民主制」をめざして）「自由で民主的な基本秩序」という憲法の基本原理を否定する思想に対して憲法の保障が及ばないとしていることとの関係で問題がある。それは、民主主義や人権保障等の日本国憲法の基本原理を否定する思想・良心の自由までも保障したものか否か、という問題である。これについては、たとえ民主主義等を否定するものであっても、少なくとも内心の精神作用にとどまっている限り、それを理由に不利益は課せられないと解するのが妥当であろう。さらに第三は、個人の思想について、公権力が開示を強制し、あるいは申告を求めることは許されないことである。ここには思想についての「沈黙の自由」が含まれていると解されるため、江戸時代のキリスト教徒弾圧のための「踏絵」のように、例えば天皇制の支持・不支持に関するアンケート調査の強制等は許されない。

なお、思想・良心による不利益賦課や思想・良心の強制的開示等の禁止には、公権力によるものだけでなく、これに準じるような社会的権力によるものも含まれる。三菱樹脂事件のような、社会的権力の代表である大企業による入社時の思想調査は、特定の信条等が存立基盤となる傾向企業（傾向経営）を除き、許されない（芦部・憲法学Ⅱ297頁参照）。ほかに、労働組合法（27条の11以下）で、労働委員会が不当労働行為を行った使用者に対して陳謝を命じる権限を認めているポスト・ノーティス命令の合憲性も問題となるが、最高裁は、オリエンタルモーター事件等において、ポスト・ノーティス命令は、会社に対して陳謝の意思表明を要求することが本旨ではなく、約束文言を強調する趣旨のものであり、19条に違反しないとした（最二判1991〈平3〉. 2.22判時1393号145頁、同旨最三判1990〈平2〉. 3. 6判時1357号144頁）。この問題では、会社（法人）を思想・良心の自由の主体として議論すること自体についても疑問があるといえよう。

2　判例

思想・良心の自由の侵害が争われた訴訟には、①レッド・パージ事件、②謝罪広告事件、③麹町中学内申書事件、④君が代訴訟、⑤起立斉唱命令事件、⑥三菱樹脂事件、⑦昭和女子大事件、⑧南九州税理士会事件、⑨群馬司法書士会事件などがあるが、⑥〜⑨はすでに検討したためここでは省略する（本書120-121頁、129-131頁参照）。

①　レッド・パージ事件　　朝鮮戦争による占領軍の占領政策の変更を背景に、1950年7月18日付マッカーサー書簡の指令に基づいて共産党中央委員等が公職追放されたのに続いて、1万2000人をこえる労働者が、共産党員やその同調者であるという理由で政府機関や報道機関、民間企業などからパージ（解雇・追放）された事件である。形式的には民間企業等の責任でなされた解雇がほとんどであったため、国家権力が特定の思想を理由に不利益取扱いを行ったことの立証が困難であり、法的には憲法19条違反の問題として救済されることはなかった。この事件に関する多くの訴訟で、最高裁判例は、(a)マッカーサー書簡に基づく占領軍の指令を超憲法的法規と捉えて日本の法令の適用が排除される結果、解雇を有効とするもの（最大決1952〈昭27〉. 4. 2民集6巻4号387頁、最大決1960〈昭35〉. 4.18民集14巻6号905頁など）、(b)企業内の破壊的言動を理由とする有効な解雇であるとするもの（最三判1955〈昭30〉. 11. 22民集9巻12号1793頁）、

など種々の理由づけによって、いずれも思想信条による差別の問題として捉えることなく事件を処理した。しかし、占領下で仮に超憲法的法規が成立する余地があったとしても、占領後の判決のなかで19条違反の解雇の有効性を問題とすることはできるはずであり、また、企業の自主的な解雇であったとする場合も、すでにみた私人間効力の問題あるいは信条等による差別的取扱いを禁止した労働基準法3条の問題として解雇の有効性を審査すべき事例であったといえよう。

②　謝罪広告事件　　衆議院議員選挙に際して別の候補者の名誉を毀損したとして、裁判所から民法723条により謝罪広告を命ずる判決を受けた候補者が、謝罪の強制は思想・良心の自由の保障に反するとして争った事件である。謝罪広告は「右放送及記事は真相に相違しており、貴下の名誉を傷け御迷惑をおかけいたしました。ここに陳謝の意を表します」という内容であったが、最高裁は「単に事態の真相を告白し陳謝の意を表するに止まる程度」と解し、これを強制しても合憲であるとした（最大判1956〈昭31〉. 7. 4民集10巻7号785頁）。

この判決には、謝罪という倫理的な意思の公表を強制することは良心の自由を侵害し違憲である、という反対意見があり、学説にも判例を支持する立場（合憲説）と批判する立場（違憲説）の両者が存在する。前者は、（前記B説の限定的理解をふまえて）思想・良心には、謝罪の意思表示の基礎にある道徳的な反省とか誠実さのような事物の是非、善悪の判断などは含まないとして、（事実の存否の問題に帰着する）謝罪の強制は思想・良心の自由を必ずしも侵害するものではないとする（佐藤功・註釈(上)300頁、佐藤幸・憲法486-487頁）。これに対して、後者は、謝罪・陳謝という行為には一定の倫理的な意味があることを重視して、謝罪広告の強制は違憲になるとする（宮沢・憲法Ⅱ345頁、樋口他・注解Ⅰ384頁〔浦部執筆〕）。日本では従来から謝罪広告を判決で強制し、これは人格形成には直接関わりがないと考えられてきたとしても、「陳謝します」と言明する前提には反省や善悪の判断が伴うことが通常であり、前説の説得力には疑問がある。

③　麹町中学内申書事件　　麹町中学校の生徒が高校進学を希望したが、内申書の記載が理由で受験した全日制高校のすべての入試で不合格になったとして、国家賠償請求を提起した事件である。その内容は、「校内において麹町中全共闘を名乗り、機関紙『砦』を発行した。学校文化祭の際、粉砕を叫んで他校の生徒とともに校内に乱入し、ビラまきを行った。大学生ML派の集会に参加している」などであった。一審東京地裁判決は、内申書の分類評定が「非合理的もしくは違法な理由もしくは基準に基づいて」なされたもので、学習権を不当に侵害する違法なものであるとして慰謝料請求を認めた（1979〈昭54〉. 3. 28判時921号18頁）。二審東京高裁判決（1982〈昭57〉. 5. 19判時1041号24頁）はこれを

覆して慰謝料請求を斥けた。最高裁も、「いずれの記載も、上告人の思想、信条そのものを記載したものでないことは明らかであり、右の記載に係る外部的行為によっては上告人の思想、信条を了知し得るものではない」として憲法19条違反の主張を斥けて上告を棄却した（最二判1988〈昭63〉. 7.15判時1287号65頁）。

しかし、内申書の記載内容は生徒の政治的行動を具体的に指摘している点で、政治的思想・信条により不利益を与えることが予見されるものであり、思想・信条そのものを記載したものではないとしても、思想・信条を了知させるものだったと解されるところからすれば、最高裁の判断には疑問があろう。最高裁が学習権や教育評価権について判断しなかった点についても、学説では批判が強い（百選（第5版）Ⅰ78-79頁〔蟻川恒正執筆〕、同（第7版）76頁〔小島慎司執筆〕参照）。

④ 君が代訴訟（ピアノ伴奏事件） 公立小学校の音楽教諭が入学式の「君が代」伴奏という職務命令を拒否したことから教育委員会によって懲戒処分を受けたため、処分取消を求めて出訴したところ、一審東京地裁判決（2003〈平15〉.12. 3判時1845号135頁）も二審東京高裁判決（2004〈平16〉. 7. 7民集61巻1号457頁）も請求を棄却した。最高裁第三小法廷判決（2007〈平19〉. 2.27民集61巻1号291頁）は、上記職務命令は上告人の歴史観ないし世界観自体を否定するものとは認められず、特定の思想を強制したりこれを禁止したりするものではないことから、その目的および内容が不合理であるとはいえず、思想および良心の自由を侵すものとして憲法19条に違反するということはできない、とした。これに対して藤田宙靖裁判官の反対意見があり、信念・信条に反する行為の強制が憲法違反とならないかどうか、当該ピアノ伴奏が他者をもって代えることのできない職務の中枢をなすものかどうかは詳細な検討が必要であるとして、差戻しを主張した（本書59頁、渡辺康行後掲『「内心の自由」の法理』第2部参照）。

⑤ 起立斉唱命令事件 公立高校の校長が教諭に対して、国旗に向かって起立し国歌を斉唱することを命じた職務命令が、憲法19条に反するか否かが争われた一連の訴訟では、最高裁はいずれも合憲判断を下した（最二判2011〈平23〉. 5.30民集65巻4号1780頁、最一判2011〈平23〉. 6. 6同1855頁、最三判2011〈平23〉. 6.14同2148頁、同6.21判時2123号35頁、本書58頁参照）。とくに第二小法廷判決（2011〈平23〉年5月30日）では、起立斉唱行為は、学校の儀式的行事における「慣行上の儀礼的所作としての性質を有するもの」で、(i)同職務命令は歴史観ないし世界観自体を否定するものといえない。(ii)同職務命令は当該教諭に特定の思想を持つことを強制したり、禁止したりするものではなく、告白を強要するものでもない。(iii)上記起立斉唱行為は国旗・国歌に対する敬

意の表明の要素を含む行為であり、歴史観ないし世界観に由来する行動と異なる外部的行動を求められる面があるにしても、同職務命令は、「教育上の行事にふさわしい秩序の確保とともに当該式典の円滑な進行を図るものである」とし、「思想及び良心の自由についての間接的な制約となる面はあるものの、……総合的に較量すれば、上記の制約を許容し得る程度の必要性及び合理性が認められる」と結論づけた。他方、第一小法廷判決（2011〈平23〉年6月6日）宮川光治裁判官の反対意見は、厳格な基準によって目的と手段の関係を精査すべきことを理由に差戻しの結論を導いた。第三小法廷判決（2011〈平23〉年6月14日）では、田原睦夫裁判官の反対意見が、起立行為と斉唱行為を区別したうえで、後者の強制には「内心の核心的部分」あるいはそれに近接する外縁部分を侵害する可能性があることを指摘した（辻村他編・憲法判例130頁〔佐々木弘通執筆〕参照）。その後、2012〈平24〉年1月16日の第一小法廷判決（判時2147号139頁）は、「減給・停職は慎重に考慮する必要がある」として処分を一部取り消し、厳罰化に歯止めをかけた。この原告が再度受けた停職処分の合法性を争った訴訟で、東京高裁判決（2015〈平27〉. 5. 28判時2278号21頁）は処分を取り消した（憲法研究創刊号89頁以下〔渡辺康行執筆〕参照）。

二　信教の自由

1　意義と内容

(1)　意義

近代的人権の成立には、西欧における宗教的な圧迫や対立を克服した歴史が重大な影響を与えていた。そのため市民革命期の憲法思想では、国家は宗教的に中立であることが求められ、西欧諸国の憲法では、精神的自由権のなかでも、とくに信教の自由が重視されてきた経緯がある。

これに対して、日本では、大日本帝国憲法28条で信教の自由を定めていたが、「安寧秩序ヲ妨ケス及臣民タルノ義務ニ背カサル限ニ於テ」という（「法律の留保」とは異なる）留保が付されており、法律によらず命令によって信教の自由を制限することも許される、という解釈を導くこととなった。現実にも、「神社は宗教にあらず」とされ、神社神道が事実上の国教（国家神道）として、国から特権を受け優遇された。その反面、キリスト教や大本教など他の宗教が弾圧されたり冷遇されたりした。とくに国粋主義・軍国主義の傾向が強まるとともに、国家神道の教義がそれを鼓舞するための精神的支柱として重要な役割を果たした。第二次大戦後は、1945年12月15日に連合国軍総司令部が「国教分離の指令（神道指令）」を発して、国家と神道の分離や軍国主義・超国家主義的思想の排除などをめざし、信教の自由の確立を促した。ついで翌年1月1日には天皇の人間宣言が出されて天皇とその祖先の神格性が否定された。さらに日本国憲法20条は、個人の信教の自由を保障するとともに、国家と宗教の分離（政教分離）を明確にした。

しかし、日本の特殊性ともいえる特徴が存在する。それは、宗教の雑居性・習俗性であり、国民の冠婚葬祭時の宗教活動が複数の宗教にわたる例が多い結果、信徒総数が総人口の1.44倍になるという不思議な現象も生じている。例えば、文化庁編『宗教年鑑（令和元年版）』によれば、信徒総数〔宗教信者数〕は1億8,133万人（181,329,376人）、神道系8,722万人（48.1％）、仏教系8,434万人（46.5％）、諸教785万人（4.3％）、キリスト教系192万人（1.1％）（平成30年12月末現在）である。これは、地域のほとんどの住民が神社の氏子に数えられた結果、神道の信者が人口（約1億2,600万人）の約70％になっていることに主要な原因があるといえる。

(2)　信教の自由の内容

憲法20条1項前段は、「信教の自由は、何人に対してもこれを保障する」として個人の信教の自由を定める。信教の自由には、(a)信仰の自由、(b)信仰告白の自由、(c)宗教的行為の自由（礼拝の自由）、(d)宗教教育・宗教宣伝の自由、(e)宗教的結社の自由などが含まれる。

(a)信仰の自由とは、ある宗教を信仰する（または信仰しない）自由、信仰する宗教を選択し変更する自由を意味する。これは、個人の内心の自由であって、絶対に侵害されてはならないものである。(b)信仰告白の自由は、内心の信仰を外部に表現する自由であり、信仰の自由から当然に導かれる。また、信仰を告白しない自由、告白を強制されない自由も含まれるため、国や公権力が個人に対して信仰の告白や信仰に反する行為を強制したり、さらに、宗教団体に属するか否かなどを強制的に調査することなどは許されない。(c)宗教的行為の自由とは、信仰に基づいて、礼拝や祈祷など宗教上の祝典・儀式・行事等を任意に行う自由である。宗教的行為をしない自由、宗教的行為への参加を強制されない自由も当然に含まれる。(d)宗教教育・宗教宣伝の自由には、宗教上の教義を宣伝・普及する自由や、両親が子どもに一定の宗教教育をしたり宗教学校に進学させる自由、さらに宗教的教育を受け、または受けない自由が含まれる。(e)宗教的結社の自由とは、特定の宗教を宣伝したり共同で宗教的行為をするために、団体を結成する自由である。この自由を宗教的行為の自由に含めて解する説もあるが、宗教的な結社の自由は、憲法21条のみならず20条の信教の自由の内容として保障されていると解される。

なお、ここでいう宗教とは、通常、「超自然的、超人間的本質（すなわち絶対者、造物主、至高の存在等、なかんずく神、仏、霊等）の存在を確信し、畏敬崇拝する心情と行為」（津地鎮祭訴訟控訴審判決・名古屋高判1971〈昭46〉. 5 . 14行集22巻5号680頁）のように広い意味に解されるが、20条3項の政教分離条項にいう「宗教」は、それよりも限定されて「何らかの固有の教義体系を備えた組織的背景をもつもの」のように狭い意味に解される傾向にある（芦部・憲法161頁参照）。

2　信教の自由の限界

個人の信教の自由が不可侵のものとして保障されているといっても、制約がないわけではない。もちろん、他人の人権を侵害しえないという内在的な制約に服する。後述する加持祈祷事件判決がその例である。このことは、例えば国際人権規約（B規約）18条で、「公共の安全、公の秩序、公衆の健康若しくは道徳又は他の者の基本的な権利及び自由を保護するために必要な」制約に服すると定められることにも示される。このような制約は必要最小限度のものでなければならず、違憲審査にあたっては、「(加持祈祷事件のような）自然犯に触れるような場合を除き、規制の目的についても手段についても、厳格な基準による司法審査が必要である」（芦部・憲法学Ⅲ134頁）と解される。したがって、「公共の福祉」を理由に、積極的な制約を課すことには問題があるとしなければならず、宗教法人法が「法令に違反して、著しく公共の福祉を害すると明らかに認められる行為」をしたり、「宗教団体の目的を著しく逸脱した行為をした」宗教法人は裁判所によって解散を命ぜられることがある旨を定めていることも、必要最小限度の消極的な制約として理解すべきであろう。「オウム真理教」の事件を契機に宗教団体の規制問題が脚光をあびたが、人権保障の観点からすれば、人権保障のための規制がつねに「両刃の剣」になることを念頭においた慎重な検討が求められる。信教の自由（とりわけ宗教的行為の自由）に関するおもな判例には以下のものがある。

①　加持祈祷事件　　僧侶が加持祈祷を依頼されて護摩壇に線香をたき線香護摩による祈祷を行った際、「ど狸出ろ」等と言いつつ障害のある被害者の背中を殴るなどしたために祈祷開始の約4時間後に急性心臓麻痺で死亡させた。一審で傷害致死罪に処せられた被告人が憲法違反等を主張して控訴・上告したところ、最高裁は「〔この行為が宗教行為であっても〕憲法20条1項の信教の自由の保障の限界を逸脱したもの」として上告を棄却した（最大判1963〈昭38〉. 5.15刑集17巻4号302頁）。

②　牧会活動事件　　尼崎教会の牧師が、学校封鎖の際の建造物侵入・凶器準備集合罪等の嫌疑で警察に行方を追及されていた高校生2人を1週間教会に宿泊させて説得し警察に任意出頭させたところ、犯人蔵匿の罪で略式起訴され罰金1万円の略式命令を受けた。牧師は、魂への配慮を通じて社会に奉仕する牧会活動は牧師の職務であるとして正式裁判を請求し、神戸簡裁は、牧会が功を奏したことも考慮してこれを認め、その行為が「憲法20条の信教の自由のうち礼拝の自由にいう礼拝の一内容」をなすものとして憲法で保障された正当な業務行為であると判断した（神戸簡判1975〈昭50〉. 2.20判時768号3頁）。

③　日曜参観日訴訟　　公立小学校の日曜参観授業を、牧師である両親の主宰する日曜学校に出席するために欠席した児童2人と両親が、指導要録への欠席の記載処分の取消と損害賠償を求めて提訴した訴訟。東京地裁判決は、宗教行為に参加する児童を出席免除にすることは「公教育の宗教的中立性を保つ上で好ましいことではない」のみならず、公教育上の必要がある限り、「合理的根拠に基づくやむをえない制約として容認」されるとして、訴えを斥けた（東京地判1986〈昭61〉. 3.20行集37巻3号347頁）。この判決については、賛否両論があるが、宗教行為について欠席扱いした場合の不利益と国法上の義務の不可欠性とを比較衡量して判断を下すことが必要であり、この事例では公立学校に宗教的な寛容が求められると解すべきであろう。

④　剣道実技拒否事件　　エホバの証人という宗教の教義に基づいて必修科目の体育の剣道実技を拒否して原級留置・退学処分を受けた神戸市立工業高等専門学校の生徒が、その処分は信教の自由を侵害するものであるとして処分取消を求めて争った事件である。一審判決（神戸地判1993〈平5〉. 2.22判タ813号134頁）は、剣道に代替する措置をとると「公教育の宗教的中立性に抵触するおそれがある」として請求を棄却した（ほかに原級留置処分の執行停止を求めた訴

訟でも、同旨の判示がなされた)。しかし、控訴審判決(大阪高判1994〈平6〉.12.22行集45巻12号2069頁)と同様、上告審判決は、学校側の措置は「社会観念上著しく妥当を欠く処分」であり「裁量権の範囲を超える違法なもの」であると判示した(最二判1996〈平8〉.3.8民集50巻3号469頁)。その理由は、「剣道実技の履修が必須のものとまではいい難く、体育科目による教育目的の達成は、他の体育種目の履修などの代替的方法」によっても性質上可能であること、学生の剣道実技拒否の理由は「信仰の核心部分と密接に関係する真しなもの」でその不利益(原級留置、退学処分)はきわめて大きいこと、代替措置をとっても「その目的において宗教的意義を有し、特定の宗教を援助、助長、促進する効果を有するものということはできず、他の宗教者又は無宗教者に圧迫、干渉を加える効果があるともいえない」こと、「当事者の説明する宗教上の信条と履修拒否との合理的関連性が認められるかどうかを確認する程度の調査」は、「公教育の宗教的中立性に反するとはいえない」ことなどである。この場合にも、個人の宗教的行為に対する制約が必要最小限度のものでなければならないという前提にたてば、最高裁の見解が妥当といえよう。なお、本件は、③と同様に公教育の宗教的中立性をめぐる重要な問題を含んでいるが、代替措置に関して政教分離原則との関係も論点になっている(目的効果基準につき、本書188頁以下参照)。

⑤ オウム真理教事件　1995年3月、猛毒ガスのサリンを組織的に生成し地下鉄内で散布して多数の死傷者を出したオウム真理教が、宗教法人法81条に定める「法令に違反して、著しく公共の福祉を害すると明らかに認められる行為」および「宗教団体の目的を著しく逸脱した行為」を行ったとして、裁判所により宗教法人の解散命令を下された。その抗告棄却決定に対する特別抗告事件で、最高裁は、解散命令の制度は「専ら宗教法人の世俗的側面を対象とし、かつ、専ら世俗的目的によるものであって、宗教団体や信者の精神的・宗教的側面に容かいする意図によるものではなく、その制度の目的も合理的である」として本件解散命令を合法とし、即時抗告を棄却した原決定が憲法20条1項に反しないとした(最一決1996〈平8〉.1.30民集50巻1号199頁)。

3 政教分離の原則

(1) 意義

憲法20条1項は、後段で「いかなる宗教団体も、国から特権を受け、又は政治上の権力を行使してはならない」と定め、3項は「国及びその機関は、宗教教育その他いかなる宗教的活動もしてはならない」と定めて国家と宗教の分離を求めている。この規定の保障内容は、国家が宗教とかかわりをもつことがないように、(i)宗教団体が国から特権を受けたり、政治的権力を「付与」されたりすることを禁止し、(ii)国や地方公共団体などの機関が宗教教育や宗教活動等を行うことを禁止することである。ここでいう宗教団体とは、宗教法人法にいう宗教団体よりは広く、宗教的礼拝ないし宣伝を目的とするすべての団体、のように解し、宗教教育等の内容も広く解するのが通説である。宗教団体と国およびその機関の両面からの政教分離に加えて、憲法は、89条で公の財産の支出や利用を制限することで、それを徹底させている。

このような保障の目的については、(A)政府を破壊から救い、宗教を堕落から免れしめることと、(B)国家の宗教的中立性を確保し、ひいては個人の信教の自由を保障すること、をあげることができる。このうち(A)を重視する見解は個人の信教の自由とは切り離して政教分離に独自の価値を認めようとするもので、分離の程度（厳格度）についての絶対的分離説に連結するが、(B)のように捉える通説・判例では、個人の信教の自由が害されなければ政教分離が緩やかでもよいと解することによって相対的分離説と結びつく傾向が強い。

また、政教分離の法的性格について、判例や従来の通説は、特定の個人の主観的権利ではなく、国家と宗教を分離するという客観的制度であるとしていわゆる制度的保障の規定と解してきた（後述の津地鎮祭判決でも、「国家と宗教との分離を制度として保障することにより、間接的に信教の自由の保障を確保しようとするもの」と判示している）。これに対して、制度的保障論は人権制約を許容する理論である等の理由から制度的保障論の導入に反対し、政教分離自体に宗教の自由を補完する主観的権利としての性格を認めたり、あるいは、「政教分離は信教の自由の一内容をなすもの」（樋口他・注解 I 401頁〔浦部法穂執筆〕）、「信教の自由の確立にとっての『必須の前提』」（浦部・教室148頁）であるとする見解が有力に主張されている。

政教分離原則は個人の人権保障と密接な関係をもっており、個人の信教の自由を保障するための原則と解することが妥当であるが、これによって緩やかな分離を正当化することは憲法の趣旨ではないといわざるをえない。また、政教分離自体を人権（主観的権利）とする場合も、どのような権利でどのように救済されるものかが明らかでない。したがって、政教分離を制度的保障として説明する従来の議論を批判的に再検討し、信教の自由を保障するために不可欠な憲法上の原則と解しつつ、厳格分離を導く解釈が妥当と思われる（制度的保障論への疑問については、本書101-102頁参照、赤坂・講義124頁参照）。

なお、政教分離については、歴史的に諸国が宗教に対して構築してきた関係によって、各国でその形態が異なっている。西欧諸国の主要な形態には、(a)国教制度を建前とする一方で、国教以外の宗教にも宗教的寛容を認める型（イギリス）、(b)国家と宗教とを緩やかに分離し、国家の中立性を保障しつつ、国内で優勢な宗教を尊重する型（フランス、ベルギー、スイスなど）、(c)国家と宗教とを厳格に分離し、相互に干渉しないことを原則とする型（アメリカ、メキシコなど）、(d)国家と宗教団体とを分離させる反面、国家と教会の独立性を認めて競合する事項については政教条約（コンコルダート）を結んで処理しようとする型（イタリア、ドイツなど）が存在する。日本国憲法は、形式的には(c)の厳格分離型に属するが、後に判例についてみるその実態には、実現の困難さが示されている。このほか、国教ないし特定宗教の優位を公認するアジア・アフリカ諸国型や、無神論を前提とした旧ソ連型などがある（辻村・比較憲法83頁以下参照）。

(2)　政教分離の基準と限界

日本国憲法の政教分離が厳格分離型に属するとしても、国家と宗教とのかかわり合いを完全に排することを求める趣旨であるかどうかが問題となる。現代では、宗教団体に対して他の団体と平等に社会的給付を与えたり、宗教団体を母体とする私立学校にも補助金を交付したりする必要が生じているからである。そこで、政教分離の基準が問題になるが、アメリカでは、レーモン・テストと呼ばれる判例法理が確立されてきた。それは、当該国家行為について、第一に、世俗的目的をもつかどうか、第二に、その主要な効果が、宗教を促進したり抑圧したりしないかどうか、第三に、宗教との過度のかかわり合いをもたらさないかどうか、という三つの要件を検討し、すべての要件をみたさない限り、政教分離原則違反（違憲）と判断するものである。

日本の判例でも、アメリカの判例理論に依拠して「目的・効果基準」論を採用し、当該行為が憲法20条３項で禁止される「宗教的活動」にあたるか否かを判定する際の基準として、(i)その行為の目的が宗教的意義をもち、(ii)その効果が宗教に対する援助、助長、促進または圧迫、干渉等になるような行為であるか、を審査する基準を確立してきた（後掲①津地鎮祭訴訟最高裁判決参照）。しかし、この基準では、アメリカの判例のいう「過度のかかわり合い」

の基準は採用されておらず、アメリカに比して、緩やかな分離を正当化するために機能しうることが危惧された。例えば、津地鎮祭訴訟最高裁判決のように、行為者の主観的な宗教的意識まで含めて考慮要素を広範に捉えつつ20条３項の「宗教的活動」の範囲を狭く解することで、政教分離原則を空文化するに等しい効果ももたらしうるからである。しかしその後、愛媛玉串料訴訟最高裁判決（後掲⑤）のように、この「目的・効果基準」を厳密に適用することで違憲判断を導いた判決が出現し、今後の判例と運用の展開が注目された。愛媛玉串料判決以後は、「宗教とのかかわり合いの程度が、我が国の社会的・文化的諸条件に照らし相当とされる限度を超えるか否か」という判断基準を明示している（後掲⑥⑧⑩判決参照）が、これは上記のレーモン・テストを考慮したものと思われる。

もっとも、アメリカでは、判例理論が1990年代以降変化し、エンドースメント（endorsement 是認）・テストといわれる基準が用いられた。これは、目的審査について、政府の行為がある宗教を是認または否認のメッセージを伝える意図をもつかどうか、また、効果について、政府の行為が事実上宗教を是認または否認する効果を持つかどうかを問題として、いずれかが肯定されれば政府の行為が違憲となるというものである（芦部・憲法166頁参照）。

日本の学説では、アメリカの目的・効果基準論の厳密な適用を条件として、判例理論を肯定的に解するものが多数説であるといえる（芦部・憲法学Ⅲ182頁など）。これに対して、「目的・効果基準」論を用いることに批判的な立場として、国家行為の種類によって部分的に適用を排除する見解（阪本・憲法理論Ⅱ355頁、浦部・教室152頁）や「目的・効果基準」以外の基準を主張する見解がある（争点・112-113頁〔小泉洋一執筆〕）。次にみる諸判決のように、同じ「目的・効果基準」を採用しても異なる結論が導かれることから、その有効性を再検討し、（愛媛玉串料訴訟最高裁判決の高橋・尾崎裁判官の意見のように）厳格分離説からの基準論の構築を模索することが、今後の理論的課題であるといえよう。

この点で、最高裁の違憲判決として注目された砂川政教分離（空知太神社）訴訟（最大判2010〈平22〉. 1 .20民集64巻１号１頁）では、憲法20条３項ではなく憲法89条および20条１項後段（宗教団体に対する特権の付与）として論じてこの基準に言及しなかったことが重要である（後掲⑧判決、本書483頁参照）。また、市長が神社の大祭奉賛会の発会式で祝辞を述べる行為が政教分離にはあたらないかが問題となった白山比咩神社訴訟では、名古屋高裁金沢支部判決（2008〈平20〉. 4. 7判時2006号53頁）は「目的・効果基準」を用いて違憲判決を下したのに対して、最高裁は社会的儀礼の範囲内であることを理由に合憲判断をしている（最一判2010〈平22〉. 7. 22判時2087号26頁）（後掲⑨判決）。

とくに、前者の藤田補足意見では、従来の「目的・効果基準」は、宗教性と世俗性が同居して、その優劣が微妙であるときに機能してきたのであって、明確に宗教性のみを持った行為についてではなかったことを指摘しており、最高裁におけるこの基準の意義を理解する上で、示唆に富むものといえる。

(3)　判例

①　津地鎮祭訴訟　　1965年に三重県津市が市体育館の建設にあたって神式の地鎮祭を挙行し、それに公金を支出したことが憲法20条・89条に反するとして住民が地方自治法242条の2に基づいて損害補填を求めて出訴した事件である。一審判決（津地判1967〈昭42〉. 3. 16行集18巻3号246頁）は地鎮祭を習俗的行事と解して請求を棄却したが、二審判決（名古屋高判1971〈昭46〉. 5. 14行集22巻5号680頁）は、習俗的行事と宗教的行事との区別の三基準（(i)主宰者が宗教家か、(ii)順序作法が宗教界で定められたものか、(iii)一般人に違和感なく受容される程度に普遍的か）に照らして、神式地鎮祭が宗教的行事にあたるとして違憲判決を下した。最高裁は二審の上告人敗訴部分を破棄自判し、住民側の請求を棄却した。判旨は、「政教分離原則はいわゆる制度的保障の規定であって……国家と宗教との分離を制度として保障することにより、間接的に信教の自由の保障を確保しようとするものである」。「政教分離規定の保障の対象となる国家と宗教との分離にもおのずから一定の限界がある」として分離を緩やかに解した。さらに、目的・効果基準を示して憲法20条3項により禁止される「宗教的活動」とは、宗教とのかかわり合いがわが国の社会的・文化的諸条件に照らし信教の自由の保障という制度の根本目的との関係で相当とされる限度をこえるもの、すなわち「当該行為の目的が宗教的意義をもち、その効果が宗教に対する援助、助長、促進又は圧迫、干渉等になるような行為」に限られるとして、神式地鎮祭はその目的も世俗的で、効果も神道を援助、助長し、または、他の宗教に圧迫、干渉を加えるものでないから、宗教的行事とはいえず、政教分離原則に反しないとした（最大判1977〈昭52〉. 7. 13民集31巻4号533頁）。しかし、最高裁長官（藤林裁判官）を含む5人の裁判官の反対意見は、政教分離を厳格に解して神官という宗教家が神式の作法によって行った儀式は宗教的活動にあたり違憲であると判断した

（百選I（第6版）98頁〔大石眞執筆〕参照）。

②　自衛官合祀訴訟　　殉職した自衛官を社団法人隊友会山口県支部連合会と自衛隊山口県地方連絡部（地連）が共同して山口県護国神社に合祀申請した行為に対して、これを拒んでいたクリスチャンの妻が政教分離原則や宗教的人格利益が侵害されたとして提訴した事件である。一審山口地裁判決（1979〈昭54〉.3.22判時921号44頁）は、合祀申請行為を隊友会と地連の共同行為と認め、神社の宗教を助長・促進する宗教的活動にあたり、かつ、配偶者の死に関する妻の宗教上の人格権を侵害する違法な行為であると判断した。二審広島高裁判決（1982〈昭57〉.6.1判時1046号3頁）も、国に対する請求については原審判決を維持したが、隊友会については被告適格がないとして請求を却下した。

最高裁は、国に100万円の支払いを命じた一・二審を破棄して原告の全面敗訴とした。判旨は、合祀申請が隊友会の単独行為であると認定し、「本件合祀申請に至る過程において、……地連職員の行為は、……国又はその機関として特定の宗教への関心を呼び起こし、あるいはこれを援助、助長、促進し、又は他の宗教に圧迫、干渉を加えるような効果をもつものと一般人から評価される行為とは認め難い」と述べて憲法20条3項の宗教的活動にあたらないとして政教分離原則違反を否定した。そのうえで「原審が宗教上の人格権であるとする静謐な宗教的環境の下で信仰生活を送るべき利益なるものは、これを直ちに法的利益として認めることができない性質のものである」として宗教的人格権を否定した。伊藤反対意見は、宗教上の心の静穏の要求も法的利益であるとし、少数者保護の視点が必要であることを指摘したが、多数意見は、護国神社の宗教的活動を保護する視点から宗教的寛容を説いた（最大判1988〈昭63〉.6.1民集42巻5号277頁）。この点で社会的権力による個人の権利侵害の場合の少数者保護の問題が残ったほか、法律審である最高裁が事実認定をみずから覆した点や、私人の単独行為とした以上は20条3項の問題ではなかったのではないかなど、最高裁判決に対する疑問や批判が続いた（石村他編・憲法判例306頁〔芹沢斉執筆〕参照）。

③　箕面忠魂碑訴訟　　戦前、軍国主義の発揚のために各地に国家神道の一施設として建立された忠魂碑に対する地方自治体の補助金支出等が問題になった一連の訴訟である。まず、大阪府箕面市が、小学校増改築のために遺族会所有の忠魂碑を公費で移転・再建し、市有地を遺族会に無償貸与したことに対して、政教分離原則に反するとして住民訴訟が提起された。一審大阪地裁判決（1982〈昭57〉.3.24判時1036号20頁）は、忠魂碑は宗教的施設であり、目的・効果基準に照らして違憲であると判示して請求を一部認容した。また、遺族会主宰の慰霊祭に教育長らが出席したことが政教分離に違反するか否かが問題になった別

の慰霊祭訴訟の一審大阪地裁判決（1983〈昭58〉．3．1行集34巻3号358頁）では、参列は私的行為であって参列した時間分の給与は不当利得として返還する義務を負うと判断されたが、二審大阪高裁判決（1987〈昭62〉．7．16行集38巻6・7号561頁）ではこの判断は全面的に覆された。最高裁も、忠魂碑は宗教的施設ではなく、遺族会も20条3項等の宗教団体ではないうえに、慰霊祭参列行為も社会的儀礼行為であって同条の宗教的活動にあたらないとして二審を支持した（最三判1993〈平5〉．2．16民集47巻3号1687頁）。ここでは相対的分離説、制度的保障説を基礎に目的・効果基準が適用されたが、地方公務員が慰霊祭に出席して玉串奉呈等の行為をすることを簡単に社会的儀礼とみなしたことは疑問であろう。

④　岩手靖国訴訟　　岩手県議会が支出した靖国神社玉串料について、憲法20条3項、89条違反が問題となった訴訟で、一審判決（盛岡地判1987〈昭62〉．3．5行集38巻2・3号166頁）は、戦没者慰霊のための社交的儀礼としてなされた贈与であり宗教的行為ではないとして政教分離違反ではないとした。二審仙台高裁判決（1991〈平3〉．1．10行集42巻1号1頁）は、「玉串料等の奉納は宗教性の濃厚なものであるうえ、その効果にかんがみると、特定の宗教団体への関心を呼び起こし、かつ靖国神社の宗教活動を援助するもの」と認められ政教分離に反すると判断した。また、天皇や内閣総理大臣の公式参拝も「相当とされる限度を超える国と靖国神社との宗教上のかかわり合い」をもたらし、憲法20条3項で禁止される行為であるためこれを求める県議会の公式参拝要望決議も違法だと判断した。もっとも県議会側は判決文では勝訴していたため、上告および特別抗告は利益を欠くものとして不適法とされた（最二決1991〈平3〉．9．24）。

⑤　愛媛玉串料訴訟　　愛媛県知事が在職中の1981年から86年の間に、靖国神社と県護国神社に対して玉串料・献灯料（13回分7万6千円）と供物料（9回分9万円）を公金から支出したことの違憲性を争った住民訴訟である。一審判決（松山地判1989〈平元〉．3．17行集40巻3号188頁）は、「その目的が宗教的意義をもつことを否定できないばかりでなく」、本件支出は「県と靖国神社との結びつきに関する象徴としての役割を果たしており、県護国神社の宗教活動を援助、助長、促進する効果を有する」ので、「わが国の文化的・社会的諸条件に照らして考えるとき、もはや相当とされる限度を超え」違憲である旨判示した。二審高松高裁判決（1992〈平4〉．5．12行集43巻5号717頁）は、玉串料の支出は「神道の深い宗教心に基づくものではなく」、その額も「社会的な儀礼の程度」であるとして、目的・効果基準に照らして合憲と判断した。

しかし、最高裁大法廷は、1997〈平9〉年4月2日、精神的自由の領域では最初の画期的な違憲判決を下した（民集51巻4号1673頁、百選Ⅰ98頁〔岡田信弘執筆〕

参照)。多数意見は、政教分離原則について従来の相対的分離説を維持し、目的・効果基準を採用しつつ、玉串料・献灯料・供物料の奉納は慣習化した社会的儀礼にはとどまらず、「その目的が宗教的意義を持つことを免れず、その効果が特定の宗教に対する援助、助長、促進になると認めるべきであり、これによってもたらされる県と靖国神社等とのかかわり合いが我が国の社会的・文化的諸条件に照らし相当とされる限度を超えるもの」として違憲判断を下したものである。これまでの地鎮祭判決や忠魂碑判決と比較した場合にも、公金支出の対象である靖国神社と護国神社が明白な宗教施設であること、行為についても(社会慣習との区別が曖昧な地鎮祭とは異なって）明白に宗教的意義をもつ玉串料・献灯料の奉納であること、さらにこのような公金支出行為は提訴当時では愛媛県を含めて7県と少数であったなどの諸条件を考慮すれば、従来の最高裁の審査基準の枠内でも違憲判断の結果は妥当なものであったといえる。

このほか、反対意見を述べた2人の裁判官（とくに可部反対意見）は、支出額が低額であったことや全国戦没者慰霊祭の供花料支出との関連などを指摘して、目的・効果基準および多数意見が示した考慮要素［(i)当該行為の行われる場所、(ii)当該行為に対する一般人の宗教的評価、(iii)当該行為者の意図・目的・宗教的意識等、(iv)当該行為の一般人に与える効果・影響の4点］に照らして、当該行為と宗教とのかかわり合いが「相当と認められる限度を超える」とした多数意見の判断を批判し、本件行為を合憲とした。また、結論においては多数意見と同様に違憲とした3人の裁判官のうち、高橋・尾崎両裁判官は、完全（厳格）分離説を妥当とする立場から、目的・効果基準の曖昧さ・明確性の欠如を指摘し、その基準論の採用を疑問とする見解を明らかにした。さらに園部裁判官の意見は、靖国神社と護国神社を宗教団体と捉える立場から、憲法20条3項との関係に一切言及せずに89条の問題とした。そこでは前記忠魂碑判決における園部意見との関係や89条違反とならない公金支出の範囲などについて、理論的な課題が残されており、学説・判例の理論展開が注目された。

⑥　大嘗祭参列違憲訴訟　　大嘗祭は、「天皇が皇祖及び天神地祇に対して安寧と五穀豊穣を祈念する儀式」であり、7世紀以降、皇位継承の際に行われてきた皇室行事である。昭和天皇からの天皇の代替わりの際に、三権の長や国務大臣とともに地方公共団体の首長・県会議長等も参列した。本件は、1990年11月に皇居で行われた大嘗祭に鹿児島県知事が列席し、公費75,000円を支出したことに対して、地方自治法に基づいて住民が提訴した住民訴訟である。ここでは、知事の行為が憲法20条3項の宗教的行為にあたると主張されたが、最高裁は、「参列の目的は、……天皇に対する社会的儀礼を尽くすものであり、その効果も、

特定の宗教に対する援助、助長、促進又は圧迫、干渉等になるようなものではない……。宗教とのかかわりあいの程度が我が国の文化的・社会的諸条件に照らし、……相当とされる限度を超えるものとは認められず、……政教分離規定に違反するものではない」と判示した（最一判2002〈平14〉．７．11民集56巻６号1204頁、百選Ⅰ100頁〔佐々木弘通執筆〕参照）。このほか、抜穂の儀違憲訴訟判決（最三判2002〈平14〉．７．９判時1799号101頁）も、いずれも愛媛玉串料判決の基準を踏襲して合憲判断を下した。

なお、2019年11月14-15日に新天皇の即位儀式として大嘗祭が行われたときは、国事行為ではなく皇室行事として実施され、宮廷費24億円が支出された（国費支出差止訴訟につき、本書49-50頁参照）。

⑦　首相の靖国神社参拝違憲訴訟　　靖国神社への公式参拝については、従来の政府見解では、政教分離原則に従って、(i)公用車を用いない、(ii)公務員を随行させない、(iii)記帳の際に肩書を用いない、(iv)玉串料は公費で払わないなどの原則を定めていた。しかし1985年８月15日に中曽根康弘首相が従来の政府見解を変更して靖国神社に国の機関として公式に参拝し、供花代金として３万円の公費を支出したため、キリスト教信者等が原告となって宗教的人格権侵害等を理由に損害賠償・慰謝料を求めて提訴した。この事件では、二審判決（福岡高判1992〈平４〉．２．28判時1426号85頁）が、宗教的人格権等は具体的な権利・法的利益ではなく、また本件は信教の自由の侵害にあたらないとしつつも、一方で、公式参拝が制度的に継続して行われれば、神道式によらない参拝でも、靖国神社に「援助、助長、促進」の効果をもたらすとして違憲の疑いを指摘した。また、別の靖国公式参拝訴訟で、大阪高裁判決（1992〈平４〉．７．30判時1434号38頁）は具体的な権利侵害はないとしつつも、傍論で、靖国神社は宗教団体であり、公式参拝は外形的・客観的には宗教的活動の性格をもち、儀礼的・習俗的とはいえないなどの諸事実を総合判断すれば違憲の疑いが強い、と判示した。

その後、小泉純一郎首相が2001年に行った靖国神社参拝（公用車を使用し「内閣総理大臣小泉純一郎」と記帳したが、献花料は私費支払）について、戦没者遺族らが精神的苦痛を被ったことを理由に損害賠償を請求した（大阪第一次訴訟）。各地で訴訟が提起され、福岡地裁判決（2004〈平16〉．４．７判時1859号125頁）・大阪高裁判決（大阪第二次訴訟（2005〈平17〉．９．30訟月52巻９号2979頁））では傍論で違憲の判断を示した。しかし、上記大阪第一次訴訟では、一審（大阪地判2004〈平16〉．２．27判時1859号76頁）・二審（大阪高判2005〈平17〉．７．26訟月52巻９号2955頁）に続いて、最高裁第二小法廷は「神社参拝行為は他人の信仰生活等に対して圧迫・干渉を加えるような性質のものではないから……損害賠償の対象となり得るような法的利益の侵害があるとはいえない」として上告を棄却した（最二判2006〈平18〉. 6 . 23判時1940号122頁）。

⑧　砂川政教分離（空知太神社）訴訟　　北海道砂川市が所有する集会所内の空知太（そらちぶと）神社〔以下、神社施設〕に、市の所有地を無償で提供することが違法であるとして、住民らが地方自治法242条の２第１項にもとづいて提訴した違法確認訴訟である。一審（札幌地判2006〈平18〉. 3 . 3民集64巻１号89頁）、二審（札幌高判2007〈平19〉. 6 . 26民集64巻１号119頁）はともに、本件利用提供行為は憲法20条３項の宗教的活動に当たり、20条１項後段、89条の政教分離原則の精神にも反することを認容した。これに対して、最高裁（最大判2010〈平22〉. 1 . 20民集64巻１号１頁）では、本件神社施設が氏子集団によって管理運営されていること、この集団は憲法89条の「宗教上の組織もしくは団体」に当たることから、憲法89条ひいては20条１項後段の特権付与禁止規定に反するとして、違憲を認定した。そのうえで、違憲性を解消する手段の存否等について審理を尽くす必要があるとして、高裁に差し戻した。判決後に、当事者間で敷地の有償貸与の方向で解決が協議されたため、差戻審の札幌高裁（2010〈平22〉. 12. 6民集66巻２号702頁）では、被控訴人らの請求をいずれも棄却した（差戻上告審最一判2012〈平24〉. 2 . 16民集66巻２号673頁）。ここでは氏子集団の信教の自由を重視して最終的に違憲状態の解消を図り、新たな先例を形成した（樋口他・憲法判例第７章〔蟻川執筆〕、辻村他編・憲法判例142頁〔佐藤雄一郎執筆〕参照）。

なお、本最高裁判決と同日の富平神社訴訟判決（最大判2010〈平22〉. 1 . 20民集64巻１号128頁）では、町内会に無償提供していた市有地を譲与したことは上記の解決方法として合憲であるとした（百選Ⅰ104頁〔長谷部執筆〕、本書483頁参照）。

⑨　白山比咩神社訴訟　　石川県白山（はくさん）市に所在する宗教法人白山比咩（しらやまひめ）神社の御鎮座二千百年弐年大祭のための大祭奉賛会〔神社の外郭団体〕が設立され、その発会式に同市市長が出席して祝辞を述べた行為に対して、地方自治法242条の２第１項４号にもとづく住民訴訟が提起された。一審（金沢地判2007〈平19〉. 6 . 25判時2006号61頁）は「社会的儀礼の範囲内」であるとして請求棄却し、控訴審（名古屋高金沢支判2008〈平20〉. 4 . 7判時2006号53頁）は目的効果基準を用いて違憲判決を下した（重判平成21年度〔佐々木弘通執筆〕参照）。最高裁は、空知太神社訴訟もふまえて、同基準に言及せず、「宗教的色彩を帯びない儀礼的行為の範囲にとどまる」として「宗教との関わり合いの程度」からして憲法の政教分離規定に反しないとした（最一判2010〈平22〉. 7 . 22判時2087号26頁、重判平成22年度17-18頁〔西村枝美執筆〕参照）。

⑩　孔子廟政教分離訴訟　　儒教の祖である孔子を祀った廟の敷地使用料を全額免除した那覇市長の処分の取消を求めた住民訴訟で、最高裁大法廷は2021〈令3〉年2月24日、「市と宗教との関わり合いが……相当とされる限度を超え……憲法20条3項の禁止する宗教的活動に該当する」ため、20条1項、89条違反を判断するまでもなく違憲であるという判決を下した（林裁判官の反対意見を除き全員一致の住民勝訴判決。裁判所ウェブサイト参照）。

三　表現の自由

1　意義と現代的展開

⑴　表現の自由の「優越的地位」をめぐる議論

憲法21条1項は「集会、結社及び言論、出版その他一切の表現の自由は、これを保障する」と定める。表現の自由とは、思想や信仰など内心における精神作用を外部に公表する精神活動の自由である。精神的自由権は内心の思想等を外部に表現し伝達することではじめて真価を発揮することができる点で、表現の自由は、精神的自由権のなかでも非常に重要な権利である。表現の自由の意義もしくは保障目的は、通常次の二つの面で捉えられる。一つは、言論活動を通じて自己の人格を発展させるという個人的な意義（自己実現の価値）であり、もう一つは、国民主権・民主主義の原理のもとで国民が政治に参加し民主的な政治を実現するという社会的な意義（自己統治の価値）である（芦部・憲法180頁、芦部・憲法学Ⅲ248頁以下参照。この見解は、トーマス・エマソン（Tomas Emerson）が指摘した四つの価値――①個人の自己充足、②知識の伸長と真理の発見、③決断形成への市民参加、④安定と変化との均衡――を集約したものである）。

アメリカ憲法判例理論およびそれに依拠する芦部説等の憲法学説によって、表現の自由の個人的意義（「自己実現」論と「自律」論）、および社会的意義（「自己統治」論と「思想の自由市場」論）を主な理由として、表現の自由に「優越的地位」を与えることが正当化されてきた（「積極的議論」）。これに対して「表現の自由は、他の行為に比べて政府の規制を受けやすい、あるいは表現の自由の規制には固有の危険性があるがゆえに表現の自由は特別に保護されるべきだと説く」「消極的議論」（日本では浦部・教室159頁など）もある。積極的正当化と消極的正当化を組み合わせる議論もあり、表現の自由を公共財（public goods）として位置付けることも行われている（長谷部・憲法204頁、毛利後掲『表現の自由』284頁参照)。もっとも、「二重の基準」論と併せて表現の自由の優越的地位を認める傾向があることから、この議論に対する疑問や批判も生じていることは、本書135-136頁でも指摘したとおりである。ここでは、①優越的地位論は「二重の基準」の言い換えにすぎないのか（「二重の基準」論における精神的自由の優越性と同義なのか、優越的地位をもつのは表現の自由なのか精神的自由全体なのか)、②表現の自由自体に（「二重の基準」論とは別に）優越的地位があるのか、あらゆる表現行為に優越的地位があるのか、などの多くの疑問が提起されることになり、さらに検討を要することになる（阪口正二郎「表現の自由の『優越的地位』論と厳格審査の行方」駒村＝鈴木編著後掲『表現の自由Ｉ』558頁以下参照)。

⑵　近現代における表現の自由の展開

表現の自由は、18世紀末に近代憲法原理として確立されて以来、民主政治との関係で民主主義にとって不可欠の権利として捉えられてきた。

例えば、ヴァージニア権利宣言12条（1776年）では、「言論・出版の自由は自由の有力なる防塞の一つであって、これを制限するものは専制的政府といわなければならない」と定め、合衆国憲法第１修正（1791年）で、連邦議会が言論・出版を制限し、集会等を侵害する法律を制定してはならないことを定めた。また、フランス人権宣言10条（1789年）では、「思想および意見の自由な伝達は人の最も貴重な権利の一つである」として、個人の自然権としての性格を確認していた。

このような近代の表現の自由は、思想・情報を外部に公表するという「送り手の自由」として保障されたが、19世紀後半以降の大衆社会化に伴って、表現の過激主義や暴露主義が問題となり、その規制の必要が生じて新たな緊張関係が発生した。アメリカの判例理論では、「真理の最上のテストは、市場の競争において自らを容認させる思想の力である」とする1919年のホームズ判事の反対意見以後、いわゆる「思想の自由市場」（free market of ideas）論が主流となったのに対して、しだいに、世論形成や自由な市場での国家の役割が問題となった。すなわち、情報化の進んだ現代社会では、社会的に大きな影響力をもつマス・メディアの発達によって、情報の送り手であるマス・メディアと情報の受け手との分離がおこり、表現の自由を、情報の受け手の側から「受け手の自由」として再構成することが求められるようになった。

そこで表現の自由は、世界人権宣言19条にも定められるように「干渉を受けることなく自己の意見をもつ自由」と「情報及び思想を求め、受け、及び伝える自由を含む」ものと解されるようになり、情報を求める権利としての「知る権利」や、情報に積極的にアクセスする権利（アクセス権 the right to access）などが主張されるようになった。

(3)「知る権利」とアクセス権

「知る権利」は、国家権力への情報集中やマス・メディアによる情報独占傾向に対して、国民の側が国民主権原理や個人の尊重、思想・信条の自由、表現の自由などを根拠に主張するもので、自由権的性格や請求権的性格、参政権的性格をもつものと解されている。学説の多くは情報開示請求権としての「知る権利」を認めており（奥平康弘『知る権利』岩波書店、1979年など）、自由権としての側面と請求権としての側面を併有する複合的性格の権利として捉えている。参政権的性格についても、このような権利の社会的機能として理解することで、個人権的要素を基盤としつつ、機能的には民主主義的要素に重点がある権利であると解している（芦部・憲法学Ⅲ268頁）。ただし、この権利の主体を国民と解する場合も、集団ではなく個人の権利（選挙権者等に限らず未成年者等も含む）として捉えるべきであり、国民主権原理を根拠として参政権的性格を導く場合にも、選挙権等とは主体を異にすることなど、権利の構造論にはさらに検討を深める必要があろう。さらに、通説に対する批判論が指摘したように、自由権としての表現の自由から請求権的性格を導き出す場合の論理や、国際的動向を踏まえた現代的意義（争点132頁〔田島泰彦執筆〕）についても一層の理論化が求められる。なお、判例では、博多駅テレビフィルム提出命令事件（本書210頁）で、最高裁が報道の自由との関係で「知る権利」に言及した後、しだいに情報開示請求権の根拠として認められるようになった（最一決2009〈平21〉. 1 . 15民集63巻 1 号46頁、泉・宮川裁判官補足意見など。辻村編・憲法研究第 6 号特集「知る権利」と「安全」55頁以下〔三宅弘執筆〕参照）。

今日の情報公開法制定の動向や情報公開条例制定の動向などは、公権力に対する作為を求める点で、「知る権利」の請求権的性格を重視したものといえるが、情報公開請求権は抽象的権利であるためこれを具体化するための立法が必要であると解されてきた。そこで、情報公開法の法制化が問題となり、行政改革委員会の行政情報公開部会が1996年に公表した情報公開法要綱案をもとに、1999年5月に「行政機関の保有する情報の公開に関する法律」（平成11年法律42号）が制定された。しかしこの法律には、「知る権利」が明示されていないこと、不開示情報について広範な行政裁量が認められていること、対象が行政機関に限られ国会・裁判所等は除外されていることなど、幾多の限界を伴っていた。その後、2003年に民間事業者が保有する「個人情報の保護に関する法律」（平成15年法律57号）が制定され、その際に、「行政機関の保有する電子計算処理に係る個人情報の保護に関する法律」が全面改訂されて「行政機関の保有する個人情報の保護に関する法律」（平成15年法律58号）となった。

2013年には、第二次安倍政権下で、安全保障に関して「特に秘匿を要するもの」を指定できるようにするため、「特定秘密の保護に関する法律」が制定された（平成25年法律108号）。同法22条1項では「この法律の適用に当たっては、……国民の知る権利の保障に資する報道又は取材の自由に十分配慮しなければならない」として「知る権利」が明記された。

アメリカでは、学校図書館による図書選定や芸術支援などの政府の介入が、政府言論（Government Speech）とみなされて、「知る権利」との関係が議論されてきた（蟻川恒正「政府と言論」ジュリスト1244号参照）。日本では、富山県立近代美術館を舞台とした天皇コラージュ事件や公立図書館における図書廃棄事件が問題となった。

①　天皇コラージュ事件　　富山県立近代美術館が天皇のコラージュ作品を売却したことに対して、作者の表現の自由や住民らの「知る権利」の侵害にあたるとして作者と住民が提訴した事件である（本書56-57頁参照）。一審（富山地判1998〈平10〉.12.16判時1699号120頁）は、「知る権利」侵害を理由に県に損害賠償を認めた。二審名古屋高裁金沢支部判決（2000〈平12〉.2.16判時1726号111頁）は、美術品の特別観覧に係る条例等の規定を「知る権利」を具体化する趣旨の規定と解することは困難だが、地方自治法244条2項の定める正当な理由がない限り特別観覧許可申請を拒んではならないと解しつつ、美術館長の裁量を認めて富山県敗訴部分を取り消し、最高裁も上告を棄却した（最二決2000〈平12〉.10.27判例集未登載）。

②　公立図書館の図書廃棄事件　　公立図書館職員が、著作者の思想・信条等を理由に107冊の蔵書を除籍基準に反して廃棄した事件で、一審・二審とも

著作者らの損害賠償請求を棄却した。最高裁は、「図書館職員である公務員が……著作者又は著作物に対する独断的な評価や個人的な好みによって不公正な取扱いをしたときは、……著作者の上記人格的利益を侵害するものとして国家賠償法上違法になる」と判断して破棄差戻の判決を下した（最一判2005〈平17〉.7.14民集59巻6号1569頁、百選Ⅰ153頁〔中林暁生執筆〕参照）。

一方、アクセス権は、「知る権利」を実現するための権利であり、その内容をなすものといえる。今日では、マス・メディアに対するアクセス権として、自己の意見の発表の場を提供することを要求する権利（意見広告や反論記事の掲載、紙面・番組への参加等）を内容にするものと解されている（芦部・憲法178頁）。なお、メディアに対するアクセス権が反論権という形で問題になった事例に、サンケイ新聞意見広告事件（後掲③）がある。また放送法4条に基づく訂正放送請求という形で問題になった事例（後掲④）もある。

③　サンケイ新聞意見広告事件　　自民党がサンケイ新聞に掲載した意見広告が共産党の名誉を毀損したとして、共産党が同じスペースの反論文を無料かつ無修正で掲載することを要求した事件である。最高裁は、「新聞を発行・販売する者にとっては……紙面を割かなければならなくなる等の負担を強いられるのであって、これらの負担が、批判的記事、ことに公的事項に関する批判的記事の掲載をちゅうちょさせ、憲法の保障する表現の自由を間接的に侵す危険につながるおそれも多分に存する……」。このように、反論権の制度は、民主主義社会においてきわめて重要な意味をもつ新聞等の表現の自由に重大な影響を及ぼすので、不法行為が成立する場合は別論として、具体的な成文法の根拠がない限り、認めることはできない、として反論権の成立を否定した（最二判1987〈昭62〉.4.24民集41巻3号490頁）。

④　放送法4条に基づく訂正請求事件　　NHKの朝の番組で離婚の経緯等が公開されたことに対して名誉毀損およびプライバシー侵害を理由に損害賠償と放送法4条〔当時〕に基づく訂正放送、および謝罪放送を求めた事件である。一審は請求を棄却したが、二審はこれを認めて3分間の訂正放送と損害賠償を認容した（東京高判2001〈平13〉.7.18判時1761号55頁）。これに対して最高裁は、この規定は「放送業者に対し、自律的な訂正放送等を行うことを国民全体に対する公法上の義務として定めたものであって、被害者に対して訂正放送を求める私法上の請求権を付与する趣旨の規定ではない」として破棄自判した（最一判2004〈平16〉.11.25民集58巻8号2326頁）。ここでは放送法による訂正放送請求が被害者救済やメディアへのアクセス手段として機能することは否定された。

2　表現の自由の規制

表現の自由も無制約ではありえないため、その規制が問題となる。表現の自由の規制は、表現の形態や規制の目的・手段等を具体的に検討して決定しなければならず、その規制立法が合憲か違憲かを判定する違憲審査基準については、アメリカの議論を参考にして以下の原則が確立されている。

(1)「二重の基準」論と規制の態様

「二重の基準」論は、前述のように、表現の自由を中心とする精神的自由を規制する立法と経済的自由を規制する立法の関係について、後者よりも前者のほうが厳しい基準によって審査されなければならないとする理論である（この理論につき、本書135-136頁、240頁、芦部・憲法学Ⅱ213頁以下参照）。

「二重の基準」の内容については、精神的自由に対する審査基準と、経済的自由に対する審査基準を分けるだけでなく、後者の経済的自由（職業選択の自由等）について警察的・予防的な目的によって規制する場合の「消極目的規制」と、政策的目的によって規制する「積極目的規制」に区別する。このため、現実には、(i)精神的自由（とりわけ表現）の規制、(ii)経済活動の自由の消極目的規制、(iii)経済活動の自由の積極目的規制という三つを区別することになり、それぞれ、①厳格審査基準、②厳格な合理性の基準（中間審査基準)、③合理性の基準のように異なる段階に位置づけられる。

もっとも、表現の自由の規制立法に対して用いられる厳格な審査基準も決して一様ではなく、表現内容の種類や規制立法の態様によって異なっている。実際、表現の自由の規制立法は、(a)検閲・事前抑制、(b)漠然不明確または過度に広汎な規制、(c)表現内容規制、(d)表現内容中立規制、という四つの態様に大別される（芦部・憲法202頁以下、同・憲法学Ⅲ358頁以下参照）。このうち(a)の表現の自由に対する事前抑制（検閲）の場合、および、(b)の表現の自由を規制する法文が漠然として不明確あるいは過度に広汎である場合は、表現行為を抑制させてしまう「萎縮的効果（chilling effect)」があるため、法文が文面上無効とされる。また、(c)の表現の内容規制とは、ある表現をそのメッセージ内容を理由に制限する規制のことで、文書による犯罪の煽動の禁止や性表現・名誉毀損表現の規制も原則的にこれに属する。(d)の表現内容中立規制とは、表現をそのメッセージ内容や伝達効果に直接関係なく制限する規制であり、一定の場所での騒音や広告掲示の禁止、選挙運動の規制などがそれにあたる。アメリカでは、規制態様を時・所・方法の規制と、象徴的表現ないし行動を伴う表現の規制の二つに分け、おのおの異なる違憲審査の基準が用いられてきたが、近時の判例理論は動揺している。

日本における審査基準論の適用も必ずしも一定していないが、アメリカで表現の自由の規制立法について用いられる厳格審査基準には、㋐事前抑制の禁止、㋑明確性の原則、㋒「明白かつ現在の危険」の原則、㋓LRAの基準などがある。これらは日本でも重要な意味をもつため、次にみておこう。

⑵　違憲審査基準

㋐　事前抑制の禁止

日本国憲法21条2項は「検閲の禁止」を保障しているが、これは、表現活動を事前に抑制することは許されないという原則を示したものである。「検閲」とは、従来の通説では「公権力が外に発表されるべき思想の内容を予め審査し、不適当と認めるときは、その発表を禁止する行為」と解されてきた（宮沢・憲法Ⅱ366頁）。したがって検閲の主体は、従来は公権力であるとされてきたが、最近では、広く公権力と捉えて例外を限定的に認める広義説（芦部・憲法学Ⅱ362頁以下など）と、狭く行政権と捉えて検閲は絶対的に許されないとする狭義説（佐藤幸・憲法519頁、同・憲法論286頁、樋口他・注解Ⅰ80頁〔浦部執筆〕など）に分かれる。実際には、広義説においても、おもに行政権が主体となるが、裁判所が言論を事前差止めすることも検閲の問題となりうると解することになる。もっとも裁判所の事前抑制は手続が公正な法の手続によるため、判例も、行政権による検閲と区別して、裁判所による事前抑制は例外的に容認されると解している（後述の北方ジャーナル事件参照）。

検閲の対象は、従来は思想内容と解されてきたが、広く表現内容全般にわたると解するのが妥当であろう。検閲の時期も、従来は公表前の抑制のみが検閲と解されてきたが、「知る権利」を中心に考察する場合には、思想・情報を一般国民が受け取る時点を基準として一定の事後規制も検閲になりうると解することができよう。今日では、税関による貨物の検査（税関検査）や青少年保護条例による悪書の指定制度等が問題になる。

①　税関検査事件　最高裁判決（最大判1984〈昭59〉. 12. 12民集38巻12号1308頁）において、「検閲」とは「行政権が主体となって、思想内容等の表現物を対象とし、その全部又は一部の発表の禁止を目的として、対象とされる一定の表現物につき網羅的一般的に、発表前にその内容を審査した上、不適当と認めるものの発表を禁止すること」であると定義し、この検閲禁止は絶対的なものであるとして狭義説の立場を示した。そのうえで税関検査は「検閲」にあたらないとした（百選I 151頁〔久保健介執筆〕参照）。

②　岐阜県青少年保護条例事件　最高裁判決（最三判1989〈平元〉. 9 . 19刑集43巻 8 号785頁）は、「著しく性的感情を刺激し、又は著しく残忍性を助長するため、青少年の健全な育成を阻害するおそれがある」図書や、ポルノ写真・刊行物を知事が「有害図書」として指定し、それを青少年に販売・配布・貸付するために自動販売機に収納することを禁止する条例を、「検閲」にあたらないとした。ここでは、青少年に対する関係はもとより、成人に対する関係でも、青少年の健全な育成という目的を達するための「必要やむを得ない制約」で21条 1 項に反しないとしたが、「有害図書」と青少年非行化との関係を前提的に承認して表現の自由の制約を正当化した点には批判が多い（百選I 112頁〔松井茂記執筆〕。教科書検定の問題は後に、教育の自由の項で検討する。本書234-236頁参照）。

③北方ジャーナル事件　1979年の北海道知事選立候補予定者を攻撃する目的の記事が発売予定誌に掲載されたことに対して、被害者が名誉権侵害の予防として出版活動の禁止等を求める仮処分申請を行い、これが認められた事件である。北方ジャーナル誌側の損害賠償請求を札幌地裁も札幌高裁も棄却したため、仮処分は憲法21条に反するとして上告された。最高裁は、仮処分による事前差止めは「検閲」にはあたらないとしたうえで、原則的には事前差止めは許されないが「表現内容が真実でなく、又はそれが専ら公益を図る目的のものでないことが明白であって、かつ、被害者が重大にして著しく回復困難な損害を被る虞があるときは、……例外的に事前差止めが許される」と判示した（最大判1986〈昭61〉. 6 . 11民集40巻 4 号872頁、百選I 148頁〔阪口正二郎執筆〕）。

(イ)　明確性の原則

明確性の原則とは、精神的自由の規制立法の内容は漠然とした不明確なものであってはならないとする原則である。日本国憲法では31条で保障されている罪刑法定主義もその一つであり、この原則のもとでは、刑罰法規は、行為の公平な処罰に必要な事前の「公正な告知」を与え行政の恣意的な裁量権を制限するものでなければならないため、内容が明確であることが求められる。さらに、表現の自由を制約する性質をもつ刑罰法規の場合には、本来合法的な表現行為をも差し控えさせてしまう「萎縮的効果」のおそれがある。そこで、合理的な限定解釈によっても法文の漠然不明確性が除去されないときは、当該法規の合憲的適用の範囲内であると思われる場合にも、原則として法規それ自体が、文面上無効となるとされる。これが「漠然性のゆえに無効」の考え方である。また、法文が明確でも、規制の範囲があまりに広汎で違憲的に適用される可能性がある場合は、表現の自由に重大な脅威を与えることから、「過度の広汎性のゆえに無効」とされる。日本の判例では、下記の(a)徳島市公安条例事件、(b)税関検査事件、(c)青少年保護条例事件のほか、広島市暴走族条例事件（本書226-227頁）等で法文の不明確性が争われた。

(a)　徳島市公安条例事件では、公安条例が定める「交通秩序を維持すること」という許可条件は、一審と二審の判決では、不明確であり違憲と判断された。これに対して、最高裁は、「交通秩序を維持すること」という条例上の許可条件が、文言は「抽象的で立法措置として著しく妥当を欠く」ものであっても、「通常の判断能力を有する一般人の理解において、具体的場合に当該行為がその適用を受けるものかどうかの判断を可能ならしめる基準が読みとれない」場合でないかぎり違憲ではないとした。そして本件では、通常の判断能力を有する一般人であれば、経験上、蛇行進・渦巻行進・座り込みや道路一杯を占拠するいわゆるフランスデモなどの行為が、「殊更な交通秩序の阻害をもたらすような行為にあたる」ことは容易に判断できるから、秩序遵守についての基準を読みとることができるとして、合憲判決を下した。本判決は、明確性の要請に関する判断基準を初めて明示した点で重要である（最大判1975〈昭50〉. 9 . 10刑集29巻 8 号489頁、百選Ｉ179頁〔木村草太執筆〕、本書226頁参照）。

(b)　税関検査事件（本書203頁①参照）では、関税定率法21条１項３号（旧）「風俗を害すべき書籍、図画」にいう「風俗」の明確性が争われたが、最高裁判決（最大判1984〈昭59〉. 12. 12）は、不明確のゆえに無効とはいえないとした。ここでも、表現の自由の規制立法について限定解釈が許されるのは、一般国民の理解において当該表現物が規制の対象になるかどうかの判断を可能にする基準が規定から読みとれる場合に限られるとし、そのような制約を付さないと、「規制の基準が不明確であるかあるいは広汎に失するため、表現の自由が不当に制限されることとなるばかりでなく、国民がその規定の適用を恐れて本来自由に行い得る表現行為までも差し控えるという効果を生むこととなるからである」として、萎縮的効果に言及した。

(c)　満18歳未満の青少年保護のために「淫行」行為を禁止する福岡県青少年保護条例の明確性が争われた淫行処罰条例事件でも、最高裁は、「淫行」の意味を限定解釈すれば「処罰の範囲が不当に広過ぎるとも不明確であるともいえない」とした（最大判1985〈昭60〉. 10. 23刑集39巻6号413頁）。有害図書の定義の明確性が争われた前記岐阜県青少年保護条例事件（本書203頁②参照）でも、最高裁（最三判1989〈平元〉. 9 . 19）は、理由を示さずに「不明確であるということはできない」と判示したため、学説から批判がある。

(ウ)　「明白かつ現在の危険」の基準

アメリカの憲法判例理論のなかで厳格審査基準の一つとして確立され、日本にも大きな影響を与えてきた基準に、「明白かつ現在の危険（clear and present danger)」の基準がある。これは、(i)当該表現行為が実質的な害悪を近い将来において引き起こす蓋然性が明白で、(ii)その実質的害悪がきわめて重大でその害悪の発生が時間的に切迫しており、(iii)当該規制手段がその害悪を避けるために必要不可欠であること、の三つの要素が存在する場合に当該表現行為を規制できる、とする考え方である（芦部・憲法学Ⅲ417頁参照）。

アメリカでは、1919年のシェンク事件判決のなかで、ホームズ判事が、言論を制約できるのは、ある言葉が使われた状況とその言葉の性質が、実質的害悪を発生させるであろうという「明白かつ現在の危険」を生むような場合に限られると指摘した。それ以来この考えが踏襲され、1940年代以降判例理論として広く用いられた。1950年代の冷戦下では一時判例が変更されたが、1969年のブランデンバーグ事件の判決で、暴力や違法行為の唱導について「その唱導が、差し迫った非合法な行為を煽動すること、もしくは生ぜしめることに向けられ、かつ、そのような行為を煽動し、もしくは生ぜしめる可能性のある場合を除き……憲法上禁止できない」という基準として再び確立された。これは厳格な審査基準であり、害悪の重大性と切迫性の存在や程度等の判断もむずかしいため、教唆や煽動など一定の表現内容を規制する立法について用いるのが妥当であると解される（芦部・憲法217頁参照）。

日本では、下級審では公安事件判決など多くの判決で採用されているが、最高裁判決では、その趣旨を取り入れて判断するにとどまる（後述の新潟県公安条例判決〔本書225頁〕や、泉佐野市民会館事件判決〔本書224頁〕参照）。

(エ)「より制限的でない他の選びうる手段」の基準（LRA の基準）

立法目的と規制手段との関係に注目し、立法目的は表現内容には直接かかわりのない正当なものでも、その立法目的を達成するためのより制限的でない他の手段（less restrictive alternative）が存在するかどうかを具体的に審査し、それが存在すると解される場合には、その規制立法を違憲とする基準である。表現を規制する側（公権力側）に規制手段の合理性と正当性（より制限的でない他の手段を利用できないこと）を証明する責任が負わされるため、厳格な審査基準といえる。これは、立法目的の達成にとって必要最小限度の規制手段を要求する手段審査の基準であり、とりわけ表現の時・所・方法の規制（表現内容中立規制）の合憲性を検討する場合に有用であるとされる。

日本では、公務員の政治活動に関する猿払事件一審判決（本書123頁参照）などで採用されているが、最高裁は、この領域の規制立法には一般に、目的と手段との間に抽象的・観念的な関連性があればよいとする「合理的関連性」の基準（アメリカでは、この基準に類似するものにオブライエン・テストがある。芦部・憲法219頁、同・憲法学Ⅲ433頁以下参照）を適用し、LRA の基準は採用していない。例えば、猿払事件最高裁判決（最大判1974〈昭49〉.11. 6 刑集28巻９号393頁）では、公務員の政治活動の一律全面禁止（表現内容規制）の合憲性審査にあたって、(i)立法目的（規制目的）の正当性、(ii)規制手段と規制目的との間の合理的関連性、(iii)規制によって得られる利益と失われる利益との均衡についての検討が必要であるとされた。しかし、言論と行動を区別し、目的と手段の関連は抽象的なもので足りるとしたうえで、言論の要素に及ぶ制約は「間接的・付随的」なものにすぎないため、得られる利益のほうが大きく利益の均衡を失しないとした点などに対して、学説の批判が寄せられている。

また、表現の時・所・方法の規制に関する判例のなかでは、戸別訪問一律全面禁止の合憲性を認定した最高裁判決（最二判1981〈昭56〉. 6 .15刑集35巻４号205頁、本書333頁参照）やビラ貼り規制等をめぐる諸判決において、合理的関連性の基準が採用されている。

①ビラ貼りやポスター貼り（立看板）については、大阪市屋外広告物条例および大分県屋外広告物条例による規制に関して、最高裁は、美観風致の維持は公共の福祉を保持するための必要かつ合理的な制限であるとして、合憲判決を下した（最大判1968〈昭43〉.12.18刑集22巻13号1549頁、最三判1987〈昭62〉. 3 . 3 刑集41巻２号15頁、長谷部編・注釈(2)406頁以下〔阪口正二郎執筆〕参照）。

②立川反戦ビラ事件では、防衛庁立川宿舎での戸別のビラ配布への住居侵入罪の適用について、一審（東京地八王子支判2004〈平16〉. 12. 16判時1892号150頁）は、被告人らを無罪、二審は罰金10-20万円の有罪（東京高判2005〈平17〉. 12. 9刑集62巻5号1376頁）とした。最高裁は上告を棄却して控訴審判決が確定した（最二判2008〈平20〉. 4. 11刑集62巻5号1217頁、重判平成22年度19-20頁〔毛利透執筆〕参照）。

③マンションビラ事件では、マンションでのビラ投函行為者について刑法130条前段の住居侵入罪で罰することが憲法21条1項に違反するかどうかが争われた。一審東京地裁は「正当な理由がある」として無罪判決（2006〈平18〉. 8. 28刑集63巻9号1846頁）、控訴審は罰金5万円の有罪判決（東京高判2007〈平19〉. 12. 11判タ1271号331頁）を下した。最高裁は、「本件は表現そのものを処罰することの憲法適合性が問われているのではなく、表現の手段すなわちビラの配布のために本件管理組合の承諾なく本件マンションに立ち入ることの憲法適合性が問われている」のであり、管理組合の管理権侵害、私生活の平穏を侵害するため、刑罰は合憲であるとした（最二判2009〈平21〉. 11. 30刑集63巻9号1765頁）。

3　表現の自由の形態と内容

(1)　報道・取材の自由

表現の自由は、すべての表現媒体による表現を含むため、新聞・雑誌などの印刷物やラジオ・テレビ・パソコン通信・インターネットなどのメディアを用いた表現活動もその内容をなす。憲法21条は、「報道機関が印刷メディアないし電波メディアを通じて国民に事実を伝達する自由」と一般に定義される報道の自由も、表現の自由の一内容として保障していると解するのが判例・通説の立場である。報道のための編集や伝達行為が重要な表現活動の内容をなすと同時に、国民の「知る権利」に応えるものであることからしても、報道の自由が重要な意味をもつからである。最高裁も、博多駅事件決定（後掲209頁）のなかで「報道機関の報道は、民主主義社会において、国民が国政に関与するにつき、重要な判断の資料を提供し、国民の『知る権利』に奉仕する」ものとする判断を示している。

次に、報道の自由に、取材の自由や取材源（ニュース・ソース）秘匿の自由が含まれるかが問題となる。最高裁は、北海タイムズ事件決定（最大決1958〈昭33〉. 2. 17刑集12巻2号253頁）において、「取材活動も認められなければならない……。しかし、……その自由も無制限であるということはできない」とし、また、前記博多駅事件決定では、「事実の報道の自由は表現の自由を規定した憲法21条の保障のもとにある」としつつ「報道のための取材の自由も、憲法21条の精神に照らし、十分尊重に値いする」と述べて、報道の自由と区別したうえで、取材の自由についてはいわゆる消極的肯定説を採用した。この立場は、法廷傍聴人のメモ採取の自由に関する判決（本書210頁③事件）でも踏襲されている。

しかし、学説は、取材の自由も報道の自由の一環として憲法21条によって保障されると積極的に肯定する立場が有力である（芦部・憲法186頁参照）。取材は、報道にとって必要不可欠の前提をなす行為であり、取材活動は公権力の介入から自由に行えるように保障されなければならないからである。もっとも、公正な裁判の実現を保障するために、報道機関の取材活動によって得られたものを証拠として提出させる場合には、「取材の自由がある程度の制約を蒙ることとなってもやむを得ない」（博多駅事件決定）とされる。さらに、判例は、検察官ないし警察官による報道機関取材ビデオテープの差押・押収についても、適正迅速な捜査の遂行という要請がある場合には公正な裁判の実現に不可欠であるため認められるとする（TBS ビデオテープ差押事件・日本テレビ事件、本書210頁②）。しかし裁判上の利益に伴う制約が認められることと、行政機関である検察等の利益とを同列に解することができるかどうかは疑問であり、報道機関が捜査機関の下請けとならないためにも、とりわけ行政機関との関係では報道機関の取材の自由の保障を重視すべきであろう。また、取材の自由については、国家秘密や個人のプライバシーとの関係で限界が存在する。外務省秘密漏洩事件（西山記者事件、本書211頁④）で、最高裁は、取材の手段・方法が社会通念上不相当なものである場合には違法であるとして新聞記者を有罪としたが、国家機密との関係では、実質的・形式的秘密の要件や国民の「知る権利」との関係など、なお議論の余地がある。

近年では、少年犯罪の実名報道や推知報道（実名類似の仮名報道）をめぐって、報道機関の報道の自由や国民の「知る権利」などの表現の自由と、少年のプライバシー・肖像権等との調整が問題となっている（図参照）。

いわゆる長良川リンチ殺人事件に関する推知報道については、一・二審判

図　プライバシーと表現の自由、知る権利の対抗

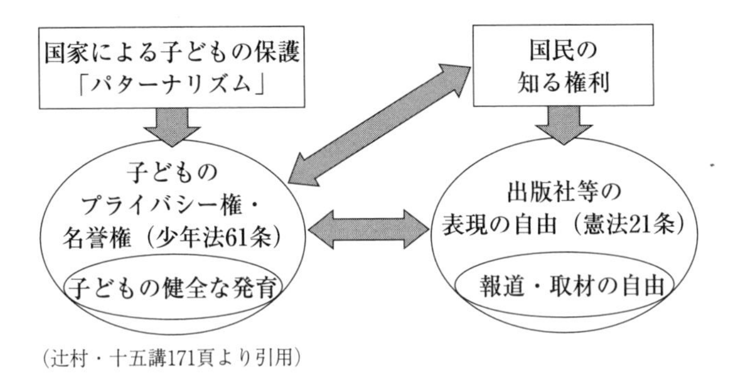

（辻村・十五講171頁より引用）

決（名古屋地判1999〈平11〉．6．30判時1688号151頁、名古屋高判2000〈平12〉．6．29判時1736号35頁）ともに少年の名誉・プライバシー侵害を理由に損害賠償を認めた。しかし最高裁は、「本件記事が被上告人の名誉を毀損し、プライバシーを侵害する内容を含むものとしても、本件記事の掲載によって上告人に不法行為が成立するか否かは、被侵害利益ごとに違法性阻却事由の有無等を審理し、個別具体的に判断すべきもの」であり原審は審理不尽であるとして破棄差戻の判決を下した（最二判2003〈平15〉．3．14民集57巻3号229頁）。その後、差戻審ではプライバシー侵害の違法性が阻却されて不法行為は成立しないとした（名古屋高判2004〈平16〉．5．12判時1870号29頁。その後、最高裁は上告を棄却し、少年側の敗訴が確定した）。また、「堺通り魔事件」被告人の少年が月刊雑誌に実名・顔写真を掲載されたことに対してプライバシー権・肖像権・人格権侵害を主張した事件でも、一審判決（大阪地判1999〈平11〉．6．9判時1679号26頁）は、少年法61条の保護規定などを勘案して250万円の損害賠償を認めた。これに対して、二審判決（大阪高判2000〈平12〉．2．29判時1710号121頁）は、本件記事は違法な権利侵害とはならないとして原判決を取り消した（上告取下げにより高裁判決が確定）。

この問題では、顔写真の推知報道などの事情を個別具体的に判断して不法行為責任を厳密に解する傾向が認められるが、これについては学説でも見解が分かれている（松井茂記後掲『少年事件の実名報道は許されないのか』、百選I148頁〔上村都執筆〕。名誉毀損表現につき、本書215頁、辻村・十五講160頁以下参照）。

①　博多駅テレビフィルム提出命令事件　　1968年1月の米原子力空母エンタープライズの佐世保寄港反対闘争に参加した学生と機動隊員とが博多駅付近で衝突し、機動隊側に過剰警備があったとして公務員の職権濫用罪等で告発されたが、検察が不起訴としたため付審判請求がなされた。福岡地裁は、テレビ放送会社に取材したテレビフィルムの提出を命じたが、放送会社四社は報道の自由を侵害するとして争った。福岡高裁は報道機関の不利益は少ない等の理由で抗告棄却の決定をしたため特別抗告となった。最高裁は、報道の自由が21条の保障のもとにあり、「取材の自由も、憲法21条の精神に照らし、十分尊重に値いする」としたうえで、公正な裁判の実現のために「取材の自由がある程度の制約を蒙ることとなってもやむを得ない」とし、本件フィルムが「証拠上きわめて重要な価値」をもち、すでに放映ずみのものを含むこと等を理由として提出命令を合憲とした（最大決1969〈昭44〉. 11. 26刑集23巻11号1490頁）。最高裁決定は比較衡量の手法を採用し、取材の自由に対して公正な裁判の確保という利益を優先させた結果となったが、「報道機関が蒙る不利益は……将来の取材の自由が妨げられるおそれがあるというにとどまる」として低い評価しか与えていないが、この点については学説によって批判されている（芦部・憲法学Ⅲ288頁、百選Ⅰ162頁〔山口いつ子執筆〕参照）。

②　TBSビデオテープ差押事件　　1990年に東京放送（TBS）が放送したドキュメンタリー番組「潜入ヤクザ24時」を発端として暴力団員が逮捕・起訴された。警視庁では捜査の必要から差押許可状を得て未編集テープ29巻を押収したのに対して、TBSは報道・取材の自由に重大な支障をきたすとして準抗告を申し立てたところ、東京地裁がこれを棄却したため、特別抗告に及んだ。最高裁は、博多駅事件決定を踏襲して「取材の自由も、憲法21条の趣旨に照らし十分尊重されるべきもの」として捜査の必要性と報道・取材の自由侵害の程度等を比較衡量すべきであるとしつつ、本件についてのビデオテープの差押・押収を認めて抗告を棄却した（最二決1990〈平2〉. 7. 9刑集44巻5号421頁、百選Ⅰ161頁〔多田一路執筆〕）。リクルート事件に関して現金授受現場の隠し撮りテープの押収が問題となった日本テレビ事件（最二決1989〈平元〉. 1. 30刑集43巻1号19頁）でも、収賄事件の証拠保全を目的として検察官による押収が認められた。これと比較して、TBS事件判決において反対意見を述べた奥野裁判官が、TBS事件のほうが報道機関の立場を保護すべき利益が格段に大きいとして、ビデオテープの差押を違法とした。

③　法廷メモ採取事件　　法廷でメモを取ることを裁判長に申請したが許可されなかった傍聴人（アメリカ人弁護士レペタ）が憲法21条や国際人権規約等

に反するとして損害賠償を求めた訴訟で、一審東京地裁判決（1987〈昭62〉. 2.12判時1222号28頁）はメモ行為は憲法上当然には保障されていないとして請求を棄却した。二審東京高裁も訴訟の公正かつ円滑な運営という利益を重視して控訴棄却した後（1987〈昭62〉.12.25判時1262号30頁）、最高裁も上告は棄却したものの、メモを取る自由は憲法21条の精神に照らして尊重されるべきであり、公正かつ円滑な訴訟の運営を妨げるという特段の事情のないかぎり、故なく妨げられてはならない、と判示した（最大判1989〈平元〉. 3. 8民集43巻2号89頁、百選I 157頁〔山元一執筆〕）。学説では、法廷でメモを取ることは「知る権利」の行使であるとして表現の自由に属するという見解が有力である（裁判公開原則については、本書452頁以下参照）。

④　外務省秘密漏洩事件　　1971年6月に調印された沖縄返還協定に関する密約の存在を裏付ける外務省の極秘電文を毎日新聞記者が外務省女性事務官から入手し、社会党議員に渡したことで秘密漏洩事件として問題になった。当該事務官は国家公務員法100条1項の守秘義務違反、新聞記者は同法111条の秘密漏示そそのかし罪違反で起訴され、一審東京地裁（1974〈昭49〉. 1.31判時732号12頁）は、「そそのかし」にあたる取材行為も違法性が阻却されるとして新聞記者を無罪としたが、控訴審判決（東京高判1976〈昭51〉. 7.20高刑集29巻3号429頁）は、同条項に合憲限定解釈を加えて有罪とした。最高裁は、取材の手段・方法が法秩序全体の精神に照らし相当なものではない（取材対象者と肉体関係をもつなど「人格の尊厳を著しく蹂躙した」取材行為であった）ため正当な業務行為とはいえず違法であるとした（最一決1978〈昭53〉. 5.31刑集32巻3号457頁、百選I 163頁〔斉藤愛執筆〕）。なお、この沖縄返還密約事件に関連して、情報公開法4条1項に基づいて文書開示請求をし、不開示決定の取消しと国家賠償を求めた訴訟で、東京地裁は、請求者が文書の作成・保有等を主張・立証する場合には、当該行政機関は、保有が失われたことを主張・立証しない限り、当該文書を「保有していたと推認される」として文書開示を命じ、国家賠償まで認容した（2010〈平22〉. 4. 9判時2076号19頁）。

⑤　証人証言拒否事件　　NHKニュースで報道されたA社の所得隠し事件に関して、アメリカの連邦地方裁判所が、国際司法共助によって日本の裁判所に対してNHK報道記者の証人尋問の実施を依嘱した。このため、東京高裁で証人尋問が実施されたが、記者は民事訴訟法197条1項3号の「職業の秘密」に当たるとして取材源に係る証言を拒否した。最高裁は、取材源の秘密が保護に値する秘密であるかどうかは「秘密の公表によって生じる不利益と証言の拒絶によって犠牲となる真実発見及び裁判の公正との比較衡量により決せられる」

として、証言を拒絶できると判断して抗告を棄却した（最三決2006〈平18〉.10.3民集60巻8号2647頁、百選Ⅰ155頁〔鈴木秀美執筆〕、重判平成18年度20頁〔曽我部真裕執筆〕参照）。

⑥　NHK番組改編損害賠償請求事件　　いわゆる従軍慰安婦問題を裁く女性国際戦犯法廷を取り上げたNHKのテレビ番組について、番組制作会社等が当初説明した内容とは異なる趣旨の番組を制作・放送して、期待や信頼を侵害したなどとして、取材対象者が不法行為または債務不履行に基づく損害賠償を求めた事件である。一審（東京地判2004〈平16〉.3.24民集62巻6号1777頁）、控訴審（東京高判2007〈平19〉.1.29民集62巻6号1837頁）は、番組制作会社、同会社および放送事業者に不法行為の成立を認めたが、上告審（最一判2008〈平20〉.6.12民集62巻6号1656頁）は、（特段の負担を強いる場合等のほかは）その期待や信頼は原則として法的保護の対象とはならないとした。

⑵　性的表現の自由とわいせつ罪

刑法175条でわいせつ文書の頒布・販売・陳列罪を定めていることが憲法21条に違反しないか否かが問題になる。従来は、わいせつ物頒布罪を構成する表現については憲法の保障の範囲外であることが前提視されてきたが、今日では、幸福追求権や自己決定権との関係でポルノをみる自由が権利として捉えられているため、わいせつ文書の概念自体を再検討する傾向が強まっている。そして、わいせつ罪の保護法益を明確にし、わいせつ文書の概念を限定的に解して表現内容の規制をできるだけ限定し、憲法上保護の及ぶ表現の範囲を最大限に広く画定していくことが求められる。このように、定義の段階ですでに規制の正当化理由と憲法上の権利・利益との衡量が行われていると解して、行為規範の定義に該当するものだけを限定的に規制しようとする手法を「定義づけ衡量（definitional balancing）」と称する（本書135頁参照）。

名誉毀損表現や犯罪煽動表現とともに、わいせつ表現についてはとくに定義が重要な意味をもつ。この点で、刑法175条のわいせつ文書の頒布・販売罪に関する最高裁判決は、チャタレー事件判決以来一貫してこれを合憲としており、「徒に性欲を興奮又は刺激せしめ、且つ普通人の正常な性的羞恥心を害し、善良な性的道義観念に反するもの」という定義を採用してきた。この定義については批判があり、下記のように判例の展開の中でわいせつ概念を明確化しようとする傾向があるが、わいせつの基準や概念について課題が残されている。とくに、1980〈昭55〉年11月28日最高裁判決（下記③判決）の手法が「定義づけ衡量」にあたるかどうかが問題になりうる。これについては、学説では、「定義づけ衡量」の特徴は「畏縮効果を排除するためわいせつの概念をあらかじめ確定することにある」ことから、下記1983年3月8日最高裁判決の伊藤補足意見によるハード・コア・ポルノと準ハード・コア・ポルノとの区別（本書214頁）は「定義づけ衡量」を採用したものといえるのに対して、1980年判決の方は、「伝統的なわいせつの定義を踏まえつつ、事件で問題となる文書に注目したアド・ホックな判断のあり方を示したにとどまる」と評される（宍戸・憲法解釈論30頁参照）。

また、刑法175条の保護法益は、一般に、性風俗の維持、受け手個人の保護、抵抗力の弱い青少年の保護などが考えられているが、いずれも表現の自由を制約する正当化理由として説得的なものであるかどうか、過度なパターナリズムに陥っていないか、などの疑問があろう（長谷部・憲法214頁以下参照）。この点は、青少年保護育成条例や児童ポルノ禁止法（児童買春、児童ポルノに係る行為等の処罰及び児童の保護等に関する法律）における規制の合憲性・妥当性の問題（とくに2014年の法改正により、2015年7月15日から単純所持が禁止された問題）に通じるものであり、検討を要する（園田＝曽我部編著後掲『改正児童ポルノ禁止法を考える』、辻村・十五講146頁以下参照）。最高裁判決（最三判1989〈平元〉. 9.19刑集43巻8号785頁）は、「有害図書」指定と自販機への収納禁止を定めた岐阜県青少年保護育成条例を「必要やむをえない制約」と解して合憲と判断したが、学説は批判的である（百選I 112頁〔松井茂記執筆〕参照）。

①　チャタレー事件　　D・H・ロレンスの「チャタレー夫人の恋人」の翻訳者と出版社社長が、露骨な性的描写記述を知りつつ翻訳出版したとして刑法175条違反の容疑で起訴された事件。一審（東京地判1952〈昭27〉. 1.18判時105号7頁）は出版社社長のみ有罪、二審（東京高判1952〈昭27〉. 12.10高刑集5巻13号2429頁）は両名とも有罪となり、最高裁は原判決を支持した。判旨では、「わいせつ文書」とは、いたずらに性欲を興奮又は刺激せしめる、普通人の正常な性的羞恥心を害する、善良な性的道義観念に反するという「わいせつの三要素」といわれる定義を与えたうえで、刑法175条は、性的秩序を守り、性道徳を維持するという公共の福祉のための制限であり合憲であると判示した（最大判1957

〈昭32〉. 3.13刑集11巻3号997頁）。この判決については、三基準の不明確性に加えて、わいせつ性の判断基準の主観性や安易な「公共の福祉」論の援用について、学説から批判が提示された。

② 「悪徳の栄え」事件　　マルキ・ド・サドの「悪徳の栄え」の翻訳者と出版社社長が、刑法175条違反で起訴された事件。一審はチャタレー事件判決のわいせつ性の判断基準に照らして無罪判決を下した（東京地判1962〈昭37〉. 10.16判時318号3頁）が、二審はこれを破棄して有罪とし（東京高判1963〈昭38〉. 11.21判時366号13頁）、最高裁も高裁判決を支持した（最大判1969〈昭44〉. 10.15刑集23巻10号1239頁）。もっとも最高裁の多数意見は、チャタレー判決を踏襲しつつ、わいせつ性は文書全体との関連で判断すべきだとした。これに対して、5人の裁判官の少数意見のなかには、芸術性や思想性の高い文書については、わいせつ性は相対的に軽減され、刑法175条の「わいせつ文書」にはあたらないという「相対的わいせつ概念」を唱えた田中二郎裁判官の反対意見などが存在した。

③ 「四畳半襖の下張」事件　　永井荷風作といわれる戯作を1972年に雑誌に掲載した作家野坂昭如が刑法175条違反で起訴された。一審（東京地判1976〈昭51〉. 4.27判時812号22頁）はチャタレー判決の基準を踏襲してわいせつ性を認定し、二審も刑法175条の合憲を認めた。二審判決は、わいせつ性の判断基準を具体的に示し、外的事実の存在、文書全体の効果、社会通念上の評価等に基づく文書全体の検討の必要を強調した（東京高判1979〈昭54〉. 3.20判時918号17頁）。最高裁判決（最二判1980〈昭55〉. 11.28刑集34巻6号433頁）は、性描写の程度や文書全体に占める比重、文書に表現された思想等との関連性、文書の構成・展開、芸術性・思想性等による性的刺激の減少・緩和等の要素を示した。

なお、本判決後のビニール本事件判決（最三判1983〈昭58〉. 3. 8刑集37巻2号15頁）では、伊藤裁判官の補足意見が、わいせつ概念の判断に際して春画や春本等のいわゆるハード・コア・ポルノと準ハード・コア・ポルノを区別し、前者は、社会的価値を欠いているか、法的に評価できる価値をほとんどもつものではないことから、「憲法21条1項の保護の範囲外にあり、これに法的規制を加えることがあっても、表現の自由に関する憲法的保障の問題は生じない」と判断したことで注目された（本書213頁参照）。

④ メイプルソープ写真集事件　　日本で頒布・販売されてきたロバート・メイプルソープの写真集が関税定率法21条1項4号の「風俗を害すべき書籍・図画」に当たるかが問題となった事件で、最高裁（最三判2008〈平20〉. 2.19民集62巻2号445頁）はこれに該当しないと判断した。別の事件では同じ写真の一部が収められた写真集がこれに該当することが認められており（最三判1999〈平

11〉. 2 . 23判時1670号 3 頁)、わいせつ性の判断が、異なる時期の異なる社会通念に従って行われることが示された（重判平成20年度18-19頁〔市川正人執筆〕参照)。

(3)　名誉毀損表現・犯罪の煽動・差別的表現・営利的言論の自由

(ア)　名誉毀損表現

他人の名誉を毀損する内容の表現について、保護と規制の関係が問題となる。名誉は憲法13条で保障された人格権の一内容をなし、刑法230条の名誉毀損罪や民法710条の不法行為の規定によって保護されている。一方、刑法230条の 2（1 項）では、「公共の利害に関する事実に係り、かつ、その目的が専ら公益を図ることにあったと認める場合には、事実の真否を判断し、真実であることの証明があったときは、これを罰しない」と定めるため、これらの三要件（事実の公共性、目的の公益性、真実性の証明）に合致する事実の摘示については表現の自由が優先されることを明らかにしている。

最高裁判例も、「夕刊和歌山時事」事件において、刑法230条ノ 2（1 項）（平成 7 年法律91号による改正前のもの）について、「真実であることの証明がない場合でも、行為者がその事実を真実であると誤信し、その誤信したことについて、確実な資料、根拠に照らし相当の理由があるときは、犯罪の故意がなく、名誉毀損の罪は成立しない」として「相当性の法理」を導入し、従来の判例を変更した（最大判1969〈昭44〉. 6 . 25刑集23巻 7 号975頁)。また「月刊ペン事件」判決では、私人の私生活上の行状であっても、社会的影響力によっては「公共の利害に関する事実」にあたる場合があることを認めた（最一判1981〈昭56〉. 4 . 16刑集35巻 3 号84頁)。また、ロス疑惑報道に関して「配信サービスの抗弁」（報道機関が定評ある通信社から配信された記事をそのまま掲載した場合、原則として名誉毀損等の損害賠償義務を負わないとする法理）が問題となった最高裁判決（最三判2002〈平14〉. 1 . 29民集56巻 1 号185頁）は、名誉毀損の不法行為成立を否定した原審を破棄し、差戻した（長谷部編・注釈(2)370頁以下〔阪口執筆〕参照)。

(イ)　犯罪煽動表現

犯罪の煽動にあたる表現についても、現行法上種々の制約が規定されているため、表現の自由との関係が問題となる。例えば、刑法の内乱・外患罪を実行させる目的をもってする煽動や、政治目的のための放火や騒乱等の煽動に対して刑罰を課する破壊活動防止法38条以下の諸規定、納税させないための煽動に関する国税犯則取締法22条や地方税法21条などである。

判例では、食糧緊急措置令違反事件で合憲性が問題となった。これは戦後の食糧難に対処するため政府が農家に米穀の供出を命じたのに対して、農民組合連合会書記が農村大会で不供出の決議を求めるなどの発言をしたことが、前記緊急措置令11条に定める禁止行為の煽動にあたるとして起訴され、一・二審とも有罪となった事件である。最高裁は、「国民として負担する法律上の重要な義務の不履行を慫慂し、公共の福祉を害するもの」で憲法21条に違反しないとした（最大判1949〈昭24〉. 5.18刑集3巻6号839頁）。

さらに、破壊活動防止法39条・40条の合憲性が問題となった渋谷暴動事件判決（最二判1990〈平2〉. 9.28刑集44巻6号463頁）でも、同条の定める行為の煽動は「……騒擾罪等の重大犯罪をひきおこす可能性のある社会的に危険な行為であるから、公共の福祉に反し、表現の自由の保護を受けるに値しないもの」と判断した。抽象的な危険を根拠に比較的安易に公共の福祉による表現の自由の制約を許容することに対しては、学説上批判がある。煽動罪の危険審査基準について、アメリカ合衆国最高裁判例のなかで確立された「明白かつ現在の危険」の基準やブランデンバーグ・テスト（本書205頁参照）などの厳格な審査基準を日本でも適用すべきという見解が提示されている（佐藤幸・憲法531頁参照）。

なお、2017年6月には、過去3回廃案になった「共謀罪」の成立要件を改めたテロ等準備罪を新設する「組織犯罪処罰法」改正が成立した（平成29年法律67号、一部を除き2017年7月11日施行）。一定の組織犯罪の遂行を「二人以上で計画した者」も処罰対象になる（同法6条の2）など、表現の自由等に対する制約になることが危惧されており、今後の運用が注目される。

㈦　差別的表現（ヘイトスピーチ）

ヘイトスピーチ（hate speech）とは、人種、出身国、民族、性別、性的指向、宗教、障害など、自ら主体的に変更することが困難な事柄に基づいて、個人または集団を攻撃、脅迫、侮辱し、もしくは他人を煽動する言論等を指すとされる。日本語では「憎悪表現」「差別的憎悪表現」「差別煽動表現」などと訳される。人種差別撤廃条約4条では、「人種的優越又は憎悪に基づく思想のあらゆる流布」や「人種差別の煽動」などが、法律で処罰すべき犯罪であることが宣言され、「人種差別を助長し及び煽動する団体及び組織的宣伝活動その他の宣伝活動は禁止すべき」ことを締約国に義務づけている。日本でも、在日外国人に対するヘイトスピーチが多発したことから、2016年6月に、「本邦外出身者に対する不当な差別的言動の解消に向けた取組の推進に関する法律」（略称ヘイトスピーチ解消法）が制定された（平成28年6月3日法律68号）。

この法律は、本邦外出身者に対する不当な差別的言動の解消に向けた取組を推進するため、基本理念および国と地方公共団体の責務を定めるとともに、国や地方公共団体が相談体制の整備・教育の充実・啓発活動などを行うことについて定めるが、罰則等はおいていない。デモや集会などを規制することが表現の自由の規制になるため理論的にジレンマを抱えており、また、ネット上のヘイトスピーチへの対処など、困難な課題を含んでいる（松井茂記後掲『表現の自由に守る価値はあるか』64頁以下参照）。実際には、在日コリアンが多く暮らす川崎市で、市長が公園の使用不許可を決定し、横浜地裁川崎支部も周辺でのデモを禁じる仮処分決定を出して注目された（2016〈平28〉. 6．2判時2296号14頁、重判平成28年度16頁〔奈須祐治執筆〕参照）。

(エ)　営利的表現

営利的表現についても、憲法上の表現の自由のなかにコマーシャル・スピーチが含まれるかどうかが問題となる。広告のような営利的な表現活動も消費者にとって必要な情報であることから表現の自由の保護に値すると考えるのが一般的である。もっとも、本来の表現の自由の意義が自己統治の価値にあるとすれば、営利的言論の自由の保障の程度は、非営利的な言論の自由よりも低いと解することになろう。学説では、広告規制の役割を虚偽広告・誇大広告からの受け手の保護と解するもの（佐藤幸・憲法518頁）や、中間審査基準を適用して事案に即して具体的に検討すべきとして、より制限的でない他の規制手段の立証を要求するもの（芦部・憲法学Ⅲ323頁）などがある。

判例には、広告の規制の合憲性そのものの判定基準を明確に示したものは見当たらないが、灸の適応症の広告を罰則付きで禁止している「あん摩師等」に関する法律を合憲とした判決（最大判1961〈昭36〉. 2．15刑集15巻2号347頁）が存在する。この判決では、奥野裁判官の少数意見が、「本法7条が真実、正当な適応症の広告までも一切禁止したことは不当に表現の自由を制限した違憲な条章であって無効である」と述べて注目された。

アメリカでは、営利的言論の内容規制の合憲性を判定する基準として、(a)合法的活動に関する真実で人を誤解させない表現であること、(b)その表現につき、主張される規制利益が実質的であり、(c)規制がその利益を直接促進し、(d)その利益を達成するのに必要以上に広汎でないことという四段階テストが提示されており、参考になる（芦部・憲法201頁）。

(4)　放送の自由とインターネット規制

放送の自由とは一般に電波メディアによる報道の自由のことをいう。放送法（1950年制定・2011年最終改正）によって「放送」の定義が与えられ、「公衆によつて直接受信されることを目的とする電気通信……の送信」（2010年改正放送法２条１号）であるとされる。放送については、新聞や雑誌などの印刷メディアとは異なった特別な規制が課されており、無線局の開設が電波法（2010年改正）４条で免許制とされている。さらに、放送法によって放送番組編集の準則が定められ（同法４条１項）、(i)公安および善良な風俗を害しないこと、(ii)政治的に公平であること、(iii)報道は真実をまげないですること、(iv)意見が対立している問題については、できるだけ多くの角度から論点を明らかにすること、という準則に従うべきことが求められている。

放送法64条１項は，受信設備設置者に対し受信契約の締結を強制する旨を定めた規定であり、日本放送協会（NHK）からの受信契約の申込みに対して受信設備設置者が承諾をしない場合には、その者に対して承諾の意思表示を命ずる判決の確定によって受信契約が成立するとする。

受信契約の強制が契約の自由、知る権利、財産権を侵害するか否かが争われたNHK受信料訴訟では、最高裁大法廷は、同規定は、「同法に定められた原告〔NHK〕の目的にかなう適正・公平な受信料徴収のために必要な内容の受信契約の締結を強制する旨を定めたものとして、憲法13条、21条、29条に違反するものではない」とした（最大判2017〈平29〉.12. 6民集71-10-1817、百選Ⅰ167頁〔小山剛執筆〕)。公共放送における受信料の性格や、受信契約の内容の適否、受信設備設置月からの受信料支払いの可否などをめぐって議論を呼び、今後の課題も多い。近年では、ケーブルテレビやインターネット視聴などの発達により、従来の電波通信を前提とした法制度自体の見直しが迫られているように思われる。

インターネットは、コンピュータの相互利用によって同じ情報を世界中で共有することを可能とする手段であり、また、情報の発信と受信の双方向的な情報交換や匿名による自由な発言を同時に集約可能としたり、多数に対するコミュニケーションを可能にするなどの特徴をもっている。このように、従来の放送や印刷にはなかった特徴をもつ反面、その匿名性や自由参加性・

国際性などを悪用して犯罪に用いられる危険性も高く、名誉毀損表現・わいせつ表現などを国ごとに規制することが困難であるという面がある。

日本では、インターネットによるわいせつ画像の展示や名誉毀損表現に関して、刑法を適用する判例が出現し、規制方法が検討されてきた。先駆的なベッコアメ・インターネット事件では、わいせつ画像を不特定多数のパソコン利用者に送信し再生・閲覧を可能にさせたことが、刑法175条のわいせつ図画公然陳列罪にあたるとされて被告人に懲役1年6月（執行猶予3年）の判決が下された（東京地判1996〈平8〉. 4.22判時1597号151頁）。また、パソコン通信ネットワークのフォーラム上の記載が名誉毀損にあたるとして損害賠償が認められた事件では、表現者のみならず、システム・オペレーターないしプロバイダーと、通信事業者の責任が問題となった（東京地判1997〈平9〉. 5.26判時1610号22頁）。いずれも電子通信メディア上の表現をコントロールすることの困難さが示され、規制手段と、憲法上の表現の自由の保障との抵触が問題となった（高橋和之「インターネットと表現の自由」ジュリスト1117号26頁以下、高橋＝松井＝鈴木編後掲『インターネットと法(第4版)』第1章参照)。

そこで、プロバイダー責任制限法（「特定電気通信役務提供者の損害賠償責任の制限及び発信者情報の開示に関する法律」）が成立し、2001年11月30日に公布された。この法律は、特定電気通信による情報の流通によって権利侵害があった場合に、特定電気通信役務提供者（プロバイダー等）の損害賠償責任を制限しプロバイダーが責任を負わないことを認めると同時に、権利侵害を受けた者が、関係するプロバイダー等に対して、保有する発信者に関する情報の開示を請求できる規定などを設けている（外国の規制例は、辻村・比較憲法98頁以下参照)。

インターネット上の表現が名誉毀損にあたるか否かが争われた事件では、東京地裁（2008〈平20〉. 2.29判時2009号151頁）が「相当性の法理」を穏和する基準を用いて無罪とし、東京高裁（2009〈平21〉. 1.30判タ1309号91頁）が有罪とした後、最高裁は上告を棄却した。判旨は、「インターネットの個人利用者による表現行為の場合においても、他の場合と同様に、行為者が摘示した事実を真実であると誤信したことについて、確実な資料、根拠に照らして相当の理由があると認められるときに限り、名誉毀損罪は成立しないものと解するのが相当であって、より緩やかな要件で同罪の成立を否定すべきものとは解されない」とした（最一決2010〈平22〉. 3.15刑集64巻2号1頁）（重判平成22年度23-24頁〔西土彰一郎執筆〕、「相当性の法理」に関して本書215頁参照)。

⑸　政治的表現の自由

㋐　公務員に対する規制

政治的表現の自由については、人権の主体に関連してすでに検討したように、公務員に対する規制が問題となる。国家公務員法102条1項は、「職員は……人事院規則で定める政治的行為をしてはならない」という原則を定めて罰則でこれを禁止し、人事院規則14-7は、政治的行為の内容について詳細な規定をおいている。この規定の合憲性については、猿払事件判決において、一審旭川地裁判決（1968〈昭43〉. 3 . 25下刑集10巻3号293頁）がLRAの原則を用いて適用違憲と判断したのと対照的に、1974〈昭49〉年11月6日最高裁判決（刑集28巻9号393頁）は、合理的関連性の基準（猿払三基準）を用いて合憲判断を下した。しかしその後、堀越事件上告審判決（最二判2012〈平24〉12. 7刑集66巻12号1337頁）において無罪判決を下した折に、猿払三基準が修正されたのか否かが問題となった（学説では、市川・憲法151頁など「実質上、猿払事件を修正している」と指摘するものが多い）。最高裁は、堀越事件判決において、事案が異なる（対象となる行為が、猿払事件の場合は、実質的にみて「公務員の職務の遂行の中立性を損なうおそれがある行為」であると認められるものであった）として、「事案を異にする判例を引用するものであって、本件に適切ではな（い）」と述べ、判例違反の主張を否定している（本書124頁参照）。

また、猿払事件大法廷判決との整合性については千葉補足意見が下記のように説明している。(i)「猿払事件大法廷判決の上記判示は、……当該事案に対する具体的な当てはめを述べたものであり、本件とは事案が異なる事件についてのものであって、本件罰則規定の法令解釈において本件多数意見と猿払事件大法廷判決の判示とが矛盾・抵触するようなものではない」。

(ii)猿払事件大法廷判決の合憲性審査基準については、「『厳格な合憲性の審査基準』ではなく、より緩やかな『合理的関連性の基準』によったものであると説くものもある。しかしながら……（近時の判例は）多くの場合、それを明示するかどうかは別にして、一定の利益を確保しようとする目的のために制限が必要とされる程度と、制限される自由の内容及び性質、これに加えられる具体的制限の態様及び程度等を具体的に比較衡量するという『利益較量』の判断手法を採ってきており、その際の判断指標として、事案に応じて一定の厳格な基準（明白かつ現在の危険の原則、不明確ゆえに無効の原則、必要最小限度の原則、

LRAの原則、目的・手段における必要かつ合理性の原則など）ないしはその精神を併せ考慮したものがみられる。もっとも、厳格な基準の活用については、……規制される人権の性質、規制措置の内容及び態様等の具体的な事案に応じて、その処理に必要なものを適宜選択して適用するという態度を採っており、……柔軟に対処している」。猿払判決では、「政治的中立性の確保という目的との間に合理的関連性がある以上、必要かつ合理的なものであり合憲であることは明らかであることから、当該事案における当該行為の性質・態様等に即して必要な限度での合憲の理由を説示したにとどめたものと解することができる」。「付言すると、多数意見のような解釈適用の仕方は、……いわゆるブランダイス・ルールという考え方とは似て非なるものである。……本件の多数意見の採る限定的な解釈は、司法の自己抑制の観点からではなく、……国家公務員法の構造、理念及び本件罰則規定の趣旨・目的等を総合考慮した上で行うという通常の法令解釈の手法によるものである」（この点は本書472頁参照）。

(イ)　選挙活動の自由

また、選挙活動の自由については、公職選挙法が選挙期間の制限と事前運動の禁止（129条）、戸別訪問の禁止（138条）、文書図画頒布の制限（142条）等の多くの制約を定めている。その合憲性が争われた訴訟では、下級審で多くの違憲判決が出現しているのに対して、最高裁は、初期の判例において、表現の自由も「公共の福祉のため必要ある場合には、その時、所、方法等につき合理的制限がおのずから存する」という「公共の福祉」論や、抽象的な弊害のおそれ（不正行為の温床となる、選挙人の生活の平穏を害する、無用な競争を激化させるなどの弊害論）から容易に合憲判断を導いていた（最大判1955〈昭30〉．4．6刑集9巻4号819頁、最大判1969〈昭44〉．4．23刑集23巻4号235頁など）。

ところが、1980年代以降は、下級審判例や最高裁判決個別意見のなかで弊害論が痛烈に批判されるようになった。そこで最高裁は、「合理的関連性」基準を用いて選挙の公正確保の目的と手段の関連を合理的なものと判断した。さらに戸別訪問禁止では、表現の自由の間接的・付随的な制約によって得られる利益は失われる利益に比してはるかに大きく、「戸別訪問を一律に禁止するかどうかは、専ら選挙の自由と公正を確保する見地からする立法政策の問題である」と、立法裁量を強調する立場によって合憲判断を維持し、一貫して旧来の判例を踏襲してきた（最二判1981〈昭56〉．6．15刑集35巻4号205頁、最

三判1981〈昭56〉. 7. 21刑集35巻5号568頁、最一判2002〈平14〉. 9. 9判時1799号174頁、最三判2002〈平14〉. 9. 10判時1799号176頁、百選Ⅱ342頁〔横大道聡執筆〕)。

選挙運動の自由を表現の自由の内容として重視する立場からすれば、立法目的が正当である場合でも、目的を達成するためにより制限的でない規制手段があるかどうかを検討することが必要であり、厳格審査基準（LRA 基準）によって合憲性を判定するのが妥当といえよう（本書332-333頁以下参照）。

(6)　集会・結社の自由

(ア)　集会の自由

特定または不特定の多数人が政治・経済・学問・芸術等に関する共通の目的のもとに一定の場所に集まる一時的な集合体が集会であり、集会の自由も憲法21条1項で保障されている。集会する場所は、公園・広場などの屋外や公会堂など屋内の施設のほか、集団行進、集団示威運動、デモ行進のように、場所を移動する場合を含めて広く解することができる。集会の自由が表現の自由の一形態として重要な意義をもつことについては、判例も、「集会は、国民が様々な意見や情報等に接することにより自己の思想や人格を形成、発展させ、また、相互に意見や情報等を伝達、交流する場として必要であり、さらに、対外的に意見を表明するための有効な手段であるから、憲法21条1項の保障する集会の自由は、民主主義社会における重要な基本的人権の一つとして特に尊重されなければならない」と述べている（成田新法事件・最大判1992〈平4〉. 7. 1民集46巻5号437頁、本書259-260頁）。しかし、集会の自由が他者の権利や公共の利益と衝突する場合には、必要不可欠な規制はやむをえないものとなる。集会の自由の規制について、公共施設の利用制限や公安条例による規制が問題になる。

まず、公共施設の利用については、管理権者の許可制の採用が合憲か否について議論の余地がある。国民公園管理規則4条は「国民公園内において、集会を催しまたは示威運動を行おうとする者は、厚生大臣の許可を受けなければならない」とするが、管理権者が行う利用の許否は自由裁量によるものであってはならず、使用目的を維持するため必要不可欠な限度をこえて集会の自由を制約することは許されないと解すべきであろう。

アメリカの判例理論では、場所が街路・歩道・公園等のパブリック・フォーラムに該当する場合には、財産権や管理権よりも表現活動が優先されるというパブリック・フォーラム論が確立され、日本にも影響を与えている。アメリカでは、(i)「伝統的パブリック・フォーラム」（道路・広場・公園等）の表現規制は厳格審査基準、(ii)「指定されたパブリック・フォーラム」（表現のために特別に設置された公会堂等の場合）では、設置・維持する限りは厳格審査基準が適用されるのに対して、(iii)「非パブリック・フォーラム」では、基本的に裁量によるが、使用を決定した限りは「見解」に基づく差別をしてはならない、とされる（芦部・憲法学Ⅲ442頁以下、高橋・憲法252頁以下、駒村＝鈴木編著後掲『表現の自由Ⅰ』197頁〔中林暁生執筆〕参照）。

日本の判例でも、皇居前広場の使用に関する事件（後掲①）以降、不許可処分の違法性判断基準が示されてきた。公会堂や市民会館などの公の施設の利用についても、施設の適正な管理が要求されるため許可制が採用されているが、住民等の集会の自由が最大限尊重されることが求められる。地方自治法244条２項・３項で、地方公共団体の施設について、「正当な理由がない限り、住民が公の施設を利用することを拒んではならない」とし、「住民が公の施設を利用することについて、不当な差別的取扱いをしてはならない」と定めるのはその趣旨といえる。最高裁判決も、1995〈平７〉年の泉佐野市民会館事件判決（後掲③）や、1996〈平８〉年の上尾市福祉会館事件判決（後掲④）では、規制の合憲性を厳格に審査する傾向が出現し、後者では不許可処分に対して違法の判断を下している。

①　皇居前広場事件　　1952年のメーデー集会に使用するため皇居外苑の使用許可申請がなされたところ、厚生大臣により不許可処分が下された。一審東京地裁判決（1952〈昭27〉. 4 . 28行集３巻３号634頁）は、この処分は憲法21条に違反すると判断したが、二審東京高裁判決（1952〈昭27〉. 11. 15行集３巻11号2366頁）は訴えの利益が喪失したとして控訴を棄却した。最高裁も同様の理由で上告を棄却したが、「念のため」として実体判断を示し、膨大な人数と長時間の使用によって公園が損壊を受け、一般国民の利用も阻害される、として合憲と解した。しかし、その前提として、「管理権者は、当該公共福祉用財産の種類に応じ、また、その規模、施設を勘案し、その公共福祉用財産としての使命を十分達成せしめるよう適正にその管理権を行使すべきであり、若しその行使を誤り、国民の利用を妨げるにおいては、違法たるを免れない」と判示した（最大判1953〈昭

28〉.12.23民集７巻13号1561頁）。

② 京都府勤労会館事件　この事件では、教職員組合の全国教育研究集会開催のための勤労会館の使用承認取消処分に対して、京都地裁が、勤労会館をいわゆるセミ・パブリック・フォーラムと認めた。判決は「もし、反対勢力ないし団体の違法な妨害行為を規制することの困難さやそのための出費を理由として安易に集会や言論の制限を許すならば、結局それは間接的にせよ……規制を行う途を拓くことになり、憲法の保障する集会ないし言論の自由の趣旨に反する」（京都地決1990〈平２〉．２．20判時1369号94頁）として執行停止を認めた。

③ 泉佐野市民会館事件　関西新空港反対集会のための泉佐野市民会館使用不許可に関する国家賠償請求事件である。最高裁判決は、不許可事由としての「公の秩序をみだすおそれがある場合」を「本件会館における集会の自由を保障することの重要性よりも、本件会館で集会が開かれることによって、人の生命、身体又は財産が侵害され、公共の安全が損なわれる危険を回避し、防止することの必要性が優越する場合」に限定して解すべきだとし、その危険性は、客観的事実に照らして「明らかな差し迫った危険の発生が具体的に予見されることが必要である」と判示した。そしてこのような比較衡量の基準にたちつつ市民会館条例に合憲限定解釈を加えれば憲法21条や地方自治法244条に違反しないと判断した（最三判1995〈平７〉．３．７民集49巻３号687頁、百選Ⅰ175頁〔金沢孝執筆〕）。

④ 上尾市福祉会館事件　労働組合幹部の合同葬のための福祉会館使用不許可事件である。福祉会館長が、本件合同葬の妨害による混乱の発生および会館内の結婚式場等の利用への支障の発生を理由に会館の利用を不許可にしたことについて、一審判決（浦和地判1991〈平３〉．10．11判時1426号115頁）は不許可処分を違法とし、控訴審判決（東京高判1993〈平５〉．３．30判時1455号97頁）は合法とした。これに対して、最高裁は、「正当な理由がない限り」利用を拒んではならず、その利用について「不当な差別的取扱いをしてはならない」とする地方自治法244条２・３項および同会館管理条例６条１項を厳格に解釈し、「客観的な事実に照らして具体的に明らかに予測される場合に初めて、本件会館の使用を許可しないことができる」と解した。さらに、主催者が集会を平穏に行おうとしているのに、反対者らが実力で妨害しようとしていることを理由に公の施設の利用を拒むことができるのは、「警察の警備等によってもなお混乱を防止することができないなど特別な事情がある場合に限られる」とした。結局、管理上の支障が生じる事態が「客観的な事実に照らして具体的に明らかに予測され」たものとはいえないとして、当該不許可処分を違法と判断した（最二判1996〈平

8〉. 3 .15民集50巻３号549頁)。ここでは、反対者の妨害のおそれを理由に公の施設の利用を拒むことは許されないという点についてアメリカの憲法理論でいう「敵対的聴衆（敵意ある聴衆、hostile audience)」の理論があてはまる。これは、泉佐野市民会館事件判決でも採用されていたが、本件について違法判断が導かれたことで、最高裁が精神的自由の制約に対して厳格な審査基準によって判断したものとして評価されよう。もっとも、他方で「多数の暴力主義的破壊活動者の集合の用に供され又は供されるおそれがある工作物」の使用を運輸大臣が禁止することができる旨定める特別立法（成田新法）について、比較衡量の基準を用いて「公共の福祉による必要かつ合理的なもの」とした判例も存在する（本書222頁、259頁、最大判1992〈平４〉. ７. １民集46巻５号437頁)。

⑷　集団行動の自由

集団行進や集団示威運動など集団行動の自由は、「動く公共集会」として集会の自由に含まれると解される傾向にあるが、憲法21条の「その他一切の表現の自由」に含まれると解することも可能である。集団行動は、言論・出版等と異なって一定の行動を伴うものであり、特別の制約に服することがある。従来の判例で集団行動の自由についての制約の合憲性が争われたのは、地方公共団体の公安条例である。

①　新潟県公安条例事件　　最高裁は、新潟県公安条例事件において、一般的な許可制を定めて集団行動を事前に抑制することは許されないが、「合理的かつ明確な基準のもとで許可制をとること」および「公共の安全に対し明らかな差迫った危険を及ぼすことが予見されるとき」は許可しない旨を定めることは許されるとして、条件付許可制や禁止的届出制を合憲とした（最大判1954〈昭29〉. 11. 24刑集８巻11号1866頁、百選Ｉ177頁〔植村勝慶執筆〕)。

②　東京都公安条例事件　　東京都公安条例事件は、1958年に東京都公安委員会の許可なく警察官職務執行法改正反対等のための集会と集団行進を指導したとして東京都公安条例違反で４人が起訴された事件である。一審東京地裁は、前記新潟県公安条例事件最高裁判決で示された原則に従って無罪判決を下した（1959〈昭34〉. ８. ８刑集14巻９号1281頁）が、控訴後、刑訴規則247条に従って東京高裁から最高裁に移送され、最高裁は地裁判決を破棄し差戻した。本件では「道路その他公共の場所で集会若しくは集団行進を行おうとするとき、又は場所のいかんを問わず集団示威運動を行おうとするときは、東京都公安委員会の許可を受けなければならない」とする一般的許可制の採用が問題となった。最高裁は、まず集団行動の特性について「内外からの刺激、せん動等によってきわ

めて容易に動員され得る性質のもの」で、「時に昂奮、激昂の渦中に巻きこまれ、甚だしい場合には一瞬にして暴徒と化し、勢いの赴くところ実力によって法と秩序を蹂躙し、集団行動の指揮者はもちろん警察力を以てしても如何ともし得ないような事態に発展する危険が存在すること、群衆心理の法則と現実の経験に徴して明らかである」という集団行動暴徒論の認識を示した。そのうえで、「公共の安寧を保持する上に直接危険を及ぼすと明らかに認められる場合の外は、これを許可しなければならない」という規定（3条）によって「不許可の場合が厳格に制限されている」ので、「実質において届出制と異なるところがない」と解して許可制の合憲性を認めた（最大判1960〈昭35〉. 7 . 20刑集14巻 9 号1243頁、百選Ⅰ85頁〔木下昌彦執筆〕参照）。

③　徳島市公安条例事件　　1975年の徳島市公安条例事件最高裁判決では、条例の「交通秩序の維持に反する行為をするようにせん動」等の文言が明確性を欠くとして憲法31条の罪刑法定主義等に反するか否かが争われたが、（すでにみたとおり）最高裁は犯罪構成要件として明確であると判示した（最大判1975〈昭50〉. 9 . 10刑集29巻 8 号489頁、本書204頁、百選Ⅰ85頁〔木下昌彦執筆〕参照）。

④　広島市暴走族条例事件　　広島市暴走族条例では、16条 1 項 1 号で「公共の場所において……許可を得ないで、公衆に不安又は恐怖を覚えさせるようない集又は集会を行うこと」等を禁止し、同17条で「特異な服装をし、顔面の全部若しくは一部を覆い隠し、円陣を組み、又は旗を立てる等威勢を示すことにより行われたとき」は、市長は退去を命じることができると定めて、違反者には 6 月以下の懲役または10万円の罰金の課していた。被告人は、これらの規定が不明確であり、規制対象が広範囲すぎるとして憲法21条 1 項、31条違反を主張したが、一・二審はこれを斥けて有罪とした（広島地判2004〈平16〉. 7 . 16、広島高判2005〈平17〉. 7 . 28高刑集58巻 3 号32頁）。

最高裁（最三判2007〈平19〉. 9 . 18刑集61巻 6 号601頁）多数意見（ 3 人の裁判官）は、暴走行為を目的として結成された集団（本来的暴走族）のほか、社会通念上これと同視できる集団（いわば準暴走族）によるものに限定すれば、規制目的の正当性、弊害防止手段の合理性等からすれば合憲である、として合憲限定解釈を行って上告を棄却した。これに対して、藤田宙靖裁判官の反対意見は、合憲限定解釈が許されるのは、(i)その解釈により、規制対象とそれ以外の者が明確に区別され、合憲的に規制し得るもののみが規制対象となることが明らかにされる場合、(ii)国民一般の理解において、具体的な場合に当該表現行為等が規制の対象になるかどうかの判断を可能ならしめるような基準を、その規定自体から読み取ることができる場合、でなければならない、という判例の基準（上記徳島市公安条例判決）に照らして、多数意見のような解釈を導くことは困難であるとした。また、田原裁判官の反対意見も、規定の広範性と、利益衡量の結果から、憲法21条1項、31条に違反すると判断した。多数意見にも、これらへの反論として2人の補足意見が付されており、第三小法廷の意見が分かれたことが窺える。学説も本件の合憲限定解釈を批判的に捉える見解が多く、注目される（重判平成19年度16-17頁〔巻美矢紀執筆〕、宍戸・憲法解釈論142頁以下、百選I 182頁〔西村裕一執筆〕参照）。

(ウ)　結社の自由

結社の自由とは、特定の多数人が集会と同じく政治・経済・宗教・芸術等の共通の目的をもって、継続的に集団を形成する自由を意味する。その内容には、団体形成の自由、団体加入の自由、団体活動の自由、さらに、団体形成・加入しない自由（結社しない自由ないし消極的結社の自由）や加入した団体から脱退する自由も含まれる。実際には、弁護士会・税理士会など専門的技術を要し公共的性格を有する職業団体では強制加入制がとられている。労働組合でも加入強制や組合員の統制権が認められているため、結社の自由（結社しない自由）との関係で問題がある。判例では、結社の自由や団結権に基づいて結成された団体は内部統制権をもつとしても無条件ではなく、労働組合の意思と異なって立候補した組合員を除名することは許されないとされた（最大判1968〈昭43〉. 12. 4刑集22巻13号1425頁、本書314頁参照）。

結社の自由も、集会の場合と同じく一定の内在的制約に服する。犯罪を目的とする結社が許されないことはその例である。憲法秩序の基礎を暴力により破壊することを目的とする結社について自由が認められるか否かが問題となり、破壊活動防止法の合憲性をめぐって議論がある。この法律は、「暴力主義的破壊活動を行った団体」について、公安審査委員会が解散の指定を行うことができる旨を定めているほか、「団体の活動として暴力主義的破壊活動を行う明らかなおそれ」等の不明確かつ包括的な概念によって表現活動や集会・結社の自由を制約し、結社の存在を否定することが認められていることに対して、批判がある（奥平・憲法Ⅲ181頁、長谷部・憲法233頁参照）。

4　通信の秘密

通信の秘密は、近代以降の諸憲法では信書の秘密について保障されていた（1831年ベルギー憲法など）。日本でも、大日本帝国憲法26条で「日本臣民ハ法律ニ定メタル場合ヲ除ク外信書ノ秘密ヲ侵サルヽコトナシ」と規定していたが、ここでは封書等の信書（手紙）や電信・電話などの通信の秘密が保障されていると解されてきた。

日本国憲法21条2項は、前段で「検閲は、これをしてはならない」として検閲の禁止を、後段で「通信の秘密は、これを侵してはならない」として、同条1項の表現の自由とならべて通信の秘密を規定している（検閲につき本書202-203頁参照）。ここでいう通信とは、手紙や電信・電話等あらゆる方法で行う意思伝達のための表現行為であり、公権力による通信内容の探索を禁止することも保障されていると解される。従来は、特定の人の間でのコミュニケーションの秘密という私生活の保護を主たる目的とするものだと考えられてきたため、この規定は、憲法13条のプライバシーの権利や35条の定める住居の不可侵原則と同趣旨のものと解する見解が有力である（芦部・憲法230頁）。これに対して、通信の自由として表現の自由との関連で捉える見解もある（阪本・憲法理論Ⅲ139頁以下）。

通信の秘密の保障内容は、通信の内容や差出人（発信者）・受取人（受信者）の氏名・居所、通信の日時や個数などすべての事項に及ぶと解される。さらに今日では、携帯電話による通信やメール交換のほか、パソコン通信による電子メールやインターネット上の相互コミュニケーションなど、新たな通信手段が重要な意味をもつようになり、通信の秘密の保護についても新しい理論の構築が求められている。特定人の間の電子メールの交換などは、もちろん通信の秘密の保護対象となるが、不特定多数にむけられたインターネットのホームページや「公然性を有する通信」（鈴木秀美「放送・通信制度」ジュリスト1133号161頁以下参照）については、通信の秘密の問題として論じることが困難になるためである。この点では、放送の自由の一環として論じたインターネット規制の問題（本書218頁以下参照）との統一的な議論が必要となろう。

さらに、通信の秘密の制約は、今日でも重要な論点である。実際には、郵便物（通信事務を取り扱う官署等が保管または所持する郵便物で「被告人から発し、又は被告人に対して発した」もの等）の押収（刑事訴訟法100条）、破産者宛の郵便物または電報の破産管財人への配達とそれによる開披（破産法190条）、受刑者の信書発受の制限（刑事収容施設及び被収容者処遇法126条〜130条）等の種々の制約が存在し、判例・学説によって一般に合憲と解されてきた。しかし、これらの制限が憲法上許される必要最小限度のものかどうかは厳格に審査する必要があり、前記刑訴法100条による郵便物の押収などは違憲の疑いが強いといえる（同旨、樋口他・注解I 87頁〔浦部執筆〕、佐藤幸・憲法578頁参照）。

また、犯罪捜査中の電話の盗聴・傍受の合憲性も、その許可条件を厳格に解する立場からすれば疑問があるといわざるをえない。判例では、麻薬密売の捜査のための電話の傍受について、犯罪の重大性、嫌疑の明白性、証拠方法としての重要性と必要性、他の手段が困難であるなどの状況に照らして、真にやむをえないと認められる場合には合憲であるとした東京高裁がある（東京高判1992〈平4〉.10.15高刑集45巻3号85頁）。ついで最高裁も、覚醒剤取締法違反の被疑事件に関する捜査で、検証許可状に基づく電話傍受を合憲とした（最三判1999〈平11〉.12.16刑集53巻9号1327頁）が、検証許可状による強制処分は違法であるとする元原裁判官の反対意見も付されていた。

その後、1999年8月に制定された「犯罪捜査のための通信傍受に関する法律」（通信傍受法、いわゆる「盗聴法」）が2000年8月から施行され、傍受は検証許可状ではなく傍受令状に基づいて行われることになったため、この問題は立法的に解消された。しかし、組織的犯罪対策三法の一つである本法では、令状に記載された「傍受すべき通信」に該当するかどうかを判断するための予備的傍受（同法13条1項）や、令状に基づく傍受中に他の犯罪に関する傍受を行う別件傍受（14条）、事前傍受（3条1項）などが容認されており、憲法35条の令状主義の潜脱や通信対象の無限の拡大をひきおこし、通信の秘密の侵害や表現の自由を萎縮させるおそれが指摘された。そこで、同法が憲法13条・21条・31条・35条に違反するとして無効確認と国家賠償を求める訴訟が提起されたが、東京地裁は、争訟性または処分性の要件を欠くものとして無効確認の訴えを却下し、国家賠償法請求等につき請求を棄却した（2001〈平13〉.8.31判時1781号112頁）。

四　学問・教育の自由

1　学問の自由の意義と内容

(1)　意義

憲法23条は「学問の自由は、これを保障する」と定める。学問の自由の保障規定をおく憲法は諸外国でも多くはないが、ドイツ連邦共和国基本法５条３項では「芸術および学問、研究および教授は自由である。教授の自由は、憲法に対する忠誠を免除するものではない」と規定している。日本の大日本帝国憲法には学問の自由の規定はなく、1890年代に大学自治の制度と慣行の原型が確立されたにとどまる。1931年の満州事変以後の軍国主義下で京都帝国大学滝川事件や天皇機関説事件がおこり、学問の自由が侵害された。

京大滝川事件では、1932年の講演のなかでトルストイの刑罰思想を肯定的に紹介した滝川幸辰教授の教科書『刑法読本』と『刑法講義』を、翌33年に内務大臣が発禁処分にした。さらに、文部大臣が同教授に対する休職処分を教授会の同意なしに行った。このような大学の自治の侵害に対して、佐々木惣一・末川博以下、京都帝国大学法学部の教授が全員辞表を提出したことで有名である。

また、1935年の天皇機関説事件では、当時の代表的な憲法学者であった美濃部達吉の著書『逐条憲法精義』『憲法撮要』など３冊が、安寧秩序を害するものとして出版法19条により発売禁止処分を受けた。さらに、国家法人説の立場から天皇を国家の機関と解した天皇機関説について、これを大学で教えることが禁止され、学説の自由や教授の自由が直接的に侵害された。

最近では、2020年10月１日の日本学術会議新会員任命に際して、人文・社会科学分野の６名の研究者が菅内閣総理大臣により任命を拒否されたことが問題となった。「科学者の代表機関」として政府に対する勧告権限をもつ（日本学術会議法２条）同会議は、「政府から独立して職務を行う『特別の機関』」として1949年に設立され（同ウェブサイト）、会員は「同会議の推薦に基づいて、内閣総理大臣が任命する」（同法７条２項）。推薦を重視してきた慣行を破って人事介入が進めば間接的に学術団体や研究者の学問の自由が制約されることになるため、500以上の学協会から抗議声明が発せられ、国会でも与野党間で論戦が続いた。

(2)　学問の自由の内容

憲法23条の保障内容については、(a)学問研究の自由、(b)学問研究成果の発表の自由、(c)（大学における）教授の自由、(d)大学の自治、をあげるのが、従来の通説である。(a)は思想・良心の自由、(b)は表現の自由の保障のなかにも含まれるが、通説では、憲法が19条・21条でこれらを保障したうえでさらに23条をおいて学問の自由を保障したのは、学問研究に「高い程度の自由が要求されるから」（宮沢・憲法Ⅱ395頁）と解している。また、(c)については、学問の自由から導き出される教授の自由が大学に限定されるか、(高等学校以下の) 初等中等教育機関の教育の自由を含むかということが問題となる。この点は、学問の自由をめぐる判例のリーディング・ケースとしての最高裁のポポロ事件判決 (最大判1963〈昭38〉. 5.22刑集17巻4号370頁) が通説の形成に重要な役割を果たした (百選Ｉ186頁〔中富公一執筆〕参照)。

ポポロ事件は、東京大学の学生団体であるポポロ劇団の (松川事件を題材とした) 一般公演に本富士警察署の署員が公安調査の目的で潜入した際、学生がこれに暴行を加えて起訴された事件である。一審 (東京地判1954〈昭29〉. 5.11判時26号3頁)・二審 (東京高判1956〈昭31〉. 5. 8高刑集9巻5号425頁) 判決はともに、大学の自治という法益と警察官の個人的法益との比較衡量により前者を優越させて学生を無罪にしたのに対して、最高裁は破棄差戻の判決を下した (差戻審では1973年に最高裁で有罪が確定し、1952年の事件後21年を経て訴訟が終結した)。最高裁は、憲法23条は大学が学術の中心であることから、とくに大学における学問研究・教授の自由を保障するものと解し、「学生の集会が真に学問的な研究またはその結果の発表のためのものでなく、実社会の政治的社会的活動に当る行為をする場合には、大学の有する特別の学問の自由と自治は享有しない」と判示した。このような判旨については、大学の自治の理解や真の学問研究と社会的政治的活動の区別論に対して、学説から強い批判が寄せられた。

こうして、従来の通説は、教授の自由を大学における教授の自由に限定し、初等中等教育機関における教師の教育の自由は憲法23条の学問の自由によって保障されていないと解してきた。その理由は、ドイツ憲法など沿革的にみて大学における教授の自由のみが学問の自由に含まれてきたこと、初等中等教育機関の教育の自由は教育を受ける者に対して教育を受ける権利を充足するために行うもので研究結果の公表の自由は大学が中心であること、などである。これに対して、学問の自由の保障範囲を大学のみならず初等中等教育機関における教師の教育の自由にも拡大し、憲法23条に新たに教育条項としての意義を賦与しようとする見解も存在する。また、通説と同じく学問の自由のなかに教育の自由を含めない立場を前提にしつつ、初等中等教育機関における教師の教育の自由が憲法上の権利であることを認める見解も存在する。教育の自由については後にみるが、教科書裁判の進展に伴って、高校以下の教育機関における学問の自由と教育の自由を認める立場が有力となってきた。

近年では、遺伝子や生殖に関する研究・技術等の急激な進展によって、人間の生存の根幹を揺るがすような研究・学問も出現し、法的規制の是非が議論されてきた。学説では、研究者の自主的・倫理的な自己規制に委ねるべきであるとする多数の見解（小林・講義(上)381頁、樋口他・注解Ⅱ121頁〔中村執筆〕など）と、（ヒト・クローン研究や受精卵の実験使用の禁止など）特定内容の研究のみを規制できるとする見解（戸波江二「科学技術規制の憲法問題」ジュリスト1022号85頁、争点126頁〔戸波執筆〕参照）が対抗している。2000年12月に「ヒトに関するクローン技術等の規制に関する法律」が制定された（2001年6月から施行）が、法的規制が「両刃の剣」であることも忘れてはならないであろう。

2　大学の自治

大学の自治についても、ポポロ事件最高裁判決が「教授その他の研究者の研究、その結果の発表、研究結果の教授の自由」を保障するためのものとして位置づけ、学生については、「これらの自由と自治の効果として、施設が大学当局によって自主的に管理され、学生も学問の自由と施設の利用を認められる」と理解した。そこで、通説も、大学の自治が憲法23条の保障内容をなすことを認め、学問の自由を制度的に保障するいわゆる制度的保障説によって理解してきた（本書101頁参照）。これによって、学問の自由を確保するために不可欠な制度としての大学の自治を、法律等によって廃止することや本質的な制約を加えることはできないものとされる。また、自治の主体や範囲について、従来の通説は、大学当局の管理権や教授会の自治を中心に理論構成し、学長・教授その他の研究者の人事、大学の施設の管理、および学生の管理をその内容に含めていた。学生の地位は、大学当局の管理の対象や営造物の利用者と解され、いわゆる営造物利用者説が採られていた。

これに対して、学説では、大学の自治には、前述の人事や施設と学生の管理のみならず、研究教育作用を実現する自治や予算管理における自治も含まれるとして、範囲を広く解することが一般的である（佐藤幸・憲法511頁）。そのうえで、学生の地位についても営造物利用者説が批判され、大学の運営に関して要望したり批判したりする権利が含まれるとされるが、大学の自治の主体的構成者として管理運営に参加する権利まで認めるかどうかは議論が分かれる。原則的には、教授会自治と矛盾しない範囲で、可能な限り、管理運営に参加する資格をもつと解するのが妥当であろう。

3　教育の自由

(1)　意義と主体

憲法23条で学問の自由が保障され、26条で教育を受ける権利が保障されている反面、精神的自由権としての教育の自由を直接規定した条文は存在しない。しかも、ポポロ事件最高裁判決以降の通説・判例が、23条の保障を大学における学問や教授の自由に限定し、26条を社会権の規定として位置づけたため、教育権の内容に関して、教育学者などから疑義が出された。

時を同じくして、教科書検定の合憲性をめぐって教科書裁判（家永訴訟）が開始され、子どもの学習権や、それを基底とした親と教師の教育の自由が議論された。1960年代後半からの教育権論争の進展に伴って、しだいに、「国民の教育権」説に基礎をおき、「国家からの自由」という本質をもった精神的自由権としての教育の自由が理論化されることとなった。この理論では、教育の自由という場合の権利の主体と内容はさまざまであり、親の教育の自由、教師の教育の自由、子どもの学習の自由、私立学校の教育の自由、国民の（教科書などの）出版の自由などが含まれるものとされた（百選Ⅰ188頁〔大島佳代子執筆〕参照）。

(2)　教育権論争の展開

旧来の通説では、教育内容の決定権が国家にあることを前提として、国家に教育内容への介入権を認め、教育の自由という考えを否定する「国家の教育権」説が中心であった。その根拠には、両親の教育権を「人間の基本的権利」として自然法に基づく権利と捉えつつ、26条2項の反対解釈から国家も教育の権利をもつとして、国家に補充的性質の伝来的教育権を認めるもの（田中耕太郎説）や、公教育は国家が組織するものであり、民法820条に基づく親の教育権が国家に付託されたものと解する理解があった。これに対して、教育内容の具体的な決定権が国家にあることを否定し、親や教師、子どもなどを主体として教育の自由を承認する「国民の教育権」説が主張された。

その憲法上の根拠も、教育の自由の主体に即してそれぞれ別個に捉えることが可能とされ、例えば、教師の教育の自由については、すでにみた憲法23条に根拠を求める見解が第二次家永訴訟の杉本判決の影響下でしだいに有力となった。この23条説は、下級教育機関で教授の自由が制限されるのは、ただ被教育者である児童生徒の学習権のみから説明されるべきであると解した（有倉遼吉説など、兼子仁『教育法（新版）』有斐閣、1978年、203頁）。次に、教育の自由を26条の教育を受ける権利の前提として認めようとする26条説（永井憲一説）は、23条の教授の自由と教育の自由を概念上区別する立場である。第二次家永訴訟の杉本判決も教師の教育の自由は23条の一環としつつ、26条の前提として教育の自由を位置づける立場をとった。さらに、13条を根拠とする13条説も存在する（高柳信一説、佐藤幸・憲法626-628頁）。この立場は、「やがて成熟してわれわれに代って主権の実質的な担い手となるべき次の世代を権力に干渉されずに国民的立場において教育する自由」としての教育の自由は、明示的には憲法で保障されていないが、憲法的自由として実質的に保障されているとして13条に根拠を求める。このほか、教育はもともと非権力的性格のもので条理に基づかなければならないとする教育条理論や、教育は親と子の私的な関係のなかで営まれた私事性を基礎とするものであり、近代公教育は親の義務の共同化の場であってあくまで親の教育の自由が尊重されなくてはならないとする教育の私事性説なども出現した。最近では、23条説や26条説が有力である（学説につき、中村・30講135頁以下、長谷部編・注釈(2)32頁以下〔阪口執筆〕参照）。

なお、2006年12月、教育基本法が全面改定され、施行された。ここでは、教育の目標の中に「伝統と文化を尊重し、それらをはぐくんできた我が国と郷土を愛する……態度を養うこと」（2条5号）という文言が加えられ、国家主義的な愛国心教育がめざされるのではないか、という点が議論を呼んだ（西原博史後掲『学校が「愛国心」を教えるとき』参照）。また、小学6年生と中学3年生を対象にした全国一斉学力テストも2007年4月に（1964年以来）43年ぶりに復活し、継続されることになった（後掲②参照）。

(3)　判例

①　教科書裁判（家永訴訟）　　歴史学者の家永三郎東京教育大学教授（当時）が執筆した高校用教科書『新日本史』について、1963年に5訂版が検定不合格処分をうけ、1964年には300項目の修正意見つきで条件付合格とされた。そこで家永教授は、この検定を違憲・違法として1965年に国を相手どって国家賠償請求訴訟（第一次家永訴訟）を、ついで67年に文部大臣を相手どって不合格処

分取消請求訴訟を提起した（第二次家永訴訟）。

判決は、最初に第二次訴訟一審判決（杉本判決・東京地判1970〈昭45〉. 7.17行集21巻７号別冊１頁）がだされ、「国民の教育権」説を前提に、当該教科書検定が「教科書執筆者としての思想（学問的見解）内容を事前に審査するものというべきであるから、憲法21条２項の禁止する検閲に該当し、同時に……記述内容の当否に介入するものであるから、教育基本法10条に違反する」と判示して原告を勝訴させた（百選Ⅰ188頁参照)。次に、第一次訴訟の一審判決（高津判決・東京地判1974〈昭49〉. 7.16判時751号47頁）がだされ、杉本判決と対立する内容で原告が敗訴となった。

この両者を比較すると、第一の論点である憲法26条・23条と教育の自由の理解について、杉本判決は、教育の本質は子どもの教育を受ける権利に対応すると解して「国家の教育権」説を否定し、教師の教育の自由も23条で保障されており学問と教育の自由は不可分一体と解した。これに対して、高津判決は、国の教育は国民の付託に基づき教育内容にも及ぶとして「国家の教育権」説にたった。また23条に教育の自由が含まれるとしても下級教育機関では画一化が要請され自由は制約されるとした。第二の論点である教育基本法10条と法治主義の理解については、杉本判決は行政当局も不当な支配の主体たりうるが法治主義には違反しないと解し、高津判決は議会制民主主義の原理から法律により公教育権が国家にあるとした。第三の論点である憲法21条の検閲に該当するか否かについては、杉本判決は、検定自体は必ずしも検閲でないが本件はこれに該当するとしたのに対して、高津判決は、検定は検閲にあたらず、出版の自由の制限は受忍すべきである、と対照的な見解を示した。

その後、第一次訴訟の控訴審判決（鈴木判決・東京高判1986〈昭61〉. 3.19判時1188号１頁）は本件検定を制度上も適用上も合憲・合法とした。その上告審判決（最三判1993〈平５〉. 3.16民集47巻５号3483頁）も、国が「必要かつ相当と認められる範囲において、子どもに対する教育内容を決定する権能を有する。もっとも、教育内容への国家的介入はできるだけ抑制的であることが要請され、殊に、子どもが自由かつ独立の人格として成長することを妨げるような介入は……許されない」としつつ、当該検定不合格処分に文部大臣の裁量の逸脱はないとして合憲・合法の判断を下した（百選Ⅰ190頁〔坂田仰執筆〕参照)。一方、第二次訴訟の控訴審判決（畦上判決・東京高判1975〈昭50〉. 12.20行集26巻12号1446頁）は、本件不合格処分の違法性を認めて家永原告の勝訴とした。しかし、上告審判決（最一判1982〈昭57〉. 4. 8民集36巻４号594頁）は、学習指導要領改定後の訴えの利益の問題に関して破棄差戻の判決を下し、差戻審（東京高判1989〈平元〉. 6.27行集

40巻6号661頁）では訴えの利益を欠くと判断して一審判決を取り消し、家永敗訴が確定した。

さらに1984年、国に200万円の賠償を求める国家賠償請求訴訟としての第三次家永訴訟が提起された。一審判決（加藤判決・東京地判1989〈平元〉.10. 3判時臨時増刊1990. 2.15号3頁）は、1カ所の記述に対する検定の行き過ぎを認め、控訴審判決（川上判決・東京高判1993〈平5〉.10.20判時1473号3頁）も3カ所について検定を不当としたが、検定の合憲性については第一次訴訟の最高裁判決に従った。上告審では、原審で認定された3カ所に加えて、第二次大戦中の日本軍の七三一部隊に関する記述についても文部省の行き過ぎを認めて違法とし、合計40万円の損害賠償の支払いを国に命じた（最三判1997〈平9〉. 8.29民集51巻7号2921頁）。

こうして、32年余に及んだ家永訴訟はすべて終了したが、原告が問題にした教科書検定制度自体の合憲性については、最高裁で合憲性が確認されたことになる。学説上の争点であった教育権の所在についても、国家の教育権を前提にしつつ教師の教育の自由等を認めるという折衷的な形で決着がつけられた。これに影響を及ぼしたのが、学テ訴訟である。

②　学力テスト訴訟（学テ訴訟）　教育の自由や教育権の所在についての最高裁判例の基本的立場を示したのは、旭川学力テスト（学テ）訴訟最高裁判決（最大判1976〈昭51〉. 5.21刑集30巻5号615頁）である。この事件は1961年に実施された中学校の全国一斉学力テストを実力で阻止しようとした教師らが公務執行妨害罪に問われたもので、一審判決（旭川地判1966〈昭41〉. 5.25下刑集8巻5号757頁）および二審判決（札幌高判1968〈昭43〉. 6.26下刑集10巻6号598頁）はいずれも学力テストを強行したことは違法であるとして教師の公務執行妨害罪の成立を否定した。しかし、最高裁判決は手続上・実質上ともに学力テストが合法であったことを認め、なお、従来の教育内容決定権をめぐる二つの対立する見解のいずれも妥当でないと判示した。

この判決では、教師の教育の自由について、憲法の保障する学問の自由は、知識の伝達と能力の開発を主とする普通教育の場においても認められ、教授の内容や方法についてある程度自由な裁量が認められなければならないという意味において「一定の範囲における教授の自由が保障されるべきことを肯定できないではない」とした。すなわち、学問の自由が教授の自由を含むことを明言しただけでなく、憲法23条を根拠に初等中等教育機関における教師の教授の自由を一定の範囲ながら認めたことで、「国民の教育権」説に近い立場を示した。反面で、普通教育においては児童生徒に教授内容を批判する能力がなく、教師が児童生徒に対して強い影響力・支配力を有することや、教育の機会均等をはかるうえで全国的に一定の水準を確保すべき強い要請があることなどを理由として、大学と異なり普通教育における教師には完全な教授の自由が認められない、と判断した。また、国は「必要かつ相当と認められる範囲において、教育内容についてもこれを決定する権能を有する」として国家に教育内容の決定権を認めたことで、従来の「国家の教育権」説の立場を踏襲した。両説を折衷した形の結論を提示したことから、本判決は「玉虫色の判決」と呼ばれた。

③　伝習館事件判決　　文部省の学習指導要領に定められた内容を逸脱し、所定の教科書を使用しなかった高校教師３人が福岡県教育委員会から懲戒免職処分をうけたことで、教師の教育の自由について争われた事件である。一審の福岡地裁判決（1978〈昭53〉. 7 . 28判時900号３頁）は、学習指導要領は法的拘束力をもつが、目標・内容は訓示規定であってただちに法的拘束力をもつとは解されないとして２人について免職処分の執行停止を命じた。控訴審判決（福岡高判1983〈昭58〉. 12. 24行集34巻12号2242頁）は、学テ訴訟最高裁判決の影響をうけて、「国および教師の一方にのみ普通教育の内容および方法を決定する権能があるとするのは相当でなく」国も必要かつ合理的な範囲に限って教育内容と方法についての基準を設定しうると判断しつつ、裁量権の逸脱を認めて２人についての懲戒処分を取り消した。しかし最高裁判決（最一判1990〈平２〉. 1 . 18民集44巻１号１頁）は、原審を破棄して一審判決を取り消し、教師の教育の自由にも制約があるとして、教師の行為は教師の裁量の範囲を逸脱しているため懲戒処分が妥当であるとした。学習指導要領の法的性格についても、法規としての性質を有するとした原審は正当であるとしてその法的拘束力を承認した形となった（百選Ⅱ298頁〔赤川理執筆〕参照）。

④　横浜教科書検定訴訟　　高校の現代社会の教科書検定における検定処分の違法性等が争われた国家賠償請求訴訟（高嶋教科書訴訟）で、一審横浜地裁判決（1998〈平10〉. 4 . 22判時1640号３頁）は、検定制度の合憲性・合法性を認めつつ、検定通知の一部に過誤があるとして請求の一部を認容して20万円の支払いを命じた。これに対して東京高裁判決（2002〈平14〉. 5 . 29判時1796号28頁）は、検定意見はいずれも文部大臣の裁量権を逸脱していないとして、一審原告の請求を一部認容した原判決を取り消し、この部分の原告の請求を棄却した。

最高裁も、学テ判決を踏襲して、教育内容に関する国の決定権を認め、教科書検定制度についても、憲法21条・23条・31条に違反しない、とした（最一判2005〈平17〉. 12. １判時1922号72頁、重判平成17年度19頁〔浅利祐一執筆〕参照）。（このほか、内申書裁判については、本書180-181頁③参照）。

Ⅱ　経済的自由権

経済的自由権には、憲法22条・29条で保障される職業選択の自由（営業の自由）、居住・移転の自由、財産権が含まれる。これらの権利は、近代から現代まで、他の自由権（精神的自由権・身体的自由権）とは異なる歴史的展開過程をたどってきた。前近代の封建的な身分制社会では特権階層による独占やギルド組織の拘束等が存在したのに対して、近代市民革命でこれらの拘束から解放され、ブルジョア階級が自由な経済活動を行う権利を獲得した。1789年のフランス人権宣言２条・17条では、財産権は神聖・不可侵の自然権として位置づけられ「国家からの自由」が強調された。しかしその後、資本主義の進展による階級対立や資本家による労働者の搾取、社会・経済的な不平等の拡大、さらには大企業等の社会的権力の増大という現象を抱えた現代では、経済的自由はむしろ社会的に規制される対象となり、実質的平等の確保のために法律による広範な規制が認められてきた。

大日本帝国憲法では、法律の範囲内で居住・移転の自由（22条）と所有権の不可侵、公益のための処分の法定（27条）が定められた。これに対して日本国憲法は、22条１項で居住・移転の自由のほかに職業選択の自由を明示したうえで、現代憲法の歴史的要請をふまえて、22条１項と29条２項（財産権）の二つの条項に「公共の福祉」による制限を付した。これらの「公共の福祉」による経済的自由の制限は、社会・経済的平等を確立するための積極的・政策的制約であり、憲法12条・13条の「公共の福祉」による消極的・警察的制約、あるいは内在的制約とは異なるものと一般に説明されてきた（本書132-133頁参照）。

制約の違憲審査基準についても、日本の最高裁はアメリカの判例理論に従って「二重の基準」論を採用したが、経済的自由の制約について（次にみるように）積極目的規制と消極目的規制との区分論を導入した結果、実質的に三重の基準が成立することになった。もっとも、精神的自由を制約する法律についての従来の判例理論をみる限り、この基準論は、必ずしも精神的自由の優越的地位の擁護という本来の機能のために用いられてないこともすでに指摘したとおりである（本書136頁参照）。

経済的自由権の法的性格については、日本の学界で1970年代初頭から盛んになった「営業の自由」論争が重要な意味をもっている。これは、市民革命期に確立された営業の自由を、人権の内容をなすものとして捉えるか、それとも国家によって確保された公序と捉えるかが議論された論争で、後説を経済史学の成果として明らかにした問題提起に端を発した（岡田与好後掲『経済的自由主義』参照）。今日でも、この論点は、たとえば独占禁止法のような法律の性格を考える際に問題となる。大企業中心のいわば「独占放任型の自由」、国家からの形式的自由を経済的自由権の本質として捉えるならば、独占禁止法は経済的自由の制約立法となり、その制約がどこまで許されるか、という観点から制約立法の合憲性が問題にされる。これに対して、国家によって独占を排除してはじめて、公正で自由な競争が確保され経済的自由が促進される、という「反独占型の自由」の前提にたつならば、独占禁止法は、逆に、経済的自由の促進立法としての意味をもつことになる（樋口・憲法250頁参照）からである。この問題について、憲法は「経済政策的中立性を保っている」（争点149頁〔石川健治執筆〕）としても、この論点は、「規制緩和」の流れのなかで企業の利益中心の議論に傾斜しがちな今日の経済的自由論にも関連しており、法的性格にまで遡った基礎理論的視座から従来の判例理論を再検討することが求められているといえよう。

一　職業選択の自由

1　意義

憲法22条１項は「何人も、公共の福祉に反しない限り、居住、移転及び職業選択の自由を有する」と定める。職業選択の自由とは、自己の従事する職業を選ぶ自由だけでなく、自己の選択した職業を遂行する自由、すなわち営業の自由も含むと解するのが通説である（樋口他・注解II 90頁〔中村執筆〕）。実際には、職業選択の自由に対して法制上さまざまな規制が加えられており、届出制（クリーニング業など）・登録制（建設業など）・許可制（風俗営業、飲食業、貸金業など）・資格制（弁護士・医師・薬剤師・運転手など）・特許制（電気、ガス、鉄道等の公益事業など）などがある。

これらの規制は、通常、規制目的に応じて消極目的規制と積極目的規制に区別される。前者は国民の生命や健康上の危険を防止するために課される予防的・警察的な規制であり、後者は現代的な福祉国家理念に基づいてとくに社会・経済的弱者を保護する目的で課される政策的な規制である。大型デパートやスーパーマーケットなど巨大な資本から小売店や中小企業を保護するための諸規制は後者の例である。

すでに「二重の基準」についてみたように、経済的自由権を制約する立法の違憲審査基準については、精神的自由権を制約する立法に対するよりも緩やかな基準が採用される（本書136頁参照）。具体的には、一般に、合理性の基準が用いられる。これは立法目的および立法目的達成手段について、一般人を基準に合理性が認められるかどうかを審査するもので、立法について合理性があることが推定されているので（合憲性推定の原則）、経済的自由を規制する立法を合憲と判断しやすくなる。さらにこの合理性の基準は、先にみた規制目的に応じて二つに分けて用いられ、積極的・政策的規制（積極目的規制）については、いわゆる明白の原則が用いられて、規制が著しく不合理であることが明白である場合のみ違憲となるとされる。したがって立法府の裁量を広く認め、規制立法の合理性の有無を最も緩やかに審査することになる。これに対して、消極的・警察的規制（消極目的規制）については、裁判所が規制の必要性と合理性を立法事実に基づいて審査する、中間的な「厳格な合理性の基準」を適用することが、最高裁判例の展開のなかで確立されてきた。

2　判例の展開

(1)　初期の判例

営業の自由制約の合憲性が争われた戦後初期の判例では、有料職業紹介事業を禁止した職業安定法に関するケースなど、公共の福祉目的を理由として弊害除去のための制約を合憲としていた（最大判1950〈昭25〉. 6.21刑集4巻6号1049頁）。とくに、公衆浴場開設の許可条件として距離制限を定めた法規（福岡県の条例で、既存の浴場から市部で250メートル、郡部で300メートル以上離れることが条件とされた）の合憲性が争われた公衆浴場法事件において最高裁大法廷判決（1955〈昭30〉. 1.26刑集9巻1号89頁）は、公衆浴場の偏在によって利用者の不便をきたし、濫立によって経営に無用の競争を生じさせる結果、衛生設備低下等のおそれがあるとして、距離制限を合憲とした。この判決には、規制の目的と手段との合理的関係が明確でないなどの批判が寄せられたが、その後、1970〜80年代の小売市場許可制判決と薬事法判決によって判断基準が示されることになった。

(2)　小売市場許可制事件と薬事法判決

①　小売市場許可制判決　　1970年に上告された小売市場許可制事件では、小売商業調整特別措置法3条に基づく小売市場開設の規制（都道府県知事の許可基準につき700メートルの距離制限を定める大阪府の規制）の合憲性が争われた。最高裁大法廷判決（1972〈昭47〉.11.22刑集26巻9号586頁）は上告を棄却したが、その際、憲法22条違反の論点に関して、まず、「個人の経済活動の自由に関する限り、個人の精神的自由等に関する場合と異なって、右社会経済政策の実施の一手段として、これに一定の合理的規制措置を講ずることは、もともと、憲法が予定し、かつ、許容するところ」として、いわゆる「二重の基準」論を採用した。ついで、経済的自由権の規制について、消極的・警察的目的に出た規制と積極的・政策的目的に出た規制の二つに区別するいわゆる「積極規制・消極規制二分論（規制目的二分論）」を採用した。ここでは、前者には通常の「合理性の基準」よりも厳しい「厳格な合理性の基準」を適用し、後者には緩やかな「合理性の基準」を適用して立法裁量を広く認めるという異なる基準が明らかにされた。そのうえで、判決は、この事件の規制が、過当競争による小売商の共倒れから小売商を保護するという積極的・政策的目的の規制であると判断して、立法裁量を尊重し、これを合憲と判断した（百選Ⅰ196頁〔常本照樹執筆〕参照）。

②　薬事法判決　　薬局開設の条件として既存の薬局から約100メートルの距離制限を設けた広島県条例の合憲性が問題となった事例であるが、その背景には、薬の乱売・廉売が社会問題化して1963年に薬事法が改正され、薬局の適正配置規制（距離制限）が採用されたという事情がある。原告（スーパーマーケット）は、薬事法改正直前に販売許可申請し、受理された後、法改正の翌年に不許可処分とされたため、憲法22条違反を主張した。一審判決（広島地判1967〈昭42〉.4.17行集18巻4号501頁）は憲法判断を避けて薬局開設不許可処分を取り消したが、二審の広島高裁判決（1968〈昭43〉.7.30行集19巻7号1346頁）は、前記公衆浴場判決を踏襲して距離制限を合憲とした。

これに対して、最高裁大法廷は、原判決を破棄し、裁判官の全員一致で違憲判決を下した（1975〈昭50〉. 4.30民集29巻4号572頁）。判旨は、「職業は……個人の人格的価値とも不可分の関連を有するものである。……具体的な規制措置について、規制の目的、必要性、内容、これによって制限される職業の自由の性質、内容及び制限の程度を検討し、これらを比較考量したうえで慎重に決定されなければならない」として「事の性質」に即して検討した。ここでは、薬事法の距離制限が立法化されたときの状況（立法事実）を検討し、この制限が「国民の生命及び健康に対する危険の防止という消極的、警察的目的のための規制措置」であるとした。そのうえで、規制手段の合理性を審査した結果、その目的を達するために必要かつ合理的な規制とはいえない、として憲法22条1項違反とした。その際、判旨は、規制目的を達するための手段について、より緩やかな制限方法では足りないことが十分に立証されなかったと認定し、より緩やかな規制手段で同じ目的を達成することができる場合にはその規制手段を違憲とする「LRAの基準」を採用したように理解されてきた（長谷部・憲法244頁など）。もっとも、最高裁は、消極的・警察的目的規制について、より厳格な違憲審査基準を適用して違憲判断を導いたことで、積極的・政策的目的規制の場合より強く経済活動の自由・営業の自由を保障したことになり、目的二分論の根拠についても疑問が残った（従来の理解への批判を含めた評釈として、百選Ⅰ198頁、同（第6版）205頁〔石川健治執筆〕、長谷川編・注釈(2)469頁以下〔宍戸常寿執筆〕参照）。

(3)　その後の展開

①　公衆浴場判決　　公衆浴場法2条2項に基づく大阪府公衆浴場施行条例の距離制限（市の区域でおよそ200メートル）の合憲性が争われた事件で、一審大阪地裁判決（1985〈昭60〉. 2.20判例地方自治19号34頁）は、昨今の公衆浴場経営の特殊性から、「公衆浴場の濫立を防止することにより既存業者の経営の安定を図り、もって衛生的な公衆浴場の確保という公益を保護しようとする目的からなされる規制であり」合憲であるとした。二審（大阪高判1985〈昭60〉. 9.25）も同様の判断を示した後、最高裁（最三判1989〈平元〉. 3.7判時1308号111頁）は、前記1955〈昭30〉年判決当時とは異なって「自家風呂の普及に伴い公衆浴場業の経営が困難になっている」という公衆浴場経営の特殊性を指摘し、従来の積極目的・消極目的二分論ではなく、目的達成のための規制手段の必要性と合理性を認定することによって、合憲判決を下した。この判決については、合理的関連性の基準を疑問視する立場や、新規参入者の営業の自由よりも消費者（利用者）の保護を問題にすべきである等の批判論が出現した。他方、同じ公衆浴場の無許可営業に関する刑事事件について、最高裁判決（最二判1989〈平元〉. 1.20

刑集43巻1号1頁）は、従来の積極目的・消極目的二分論を用いて合憲判決を出しており、下級審判決を含む判例の多くが、比較的容易に規制立法の合憲性を導く傾向にあることが指摘される。

②　西陣ネクタイ訴訟　　生糸生産業者保護のために外国からの安い生糸の輸入を制限した繭糸価格安定法改正に対して、国家賠償を請求した訴訟である。この西陣ネクタイ訴訟では、一審京都地裁判決（1984〈昭59〉．6．29訟月31巻2号207頁）は、「養蚕業・製糸業……養蚕農家のための保護政策としての法的規制措置」を根拠に、積極目的規制により合憲と判断した。最高裁（最三判1990〈平2〉．2．6訟月36巻12号2242頁）も同様に解し、売渡方法や価格について規定している点で営業の自由に対する制約であることは事実としても、国家賠償法1条の適用上、違法の評価をうけるものではない、とした。

③　酒類販売免許制事件　　酒類販売業の免許制と免許要件を定める酒税法の規定の合憲性を争った訴訟でも、青森地裁判決（1983〈昭58〉．6．28行集34巻6号1084頁）が積極目的規制における積極的な財政政策の推進という目的を明確にして合憲判断を下して以降、東京高裁判決（1987〈昭62〉．11．26判時1259号30頁）や最高裁第三小法廷判決（1992〈平4〉．12．15民集46巻9号2829頁）など多くの判決が、税の適正・確実な徴収という目的のための規制であることを理由に合憲判決を導いている。この1992〈平4〉年最高裁判決は、許可制の場合には「重要な公共の利益のために必要かつ合理的な措置であることを要する」とする一方で、「租税の適正かつ確実な賦課徴収を図るという国家の財政目的のための職業の許可制による規制については、その必要性と合理性についての立法府の判断が、右の政策的、技術的な裁量の範囲を逸脱し著しく不合理なものでない限り」憲法22条1項に違反しないとして合憲判断を下した。もっとも少数意見のなかには、酒税確保のために酒類販売業を免許制にしなければならない理由は、法制定後40年経過した本件処分の時点でさほど強くないが、他方、自由競争が阻害される弊害は看過できない、として酒税法9条を憲法22条違反とした坂上裁判官反対意見の違憲判断も示されていた（百選Ⅰ205頁〔宮原均執筆〕）。

その後、同種の事件で、1998年以降の最高裁の諸判決は、1992年判決を踏襲して合憲判断を下した（最三判1998〈平10〉．3．24刑集52巻2号150頁、最一判1998〈平10〉．3．26判時1639号36頁、最一判1998〈平10〉．7．16判時1652号52頁、最三判2002〈平14〉．6．4判時1788号160頁）。

④　司法書士法違反事件　　登記に関する手続の代理等の業務を司法書士以外の者が行うことを禁止している司法書士法19条1項・25条1項（処罰規定）が憲法22条1項に違反するか否かが争われた訴訟で、最高裁は、薬事法判決等

を引用しつつ「合理的な制約である」として合憲判断を下した（最三判2000〈平12〉．2．8刑集54巻2号1頁）。本件被告人は行政書士であり、本判決で司法書士と行政書士の職域の区別が明らかにされたが、反面、目的二分論などの違憲審査基準は（消極目的規制と推察されるものの）明示されなかった。

⑤　農業共済組合事件　　農業災害補償の観点から農作物共済への加入を強制することが、憲法22条・29条に違反するか否かが争われた訴訟で、最高裁は、「当然加入制は……職業遂行それ自体を禁止するものではなく、職業活動に付随して、その規模等に応じて一定の負担を課するという態様の規制であること」に照らし、裁量の逸脱は認められ難いとして憲法22条1項に違反しないと判断した（最三判2005〈平17〉．4．26判時1898号54頁、重判平成17年度21頁〔小山剛執筆〕参照）。

二　居住・移転の自由

1　意義

憲法22条で保障される居住・移転の自由とは、自己の住所または居所を自由に決定し、移動することを内容とする。居所を変える自由だけでなく（国内で）旅行する自由を含むと解するのが通説である（宮沢・憲法Ⅱ388頁、樋口他・注解Ⅱ105頁〔中村執筆〕）。居住・移転の自由は、前近代には制限されていたものが近代の資本主義経済の基礎的条件が整うにつれて保障されたという歴史的背景を重視して、経済的自由の一つとして捉えられてきた。しかし、居住・移転の自由は、身体の拘束を解く意義をもっているので、経済的自由として捉えるだけでは十分ではなく、人身の自由の側面から位置づけなおすことも必要となる。また、現代では、精神的な自由（表現の自由など）の確保のためにも居住・移転・旅行の自由が不可欠であるとして、精神的自由権として捉えることや、「個人の人格形成に寄与するという意義」も指摘されている（浦部・教室243頁、野中他・憲法Ⅰ458頁〔高見執筆〕参照）。

居住・移転の自由が、経済的自由、人身の自由、精神的自由、人格形成の基礎としての自由など、複合的な性質が存在していることについては、隔離政策を違法と判断したハンセン病国家賠償請求事件の熊本地裁判決（2001〈平13〉．5．11判時1748号30頁）も、次のように指摘している。「この居住・移転の自由は、経済的自由の一環をなすものであるとともに、奴隷的拘束等の禁止を定めた憲法

18条よりも広い意味での人身の自由としての側面をもつ。のみならず、自己の選択するところに従い社会の様々な事物に触れ、人と接しコミュニケートすることは、人が人として生存する上で決定的重要性を有することであって、居住・移転の自由は、これに不可欠の前提というべきである。……〔ライ予防法（1953年成立・1996年廃止）による〕このような人権制限の実態は、単に居住・移転の自由の制約ということで正当には評価し尽くせず、より広く憲法13条に根拠を有する人格権そのものに対するものととらえるのが相当である」。

このように居住・移転の自由の性質を複合的に捉える場合には、どの性質を重視するかによって違憲審査基準も異なることになる。いずれにしても、一義的に経済的自由権と捉えて制限を広く認めることは妥当ではなく、人身の自由の側面を重視すべきであろう。したがって、その権利の複合的性格を重視して、規制の性質が経済的自由に強くかかわるときは職業選択の自由制約の違憲審査基準が適用されるのに対して、人身の自由や精神的自由に関するものであるときは、より厳格な基準が適用されると解するのが妥当となろう（長谷部・憲法258頁、浦部・教室244頁、中村・30講179頁参照）。

なお、判例では、公営住宅条例の暴力団排除条項の合憲性について、最高裁（最二判2015〈平27〉. 3 . 27民集69巻 2 号419頁）は、本件居住制限は憲法22条 1 項に反しないとした。

2　海外渡航の自由

海外渡航（海外旅行）の自由については、外国移住の自由に含まれる（22条 2 頃で保障される）と解するのが、判例・通説の立場である（22条 2 項説）（佐藤幸・憲法555頁、野中他・憲法 I 463頁〔高見執筆〕参照）。しかし22条 1 項の居住・移転の自由に含まれるとする説も有力であり（22条 1 項説）（宮沢・憲法II 389頁）、また13条の幸福追求権の一つと解する見解も存在する（13条説）。前述のように22条 1 項に公共の福祉の規定があるという理由で政策的規制を安易に認めることはできないとすれば22条 1 項と 2 項のいずれに位置づけても実質的な差異はないが、外国への移住も一時的な旅行も海外渡航に含まれるため、22条 2 項説でも不都合はないと考えられる。

実際には、旅券法13条 1 項 5 号が「著しく且つ直接に日本国の利益又は公安を害する行為を行う虞があると認めるに足りる相当の理由がある者」に対して、外務大臣が旅券の発給を拒否できると定めていることの合憲性が問題となる。最高裁は、帆足計事件（冷戦下の1952年2月に元参議院議員帆足計がモスクワで開催される国際経済会議に出席するため旅券を請求したところ、外務大臣がその発給を拒否した事件）で、旅券法13条1項5号は外国旅行の自由に対して「公共の福祉」のために合理的な制限を定めたものとして合憲とした（最大判1958〈昭33〉.9.10民集12巻13号1969頁）。この判例は後の事件でも踏襲された（最三判1985〈昭60〉.1.22民集39巻1号1頁）が、学説では、海外渡航の自由が精神的自由の側面をもつことから、不明確な文言による規制を憲法違反とする違憲説が多数である（宮沢・憲法Ⅱ389-390頁、野中他・憲法Ⅰ466頁〔高見執筆〕、芦部・憲法学Ⅲ583頁など）。

また、この規定は刑法の内乱罪・外患罪・麻薬取締法違反などの犯罪行為を行う危険性がきわめて顕著な者に限って適用を拒否しうる趣旨であるとして、犯罪行為に限定して合憲と解する見解も存在する（犯罪行為限定説）（佐藤功・註釈(上)399頁）。海外渡航の自由が経済的自由権のみならず精神的自由権の側面をもつことからすれば違憲説が妥当と思われるが、法令違憲でないと解する場合にも、少なくとも、旅券法に定める危険の発生が客観的に存在しない場合にも大臣の自由裁量で旅券発給を拒否する場合には適用違憲と解することが必要であろう（芦部・憲法240頁）。

3　国籍離脱の自由

国籍とは特定の国家の構成員であることを示す資格であり、憲法22条2項は、個人の自由意思で国籍を離脱する自由を認めた。旧憲法下の国籍法では国籍離脱の自由は原則ではなく、政府の許可を必要としていた点では、大きな変化といえる。もっとも、近代国民国家の揺らぎや国家主権の変容がいわれる今日では、国籍の意義を再検討する傾向がある（ジュリスト1101号特集、国籍法違憲判決は本書104頁参照）。現行国籍法では、「日本国民は、自己の志望によつて外国の国籍を取得したときは、日本の国籍を失う」（11条1項）と定めて、無国籍になる自由や重国籍の自由を認めていないが、今後は（ヨーロッパでは1993年にストラスブール条約が改定されて締約国の間で重国籍が認められているように）、二重国籍をもつ自由や無国籍になる自由も保障されるか否かが議論になると思われる。また、国籍の保持を参政権や公務就任権の絶対的な要件と解してきた従来の「当然の法理」などの見解についても再検討の傾向があることは、すでに指摘したとおりである（本書117頁以下参照）。

三　財産権

1　意義

財産権は、近代市民革命期に神聖不可侵の自然権として保障された。

1789年フランス人権宣言は、自由・安全・所有・抵抗を自然権として列挙し（2条）、「所有は、神聖かつ不可侵の権利であり、何人も、適法に確認された公の必要が明白にそれを要求する場合で、かつ、正当かつ事前の補償のもとでなければ、それを奪われない」（17条）と定めた。アメリカ合衆国憲法第5修正も「何人も……法の適正な手続によらずに、生命、自由または財産を奪われることはない。何人も、正当な補償なしに、私有財産を公共の用のために徴収されることはない」とした。このような所有権を絶対視する近代的人権の思想は、封建的特権からの解放のために革命をおこしたブルジョアジーの経済活動を正当化し、その自由を確保して、資本主義経済を推進するために重要な歴史的意義を担った。

しかしその後、資本主義の弊害による社会・経済的不平等の出現によって所有権を公的に制限する必要が生じた。そこで、1919年のワイマール憲法153条は「所有権は、憲法により保障される。その内容およびその限界は、法律によって明らかにされる」。「所有権は義務を伴う。その行使は、同時に公共の福祉に役立つべきである」として、絶対不可侵性を否定し、法制度上の枠付けを伴った権利として保障した。第二次大戦後には、ドイツ連邦共和国基本法やイタリア共和国憲法などでも、社会化や国有化による財産権の制限が憲法上で明示され、社会国家思想のもとでいわば現代型の財産権論が定着した。

日本国憲法29条1項は、「財産権は、これを侵してはならない」と定める。通説・判例は、個人の財産上の権利を保障したものであると同時に、個人が財産権を享有できる法制度すなわち私有財産制を保障したものと解している（制度・権利保障併存説、芦部・憲法242頁）。ここには制度的保障としての理解が含まれるため、この制度の核心は法律によっても侵すことはできないことが帰結される。このような制度の核心を生産手段の私有制であると考え、社会主義へ移行するためには憲法改正が必要であると説くのが従来の多数説である（佐藤幸・憲法566頁など)。これに対して、私有財産制の核心は人間らしい生活を営むために必要な物的手段の享有であるから、それが侵されない限り、議会を通じて一定の社会化を達成することは憲法改正によらなくても可能であるとする見解（人間に値する生活保障説、今村説）も存在する。今日のように資本主義と社会主義の要件が変容し、区別の基準が不明確になっている状況では、従来のような多数説を維持することは困難である。そこで、個人の自律的な生活を保障することを目的とする制度的保障の理解が求められている（野中他・憲法Ⅰ463頁〔高見執筆〕、争点152頁〔高橋正俊執筆〕参照)。

2　財産権の制約と判例

憲法29条2項は、「財産権の内容は、公共の福祉に適合するやうに、法律でこれを定める」と規定する。これは、財産権の内容が法律によって規定され、制約されうることを意味している。法律のなかで最も主要なものは民法であるが、その他に多くの特別法が存在する。制約の根拠としての「公共の福祉」は、自由国家的な消極的な公共の福祉のみならず、社会国家的な積極的・政策的な公共の福祉の意味をもつものとして解釈され、財産権は積極目的規制にも服するものとされる。

判例は、国有農地等売払いに関する特別措置法に関する事件で、同法が時価の7割という価格に変更したことが29条に反すると主張されたのに対して、当該財産権の性質や保護される公益の性格などを総合的に勘案して合憲と判断した最高裁判決（最大判1978〈昭53〉. 7 . 12民集32巻5号946頁）が基準を提示している（総合利益考慮説)。また、22条に関する判例で消極目的・積極目的規制二分論が採用された後に、29条の制約についてこの二分論が適用されるか否かが注目されたのが、森林法違憲判決（後掲①）である。この違憲判決の後は、規制目的と手段の合理性を認める合憲判決が相ついだが（後掲②・③)、証券取引法判決（後掲②）は、目的二分論を採用せず「消極的」「積極的」の語が削除されていたため、財産権については目的二分論を「採用し（てい）ないということであろう」（百選Ⅰ211頁〔松本哲治執筆〕）と指摘されている。

ただし、これらの判決は明示的に薬事法判決も踏襲していることから、営業の自由と財産権に対する規制をともに対象とする包括的な違憲審査基準が問題となる（大石和彦「財産権制約をめぐる近時の最高裁判例における違憲審査基準について」慶應法学13号127-141頁参照)。実際には、規制目的・内容等を比較考量して判断する主体が、立法府から裁判所に移行していることが確認されるため、従来の広い立法裁量論から脱して、裁判所による目的・手段等の審査が重視されていることが理解されよう（森林法判決後の学説展開につき、百選Ⅰ208頁〔巻美矢紀執筆〕、長谷部編・注釈(2)130頁〔宍戸常寿執筆〕参照)。

①　森林法判決　　森林法186条（昭和62年法律48号による改正前）が「森林の共有者は、民法256条第1項の規定にかかわらず、その共有に係る森林の分割を請求することができない。ただし、各共有者の持分の価額に従いその過半数をもって分割の請求をすることを妨げない」と定めて、持分が過半数に達しない場合の分割請求を認めないことの合憲性が争われた。2分の1の持分の共有者からの違憲の主張に対して、一審静岡地裁判決（1978〈昭53〉.10.31民集41巻3号444頁）は、森林経営の零細化防止という「国家の政策的視点」にたつ分割禁止目的を重視して合憲とし、損害賠償の一部の請求だけを認容（分割請求その他の請求は棄却）した。控訴審東京高裁判決（1984〈昭59〉.4.25民集41巻3号469頁）が双方の控訴を棄却後、最高裁大法廷判決（1987〈昭62〉.4.22民集41巻3号408頁）は、原判決中上告人敗訴の部分について破棄差戻した。多数意見は、立法目的について、森林経営の安定をはかる森林法186条の目的は公共の福祉に合致しないことが明らかであるとはいえないが、目的達成手段については、森林の共有者間の権利義務の規制は、この目的と合理的関連性があるとはいえない（持分2分の1以下の所有者の分割請求権を否定したこととの間には、合理的関連性がない）として森林法186条を憲法29条2項違反と判断した。判旨は、従来の積極・消極目的二分論を採用しなかった点で重要な特徴をもっていた（積極的規制にあたるとして合憲判断を示したのは、香川裁判官の反対意見のみであった)。

②　証券取引法判決　　インサイダー取引を規制している証券取引法164条1項が、憲法29条に反するか否かが争われた訴訟で、最高裁大法廷は上告を棄却し、不当な行為を防止するための目的は正当であり、その目的達成手段として必要性および合理性において欠けるところはないとして、全員一致で合憲判断を示した（最大判2002〈平14〉.2.13民集56巻2号331頁)。判旨は「財産権に対する規制の目的、必要性、内容、その規制によって制限される財産権の種類、性質及び制限の程度等を比較考量して判断すべき」としているが、「消極的」「積極的」という文言が「注意深く削り取られている」（百選Ⅰ211頁〔松本執筆〕、芦部・憲法245頁参照)。

③　農地法許可制判決　　農地を農地以外のものに転用する場合、および転用を目的とする権利移動の場合に都道府県知事の許可を必要とする旨を定める農地法4条・5条違反によって起訴された被告人が、同条の憲法29条・13条・31条等違反を争った事件で、最高裁第二小法廷は上告棄却し、目的は正当で、規制手段も目的達成のために合理性を欠くといえないとして、合憲判断を示した（最二判2002〈平14〉．4．5刑集56巻4号95頁）。

④　建物区分所有法合憲判決　　大阪府内の団地に区分所有者として居住してきた高齢者住民Yたちが、一括して建て替えするための決議に賛成した区分所有者らから区分所有権を継承したX会社によって、建物所有権移転と明渡しを請求された事件である。一審大阪地裁判決（2007〈平19〉．10．30）は、規制目的は正当で、手段も合理性に欠けることが明らかではないことから同法は憲法29条1・2項、31条に違反しないと判示し、二審大阪高裁（2008〈平20〉．5．19）も、同様に解して控訴を棄却した。最高裁は、目的二分論を採用せず、「規制の目的、必要性、内容、その規制によって制限される財産権の種類、性質及び制限の程度等を比較考量して判断すれば、区分所有法70条は、憲法29条に違反するものではない。」として前記②判決を踏襲した（最一判2009〈平21〉．4．23判時2045号116頁、重判平成21年度20頁〔内野正幸執筆〕参照）。

3　正当な補償

(1)　財産権の制約と補償の要否

憲法29条3項は、「私有財産は、正当な補償の下に、これを公共のために用ひることができる」と規定する。これは、公共目的を達成するための必要がある場合には、国家などの公権力が、強制的に私有財産を収用したり制限したりすることができるが、その場合には正当な補償をすべきことを定めたものである（フランス人権宣言等の規定につき本書247頁参照）。

まず、「公共のために用ひる」という意味が問題になる。通説は、鉄道、道路、ダム、公園、学校、病院等の建設など公共事業のために私有財産を強制的に取得（公的収用）する場合（狭義説）だけでなく、より広く、社会公共の利益（公益）に仕える目的のために、財産権を制約する場合も含むと解している（広義説）（今村成和＝畠山補訂後掲『行政法入門（第8版補訂版）』168頁）。判例も、戦後の食糧難に対処するための食糧緊急措置令違反事件で、食糧の供出などによる財産権の制限は「国民の食糧の確保及び国民経済の安定を図るため」のもので29条3項の公共のために用いるものであるとした（最大判1952〈昭27〉. 1. 9刑集6巻1号4頁）。

次に、補償が必要となる場合が問題となる。従来の通説は、特別犠牲説と呼ばれ、私有財産の制限が特定の個人に対して、（おもに積極目的規制によって）特別の犠牲を強いるものである場合には補償が必要であると解する。判例も、奈良県のため池条例におけるため池堤とうの土地利用制限は、災害防止の観点から「社会生活上、已むを得ない」とし（最大判1963〈昭38〉. 6. 26刑集17巻5号521頁）、河川附近地制限令による砂利採取の制限も、「河川管理上の支障ある事態の発生を事前に防止するため」であることから「特別に財産上の犠牲を強いるものとはいえない」とした（最大判1968〈昭43〉. 11. 27刑集22巻12号1402頁）。さらに、特別の犠牲にあたるか否かの判断にあたっては、学説は、(i)侵害行為の対象が広く一般人か、特定の個人や集団かという形式的基準、(ii)侵害行為が財産権に内在する社会的制約として受忍すべき限度内であるか、それをこえて財産権の本質的内容を侵すほどに強度なものかという実質的基準の両要素を客観的・合理的に判断すべきと解してきた（形式・実質二要件説）（田中二郎『新版行政法（上巻・全訂第2版）』弘文堂、1974年、214-215頁）。

これに対して、近年では、この特別犠牲説における実質的要件を中心に補償の要否を判断すべきであるとする見解（実質的要件説）（今村＝畠山『行政法入門（第8版補訂版）』169頁ほか）が有力である。その見解では、財産権の剥奪ないし当該財産権の本来の効用の発揮を妨げることとなるような侵害については、権利者の側にこれを受忍すべき理由がある場合でない限り、当然に補償を要するが、その程度に至らない規制については、(a)当該財産権の存在が社会的共同生活との調和を保っていくために必要とされるものである場合（建築基準法に基づく建築の制限など）では、財産権に内在する社会的拘束の表れとして補償は不要、(b)他の特定の公益目的のため当該財産権の本来の社会的効用とは無関係に偶然に課せられるものである場合（重要文化財の保全のための制限など）では補償が必要、と解している。特別犠牲説でいわれてきた形式的要件（規制の対象が一般人か特定の者かの区別）は相対的なものにすぎないということから、実質的要件説のほうが妥当であろう（芦部・憲法248頁、野中他・憲法Ⅰ494頁〔高見執筆〕）。

ただし、具体的な財産権の侵害がどの範疇に属するかは明確でなく、規制目的・態様・程度や財産権制限についての社会的必要・評価等を総合的に判断して決するほかはないといえる（戸波・憲法255頁参照、宇賀克也後掲『国家補償法』401頁も田中説と今村説の間に大きな隔たりはないとする）。現実には、土地の合理的・計画的な利用の必要性から、土地利用規制が行われる場合には内在的制約の問題として補償は必要でないとされることが多い。

補償規定が法令上にない場合でも補償の請求ができるか否かが問題になるが、判例は、上記の河川附近地制限令による砂利採取制限に関する判決において、法令上に「補償規定に関する規定がないからといって、……一切の損失補償を全く否定する趣旨とまでは解されず、……直接憲法29条3項を根拠にして、補償請求をする余地が全くないわけではない」と解した（最大判1968〈昭43〉.11.27刑集22巻12号1402頁）。

なお、戦争損害に対する戦後補償の問題について、最高裁は29条3項による補償を否定している。日本国との平和条約14条に基づく日本国民の在外財産に対する請求権の放棄をめぐる訴訟で、判決は「このような戦争損害は、……国民のひとしく堪え忍ばなければならないやむを得ない犠牲なのであって、その補償のごときは……憲法29条3項の全く予想しないところで、同条項の適用の余地のない問題」とした（最大判1968〈昭43〉.11.27民集22巻12号2808頁、同旨、最二判1969〈昭44〉.7.4民集23巻8号1321頁）。BC級戦犯として有罪とされた韓国人らが公式陳謝および国家補償立法不作為の違憲確認を求めた訴訟でも、憲法13条・14条・25条・29条に基づく補償を否定した（最一判2001〈平13〉.11.22判時1771号83頁。なお、戦傷病者戦没者遺族等援護法における国籍条項の合憲性については、本書116頁参照）。

このほか、予防接種による後遺症や死亡事故など生命・身体に対する侵害についても、29条3項を根拠として補償請求できるか否かが問題となっている。肯定説が有力といえるが、(a)被害は予防接種の実施に随伴する公共のための特別犠牲（生命・身体に対して課せられたもの）で、財産権の特別犠牲に比べて不利に扱われる合理的理由はないため29条3項の類推適用を認めるべきであるという立場（東京地判1984〈昭59〉.5.18判時1118号28頁）と、(b)財産権の侵害に補償が行われるのなら、本来侵してはならない生命、身体への侵害に補償がなされるのは当然であるから、29条3項の勿論解釈をとるべきであるという立場（大阪地判1987〈昭62〉. 9. 30判時1255号45頁）に分かれる。学説も、類推適用説と勿論解釈説に分かれているが、生命・身体の重要性からすれば後説が妥当であろう（棟居・人権論273頁以下参照）。

予防接種被害に関する判例では、医師の一般的（抽象的）な注意義務違反を理由に国や地方公共団体の賠償責任を認める傾向があり、小樽予防接種被害訴訟最高裁差戻判決（最二判1991〈平3〉. 4. 19民集45巻4号367頁）以後の高裁判決は、国家賠償責任を認めている（東京高判1992〈平4〉. 12. 18高民集45巻3号212頁、福岡高判1993〈平5〉. 8. 10判時1471号31頁）（室井他編著後掲『行政事件訴訟法・国家賠償法（第2版）』410頁参照）。

また、最近の最高裁判決では、八代市営の「と畜場」廃止に際して支払われた支援金を違法とする住民訴訟において、「と畜場」利用者の不利益は「憲法29条3項による損失補償を要する特別の犠牲には当たらない」としたうえで、補助金支出の適法性について審理不尽を指摘して差し戻したものがある（最三判2010〈平22〉. 2. 23判時2076号40頁、辻村他編・憲法判例215頁〔西山千絵執筆〕参照）。

⑵　正当な補償

29条3項の「正当な補償」の意味については、従来から、⒜完全補償説と⒝相当補償説とが対立してきた。完全補償説は、当該財産の客観的な市場価格を全額補償すべきであるとする見解であるのに対して、相当補償説は、当該財産について合理的に算出された相当な額であれば市場価格を下回ることも可能であるとする。戦後の農地改革における農地買収価格についてこの論点が問題となった際には、最高裁は、相当補償説をとり、きわめて低い農地買収価格を「正当な補償」に該当すると判示した（最大判1953〈昭28〉. 12. 23民集7巻13号1523頁）。

しかし、農地改革事件は占領中の特殊な状況を背景にしていたため、その後、完全補償を原則としつつ例外的に相当補償を認めるという見解が有力となった（⒞完全補償原則説）。この見解では、損失補償制度の目的は、公益のための損失を国民の一般的負担に転嫁するものである以上、道路拡張のための土地収用のように特定の財産価値が特別の犠牲に供される場合には完全補償が原則となるべきであるとする（今村＝畠山『行政法入門（第8版補訂版）』173-174頁、今村後掲『損失補償制度の研究』74頁）。

また1970年代以降は、生活権との関係で財産の性質に着目する傾向が強まり、大企業などの「大きな財産」と個人の生活財としての「小さな財産」とを区別したうえで、後者には完全補償を要するが前者には相当補償で足りるとする見解も出現した（高原賢治『財産権と損失補償』有斐閣、1978年、49-50頁）。この見解は、両者の区別が困難であるという難点をもつが、社会国家理念に基づいた法の適用という観点からすれば、個人の生存にかかわる生活財の制限に対しては完全補償が必要になると解することが望ましいといえよう。実際、ダム建設に伴う離村や転業など根底的な生活再建措置を要する場合など、29条３項の正当な補償の内容として、生活権補償が含まれると解すべきであるとする見解が有力に展開され、同項を生存権保障の観点から解釈することが憲法上の要請であるとされる（樋口他・注解Ⅲ252頁以下〔中村執筆〕参照）。

これに対して、近年の判例では、土地収用法71条の損失補償金額算定方法が「正当な補償」を定めた憲法29条３項に反するかどうかが争われた訴訟で、最高裁は、これを合憲とした（最三判2002〈平14〉. 6 . 11民集56巻５号958頁）。この判決では前記1953〈昭28〉年判決の趣旨（相当補償説）に従って判断すべきであるとしたため、1953年判決との関係が問題となりえたが、本判決では、土地収用法は補償金支払請求制度（同法46条の２等）を設けているため、被収用者は「収用の前後を通じて被収用者の財産価値を等しくさせるような補償」を受けることができる、と解して整合性をはかったといえる（この点から、29条３項は「完全補償」を要求しているという理解が示されている。高橋・憲法296頁、長谷部編・注釈(2)143頁〔宍戸執筆〕参照）。

また、正当な補償の支払時期が問題となった成田空港公害訴訟で、最高裁は、「補償が私人の財産の供与に先立ち、又はこれと同時に履行されるべきことを保障するものではない」と判断した（最一判2003〈平15〉. 12. 4 判時1848号66頁）。

Ⅲ　身体的自由権（人身の自由）

近代的人権の観念が成立する以前には、国王など国家権力による不当な逮捕や監禁、拷問など恣意的な刑罰権の行使によって、人身の自由が踏みにじられていた。このことが人権確立の契機となった。イギリスでは1215年のマグナ＝カルタが、同輩による合法的な裁判と人身の自由を定めて以来、17世紀の権利請願（1628年）、人身保護法（1679年）、権利章典（1689年）を通じて、人身の自由の保障を重視した。また1789年のフランス人権宣言では、人身の自由を自然権としての「安全」の権利として確立し、適法手続主義や罪刑法定主義、無罪推定の原則などを明確に保障した（7～9条）。その後、各国の近代憲法は、基本的な人権として人身の自由（身体的自由権）を保障する規定を設けてきた。

日本では、天賦の人権（自然権）を否定した大日本帝国憲法のもとでは、身体的自由権の保障は十分ではなく、治安維持法体制下の拷問や恣意的な身体の拘束などの人権侵害があとを絶たなかった。これに対して、総司令部案が身体的自由についての詳細な規定をおいたのをうけて、日本国憲法では、諸外国の憲法と比較してもきわめて特徴的な、豊富な保障内容をもつことになった。

まず、18条で人権保障の根幹である奴隷的拘束からの自由を定め、31条以下で、適正手続主義（ないし適法手続主義）や罪刑法定主義をはじめ、令状主義、迅速な裁判の保障、刑事被告人の諸権利などを定めている。このような詳細な規定をおいたのは、刑罰というものが国家による強制的な国民の生命・身体の自由や財産の侵害にほかならず、その適用には特別の慎重さが要求されるからである。

一　奴隷的拘束からの自由

憲法は、18条で「何人も、いかなる奴隷的拘束も受けない。又、犯罪に因る処罰の場合を除いては、その意に反する苦役に服させられない」と定める。この規定は、人間の尊厳に反するような「奴隷的な拘束」を禁止しており、私人相互間にも直接適用される。

「奴隷的拘束」とは、「自由な人格者であることと両立しない程度の身体の自由の拘束状態」（戦前に鉱山労働者や娼婦などが拘束されていた監獄部屋や「たこ部屋」制度、前借金による長期の拘束を伴う娼妓契約など）と解される。

また、「その意に反する苦役」とは、「広く本人の意思に反して強制される労役」であり、強制的な土木工事への従事などがこれにあたると解される。労働基準法では、「使用者は、暴行、脅迫、監禁その他精神又は身体の自由を不当に拘束する手段によって、労働者の意思に反して労働を強制してはならない」（5条）と定め、違反者に対して罰則（1年以上10年以下の懲役または20万円以上300万円以下の罰金）を科して、意に反する苦役を禁止している（117条）。このような強制労働のほか、正当な理由のない人格侵犯的な身体の自由の拘束なども本条で禁止されていると解されるが（浦部・教室301頁参照）、犯罪による処罰の場合以外に、いかなる強制が許容されるかについては問題が残っている。例えば、現行法では、消防や救助など、災害の発生を防御しその拡大を防止するため緊急の必要があると認められる応急措置業務への従事が定められている（消防法29条5項、災害対策基本法65条・71条、災害救助法24条・25条等）。

学説は、「公共の福祉」による制限としてこれを認める立場や、緊急事態法理を用いて合憲とする立場など、根拠づけは異なるにせよ、多くが合憲と解している（芦部・憲法243頁）。しかし、憲法18条の趣旨が犯罪による刑罰の場合のみを例外として明記していることからすれば、制約を広く認めることには問題があり、救助活動などを罰則付きで強制することは18条に反すると解すべきであろう。

これに対して、兵役の強制である徴兵制は、西欧の伝統では一般に「苦役」

とは解されず、国際人権規約B規約（市民的及び政治的権利に関する国際規約）でも、兵役は強制労働には含まれないことを明記している（8条）。しかし、日本では、憲法9条が戦争を放棄し軍備を否定しているうえに、旧憲法や諸外国の憲法とは異なって兵役義務に関する規定がまったく存在しないことからしても、徴兵制は憲法の認めるところではなく、徴兵制は18条および9条に違反すると考えられる（芦部説も、「『本人の意に反して強制される苦役』であることは否定できないであろう」とする。芦部・憲法252頁参照）。日本政府は、自衛隊を合憲と解し、自衛のための実力を容認する立場から、徴兵制は9条には違反しないとしつつ13条・18条の規定の趣旨には反すると解してきた（1980年8月15日、81年3月10日の国会での政府答弁〔浅野＝杉原監修・答弁集227頁〕、安保法制審議中の2015年7・8月にも国会審議で安倍首相が従来の違憲とする解釈を繰り返した。しかし政府が閣議によって集団的自衛権についての政府見解を変更した直後であるだけに、政府見解変更による導入を危惧する傾向も強い）。実際には、自衛隊員の強制徴集制が実施された場合や有事法制下の強制について、18条違反になるか否かが問題になる余地があろう（本書(第4版)97-98頁参照）。

二　適正手続の保障

1　意義と要件

(1)　意義

憲法31条は、「何人も、法律の定める手続によらなければ、その生命若しくは自由を奪はれ、又はその他の刑罰を科せられない」と述べて、人身の自由についての基本原則を定めている。

この規定は、アメリカ合衆国憲法第5・第14修正で定められた人権保障原則の重要な要素である「法の適正な手続（デュー・プロセス　due process of law）」条項の影響をうけたものと解されている（第14修正は、第5修正をうけて「いかなる州も、法の適正な手続によらずに、何人からも生命、自由または財産を奪ってはならない」と規定する）。このように刑罰権の実現を適正な法定手続のもとで法的に拘束しようとする考え方は、マグナ＝カルタ以来の英米法の伝統であるといえる。そして、アメリカでは、適正手続の保障（手続的デュー・プロセス）が実体の適正の保障（実体的デュー・プロセス）に発展した。

憲法31条の条文上は、法定手続の保障（形式上、手続が法律で定められること）だけを求めているようにみえるため、ここに実体規定の法定や内容の適正の保障が含まれていると解するかどうかが問題になる。学説は以下の五つに分かれる。このうち、かつては、(a)手続の法定のみを意味するとする「手続法定説」（美濃部達吉説など）、(b)手続と実体の法定を意味するとする「手続・実体法定説」（佐々木惣一説）のように「法定」に重点をおくものが多かった。しかしその後は手続の内容や実体法規の適正が重視され、(c)手続の法定とその内容の適正を求める「適正手続説」（松井・憲法520頁以下）、(d)手続の適正と実体の法定を求める「適正手続・実体法定説」（宮沢説、野中他・憲法Ⅰ412頁〔高橋執筆〕）、(e)手続と実体の法定と適正を求める「適正手続・適正実体説」（芦部・憲法253頁、杉原泰雄「適法手続」芦部編・憲法Ⅲ人権(2)95頁など）が有力となった。通説は、手続が法定されることのみならず、その法定手続が適正でなければならないこと、および、実体もまた法律で定められなければならないこと（罪刑法定主義）、法律で定められた実体規定も適正でなければならないことが必要であるとして、(e)の立場にたっている（芦部・憲法253頁）。合衆国憲法の修正条項や日本国憲法31条の法文の定式的な理解ではなく、人権保障のために刑罰権発動について厳格な解釈がなされるべきであるという刑罰権の本質をふまえた観点からすれば、(e)「適正手続・適正実体説」が妥当である。

(2)　適正手続の要件――告知と聴聞

法定手続が適正であるためには、一般に、告知と聴聞（notice and hearing）の手続が保障されることが要件とされる。告知・聴聞の内容は、公権力が国民に刑罰その他の不利益を課す場合には、当事者にあらかじめその内容を告知し、当事者に弁解と防禦の機会を与えることであり、第三者所有物没収事件最高裁判決で認められている。

　第三者所有物没収事件　　貨物の密輸入の容疑で逮捕された被告人に対して一・二審で有罪判決が下され、付加刑として、関税法118条1項に基づいて密輸した貨物の没収が命じられた。貨物には被告人以外の第三者が所有する貨物が含まれていたことから、被告人は第三者の権利を援用し、所有者である第三者に対して事前に財産権を主張する機会を与えずに没収することは憲法違反であるとして上告した。最高裁は破棄自判し、「所有物を没収せられる第三者についても、告知、弁護、防禦の機会を与えることが必要であ」るとして、その機会を与えなかった没収手続が憲法31条・29条に違反するとした（最大判1962〈昭37〉.11.28刑集16巻11号1593頁、百選Ⅱ238頁〔笹田栄司執筆〕、本書472頁参照）。

2　31条と行政手続

憲法31条は直接には刑事手続についての規定であるが、適正な手続を要求するその趣旨は、行政手続にもあてはまると解される。実際には、税務調査などの行政調査のための立入りや少年法による保護処分、伝染病予防法による強制収容等は、いずれも人権に深くかかわるものであり、31条がこれらにも「準用」されるとするのが通説である（芦部・憲法254頁）。また、準用でなく「適用」されると解する説も存在し、最近では、「憲法31条以下の保障は一般的に、行政手続全般について及ぶ」（浦部・教室311-312頁参照）とするほか、13条適用説も多い（長谷部編・注釈⑵279頁〔土井真一執筆〕参照）。判例も、川崎民商事件および成田新法事件で、（限定的にであれ）行政手続にも31条の保障が及ぶことを認めた。

①　川崎民商事件　　旧所得税法上の質問検査権に基づく調査を拒否して起訴された被告人が、質問検査が令状主義（35条）や黙秘権の保障（38条）に反すると主張した事件で、最高裁は、「当該手続が刑事責任追及を目的とするものではないとの理由のみで、その手続における一切の強制が当然に右規定による保障の枠外にあると判断することは相当ではない」と述べて憲法35条・38条が行政手続にも適用される余地があることを原則的に認めた。他方で、「刑事責任追及のための資料の取得収集に直接結びつく作用を一般的に有する手続」に限定している（この点を批判するものとして浦部・教室312頁参照）。さらに、本件の質問検査は、刑事責任の追及を目的とする手続ではなく強制の度合が低いこと等を理由に、違憲ではないと判示した（最大判1972〈昭47〉.11.22刑集26巻9号554頁、百選Ⅱ252頁〔大津浩執筆〕参照）。

②　成田新法事件　　1988年に制定された新東京国際空港の安全確保に関する緊急措置法（いわゆる成田新法）に基づいて発せられた運輸大臣の工作物等使用禁止命令の取消を求めた事件である。一・二審で請求が棄却された後、最高裁は、一部破棄自判、一部棄却の判決を下した。判決は、「憲法31条の定める法定手続の保障は、直接には刑事手続に関するものであるが、行政手続については、

それが刑事手続でないとの理由のみで、そのすべてが当然に同条による保障の枠外にあると判断することは相当ではない」としつつ、「事前の告知、弁解、防禦の機会を与えるかどうかは、行政処分により制限を受ける権利利益の内容、性質、制限の程度、行政処分により達成しようとする公益の内容、程度、緊急性等を総合較量して決定されるべきものであって、常に必ずそのような機会を与えることを必要とするものではない」と述べ（最大判1992〈平4〉. 7. 1民集46巻5号437頁）、限定つきで31条の行政手続への「適用」ないし準用を認めた。現実には、1997年に行政手続法（平成5年法律88号）が制定され、不利益処分について聴聞および弁明の機会の付与が明示的に保障された。（百選Ⅱ242頁〔宮地基執筆〕、辻村他編・憲法判例228頁〔河北洋介執筆〕参照）。

三　捜査手続と被疑者の権利

1　逮捕手続

⑴　令状主義

憲法は、33条～35条で、捜査過程における被疑者の権利として、不当な逮捕・抑留・拘禁の禁止と住居の不可侵を定めている。まず、逮捕については、「何人も、現行犯として逮捕される場合を除いては、権限を有する司法官憲が発し、且つ理由となつてゐる犯罪を明示する令状によらなければ、逮捕されない」（33条）と定め、逮捕に際しての令状主義を保障した。令状とは、司法官憲（裁判官）の発する命令状であり、逮捕に際して令状を必要としたのは、不当な逮捕による恣意的な人身の自由の侵害を抑止し、被逮捕者の防御権を守るためである。

⑵　不当逮捕からの自由

憲法は、令状主義の例外として現行犯逮捕のみを明示している。しかし実際には、刑事訴訟法上、準現行犯逮捕や緊急逮捕を認めており、捜査の便法として別件逮捕も活用されているため、これらの例外の拡大によって令状主義が軽視されることが危惧される。

①　現行犯逮捕　　憲法が現行犯逮捕を令状主義の例外として認めた理由は、犯行の明白性（犯罪と犯人が明らかであって誤認逮捕のおそれがないこと）と逮

捕の必要性・緊急性（犯人の逃亡や証拠隠滅を阻止するため直ちに逮捕する必要があり、令状をとる余裕がないこと）である。しかし、刑事訴訟法212条1項は「現に罪を行い、又は現に罪を行い終つた者を現行犯人とする」と定め、罪を行い終った者を含める。さらに同条2項には準現行犯の規定をおき、(i)犯人として追呼されているとき、(ii)贓物や兇器等を所持しているとき、(iii)身体や被服に犯罪の顕著な証跡があるとき、(iv)誰何されて逃走しようとするとき、の四つの場合について「罪を行い終つてから間がないと明かに認められるときは、これを現行犯人とみなす」として、例外を拡大している。罪を行い終わった直後の者については誤認逮捕のおそれが少ないことがその理由であるが、(iv)などは必ずしも犯罪との関連は明白であるとはいえない。

判例も、犯行後40〜50分経過頃、現場から約1100メートルの場所で逮捕を開始したときも「罪を行い終つてから間がないとき」にあたるとしているが（最三決1967〈昭42〉. 9.13刑集21巻7号904頁）、例外を拡大しすぎることは憲法上問題があろう。通説は準現行犯の規定を合憲とするが、違憲とする見解も有力であり、運用による例外の拡大も厳に慎むべきと思われる。

②　緊急逮捕　　緊急逮捕とは、犯罪が重大で（死刑または無期もしくは長期3年以上の懲役もしくは禁錮にあたる罪のとき）で、かつ、犯罪を犯したことを疑うに足る充分な理由がある場合で、緊急性が高いときに、令状を請求せずに実行される逮捕のことである。刑事訴訟法210条がその要件を定め、逮捕の直後に令状が発せられない場合には直ちに被疑者を釈放しなければならないとする。このような緊急逮捕の合憲性について、最高裁は、「厳格な制約の下に、罪状の重い一定の犯罪のみについて、緊急已むを得ない場合に限り、逮捕後直ちに裁判官の審査を受けて逮捕状の発行を求めることを条件とし、被疑者の逮捕を認めることは、憲法33条規定の趣旨に反するものではない」としている（最大判1955〈昭30〉. 12. 14刑集9巻13号2760頁）。

学説は、合憲説と違憲説に分かれ、前者はさらに、(i)逮捕手続を全体としてみれば令状逮捕といえるとする令状逮捕説、(ii)準現行犯に準ずる場合に限り合憲とする見解、(iii)公共の福祉による令状主義の制約と解する見解などが存在してきた。違憲説も、33条の文言や趣旨の違反、逮捕時の令状欠如、刑事手続における人権擁護機能侵害など、根拠の力点は異なっているが、いずれも、憲法33条で令状主義の例外を明示的に現行犯に限定しているところからすると緊急逮捕の合憲性は認めがたいとする（奥平・憲法Ⅲ310頁、百選Ⅱ（第4版）242頁〔杉原泰雄執筆〕）。理論的には、違憲説が妥当であるが、少なくとも現行法上の制度として緊急逮捕を行う際には要件を厳格に解し、安易な運用（例えば、裁判所が機能していない週末などでの活用や釈放を予定したみせしめ的な逮捕など）を慎むことが求められる（百選Ⅱ244頁〔上田健介執筆〕）。

③　別件逮捕　　別件逮捕とは、捜査対象となっている重要な犯罪（本件）について逮捕状を請求しうる証拠がそろわない場合に、比較的軽微な犯罪（別件）について逮捕状を請求して逮捕し、身柄を拘束したうえで本件の取調べを行って自白をえる捜査手段であり、捜査機関によって多用されている。

しかし、本件を基準にみる場合には（本件基準説）、逮捕状を請求する要件が揃っていない以上、これは令状主義を潜脱するものといわざるをえず、憲法33条あるいは38条の趣旨（自白偏重主義や違法収集証拠の排除の原則）に照らして違憲の疑いが強い。ただし判例は、基本的に別件を基準としてみるため（別件基準説）、これについて逮捕状を請求しうる証拠がそろっている以上問題はなく、さらに別件取調べ中の余罪の追及は可能であることから、捜査の合目的性を重視して合憲と解している（最大判1955〈昭30〉. 4．6刑集9巻4号663頁、判例の展開は、樋口他・注解Ⅱ297頁以下〔佐藤幸治執筆〕参照）。しかも、本件基準説にたつ場合も、捜査機関が本件の捜査目的で別件逮捕したかどうかを客観的に判断することは一般には捜査の秘密性からして困難であり、捜査機関の主観を基準にするしかないことからも問題が見えにくい特色をもつ。実際には、冤罪が疑われる事件などで別件逮捕が多用されていることから、明らかに本件捜査目的の別件逮捕が行われたと解される場合には、違法収集証拠排除の原則を適用して自白の証拠能力を否定することが妥当と考えられる（本書268頁参照）。

2　抑留・拘禁手続

憲法34条は、「何人も、理由を直ちに告げられ、且つ、直ちに弁護人に依頼する権利を与へられなければ、抑留又は拘禁されない。又、何人も、正当な理由がなければ、拘禁されず、要求があれば、その理由は、直ちに本人及びその弁護人の出席する公開の法廷で示されなければならない」と定める。抑留とは一時的な身体の拘束、拘禁はそれより継続的な拘束を意味している。刑事訴訟法の定める逮捕・勾引に伴う留置は前者に、勾留・鑑定留置は後者にあたる。拘禁の場合には、公開法廷でその理由を示すことを要求することで、不当な拘禁の防止がはかられる。刑事訴訟法（82～86条）の定める勾留理由開示制度は、その趣旨を具体化したものである。

なお、英米法では、ヘイビアス・コーパス（habeas corpus）（裁判所が人を拘束している者に対し、被拘束者の身柄を裁判所へ連行することを命ずる令状で、人身保護令状という）の制度があり、裁判所が拘束の理由の当否を審査し、不当な場合は釈放を命じることを原則としている。日本国憲法34条も、このようなヘイビアス・コーパス制度の精神に基づくものであり、人身保護法が制定されて「現に、不当に奪われている人身の自由を、司法裁判により、迅速、且つ、容易に回復せしめることを目的とする」（１条）と定められている。

憲法34条は37条３項とともに弁護人依頼権を定めるが、（後者は刑事被告人を対象としているため）ここでは、公訴提起前の抑留・拘禁をされた被疑者の権利の保障が主眼となる（本書266頁参照）。

3　住居等の不可侵

憲法35条は、何人も、「その住居、書類及び所持品について、侵入、捜索及び押収を受けることのない権利」が、33条の場合を除いては、「正当な理由に基いて発せられ、且つ捜索する場所及び押収する物を明示する令状がなければ、侵されない」ことを定める。住居の保障が規定されたのは、住居が私生活の中心であり、住居の不可侵性が広義のプライバシー権の一つを構成すると解することもできる（芦部・憲法257-258頁）からである。住居とは、居住性や現住要件は必要なく、広義に「およそ人が私生活の保護について合理的期待を抱く場所」（佐藤幸・憲法581頁）と解することができる。

この規定は、住居の捜索や所持品等の押収について令状主義を保障しており、33条の場合がその例外とされる。この令状は、司法官憲（裁判官）が、各捜索・押収について、各別に発したものでなければならない。したがって、数個の捜索または押収を一通の令状で行うことは許されない（宮沢・コメ309頁。なお、刑訴法100条による郵便物の押収、および犯罪捜査のための通信傍受につき本書229頁参照）。

GPS端末を利用した捜査については、最高裁判決（最大判2017〈平29〉．３．15刑集71巻３号13頁）は、「個人の意思を制圧して憲法の保障する重要な法的利益を侵害するため」、令状が必要であるとした（本書148頁、百選Ⅱ248頁〔山田哲史執筆〕参照）。

憲法35条のいう「第33条の場合」の意味について、判例は、「33条による不逮捕の保障の存しない場合」（最大判1955〈昭30〉．４．27刑集９巻５号924頁）、すなわち33条による適法な逮捕の場合には、現行犯であると否とにかかわらず、令状がなくても住居等への侵入・捜索・押収を行うことが許されると解している。通説も、現行犯逮捕の場合に限らず令状逮捕の場合も含まれるとする（芦部・憲法257頁）。しかし憲法制定過程で政府が説明していたように、現行犯の場合と解するほうが令状主義を厳密に適用することができ、妥当であろう。なぜなら、憲法は人の身体の自由と住居や所持品の不可侵とを区別して令状主義によって保護しており、前者の制約である逮捕の際には当然に後者の制約ができると解することは、35条の保障を空洞化することになるからである。逮捕に際して捜索・押収を行う場合には、合理的な範囲で逮捕に伴う限度内でないかぎり、別に捜索令状や押収令状が必要になると解するのが憲法の趣旨に忠実であるといえよう（同旨、杉原後掲「被疑者の権利」164頁以下）。もっとも、判例は、証拠収集手続に令状主義の精神に反する重大な違法がある場合にはその証拠能力が否定される（最一判1978〈昭53〉．９．７刑集32巻６号1672頁）として、違法収集証拠排除の原則による救済手段を認めることで、バランスをとっているといえる。

四　刑事被告人の権利

刑罰権は国家権力の当然の内容として考えられてきたが、国家は国民の人権を保障するために存在するという近代憲法の基本原理からすれば、国家自身が強制的に国民の人権を侵害する刑罰権の発動は、とくに慎重かつ公正でなければならない。また、現実にも、刑罰を科せられた者のみならず、刑事裁判手続において被告人の立場におかれた者の権利制約は多大なものがあり、刑事被告人の人権を擁護しつつデュー・プロセス主義に基づいて刑事手続が進められる必要がある。そこで憲法は、37条以下に被告人の権利を保障するための詳細な規定をおいている。

１　公平な裁判所の迅速な公開裁判を受ける権利

憲法は、裁判を受ける権利と裁判の公開原則について32条と82条で規定しているが、さらに、37条１項では、刑事被告人の権利を明確にするため、公平な裁判所の迅速な公開裁判を受ける権利を明示的に保障した。「公平な裁判所」について、判例は、「構成其他において偏頗の惧なき裁判所」を意味する（最大判1948〈昭23〉.５.５刑集２巻５号447頁）と解しており、実際に刑事訴訟法と刑事訴訟規則では裁判官等の除斥・忌避・回避の制度を設けている（刑訴20条以下・刑訴規９条以下）。また、迅速な裁判を保障するのは、不当に遅延した裁判は被告人の不利益な地位を長引かせるだけでなく、裁判の拒否にも等しい結果をもたらすからである。最高裁は、初期においては、裁判が遅れたことを理由に破棄差戻しすると裁判がさらに遅れることに配慮して、裁判の遅延は原判決破棄の理由にならないという立場をとっていた。しかし、15年にわたって審理が中断するなど著しい遅延が認められた高田事件判決（最大判1972〈昭47〉.12.20刑集26巻10号631頁）では、審理の著しい遅延の結果、被告人の権利が害せられたと認められる異常な事態が生じた場合には、37条によって審理を打ち切るという非常救済手段が許されるとして、免訴とする判決を下した。なお、37条１項に定める「公開裁判」とは対審と判決が公開の法廷で行われる裁判のことであり、憲法82条でも保障している。第３部で検討する（本書451-452頁参照）。

また、2004年の「裁判員の参加する刑事裁判に関する法律」によって2009年から導入された「裁判員制度」は、本条の「公平な裁判所」を「職業裁判官のみによって構成される裁判所」のように解する場合には憲法37条１項および32条との関係で合憲性が問題になりうる。しかし、この点は、憲法上問題はないという理解に従って制度化が決定され、最高裁も合憲と判断した（本書453-455頁参照）。

2　証人審問権と弁護人依頼権

(1)　証人審問権・証人喚問権

憲法37条２項は、「刑事被告人は、すべての証人に対して審問する機会を充分に与へられ、又、公費で自己のために強制的手続により証人を求める権利を有する」として、証人の審問権と喚問権を保障する。前段の証人審問権は、被告人に審問の機会が充分に与えられない証人の証言には証拠能力は認められないとする直接審理の原則を意味する。刑事訴訟法が定める伝聞証拠禁止の原則（320条）は、これに基づく原則であるが、判例は、必ずしも直接審理を厳格に要求しておらず、「公判廷外における聴取書又は供述に代る書面をもって証人に代えることは絶対に許されないとする趣旨ではない」、と解している（最大判1948〈昭23〉. 7 . 19刑集 2 巻 8 号952頁など）。

後段の証人喚問権については、判例は、裁判所は被告人の申請する証人をすべて喚問する必要はなく、その裁判をするのに必要適切な証人を喚問すればよいとする（最大判1948〈昭23〉. 7 . 29刑集 2 巻 9 号1045頁）。また、「公費で」という文言についても、有罪判決を受けた場合は被告人に訴訟費用の負担を命ずることができるとしている（最大判1948〈昭23〉. 12. 27刑集 2 巻14号1934頁）。

(2)　弁護人依頼権

憲法37条 3 項は、「刑事被告人は、いかなる場合にも、資格を有する弁護人を依頼することができる。被告人が自らこれを依頼することができないときは、国でこれを附する」として、刑事被告人の弁護人依頼権を保障している。刑事訴訟法30条以下は、被告人のみならず被疑者も、いつでも弁護人を選任することができると定める。とくに被疑者の弁護人依頼権については、憲法34条に規定がおかれている。

弁護人依頼権については、弁護人が被拘束者と立会人なくして接見し書類等を授受する権利（一般に接見交通権と称される）が含まれると解され、アメリカではミランダ事件判決などを通じて（2001年の「 9 ・11事件」以前には）これが厳格に保障されてきた。日本でも、刑事訴訟法39条 1 項が接見交通権を認めているが、同条 3 項が、公訴提起前について、捜査のため必要があるときは制限できることを定めている。学説には、この制限を認めた刑訴法39条 3 項を違憲とする見解もあるが、判例はこれを合憲としてきた（争点168頁〔中村英執筆〕参照）。実務では、従来の一般的指定と具体的指定という二段階の指定制度の運用が1988年に改善され、法務省通達により通知書方式が採用された。これにより、弁護人が接見を求めた場合には警察官が検察官に指定をするか否かを確認し、指定がなければ接見できることになった。1988年以後の通知書方式についても、最高裁大法廷は、捜査の必要と接見交通権行使との調整を図る趣旨であるとしてその合憲性を認めた（最大判1999〈平11〉. 3 . 24民集53巻 3 号514頁、百選Ⅱ270頁〔高作正博執筆〕）。ただし、逮捕直後の初回の接見については、接見指定ができる場合であっても、即時または近接した時点での接見を認めるべきである、と判示した（最三判2000〈平12〉. 6 . 13民集54巻 5 号1635頁）。ほかにも接見指定に関する判例として、最三判2005〈平17〉. 4 . 19民集59巻 3 号563頁などがある。

また、憲法37条 3 項後段の規定は、いわゆる国選弁護人制度を定めたもので、経済的理由等によって自分で弁護人を選任できない場合に、国がこれを付することを保障している（刑事訴訟法36条）。判例では、国は、被告人の請求があった場合に弁護人を選任すればよく、選任を請求しうる旨を告知する義務はないとする（最大判1953〈昭28〉. 4 . 1 刑集 7 巻 4 号713頁）が、被告人の防御権を重視するならば、告知の義務を認めることに問題はないばかりか、義務を認めることがむしろ妥当のように思われる。

3　不利益供述強要の禁止

(1)　意義

憲法38条 1 項は、「何人も、自己に不利益な供述を強要されない」と定める。これは、被疑者・刑事被告人および証人が、不利益な供述（刑罰または、より重い刑罰を科される根拠となる事実の供述）を拒んだ場合に、処罰その他法律上の不利益を与えることを禁ずる意味である。もともとアメリカ合衆国憲法第 5 修正の「自己負罪拒否の特権」に由来し、アメリカでは、自己を有罪に導くような法律上の供述義務を免除することを内容とすると解されている。これに対して日本では、アメリカと同様に内容を狭く解する見解も有力であった（宮沢・コメ318頁など）が、権利主体について限定がないため、刑事手続における被告人に限らず、被疑者、証人にも保障が及ぶと解される（基本法コメ248頁〔小栗実執筆〕参照）。さらに、拷問等の手段による直接的な強制のほか、供述拒否に不利益を課す間接的な強制も問題になる。刑事訴訟法は、被疑者と被告人に対して、いわゆる黙秘権を保障しており（198条 2 項・291条 4 項）、氏名や住所の供述も、不利益供述になる場合には、その供述の強制を認められないと解すべきであろう。

これとの関係で、行政官庁が記帳や報告の義務を課し、それに応じない場合に刑罰を科す行政法規が問題になる。麻薬及び向精神薬取締法における麻薬等の使用の帳簿記載義務は、犯罪捜査の端緒になりうるため問題になるが、判例には、麻薬等の取扱者として免許された者は取締法規の命ずる「一切の制限または義務に服することを受諾しているもの」と捉えて黙秘権の放棄を擬制したものがある（最二判1954〈昭29〉.７.16刑集８巻７号1151頁）。また、収税官吏の税務上の質問検査については、「実質上、刑事責任追及のための資料の取得収集に直接結びつく作用を一般的に有する手続」であるかどうかを基準として、違憲でないと判示した（川崎民商事件・最大判1972〈昭47〉.11.22刑集26巻９号554頁、本書259頁参照）。これに対して、自動車運転者の交通事故報告義務については、報告すべき「事故の内容」には、「刑事責任を問われる虞のある事故の原因その他の事項」は含まれていない（最大判1962〈昭37〉.５.２刑集16巻５号495頁）として、行政上の目的に基づく制約を合憲と解した。しかし、判例は、刑事手続以外にも憲法38条１項の保障が及ぶことを明言したこともあり（最三判1984〈昭59〉.３.27刑集38巻５号2037頁）、交通事故報告義務については学説から批判が寄せられた（奥平・憲法Ⅲ360-361頁参照）。

その後、最高裁は、医師法21条の届出義務に関して「届出義務の公益上の必要性は高い」ことから医師の不利益は医師免許に付随する「合理的根拠のある負担として許容される」として合憲性を認めた（最三判2004〈平16〉.４.13刑集58巻４号247頁）。

⑵　自白の証拠能力・証明力

憲法38条２項は、「強制、拷問若しくは脅迫による自白又は不当に長く抑留若しくは拘禁された後の自白は、これを証拠とすることができない」と定めて、これらの自白の証拠能力を否定する原則（自白排除の法則）を明らかにした。

その趣旨については学説が分かれ、⒜任意性の欠如を根拠とする任意性説、⒝任意性を欠く自白は虚偽を含む可能性が高いことを根拠とする虚偽排除説、⒞虚偽と否とにかかわらず人権保障のためには任意性を欠く自白を排除すべきとする人権擁護説、⒟違法に収集した証拠を排除する趣旨と解する違法排除説が存在している（学説状況は、長谷部編・注釈⑵418頁〔川岸令和執筆〕参照）。自白偏重主義を廃して人権保障の目的を貫くためには、虚偽の点はさほど問題にならず、⒞の人権擁護説ないしは⒟の違法排除説が妥当であろう。

また３項は、「何人も、自己に不利益な唯一の証拠が本人の自白である場合には、有罪とされ、又は刑罰を科せられない」と定める。これは、たとえ任意性のある自白でも、これを補強する証拠が別にない限り、有罪の証拠とすることができない旨の補強証拠の法則を定めるものであり、１項の保障を確実にするための規定である。

判例は、公判廷における被告人の自白には任意性があり、その真実性を裁判所が他の証拠を待つまでもなくみずから直接に判断できるという理由から、憲法38条３項の「本人の自白」に公判廷の自白は含まれない（したがって補強証拠は不要）とした（最大判1948〈昭23〉．７．29刑集２巻９号1012頁）。しかし、憲法は公判廷の自白とその他の自白とを区別しておらず、公判廷の自白でも背後の圧迫等によって真実性が歪められることがありうる以上、この見解には問題があろう。この点は刑事訴訟法319条２項で「被告人は、公判廷における自白であると否とを問わず、その自白が自己に不利益な唯一の証拠である場合には、有罪とされない」と定められて立法的に解決されている。

また、共犯者または共同被告人の自白についても、完全な証明力をもち、「本人の自白」と同一視できない（したがって補強証拠は不要）とするのが判例である（最大判1958〈昭33〉．５．28刑集12巻８号1718頁）。しかし、共犯者の自白を強要する結果になりやすいことや、共犯者の供述には信用性が低いものもあるため、この場合も補強証拠を要する（したがって、「本人の自白」に共犯者の自白も含む）、と解するのが妥当であろう。

五　残虐刑の禁止

憲法36条は、「公務員による拷問及び残虐な刑罰は、絶対にこれを禁ずる」と定める。拷問とは、被疑者または被告人から自白を得るために肉体的・精神的苦痛を与える手段であり、諸国で古くから行われてきた。日本でも旧憲法下で、拷問廃止規定（旧刑法）が存在したにもかかわらず、これがしばしば行われたことに対する反省から、日本国憲法では「絶対に」禁ずるという表現がされたものと解される（刑法195条の特別公務員暴行陵虐罪参照）。

「残虐な刑罰」とは、判例によれば、「不必要な精神的、肉体的苦痛を内容とする人道上残酷と認められる刑罰」とされる（最大判1948〈昭23〉．６．30刑集

2巻7号777頁）。

死刑が残虐な刑罰に該当するかという問題、すなわち死刑の合憲性についてとくに議論がある。従来の判例は、憲法に刑罰としての死刑を想定した規定がある（13条・31条）ことなどを根拠に、死刑そのものはこれに該当しないとしてきた。しかし、判例は、死刑の執行方法が、火あぶり、はりつけなど「その時代と環境とにおいて人道上の見地から一般に残虐性を有するものと認められる場合」には残虐な刑罰になるとしつつ、現行の絞首刑による死刑は残虐刑に該当しない（最大判1948〈昭23〉.3.12刑集2巻3号191頁、百選Ⅱ254頁〔中島宏執筆〕）としており、疑問が多い。また判例は、「死刑の威嚇力によって一般予防をなし、死刑の執行によって特殊な社会悪の根元を絶ち、これをもって社会を防衛せんとしたもの」のように死刑の意義を捉えているが、今日では、このような議論には異論が提示されている。通説は、基本的に死刑を合憲とする立場にたつが（樋口他・注解Ⅱ338頁〔佐藤執筆〕）、通説・判例が13条・31条を根拠として合憲性を導いてきたことを批判し、まず36条独自の問題として解決されるべきである、とする見解も有力に展開されている（野中他・憲法Ⅰ438頁〔高橋執筆〕）。

前述のような判例の合憲性認定方法（とりわけ残虐刑の解釈）が、時代錯誤的で説得力をもたないことは明らかであろう。最近では、裁判員裁判において、絞首刑が「残虐な刑罰に当たるとはいえず」憲法36条に反しないとした大阪地裁判決（2011〈平23〉.10.31判タ1397号104頁）もある（辻村他編・憲法判例244頁〔横大道聡執筆〕参照）。そもそも国家の存立自体が人権保障の目的に仕えるものでなければならず、死刑は国家による人権制約の究極的な形態であるという本質論にたちかえって、合憲論を再検討すべきであろう。この点で、死刑規定の存在を前提としたうえで、その適用を限定的に解する議論も有効であると思われ、永山事件控訴審判決が参考になる。

永山事件は、当時19歳の被告人が、窃取した拳銃を用いて警備員・タクシー運転手等を殺害して現金を強奪した、いわゆる連続ピストル射殺事件である。一審の審理は10年以上に及んだが、判決（東京地判1979〈昭54〉.7.10刑集37巻6号690頁）は、「量刑に当たり被告人に有利にすべき事情を考慮しても事情を参酌しても、なお死刑が相当である」とした。控訴審では、一審判決を破棄して、無期懲役刑とした（東京高裁1981〈昭56〉. 8 . 21判時1019号20頁）。ここでは、量刑に当たって、①犯行当時18歳未満の少年には死刑を科しえないとする少年法51条の精神を生かすべきこと、②控訴審理中に本人質問に応じるなど心境の変化があったこと、③著作（『無知の涙』など）の印税を被害者の遺族に送っていることなどの事情を考慮した。そして死刑については次のように謙抑的な姿勢を示した。「死刑が合憲であるとしても、その極刑であるという性質にかんがみ、運用については慎重な考慮が払わなければならず、殊に死刑を選択するにあたっては、他の同種事件との比較において公平性が保障されているか否かにつき十分な検討を必要とするものと考える。……ある被告事件につき死刑を選択する場合があるとすれば、その事件については如何なる裁判所がその衝にあっても死刑を選択したであろう程度の情状がある場合に限定せらるべきものと考える。立法論として、死刑の宣告には裁判官全員一致の意見によるべきとすべき意見があるけれども、その精神は現行法の運用にあたっても考慮に値するものと考えるのである。そして、最近における死刑宣告事件数の逓減は、以上の思慮を実証するものといえよう」。

最高裁では、1983〈昭58〉年7月8日第一次上告審判決（最二判・刑集37巻6号609頁）において、基準として9項目を提示し、量刑不当として破棄、差戻の判断を示した。この9項目とは、「①犯罪の性質、②犯行の動機、③犯行態様、特に殺害方法の執拗性、残虐性、④結果の重大性、特に殺害された被害者の数、⑤遺族の被害感情、⑥社会的影響、⑦犯人の年齢、⑧前科、⑨犯行後の情状」である。

最高裁は、それらを総合的に考察し、刑事責任が極めて重大で、罪と罰の均衡や犯罪予防の観点からもやむを得ない場合に、死刑判決が許されるとした。この事件以降、殺人事件において死刑判決を宣告する際は、永山判決の傍論である死刑適用基準を判例と同等に参考にしている場合が多く、「永山基準」と呼ばれ、その影響力も大きい。また、死刑については、一般に、死刑の必要性、「国民感情」等からその合憲性を論じる傾向があるが、憲法解釈としての合憲性の問題と、立法政策論としての死刑存廃論議とは区別しなければならないであろう。後者の死刑存廃論議についてみると、従来の死刑存置論の主たる理由は、(i)法秩序を維持し犯罪を抑止するための威嚇の必要（犯罪抑止論・一般予防論）、(ii)凶悪犯人から社会を防衛するための犯人隔離・抹殺の必要（社会防衛論）、(iii)犯罪に対する応報と被害者の遺族の感情への配慮（応報論）などである。これに対して、死刑廃止論の論拠は、(a)国家が人を殺すことの非人道性、(b)死刑の威嚇力・犯罪抑止効果の否定、(c)誤判の際の回復不可能性、(d)被害者の遺族救済への物質的救済の必要、(e)有期刑による犯人更生・教育の必要などが有力に唱えられている。

日本では、とくに犯罪自体の残虐性や被害者の感情論など(ii)(iii)が世論調査などで強調され、死刑存置論の論拠とされているが、これらは死刑廃止論の(a)・(c)～(e)の論拠に対して十分に対抗しえないものといえる。また、存置論の論拠（上記(i)～(iii)）も科学的に証明されないことから、国際的には、おもに(b)や(c)を論拠として死刑制度を廃止する傾向にある。国際人権規約（B規約）6条で死刑の制約が定められたのち、1989年12月15日に国連総会で死刑廃止条約（「死刑の廃止を目的とする市民的及び政治的権利に関する国際人権規約第二選択議定書」）が採択された。2019年12月現在、第二選択議定書の署名国は39カ国、締約国は88カ国である（「アムネスティ・インターナショナル日本」の調査では、2019年12月末現在、死刑執行国56カ国、死刑廃止国142カ国とされる。同ウェブサイト参照）。

六　刑罰法規の不遡及・二重処罰の禁止

憲法39条は、「何人も、実行の時に適法であつた行為又は既に無罪とされた行為については、刑事上の責任を問はれない。又、同一の犯罪について、重ねて刑事上の責任を問はれない」と定める。

①　39条前段前半　　39条前段の前半では、実行の時に適法であった行為は刑事上の責任を問われないことを定め、いわゆる「事後法（ex post facto law）の禁止」を保障する。この原則は、すでにアメリカ合衆国憲法1条9節3項や1789年のフランス人権宣言8条でも採用され、罪刑法定主義の原則の一環として、刑罰法規の遡及を禁止するものである。

②　39条前段後半および後段　　「既に無罪とされた行為については、刑事上の責任を問はれない」という前段後半の規定Aと、同一犯罪についての二重処罰を禁止する後段の規定Bについては、学説上も解釈の対立がみられる。これらは、大陸法上の「一事不再理」と英米法（例えば合衆国憲法第5修正）上の「二重の危険（double jeopardy）」禁止原則を基礎としているが、いずれも、国家の刑罰権の発動に対して個人の安全を確保し、憲法31条の適正手続主義のもとで刑罰の適正な適用を保障するための規定である（以下では、①と②をわけて検討する）。

1　事後法の禁止

憲法31条で保障される罪刑法定主義は、「法律なければ犯罪なし」の格言に従って犯罪が法律によって確定されていることを要請する。ここでは、犯罪の実行時に適法であった行為のみならず、実行時に刑罰が法定されていなかった違法行為についても、事後法によって刑罰を科することはできないことを示す。さらに、実行時に刑罰が法定されている場合でも、事後法によって法定刑より重い刑罰を定めることも禁止される趣旨と解されるが、反対に、法定刑を軽減もしくは廃止する内容の事後法を遡及的に適用することは、被告人にとっての利益であるから許容される。

問題となるのは、犯罪実行時の刑事訴訟法が、事後に被告人にとって不利益に変更された場合に、その新刑事訴訟法が禁止されるか否か、である。学説は、否定説（佐藤功・註釈㊤607-608頁）と肯定説（宮沢・コメ326頁、百選（第１版）125頁〔田宮裕執筆〕）に分かれるが、判例は、「単に上告理由の一部を制限したにすぎない」刑事手続の改正の場合には、「たといそれが行為時の手続法よりも多少被告人に不利益であるとしても」憲法39条に反しないとする（最大判1950〈昭25〉. ４.26刑集４巻４号700頁）。

2　一事不再理と二重処罰の禁止

39条前段後半Ａの「既に無罪とされた行為」の処罰禁止規定と、同条後段Ｂの「同一犯罪」の二重処罰禁止規定の関係については、立法過程での混乱を反映して、解釈上も学説が複雑に分かれている（総司令部案では合衆国憲法上の「二重の危険」の禁止に沿って「何人モ同一ノ犯罪ニ因リ再度厄ニ遭フコト無カルベシ」とされていたが、３月２日案で「一事不再理」原則に修正され、改正草案要綱で「既に無罪とされた行為」に再変更後、総司令部の意向によって後段を追加して成立した)。学説は、これらのＡ・Ｂの規定を、ともに「二重の危険」の禁止として捉える第１説（鵜飼・憲法119頁、杉原・後掲「被疑者の権利」236頁)、ともに「一事不再理」として捉える第２説（田上・前掲『憲法撮要』133頁、宮沢・コメ326頁以下)、Ａを「一事不再理」、Ｂを「二重処罰の禁止」として捉える第３説（佐藤功・憲法608-610頁など）が鼎立してきた。近時は、適正手続主義の立場から被告人の利益を重視する第１説が有力であるようにみえるが、いずれの説をとっても結論に大きな相違は生じないと指摘される（芦部・憲法263頁）。

判例は、検察官上訴に関連して、「一事不再理の原則は、何人も同じ犯行について、二度以上罪の有無に関する裁判を受ける危険に曝さるべきものではないという、根本思想に基くことは言うをまたぬ」とし、また、「二重の危険」に言及しつつも、「その危険とは、同一の事件においては、訴訟手続の開始から終末に至るまでの一つの継続的状態と見る」という立場を示したもの（最大判1950〈昭25〉.9.27刑集4巻9号1805頁）などがある。

なお、有罪判決が確定した後に、無罪等を認めるべき明らかな証拠が新たに発見されたときなどに、裁判をやりなおし、誤判を救済するための非常手段として、再審の制度が存在している（刑事訴訟法第4編、435条以下）。戦後初期には、旧刑事訴訟法下の運用の影響から、憲法31条以下でデュー・プロセスを保障したにもかかわらず、誤判による冤罪事件が数多く存在した。1948年の免田事件（1983年再審無罪）や1955年の松山事件（1984年再審無罪）など、事件後30年も経過した後に死刑囚が再審で無罪になったケースも稀ではない。これらの冤罪が発生した原因として、捜査過程におけるデュー・プロセス違反（見込捜査や別件逮捕、長期拘留による自白強要や証拠捏造）のほか、自白偏重を助長する代用監獄制度、防御権・人権意識の欠如、無罪を許さない刑事裁判の構造などの諸要因が指摘できる。

このような冤罪の救済手段としての再審も、1975年の白鳥決定（最一決1975〈昭50〉.5.20刑集29巻5号177頁）以後「開かずの門」といわれた重い扉が少しずつ開き始めたにすぎない。憲法の保障するデュー・プロセスと無罪推定原則、「疑わしきは被告人の利益に」という刑事裁判の鉄則からしても、誤判による犠牲者（無辜）をなくすための捜査機構と意識の改革が必要であるといえよう。

第4章　国務請求権（受益権）

国務請求権ないし受益権は、従来から国民の積極的地位に基づく作為請求権として理解されてきた（イェリネックの古典的分類につき、本書99-100頁参照）。日本国憲法では、16条（請願権）・17条（国家賠償請求権）・32条（裁判を受ける権利）・40条（刑事補償請求権）がこれに含まれる。学説では、請願権と裁判を受ける権利を（参政権とともに）能動的関係における権利ないし積極的公権としつつ、17条・40条の請求権を「固有の意味の基本的人権には属しない権利」と解する立場（宮沢・憲法Ⅱ202頁）や、「基本権を確保するための基本権」とする立場（鵜飼・憲法140頁）、参政権とともに請求権的基本権に含める立場（小林・講義(上)273頁）等、古典的分類を修正する傾向が存在した。最近では、基本的に伝統的な分類によるものが多い（芦部・憲法266頁以下、長谷部・憲法96頁以下、市川・憲法250頁以下参照）が、しだいに人権を保障するための権利、救済のための保障として積極的な位置づけを与えるようになっている。また、32条を人権の手続的保障、16条・17条・40条を公権力と政治的権利の関係で捉え、16条に参政権的意義を認めるなど、扱いが多様化している。

一　裁判を受ける権利

1　意義と性格

憲法32条は、「何人も、裁判所において裁判を受ける権利を奪はれない」と定める。その保障内容は、民事・行政事件では、政治部門から独立した公平な裁判所に訴訟を提起することを拒まれないこと、すなわち裁判所による「裁判の拒絶」は許されないこと（芦部・憲法268頁）を意味する。刑事事件の場合は、裁判所の裁判によらなければ刑罰を科せられないことが含まれる。

裁判を受ける権利は、国家に対して裁判を求める権利として受益権または国務請求権に分類されるが、刑事裁判を受ける権利については、憲法31条が保障する適正手続や37条が保障する刑事被告人の権利と相まって、防御的な自由権的性格が強い。沿革的にみれば、この権利は絶対王政下の専断的裁判に対する人民の権利の保障手段として確立されたが、今日では、違憲審査制の活用に伴い、人権保障や憲法保障の手段としての手続的権利の性格が重視されている（樋口他・注解Ⅱ248頁〔浦部執筆〕参照）。

2　「裁判所」・「裁判」の意味

(1)　裁判所の意味

憲法32条にいう「裁判所」とは、76条1項の最高裁判所と下級裁判所をさし、「裁判所において裁判を受ける」権利には76条2項の特別裁判所および行政機関の終審裁判の禁止、同条3項の裁判官の独立ないし司法権の独立の要請が内包されている。まず、32条のいう「裁判所」が、法律上管轄権を有する具体的な裁判所を意味するか否かが問題となる。判例は消極説（最大判1949〈昭24〉. 3.23刑集3巻3号352頁）であり、学説にもこの立場がある（宮沢・コメ299頁）。しかし、最近では、国際人権規約（B規約14条）等をもふまえ、「恣意的に構成される裁判機関の裁判を排除し、あらかじめ法律によって設置され権限を定められた裁判所の裁判を求める権利として確立されてきたもの」として積極的に解する立場が有力である（樋口他・注解Ⅱ285頁〔浦部執筆〕）。

なお、「裁判員制度」についても、本条の「裁判所」を「職業裁判官のみによって構成される裁判所」のように解する場合には合憲性が問題になりうる。最高裁大法廷は、2011〈平23〉年11月16日（刑集65巻8号1285頁）に判決を下して合憲と判断したが、本書では、国民の司法参加の項で検討する（本書453-455頁参照）。

(2)　「裁判」の意味

「裁判」の意味については、民事・刑事のみならず行政事件の裁判を含めて、公開・対審の訴訟手続による裁判をさすと解される。ここには、適正な手続による公平な裁判の要請が含まれ、憲法82条1項（「裁判の対審及び判決は、公開法廷でこれを行ふ」）の公開裁判原則や37条1項の公開裁判を受ける被告人の権利の保障とあわせて理解されなければならない。

そして、32条の「裁判」をこのように捉える場合には、当事者間の紛争を前提とせず、公開の対審手続も要しない非訟事件の手続（非訟事件手続法11〜13条、家事審判法7条、借地借家法42条など）が合憲かどうか、問題となる。判例は、実体的権利義務の存否を確定する裁判が「（性質上）純然たる訴訟事件」で、一定の法律関係を後見的に形成する裁判が「非訟事件」であるという区別を採用し、前者にのみ、憲法32条・82条が定める公開の法廷における対審・判決の保障が適用されると解してきた（金銭債務臨時調整法に関する最大決1960〈昭35〉. 7. 6民集14巻9号1657頁）。その結果、家事審判法の審判のような非訟事件の審判はここでいう裁判にはあたらないとして、同法の手続を合憲とした（最大決1965〈昭40〉. 6 .30民集19巻4号1089頁）。しかし、今日では、訴訟と非訟との形式的区別ではなく、事件の内容・性格に即して判断すべきであるとの見解が有力になっている。そこで、本条の「裁判」の意味を「国民が紛争の解決のために裁判所で当該事件にふさわしい適正な手続の保障の下で受ける非訟事件に関する裁判をも含む」（芦部・憲法268頁）として、家事審判等をも含めて広く捉えることが妥当となろう（長谷部編・注釈(3)306頁〔宍戸常寿執筆〕、辻村編・憲法研究7号79頁以下〔宍戸執筆〕参照）。佐藤説も、「公開・対審・判決の構造を基礎としつつ、公開手続によらずに権利義務の存否を含めて最終的解決を図っても憲法上許される場合があり、その際、訴訟手続か非訟手続かという二分思考に固執せず、事件の類型や性質・内容に即した適正な審理方法の可能性が探究されるべき」とする（佐藤幸・憲法論658頁参照）。

また、裁判を受ける権利は、刑事事件についても審級制を前提に本条の適用が肯定されることから、デュー・プロセスの保障が強調されてきた。民事・行政事件についても、手続的デュー・プロセスの保障があるか否か、32条は裁判所へのアクセスだけではなく権利侵害に対して実効的な救済を受けることまで保障しているか否かが問題とされ、これらを積極に解そうとする問題提起がされている（松井後掲『裁判を受ける権利』、同・憲法521-526頁参照）。

なお、1998年1月1日施行の新民事訴訟法337条で新設された許可抗告制度の合憲性が争われた事例で、最高裁は合憲の判断を示した（最三決1998〈平10〉. 7. 13判時1651号54頁）。また、同じ新民事訴訟法318条1項の裁量上告制度が憲法32

条に反するか否かが問われた訴訟で、最高裁は立法裁量論により合憲判断を下している（最三判2001〈平13〉．2．13判時1745号94頁、百選Ⅱ278頁〔西村枝美執筆〕参照）。

司法制度改革の一環として2006年に導入された即決裁判手続が憲法32条・38条2項に反するとして争われた事件では、最高裁（最三判2009〈平21〉．7．14刑集63巻6号623頁）は、即決裁判手続が被告人の自由意思によるものであり、弁護人の助言を得る権利も保障されていること、懲役・禁錮の実刑を科すことができないことなどから、刑事訴訟法403条の2による「犯罪事実の誤認による上訴の制限」は「相応の合理的な理由がある」として合憲判断を下した（重判平成21年度22頁〔渡邊賢執筆〕参照）。

二　国家賠償請求権

1　意義と性格

憲法17条は、何人も、公務員の不法行為による損害に対して、国または公共団体に賠償を求めることができることを定める。このように公権力に対する国民の請求権と国民に対する国家の賠償責任が保障されたのは、国民主権原理が確立した近代以降のことにすぎない。ドイツやフランスでは19世紀末以降、立法や判例によって国家の賠償責任が認められた。日本では、大日本帝国憲法は「国家無答責の原則」に従って国家賠償の規定をおいていなかったのに対して、日本国憲法制定過程でこの規定が追加された。

憲法制定当初はプログラム規定のように解されたが、その後法的権利性を認める傾向が強まり、法律がなくても直接本条によって賠償責任が生じる余地を認める見解もある（佐藤幸・憲法614頁）。立法府に対して権利の具体化を義務づける、という意味で本条の法規範性を承認する「抽象的権利」を定めたものと解する立場が有力である（樋口他・注解Ⅰ358頁〔浦部執筆〕）。

2　要件と内容

(1)　要件

憲法17条は「法律の定めるところにより」賠償請求を認めている。これをうけて、国家賠償法が権力的作用に基づく場合（公務員の故意・過失による違法な損害）と営造物の設置・管理の瑕疵に基づく場合について賠償責任を定め、その他の場合を民法や特別法に委ねている。しかし、国家賠償法1条1項が、「国又は公共団体の公権力の行使に当る公務員が、その職務を行うについて、故意又は過失によって違法に他人に損害を加えたときは、国又は公共団体が、これを賠償する責に任ずる」としていることには議論の余地がある。すなわち、憲法17条の「不法行為」の意味を必ずしも民法上のそれと同義に解する必要はないが、国家賠償法では公務員の故意・過失を要件とし過失責任主義をとっているため、実際には挙証が困難になりうるからである。

さらに、旧憲法下の「国家無問責の原則」の残影として国家賠償責任の免除や制限を認める法律の違憲性が問題となったのが、郵便法事件であり、最高裁大法廷は法令の一部違憲を宣言する判決を下した。

これは、郵便業務従事者の差押債権命令書の誤配によって差押債権券面額の損害を被った原告が国家賠償を請求した事件であり、最高裁大法廷（最大判2002〈平14〉. 9.11民集56巻7号1439頁）は、法令違憲の判決を下した。

原審は旧来の判例に従って国の損害賠償責任を免除・制限する郵便法（平成14年法律121号による改正前のもの）68条・73条の規定を合憲と解していたが、最高裁は、同法68条・73条のうち「書留郵便物について、郵便業務事業者の故意又は重大な過失によって損害が生じた場合に、不法行為に基づく国の損害賠償責任を免除し、又は制限している部分」、および、「特別送達郵便物について、郵便業務事業者の軽過失による不法行為に基づき」損害が生じた場合に同様の免除・制限を定める部分が憲法17条に違反するとした。また、「国家公務員である郵便業務従事者が、債権差押命令を内容物とする特別送達郵便物を、過失により、民訴法に定める送達方法によらずに第三債務者の私書箱に投函したため、通常の業務の過程において法令の定める職務規範に従って送達されるべき時に上記差押命令が送達されず、上告人の法的利益が侵害され（た）」場合に、国家賠償法1条1項に基づく損害賠償請求の当否を判断するについて事実関係等の審理を尽くすべきであるとして、原審に差戻した（5裁判官によって補足意見・意見が付された）。本判決も、憲法17条の具体的権利性を認めたわけではないが、「立法府に無制限の裁量権を付与する」ものではないとして立法裁量を制約した点が注目され、国会では2002年12月に速やかに法改正が行われた。また、差戻審では、訴訟を引き継いだ日本郵政公社との間で和解が成立した（百選Ⅱ280頁〔宍戸常寿執筆〕、辻村他編・憲法判例318頁〔佐々木弘通執筆〕参照）。

(2)　立法行為に対する賠償請求

最近の憲法訴訟の展開のなかで注目されてきた問題に、立法行為ないし立法不作為に対する国家賠償請求訴訟がある。国家賠償法１条の「公権力の行使」に立法行為や立法不作為が含まれるか否かについて学説は分かれていたが、判例でこれを肯定した。ただし、判例では従来、違憲即違法説が前提とされていた（宇賀克也後掲『行政法概説Ⅱ』435頁）のに対して、在宅投票制訴訟最高裁判決（下記①）では立法の違憲性と国賠法上の違法性を分離し、後者を「容易に想定し難いような例外的な場合」に限定した。その後、ハンセン病国家賠償請求事件熊本地裁判決（2001〈平13〉年５月11日判時1748号30頁、本書464頁）を経て、在外国民選挙権訴訟最高裁判決（下記②）で、違憲性と違法性をともに認めて、大きな展開を遂げた。

①　在宅投票制廃止違憲訴訟　　廃止した立法行為ないし制度を復活させない立法不作為の違憲性を問題とした在宅投票制廃止違憲訴訟では、一審は、在宅投票制を廃止した立法行為を違憲として損害賠償を一部認容し（札幌地小樽支判1974〈昭49〉. 12. ９判時762号８頁）、控訴審では、立法不作為の違憲を理由とする請求を適法とした（札幌高判1978〈昭53〉. ５. 24判時888号26頁、故意・過失がないとして請求自体は棄却）。しかし、最高裁判決は、「国会議員の立法行為は、立法の内容が憲法の一義的な文言に違反しているにもかかわらず国会があえて当該立法を行うというごとき、容易に想定し難いような例外的な場合でない限り、国家賠償法１条１項の規定の適用上、違法の評価を受けない」と解し、原則として国家賠償法上の違法の問題を生じさせないとした（最一判1985〈昭60〉. 11. 21民集39巻７号1512頁）。この判決は、立法行為の違憲性と（国賠法に対する）違法性とを区別し、たとえ憲法違反の法律が制定されても、それ自体としては多くの場合直ちに不法行為を構成しないという論理を用いた（本書320頁参照）。

②　在外国民選挙権訴訟　　在外に居住する国民に選挙権を認めない公職選挙法の違憲性が問題となった在外国民選挙権訴訟では、下級審は、上記の在宅投票制最高裁判決を踏襲して請求を棄却し、一部を不適法とした。ところが、最高裁大法廷判決（2005〈平17〉. ９. 14民集59巻７号2087頁）は、国会議員の立法行為または立法不作為は、その「立法の内容又は立法不作為が国民に憲法上保障されている権利を違法に侵害するものであることが明白な場合や、国民に憲法上保障されている権利行使の機会を確保するために所要の立法措置を執ることが必要不可欠であり、それが明白であるにもかかわらず、国会が正当な理由

なく長期にわたってこれを怠る場合などには、例外的に、国家賠償法1条1項の適用上、違法の評価を受ける」として、結局、違憲・違法の判断を下した（本書321-323頁参照）。すなわち、国外に居住して国内の市町村の区域内に住所を有していない日本国民に国政選挙における選挙権行使の機会を確保するためには、上記国民に選挙権の行使を認める制度を設けるなどの立法措置を執ることが必要不可欠であったにもかかわらず、上記国民の国政選挙における投票を可能にする法律案の廃案後、「10年以上の長きにわたって国会が上記投票を可能にするための立法措置を執らなかったことは、国家賠償法1条1項の適用上違法の評価を受ける」として、精神的苦痛を被った上記国民に対して慰謝料各5000円の支払義務を負うとした（反対意見とこれに反論する補足意見がある）。

この判決については、例外的な場合にのみ国家賠償責任を負うという立場を踏襲しつつ、例外の判断において「実質的には国賠責任の原則的否定の立場を緩和したもの」と解されてきた（百選Ⅱ319頁〔野坂泰司執筆〕）。しかし、判決自体が「昭和60年判決は、以上と異なる趣旨をいうものではない」と付言したことに加えて、精神的原因により投票困難となった者が立法不作為による国家賠償を請求した訴訟で、最高裁は「立法措置を執ることが必要不可欠で……国会が正当な理由なく長期にわたってこれを怠る」場合には当たらないとして上告を棄却した（最一判2006〈平18〉. 7. 13判時1946号41頁、本書321頁参照）。

その後、最高裁裁判官国民審査の在外投票制の不在についても、集団訴訟が提起され、一審東京地裁2019〈令元〉年5月28日判決（判時2420号35頁）に続いて東京高裁も、2020〈令2〉年6月25日違憲判断を下した（国賠請求は棄却、判時2460号37頁）ため、最高裁判決が注目されている（本書451頁参照）。

③　再婚禁止期間規定違憲訴訟（損害賠償請求事件）　2015〈平27〉年12月16日最高裁大法廷判決（民集69巻8号2427頁）では、民法733条の100日を超える再婚禁止期間について違憲判断を下した（本書160頁、172-173頁）。しかし「憲法上保障され又は保護されている権利利益を合理的な理由なく制約するものとして憲法の規定に違反することが明白であるにもかかわらず国会が正当な理由なく長期にわたって改廃等の立法措置を怠っていたと評価することはできない」として本件立法不作為は、国家賠償法1条1項の適用上違法の評価を受けないとした。千葉裁判官の補足意見は、「私の理解としては、平成17年判決の判示する判断基準は、……前段部分及び後段部分を含め、今回整理し直されたものということになる。今後は、この点の判断基準は、本件の多数意見の示すところによることとなろう」と指摘している（辻村・憲法と家族231-232頁参照）。

三　刑事補償請求権

1　意義

憲法40条は、抑留・拘禁の後に無罪の裁判を受けた場合に、国家に対して刑事補償を求める権利を定める。刑事補償とは、刑事手続に伴う国民の不利益を、公務員の行為の違法性や故意・過失にかかわらず、国家が償うことであり、憲法31条以下の刑事手続の保障を事後的に補完し、冤罪を金銭的に救済しようとしたものである。現代では、刑事補償請求権は国際人権規約（B規約14条6項）でも保障され、基本的な権利として位置づけられる傾向にある。日本では、憲法17条と同様、憲法制定過程で40条の規定が追加修正された。17条のように賠償でなく、補償とした点は29条3項と共通しているが、公務員の故意・過失による違法が認められたときは17条の国家賠償請求による救済が可能である（基本法コメ289頁〔青井未帆執筆〕、長谷部編・注釈(3)442頁以下〔宍戸常寿執筆〕参照）。

2　要件と内容

憲法40条は、補償を請求する手続や内容の決定を法律に委ねており、刑事補償法がそれを定める。同法によれば、刑事訴訟法の通常手続・再審・非常上告の手続において無罪の判決を受けた者が（刑訴法、少年法等によって）「未決の抑留又は拘禁」を受けていた場合、あるいは、上訴権回復による上訴・再審・非常上告の手続において無罪の判決を受けた者がすでに「刑の執行又は拘置」を受けていた場合には、それぞれ補償を請求できる（同1条1～3項）。補償の内容は、抑留又は拘禁、懲役・禁錮等の場合1日につき1000円以上1万2500円以下の割合による額の補償金、死刑執行に対する補償は3000万円以下（ただし、本人の死亡による財産上の損失額が証明された場合は、その損失額に3000万円を加算した額の範囲内）、罰金・科料の場合は年5分の割合を加算した額の補償金、没収物については返付（処分された後は時価に等しい額の補償金）、徴収した追徴金については年5分の割合を加算した額の補償金の交付である（同4条）。免訴や公訴棄却の場合にも補償が請求できるとされるが（同25条）、不起訴の場合については規定がない。

なお、憲法40条の「無罪の裁判を受けたとき」の意味につき、無罪判決の確定と解する（A説）（法協・註解(上)690頁）か、身体的拘束の根拠がないことが確定した場合も含むと解するか（B説）（佐藤功・註釈(上)613-614頁、奥平・憲法Ⅲ395頁）について見解が分かれている。刑事補償の趣旨からすれば後者（B説）が妥当と考えられる（同旨、樋口他・注解Ⅱ390頁〔佐藤執筆〕）。また同様の視点から、不起訴の場合の被疑者補償についても立法的解決が望まれた。そこで、被疑者補償規程が1957年に法務省訓令として定められ、被疑者として「抑留又は拘禁」を受けた者につき、「公訴を提起しない処分があった場合において、罪を犯さなかったと認めるに足りる十分な事由があるときは、抑留又は拘禁による補償をする」ことができる（2条）と定められた。また、少年法により検察官に送致される前に抑留・拘禁を受けた者も対象となる（刑補法1条）。判例は、少年審判手続上の不処分の決定は「刑事補償法1条1項にいう『無罪の裁判』には当たらない」（最三決1991〈平3〉. 3. 29刑集45巻3号158頁）としていたが、その後、「少年の保護事件に係る補償に関する法律（少年保護事件補償法）」が1992年に制定・施行された。これにより、少年法第2章に定める保護事件についても、刑事補償法（4条1項）の範囲内の額の補償が認められた。もっとも、少年保護事件については、家庭裁判所の補償決定に対する上訴が認められていないため、憲法14条・32条違反であるとの特別抗告がなされた。最高裁は、家庭裁判所の職権による補償の要否・内容の判断は刑事補償法上の裁判とは性格を異にすることを理由に、合憲とした（最二決2001〈平13〉. 12. 7刑集55巻7号823頁）。

四　請願権

1　沿革と現代的意義

請願権は、もともと近代議会制度が確立される以前の絶対君主制下で、為政者に対して民意を知らせ懇願する手段であった。そこで、天皇主権を定めた大日本帝国憲法でも「臣民の権利」の一つとして請願権を定めていた（30条）が、実際には、皇室典範の変更や裁判に関与するような請願は認められないなど、制限が厳しかった。日本国憲法では、16条で、何人も損害の救済等について平穏に請願する権利を有し、請願をしたためにいかなる差別待遇もうけないことを定める。

従来の通説は、請願権を受益権の一つとして位置づけ、その意義を消極的に解してきた。たしかに、国民主権原理のもとで参政権が確立された現代憲法下では請願権の意義はさほど大きくはないともいえるが、今日では、その参政権を補充する機能を重視し、一種の参政権として請願権を捉える傾向が強まっている（渡辺久丸後掲『請願権の現代的展開』、争点172頁〔吉田栄司執筆〕参照)。そのため学説のなかでは参政権の項目で扱うものも多くなっているが（長谷部・憲法305頁他)、請願権の主体には未成年者や外国人・法人等も含まれるように、厳密な意味での参政権の主体（選挙権者）とは異なるため、本質的・構造的な差異には留意が必要であろう。

2　権利行使の手続

本条は、損害の救済、公務員の罷免、法律・命令・規則の制定・廃止・改正その他の事項に関して、「平穏に請願する」権利を保障する。請願権行使の手続等は請願法が定めており、同法では、請願者の氏名・住所を付して文書で、所管の官公署（不明のときは内閣）に請願を提出すること（2・3条)、また、官公署は適法な請願を受理し誠実に処理しなければならないこと（5条）等の一般的規定をおいている。さらに、国会法・議院規則・地方自治法等で手続や処理・報告方法についてより詳細に定めている。

請願権が権利であることに対応して、公的機関側にいかなる義務が生じるかが問題となる。通説は、請願内容に応じた措置をとる義務はもとより、これを審査し回答する義務も生じないと解するが、参政権的機能を重視する立場からは、せめて審査や審査結果の報告等の義務づけを求める権利を含めて、権利内容を強化することが求められることになる。なお、請願者の利害に直接関係しない公共的事項についても請願できると解されるが、裁判についての請願が認められるか否かは見解が分かれる（否定説、法協・註解(上)377頁。肯定説、樋口他・注解Ⅰ352頁〔浦部執筆〕)。

第5章　社会権

社会権は、社会経済的な不平等を是正して実質的平等を確保するために導入された、20世紀的な現代的権利である。これを採用した1919年のドイツのワイマール憲法や、第二次大戦後のフランス・イタリアなど諸国の憲法の傾向に沿って、日本国憲法も25条以下で社会権を保障した。25条では生存権（さらに「新しい人権」と称される環境権）、26条では教育を受ける権利、27条・28条では労働権と労働基本権を保障している。

社会権については、その法的性格をめぐって従来からプログラム規定説と法的権利説（抽象的権利説と具体的権利説）の間で議論があり、法律によって権利が実現されるとする抽象的権利説の通説化のもとで、具体的な法律や事件をめぐる判例をとおして権利の保障がはかられてきた。

さらに、社会権を「国家に対する給付・作為請求権」、自由権を「国家に対する不作為請求権」のように定義する憲法学の通説においても、社会権には、請求権的側面と同時に自由権的側面があることが承認されている（芦部・憲法277頁参照）。生存権、環境権、教育権、労働権・労働基本権のいずれにも自由権的側面と請求権的側面があるとすれば、従来から、これらの権利を社会権のみに分類して論じてきたこと自体に、問題があったといえるであろう。

このような視点から、最近では、社会権の自由権的側面（公権力による不当な侵害があった場合には妨害排除を請求できる自由権としての理論構成）にも十分留意して複合的視座から検討することが求められている。本書では、教育の自由については精神的自由権の項目で扱った（本書233頁以下）が、生存権、環境権、労働権の自由権的側面については、本章で扱うことにする。

一　生存権

1　意義と法的性格

(1)　意義

憲法25条1項は、「すべて国民は、健康で文化的な最低限度の生活を営む権利を有する」と定める。この生存権の保障規定は、社会権のなかで原則的な規定であり、国民が、みな人間らしく生きることができることを権利として宣言したものである。生存権には、国家による妨害を排除するという自由権的な側面も存在するが、2項では、社会権的な側面での生存権を中心に、1項の趣旨を実現するために国に生存権の具体化について努力する義務を課している。それをうけて、現行法上では、生活保護法、児童福祉法、老人福祉法、身体障害者福祉法などの各種の社会福祉立法、国民健康保険法、国民年金法、雇用保険法などの各種の社会保険立法がなされ、社会保障制度が確立されている。また、地域保健法、食品衛生法、環境基本法等により公衆衛生の整備がされている。

(2)　法的性格

25条1項の「健康で文化的な最低限度の生活を営む権利」の法的性格をめぐって憲法制定当初からさまざまな議論があった。まず、最初に説かれたのは、25条は、国民の生存を確保すべき政治的・道義的義務を国に課したにとどまり個々の国民に対して法的権利を保障したものではないというプログラム規定説である（法協・註解(上)488-489頁）。たしかに、生存権は国の積極的な配慮を求める権利であると解したとしても、その内容は抽象的で不明確であるから、憲法25条を直接の根拠にして生活扶助を請求する権利を導き出すことには困難が伴わざるをえない。そこで、生存権を法的権利と解しつつ、これを具体化する法律によってはじめて具体的な権利となる、と考える抽象的権利説が通説となった。抽象的権利説によれば、25条は、国に対して立法や予算を通じて生存権を実現する法的義務を課しているが、生活保護法のような法律が存在しない場合には憲法違反を論じることができないと解される。

これに対して、生存権の具体的権利性を論ずることが求められ、何らかの法的権利（国の法的義務）を認めようとする具体的権利説が出現したが、実際には、この立場でも、法律が存在しない場合に直接25条を根拠に国に対して給付を請求する具体的権利があると解するわけではなく、立法不作為の違憲確認訴訟にとどまる（大須賀明説）か、あるいは行政事件訴訟の一つである無名抗告訴訟が提起できるとした（高田敏説）。

そこで、プログラム規定説にかわって立法裁量説（後述③の堀木訴訟最高裁判決のように25条1項の権利の内容は国会の裁量で決まると解する立場）が出てきた後は、抽象的権利説と具体的権利説の区別は「法実践的にほとんど無意味となった」として従来の学説分類に疑問が提示された（奥平・憲法Ⅲ247頁）。また、法的性格について学説に基本的対立はなく、訴訟手続や審査基準の問題だけが残っているという指摘もある（野中他・憲法Ⅰ504頁〔野中執筆〕参照）。

このように両説間に訴訟手続問題を除いてほとんど差異がないことが近年の生存権論の停滞の原因といえようが、最近では、生存権をめぐる多様な訴訟類型に即して、「いかなる違憲審査基準によって生存権に裁判規範性を認めるか」が問題視されている（樋口他・註解Ⅱ〔中村睦男執筆、学説展開につき、新基本法コメ220頁〔尾形健執筆〕参照）。具体的給付請求も可能とする「文字どおりの具体的権利説」ないし「給付請求権説」（棟居説、長谷部編リーディングス165頁）も注目され、批判論（渋谷・憲法276頁以下）も提示されている。（百選Ⅱ287頁〔内藤光博執筆〕、辻村他・概説コメ161頁〔尾形健執筆〕参照）。

ここで重要な意味をもつのは、25条の「健康で文化的な最低限度の生活」の内容・水準を理論上確定できると解するか否かの問題である。具体的権利説や後述①の朝日訴訟一審判決では、国民の生活水準や社会的・文化的な発達の程度などを考慮して、一定の水準を客観的に確定しうるという前提にたつ。これに対して、（プログラム規定説は無論）抽象的権利説では、国家財政等の政策的要素が加わるため水準は相対的でしかありえず、客観的には確定しえないという前提にたつ。このことは朝日訴訟最高裁判決にも示される。しかし、国家財政や予算等、憲法より下位の法規を前提として憲法上の権利内容を枠づけようとすることは本末転倒であり、まず先に国民の所得水準や生活水準等から可能な限り客観的に「最低限度の生活」水準を確定し、これに予算等をあわせることが筋道であろう。通説的見解でも、25条は「国に立法・予算を通じて生存権を実現すべき法的義務を課している」とされ、「憲法と生活保護法とを一体として捉え、生存権の具体的権利性を論ずることも許される」(芦部・憲法279頁)と解されている。

近年では、老齢加算廃止違憲訴訟の展開の中で、「制度後退禁止原則」が、福祉の「切り下げ」との関係で問題となっている(後掲⑥判決参照)。

この背景には、生存権規定の自由権的側面に関する議論がある。この議論は、個人には国家の援助を受けることなしに自ら生活を営み、生命を全うする権利があり、国家が正当な理由なくそれを剥奪することは許されないという考えであり、総評サラリーマン税金訴訟なども自由権的側面に関する事例とされる(辻村他・概説コメ160頁〔尾形健執筆〕参照)。この事例では、最三判1989〈平元〉. 2. 7判時1312号69頁は、堀木訴訟(後掲⑥判決)の論理に即して憲法25条違反の主張を退けた。

ほかに、生活保護を受けながら長女の高等学校進学のために学資保険(満期保険金50万円、月額3000円)を積み立てたところ、満期保険金の一部を収入として認定されて金銭給付を減額する保護変更決定処分を受けた事件では、生活保護に関する自己決定が問題となった。最高裁判決は「生活保護法の趣旨目的にかなった目的と態様で保護金品等を原資としてされた貯蓄等は、収入認定の対象とすべき資産には当たらない」として、当該保護変更決定処分を違法と断じて、取消処分を認めた原審を支持し、上告を棄却した(最三判2004〈平16〉. 3. 16民集58巻3号647頁参照)。生存権の性格等についての言及が全くないため、生存権の自由権的側面に関する論理は不明であるが、生活保護法の運用に際して、実質的に生存権を保護した最高裁判決として注目される。

2　判例の展開

判例では、1948年の食糧管理法事件判決(最大判1948〈昭23〉. 9. 29刑集2巻10号1235頁)以降の最高裁の立場はプログラム規定説のように解されてきたが、今日では、判例は裁量権の濫用等の場合には司法審査の対象となると解する立場をとっている。現実には、朝日訴訟一審の浅沼判決以降の一連の生存権訴訟が、脆弱な社会保障の実態を改善する原動力となってきた。しかし、朝日訴訟最高裁判決が広範な行政裁量を認めた後は、1970年代中葉から原告敗訴の判決が続き、1982年の堀木訴訟上告審判決が広い立法裁量を理由に上告棄却した後は、社会保障関係訴訟自体が萎縮する傾向にあった。

①　朝日訴訟　　社会保障の拡充を憲法25条の実現という形で求めた最初の重要な事例が朝日訴訟である。1942年から十数年間、肺結核のため国立岡山療養所に入所していた原告（朝日茂）は、単身・無収入のため、生活保護法による医療扶助と生活扶助（月額600円の日用品費）を受けてきた。1956年に実兄から月額1500円の仕送りが実現されると、福祉事務所は生活扶助を打ち切って1500円から日用品費600円分を控除した月額900円を医療費の一部として自己負担させる旨の保護変更決定をした。この決定に対する不服申立が却下されたため、原告は、日用品費月額600円という保護基準およびそれに基づく保護変更決定と不服申立却下の裁定は、憲法25条の理念に基づく生活保護法８条２項、３条、５条に違反して違法であるとして、1957年に東京地裁に提訴した。

一審では、憲法25条の「健康で文化的な最低限度の生活」の水準の問題が争点となった。当時の生活保護法による生活扶助の支払額内訳表によれば、月600円の日用品費の内容は「肌着２年に１着、パンツ１年に１着、ちり紙１月１束、タオル１年２本、鉛筆１年６本」などという低水準であり、結核で血痰のでる原告にとって必要なちり紙さえ使えない窮状が如実に示されていた。東京地裁の浅沼裁判長は、生活保護法第２条は「同法に定める保護を受ける資格をそなえる限り何人に対しても……積極的に国に対して……『健康で文化的な生活水準』を維持することができる最低限度の生活を保障する保護の実施を請求する権利、すなわち保護請求権を賦与することを規定したもの」と解して、不服申立却下裁定を取り消した（原告勝訴判決）（東京地判1960〈昭35〉.10.19行集11巻10号2921頁）。この判決後、日用品費の支給額は600円から705円に、1963年には1035円に改訂されて47％も増加されるなど成果が得られた。

控訴審判決（東京高判1963〈昭38〉.11.４行集14巻11号1963頁）は、具体的に日用品額を検討して月額670円程度という基準額を算出し、「一割程度の不足をもって本件保護基準を当・不当というにとどまらず確定的に違法と断定するには早計である」として原判決を取り消し、原告（被控訴人）敗訴の判決を言い渡した。上告後、1964年に原告が死去し養子夫婦が訴訟承継を主張した。そこで最高裁は、生活保護受給権は一身専属の権利であり「裁決の取消訴訟は被保護者の死亡によって当然終了する」として訴えを却下した。そのうえで「念のため」とする判断を付加し、その後の判例理論に重大な影響を与えた。

1967〈昭42〉年５月24日の大法廷判決（民集21巻５号1043頁）は、具体的権利性は生活保護法によって生じるとして憲法25条の具体的権利性を否定し、かつ厚生大臣の保護基準は合目的的な裁量に委ねられるとした。ただし、著しく低い基準を設定し、あるいは法律によって与えられた裁量権の限界をこえた場合に、違法行為として司法審査の対象になると判断し、憲法25条の規範的意味をきわめて狭い範囲に限定した。このような多数意見に対しては、相続人の不当利得返還請求の観点から訴訟の承継を認める田中二郎裁判官の反対意見などがあるが、これらも生活扶助基準の判断についてはおおむね多数説に賛同していた。

②　牧野訴訟　　牧野訴訟は、北海道の開拓農民である原告（牧野亨）が1967年に独力で訴訟を起こした「本人訴訟」として知られる。原告は満70歳に達して国民年金法80条１項に定める老齢福祉年金の受給資格を得たところ、妻がすでに老齢福祉年金を受けていたことから、同法79条の２第５項によってそれぞれの年金額から3000円を支給停止する決定が下された。そこで、このような夫婦受給制限規定が憲法13条・14条に違反して無効である、として国を相手どって支給を停止された6750円の支払を求めて提訴した。

東京地裁判決（1968〈昭43〉. 7 . 15行集19巻７号1196頁）は、当該規定が「老齢者が夫婦者であるという社会的身分により経済関係における施策のうえで、差別的取扱いをするものである」とし、この差別的取扱いの合理的理由が認められない限り憲法違反であるとしたうえで、老齢福祉年金の「公的扶助的性格」や老齢者夫婦の共同生活費が単身者よりかさむという経験則から、その合理的理由を否認して憲法14条１項違反とした。憲法13条違反等の原告の主張にはふれなかったが、判決が明瞭に憲法14条違反を認めたことによって、本判決後1969年に夫婦受給制限規定が撤廃され、国側の東京高裁への控訴の維持が困難となって裁判所の和解勧告によって訴訟が終結した。

③　堀木訴訟　　内縁の夫と離別後、独力で次男を養育してきた全盲の原告（堀木フミ子）は、障害福祉年金を受給していたが、1970年兵庫県知事に対して児童扶養手当の受給資格の認定を請求したところ、児童扶養手当法（1973年改正前のもの）４条３項３号の併給禁止規定に該当するとして請求を却下された。さらに異議申立も却下されたため、右の併給禁止規定が憲法14条、25条、13条に違反して無効であるとして、請求却下処分の取消を求めて出訴した。

一審の神戸地裁判決（1972〈昭47〉. 9 . 20行集23巻８・９号711頁）は併給禁止が「公的年金を受けることができる地位にある者を然らざる者との間において差別している」として憲法14条違反と断定し、児童扶養手当認定請求却下の処分を取り消した。このため、一審判決後の1973年に併給を認める法改正が実現した。

控訴審の大阪高裁判決（1975〈昭50〉. 11. 10行集26巻10・11号1268頁）は、憲法25条２項は国の積極的防貧政策、１項は事後的・補足的且つ個別的な救貧政策を行う責務を宣言したものと解して25条１項２項峻別論を採用した。この１項２項区分論は、最高裁判例や通説では受け入れられず、最高裁は1982〈昭57〉年７

月７日の大法廷判決（民集36巻７号1235頁）で上告を棄却して上告人（原告）を敗訴とした。判旨は、「健康で文化的な最低限度の生活」は「きわめて抽象的・相対的な概念」であり、その具体的な立法措置の選択決定は立法府の広い裁量にゆだねられているため、著しく合理性を欠き明らかに裁量の逸脱・濫用と見ざるをえないような場合を除き、裁判所が審査判断をするのに適しない事柄である、として司法審査の範囲を限定した（百選Ⅱ288頁〔尾形健執筆〕参照）。

④　学生無年金障害者訴訟　　国民年金法の改正によって2000年から20歳以上の学生も強制加入とされたがそれ以前は任意加入であった。しかも1959（昭34）年法では20歳を過ぎて障害を負った学生（以下、学生無年金者）に対しては救済措置をとらず、1985（昭60）年法で障害福祉年金を障害基礎年金に変換した際にも、学生無年金者の受給を容易にするような救済制度を設けなかった。大学在学中に障害を負った学生らが障害基礎年金の受給裁定を申請したところ、国民年金未加入を理由に不支給処分を受けたため、憲法25条・14条違反を主張して取消訴訟と国家賠償請求訴訟を提起した。

一審判決（東京地判2005〈平17〉．３．24判時1852号３頁）は、取消請求を棄却するとともに、上記1985年法が憲法14条に違反して立法不作為の違法が存在したとして国家賠償責任を容認した。控訴審判決は「年金のみが憲法25条が要求する所得保障措置」といえないとして、国家賠償容認部分を破棄し請求を棄却した（東京高判2005〈平17〉．３．25判時1899号46頁）。最高裁も、立法府の広範な裁量を理由に、憲法14条・25条違反ではないとして上告を棄却した（最二判2007〈平19〉．９．28民集61巻６号2345頁、百選Ⅱ292頁〔内野正幸執筆〕）。

また別の東京都の事件で、被上告人（元学生）が「初診日において20歳未満であった者」という要件（初診日要件）を満たしているかどうかが争われたところ、最高裁（最二判2008〈平20〉．10．10判時2027号３頁）は、初診日において20歳に達していた場合には、国民年金法30条の４所定の初診日要件を満たすものと解することはできないとして、原判決を破棄し、一審判決のうち一部を取り消して、これに関する被上告人の請求を棄却した。

他方、岩手の事件で、唯一、原告勝訴の一審（「初診日」を「発症日」と拡大解釈して例外的に支給が認められると判断した）および控訴審判決が確定し、最高裁（最二判2008〈平20〉．10．15）の国（社保庁）側の上告不受理決定によって原告勝訴が確定した。

⑤　旭川介護保険料訴訟　　2000年から導入された介護保険制度では、条例に基づく保険料の徴収が認められているが、旭川市介護保険条例には、生活保護法の要保護者について保険料減免措置がなく、さらに老齢基礎年金等から

保険料が特別徴収（天引き）されていたため、憲法25条等に反するか否かが争われた。最高裁は、堀木訴訟最高裁判決を踏襲して、介護保険制度における「国民の共同連帯」の理念等から、特別徴収の制度等は「著しく合理性を欠くということはできない」として、合理性の基準を用いて合憲判断を下した（最三判2006〈平18〉．3．28判時1930号80頁、重判平成18年度23頁〔岩本一郎執筆〕参照）。

⑥　老齢加算廃止違憲訴訟　　1960年に創設され、原則として満70歳以上の高齢者に支給してきた老齢加算制度について、2003年の厚労省の専門調査会提言を受けて、2006年に厚生労働大臣が保護基準を改定して老齢加算制度を廃止した。このような生活保護基準の改定や給付の減額等を内容とする保護決定が、生活保護法56条等および憲法25条等に反するか否かを争う訴訟が、東京・福岡・秋田・青森などの地裁に提訴された。一審は、福岡・広島・京都・東京で原告の請求が棄却された。その後、北九州市の受給者39人が市の決定取消を求めた訴訟で、福岡高裁（2010〈平22〉．6．14判時2085号76頁）は、福岡地裁の市側勝訴判決を取り消し、原告勝訴の逆転判決を下したことが注目された。

しかし多くの訴訟で原告側が敗訴し、最高裁も、裁量権の逸脱・濫用を認めず、老齢加算廃止を適法・合憲とした（最三判2012〈平24〉．2．28民集66巻3号1240頁、百選Ⅱ294頁〔柴田富司執筆〕、宍戸・憲法解釈論173頁参照。同事件の東京地裁（2008〈平20〉．6．26判時2014号48頁）、東京高裁（2010〈平22〉．2．28判時2085号43頁）、上記福岡事件の上告審（最二判2012〈平24〉．4．2民集66巻6号2367頁）、京都事件（最一判2014〈平26〉．10．6賃金と社会保障1622号40頁）等も、いずれも、合法・合憲判断を下した）。

二　環境権

1　現代的意義と法的性格

(1)　意義

1960年代の高度成長期以降、大気汚染・水質汚濁・騒音・振動などの公害が大量に発生し、環境破壊が進行した。これに対して、良好な環境を享受する権利としての環境権の主張が、1970年ストックホルムでの世界環境会議や1975年の東京宣言のなかに出現し、日本でも各地の公害訴訟の展開によって1970年代以降しだいに環境権概念が形成された。裁判例には、伊達環境権訴訟一審判決（札幌地判1980〈昭55〉．10．14判時988号37頁）など原告側の注目すべき議論にもかかわらず環境権を明白に否定した判決や、多少とも理解を示した国立歩道橋訴訟東京地裁判決（1973〈昭48〉. 5.31行集24巻4・5号471頁）など多くの例があるが、環境権の概念とその権利性について明示したわけではない。後述の名古屋新幹線訴訟（後掲②）一審判決も、環境権の内容等が明らかでないために差止の法的根拠としての私権性を肯定することは困難である、と判示した。また、大阪空港公害訴訟一審判決に続いて控訴審判決でも、「個人の生命、身体、精神および生活に関する利益は……その総体を人格権ということができ〔る〕」として、憲法13条の人格権を明瞭に認めた。しかし、最高裁判例では、人格権を認めた（後掲①判決）ものの、環境権という名の権利を正面から認めたものはない。

学説では、環境権を憲法上の法的権利として承認することはできないとする否定説もあったが（伊藤・憲法237頁など）が、近時では「憲法13条の幸福追求権の一内容をなし、人格権と結びついたものと解することができる」（芦部・憲法282頁）とする肯定説が有力である。ここでは、環境権は、健康で快適な生活を維持する条件としての良い環境を享受し、これを支配する権利と理解されている。この場合に、大気・水・日照などの自然的な環境に限定する考え（狭義説）と、遺跡・寺院などの文化的環境や公園・道路などの社会的環境まで含める考え（広義説）がある。後説では環境権の内容が広範になりすぎ、権利性が弱められるので、環境権が登場するに至った沿革にも忠実な前説が妥当であろう（多数説）。

(2)　法的性格と根拠

環境権は、環境破壊を予防し排除するために主張された権利である。良好な環境の享受を妨げられないという側面では自由権（消極的権利）であり、憲法13条の幸福追求権の一内容としての人格権による理論構成が可能である。他方で、環境権を実現するには国や地方公共団体等の積極的な環境保存ないし改善のための施策が必要であるため、請求権（積極的権利）として、社会権の性格をもつことになる。こうして環境権の根拠については、(a)25条根拠説、(b)13条根拠説、(c)13条・25条競合説に分かれている（学説状況につき、争点180-181頁〔中富公一執筆〕参照）。

人の健康が害されない生活環境の保全という法的利益を前提として請求権的に構成する限りは憲法25条を根拠とすることができるが、もともと一定水準の生活環境を維持し、形成することを幸福追求権の内容として捉えるならば、憲法25条・13条をともに根拠とする競合説が妥当といえる。なお、学説によっては、社会権としての環境権の根拠は25条に求めつつ、自由権としての環境権の根拠について25条のみとする25条保障説（佐藤功・註釈(上)195頁など）、13条のみとする13条保障説（佐藤幸・憲法457頁）、13条・25条競合的保障説を区別する場合がある。芦部説はこのような区別を前提にしつつ、競合的保障説を妥当としている（芦部・憲法学Ⅱ362頁、芦部・憲法282頁）。

2　判例の展開

①　大阪空港公害訴訟　　大阪空港付近では、ジェット機の騒音・排気ガス・煤煙・振動等によって生活環境が破壊され、住民に多数の被害が生じたため、1971年に豊中市らの住民264人が、空港設備管理者である国を相手どって、午後9時から翌朝7時までの空港使用の禁止や損害賠償を求めて、民事訴訟を提訴した。一審の大阪地裁判決（1974〈昭49〉. 2 . 27判時729号3頁）は、被告の管理行為の違法性と責任を肯定して午後10時から翌朝7時までの空港使用の禁止を認めた。また、過去の非財産的損害について賠償金支払いを命じた。その際、判旨は「〔個人の生命、自由、名誉その他人間としての生活上の利益など〕個人の利益は、それ自体法的保護に値するものであって、これを財産権と対比して人格権と呼称することができ……人格権に基づく差止請求ができるものと解するのが相当である」として人格権に基づく差止請求を認めた。控訴審の1975〈昭50〉年11月27日大阪高裁判決（判時797号36頁）は、過去の損害賠償額を増額し、将来分についても部分的に容認したうえ、差止請求についても午後9時から10時までの空港使用禁止を認容し、原審の内容を進めた。人格権の理論的根拠についても、「学説による体系化、類型化をまたなくてはこれを裁判上採用しえない」とする被告の主張を斥け、人格権を承認した。

ところが、上告審1981〈昭56〉年12月16日の最高裁大法廷判決（民集35巻10号1369頁、百選Ⅱ52頁〔渋谷秀樹執筆〕）は、過去の損害の賠償のみを認め、差止請求を却下して門前払いにした。判旨は、「右被上告人らの前記のような請求は、事理の当然として、不可避的に航空行政権の行使の取消変更ないしその発動を求める請求を包含することとな〔り〕……いわゆる狭義の民事訴訟の手続により一定の時間帯につき本件空港を航空機の離着陸に使用させることの差止めを求める請求にかかる部分は、不適法」とした。また、「行政訴訟の方法により何らかの請求をすることができるかどうかはともかくとして」と述べて行政訴訟による救済を示唆したが、現実には行政訴訟での提訴や原告住民の立証は困難であり、この判決は事実上、環境権訴訟における差止請求の道を閉ざしたものといえる。この点では、団藤裁判官の反対意見が、「本件のような差止請求について、およそ裁判所の救済を求める途をふさいでしまうことに対しては、……憲法32条の精神からいっても疑問」であるとし「〔訴訟の〕適法性をなるべく肯定する方向にむかって、解釈上、できるだけの考慮をするのが本来ではないか」と論じたことが注目される。

②　名古屋新幹線訴訟　　東海道新幹線の開通によって騒音・振動等による健康上の被害をうけた名古屋市周辺の住民が提起した訴訟で、名古屋駅近辺での減速を求めた。一審名古屋地判1980〈昭55〉．９．11（判時976号40頁）は、過去の損害賠償は認めたものの、差止請求は棄却し、環境権の内容が明らかでないために差止めの法的根拠としての私権性を肯定することは困難であるとした。また、控訴審名古屋高判1985〈昭60〉．４．12（判時1150号30頁）は、大阪空港訴訟最高裁判決をうけて、人格権を根拠に差止請求を認めることを拒否しただけでなく、人格権としての構成自体も否定した。なお、控訴審判決では、減速によって失われる国民の利益（高速度交通によって得られる経済効率の低下）と減速しないことによって失われる住民の利益（健康被害等）を比較衡量して前者を重視し、住民の不利益は受忍限度内になるとする受忍限度論を採用した。また、東海道新幹線の全線で減速という差止請求が認められた場合には新幹線の効果が損なわれるとして、いわゆる全線波及論を提示し、学説からの批判をあびた。

③　厚木基地公害訴訟ほか　　大阪空港訴訟最高裁判決以後、公害訴訟の展開は「冬の時代」を迎えたといわれる。人格権を根拠に認められていた差止請求が全面的に排除され民事訴訟の請求自体が不適法とされてきたからである。このように民事訴訟による差止請求が不適法とされた当時の訴訟には、横田基地訴訟、厚木基地訴訟、小松基地訴訟（一審では自衛隊機について一部認容）、西淀川訴訟など数多くの例がある。

最高裁は、厚木基地訴訟上告審判決（最一判1993〈平５〉．２．25民集47巻２号641頁）において軍用基地公害訴訟ではじめて判断を下し、自衛隊機飛行差止請求を不適法とするとともに、米軍機飛行差止請求を「それ自体失当として棄却を免れない」とした。しかし、1990年代から新たな大規模訴訟が提起され、差止請求の壁を打破する新しい展開が認められる（吉村後掲「差止め訴訟の展開と航空機騒音公害」立命館法学308号）。尼崎公害訴訟では神戸地裁判決（2000〈平12〉．１．31判時1726号20頁）において道路公害訴訟ではじめて一定水準以上の大気汚染物質排出の一部差止請求が認められた。基地公害訴訟では、差止請求は認められていないが、小松基地騒音訴訟第三・四次訴訟一審判決（金沢地判2002〈平14〉.３.６判時1798号21頁）では民事訴訟が受け入れられて８億円の損害賠償が認められた。厚木基地騒音訴訟第三次訴訟一審判決（横浜地判2002〈平14〉.10.16判時1815号３頁）では約27億5,000万円、新横田基地訴訟第一～三次訴訟控訴審判決（東京高判2005〈平17〉.11.30判時1938号61頁）では約32億円もの高額の損害賠償支払いが命じられたが、上告審（最三判2007〈平19〉.５.29判時1978号７頁）では損害賠償認定部分が破棄された。近年では、景観権や、原発事故による「包括的生活利益」損害など、多様な主張がなされており、環境権訴訟の展開に期待したい。

三　教育を受ける権利

１　学習権と国の責務

憲法26条１項は、「すべて国民は、法律の定めるところにより、その能力に応じて、ひとしく教育を受ける権利を有する」と定める。教育は、個人が人格を形成するために不可欠であり、教育を受ける権利は、本来子どもに対して保障されなければならない。もっとも、その権利の内容である子どもの学習権や子どもの教育を受ける権利に対応して、実際に子どもに教育を受けさせる責務を負うのは、現実にはその親権者である。26条２項前段が、「すべて国民は、法律の定めるところにより、その保護する子女に普通教育を受けさせる義務を負ふ」と定めるのは、その趣旨である。

また、教育を受ける権利には、自由権（国に対する不作為請求権）としての側面と社会権（国に対する給付請求権）としての側面の二つがあるが、後者の側面において、国は、教育制度を維持し、教育条件を整備すべき義務を負っている。この要請を実現するために教育基本法および学校教育法等が定められ、小・中学校の義務教育を中心とする教育制度が設けられている。

なお、子どもの学習権をめぐる判例・学説上の意義についてはすでに教育の自由の項目で検討した（本書233頁以下参照）。旭川学力テスト訴訟最高裁判決では、憲法26条の背景には「国民各自が、一個の人間として、また、一市民として、成長、発達し、自己の人格を完成、実現するために必要な学習をする固有の権利を有すること、特に、みずから学習することのできない子どもは、その学習要求を充足するための教育を自己に施すことを大人一般に対して要求する権利を有する」という観念が存在することを認めている（最大判1976〈昭51〉．5．21刑集30巻5号615頁）。また、この判決では、教育権の所在に関する学説の対立（「国家の教育権」説と「国民の教育権」説）について、両説は「極端かつ一方的」であり、両説の当否を一刀両断的に決めることはできないとして、折衷的な判断を示した（本書236頁参照）。その後、2006年12月に教育基本法が改正され、全国一斉学力テストも再開されるなど、教育の再生を名目とした画一化の問題が論議を呼んでいる（本書234頁参照）。

2　義務教育の無償

憲法26条2項後段は、「義務教育は、これを無償とする」として義務教育の無償を定める。無償の意味について、判例は「授業料不徴収」のように解してきた（最大判1964〈昭39〉．2．26民集18巻2号343頁。また、教育基本法4条、学校教育法6条参照）。学説は、基本的に、(A)授業料無償説（宮沢・コメ277頁、佐藤幸・憲法627頁など）と(B)就学費用無償説（必要経費無償説）（百選Ⅱ（第4版）291頁〔永井憲一執筆〕）に分かれるが、(A)説が通説である。一方、教科書代のみならず、教材費や学用品費など、就学に必要な一切の費用を無償とすべきとする(B)説も有力である。教育の機会均等や実質的平等の確保の点からすれば、文房具や制服、カバン等にいたるまで、就学に必要な一切の教育費用が無償になることは望ましいともいえるが、反面、例えば、子どもたちが全員同じカバンや文房具をもつことが強制され、自己決定権の侵害や教育の画一化が一層進められて個性や個人の感性を没却する危険性があるならば、むしろ自由にとって弊害が大きいことになろう。

そこで、奥平説は、教育の自由、私事性を前提とする日本国憲法の体系のなかでは、必要経費無償説の根拠論・正当化論では説得力がたりない、と(B)説を批判してきた（奥平・憲法Ⅲ260頁参照。(B)説からの反論として、永井憲一「義務教育の無償性論」杉原＝樋口編・論争149頁以下参照）。

なお、1963年以降、「義務教育諸学校の教科用図書の無償措置に関する法律」により教科書が無償で配布されてきたため、いわば(C)授業料プラス教科書無償説が現実に即した見解となっている。

四　労働権

1　労働権の意義と性格

(1)　歴史的展開

19世紀から20世紀への資本主義の展開過程で、長時間労働や低賃金などの過酷な労働条件のもとにあった社会・経済的弱者としての労働者を保護するために、社会権としての労働権が闘いとられてきた。フランスでは、二月革命期に「国営作業場」が設置されて労働の機会が提供され、1848年憲法草案で労働権が規定されたが、採択された憲法には労働権は明記されなかった。

一方、ドイツでは、1919年のワイマール憲法のなかで、すべてのドイツ人に「経済的労働によってその生活の糧を得る」機会や「必要な生計のための配慮」が保障され（163条Ⅱ）、労働条件改善のための団結の自由や労使の共同決定権（159条）が保障された。第二次大戦後には、社会国家理念を背景として、フランス1946年憲法前文やイタリア共和国1947年憲法４条などで労働権（勤労の権利）が保障された（初宿＝辻村編・憲法集第４版参照）。

日本でも、戦前の劣悪な労働条件をも考慮して、マッカーサー草案で勤労権が明示され、憲法制定過程では、衆議院での審議中に勤労の義務が追加修正されて勤労の権利・義務に関する憲法27条と労働基本権に関する28条が成立した。なお、義務には、限定的な法的効力のみを認めるのが多数説である（本書335頁参照）。

(2)　法的性格

憲法27条１項は「すべて国民は、勤労の権利を有し、義務を負う」と定め、勤労の権利を保障する。この勤労権ないし労働権は、一般には、国家に対する請求権すなわち社会権として構成されるが、その法的性格については議論がある。従来は国家に政治的義務を課したものにすぎないと解されてきたが（法協・註解(上)520頁）、今日では、一定の法的権利性を認めるのが多数説である。25条等と同様に、国の不作為を争うことができる具体的権利と解する説（大須賀明説）も存在するが、国家との関係では法律の改廃による積極的侵害を争い、使用者との関係では解雇の自由を制限するという点で法的効力が認められるとする立場が有力である（野中他・憲法Ⅰ523頁〔野中執筆〕)。使用者が正当事由なく労働者を解雇することを制限する法的効力を認める理解が妥当であるが、その場合には、社会権としての構成のみならず、権利の自由権的な側面が重要となる。すなわち、労働権は、差別や干渉なしに自由に労働する権利、解雇権濫用を制約する権利としても構成することができる（樋口他・注釈㊤625頁、同・注解Ⅱ192-193頁〔中村睦男執筆〕、近時の自由権的・人格権的構成については、長谷部編・注釈(2)50頁以下〔駒村圭吾執筆〕参照)。

なお、権利の内容については、「労働の意思と能力をもつ者が、私企業等で就業しえないときに、国家に対して労働の機会の提供を要求し、それが不可能なときには相当の生活費の支払を請求する権利」（限定的労働権）と解するのが通説である。この権利の実現には国の施策が要求され、実際には、職業安定法や雇用保険法、男女雇用機会均等法等の多くの法律が制定されている。また、憲法27条２項が「賃金、就業時間、休息その他の勤労条件に関する基準は、法律でこれを定める」とするのをうけて、1947年に制定された労働基準法が詳細に規定している。

さらに、憲法27条３項は、「児童は、これを酷使してはならない」と定め、これをうけて、労働基準法では15歳未満の児童の使用を禁止している。国際的にも、子どもの人権保護の視点から1989年に国連で採択し、日本も1994年に批准した「子どもの権利条約」では、経済的搾取および有害労働からの保護（32条）を定め、締約国が立法上・行政上・社会上・教育上の措置をとることを求めている（本書18頁参照)。

2　労働基本権の意義と制約

(1)　労働基本権保障の意義

労働基本権は、その主体が労働者に限定される点で、厳密な意味での人権（すべての個人の権利）とは異なっている。この権利の保障は、国家権力に対しては刑罰を科せられないという刑事免責の側面があるほか、使用者に対しては解雇や損害賠償などの民事上の責任が免除されるという民事免責の側面があり、私人間にも直接適用される（芦部・憲法288頁)。さらに、社会権的側面として、労働基本権を実現するために行政的な救済を受ける権利を含む。これらの権利は、使用者が労働基本権の行使を理由として解雇などの「不当労働行為」を行うことを禁じるもので、労働組合法がその具体的内容を定める。

⑵　労働基本権の内容

憲法28条は、勤労者の団結権・団体交渉権・団体行動権（争議権）という、いわゆる労働三権を保障する。

①団結権は、労働者の団体を組織する権利（労働組合結成権）である（芦部・憲法268頁）。労働条件の維持・改善のために使用者と対等の立場で交渉するために労働組合等を結成する権利であり、憲法21条1項で保障された結社の自由の一環をなす。団結権には、団体の自治の保障が含まれるため、組合活動への使用者の介入は禁止され（労働組合法7条3号）、労働組合等の団体は一種の部分社会を構成すると解されることになる。

反面、組合内部では、組合への加入強制や組合員に対する統制権のあり方が問題となる。加入強制の制度には、現実に、加入を雇用条件とするクローズド・ショップや、組合からの脱退・除名や一定期間内の未加入等を解雇理由とするユニオン・ショップがある。日本では後者が普及し、労働者と使用者の間にユニオン・ショップ協定が結ばれていた。判例・通説は、「積極的団結権」説を採用し、労働組合を、戦後民主主義を担う重要な主体として位置づけてこれを合憲と解してきた（樋口他・注解Ⅱ210頁〔中村執筆〕）が、憲法全体のシステムと適合しない（奥平・憲法Ⅲ276頁以下）とする違憲説も有力である。労働権や労働基本権の法的性格を社会権としてよりもむしろ結社の自由などを中心とする自由権（ないし消極的団結権）として構成しようとする学説の動向（北川善英「憲法学と労働基本権」杉原＝樋口編・論争140頁、西谷後掲『労働法の基礎構造』93頁参照）あるいは憲法13条の幸福追求権実現の手段としての労働権の意義を重視するならば、加入強制を容易に合憲としてきた旧来の通説には疑問があるといえよう（長谷部編・注釈⑵79頁〔駒村執筆〕参照）。

また、組合の統制権については、判例は、労働組合の団結権を確保するための組合固有の権利としてこれを承認する一方で、組合員の公職選挙への立候補を統制違反として制限することは許されないと判断している（最大判1968〈昭43〉.12. 4刑集22巻13号1425頁。なお、被選挙権に関する本書314-315頁も参照）。

②団体交渉権は、労働者の団体が、労働条件について使用者と対等の立場で

交渉する権利であり、交渉の結果、労働協約を締結することも含まれる。労働組合法が、具体的な規定をおいて、使用者が理由なく交渉を拒否しえないことや、労働協約が規範的効力を有することなどを定める（7条2号、16条等）。

③団体行動権は、労働者の団体が労働条件の実現をはかるために団体行動を行う権利であり、その中心が争議行為である（芦部・憲法287頁）。労使間の立場が実質的に対等になるように、ストライキや怠業、ピケッティングなどの行動が認められる必要があり、労働組合法1条2項は、正当な争議行為について刑法35条（正当業務行為を罰しないとする規定）の適用による刑事免責を認めている。また労働組合法7条1号や8条も、労働組合の正当な行為について解雇や損害賠償の請求ができないことなどの民事免責を定めている。問題となるのは、正当な行為の範囲であり、労働条件の改善等を目的としない政治ストの合法性である。学説上は、純粋な政治ストと経済的政治スト（労働者の経済的地位の向上に密接にかかわるスト）とを区別して後者を合法とするのが通説であるといえる（樋口他・注釈(上)660頁、同・注解Ⅱ223頁〔中村執筆〕参照）。判例は、政治ストを憲法28条の保障外であることを明らかにしている（全司法仙台事件判決〔最大判1969〈昭44〉．4．2刑集23巻5号685頁〕および本書304頁③判決参照）。

3　公務員の労働基本権

(1)　公務員労働者の権利の制限

憲法28条は労働基本権の主体から公務員を除外していないが、マッカーサー書簡に基づく政令201号（1948年）は、すべての公務員の争議権と団体交渉権を禁止した。これに基づいて諸法制が整備され、現行法上、警察職員・消防職員・刑事収容施設職員・自衛隊員・海上保安庁職員等は三権とも禁止、非現業公務員・地方公務員は団体交渉権の制限と争議権が禁止されている。このような官公労働者の労働基本権の制限、とりわけ争議行為の一律全面禁止に対しては、官公労働者自身による「スト権スト」などの争議行為が繰り返され、現行法制の合憲性が争われてきた（(2)判例の展開参照）。

現業公務員および公共企業体の職員についても争議権が禁止されているが、実際には、独立行政法人化や民営化にともなって、（林野事業をのぞき、旧三公社五現業の全事業のすべてが）段階的に規制対象から除外された。すなわち、政令201号当時は、三公社（国鉄・電信電話・専売）・五現業（郵政・林野・印刷・造幣・アルコール専売）が「公共企業体等労働関係調整法」によって規律されていたが、公共企業体が1986年に国営企業体と改称されて「国営企業労働関係法」になった。1999年以降は、国営企業体が「国営企業及び特定独立行政法人」と改称されて「国営企業及び特定独立行政法人の労働関係に関する法律」になった。この過程で、国鉄などの三公社が1985〜87年に民営化され、印刷・造幣事業が独立行政法人化され、アルコール専売事業が法人化を経て2006年に民営化された。郵政事業は日本郵政公社に移管した後、2007年10月に民営化されて郵政株式会社となり、対象から除外された。

(2)　判例の展開

この問題をめぐる最高裁判例の変遷は、次の三期に区分できる。まず第Ⅰ期は、1953〈昭28〉年4月8日の最高裁大法廷判決（政令201号事件・刑集7巻4号775頁）から、1963〈昭38〉年3月15日最高裁第二小法廷判決（国鉄桧山丸事件・刑集17巻2号23頁）に至る時期で、「公共の福祉」論・「全体の奉仕者」論によって、安易に合憲性が認定された。続く第Ⅱ期は、1966〈昭41〉年10月26日全逓東京中郵事件大法廷判決や、1969〈昭44〉年4月2日都教組事件大法廷判決を中心とする。この時期には、公務員の労働基本権の制約が必要最小限でなければならないことから刑罰の謙抑主義・違法性相対論が採用され、刑事罰や懲戒罰からの解放がめざされた。前者では、基準として四つの具体的内容を明示し、後者は違法性の認定にあたって「二重のしぼり」をかけることで被告を無罪に導いた点などが、一般に高く評価された。

ところが、1973〈昭48〉年4月25日全農林警職法事件大法廷判決以後の第Ⅲ期の判例は、違法性相対論にたつ第Ⅱ期の判例理論を否定し、新たに「国民全体の共同利益」論や勤務条件法定主義＝議会制民主主義論を論拠として、労働基本権制約を合憲と解する理論が展開された。1977〈昭52〉年5月4日全逓名古屋中郵事件大法廷判決でも、「公務員の地位の特殊性」や「職務の中立性」を根拠として争議行為全面一律禁止が正当化され、公務員の労働基本権や政治活動の制約が、判例上定着した。これらの公務員の労働基本権をめぐる判例の展開をみておこう。

①　全逓東京中郵事件判決　　1958年の春季闘争に際して、全逓信労組役員である被告Xらが、東京中央郵便局の職員に対して勤務時間内の職場集会へ

の参加を呼びかけ、郵便法79条1項の郵便物不取扱罪を教唆した罪で起訴された。一審の東京地裁判決（1962〈昭37〉. 5.30下刑集4巻5・6号485頁）は、公共企業体職員の正当な争議行為についての刑事制裁からの解放という視点にたって、公労法17条に関して、刑法35条の違法性阻却を認める労働組合法1条2項を適用し、被告人を無罪とした。公共の福祉による制限を理由として安易に刑事制裁を認定してきた従来の判例に比して、この東京地裁判決は重要な意味をもった。しかし、控訴審東京高裁判決は破棄差戻の判決を下し（1963〈昭38〉. 11. 27刑集20巻8号1012頁）、1963〈昭38〉年3月15日の最高裁第二小法廷判決にならって、公労法17条への労組法1条2項の適用を認めなかった。

これに対して、1966〈昭41〉年10月26日の最高裁大法廷判決（刑集20巻8号901頁）は、公務員・公共企業体等職員の労働基本権を重視して刑事罰を抑える立場から、労働基本権制限が許されるための基準として次の四点を示した。(i)制限は合理性の認められる必要最小限度にとどめること、(ii)公共性が強く、その停廃が国民生活に重大な障害をもたらすおそれのある職務について、必要やむをえない場合についてのみ制限が考慮されること、(iii)制限違反に課される不利益は必要な限度をこえず、刑事制裁は必要やむをえない場合に限ること、(iv)制限に見合う代償措置を講ずること、である。最高裁判決は、刑罰の謙抑主義の見地から、公共企業体等の職員について労働基本権の制約を限定し、刑事罰からの解放のための具体的な理論を提示した点で画期的な判決となった（百選Ⅱ302頁〔吉田栄司執筆〕）。

②　都教組事件判決　　全逓東京中郵事件最高裁判決の立場を地方公務員の問題にも拡大したのが、都教組事件最高裁判決である。1958年の勤務評定反対闘争の際、東京都教職員組合員に対して一斉休暇闘争を指示して約2万4000人に有給休暇届を提出させたことが地方公務員法61条4号のあおり行為等に該当するとして組合幹部らが起訴された。一審の東京地裁判決（1962〈昭37〉. 4.18下刑集4巻3・4号303頁）は、地公法37条を合憲とし、本件の統一行動を同条に規定する同盟罷業として認めた。そして、被告人らの行為は争議行為に通常随伴して行われる行為と認められるから、被告人を地方公務員法61条4号の争議行為遂行の煽動を行った者と認めることはできないと判示して被告人らを全員無罪とした。控訴審（東京高判1965〈昭40〉. 11. 16高刑集18巻7号742頁）では全員有罪となったが、1969〈昭44〉年4月2日最高裁大法廷判決（刑集23巻5号305頁）は、「〔地方公務員の一切の争議行為を禁止し、あおり行為等をすべて処罰することは〕公務員の労働基本権を保障した憲法の趣旨に反し、必要やむをえない限度をこえて争議行為を禁止し、かつ、必要最小限度にとどめなければならな

いとの要請を無視し、その限度をこえて刑罰の対象としているものとして、これらの規定は、いずれも、違憲の疑を免れない」とした。ただし、結論的には「法律の規定は、可能なかぎり、憲法の精神にそくし、これと調和しうるよう、合理的に解釈されるべきものであ〔る〕」として、いわゆる合憲的限定解釈論の立場をとった。そのうえで、地方公務員の争議行為が地公法37条1項の禁止する行為に該当しかつ違法性が強い場合で、さらに、あおり行為自体にも強い違法性がある場合にのみ刑事罰の対象とすべきである、としていわゆる「二重のしぼり」をかけ、「争議行為に通常随伴して行われる行為のごときは、処罰の対象とされるべきものではない」とした。

このように、最高裁は、違法性相対論・可罰的違法性論・刑罰謙抑主義の立場から刑事罰の制裁を極力限定する方向で解決した。学説の多くはこの立場を評価したが、合憲的限定解釈の手法の妥当性や「国民生活全体の利益」の抽象性などの問題も残った。最高裁では多数意見に反対して刑事罰の適用を主張した5人の裁判官が存在したが、その後の佐藤内閣による人事異動の結果、次の全農林警職法事件判決では、この立場の裁判官が8人となって多数を占め、判例が変更された（百選Ⅱ304頁〔倉田原志執筆〕参照）。

③　全農林警職法事件判決　　国家公務員である全農林労働組合の役員が、1958年、警察官職務執行法改正法案に反対する農林省職員の組合員に対して、職場大会のために職場離脱を慫慂したとして国家公務員法98条5項・110条1項17号に従って起訴されたのが、全農林警職法事件である。一審の東京地裁判決（1963〈昭38〉. 4 . 19下刑集5巻3・4号363頁）は、前記全逓東京中郵事件一審判決や都教組事件一審判決と同様に強度の違法性がないとして無罪とした。しかし控訴審の東京高裁判決（1968〈昭43〉. 9 . 30高刑集21巻5号365頁）は、あおり行為等を一審判決のように限定せず、さらに本件の争議行為を「政治スト」と認定することで有罪の判断を下した。これに対して、最高裁1973〈昭48〉年4月25日大法廷判決（刑集27巻4号547頁）は有罪の判断をし、上告を棄却した。

最高裁判決は、同法が公務員の争議行為を禁止するのは、国民全体の共同利益の見地からやむをえないとしてその刑事制裁を認め、あおり等の行為について3年以下の懲役または10万円以下の罰金に処することを定める同法110条1項17号も憲法違反ではないとした。その際、都教組事件最高裁判決のような「不明確な限定解釈」をいさめ、「二重のしぼり」論を排して、違法性一元論の立場から刑事罰を容認するとともに、公務員の勤務条件が国会で決定されるという議会制民主主義の原理（勤務条件法定主義）をもちだしてこれに対する争議行為を否認した。また、本件の争議行為を政治目的のための「政治スト」と認定し、これを禁止することは憲法21条に反するものではないとした（百選Ⅱ306頁〔大河内美紀執筆〕参照）。

④　全逓名古屋中郵事件判決　　全農林警職法事件最高裁判決に示された争議行為禁止を合理化する論理を公共企業体職員にも適用し、判例変更をさらに明確にしたのが、1977〈昭52〉年5月4日の全逓名古屋中郵事件大法廷判決である。この事件では、組合員に職場大会参加を呼び掛けた全逓信労組名古屋支部役員が郵便物不取扱罪の幇助および建造物侵入罪で起訴されたところ、一審名古屋地裁判決（1964〈昭39〉. 2.20下刑集6巻1・2号80頁）は有罪、控訴審名古屋高裁判決（1969〈昭44〉.10.29刑集31巻3号528頁）は、全逓東京中郵事件最高裁判決に従って労組法1条2項の適用を認め、一審を破棄して無罪とした。

ところが、最高裁大法廷判決（1977〈昭52〉. 5. 4刑集31巻3号182頁）は、公務員は「憲法上の地位の特殊性」から労働権の重大な制約をうけているとし、公労法17条1項違反についての争議行為には労組法1条2項の適用はないとして全逓東京中郵判決を変更した。この判決では、公務員労働者の労働基本権制約に対する基本姿勢が全逓東京中郵判決と異なり、必要最小限の原則が考慮されずに「地位の特殊性」や「職務の中立性」から争議行為全面禁止が合理化された。この点では、「全体の奉仕者」を理由として容易に制限を合理化していた第一期の判例への逆戻りという批判を免れないであろう。そのうえ、全農林警職法判決での勤務条件法定主義をさらに進めて、憲法83条の財政民主主義論を根拠として労働基本権の原理的な否認を正当化した点に、学説の批判が集中した。

以上のように、1969年の都教組事件大法廷判決後の最高裁人事によって、最高裁内の多数派が入れかわり、1973年の全農林警職法事件大法廷判決以降、官公労働者の労働基本権制約を合憲とする判例が定着した。しかし、その後の下級審判例のなかには現行法を違憲とするものも存在する。地方公務員法37条1項の争議行為禁止を憲法28条違反とした1973〈昭48〉年9月12日和歌山地裁判決（判時715号9頁）や1975〈昭50〉年6月9日和歌山地裁判決（判時780号3頁）などである。1980年代以降は労働組合運動の衰退傾向が顕著となり、労働基本権の自由権的側面が重視される状況のなかで、あらためて労働権や労働基本権の構造論自体の再検討が求められているといえよう。

4　労働者の権利をめぐる問題

(1)　特徴

職場での身近な労働問題には、日本の企業社会の構造だけでなく労働者の権利意識にも由来する論点が含まれる。まず、労働条件・労働時間に関連するサービス残業や過労死の問題がある。日本の労働者一人平均年間総実労働時間は高度経済成長期（1970-80年代）には2,100時間程度で推移していたが、1987年の労働基準法改正による週40時間労働制、1992年の「労働時間の短縮の促進に関する臨時措置法」（時短促進法）などによってしだいに減少し、2015年に1,719時間（フランス1,482時間、ドイツ1,371時間）となった。一方で、いわゆる「労働時間分布の長短二極化」が進展して、働きすぎによる過労死が社会問題化するとともに、急速な少子高齢化・労働者の多様化のなかで新たな問題が生じた。さらに最近では、非正規雇用、フリーター、ワーキング・プアなど、低所得の労働者の実態が社会問題化し、非正規労働者対策が急務となり、2018年に働き方改革関連法が成立した。2019年において、平均の雇用者数（役員を除く）は6,724万人で、そのうち非正規の職員・従業員は2,165万人で全労働者のうち38.2％を占める（労働力調査〔基本集計〕2019参照）。

(2)　女性労働者の権利

従来は男性の正社員が中心であった雇用状況が変化し、特に、女性の社会進出により女性労働者が増加した。2018年の時点で、女性の労働力人口は2,946万人、15歳以上64歳までの人口に占める割合（労働力率）は69.6％である。既婚女性・中高年女性の増加と共働き世帯の増加という傾向が認められる。このような働く女性の増加や高学歴化、勤続年数の増加といった傾向に比して、実際の職場では、賃金や昇格の差別、定年差別、職種上の差別などの多くの差別を抱えている。女性労働者の平均給与水準は男性の73.3％（所定内給与の全労働者平均賃金について、男性を100としたときの女性労働者の賃金の割合）にとどまっている。女性のパートタイム等非正規雇用者の比率が高い（56.1％）ことも大きな問題である（『男女共同参画白書（令和元年版）』104頁以下参照）。

このような現状を改善するため、男女雇用機会均等法（1985年制定）が

1997年に改正（一部を除き1999年から施行）され、募集・採用、昇進・配置等の差別が禁止規定とされ、2006年改正法では、間接差別の定義と禁止対象も明示された（本書163頁参照）。2015年8月には「女性の職業生活における活躍の推進に関する法律（女性活躍推進法）」が制定され、2016年4月から労働者301人以上を雇用する事業主には行動計画策定などが義務化された。しかし実際にはコース別採用や非正規職員差別、待機児童問題など困難な課題が山積しており、多くの訴訟が提起されている（辻村・概説ジェンダー法90頁以下参照）。

①　住友セメント結婚退職制事件判決　　女性労働者に対する定年・退職差別についての最初の判例として重要な位置を占めたのが、結婚退職制差別をめぐる住友セメント事件判決（東京地判1966〈昭41〉. 12. 20労民17巻6号1406頁）である。1960年に本採用され64年に結婚を理由に解雇を通告された女子職員が提訴したこの事件では、被告会社側は、女子職員に対して「結婚又は満35才に達したときは退職する」ことを労働契約の内容とすることを定めて念書も提出させていた。その理由として、女子職員は結婚後は家庭本位となり、欠勤が増える等労働能率が低下するため、「比較的労働能率の高い結婚前のみ雇用して企業経営の効率的運用に寄与させる方針」を採用したと主張した。東京地裁判決は、「女子労働者のみにつき結婚を退職事由とすることは、性別を理由とする差別をなし、かつ、結婚の自由を制限するものであって、しかもその合理的根拠を見出し得ないから、労働協約、就業規則、労働契約中かかる部分は、公の秩序に違反しその効力を否定されるべきもの」として、民法90条違反と認定して解雇の意思表示を無効とした。

②　男女別定年制事件判決　　若年差別定年制や結婚退職制を公序良俗違反と解することが判例・学説で承認されてくると、次に、男女の定年年齢差が比較的近接している場合の差別の合理性が問題となった。男女間に10歳差を設けた伊豆シャボテン公園事件判決では、一審・二審の無効判決を経て、最高裁1975〈昭50〉年8月29日第三小法廷判決（労判233号45頁）も無効と判断した。

ついで、男女間の定年年齢5歳差の事例として日産自動車男女別定年制事件が注目された（本書130頁参照）。この訴訟では、地位保全等の仮処分申請は棄却されたが、本案訴訟の一審の東京地裁判決（1973〈昭48〉. 3 . 23判時698号36頁）も控訴審の東京高裁判決（1979〈昭54〉. 3 . 12労民30巻2号283頁）も、不合理な性差別禁止は民法90条の公序の内容をなし、「定年制における男女差別は、企業経営上の観点から合理性が認められない場合、あるいは合理性がないとはいえないが社会的見地において到底許容しうるものではないときは、公序良俗に反し無効である」とした。1981〈昭56〉年3月24日第三小法廷判決（民集35巻2号300頁）は、「女子従業員について労働の質量が向上しないのに実質賃金が上昇するという不均衡が生じていると認めるべき根拠はないこと」を指摘し、「少なくとも60歳前後までは、男女とも通常の職務であれば企業経営上要求される職務遂行能力に欠けるところはな（い)」と判断し、各個人の労働能力にかかわらず一律に従業員として不適格と解する理由はないとした。こうして就業規則中の女子の定年を男子より低く定めた部分は「専ら女子であることのみを理由と〔する〕」不合理な性差別にあたるとして民法90条によって無効と判断した。

③　秋田相互銀行賃金差別事件判決　　女性の労働権に対する差別のなかで、最も可視的で顕著なものは賃金である。先駆的位置を占めた秋田相互銀行事件判決では、男女別に適用される二つの賃金体系を設けて女子職員全体に低賃金の体系を適用したことに対し、そのような賃金差別は労基法4条・13条に基づいて無効であるとして、原告の女性労働者の請求を認容した（秋田地判1975〈昭50〉. 4.10労民26巻2号388頁）。

④　岩手銀行家族手当差別事件判決　　家族手当に関する岩手銀行事件では、共働き女性に対する家族手当等の支給を制限する給与規定部分が違法な差別的取扱いにあたるか否かが争われたところ、一審（盛岡地判1985〈昭60〉. 3.28判時1149号79頁）判決はこれを労基法4条違反で無効とし、さらに控訴審判決（仙台高判1992〈平4〉. 1.10判時1410号36頁）も、労基法4条に違反し、民法（1条の2）により無効であるとした。

⑤　セクシュアル・ハラスメント訴訟　　職場のセクシュアル・ハラスメント（性的いやがらせ）は、アメリカで1970年代から訴訟で争われ、公民権法第7編違反の性差別として使用者責任追及の法理が確立されたが、日本では、福岡セクハラ訴訟（福岡地判1992〈平4〉. 4.16判時1426号49頁）が最初である。この訴訟は、職場の内外で部下の女性の異性関係について悪評を流布するなどして、退職を余儀なくさせた上司と会社に対する損害賠償請求として提訴された。福岡地裁判決は、上司の行為は、「原告の意思に反し、その名誉感情その他の人格権を害するものである」として、民法709条の不法行為責任を認めた。同時に、「使用者には……職場が被用者にとって働きやすい環境を保つよう配慮する注意義務もある」として、会社の使用者責任を承認し、損害賠償を命じた。

このほか、金沢セクハラ訴訟（名古屋高金沢支判1996〈平8〉. 10. 30判タ950号193頁）や横浜セクハラ訴訟（東京高判1997〈平9〉. 11. 20労判728号12頁）でも、職場の男性上司の性的行為が許容限度をこえる場合に、相手方の性的自由または人格権の侵害にあたると判断している。セクシュアル・ハラスメントには、環境型（性的言動によるいやがらせや中傷等によって職場環境を堪えがたいものにするもの）と、対価型・報復型（上司が労働条件を盾に性的行為を要求したり、何らかの差別や経済的不利益を与えるもの）がある。1997年（1999年施行）の男女雇用機会均等法改正でも事業主の配慮義務が定められた。

最高裁でも、初めてセクハラを理由とする懲戒処分を有効とした判決が出された（最一判2015〈平27〉. 2 . 26判時2253号107頁）。さらに、妊娠・出産を理由とする嫌がらせとしてのマテニティ・ハラスメント〔マタハラ〕についても、最高裁が初めて降格措置の均等法9条3項適合性をめぐって差戻判決を下し（最一判2014〈平26〉. 10. 23民集68巻8号1270頁）、差戻審で女性が勝訴して注目された。

⑥　野村證券コース制差別事件・住友電工事件他　　日本の企業では、男女をコース別に採用して総合職・一般職等に分け、昇格・賃金格差を温存する制度が一般化していた。野村證券コース制差別事件では、東京地裁は、1997年改正均等法の施行前（1999年以前）については公序良俗違反ではないとしつつ、同法施行後のコース別雇用管理について初めて違法性を認め、請求の一部を認容して損害賠償の支払いを命じた（2002〈平14〉. 2 . 20判時1781号34頁、重判・平成14年度202頁〔山田省三執筆〕参照）。兼松事件では、東京高裁判決（2008〈平20〉. 1 . 31労判959号85頁）は、コース別雇用導入時以降の処遇について、男性との賃金格差の合理的理由は認められないとして違法な差別であることを認定し、4人の原告女性に対して計7,300万円（毎月10万円の損害と慰謝料相当額）の支払いを命じた。最高裁第三小法廷判決（最三判2009〈平21〉. 10. 20）も上告を棄却したため、東京高裁判決による兼松側の敗訴が確定した。

男女の昇給・昇格差別については、芝信用金庫事件控訴審判決（東京高判2000〈平12〉. 12. 22労判796号5頁）が請求を認めていたが、改正均等法施行前（1999年以前）の差別が問題となった住友電工事件で、大阪地裁判決（2000〈平12〉. 7 . 31労判792号48頁）は「憲法の趣旨に反するが、採用時点で公序良俗に反したとはいえない」として請求を斥けた。その後、大阪高裁の和解勧告により2003年12月に昇格が認められた（私人間適用につき本書127頁以下、宮地光子監修『男女賃金差別訴訟――「公序良俗」に負けなかった女たち』明石書店、2005年参照）。

第6章　参政権

一　意義

参政権は、国民が、主権者として、直接もしくは代表者を通じて間接に、国の政治に参加する権利である。憲法は、前文で、国民主権を宣言して国民の権力は国民の代表者が行使することを明らかにし、参政権として、公務員の選定・罷免権（15条1項）、国会議員の選挙権・被選挙権（44条）、地方公共団体の長・地方議会議員等の選挙権（93条）、最高裁判所裁判官の国民審査（79条2項）、地方自治特別法に関する住民投票（95条）、憲法改正に関する国民投票（96条）を定める（地方自治法上の直接手続は、本書505頁以下参照）。

このように、日本国憲法は、間接民主制を原則としつつ、直接民主制の手続をも部分的に採用している。後に第3部第2章で検討するように、日本でも憲法上の代表制を「半代表制」ないし「社会学的代表」として理解する傾向があり、直接民主制手続を部分的に導入した憲法の制度を「半直接制」として捉えることができる（本書346頁以下参照）。また、国民主権原理の理解においても、主権主体と主権行使者とを分離することなく、主権主体としての人民を構成する「市民」がみずから主権を行使する「人民主権」ないし「市民主権」の構造が民主主義の実現にとって好ましいことも、すでに言及した（本書45頁参照）。これらの主権原理と代表制の理論的関係については後にもう一度検討するとして、ここでは、民主制の実現のための重要な手段、さらには、主権者の主権行使の権利として、参政権の位置づけを明確にしておくことが肝要である。とくに公務員の選定・罷免権を「国民固有の権利」とする憲法15条1項や最高裁裁判官の国民審査、憲法改正の国民投票の手続について、主権原理と代表制原理との理論的関係をふまえて、主権行使の権利としての意義を十分に理解する必要がある。もっとも、公務員の罷免権についてはこれを具体化する規定がないため、通説は、国会議員の罷免や命令的委任を認める解釈論や立法論には消極的である（最高裁裁判官の国民審査については本書449頁以下、憲法改正手続は同第8章（514頁以下）に委ねて、以下では国会議員の選挙権・被選挙権を中心に検討する）。

二　選挙権と被選挙権

1　選挙の法的性格

選挙は、議会制民主主義を実現するために不可欠の手段であり、選挙権はそのための「国民の最も重要な基本的権利」（最大判1955〈昭30〉. 2. 9刑集9巻2号217頁）である。大日本帝国憲法の天皇主権のもとでは、選挙は、天皇の協賛機関としての議会（国家機関）を形成するための「天皇のためにする義務ないし公務執行の機会」と解されていた。これに対して、日本国憲法の国民主権のもとでは、「主権者がみずからの主権を行使するための政治参加・主権的権利行使の機会」であり、単に代表機関の構成員を任命するだけでなく、「候補者や政党に対して信任を与える機会」、さらに「再選の拒否や不信任によって政治責任を追及する機会」として重視される。このような選挙の機能の変化に従って、選挙権の本質についても、従来は選挙権のもつ公務的色彩を強調する傾向にあったのに対して、最近では、権利としての性格を重視し、主権者の政治参加をより強く保障しようとする傾向が顕著となった。

2　選挙権の法的性格

(1)　学説

選挙権の法的性格（本質）をめぐる学説として、従来から次の四つが分類されてきた。それは、第一に、選挙権を主権者の（個人的）権利と解する権利説（選挙権権利説）、第二に、選挙権を選挙という公の職務を執行する義務（公務）と解する公務説（選挙権公務説）、第三に、選挙権の権利性を否認して国家機関権限と解する権限説（または個人の選挙人資格請求権のみ承認する請求権説)、第四に、権利と同時に義務と解する二元説である。

歴史的には、フランス革命期に権利説と公務説が登場し、公務説が制限選挙制を正当化するために機能したのに対して、権利説が普通選挙要求の論理として主張された。また、権限説ないし請求権説は、国家法人説と国家主権論を確立していた19世紀ドイツの国法学で主流となった(ラーバント、イェリネックなど)が、その後、普通選挙の確立を背景とする議会制と政党政治の発展にともない二元説が諸国で有力となった。フランスでは、第三共和制期のカレ・ドゥ・マルベール(Carré de Malberg, R.)が、選挙権を個人的な請求権と捉えつつ、投票の時点から公務に転換するとする二段階説を主張した。

このように、ヨーロッパでは、選挙権の本質が「権利か、公務か」、という議論が一世紀以上続けられたが、日本の憲法学もその影響を受けた。旧憲法下には、天皇主権原理と結びついた公務説によって選挙権は天皇の立法権に協賛するための議会を構成させる公務と考えられた(例えば、穂積八束は「選挙ハ本来法律カ国民ニ命シテ行ハシムルノ公務」であり、選挙人は「忠誠奉公ノ念ヲ以テ」選挙を行うべきものとした)(穂積八束『憲法撮要』増補第9版、有斐閣、1944年、254-255頁)。また、国家法人説の影響を受けた請求権説(森口繁治『選挙制度論』日本評論社、1931年、75頁以下)や二元説(美濃部達吉『憲法撮要』改訂第5版、有斐閣、1932年、368頁は「選挙権ハ……選挙ニ参加スル権利ニシテ且ツ義務ナリ」とした)が採用されていた。

日本国憲法の国民主権のもとでは選挙権の法的性格が旧憲法下とは異なるはずであったが、二元説が通説化した(二元説の理解も一様ではなく、選挙権を政治的利益、あるいは「選挙に参加することができる資格または地位」と解し、「参政の権利」と「選挙という公務に参加する義務(公務執行の義務)」という二重の性格を指摘する立場等がある)。総じて、選挙(投票)行為自体に公務(義務)性と権利性を同時に認める二元説と、参政の権利と選挙の義務を認める二元説に分類できる(辻村後掲『「権利」としての選挙権』5頁以下、辻村・選挙権と国民主権75頁以下参照)。

(2) 権利説とその射程

1970年代の主権論争に続いて、1980年代からいわゆる「選挙権論争」が展開された。1980年代の選挙権の法的性格論議は、もともと、選挙権の本質を一元的に権利と捉える権利説(権利一元説・主権的権利説)から、二元説に対して疑問を呈したことが出発点であった。その批判の対象は、同一の選挙

（投票）行為に権利性と義務性を同時に認める二元説（野中俊彦「選挙権の法的性格」清宮他・演習(3)5頁）に対しては、その論理的矛盾に、また、参政の権利と選挙の義務を認める支配的な二元説（清宮説など）に対しては、選挙（投票）行為自体の権利性を認めないことの問題性に向けられた。

この議論のなかで、権利説に対して、それを自然権説と捉え、その「権利の内在的制約」という用法を基本的人権の内在的制約と解して批判することが一般的に行われたため誤解も生じた。この点について、権利説では、権利主体を、政治的意思決定能力をもった者（「人民主権」論の主権者人民を構成する市民）と捉えており、基本的人権の主体（すべての人間）とは異なっている。また、政治的・主権的権利としての選挙権は憲法上の実定的権利であり、自然権とは捉えられない。さらに権利の制約は、（意思決定能力をもたない子どもなどを権利主体から排除する等の）主権的権利としての性格に内在する制約のことである。

他方、二元説のほうでも権利を強調する傾向が進み、例えば芦部説は、選挙権について「公務としての性格が付与されている」ことを認めつつ（芦部・憲法271頁）、別の箇所では「公務を担当する資格を有する市民だけに与えられる国家法上の基本権」、「選挙という公務に参加する権利」のように捉え、選挙（公務）と選挙権（権利）の性格を区別して説明した（芦部・演習(新版)72-74頁参照）。

最近では、権利説と二元説の具体的対立点が不明確になり「差が意外と小さなものにすぎないことが明らかになる」と指摘される（野中他・憲法Ⅰ537頁〔高見執筆〕参照）が、権利内容の理解や基礎理論が異なることは無視しえない。例えば、棄権の自由について、選挙権の本質を権利と考えた場合には、自由行使が前提となり、強制投票禁止は権利性からの論理的帰結となる。選挙活動の自由についても、従来の憲法学説が戸別訪問禁止違憲論の根拠としてきた憲法21条論とは別に、主権者の選挙権や被選挙権（立候補権）の内容として捉えることが可能であると考えられる（辻村・選挙権と国民主権77頁以下参照）。

3　被選挙権の法的性格

(1)　学説・判例の展開と立候補の自由

従来の通説では、憲法15条1項の「国民固有の権利」としての公務員選定権を主権者の具体的な選挙権と解さず、抽象的な参政の権利ないし資格（「選挙に参加する資格または地位」）として捉えてきた。このことから、被選挙権についても、従来の通説は、権利ではなく権利能力と解し（権利能力説）、「選挙人団によって選定されたとき、これを承諾し、公務員となりうる資格」（清宮・憲法Ｉ142頁）であると説明してきた。ここでは、国家法人説の立場から個人に権利が帰属しないことが前提とされたため、被選定権（公務員に選出される権利）の権利性が承認されないのも当然であった。判例でも、選挙犯罪の処刑者に対して選挙権と被選挙権の停止を定める公職選挙法252条の合憲性が問題になった事件で被選挙権の性格が論点となり、1955〈昭30〉年２月９日最高裁大法廷判決（刑集９巻２号217頁）は権利性を否定した。

公職選挙法の買収罪で有罪となり選挙権・被選挙権を停止された事件で、被告人（上告人）は、「選挙権、被選挙権が国民主権につながる重大な基本権であり、……普遍、永久且つ固有の人権である」ことを理由に、「憲法第十四条、第四十四条の大趣旨に背き社会的身分による不条理な差別」であるとして公選法の違憲性を主張した。最高裁は「国民主権を宣言する憲法の下において、公職の選挙権が国民の最も重要な基本的権利の一である」としつつ、一旦選挙の公正を阻害し、選挙に関与せしめることが不適当と認められる者は、「被選挙権、選挙権の行使から遠ざけて選挙の公正を確保すると共に、本人の反省を促すことは相当であるからこれを以て不当に国民の参政権を奪うものというべきではない」として上告を棄却した。斎藤・入江裁判官の補足意見は、「選挙権については、国民主権につながる重大な基本権であるといえようが、被選挙権は、権利ではなく、権利能力であり、国民全体の奉仕者である公務員となり得べき資格である。……両権は、わが憲法上法律を以てしても侵されない普遍、永久且つ固有の人権であるとすることはできない」と述べた（百選Ⅱ316頁〔御堂聖樹執筆〕参照）。

その後、最高裁は、労働組合員の立候補権に関する1968〈昭43〉年12月４日の三井美唄炭鉱事件大法廷判決（刑集22巻13号1425頁）で、「立候補の自由は、選挙権の自由な行使と表裏の関係にあり、自由かつ公正な選挙を維持するうえで、きわめて重要である」、「憲法15条１項には、被選挙権者、特にその立候補の自由について、直接には規定していないが、これもまた、同条同項の保障する重要な基本的人権の一つと解すべきである」と指摘した（百選Ⅱ312頁〔岡田順太執筆〕参照）。ここでいう基本的人権の概念は不明であるにせよ、この判決やその後の衆議院議員定数判決（最大判1976〈昭51〉. ４. 14民集30巻３号

223頁）のなかで、最高裁が「国民の最も重要な基本的権利」としての選挙権の権利性や選挙権の平等を強調していることが注目される。

これらの判例の展開に伴って、学説も、近年では被選挙権の内容を立候補権として捉え（立候補権説）、被選挙権を基本的権利と解して、憲法上の選挙原則をこれにも適用しようとする見解が有力となった（野中他・憲法Ⅰ543頁では選挙権と被選挙権を「表裏一体」と解する説と捉える。芦部・憲法273頁は、「被選挙権も広義の参政権の一つであり、権利性がないわけではない」とする）。理論的には、従来の二元説のように公務性を基礎とする公務員選定資格との関連で被選挙権を捉える場合には、被選定権としての被選挙権の権利性は承認されえないのに対して、国政参加権の一態様としての立候補の権利は認めることができる。

また、主権的権利説では、立候補は、主権者にとって議員の選出と同様に重要な主権行使の一形態であり、被選挙権も立候補による主権行使の権利として捉えられる。したがって被選挙権は、選挙権と同様、15条1項を根拠として、立候補権を中心とする主権者の個人的権利として理解されることになる。このほか、「自ら公職者として国政に参与する権利」の一側面として、被選挙権を憲法上の権利（憲法13条の幸福追求権の内実をなすもの）と解する見解も存在する（佐藤幸・憲法109頁）。このように、被選挙権の本質を、選挙権と同様、主権者の権利として捉え、その中心的な内容を立候補の自由に求めるとすれば、立候補の自由を制約する現行法上の諸規定の合憲性が問題となる。

例えば、被選挙資格年齢を選挙資格年齢よりも高くする法制度（公職選挙法10条では、参議院議員と都道府県知事については30歳、衆議院議員と地方議会議員については25歳と定める）や、参議院比例代表選出議員選挙における個人の立候補の制約、多額の供託金の要求等についても、主権者の権利の制約を最小限にとどめるという観点からは、その合理性を問題とする余地が生じるであろう（市民が参議院議員選挙の比例区選挙に立候補する場合には、公職選挙法86条の3第1項3号に従って10人以上の候補者を有する政治団体として立候補の届出をする必要があり、同法92条3項により1人あたり600万円、合計6,000万円以上の供託金を支払わなければならない。さらに、同法94条3項の供託金没収の規定により、1人も当選しない場合には全額、仮に10人立候補して1人当選した場合には、〔600万円×（10－2）という計算によって〕4,800万円が国庫に没収されることになる。ちなみに参議院選挙区選挙・衆議院小選挙区選挙の場合の供託金額は300万円である）。裁判例は、供託金制度は、立候補の自由に対する制約として「立法府の合理的裁量の範囲内の措置」であるとして、憲法14条1項・15条3項に反しないとするもの（神戸地判1996〈平8〉．8．7判時1600号82頁、大阪高判1997〈平9〉．3．18訟月

44巻6号910頁）など、供託金制度の違憲の主張を含む請求を棄却してきた。2014年衆議院選挙の立候補予定者を原告とする供託金違憲訴訟で、東京地判2019〈令元〉. 5.24（LEX/DB25563149）は、公選法92条等が立候補の制約になっていることを認めつつ、国会の裁量権の範囲内であるとして、憲法15条1項、44条但書に違反しないとした（重判令和元年度20頁〔村山健太郎執筆〕参照）。

なお、最近では、地方公共団体の首長の多選禁止の問題をめぐって、被選挙権の法的性格が論じられている（高橋和之「『被選挙権』は憲法による保障を受けない」ジュリスト1340号14頁、反対の見解として、渋谷・憲法478頁がある）。

(2) 選挙犯罪者・受刑者と選挙権・被選挙権の制限

公職選挙法252条は、選挙犯罪によって刑に処せられた者が、一定の期間（原則として5年間または刑の執行終了・免除までの間）選挙権と被選挙権を有しないことを定める。このような選挙権の停止は、選挙権の剥奪ではなく選挙権行使の制限にすぎないとする見解もあるが、選挙権の内容に投票権も含める立場からは一時的停止も権利の剥奪と同様の効果をもつと解することができる。また、一般犯罪による受刑者の欠格を定める公職選挙法11条の合憲性については、最高裁判決は判断していない。学説も、欠格の決定を立法裁量に委ねたためと考えられるとして、受刑者と選挙犯罪者の選挙権制限について、「選挙権の公務としての特殊な性格に基づく必要最小限度の制限」（芦部・憲法272頁）と解している。しかし、受刑者の欠格の理由を純粋に「刑の執行中であることによる物理的制約」と解する場合には、在監者の投票の実施が技術的にまったく不可能でない限り、受刑者の主権者としての権利の保障という観点から再検討の余地があろう。

実際、受刑者の選挙権については、2013〈平25〉年9月27日の大阪高裁判決（判時2234号29頁）が「公職選挙法11条1項2号が受刑者の選挙権を一律に制限していることについてやむを得ない事由があるということはできず、同号は、憲法15条1項及び3項、43条1項並びに44条ただし書に違反する」として違憲判断を下し注目された。しかし、最高裁は別件の上告審2014〈平26〉年7月9日（判時2241号20頁）決定において「公職選挙法205条1項所定の選挙無効の原因として本件各規定（同法9条1項並びに11条1項2号及び3号）の違憲を主張し得ない」と指摘して、上告を棄却した（原審の東京高裁2013〈平25〉年12月9日の合憲判決が確定した）。なお、最高裁決定の千葉勝己裁判官補足意見は、「受刑者の選挙権の問題に関しては……諸外国における制度の見直しを含む法制上の対応や議論の動向は極めて流動的な状況にある。このことを踏まえると、本件制限規定の合憲性に係る判断を付加することは、……ブランダイス・ルールないしその精神に照らして疑問のあるところといわなければならない」として原審が合憲判断を明示したことを批判した（辻村・選挙権と国民主権174頁以下参照）。

(3)　連座制の合憲性

選挙犯罪による当選無効のみならず立候補の禁止を定める連座制の規定も、立候補の自由を本質とする被選挙権の制約をもたらす点で重要な問題を含んでいる。公職選挙法上の選挙運動規制等にもかかわらず選挙犯罪が根絶されない実情に対処するため、1954年、75年、94年の法改正で連座制が強化された。94年改正のいわゆる拡大連座制のもとでは、選挙運動の総括主宰者、出納責任者、地域の運動主宰者、候補者の父母・配偶者等に加えて候補者の秘書等による選挙犯罪の場合（公職選挙法251条の2）、さらに、組織的選挙運動管理者が買収等の選挙犯罪で禁錮以上の刑に処せられたときは、（挑発・誘導等の一定の場合を除いて）候補者の当選が無効となるだけでなく、5年間、立候補が禁止され（同251条の3）、同210条・211条に基づく当選無効訴訟等の判決確定によって効力が生じることが定められた（同251条の5）。

これに対して、憲法15条・21条・31条等に違反するとして違憲訴訟が提起されたが、組織的な企業ぐるみ選挙に関する1997〈平9〉年3月13日最高裁判決（最一判・民集51巻3号1453頁）、秘書の選挙犯罪により当選無効と立候補禁止がもたらされた事例に関する1998〈平10〉年11月17日最高裁判決（最三判・判時1662号74頁）も、規制は「立法目的を達成するための手段として必要かつ合理的なもの」として合憲判断を下した（重判平成10年度20頁〔吉田栄司執筆〕参照）。

三　選挙の原則と選挙権訴訟の展開

1　選挙の基本原則

選挙権の性格について権利説と二元説が多数を占めていることはすでにみた。最近では、抽象的な法的性格論議ではなく、具体的な問題に即して制度論上で議論しようとする傾向が強まっており、選挙権の性格と選挙原則の関係が問題となる。そこで、最初に近代選挙の五原則といわれる、普通・平等・自由・秘密・直接選挙の原則についてみておこう。

(i)　普通選挙とは、制限選挙に対立する概念で、歴史的にはもともと租税額や財産による選挙・被選挙資格の制限をしない選挙として成立した（フランスでは、制限選挙のことをrégime censitaireと表現するが、このcensとは封建租税のことを意味していた）。現代では、財産のみならず、人種・信条・性別・社会的身分・教育等による一切の差別を禁じる原則と解され、憲法44条但書でそのことが明らかにされている。

(ii)　平等選挙とは、本来不平等選挙に対立するものであり、歴史上存在した等級選挙や一人二票投票制などを否定するものとして登場した。しかし、一人一票原則がすでに確立した今日では、投票価値の平等が問題になり、議員定数配分規定の合憲性が争われている（後述）。

(iii)　自由選挙とは、不自由選挙に対するもので、立候補の自由や投票行動の自由（棄権の自由・強制投票の禁止）、選挙運動の自由などが含まれる。自由選挙原則は憲法上に明示されていないため、選挙運動の自由については憲法21条の要請と解することが一般的である。

(iv)　秘密選挙は、自由な選挙を確保するために投票について秘密が保障された選挙である。（誰に投票したかを調べることを禁止する）「投票検索の禁止」の原則を含む。憲法では、15条４項で「投票の秘密はこれを侵してはならない」として明示的に投票の秘密を要求している。さらに同項は、「選挙人は、その選択に関し公的にも私的にも責任を問はれない」と定めて選挙人の投票の秘密を補強し、投票の自由の保障を確保している。

(v)　直接選挙は、選挙人が直接公務員を選出する選挙を意味し、間接選挙に対するものである。憲法では、地方選挙について直接選挙を明示した規定（93条２項）があるのに対して、国会議員については規定を欠いている。

さて、日本国憲法では、以上の五原則のすべてについて明示的な規定をおいているわけではないが、今日の通説はこれらの五原則のすべてを憲法上の要請と解している。そこで、その根拠づけが問題となる。選挙権の本質についての通説（二元説）からは必ずしもこれらすべてが論理必然的に導かれるわけではない（従来から選挙と選挙権の公務性と選挙事項についての広い立法裁量を認めてきた結果、むしろ、憲法が直接明示する普通・平等選挙、秘密選挙以外の原則は、理論上は憲法上の要請とはならないからである）。

2　選挙資格と選挙権行使の制限

(1)　公職選挙法9条・11条の要件

日本国憲法15条3項・44条で普通選挙が保障されたことをうけて衆議院議員選挙法、参議院議員選挙法が一本化されて、公職選挙法が1950年に制定された。当時は同法9条1項で選挙権の要件（積極的要件）が「日本国民で年齢満20歳以上の者」と定められており、国籍要件と選挙資格年齢の問題が生じることになった（外国人の選挙権については、本書116頁参照）。このうち選挙資格年齢については、2015年6月の公職選挙法改正で満18歳以上に引き下げられ、2016年7月の参議院選挙から18歳選挙権が実施されることになった（本書108頁、349頁）。世界の動向では選挙資格年齢を満18歳以上とする国が約86％（170カ国）を占め、20歳以上が4カ国、21歳以上が9カ国であるため、日本もようやく国際的な水準に達したことになる。また、公職選挙法11条1項は消極的要件として欠格事由を定めており、1950年制定当時は、①禁治産者、②禁錮以上の刑に処せられその執行を終わるまでの者、③禁錮以上の刑に処せられその執行を受けることがなくなるまでの者（刑の執行猶予中の者を除く）、④法律で定めるところにより行われる選挙、投票および国民審査に関する犯罪により、禁錮以上の刑に処せられ、その刑の執行猶予中の者、⑤選挙犯罪により刑に処せられ、選挙権・被選挙権が停止された者、とされていた。

このうちの①は2000年の民法改正によって第5章の2「補佐及び補助」が新設され成年後見人の制度が置かれた。これをうけて、2000年の公職選挙法改正によって同法11条1項「選挙権及び被選挙権を有しない者」の1号は、「禁治産者」から「成年被後見人」と改められた（2000年改正以降2013年5月改正前。受刑者については本書316頁、辻村・選挙権と国民主権172頁以下参照）。

(2)　成年被後見人の選挙権

公職選挙法11条1項1号の規定が成年被後見人の選挙資格を認めていないことに対して、2007年に成年被後見人となった女性（50歳）が憲法15条3項、14条1項等に違反し無効であるとして行政事件訴訟法4条の当事者訴訟を提起した。東京地裁2013〈平25〉年3月14日判決（判時2178号3頁）は、下記のように指摘して公職選挙法11条1項を違憲と判断し、選挙権を行使しうる地位を確認した。その後同年5月に法改正が成立して同11条1項1号が削除され、同年7月の参院選から選挙権を行使することができた。

「憲法の趣旨にかんがみれば、……『やむを得ない』と認められる事由……なしに国民の選挙権の行使を制限することは、憲法15条1項及び3項、43条1項並びに44条ただし書に違反する（以上につき、平成17年大法廷判決参照）」。「選挙権を行使するに足る判断能力を有する成年被後見人から選挙権を奪うことは、成年後見制度が設けられた上記の趣旨に反するものであ(る)。」。

(3)　在宅投票制廃止違憲訴訟

選挙権の法的性格論は、権利の内容にも深い関係をもっている。従来の通説的理解（二元説）では、選挙権の内容として国政に参加する資格と解し、実際に投票する行為自体は権利とは解していなかった。この立場からすれば、歩行が不可能な有権者に在宅投票を認めなくても、選挙人資格を正当に認めている限り、その権利を侵害したことにはならないであろう。これに対して、選挙権の内容を広く解して投票行為まで含める場合には、「投票現場自署主義」を採用しながら、投票現場に行けない有権者の投票手段を保障しないことが、選挙権の侵害や投票機会の平等原則違反を構成すると考えられる。そこで在宅投票制廃止違憲訴訟が提起された。

1950年制定の公職選挙法は「疾病、負傷、若しくは身体障害のため、又は産褥にあるため歩行が著しく困難な選挙人」に対する在宅投票制を採用し、郵便投票のほか同居の親族による投票の提出を認めた。ところが、同年の地方選挙で在宅投票制の悪用による多数の選挙違反があったため、1952年に在宅投票制が廃止された。その後雪おろし作業中の事故で寝たきりとなった原告が、8回の選挙で選挙権行使ができなかったことに対する慰謝料計80万円の支払いを求めて国家賠償請求訴訟を提起した（本書280頁参照）。

一審札幌地裁小樽支部判決（1974〈昭49〉.12.9判時762号8頁）は、選挙権を「国民主権の表現として、国民の最も重要な基本的権利」と解し、その権利の実質的侵害が問題となる場合には「より制限的でない他の選びうる手段」の基準によるとして、厳格な審査基準を提示して在宅投票制廃止について違憲性を認定した（1975年公職選挙法改正によって一部の重度身体障害者について在宅投票制が復活した）。二審の札幌高裁判決（1978〈昭53〉.5.24高民集31巻2号3頁）は、在宅投票制廃止後の立法不作為について国会議員の故意・過失を認めず、原判決を取り消した。最高裁（最一判1985〈昭60〉.11.21民集39巻7号1512頁）は、実体的判断を避け、憲法47条の立法裁量論を前提として立法不作為への国家賠償法1条の適用を否定した。

この訴訟で一審判決が投票機会をも選挙権の内容に含めたうえで、在宅投票制廃止による投票機会の剥奪を明確に「選挙権そのものの実質的権利侵害」として捉えたことは、従来の通説の立場をこえ、権利説の立場を示したものとして注目される。さらに47条を根拠とした広範な立法裁量を前提とする「明白の原則」を否定してLRAの基準を採用したことは画期的な意味をもった。反面、本最高裁判決が、きわめて例外的な場合でない限り国家賠償法上違法の評価を受けないとした点に問題が残った。しかし、その後、後述の在外国民の選挙権に関する2005〈平17〉年9月14日大法廷判決によって国家賠償請求を認めた。ただし、精神的原因により投票困難となった者の立法不作為による国家賠償請求事件では、最高裁は上告を棄却した（最一判2006〈平18〉.7.13判時1946号41頁、本書281頁参照）。

(4)　在外国民選挙権訴訟

選挙権が（一定年齢以上の）国民の権利であるとしても、その権利をどの場所で行使するか、という問題がある。公職選挙法では、選挙権行使のためには選挙人名簿に登録されていることが必要であり、その登録は市町村の選挙管理委員会が、当該市町村に住所を有する満20歳以上の日本国民について行うことと定められる（公職選挙法19条以下）。このため、「国外に居住していて国内の市町村の区域内に住所を有していない日本国民」（以下、在外国民）は、選挙資格があるにもかかわらず権利行使が制約されていた。1998（平成10）年の公職選挙法改正により、衆議院・参議院議員選挙比例代表選挙において在外選挙人名簿記載の有権者の在外投票が認められた（同49条の2）が、衆議院小選挙区・参議院選挙区選出議員選挙については認められなかったため訴訟が提起された。2005〈平17〉年9月14日の最高裁大法廷判決（民集59巻7号2087頁）は、原審東京高裁判決を破棄して公職選挙法を違憲と判断し、次回の衆議院小選挙区と参議院選挙区選挙で選挙権を行使できるとして地位の確認をしたうえで、1996年の総選挙で選挙権を行使できなかったことにつき1人あたり5000円の慰謝料を支払うよう命じた（本書280-281頁参照。本判決後2006年6月に法改正が実現した)。2005年最高裁大法廷判決（14人中12人の裁判官の多数意見）は、以下のように判断した。

(i)1996年に施行された衆議院議員の総選挙当時、公職選挙法（平成10年法律47号による改正前のもの）が、上記の在外国民が国政選挙において投票するのを全く認めていなかったことは、憲法15条1項・3項、43条1項、44条ただし書に違反する。(ii)公職選挙法附則8項の規定のうち、上記在外国民の選挙権行使を認める制度の対象となる選挙を「当分の間両議院の比例代表選出議員の選挙に限定」する部分は、「遅くとも、本判決言渡し後に初めて行われる衆議院議員の総選挙または参議院議員の通常選挙の時点においては」、憲法15条1項・3項、43条1項、44条ただし書に違反する。(iii)在外国民が、次回の衆議院小選挙区選出議員選挙および参議院選挙区選出議員の選挙において、在外選挙人名簿に登録されていることに基づいて投票をすることができる地位にあることの確認を求める訴えは、適法である。(iv)在外国民は、次回の［上記］選挙において、在外選挙人名簿に登録されていることに基づいて投票できる地位にある。(v)国会議員の立法行為または立法不作為は、その立法の内容または立法不作為が国民に憲法上保障されている権利を違法に侵害するものであることが明白な場合や、国民に憲法上保障されている権利行使の機会を確保するために所要の立法措置を執ることが必要不可欠であり、それが明白であるにもかかわらず、国会が正当な理由なく長期にわたってこれを怠る場合などには、例外的に、国家賠償法1条1項の適用上、違法の評価を受ける。(vi)「10年以上の長きにわたって国会が上記投票を可能にするための立法措置を執らなかったことは、国家賠償法1条1項の適用上違法の評価を受ける」ものであり、国は、精神的苦痛を被った上記国民に対し、慰謝料各5000円の支払義務を負う（補足意見と反対意見がある)。

3　投票価値の平等と議員定数不均衡

(1)　訴訟の展開

1950年の公職選挙法など戦後初期の選挙法では、中選挙区制のもとで各選挙区の人口に基づいて定数が配分され、議員一人当たり人口の最大格差（以下、「較差」に統一）は衆議院ではおおむね1対2未満、参議院では1対2.6程度にとどまっていた。それは、選挙権の平等原則には、一人一票原則のみならず、一票の重みの平等すなわち「投票価値の平等」が含まれることから、人口比例原則が重視されていたからである。ところが、その後人口の都市集中などの変動によって選挙区間で議員定数と人口との関係に不均衡が生じた。その結果、議員定数不均衡をめぐって1962年以降数多くの選挙無効請求訴訟が提起された。最初の1964〈昭39〉年2月5日最高裁大法廷判決（民集18巻2号270頁、後掲図表2①判決）では、参議院の定数不均衡について「立法政策の当否の問題」として違憲問題を生じるとは認められないとしたが衆議院議員定数に関する1976〈昭51〉年4月14日最高裁大法廷判決（民集30巻3号223頁、後掲図表1①判決）で最大較差1対4.99の不均衡に違憲判断が下された。

その後、衆議院について1994年に小選挙区比例代表並立制が導入されたため、小選挙区については（議員定数不均衡ではなく）選挙区間の投票価値の不平等が問題となり、2011〈平23〉年3月23日（民集65巻2号755頁、図表1⑪判決）には「一人別枠制度」下の1対2.30の不均衡に最高裁大法廷で違憲判断が下され、2013〈平25〉年11月20日（民集67巻8号1503頁、図表1⑫判決）、2015年〈平27〉11月25日（民集69巻7号2035頁、図表1⑬判決）と「違憲状態」判決が続いた。これをうけて衆議院議長の諮問機関である衆院選挙制度調査会が改革案（アダムズ方式）を提出するなど、改革論議が活発化した。

2016〈平28〉年5月20日の公選法改正では、アダムズ方式による定数配分が実施されるまでの措置として0増6減の措置がとられ、2017〈平29〉年6月9日の改正では、97の選挙区割が改定された。この新しい区割りに沿って2017年10月22日に実施された衆議院選挙に関する選挙無効訴訟において、最大判2018〈平30〉.12.19（民集72巻6号1240頁）は、是正努力を含めて諸事情を総合的に考慮した結果、一人別枠制度を含む選挙区割によって議員一人当たりの選挙人数の最大較差が1対1.979で2倍以内に収まっていることを理由に、合憲の判断を下した。1対1説の立場に立つ山本・鬼丸裁判官の2名の反対意見のほか、2倍程度の較差の恒常化を懸念した林裁判官、将来のアダムズ方式を考慮に加えた不合理な較差を許容したことに反対した宮崎裁判官の意見が付された（重判令和元年度16頁〔小山剛執筆〕参照）。

参議院では、最大較差1対6に及ぶ著しい不均衡に対して、1996〈平8〉年9月11日最高裁大法廷（民集50巻8号2283頁、図表2⑦判決）ではじめて違憲判断が下され、2012〈平24〉年10月17日大法廷判決（民集66巻10号3357頁、図表2⑬判決）でも「違憲状態」と認められ、2014〈平26〉年11月26日判決（図表2⑭判決）では違憲無効とする反対意見も出現した。

図表1　衆議院議員定数不均衡・一人別枠方式違憲訴訟の展開

判決日（法廷）	対象選挙（投票日／回）	最大較差※	判決内容［反対意見人数］	判例集
［1964（昭39）.10.20（東京高裁）］	1963（昭38）.11.21（第30回）	3.55	請求棄却（合憲）	行集15-10-1976
	1964（昭39）定数是正（19増）〈2.19〉			
①1976（昭51）.4.14（大）	1972（昭47）.12.10（第33回）	4.99	違憲［7名］	民集30-3-223
	1975（昭50）定数是正（20増）〈2.92〉			
②1983（昭58）.11.7.（大）	1980（昭55）.6.22（第36回）	3.94	違憲状態※※［7名］	民集37-9-1243
③1985（昭60）.7.17（大）	1983（昭58）.12.18（第37回）	4.40	違憲［1名］	民集39-5-1100
	1986（昭61）定数是正（8増7減）〈2.99〉			
④1988（昭63）.10.21（二小）	1986（昭61）.7.6（第38回）	2.92	合憲［1名］	民集42-8-644
⑤1993（平5）.1.20（大）	1990（平2）.2.18（第39回）	3.18	違憲状態※※［5名］	民集47-1-67
	1992（平4）定数是正（9増10減）〈2.77〉			
⑥1995（平7）.6.8（一小）	1993（平5）.7.18（第40回）	2.82	合憲［2名］	民集49-6-1443
	1994（平6）法改正　小選挙区比例代表制（小選挙区一人別枠方式）導入			
⑦1999（平11）.11.10（大）	1996（平8）.10.20（第41回）	2.309	合憲［5名］	民集53-8-1441
⑧2001（平13）.12.18（三小）	2000（平12）.6.25（第42回）	2.471	合憲［1名］	民集55-7-1647
	2002（平14）法改正　小選挙区（5増5減）			
⑨2005（平17）.9.27（三小）	2003（平15）.11.9（第43回）		却下［3名］	判タ1192-247
⑩2007（平19）.6.13（大）	2005（平17）.9.11（第44回）	2.171	合憲［3名］	民集61-4-1617
⑪2011（平23）.3.23（大）	2009（平21）.8.30（第45回）	2.304	違憲状態※※［2名］	民集65-2-755
⑫2013（平25）.11.20（大）	2012（平24）.12.16（第46回）	2.430	違憲状態※※［3名］	民集67-8-1503
	2014（平26）法改正　小選挙区（0増5減）			
⑬2015（平27）.11.25（大）	2014（平26）.12.14（第47回）	2.129	違憲状態※※［3名］	民集69-7-2035
	2016（平28）法改正　小選挙区（0増6減）			
⑭2018（平30）.12.19（大）	2017（平29）.10.22（第48回）	1.979	合憲［2名］	民集72-6-1240

※最大較差は、原則として選挙人数比。〈　〉のみ人口比。　※※合理的期間論により合憲判決。
（辻村・選挙権と国民主権115頁の図表に追加、2020年12月現在）

図表2　参議院議員定数不均衡違憲訴訟の展開

判決日（法廷）	対象選挙（投票日／回）	最大較差※	判決内容［反対意見人数］	判例集
［1963（昭38）.1.30（東京高裁）］	1962（昭37）.7.1（第6回）	4.09	合憲	行集14-1-21
①1964（昭39）.2.5（大）	1962（昭37）.7.1（第6回）	4.09	合憲	民集18-2-270
②1974（昭49）.4.25（一小）	1971（昭46）.6.22（第9回）	5.08	合憲	判時737-3
③1983（昭58）.4.27（大）	1977（昭52）.7.10（第11回）	5.26	合憲［2名］	民集37-3-345
④1986（昭61）.3.27（一小）	1980（昭55）.6.22（第12回）	5.37	合憲	判時1195-66
⑤1987（昭62）.9.24（一小）	1983（昭58）.6.26（第13回）	5.56	合憲	判時1273-35
⑥1988（昭63）.10.21（二小）	1986（昭61）.7.7（第14回）	5.85	合憲［1名］	判時1321-123
⑦1996（平8）.9.11（大）	1992（平4）.7.26（第16回）	6.59	違憲状態※※［6名］	民集50-8-2283
	1994（平6）法改正　選挙区（4増4減）〈4.81〉			
⑧1998（平10）.9.2（大）	1995（平7）.7.23（第17回）	4.97	合憲［5名］	民集52-6-1373
⑨2000（平12）.9.6（大）	1998（平10）7.12（第18回）	4.98	合憲［5名］	民集54-7-1997
	2000（平12）法改正　選挙区（6減）〈4.79〉			
⑩2004（平16）.1.14（大）	2001（平13）.7.29（第19回）	5.06	合憲［6名］	民集58-1-56
⑪2006（平18）.10.4（大）	2004（平16）.7.11（第20回）	5.13	合憲［5名］	民集60-8-2696
	2006（平18）法改正　選挙区（4増4減）〈4.84〉			
⑫2009（平21）.9.30（大）	2007（平19）.7.29（第21回）	4.86	合憲［5名］	民集63-7-1520
⑬2012（平24）.10.17（大）	2010（平18）.7.1（第22回）	5.00	違憲状態※※［反対3名］	民集66-10-3357
⑭2014（平26）.11.26（大）	2013（平25）.7.21（第23回）	4.77	違憲状態※※［反対4名、うち違憲無効1名］	民集68-9-1363
	2015（平27）法改正／合区〈2.97〉			
⑮2017（平29）.9.27（大）	2016（平28）.7.10（第24回）	3.08	合憲［2名］	民集71-7-1139
	2018（平30）法改正　特定枠導入（6増）			
⑯2020（令2）.11.18（大）	2019（令1）.7.21（第25回）	3.00	合憲［3名］	裁判所ウェブサイト

※最大較差は、原則として選挙人数比。〈　〉のみ人口比。　※※合理的期間論により合憲判決。
（辻村・選挙権と国民主権116頁の図表をもとに作成、2020年12月現在）

(2)　衆議院議員定数訴訟（判決の番号は、図表1による）

1976〈昭51〉年の上記最高裁判決は、選挙権の平等原則が憲法上の要請であることを承認し選挙権の平等には投票価値の平等が含まれることを明らかにして、議員一人当たりの選挙人数の最大較差1対4.99の不均衡を違憲とした（①判決）。この判決は、当該公職選挙法上の定数配分を不可分一体のものとして（不可分説によって）違憲としつつ、他方では、行政訴訟法上の「事情判決」という法理を援用して、当該選挙は有効とした。②1983〈昭58〉年11月7日大法廷判決（民集37巻9号1243頁）、⑤1993〈平5〉年1月20日大法廷判決（民集47巻1号67頁）などが合憲（違憲状態）判決を下したものの、③1985〈昭60〉年7月17日大法廷判決（民集39巻5号1100頁）は、最大較差1対4.40の定数不均衡を違憲と判断した。

違憲判断基準については、「諸般の要素をしんしゃくしてもなお、一般に合理性を有するものとは考えられない程度」をこえ、さらに「合理的期間内における是正」が行われない場合に限って違憲となる、という二つを示したが、具体的基準は明確ではない。1983年判決が1対3.94の不均衡を違憲状態としつつ1対2.92について合憲としたことから、一般には、1対3の基準として理解されてきたが、その理論的根拠はないといわざるをえない。合理的期間論についても、具体的な基準は示されていないが、1985年判決（③）は定数是正後8年半（施行後7年）を違憲とし、1983年（②）、1993年判決（⑤）は、それぞれ5年（施行後3年半）と3年7カ月経過した事例について合憲と判断した。

学説では、定数不均衡の許容基準として、一人一票原則の反対解釈として、1対2を基準とする見解が通説である（芦部『憲法訴訟の現代的展開』有斐閣、1981年、325頁）。しかし、投票価値の平等が、主権者としての価値の平等を意味し、それが人口比例原則によって実現されると解するならば、端数処理等の問題はあるにせよ、定数配分上、技術的に可能な限り1対1に近づけることが憲法上要請されるため、たとえ1対2以下でも違憲問題は生じうる（不均衡の合理性の論証が要求される）と考える1対1説が妥当であろう（辻村『「権利」としての選挙権』31頁以下参照。最近では、この見解が多くの支持を集めている。長谷部・憲法178頁、争点185頁〔和田進執筆〕、重判令和元年度17頁〔小山剛執筆〕等参照）。

次に、選挙の効力と「事情判決」の問題がある。1976年最高裁判決（①）がこの手法を採用したときは、選挙を無効として議員資格を奪うことからくる政治的混乱を防ぐとともに、議員定数問題の解決を国会の手に委ねるという配慮があった。ところが、その後も国会が定数是正を怠ったため、上記1983年判決（②）の反対意見や1985年判決（③）の少数意見のなかでは、将来効判決や無効判決が示唆された。また1993年判決（⑤）の反対意見でも明快な「可分説」が主張され、その後の重要な検討課題となった。

(3)　小選挙区制導入後の「一人別枠方式」訴訟の展開

1994年の公職選挙法改正で衆議院議員選挙に小選挙区制が導入されたことによって、その後は（議員定数配分の不均衡の問題ではなく）各選挙区間の投票価値の不均衡が問題とされることになった。また、同時に成立した衆議院議員選挙区画定審議会（以下「区画審」）設置法では選挙区割りの基準として選挙区間の人口の最大較差が1対2未満になることを基本とする旨が定められたため、従来のような著しい不均衡は認められる余地がなくなった。ところが、上記区画審設置法3条によって「一人別枠方式」（各都道府県の区域内の選挙区の数は、予め1を配当したのちに人口比例して配分する方式）を採用した結果、1996年10月実施の衆議院小選挙区選挙では、選挙区間の人口の最大較差が1対2未満に収めることができなかった（法改正および本件選挙直近の国勢調査による人口に基づく較差は、おのおの1対2.137、1対2.309であった）。

これに対して、1999〈平11〉年11月10日最高裁大法廷判決（民集53巻8号1441頁、同1704頁、⑦）は、本件の投票価値の不平等が「一般に合理性を有するとは考えられない程度に達しているとまではいえない」として合憲判断を下したが、5人の裁判官が違憲と判断して注目された（辻村・選挙権と国民主権95頁、本書357頁参照）。その後、2000年6月に実施された総選挙についても同種の訴訟が複数提起されたが、いずれも、1999年最高裁判決に依拠して合憲判断が下された（東京高判2001〈平13〉. 4 . 25判時1759号59頁、⑧最三判2001〈平13〉. 12. 18民集55巻7号1647頁、同1712頁参照）。また、2002年法改正後の2005年9月に実施された総選挙でも、上記「一人別枠方式」を採用した結果、選挙区間の選挙人数の最大較差が1対2.171となったが、⑩2007〈平19〉年6月13日の最高裁大法廷判決（民集61巻4号1617頁）は、この方式を含む選挙区割基準は、「投票価値の平等との関係において国会の裁量の範囲を逸脱するものということはできないから……憲法14条1項等の憲法の規定に違反するものということはできない」と合憲判断を下した（3人の裁判官の反対意見があるほか、補足意見、意見がある）。

戦後はじめて選挙による政権交代が実現した2009年8月30日の衆議院総選挙でも、「一人別枠方式」が採用された結果、2009年衆議院議員選挙時の最大較差は1対2.304になったことが問題となった。その背景には、選挙による政権交代が実現したことで主権者（有権者）にとって選挙権が重要な意義をもつことが再認識された現状があった。

多くの高裁違憲判決を受けて、最高裁は、⑪2011〈平23〉年3月23日大法廷で「一人別枠方式」について違憲判断に転じた。ただし、多数意見は、前記「区画審」設置法3条の1対2基準に基づいて立法裁量を狭く解した結果、「一人別枠方式」が選挙時には憲法の投票価値平等に反する状態になったことを認めた反面、合理的期間論によって選挙の合憲性を承認したため、最終的には合憲判決であった。

その後、2012年12月16日総選挙が、（0増5減による緊急是正と一人別枠方式の廃止を決めただけで新たな区割りが行われず）違憲状態の旧区割りのまま実施された。これについて、全国の16の高裁判決のうち2件が違憲無効、12判決が違憲、2件が違憲状態と判断した。とくに2013〈平25〉年3月25日の広島高裁判決（判時2185号36頁）では、明確に選挙の違憲を認定するともに事情判決を避けて初めて選挙を無効とした。ついで、翌3月26日広島高裁岡山支部が下した判決でも、選挙を違憲とし、「無効判決確定により、当該特定の選挙が将来に向かって失効するものと解するべきである」として即刻無効と解して、選挙やり直しを求める判決を言い渡した。ここでは、前記1976〈昭51〉年最高裁判決の岡原昌男裁判官以下5人の反対意見が採用した「可分論」ではなく、選挙を一体として捉えた上で、個別的効力説にたって当該選挙区の選挙のみを無効とした。

上告審の2013〈平25〉年11月20日最高裁大法廷判決（⑫）では、2.43倍の最大較差を違憲状態と断定しつつも、合理的期間論を採用して請求を棄却した。このため、各界から判決の「後退」が批判されることになった。

2014〈平26〉年12月14日施行の衆議院議員総選挙に関する2015〈平27〉年11月25日判決（⑬）でも、小選挙区選出議員の選挙区割りは、前回2012年選挙当時と同様に憲法の投票価値の平等の要求に反する状態（最大較差1対2.129）にあったが、（衆議院内に設置された検討機関において選挙制度の見直しの検討が続けられていることなどから）憲法上要求される合理的期間内における是正がされなかったとはいえないとして「違憲状態」を宣言するにとどめられた。ただし、大橋・木内・鬼丸裁判官（いずれも弁護士出身）の3人はそれぞれ反対意見を書き、とくに木内裁判官は「投票価値の格差が2倍を超えるか否か」によって選挙無効を判断すべきであるとし、本件選挙では12の選挙区について即時無効の判断を下した（辻村・選挙権と国民主権95頁以下参照）。その後の最大判2018〈平30〉.12.

19（民集72巻6号1240頁、前掲⑭判決）では2倍基準を用いて合憲と判断した（反対意見2人、意見2人がこれに反対した。本書323頁参照）。

(4)　参議院議員定数訴訟（判決の番号は、本書325頁の図表2による）

参議院については、1994年6月の公選法改正まで一度も定数是正されなかった結果、定数不均衡は拡大の一途をたどり議員一人当たりの有権者数の最大格差は1対6.70（1993年9月現在、最小は鳥取、最大は神奈川）に及んだ。このことは、神奈川県の選挙人の投票価値が鳥取県の選挙人と比べて約7分の1にすぎなかったことを意味しており、選挙権の平等という観点からはとても看過することはできない。にもかかわらず最高裁は、1983〈昭58〉年4月27日大法廷判決（民集37巻3号345頁、③判決）で、1977年選挙当時の最大較差1対5.26の不均衡をも合憲と解した。その理由について、二院制下の現行選挙制度の合理性や偶数定数・半数改選制、さらには、参議院の地域代表的・職能代表的性格などの参議院の特殊性をあげ、参議院については衆議院に比して人口比例原則の譲歩を容認する論法を用いた。

ここでは、参議院選挙区（旧地方区）選出議員の地域代表的性格を安易に容認したほか、選挙制度の合理性から投票価値不平等を正当化したが、憲法の代表原理や二院制の趣旨（国民代表としての地位は憲法上同質であり、参議院の地域代表的性格を認めることは立法府の裁量事項ではない点）からして大きな疑義がある。参議院では人口比例原則の後退が前提であるという議論に対しては、人口比例を保てない制度ならば別の制度を考えるべき（芦部「参議院定数訴訟と立法府の裁量」法学教室34号12頁、同『人権と憲法訴訟』有斐閣、1994年、246頁）という指摘こそ憲法原則の基本であるといえる。立法裁量は権利の平等を最大限保障するために行使されるべきであろう。

その後、1993〈平5〉年12月16日に大阪高裁（判時1501号83頁）が初めての違憲判断を下した後、その上告審である1996〈平8〉年9月11日大法廷判決（⑦）で、最高裁は最大較差1対6.59の不均衡を違憲状態と判断した。しかし、選挙制度の合理性や参議院の特殊性から人口比例原則の後退を認めて投票価値不平等を正当化してきた従来の論理が維持されており、さらに多数意見では合理的期間論によって結局は合憲判決に到達した点など、憲法理論上は問題が多かった。多数意見の論理では、1対5.85の最大較差を合憲としてきた最高裁判決（最二判1988〈昭63〉.10.21判時1321号123頁、⑥）を踏襲しつつ1対6.70について違憲と判断したことに関して1対6程度の基準が容認されたように推測された。この論理については、当然にその合理的根拠が問われることになった。

定数不均衡の許容基準につき、学説では、1対4を基準とする説（清水睦説）や1対2を基準とする説（吉田善明・小林直樹・杉原泰雄説ほか)、1対2の基準を若干緩和しうるとする説（芦部説）などが主張されてきた。1947年制定当時の較差（人口比で参院1対2.62、衆院1対1.51）や二院制の趣旨からすると、衆議院より緩やかな基準があてはまるようにみえるが、1対4説は説得的な根拠に欠ける。参議院定数配分に関する憲法上の要請は半数改選制のみで、大幅な人口比例原則の後退は認められないという立場からすれば、衆議院と同じ基準によって1対2を限度とするほうが憲法に忠実な解釈といえる。さらに、原則はあくまで1対1であることから、衆議院の場合と同様、技術的に人口比例原則を徹底しうる場合には、たとえ1対2以内でも違憲性を認めうるような厳格な基準を設定すること（1対1説）が、憲法理論上妥当であると考えられる（百選Ⅱ（第6版）332頁〔辻村執筆〕、百選Ⅱ326頁〔徳永貴志執筆〕参照)。

次に、合理的期間の認定基準については、最高裁1996年判決（⑦）多数意見は、是正に必要な相当期間を具体的に示すことなく合憲と判断した。実際には1992年選挙当時は、1986年選挙時の5.85倍を合憲とした1988年判決から4年、現実に選挙人数比で6倍をこえた1987年から5年弱、6.25倍の1989年選挙から3年を経過しており、これらの期間では違憲でないと判断したことになる。一方、反対意見は、最大較差が5倍をこえた状態が定着した「昭和50年代半ばころ以降」の期間を指して「合理的期間をはるかに超えていた」と判断した。

こうして、1996年判決が6.59倍の較差をはじめて違憲状態と断じた後、1994年の法改正によって最大較差は1対4.81に縮小したが、最高裁1998〈平10〉年9月2日大法廷判決（民集52巻6号1373頁、⑧）は、従来の判例を踏襲して合憲と判断した（5人の裁判官の少数意見は、違憲と判断し、事情判決の法理を援用して選挙を有効とした)。さらに、1998年7月の通常選挙（最大較差1対4.98）に関する最高裁2000〈平12〉年9月6日大法廷判決（民集54巻7号1997頁、⑨）も立法裁量の範囲内として合憲判断を下した（河合・遠藤・福田・元原・梶谷の5裁判官の反対意見、および遠藤・福田・梶谷裁判官の追加反対意見がある)。

2001年選挙に関する最高裁2004〈平16〉年1月14日大法廷判決（民集58巻1号56頁、⑩）も1対5.06の較差を合憲としたが、6人の裁判官が違憲と判断して反対意見を述べ、多数意見の4人が「次回」選挙までの改正を促して警告した。しかし、次の2004年選挙に関する2006〈平18〉年10月4日大法廷判決（民集60巻8号2696頁、⑪）の多数意見は、最大較差1対5.13の不均衡について合憲と判断した。5人の裁判官が反対意見を述べて違憲と判断し、4人の裁判官が補足意見を述べた。その後、2006〈平18〉年法改正後の2007年選挙時には、最大較差（選挙人数比）は1対4.86であり、2009〈平21〉年9月30日最高裁大法廷（民集63巻7号1520頁、⑫）は合憲判決を下した。ここでは10人の裁判官の多数意見が「現行の選挙制度の仕組みの見直しが必要となる」ことを指摘し、5人の裁判官反対意見（中川・那須・田原・近藤・宮川裁判官）のほか、4人の補足意見（藤田・古田・竹内・金築裁判官）などもいずれも制度改革の必要を指摘した。

政権交代後初の2010年7月の参議院選挙が、最大較差1対5.0の状態で実施された。これに対して多くの訴訟が提起され、最高裁大法廷2012〈平24〉年10月17日判決（⑬）が、従来の判断枠組みを踏襲しつつも投票価値の平等を重視し、最大較差1対5の不均衡を違憲状態と判断した。この判決では、具体的な許容基準は明示せず、「合理的期間」についても、約9カ月間では「国会の裁量権の限界」内で違憲とはいえないと述べるにとどまった。また、二院制下の参議院選挙制度の合理性など「参議院の独自性」を重視していた従来の判例理論とは異なって、衆参両院の制度を「同質的な選挙制度」と指摘し、憲法上の要請を半数改選制に限定する立場から立法裁量論を後退させ、投票価値平等を重視した。

その後、2013年7月の参議院選挙をめぐって、2014〈平26〉年11月26日に最高裁判決（民集68巻9号1363頁、⑭）が「違憲状態」（合憲）判決を下した。本判決では、新任の5人の裁判官のうち鬼丸・木内・山本の3裁判官が反対意見を書き、大橋裁判官を加えて反対意見が4人に増え、前内閣法制局長官の山本裁判官が違憲・無効の立場をとった点で注目された。しかし、2015年の公職選挙法改正で「合区」が実施された結果、最大較差が2.97倍に縮小し、選挙時に3.08倍であったことから、2017〈平29〉年9月27日大法廷判決（民集71巻7号1139頁、⑮）は定数配分規定を合憲と判断した。反対意見も鬼丸・山本裁判官の2人にとどまった（本書354、358頁参照）。

2018〈平30〉年法改正で「合区」を維持しつつ特定枠制度（本書354頁）を導入した後、最大較差が3.0倍のもとで実施された2019〈令元〉年7月の選挙について、最高裁は、2020〈令2〉年11月18日の大法廷判決（裁判所ウェブサイト、⑯）で合憲と判断した。宇賀・宮崎・林裁判官が違憲とする反対意見を書き、三浦裁判官が違憲状態と認めた。多数意見は、「合区」を維持した点などを評価して合憲としたが、1対3の較差が「違憲問題が生じるほどの不平等とはいえない」とした論理には疑問が残る。今後の課題として、(a)不均衡の許容基準について、とくに合理的期間論における裁量の範囲が問題になるほか、

(b)違憲状態ないし違憲判決が出た場合の選挙無効判断の可否、さらに、当該選挙区選出議員の身分喪失の問題が残っている（辻村・選挙権と国民主権149-152頁、最高裁に提出した意見書を含め、詳細は、辻村後掲『国民主権と選挙権』[辻村著作集第3巻4章・5章参照]）。

4　選挙活動の自由と戸別訪問の禁止

主権者が選挙権を十分に行使し、選挙民の意思を忠実に反映するためには、自由選挙の原則が必要となる。選挙活動の自由は、立候補者にとっては立候補権の一環として、主権者にとっては主権行使に不可欠な情報交換・収集権の一環として、立候補の自由、投票・棄権の自由等とともに、憲法15条によって保障されていると考えられる。また、議会制民主主義を実現するために不可欠な表現の自由や思想信条の自由を基礎とする点では、憲法21条や19条の保障のもとにあることはいうまでもない。

しかし、日本では、1925年に最初に男子普通選挙が施行されたとき、選挙の公務性が強調され、不正選挙を防止するために、厳しい選挙運動規制が定められた。その後1945年の衆議院選挙法改正時に選挙の自由化・取締規定の簡素化がはかられたが、戸別訪問全面禁止規定は削除されず維持されてきた。

これに対して、最高裁の1950〈昭25〉年9月27日大法廷判決（刑集4巻9号1799頁）や文書頒布規制に関する1955〈昭30〉年3月30日大法廷判決（刑集9巻3号635頁）は、憲法21条の表現の自由も「公共の福祉」によって制約され、戸別訪問は選挙の公正を害するとして、これを合憲と判断した。このように、比較的安易な「公共の福祉」論が用いられていた時期を経て、1969〈昭44〉年4月23日大法廷判決（刑集23巻4号235頁）以降の一連の判決では、戸別訪問の弊害論が展開された。それは、(i)不正行為温床論、(ii)情実論、(iii)無用競争激化論・煩瑣論、(iv)迷惑論、と呼ばれる四つの議論であり、戸別訪問を認めれば不正行為の温床になったり、情実に流されて投票したり、無用な競争を強いたり、被訪問者への迷惑になる、などの弊害を指摘したものである。

下級審では、東京地裁1967〈昭42〉年3月27日判決（判時493号72頁）、和歌山・妙寺簡裁1968〈昭43〉年3月12日判決（判時512号76頁）などで戸別訪問禁止を違憲とする無罪判決が出された後、1969年頃と1978～80年頃に、最高裁の弊害論への批判に基づいた地方裁判所の違憲無罪判決（松江地判1969〈昭44〉. 3.27判タ234号別冊30頁、長野地佐久支判1969〈昭44〉. 4.18判タ234号別冊32頁、松山地西条支判1978〈昭53〉. 3.30判時915号135頁、松江地出雲支判1979〈昭54〉. 1.24判時923号141頁、福岡地柳川支判1979〈昭54〉. 9. 7判時944号133頁、盛岡地遠野支判1980〈昭55〉. 3.25判時962号130頁など）が続出した。控訴審（広島高松江支判1980〈昭55〉. 4.28判時964号134頁）でも違憲判決が出されたが、その上告審判決である1981〈昭56〉年6月15日第二小法廷判決（刑集35巻4号205頁）は、猿払事件判決の基準を採用し、規制目的と規制手段との合理的関連性を問題とする手法を用いて合憲とした。ここでは、戸別訪問禁止が「間接的・付随的な制約」にすぎず、規制によって得られる利益のほうがはるかに大きい、という論理で合憲判断が導かれていることが問題となる（本書206頁参照）。

ついで、最高裁第三小法廷判決（1981〈昭56〉. 7.21刑集35巻5号568頁）の伊藤補足意見のなかで、憲法47条による広い立法裁量を根拠とする理論や、選挙の公正を確保するためのルールに従って運動することが原則であるとして広い立法裁量を導く「選挙のルール＝立法裁量」論など、新しい合憲性の根拠づけが試みられた（最三判1982〈昭57〉. 3.23刑集36巻3号339頁および最三判1984〈昭59〉. 2.21刑集38巻3号387頁の各伊藤補足意見、辻村『「権利」としての選挙権』51頁以下、百選Ⅱ342頁〔横大道聡執筆〕参照）。

一方、学説は、このような一連の合憲判決に対して批判を加え、戸別訪問全面禁止を憲法違反と解する立場が有力である。その理由についても、「選挙運動こそあらゆる言論が自由に競いあう場」であり、選挙における情報流布の自由の確保こそが最重要であるとして憲法21条を根拠とする立場や、憲法15条の選挙権の権利の内容を広く解して選挙運動を基本的な主権行使の内容として捉え、これによって立法裁量を抑制しようとする立場があるが、両者を相互補完的に捉えるのが妥当であろう。そして、「欧米諸国で定着している戸別訪問が日本ではなぜ認められないのか」、「日本では、選挙活動の自由化がなぜ不正選挙と結びつくのか」等について今後も検討が必要であろう（選挙制度については、後に第3部350頁以下で検討する）。

第7章　国民の義務

日本国憲法では、国民の義務に関する規定として、教育の義務（26条2項）・勤労の義務（27条1項）・納税の義務（30条）を掲げている。第3章の標題（国民の権利及び義務）に義務を付加し、憲法制定過程で義務規定を追加したことには旧憲法の影響が示される。しかし、「臣民の三大義務」として「兵役ノ義務」（20条）・「納税ノ義務」（21条）・「教育ノ義務」（勅令による）が重視されていた旧憲法下とは、そもそも人権観念が異なるため、義務規定の位置づけも同じではない。日本国憲法下でも、人権保障を弱める意味で義務を強調することがしばしば改憲論の系譜のなかで認められるが、憲法の人権保障のあり方（11条や97条での基本的人権尊重の表明）、人権保障を目的とする立憲主義の原則からすれば、義務規定は強制になじまない性質のものといわざるをえない。この意味では、憲法12条が国民の責務として定める人権保持義務や99条でいう公務員の憲法尊重擁護義務などのほうが、基本的な憲法秩序を理解するうえで重要だともいえる（本書131頁、521頁参照）。

一　教育の義務

憲法26条2項前段は、1項の「教育を受ける権利」に対応し、それを現実化するために、国民に対して「子女に普通教育を受けさせる義務」（就学義務）を負わせている。判例も、この規定が、「親の本来有している子女を教育すべき責務を完うせしめんとする趣旨に出たもの」であると解している（最大判1964〈昭39〉. 2. 26民集18巻2号343頁）。

また、本条の義務の具体的内容は、教育基本法（5条）や学校教育法（21条・29条・45条）が明らかにし、小・中学校等における9年間の就学義務（学校教育法16条・17条）を定める。憲法26条の義務規定は、単なる倫理規定でなく法的意味をもつと解される。このことは、学齢児童生徒を一定の学校に就学させなかった保護者に制裁（10万円以下の罰金）が科されることに示される（学校教育法144条。ただし、病弱その他の理由で就学困難と認められるときは、就学義務の猶予・免除が認められている。同法18条）。

なお、この義務は、義務教育無償・教育を受ける権利・教育の自由と表裏一体のものとして理解されなければならない。義務の履行が、親の家庭教育の自由（個人教授の自由を含む）と私立学校選択の自由、さらに学校内の教育内容選択の自由（思想良心の自由に基づく学校儀式への不参加権などを含む）を制約しないように、教育の具体的場面での配慮が必要となろう（本書297頁、就学義務につき、樋口他・注解Ⅱ173頁〔中村睦男執筆〕、長谷部編・注釈(3)45頁〔阪口正二郎執筆〕参照）。

二　勤労の義務

憲法27条１項は、勤労の権利に加えて、勤労の義務を定める。この規定は憲法制定過程で社会党の提案によって追加されたが、この義務は、労働能力ある者は自己の勤労によって生活を維持すべきであるということを意味するにとどまり、国家が労働を強制することを正当化するものではない。

しかし、勤労義務を強調する社会主義憲法とは異なり、資本主義下での勤労義務規定がまったく法的な意味をもたないかというとそうではない。従来はこれを精神的・倫理的な規定と解する見解もあったが（法協・註解(上)513-514頁）、その後の学説は、生存権や労働権保障との関係で法的意味を認めてきた（宮沢・憲法Ⅱ330-331頁、小林・講義(上)275頁）。すなわち労働能力・機会があるにもかかわらず勤労しない者に対して一定の不利益が課されることが正当化される（生存権や労働権の保障が及ばない）という限りで、法的意味があると解されている。

実際にも、生活保護法では「保護は、生活に困窮する者が、その利用し得る資産、能力その他あらゆるものを、その最低限度の生活の維持のために活用することを要件として行われる」（４条１項）と定め、雇用保険法では、正当な理由なく公共職業訓練所の職業指導を受けることを拒んだときなどには給付制限がなされることを定めて（32条１項、２項）、これを具体化している（樋口他・注解Ⅱ195頁〔中村睦男執筆〕、長谷部編・注釈(3)56頁〔駒村圭吾執筆〕参照）。

三　納税の義務

憲法30条は、法律の定めるところによって国民が納税の義務を負うことを定める。憲法制定期に衆議院の審議中に基本的法制の根拠規定として挿入された（清水伸・審議録(2)721-722頁参照）。納税の義務は国家を構成する国民の当然の義務であり、憲法の明文規定によってはじめて生じるものではないと解されている。

この義務の主体は「国民」であるが、判例・通説では、個人のほか法人も含まれる（人格なき社団につき、東京地判1967〈昭42〉. ４.11行集18巻４号390頁）。また、外国人も、日本に居住し、課税目的たる物を所有し、行為を為す場合には義務を負うものとされる（裁判例には、東京高判1953〈昭28〉. １.26判タ28号57頁がある）。天皇や皇族も例外ではないが、所得税法では内廷費・皇族費が非課税とされるなど、法律上一定の例外が認められている。義務の内容や履行方法等については憲法84条の租税法律主義の趣旨にそって、所得税法等の法律のなかで具体的に定められる（長谷部編・注釈(3)146頁〔長谷部執筆〕、新基本法コメ251頁〔中島徹執筆〕、租税法律主義については、本書477頁以下参照）。

第3部　統治機構

第1章　統治原理と権力分立

一　統治の基本原理――国民主権・人権保障・権力分立の関係

近代憲法では、前近代の身分制秩序の解体によって確立された個人の基本的人権を保障するために国家（近代国民国家）が存在し、憲法の制定によって国家権力の濫用が抑えられるという構造（近代立憲主義）が構築された。このような国家の権力は、国民に起源をもつものと解され、国民主権原理のもとで、国民の人権保障のために行使されることが求められた。

こうして人権保障と国民主権との間には、後者を前者の実現手段あるいは前提として捉える関係が成立する。例えば、フランス革命期には、憲法制定にあたって、まず目的としての人権保障の内容を1789年人権宣言によって明らかにし、それを1791年憲法の冒頭に掲げたうえで、憲法典のなかに、国民主権原理を実現し国家の統治の組織を示すための具体的な規定をおいた。今日でも、日本国憲法を含む諸国の多くの憲法が、人権規定と統治規定との二本だての構造をもっているのは、そのためである。

さらに、統治の基本原理として権力分立原則を採用したことも、近代憲法の主要な特徴である。1789年のフランス人権宣言の有名な規定である16条は、「権利の保障が確保されず、権力の分立が定められていないすべての社会は、憲法をもたない」と述べて、人権保障と権力分立が近代憲法の基本的な要素であることを明らかにした。実際に、フランスの1791年憲法では、国民主権のもとで立法権・執行権・司法権の分立を確立した。アメリカ合衆国の1788年憲法でも、人民（people）を主権者とする統治原理のもとで三権分立の構造が採用され、立法府（議会）・行政府（大統領）・司法府（裁判所）の間の厳格な権力分立がはかられた。1791年の憲法修正による人権条項追加によって人権保障の目的も明らかにされた。

このように国民主権・人権保障・権力分立の三つが近代立憲主義憲法の基本的な三要素として確立された。このうち、国民主権と権力分立は人権保障の目的につかえる統治制度上の手段として、さらに、権力分立は国民主権を有効に実現するための手段として位置づけられる（本書12-13頁参照）。

権力分立原則は、一般にロック（Locke, J.）やモンテスキュー（Montesquieu, C. L. S.）によって理論化されたと解されている。ロックは17世紀の『統治二論』（『市民政府論』）のなかで、法律を制定する立法権とこれを執行する執行権の二つに分けておのおのを議会と君主に帰属させ、さらに対外的な安全等の管理のための同盟権を構想した。モンテスキューは、18世紀の『法の精神』の第11章「イギリスの国制について」のなかで、まず立法権と執行権に区別し、後者をさらに、万民法に属する事項の執行権（戦争や講和、治安維持等を行う国家の行政権）と、市民法に属する事項の執行権（犯罪を罰し紛争を裁く裁判権）に分けて三権分立論を展開した。ロックよりも厳格な権力分立論であると解されるモンテスキューの理論も、必ずしも各権力の独立や自律を主張することが目的であったわけではなく、君主の立法拒否権など権力を抑制しあえる手段を構想することで、諸権力間の均衡の確保をめざしていたと解することができる。

なお、近代憲法の基本原理において、人権と主権、ないし人権（自由）と統治（デモクラシー）の原理がそれぞれ関連をもち、①「国家からの自由」と「多元型デモクラシー」が結びついた英米流の憲法伝統と、②「国家による自由」と「中央集権的な議会型・一元型デモクラシー」が結びついたフランス的な憲法伝統との二つに区別できる（詳細は、本書（第3版）355-356頁、辻村・比較憲法154頁参照）。このような見方を前提とすれば、日本の議会制民主主義のあり方を論じる場合にも、「一元型の多数派デモクラシー」（議会内多数派や首相に権力を集中する型）と、「多元型の分権デモクラシー」（多党制を前提としたコンセンサス型・協調型）との対抗を問題とすることができる。（多数派デモクラシーと協調型デモクラシーについては、高見勝利『現代日本の議会政と憲法』岩波書店、2008年、3頁以下参照）。

現代では、行政権優位の権力分立構造のもとで前者の「一元型の多数派デモクラシー」が中心になっている（本書407頁・同第3版355-357頁参照）。そこで、次に権力分立の現代的意義について検討しておくことにしよう。

二　権力分立の現代的意義

現代立憲主義のもとでは、権力分立原則が、権力相互間の「抑制と均衡（checks and balances）」をはかるための原則として重視されている（芦部・憲法297頁）。諸国の憲法のなかでは、立法権と行政権の厳格な分立を基調とするアメリカ型の大統領制や、両者の緩やかな分立と抑制・均衡関係を基調とするイギリス型の議院内閣制が区別され、日本はそのイギリス型を採用していると解されてきた（二元型議院内閣制と一元型議院内閣制の類型の詳細は、本書406-407頁参照）。

このような前提にたてば、日本国憲法では立法権・行政権・司法権の各権力相互間の抑制・均衡関係の確保が権力分立の主眼であると解することになるが、三権の関係についての理解は、憲法41条の「国会の最高機関性」の捉え方と関係する（本書363-364頁参照）。解釈論としては、国会の最高性を強調して議会（立法府）優位型の権力分立を構想する立場や行政府優位型の権力分立を構想する立場が成立しうるが、行政国家現象が著しい現代では、後者の行政府優位の権力分立関係を中心に理論構成する傾向が強まっている。

諸外国でも、議会優位型の議院内閣制から、しだいに行政府優位型の議院内閣制を構想する傾向に移行していることは、顕著な現象である。例えば、大統領制と議院内閣制の折衷形態を採用するフランス第五共和制下でも、1962年に大統領の間接選挙制から直接選挙制への憲法改正が行われて以降、行政権が強化され、議会中心主義のもとでの「議会までの民主主義」から、「行政までの民主主義」あるいは「半大統領制」への移行がいわれるようになった（辻村＝糠塚後掲『フランス憲法入門』100頁以下参照）。

日本でも、議院内閣制の理解について、従来の議会優位型の責任本質説にかえて、均衡本質説が有力となり、さらに最近では内閣の民主的正統性を強めるための諸制度の改革（多数政党の総裁を自動的に内閣総理大臣に選出することを可能とする二大政党制とそのための小選挙区制などの採用）を通じて、「国民内閣制」を採用しようとする構想も出現した（高橋和之『国民内閣制の理念と現実』17頁以下、本書408頁参照)。高橋説では、国会と内閣の関係について、従来の「法定—執行」の図式にかえて、「統治—コントロール」図式で理解すべきとする。ここでは、内閣と国会・裁判所の両者の関係を「アクション(統治)—コントロール」ととらえ、内閣のアクションを国会・裁判所がコントロールするという構図を示している(宍戸・憲法解釈論249頁以下参照)。

さらに、権力分立の構造を従来の「抑制と均衡」にかえて、「分業と協働」の秩序として再構成する見解もみられる(安西他・論点「立憲主義と議会」〔林知更執筆〕参照)。ここでは、条約を「内閣と国会の協働行為」(芦部・314頁)として位置付けるなど、従来の機関相互間の緊張関係よりも協働・連携を重視することによって国家作用の円滑な遂行が促されるが、これとともに、国会のコントロールが浸透し、民主的統制を強める必要も忘れてはならない。

このように、現代型の権力分立原則のあり方、とくに国会と内閣との間でどのように協働し、行政国家現象のもとで行政権を国会がどのようにコントロールするかという問題は、今後の重要な課題である。これは、国民主権、代表制、選挙制度等とも深くかかわっているため、次章以下で順次検討する。

また、権力分立は、政治部門の水平的関係、すなわち国会・内閣・裁判所の間の関係だけではなく、垂直的関係においても問題になる。国家権力の垂直的分立とは、中央と地方との間の権限分配であり、その制度の類型として連邦制や地方分権(地方自治)制が存在する。日本国憲法は、連邦制でなく地方自治制を採用している。

なお、日本では司法権は中央に独占されているため、それ以外の立法権と行政権の分配が地方政治において問題となりうるが、立法権については条例の地位や直接民主制的な条例制定手続のあり方、行政権については中央の権限の地方への委譲のあり方などが大きな課題となっている。

三　法の支配・法治主義と違憲審査制

人権保障と権力分立との関係で問題になるのが、「法の支配」、さらに人権保障目的のための違憲審査制のあり方である。「法の支配」(rule of law)の原則は、ダイシー(Dicey, A. V.)が『憲法序説』のなかで、恣意的権力の支配に対して、正式な法（regular law）の絶対的な優位を説いたように、もともと立法権や行政権などの政治権力を既存の上位法に基づかせることを意味していた。とりわけ行政権がその権力を法律に従って行使することを原則としたうえで、この原則の遵守状態を裁判所が判断することが認められたといえる。この考え方が成立するためには、司法権の優位や、少なくとも裁判官への信頼が根底に存在していなければならなかったため、それが存在していた英米法の伝統のもとで「法の支配」が確立された。

そしてしだいに、「法の支配」原則のもつ人権保障機能、すなわち、政治権力を明確な法の拘束のもとにおくことによって人権を保障する機能が重視されるようになった。とくに「法の支配」の原則によって違憲審査制を理論化し、憲法慣習をおし進めて違憲審査制を確立してきたアメリカでは、司法裁判所が紛争解決に付随して違憲審査権を行使して人権保障を実現することは、もはや揺るぎない原則となった。

今日では、司法裁判所以外の特別の憲法裁判所による抽象的な違憲審査制を確立している国も多数にのぼり、世界的に「違憲審査制革命」（樋口他・憲法判例1頁以下〔樋口執筆〕）といわれる現象が定着した。

違憲審査制は国民主権原理と関係があるため、国民主権と議会中心主義の考えが強い国では、主権者国民の代表である議会が制定した法律を（民主的正統性を持たない）裁判所が無効にすることについては抵抗があった。例えば、ルソーの「人民（プープル）主権」論の影響によって法律を主権者の一般意思の表明として不可謬（誤ることがない）と解されてきたフランスの憲法伝統のもとでは、違憲審査制は長い間認められなかった。

しかし、このような国でさえ、1970年代以降、フランス憲法院（Conseil constitutionnel）が新たに違憲審査制による人権保障機能を積極的に果たすようになり、さらには2008年7月の憲法改正によって、「抗弁による事後審査制」が導入された（本書457頁、辻村後掲『フランス憲法と現代立憲主義の挑戦』135頁以下、辻村＝糠塚『フランス憲法入門』、フランス憲法判例研究会編『フランスの憲法判例Ⅱ』信山社、2013年、辻村・著作集(1)395頁以下参照）。

このように、現代では、司法による違憲審査や憲法訴訟を通じた人権保障機能はもはや否定しえないほど重要なものとなっている。最近では、ドイツの伝統のなかで法律による行政という原理の確保をめざして形成された「法治国家（Rechtsstaat）」が、基本権を裁判的手法によって確保する原理としての「法治国家（Verfassungsstaat）」へと発展をとげ、フランスにおいても同様に、1980年代後半から「立憲主義」と結びついた「法治国家（Etat de droit）」の考え方が有力になった（現代における「法の支配」と「法治国家」の意義については、争点4頁〔土井真一執筆〕、論究ジュリスト2号160頁以下参照）。

日本でも、憲法81条で違憲審査制を導入して以来、このような「法治国家」や「法の支配」の原則に基づいた人権保障の実現への期待がますます高まっている。しかし、そのような違憲審査制に期待するためには、司法権の独立の原則が十分に確立され、裁判官の任命方法や憲法判断の手法において、主権者の信頼が確保されている必要がある。この点で、第二次大戦後にはじめて違憲審査制を導入した日本の場合には、なお多くの実際上および理論上の課題が存在している。

とくに、司法消極主義（正確には、違憲判断消極主義）の問題は重要である。日本国憲法81条を活用して、最高裁大法廷が、制定法律の違憲を宣言した法令違憲判決の数が、2020年12月末までに9種10件（尊属殺重罰規定違憲判決、議員定数不均衡違憲判決〔2件〕、薬事法違憲判決、森林法違憲判決、郵便法違憲判決、在外国民選挙権判決、国籍法違憲判決、婚外子相続差別違憲決定、再婚禁止期間規定違憲判決）にとどまっているという事実や、下級審の違憲判決が上級審で覆る事例の多さなどにも、日本の憲法訴訟をめぐる課題の深刻さが示されている。これをうけて、民主主義との関係で、裁判所による立法府コントロールを評価する「通常審査」の考えも出てきており（高橋・憲法461頁）、また憲法改正論議が進展するなかで、憲法改正によって憲法裁判所を導入しようという議論もある。これらの点は、後に第5章・第8章で検討する（本書458-459頁、525頁参照）。

第2章　選挙と代表

一　国民主権と国民代表制

国民主権の意味（「主権」の意味と「国民」の意味）や「国民（ナシオン）主権」と「人民（プープル）主権」の区別、最近の人民主権説の課題などについては、第1部で検討した（本書42頁以下参照）。すでにみたように、日本の憲法学界では、憲法制定過程の特殊性から、当初は国民主権をもっぱら天皇制や「国体」論との関係で問題にしてきたため、議会制民主主義や国民代表制との関係で論じるようになったのは1970年代以降である。

そこで本章では、議会制民主主義の主要な要素である選挙や政党、議会の機能などを検討するに際して、国民主権の現代的意義や実現手段を国民代表制原理との関係で検証しておこう。

1　代表制の展開

最初に、国民代表制の形成過程や類型についてみておくことにしよう。歴史的には、議会が成立したのは、イギリスでは13世紀に貴族・僧侶と市民・騎士からなる模範議会が召集され、フランスでは14世紀に貴族・僧侶・平民の三身分の代表からなる三部会が召集された後のことである。これらの議会は、君主制下での身分制社会を反映して構成されていたため、身分制議会または等族議会と呼ばれた。1302年から1615年まで開会されたフランスの三部会では、間接選挙によって身分ごとに議員（受任者）が選出されていたが、議員は各選挙区の選挙民によって拘束的な代理権を付与されており、選挙民と受任者との間には具体的・個別的問題についての命令的委任（mandat impératif）の関係が成立していた。その後、フランス革命によって封建的な身分制が廃止された後に成立した近代議会では、まず、このような命令的な委任が禁止されたうえで、議員の免責特権や不逮捕特権が付与されることで、議員が選挙民から法的に独立して行動することが保障された。

このような近代議会における代表制は、まずイギリスに成立したが、ルソー（Rousseau, J.－J.）は、1762年の『社会契約論』のなかで、「イギリスの人民は自由だと思っているが、それは大まちがいだ。彼らが自由なのは、議員を選挙する間だけのことで、議員が選ばれるやいなや、イギリス人民はドレイとなり、無に帰してしまう」（ルソー、桑原＝前川訳後掲書133頁）と述べて批判した。

ここで批判の対象とされていた代表制、すなわち選挙後は議員が選挙民から独立して行動できるような古典的代表制は、フランスでは「純粋代表制（le régime représentatif-pur）」と呼ばれ、1791年憲法下で確立した「国民（ナシオン）主権」と結びついて理論化された。主権主体を観念的・抽象的な全国民とする「国民（ナシオン）主権」のもとでは、主権主体には子どもなど政治的な意思決定能力を欠く者も含まれるため主権主体自身が主権を行使しえないことから、主権主体（全国民）と主権行使者（国民代表）が異なることとなり、国民の委任を前提とする国民代表制（間接民主制・委任代表制）の採用が不可避とされた。ここでは、選挙民が代表に対して与える委任は集合的で一般的な自由委任とされ、個別的な委任や、委任に従わない場合の罷免や召喚手続を含む命令的・強制的委任は禁止された。さらに、能動市民と受動市民との区別の理論によって、「国の公的施設の維持に貢献しうるもの」のみが能動市民として参政権をもち、それ以外の子どもや女性や納税額の低い男性などは、受動市民として参政権から排除された。このような理論は後に選挙権公務説として理論化され、「国民（ナシオン）主権」・純粋代表制・選挙権公務説・制限選挙制論という一連の要素からなる構造が成立した。これに対抗して、「人民（プープル）主権」・選挙権権利説・普通選挙制というもう一つの系列が存在し、19世紀前半の男子普通選挙運動の理論につながっていった。

その後、フランスでは1848年に男子普通選挙制が確立され、労働者代表などが議会に進出するようになると、選挙民と代表者（議員）との意思の一致が確保されるような代表制が求められた。第三共和制期の憲法学の泰斗エスマン（Esmain, A.）は、普通選挙制、議会の解散や再選、命令的委任禁止の緩和、比例代表制の導入などを通じて、選挙民の意思の忠実な反映が要請されるようになった新たな代表制の段階を「半代表制」と呼び、「純粋代表制」と区別した。

以後、フランスの憲法理論では、「純粋代表制」と「直接制（la démocratie directe）」の中間形態として「半代表制（la démocratie semi-représentative）」を位置づけ、さらに後二者の間に、レファレンダムやリコールなどの直接的手続を部分的に採用した「半直接制（la démocratie semi-directe）」をおくことによって「純粋代表制—半代表制—半直接制—直接制」という四つの制度を区別することが一般的になった（純粋代表制—半代表制ないし半直接制—直接制の三類型に分類する見解も存在する）。そして、1958年第五共和制憲法では、主権が人民にあることを明示してレファレンダムまたは代表を通じて直接・間接に市民が主権を行使することを定め（3条）、大統領の諮問による重要事項に関するレファレンダム（11条）や憲法改正のレファレンダム（89条）など、直接的な意思決定手続を部分的に導入することで、「半直接制」を採用した（辻村＝糠塚後掲『フランス憲法入門』113頁以下参照）。

2 日本国憲法と「半直接制」

日本国憲法は、前文で「主権が国民に存する」ことを宣言し、第1条で天皇の地位が「主権の存する国民の総意に基く」として、国民主権原理を掲げる。憲法前文は「〔国政の〕権力は国民の代表者がこれを行使〔する〕」として代表民主制（間接民主制）を宣言し、43条1項で国会議員の「全国民を代表する議員」としての性格を認めている。この43条1項を「命令的委任の禁止」を定める規定と解し、さらに51条の免責特権の規定とあわせて解釈するならば、一見、憲法が古典的代表制（純粋代表制）を採用しているようにみえる。この代表制のもとでは、議員は選挙区の意思に拘束されず、「全国民の代表」として選挙民から法的に独立して行動する結果、選挙民に対して法的責任を負わず罷免も認められないことになる。実際にこのような理解が、国家法人説と結びついて戦後憲法学の支配的地位を占めていた。

しかし、1970年代以降の国民主権論議の展開によって、フランスの「国民（ナシオン）主権」（全国籍保持者を主体とし、純粋代表制に最も適合するが、理論上はいずれの統治形態とも結合しうる）と「人民（プープル）主権」（政治的意思決定能力者を主体とし、直接民主制に最も適合するが、半直接制や半代表制とも結合しうる）の区別を前提とした解釈論が提示され、憲法43条解釈に「半代表制」論が導入された。これによって、旧来の「国民（ナシオン）主権」

＝純粋代表制論を前提とした解釈（および国家法人説に依拠する解釈）〔A説〕は後退し、今日では、43条1項の規定には、命令的委任の禁止のような禁止的規範意味とともに、「代表者と被代表者の意思の一致」を要請する積極的規範意味があると解された（樋口・憲法Ⅰ154頁以下）。

さらに、より強力に、「全国民の代表」は主権者としての「人民」の意思を確認表明する手段であると解する見解（杉原説）によって、新たな代表制論が主張された。これは、日本国憲法の15条1項の公務員選定罷免権の規定や96条（憲法改正の国民投票）・95条（地方自治特別法の住民投票）・79条（最高裁裁判官の国民審査）など、直接的手続を採用していることを重視して、国民主権と国民代表制論をそれぞれ「人民主権」と「人民代表」のように解釈する見解〔B説〕である（杉原・憲法Ⅱ164頁以下）。また、A説とB説の中間に位置する芦部説〔C説〕では、国民主権について全国民主体説によって（国民〔ナシオン〕主権的に）説明しつつ、有権者の主権行使に基づく主権の権力的契機をも認め（芦部・憲法学Ⅰ243頁）、さらに43条を「国民意思を国会が事実上忠実に反映するという『社会学的代表』」として理解し、社会学的代表制論によって旧来の古典的代表制論を修正する立場が表明された。

社会学的代表とは、フランスのデュヴェルジェ（Duverger, M.）が社会学的政治学的憲法学の立場から、「選挙において表明される世論と選挙から帰結される議会構成との間における事実上の関係」すなわち類似性を示す言葉として用いた概念である。この概念は「半代表制」と同義に用いられることもあるが、議員と選挙民との法的関係を示すものではない点で、本書でいう「半代表」や「人民代表」の概念とは区別される（杉原・憲法Ⅰ229頁以下参照）。芦部説の場合には、社会学的代表と解することからどのような解釈論的帰結が導かれるか必ずしも明らかではないが、議員に対する自由委任（命令的委任の禁止）や免責特権について旧来の代表制論を維持することから、国会議員の地位についてA説と同様の帰結を導きつつ、憲法の直接民主制的な規定をも重視することになる（基本法コメ（第3版）「43条」183頁〔芦部執筆〕参照）。

すでにみたように、憲法の構造全体からすれば、日本国憲法が採用する代表制は、主権者の直接的な意思決定手続が部分的に認められる形態（フランスでいう「半代表制」、より厳密には「半直接制」）が採用されているものと解釈することができる（大石・講義Ⅰ（第3版）75頁以下参照）。とすれば、憲法43条についても、従来のように古典的代表制を定めたものと解するのは適切でなく、これを「半代表制」のように解して、国会に可能な限り主権者の意思が忠実に反映されることが求められている点を重視しなければならない。

いずれにしても、選挙によって選ばれた「国民代表」が、特殊利益ではなく一般意思（公益にねざした国民の意思）を表明すべきであることが前提である。そして、現代的な代表制としての「半代表制」や「社会学的代表」を実現するうえで重要な意味をもつものが、選挙である。

選挙は、主権者の意思を忠実に反映しうるものでなければならないという前提にたって選挙や選挙権の性質について考えることが必要であり、このような立場から議会制民主主義のもとでの主権者の役割を重視してゆかなければならない。このことは、選挙のみならず、主権者の意思を立法に反映させ、議会や行政府を監督し、議員や公務員の政治責任を追及することなど、多くの行為を主権者の主権行使として実現することの重要性を示している。とくに政治責任追及機能のためには、議会の傍聴や日常的な政治活動、議院の国政調査権の活用による主権者への情報提供などが必要である。

3　「市民」の政治参画と「市民主権」

今日の政治課題として、どのように主権者の意思を政治に忠実に反映させるか、その前提として、どのように主権者の政治的無関心を克服し、政治参加を活性化するかが問題となる。この問題は、国民主権原理の実効化にかかわるため、憲法学にとっても緊急の課題である。本書では、すでに第1部でも検討したように、国民主権原理の解釈論として、「人民主権」論ないし（主権者人民を構成する具体的な個人としての「市民」の主権行使を重視する）「市民主権」論、さらに選挙権を主権者の権利と解する「権利説」の立場を前提として、これらの原理に最も適合的であり、かつ日本国憲法自身が採用していると考えられる「半直接制」を実現することが望ましいと解する立場をとっている（本書45頁、346頁参照）。このような理論的な立場を前提に、憲法解釈論および立法論として現実に主権者の主権行使を活性化する方法を問題にする場合には、基本的に、(i)主権主体ないし主権行使者の拡大、(ii)主権行使手段（政治的意思形成手段）の拡大という二つの局面で考えることができる（辻

村後掲『市民主権の可能性』165頁以下、辻村・選挙権と国民主権35頁以下参照)。

(i)主権主体について、主権者人民を構成する「市民」として理解する場合には、具体的存在としての「市民」がみずから主権を行使することができるため、主権主体と主権行使者は区別されない。選挙権は主権行使の権利となり、選挙権者は政治的意思決定権者としての「市民」の資格に一致する。ここでは政治的意思決定能力をもつ年齢に達した者は憲法上の成年として選挙資格をもつことが要請され、政治的意思決定能力をもつと解される年齢に、選挙資格年齢を引き下げることが課題となる。この点は、2007年に成立した「日本国憲法の改正手続に関する法律（国民投票法)」で国民投票資格年齢を18歳に引き下げられたことを受けて、2015年6月に選挙権年齢を18歳に引き下げる公職選挙法改正が実現した。

ただし、被選挙権も、立候補の自由を中心にその本質を捉える場合には選挙権と同様に主権的権利であることから、選挙年齢よりも12歳（参議院議員・都道府県知事の場合）ないし7歳（衆議院議員・市町村長・地方議会議員の場合）も高くしている公職選挙法10条の合理性は疑わしいといえる（本書315頁参照)。

また、永住外国人（ないし定住外国人）に選挙資格を与えるかどうかが問題となる。従来は「外国人の人権」論としてアプローチしてきたが（本書116頁以下参照)、参政権が主権的権利であることからすれば、人権保障の内外人平等主義の土俵よりはむしろ主権論の土俵で論じることが必要となる。すなわち、従来の学説は国民主権原理を十分に吟味することなく主権主体の「国民」を国籍保持者と解してきたが、日本国憲法の規定（英訳文）では、前文で主権主体とされ15条で選挙権の主体とされているのはpeopleであって、憲法10条のいう国民（a japanese national）や国籍法上の国民と同じではない。

憲法の国民主権をフランスでいう「国民（ナシオン）主権」のように解すれば、主権主体は国籍保持者の全体となるため従来の結論が導かれやすい。これに対して、「人民（プープル）主権」のように解する場合は、主権は、人民すなわち日本国憲法のいうpeopleを構成する意思決定能力をもった「市民」の全体に属し、個々の「市民」が主権を行使することになるため、主権者＝選挙権者としての「市民」に外国人を含めることは理論上整合的に導くことができる。

この問題は、欧州連合（EU）加盟国の国民（拡大された国籍保持者）に限って欧州市民権を認めるか、国籍と切り離された「新しい市民権（nouvelle citoyenneté)」概念を用いて広く旧植民地出身の移民労働者にも市民権を認めるのか等の議論があったことと関係している。ここでは、フランス革命期の1793年憲法が、「人民（プープル）主権」の立場を前提に外国人を主権者としての市民（選挙権者）として認めたが、日本でもこれと同様の論法を用いて、在日韓国人などの参政権を承認する議論も可能であろう（辻村・市民主権、第3部4章、辻村・選挙権と国民主権35頁以下、本書(第3版)369頁参照）。

(ii)「市民」の主権行使手段の拡大については、レファレンダム（全国レヴェルの人民投票ないし国民投票、および地方レヴェルの住民投票）が問題となる。日本国憲法は、部分的であれ、95条・96条で住民投票や国民投票などの直接的手続を導入しており「半直接制」を採用したものと解することができる。このため、法律の改廃に関するレファレンダムを導入できるかが検討課題となる。立法一般に決定型レファレンダムを導入することは憲法41条の議会中心立法の原則からして認められない反面、決定型ではない諮問型・助言型レファレンダムの活用は十分可能と考えられる。その他、条約や行政の方針に対する世論調査的な意味をもつレファレンダムも、憲法上禁止されていないと考えられるが、人民投票の発案権者が行政権力の担当者である場合に、独裁的権力の強化を目的として信任作用を利用するプレビシット（plébiscite）の危険が高まることも考慮しておかなければならない（本書511頁，辻村・比較憲法218頁参照）。

それを避けるためには、人民発案（イニシアティヴ）の制度と併用することや司法審査装置を確立することなどが課題となろう。レファレンダムのほかにも、議員に対する報告制度の義務づけや、リコール制度の法制化、あるいは議員自体を命令的委任によって拘束する方法などが考えられる。命令的委任の方法は、全国レベルでは実施困難であると思われるが、地方議会議員については十分実施可能であろう。

二　選挙と選挙制度

1　選挙の機能と展開

議会制民主主義を実現するための最も重要な機会が選挙である。現代では、選挙は、議会を形成する機関形成機能のほかに、民意を忠実に反映する機能や候補者や政党に対する信任機能、再選拒否などによる政治責任追及機能をもつと解されている（本書311頁参照）。反面、国民代表のイデオロギー的機能、すなわち、国民代表があたかも全国民の意思を忠実に反映しているかのような虚偽の表象となりうるのと同様に、選挙についても、あたかも選挙が忠実に民意を反映して議員を選出させたような正当化機能を果たしうることからイデオロギー的性格をもつことを認識しておかなければならない。

実際に、日本の戦後政治のなかでは、多くの選挙は、地域や政治団体等の特殊利益をめざす「利益誘導型選挙」であった。このような選挙では、選挙制度上のしくみや運用を通して民意が歪曲されることが多く、例えば、選挙による当選が汚職議員に対する選挙民の信任と議員の「みそぎ」を意味すると論じられる例も少なくなかった。日本国憲法のもとで、選挙は、選挙権という権利の実現の点からみても、また、民意の忠実な反映という点からみても、十分に有効な機能を果たしてこなかったというのが実情であろう。

その主要な原因は、日本の議会政治の保守党一党支配という特徴にあった。1955年から38年間一度も政権交代を経験しない間に、国対政治・官僚政治・利益誘導型政治が展開され、議会制民主主義の危機のみならず、その成立自体をはばむ元凶となったといえる。また、利益誘導型の「金権選挙」は、派閥と後援会組織を基盤にした「三ばん選挙」（地盤、看板、カバン＝財力を要素とする選挙）、地方の中央権力への従属構造を利用した集票系列、政界・財界癒着を背景にした企業系列利用（官庁・企業ぐるみ選挙）を特徴とする与党の集票構造に支えられていた。

このような構造のなかで、女性の政治参画も発展途上国以下の水準にとどめられ、選挙におけるジェンダー構造が形成された。実際に、2017年10月総選挙後の女性の衆議院議員率の9.9％は世界193か国中167位（2020年10月1日現在。IPU 調査結果）であり、クオータ制（割当制）をふくむポジティブ・アクションの推進が今後の課題となっている（詳細は、辻村後掲『ポジティヴ・アクション』、同・選挙権と国民主権263頁、本書158-159頁参照）。

このように、選挙制度は主権者の意思を反映させて議会における多数派形成を左右するものであり、デモクラシーの実現にとってきわめて重要な機能を果たしている。そこで次に、選挙制度について概観する。

2　選挙制度の種類と特徴

選挙は民意を反映させて議員を選出する手段であるが、その方法や制度には数多くの種類があり、選挙区制、投票方法、代表方法等の組み合わせ方によってさまざまな結果が導かれる。選挙制度の選び方しだいで、民意を歪めたり、あるいは民意を拡大したりすることが可能であり、選挙制度のあり方が直接的に政党の利益に結びつくことになる。各国で、選挙制度改革がたえず政治的抗争や議論の的になるのは、そのためである。

各国の選挙制度には、(a)小選挙区制、(b)比例代表制、(c)両者の複合形態を採用するものなどがあり、イギリス・フランス・アメリカは基本的に(a)、オランダ・ベルギーや北欧諸国は基本的に(b)、ドイツや韓国、日本は(c)を採用している（各国の選挙制度の概略は、辻村・比較憲法160頁以下参照）。

(1)　選挙区制

選挙区とは、有権者によって組織される選挙人団を、住所・居所などによって地域ごとに分ける場合の区域のことである（歴史的には、選挙人団を地理的な区域に従って分けるのではなく、納税額や身分によって区別する等級選挙などが存在した）。全国を複数の選挙区に分け、選挙区ごとに1人の議員を選出する制度が小選挙区制であり、2人以上の議員を選出するのが大選挙区制である。このほか、日本に独特な制度として各選挙区の定数を3人から5人程度とする中選挙区制が衆議院について長く採用されてきた（1946年の総選挙が大選挙区制で行われたほかは、1925年から1993年総選挙まで中選挙区制で行われてきた）が、1994年に、衆議院議員定数500人中300人を小選挙区制、200人を比例代表制によって選出する小選挙区比例代表並立制に改められ、さらに2000年の公職選挙法改正で、定数480人（小選挙区選出議員300人、比例代表選出議員180人）、2014年改正で定数475人（小選挙区選出議員295人、比例代表選出議員180人）、2016年改正で定数465人（小選挙区選出議員289人、比例代表選出議員176人）に削減された（公職選挙法4条1項）。

一般には、小選挙区制の長所として、(a)有権者が候補者の人物をよく知ることができる、(b)選挙区が狭いため選挙費用が節約できる、(c)二大政党化を促して政局が安定する、などの諸点が指摘される。また、短所として、(d)候補者の選択の幅が狭く投票が死票となることが多い（得票率と議席率が乖離するため民意を正確に反映する点で問題がある）、(e)競争が激しく買収等の選挙腐敗がおこりやすい、(f)議員が地域的な利益代表になりやすい、などの諸点が指摘される。

実際に、政権交代後自民党が政権に復帰することになった2012年12月の総選挙でも、小選挙区での自民党の得票率43.0％に対して議席率79.0％であった。自民党の大勝利となった2014年12月の総選挙でも、小選挙区での自民党の得票率48.1％に対して、議席率75.6％となり、2017年10月の総選挙でも、得票率48.0％、議席率75.4％であった。

このように、小選挙区制による二大政党化は、得票率と議席率との乖離を含む形で実現される。このリスクはどの政党にもあるため、次の選挙で政権交代することも不可能ではない。そこで、この特徴を小選挙区制の長所と解するか、短所と解するかを容易に断定することができないことがわかる。

また、大選挙区制については、一般に、(a)候補者の選択の幅が広くなる、(b)死票が少ない、(c)地域の利益に縛られない候補者を得ることができる、(d)選挙腐敗が少なくなる、などの長所が指摘される反面、(e)有権者が候補者の人物を知ることが困難になる、(f)選挙に対する関心も薄くなりがちである、(g)地域が広いため選挙運動費用がかさむ、(h)同一政党内で複数の立候補ができ共倒れとなりやすい、などの短所が指摘される。

さらに日本の中選挙区制については、死票が少なく比例代表制に近い長所が得られるとされる反面、同一政党からの複数候補者間の競争が激化して選挙費用がかさみ選挙腐敗がおこりやすい、という短所が指摘される（第八次選挙制度審議会の答申では、従来の選挙腐敗の原因の多くが中選挙区制にあるとするような議論が展開されたが、これに対しては学説からの疑問や批判が続出した。日本の戦後政治を特徴づける利益誘導型の保守政治や金権選挙の実態は、政権交代が存在しない長期の保守党独裁体制が招いたものであり、選挙制度のあり方を選挙腐敗の主たる原因と解することは妥当ではないからである）。

なお、参議院議員選挙については、戦後は全国区と地方区の二本立ての選挙制度が採用され、（後者の一部で実際上定数１人になる選挙区が存在したほかは）おもに中選挙区制で選挙が行われてきた。1982年の公職選挙法改正で、両者がおのおの比例区と選挙区に変更され、比例区について初めて拘束名簿式比例代表制が導入された。その後、2000年に参議院議員の定数が252人から242人に削減され、そのうち146人が選挙区選出議員、96人が比例代表選出議員とされた（公職選挙法４条２項）ほか、比例代表選出議員の当選者を得票数の多い順に決定する非拘束名簿式比例代表制が導入された（同法95条の３、３項）。その後の2018〈平30〉年７月の公選法改正では、参議院議員定数が６人増えて248人とされ（比例代表議員100人、選挙区選出議員148人）、特定枠制度が導入された。これは2015〈平27〉年公選法改正で導入された合区制度（本書331頁参照）の調整で外れた候補者を比例代表の特定枠で救済する意味を持つものと解されている。

なお、比例代表制とは、選挙区制とは異なり、代表のあり方に注目した概念であり、次のように多数代表制・少数代表制・比例代表制などに区別される。

(2)　多数代表制と少数代表制

多数代表制とは、選挙区内の多数派（選挙人の多数）にその選挙区から選出される全議席を独占させる可能性を与える選挙方法である。先にみた小選挙区制による選挙は、この多数代表制に属する。この制度は候補者のなかで最も得票の多い者に議席を独占させることで民意を拡大して反映させる効果があるため、多数派にとって大変有利な制度であり、安定した議会勢力を得ることができるという特徴がある。反面、これを支持しない有権者の票をすべて死票にしてしまう結果をもたらし、その結果、得票率と議席率の間に大きな乖離をもたらすという重大な欠陥がある。一般には、議席数の差異が得票差の三乗にも及ぶという意味で「三乗比の法則」が成立するといわれている（その得票率と議席率の乖離の実例は、本書353頁参照）。

これに対して、少数代表制は、多数代表の欠点を補うために、選挙区の少数派にも、ある程度議席が配分できるように配慮された制度である。具体的には、投票用紙に２人以上の候補者を連記させる連記投票法のうち、選挙区の議員の定数より少ない候補者数を連記させる制限連記制や、あるいは、大選挙区制を前提にした累積投票法（議員の定数と同数回の投票を認め有権者がすべて同一の候補者に投票を集中させることを可能とする方法）や中選挙区制などを前提にした単記（非移譲式）投票法などがそれに含まれる。もっとも、これらの方法によった場合に必ず得票率が議席率に反映される保障はない。そこで重視されるのが、比例代表制である。

(3)　比例代表制

比例代表制は、得票数に比例して議席を配分する方法であり、多数代表や少数代表に比べて民意反映機能に優れており合理的な制度であるといえる。これは、投票結果を歪める原因となる死票を最小限にとどめ、民意を忠実に議席に反映しうる制度であるといわれるが、反面、政党が中心的な役割を果たすことになり人物中心の選挙を実現しえないこと、小党分立を招き政治の安定性を得ることができない、などの欠点が指摘される。

さらに、得票に比例して議席を配分する方法は必ずしも一定しておらず、複雑な制度となるという欠点も存在する（19世紀後半から諸国で考案された方法には、300から500種類があるともいわれる）。

一般には、比例代表を実現する方法は、(a)単記式と(b)名簿式に大別される。前者(a)の単記移譲式は、単記投票で得られた得票のうち、当選のために必要かつ十分な当選基数（quota）をこえる票を得票順に他の候補者に移譲することができる方式である。

これに対して、後者(b)の名簿式とは、政党が作成した候補者名簿について投票を行い名簿上の候補者間で投票の移譲をする方式である。この方式には、名簿の拘束の度合いによって絶対拘束式、単純拘束式、非拘束式などがある。絶対拘束式は、政党の名簿に投票し、予め指定された名簿の順位に従って当選人を確定するものであり、日本の衆議院議員選挙の比例代表制はこの方式を採用している（拘束名簿式比例代表制）。単純拘束式は、名簿に投票するが、選挙人が名簿上の候補者の順位を変更したり、名簿上の1候補を指定して投票したりすることが認められる方式である。非拘束式は、候補者や政党を複数の名簿から選んで投票できるものであり、2000年の法改正で、各名簿において得票順に当選人を確定する方式が参議院議員選挙に導入された。

名簿式では、各政党の得票数を算出しそれに比例して議席を配分しなければならないが、その際の方法にも多くの種類がある。ヘアー式の場合は、有効得票総数を総定数で割って得られた平均得票数（ヘアー商 Hare quota）をまず計算し、各政党の得票数をその基数で割って当選者数を算出する方法が基本になるが、その場合に残余議席を端数の大きいところから順に配分してゆく最大剰余法に従うものである。これに対して、有効得票総数を総定数に1を加えた数で割って当選基数をもとにしたうえで最大剰余法によって残余議席の配分を決めるのがドループ式である。このほか、ドループ式と同様に算出して生じた残余議席の配分にあたって、平均得票数が最大になるように計算して配分する方法（最大平均法）を採用するのがハーゲンビショップ式である。

日本でも採用されているドント式は、ハーゲンビショップ式の配分方法を残余議席だけでなくすべての議席配分に適用するもので、各党の得票数を整数の1、2、3 ……の数で順に割ってゆき、商の大きなものから順に、定数に達するまで当選者を決める方法である（このドント式はベルギーのドントによって発案されたもので、1987年まで西ドイツの連邦議会議員選挙でも採用された）。

⑷　複合制

①　小選挙区比例代表併用制　　小選挙区制の長所としての個人本位の選挙を実現しつつ、比例代表制の長所である民意の比例的な反映（死票の減少）をともに確保するために考案され、ドイツで長く採用されている制度である。この制度では、有権者が2票の投票権をもち、まず一方の比例代表選挙の得票結果に比例して議席が配分されたうえで、他方の小選挙区選挙における当選者に対して優先的に議席が与えられる。議席配分が得票に比例している点で、この併用制は実質的には比例代表制である。もっとも、この制度では、小選挙区選挙の結果と比例代表選挙の結果に齟齬が生じて前者の当選者が後者で配分された議席数をこえた場合などに超過議席が必要となり、議員定数が法定数より増加することが考えられる点などに欠陥がある。

②　小選挙区比例代表並立制　　これは、小選挙区制と比例代表制を並列的に採用するものであり、1994年の公職選挙法改正で日本の衆議院について導入された。ほかに、韓国やイタリアでもこの方式が採用されてきた（イタリアでは1993年の法改正によって、議席の75パーセントを小選挙区制、25パーセントを比例代表により選出する制度を導入したのち、2005年の法改正で「プレミアム制を伴った比

例代表制」に変更され、2017年10月の法改正で小選挙区比例代表並立制に戻された。辻村・比較憲法（新版）168頁以下、（第3版）57頁参照）。

日本で1994年に導入された制度では、総定数500を小選挙区選挙300と比例選挙200（2000年以降、各300と180に変更）に分割し、小選挙区選挙では有効投票数の最多数を得た者が当選する一方で、比例代表選挙では、各党の得票をブロック単位で集計してドント式で議席配分を行い、名簿登載者の上位から順に当選者を決定する。この制度では、有権者は各自2票を投票し、小選挙区選挙では候補者1名の氏名を自書し、比例代表選挙では政党等の名称または略称を自書する方式が採用された。さらに政党候補者に限って小選挙区と比例区への重複立候補が認められ、小選挙区で落選した候補者が比例区で当選できるようにされた。この重複立候補制については、その後、有効投票の一定割合（衆議院小選挙区選挙の場合は10分の1）の得票に満たなかったものが除外されるなどの法改正が行われた。

1994年に小選挙区比例代表並立制の導入が決められた際には、この方式は小選挙区制と比例代表制の両方の制度の長所を生かすことに存在意義があると説明された。しかし、比例代表の長所は総定数が少ない場合にはあまり生かされず、基本的には小選挙区制導入に制度改革の主眼があったこと、小選挙区の画定にあたって人口比例原則が貫徹されず当初の目標であった選挙区間の最大較差1対2以内の確保が困難になったこと、小選挙区・比例区ともに立候補要件が政党本位で定められて政党要件（5人以上の議員が所属するか、直近の国政選挙での得票率が2％以上であること）が厳しくなり個人候補の選挙運動が不利になったなどの問題性が指摘された。実際に、初めて小選挙区比例代表並立制で実施された1996年10月20日選挙では、(i)選挙区間の人口の最大較差が1対2.137であり、(ii)政党公認候補が選挙運動や政見放送上有利になったことなどから、この制度を違憲として選挙の無効を求める訴訟が提起された。

東京高裁判決（1997〈平9〉.10.20判時1637号20頁）の後、最高裁大法廷は、この小選挙区比例代表並立制について合憲判断を下した（1999〈平11〉.11.10民集53巻8号1577頁、同1704頁）。判決は、小選挙区制・比例代表制および重複立候補制の合憲性についてはいずれも「国会の裁量の範囲を超えるとはいえない」として14人の裁判官全員で合憲判断を示した。しかし、選挙区間の人口の較差が1対2をこえる選挙区割の合憲性、および、小選挙区での選挙運動を政党について認めている規定の合憲性については、5人の裁判官の反対意見がこれらを違憲と判断して注目された（本判決の評釈として、辻村「小選挙区比例代表制選挙の合憲性」ジュリスト1176号58頁参照）。

その後、2005年9月、2009年8月、2012年12月の総選挙の小選挙区選出議員選挙についても、区画審設置法に基づく「一人別枠方式」を採用した結果、選挙区間の選挙人数の最大較差が1対2を超えたことに対して、最高裁大法廷2007年判決（平19. 6.13民集61巻4号1617頁）が合憲、2011年判決（平23. 3.23民集65巻2号755頁）・2013年判決（平25.11.20民集67巻8号1503頁）・2015年判決（平27.11.25民集69巻7号2035頁）が違憲状態の判断を下したことは既にみたところである（本書324頁以下参照）。2018年5月の公選法改正で採用されたアダムズ方式は、各都道府県人口を一定の数値で除して得られた合計数が小選挙権区の定数に一致するように定めるものである（本書323頁）。この方式は、小数点以下を切り上げるため、どの選挙区にも少なくとも1議席を配分することになり、人口が少ない地方の県にも配慮をした計算方式といわれている（2022年以降実施予定）。

(5)　投票方式・選挙区割

選挙制度の決定には、以上の要素に加えて投票方式（単記式・連記式・名簿式）や方法（記入式、記号式、選択式等）、選挙区割などを組み合わせることが必要となる。

投票方式・方法としては、選挙区の議員定数にかかわらず投票用紙に1名の候補者の氏名を記入する単記記入投票法が一般的である。また、大選挙区制下で投票用紙に2名以上の候補者名を記入するのが連記式であるが、それには、選挙区の議員定数と同数の候補者名を記入する完全連記式と、議員定数より少ない候補者名を記入する制限連記式がある。

選挙区割は、選挙結果を左右するもので選挙運動の点でも重要な要素となる。いわゆるゲリマンダリングのように、特定政党や候補者に有利な選挙区割を行うことは、民意を選挙結果に正しく反映することを阻害するため禁止されなければならない。日本の公職選挙法を含めて一般には、行政区画を基準に選挙区を画定する方法が採用され、選挙運動上もこの方法が適切であると解されているが、議員定数不均衡をなくすために人口比例原則の徹底が選挙権の平等の観点からは必要である。この点で、最高裁判決をうけて2015年公職選挙法改正により、参議院選挙について「鳥取・島根」「徳島・高知」で選挙区を統合する

「合区」が導入されたことは妥当である。しかし2017年10月の自民党選挙公約以降、同党の改憲案４項目には合区解消のための憲法47条改正が含まれており、安倍首相辞職後の新体制下での改憲論議の動向が注目される（2020年12月末現在）。

三　政党制をめぐる問題

１　現代における政党の意義

現代政治は、政党を無視して論じることは不可能である。かつてトリーペル（Triepel, H.）は、「憲法と政党」（1928年）という論文で、国家における政党の位置づけの変遷を論じ、政党に対する国法の態度として、(i)敵視、(ii)無視、(iii)承認および合法化、(iv)憲法的編入の四段階が存在することを明らかにした。この分類に従えば、現在のドイツやフランスなどは、憲法上の機関としての政党の位置づけを明確にしているため、このうち(iv)の段階にある。

これに対して、日本では、これまで政治資金規正等に関連して政党の存在を前提にした立法が行われてきたため(iii)の段階にあるといえる。1994年の「政治改革」の結果、政党助成法の制定や公職選挙法改正による政党本位の選挙の実現によって、政党の位置づけが強化された。

現行法上は、政党は、「政治団体」（政治資金規正法３条１項に規定するもの）のうちで、次の各号のいずれかに該当するものをいう」と定義されている（政党助成法２条１項、政治資金規正法３条２項）。

(一)当該政治団体に属する衆議院議員又は参議院議員を５人以上有するもの。

(二)前号の規定に該当する政治団体に所属していない衆議院議員又は参議院議員を有するもので、直近において行われた衆議院議員の総選挙……又は参議院議員の通常選挙……における当該政治団体の得票総数が有効投票の総数の100分の２（２％）以上であるもの。

また、政党助成法３条１項では、政党が政党交付金を受けるには、「政党交付金の交付を受ける政党等に対する法人格の付与に関する法律」に基づいて、法人格を付与されていなければならない。

近年では政党本位の選挙が実施されていることによって、さらに政治資金や選挙公営等も包括する政党法の制定を主張する向きもある。しかし、1955年の保守合同以来の一党独裁体制のもとで形成されてきた政財界癒着の金権体質が容易には改善されず、1993年の（宮沢内閣総辞職後の細川非自民連立内閣による）「政権交代」および2009年の衆議院選挙での民主党勝利による本格的な「政権交代」以後も、政党の離合集散や小党分立が続いている状況では、検討は慎重にならざるをえないだろう。実際、政党助成法5条が、政党交付金を受け取るためには毎年1月1日の時点での名称等を総務大臣に届出なければならないことを定めるため、年末にかけて、政党の解散や分党、新政党設立などが相次いでいる（日本の政党法制の展開につき、加藤一彦後掲『政党の憲法理論』295頁以下参照）。

2　政党をめぐる諸問題

政党制については、政党の自律権との関係、あるいは政党の独裁を抑える観点から問題になる点が多い。

第一に、立候補時に所属していた政党を当選後に離脱したり、他の政党に移籍したりする党籍離脱・移籍問題や、あるいは政党から当選者が除名された場合の繰上げ当選の可否の問題が生じている。政党本位の選挙制度の採用によって、この種の問題は今後複雑さを増すことが予想される。

従来の学説では、党籍離脱・移籍問題について、除名や繰上げ当選の問題とは明確に区別せずに、(a)議席喪失説、(b)議席非喪失説、(c)法律委任説などが論じられてきた。実際には、2000年の法改正で、衆議院・参議院の比例代表選出議員が、選挙当時の他の届出政党等に移籍した場合に議席を失う旨の規定が設けられた（公職選挙法99条の2第1項では「当選を失う」、国会法109条の2では「退職者となる」と定められた）ため、この問題は立法的に解決された。しかし、この法改正の背景にどのような代表理論・主権理論が存在したかについては明らかではなく、国会でもほとんど議論されなかった。

これに対して、除名の場合には、より複雑な問題が存在している。

1992年7月の参議院比例代表選挙後の政党による除名処分に基づく繰上げ当選の効力が争われた日本新党繰上げ当選事件の場合には、一審の東京高裁判決（1994〈平6〉.11.29判時1513号60頁）は除名処分を無効とすることで繰上げ当選決定も無効と判断した。最高裁は、逆に、政党の自律性を重視して本件のような場合には裁判所は当選無効の判断をしえないとして原審を破棄した

（最一判1995〈平7〉.5.25民集49巻5号1279頁）。学説では、最高裁判決を支持して政党の自律権を重視し、候補者確定機能をもつ名簿の意義を軽視する傾向が強かったが、憲法理論的には疑問があろう（この傾向を批判するものとして、高橋和之「国民の選挙権 vs. 政党の自律権」ジュリスト1092号52頁以下参照）。

第二に、政党国庫助成問題も今後の重要な検討課題である。1994年に政党助成法が制定され（1995年1月1日施行）、「議会制民主政治における政党の機能の重要性にかんがみ、国が政党に対し政党交付金による助成を行う」ことが定められた。具体的には、前述の公職選挙法上の政党要件と同様に議員5人以上、直近の選挙における得票率2％以上という要件が定められ（政党助成法2条）、政党交付金の算定の基礎となる総額は、人口に250円を乗じた額（同7条1項）とされた。

しかし、政党を憲法上どのように位置づけるのか（私的な結社と解するか、公的団体と解するか）についての議論が十分ではなく、私的結社ならば公金の支出には制限が課されることに加えて、団体間の平等の点でも問題が残る。さらに、政党交付金の性格や根拠、金額等についても説得的な説明はなされておらず、このような状況で導入された政党国庫助成制度については違憲性を主張する学説も多い（上脇博之後掲『政党助成法の憲法問題』208頁以下参照）。

また、政党助成と選挙資金補助（ないし選挙公営）とは区別して論じる必要があり、前者が政党に対する公費助成であるのに対して、後者は立候補者に対して立候補の自由や選挙活動の権利を平等に保障するために設けられるもので、選挙権の性格について権利説にたつ場合にも認められる余地がある。

第3章　国会

一　国会の地位

日本国憲法は、第4章（41条-64条）で国会について定める。大日本帝国憲法では、天皇が「帝国議会ノ協賛ヲ以テ立法権ヲ行フ」（5条）とされていたが、日本国憲法では国民主権原理のもとで代表民主制が採用され、議会制民主主義を実現するうえで、国会がきわめて重要な役割を果たす。憲法41条は「国会は、国権の最高機関であつて、国の唯一の立法機関である」と定めるが、憲法上、国会は、主権者である国民から選任される「国民の代表機関」としての地位、「国権の最高機関」としての地位、「唯一の立法機関」としての地位という三つの地位を与えられている。

1　国民の代表機関

国民の代表機関としての国会の地位については、憲法前文が国民の信託に基づく代表民主制の採用を宣言し、憲法43条が「全国民を代表する選挙された議員」からなることを定めるのみで特別な規定をもたない。このため、「代表」の意味およびその基礎にある国民主権原理の理解について学説上の争いが存在してきたことはすでにみた。すなわち、従来は、19世紀ドイツ国法学の影響下でこれをイェリネックのいう古典的代表制のように解したり、あるいはフランスの「国民（ナシオン）主権」論を基礎とする「純粋代表制」のように理解したりする立場が強かった。これに対して、1970年代以降、国民の意思をできるだけ正確に議会に反映させるという社会学的代表あるいはフランスでいう「半代表制」のように解することが通説となり、さらにフランスの「人民（プープル）主権」論を基礎に、命令的委任や直接的な意思決定手段をも容認し「人民代表」として解釈する見解も有力に展開されてきた（本書347頁参照）。これらの立場は、いずれも選挙民の意思によって議員を一定程度拘束することによって民意を議会に正確に反映させ、議会制民主主義を実現することを目的とするが、その委任や拘束の理解の仕方如何によって、例えば、当選議員の党籍変更や党籍離脱の問題等に関して見解が異なることになる（本書360頁参照）。

2　国権の最高機関

憲法41条は、「国会は、国権の最高機関であ（る）」と定める。国権の最高機関の意味をめぐっては、(a)統括機関説、(b)政治的美称説、(c)最高責任地位説、(d)総合調整機能説、(e)新統括機関説、(f)本質的機関説などの諸説に分かれる。

憲法制定当初は、国家法人説の立場から、国権の意味を国家の意思力と解し、国会を、法的意味において国権を統括する最高の機関であるとする(a)の統括機関説が有力に主張された（佐々木惣一説）。この見解は、後にみるように国政調査権の強力な発動を正当化するものとして批判をうけたほか、理論的にも、国会を最高機関とすることは国民主権・権力分立原理との関係で妥当ではないと指摘された。その結果、国民を代表し国政の中心に位置する重要な機関という意味で「最高機関」性を捉え、それを政治的な美称にすぎないと解する(b)政治的美称説が、長く通説の地位を占めた。これは、憲法上いずれの機関に属するか不明のものを国会の権限として推定する、という見解（清宮説）と結びついて広く支持を集めた。

しかしその後、通説を批判する立場から、国家法人説の「統括」概念とは別に、並列的な国家諸機関のうちで最高の責任機関であるとする(c)の最高責任地位説（佐藤幸・憲法143頁）、(d)国権の総合調整機能説（田中正巳説）、さらには(e)新統括機関説や、「正面から国家基本計画の策定など重要な基本的政治決定の根拠規定と解すべきであるとする」(f)本質的機関説（佐藤幸・憲法論473頁、手島孝・土井真一説など）が出現してくる。このうち(c)が有力説であり、「国会は国政全般がうまく機能するように絶えず配慮すべき立場にあり、……その意味で国会が国政全般について最高の責任を負う地位にあることを、憲法は『最高機関』という言葉で表現したものと考えられる」と説明される。もっとも、この説明では、何故、「並列関係にある諸機関のうち一番高い地位」を国会に与えたのかという点について根拠が不十分であるといわざるをえない。やはり、国民主権原理のもとで、主権者から直接に選挙で選出されるのは三権を司る国家機関のなかでは国会だけであること、すなわち、国会こそが国民主権下で唯一、「民主的正統性」をもつ代表機関であることをその根拠と解することが必要であり、国民主権原理と代表制論をふまえた説明が求められる。

そこで、主権者から直接選出されて「民主的正統性」をもつ機関が、主権者の委任に応えて主権行使を実現するうえで、最高の責任を有すると考えることが妥当となる。この見解は、〔国民主権（「人民主権」）原理と代表制（「人民代表」制）論を前提とした〕(g)最高責任機関説とでも称することができよう。この立場は、後にみる国政調査権の性格に関して、従来の統括機関説が独立権能説を導いたことに対抗して、政治的美称説が消極的な補助的権能説と結合したことをふまえて、これらを克服し、「人民主権」の行使のための政治責任追及機能を実現する機関として国会を捉える立場に一致するものである（本書396頁参照）。いずれにせよ、国権の最高機関をめぐる従来の学説は、戦後の議会政治の展開に即して歴史的に形成されてきたものであり、その背後にある歴史的課題や国民代表制・国民主権論、あるいは国政調査権の本質論の展開が影響していることを見逃してはならない。

3　唯一の立法機関

(1)「立法」の意味

憲法41条は、国会が「唯一の立法機関」であることを定める。これについては、まず「立法」の意味が問題になる。立法の概念をめぐっては、司法や行政の概念と同様に、伝統的に形式的意味・実質的意味の二つの意味を認めてきた。このうち「形式的意味の立法」とは、内容とはかかわりなく、国会の議決によって成立する、国法の一形式としての「法律」（国会制定法）を制定することである。しかし、日本国憲法で国会の権限に帰属するとされる立法とは、この意味に解すべきではなく、実質的意味において理解すべきものとされる。形式的意味の立法と解すると、国会以外の機関が「法律」の形式で法規範を定立することを禁ずるだけのことを定めたにすぎず、これらの機関が独立命令等を制定することと矛盾しなくなり、憲法41条の趣旨が失われてしまうからである。そこで、憲法41条の「立法」を実質的意味で理解することが求められるが、その場合にも、「実質的意味の立法」がいかなる内容をもつかが問題となる。

学説は、おおむね、(a)ドイツ国法学によりつつ、これを、「国民の権利義務に関する法規範」の定立のように解する狭義説と、(b)広く「一般的・抽象的法規範」の定立と解する広義説に分かれたが、今日では後者のように広く解することが一般的である。もっとも、法規範の定立の意味で理解する場合にも、法規ないし法規範の理解によっては立法の範囲が異なる。さらに法規の概念は歴史的に変化しており、一律に定義することは困難である。

例えば、議会権力の弱かった19世紀ドイツの立憲君主制憲法下では一般に、「国民の権利・自由を直接に制限し、義務を課する法規範」が「法規（Rechtssatz）」であると考えられた。これは、国民の自由や財産を制限する法規範の定立だけを議会の権限として留保し、法律事項を限定するという考えに基づくもので、日本の旧憲法下の憲法学説では支配的であった。ところがその後、民主主義の進展によって議会の権力が強まり、手続も民主化された現代憲法下では、このような概念では狭すぎるため、「およそ一般的・抽象的法規範をすべて含む」ものとして捉えるようになった（芦部・憲法306頁）。このような通説的見解では、広く一般的・抽象的な法規範（あるいは一般的規範）の定立をすべて国会に帰属させることで、国会の立法権能を拡大できる。

なお、憲法運用の面では、旧来の伝統的な「立法」観念に依拠し、栄典授与は、相手方に利益を与えるもので相手方の権利・利益を拘束するものではないから法律の形式をとらなくてもよいという考え方に基づいて、戦前の褒章条例を政令で改正して紫綬褒章等を追加した例がある（1955年・政令7号）。しかし、学説は、栄典制度を定めることも法律事項であるとしてこれを批判した。

また、現代憲法の社会国家理念のもとでは、複雑な法関係に対応しつつ実質的な平等を確保するために社会権を保障して一定の経済的自由権を制約することが要請され、法律の受範者や対象等を予め特定し行政処分的な性格をもつ「処分的法律」ないし「措置的法律」が設けられる傾向が存在する。これらは、（法律の受範者と規律する事件が不特定多数であることを求める）法律の「一般性」と「抽象性」の原則からすれば問題がある。そこで、学説では、(i)法律の一般性（平等保障）説（措置的法律を法律の一般性の枠内で捉え、当該法律が平等原則に抵触せず、権力分立原理の核心を侵し、議会・政府の憲法上の関係を決定的に破壊するものでない限り、憲法に違反しないと解する見解、芦部説)、(ii)形式的法律（法律事項）説（措置的法律は、本来は行政行為であるがその重要性を考慮して国会の法律事項とされたものであり、行政的性格を有する定めは憲法上許容されるとする見解）に分かれる（野中他・憲法Ⅱ81頁以下〔高見執筆〕)。最近では、「立法の専制への防壁」としての「法律の一般性」の現代的意味を重視し、「一般的規範は法律でなければならない」だけでなく「法律は一般的規範でなければならない」ことまでを要する（樋口・憲法Ⅰ216頁、樋口他・注解Ⅲ25頁〔樋口執筆〕）とする厳格な見解も提示されている。

「措置的法律」と法律の一般性の関係をめぐっては、名城大学事件を立法的に解決した「学校法人紛争の調停等に関する法律（昭37年法70号）」が問題となった。この法律については、もっぱら名城大学の内紛を解決するために作られたもので、本質は行政措置であり一般性を欠くため違憲であるとの主張がなされた。しかし、東京地裁判決は、当該法律は単一の事件のみを規律する法律として成立したものでないことは法文上明白であるとした（1963〈昭38〉.11.12行集14巻11号2024頁）。筑波大学の設置と特殊な管理方式の採用についても、法律の一般性に配慮して、個別法律によらず、学校教育法の改正によって対処された。

(2)　国会中心立法の原則

国会が「唯一の」立法機関であることは、国会中心立法および国会単独立法という二つの原則を内包する。まず、国会中心立法の原則とは、憲法に明示された例外を除いて、国会だけが実質的意味の法律を制定することである。憲法上の明示的な例外には、(a)両議院の議院規則（58条2項)、(b)最高裁判所規則（77条1項)、(c)政令（73条6号)、(d)条例（94条）がある。

国会中心立法の原則が定められたことは、(i)行政権を掌握していた天皇が、緊急勅令や独立命令の形式で議会を通さずに独自に立法を行っていた、旧憲法時代の「立法二元制（大日本帝国憲法8条・9条等)」の廃止、(ii)行政権が行う立法を、法律の執行に必要な細則を定める執行命令と、法律の委任に基づく委任命令とに限定する「立法一元制」の採用を意味するとされる（野中他・憲法Ⅱ76頁〔高見執筆〕参照)。

しかし、立法の委任がこの原則に反しないか否かは、問題となりうるところである。立法の委任とは、一般に、(形式的意味の）法律がその所管事項を他の国法形式のもの（とくに命令）に委任することと解される。ここでは、行政権による立法としての委任命令の可否が問題になる。憲法では、73条6号で政令への罰則の委任の規定がおかれているだけで、立法の委任それ自体を対象とする規定は存在しない。にもかかわらず、行政国家現象（行政活動の拡大と行政権強化の傾向）のもとで、立法の委任は不可避と考えられており、現実にも行政機関への立法の委任が頻繁に行われている。そこで、国会が「唯一の立法機関」として本来の立法機能を十分に果たしているかどうかをたえず問題とし、委任の限界を明らかにしなければならない。今日では、委任の限界として、国会の権限とされる事項については、特別の根拠がない限り、命令その他の国法形式への委任は許されず、命令等の委任立法は法律の効力に劣るものであるという条件が指摘される。この条件のもとでのみ、立法の委任が憲法上許容されるといえよう（本書418頁参照）。

(3)　国会単独立法の原則

国会単独立法の原則は、憲法上の例外を除いて、国会の議決だけで実質的意味の法律を制定する（完結的に立法する）ことを意味する。これは、旧憲法下の立法に対する天皇の関与（5条・6条）など他機関の介入を排し、法律が原則として両議院での可決によって成立する（憲法59条1項）ことを内容とする。これに対する憲法上の例外として、憲法95条が定める、「一の地方公共団体のみに適用される特別法」（地方自治特別法）がある。この場合は国会の議決だけでは成立せず、住民投票による同意が必要とされる。

なお、国会単独立法の原則との関連で、従来から、法律の発案権が内閣にあるか否かが問題とされてきた。現行法上は、内閣に法律案の提出（発案）権が認められているが（内閣法5条）、「立法」に法律の発案・提出も含まれるとすると、この原則に反するようにもみえるからである。しかし学説では、(i)憲法72条前段で内閣総理大臣に国会への提出が認められている「議案」のなかに法律案も含まれると解されること、(ii)法律の発案権は国会議員にもあり、実際に閣僚の大半は国会議員であること、(iii)国会は内閣の提出した法律案を自由に修正・否決しうること、(iv)議院内閣制は国会と内閣の協働を要請することなどから、実質的には、国会単独立法の例外にならない（違憲ではない）と解されている（野中他・憲法Ⅱ78頁〔高見執筆〕、芦部・憲法297頁）。

実際には、内閣提出の法律案（通称「閣法」）が圧倒的多数であり、国会議員の発議による法律案（通称「議員立法」）が少数にとどまっている（木下＝只野編・新コメ425頁参照）。例えば、2017〈平29〉年6月に閉会した衆議院第193回国会（常会）提出法案では「閣法」66本、「衆法」26本、「参法」1本であり、閣法が71％を占めた。2019〈令元〉年6月閉会の第198回国会（常会）提出法案では、「閣法」57本、「衆法」36本、「参法」4本であり、閣法が63.3％を占めていた（衆議院ウェブサイト http://www.shugiin.go.jp/internet/itdb_iinkai/html/gianrireki/S198_1.htm 参照）。1980年代から90年代にかけての約20年間のデータでは、「提出法案における閣法と議員立法の比率は約7対3、成立法案に占める閣法と議員立法の比率は約9対1と閣法が優位を占めている」（谷勝宏「議員立法と国会改革」日本公共政策学会『公共政策』2000年1頁以下参照）ことからすれば、近年は多少とも改善されたとはいえ、国会が本来の立法の場になりきっていないことが課題となろう。

二　国会の組織

1　二院制

憲法42条は、「国会は、衆議院及び参議院の両議院でこれを構成する」と定めて二院制を採用する。しかし、比較憲法的にみると、単一国家では二院制よりも一院制を採用する国のほうが多く、二院制の意義を問うことが必要になる（辻村・比較憲法168頁以下参照。IPUの調査では、2020年6月現在では、193カ国中79カ国が二院制を採用しており、主要先進国は二院制である）。

日本国憲法制定過程でも、総司令部案が単一国家であり行政府と立法府の関係を定めやすいこと等を理由に一院制を採用していた。ところが日本政府が二院制を主張したため、総司令部も第二院を民選の議会とすることを条件として二院制の採用を容認したという経緯がある。二院制は、一般に、上院、および民選議員によって構成される下院からなるが、上院の構成を基準にしてみた場合に、次のような類型に区別される（杉原＝只野後掲『憲法と議会制度』357頁以下〔只野執筆〕、加藤後掲『議会政治の憲法学』121頁以下参照）。

①　連邦型　　連邦制を採用している国家では、連邦全体の意思を代表す

る第一院（下院）のほかに、連邦の各構成国（州）の意思を代表する第二院（上院）がおかれることが多い。このような連邦国家における連邦制型の二院制は、アメリカ合衆国、ドイツ連邦共和国のほか、オーストリア、オーストラリア、ブラジル、インドなど多くの例がある。アメリカ合衆国では、第一院（下院）議員は、各州の人口に比例して選出されるのに対して、第二院は、人口にかかわらず、各州から２人ずつ議員が選出される。

②　貴族院型（民意抑制的第二院型）　　単一国家では、上院の構成からみた二院制の類型は、貴族院型（民意抑制的第二院型）と民選議会型（民主的第二院型）の二つに分かれる。前者の貴族院型は、もともと君主制下の貴族階層を母体として第二院（上院）を形成し、貴族的・保守的な階層を代表するとともに、民選の第一院（下院）の民主的要素を抑えてバランスをとるために設置されたものである。イギリスの貴族院や、日本の旧憲法下の帝国議会の貴族院がその例であり、民主主義を標榜する近・現代の議会では、その存在意義はほとんどなくなっている。

③　民選議会型（民主的第二院型）　　単一国家での二院制のもう一つの類型が、上院（第二院）が下院（第一院）と同様に民選の議会であり、かつ第二次的な議会として設置されるような、民主的第二院型である。日本の参議院がその典型である。

もともと、この類型は、二院制を採用する目的が①や②ほど明確ではない。かつてフランス革命期に、シィエス（Sieyès, E. J）が「第二院は、第一院と一致すれば無用であり、第一院と一致しなければ有害である」と指摘したといわれるように、二院がまったく同じような民意代表の機関である場合には、二院制の存在意義は少ない。そこで、ベルギーやイタリアなどでは、一方の院が他方の院の行動をチェックしミスを修正するために、二次的なものとして第二院をおいている。もっとも、これらの国では上院議員全員が公選ではないため、日本のように第二院（参議院）の議員全員が第一院（衆議院）と同様に普通選挙によって公選される型はほとんど例をみないものといえる。

日本国憲法下の二院制の存在意義については、(i)第一院の行動をチェックし、審議や立法権限の行使を慎重・公平なものにすること、(ii)第一院とは異なる時期や方法で表明された国民の多様な意思を代表させること、(iii)解散等によって第一院の機能が失われたときに、国民を代表する機関を確保すること、などが指摘できる。このほか、第一院が人口比例原則に即した数の府であるのに対して、第二院は国民の理性ないし良識の府であること、全国民代表としての第一院と異なる選挙制度によって地域代表や職能代表を確保すること、などが指摘されることがある（例えば、参議院定数訴訟の最高裁大法廷判決1983〈昭58〉. 4.27民集37巻3号345頁）。しかし、日本国憲法の要請からすれば、それらを二院制の本質的要素と捉えることには問題があり（本書329頁参照）、憲法上の理由としては、(i)〜(iii)をあげることができる。

なお、従来は参議院の意義が軽視ないし疑問視される傾向があったが、2007年7月の参議院通常選挙の結果、自由民主党が惨敗し野党が多数となって衆参両院の間で「ねじれ国会」と称される現象が生じた。その後、2009年8月総選挙による政権交代によって、この問題がさらに重要な意味をもつことになった。衆議院では与党民主党が303議席を獲得したが、2010年7月通常選挙後は、国民新党との連立によっても参議院で多数を得られない「ねじれ現象」が生じ、政治の停滞が問題となった。しかしその後、「ねじれ解消」の目的を定めた2012年の解散総選挙により、自民党が政権に復帰し、第二次安倍政権下で衆参共に与党（自民党と公明党）が多数をとることで「ねじれ」が解消された。

2　両院の組織と関係

(1)　両院の組織

憲法は「両議院は、全国民を代表する選挙された議員でこれを組織する」（43条）として、成年者による普通選挙によって各議員を選出することを定める（15条3項・44条）。このように衆議院と参議院の議員がともに国民代表として同一の地位にあるため、憲法は、両議院の議員の兼職を禁じ、「何人も、同時に両議院の議員たることはできない」（48条）とする。また、議員の任期については差異を設け、衆議院議員の任期を4年（ただし衆議院解散のときは任期前に終了する）、参議院議員の任期を6年（半期ごとに議員の半数を改選する）と定める（45条・46条）。参議院議員のほうが衆議院議員のそれよりも任期が2年長いうえ、解散による任期の短縮がないことで、より安定した地位をもつことができ、議員活動の継続性も確保できるようにされている。衆議院に対する抑制的機能を第二院としての参議院に期待する趣旨である。

各議院の定数については、憲法は「両議院の議員の定数は、法律でこれを定める」(43条2項) として法律に委ねており、公職選挙法4条 (2018〈平30〉年改正) は、衆議院議員の定数を465人 (そのうち289人を小選挙区選出議員、176人を比例代表選出議員)、参議院議員の定数を248人 (そのうち100人を比例代表選出議員、148人を選挙区選出議員) としている (2020年12月末現在、本書354頁参照)。

両議院の議員の資格は、憲法44条によって法律で定められるが、公職選挙法10条では、被選挙資格について、両議院の議員の間に年齢要件の差を設けている (衆議院議員25歳以上、参議院議員30歳以上、本書315頁参照)。

なお、憲法は、「両議院は各々その議長その他の役員を選任する」(58条1項) と定め、これをうけて国会法は、議長、副議長、仮議長、常任委員長、事務総長を議院の役員としている (国会法16条)。これらのうち、国会議員から選ばれる議長以下常任委員長までを役員とすることについては学説上異論がないが、事務総長 (各議院に1人ずつ選出されて議長等の職務を法定代行したり、議院の事務を処理する) を役員に含めることについては疑問が出されており、憲法上の「役員」の意味をめぐって見解が分かれている。

A説 (重要機関説) は、議院の運営上重要な地位にある機関が役員であり、具体的内容は国会法で定めればよいとするのに対して、B説 (議員要件説) は、役員はいずれも議員であることを要件とするため、事務総長は本来そこには含まれないが、重要性に鑑みて国会法が役員と同じ扱いにしたものと解する。C説 (職員一般説) は、役員とは、議院の職員一般を意味し、議員であるか否かを問わないとする立場であり、議院の職員はすべてその議院の意思に基づいて選任すべきだと解する。B説のように議員に限定する理由が明確でなく、かつ、C説のようにすべての職員を (内閣でなく) 議院で選出しなければならない理由も不明であるところから、多数に支持されているA説が妥当であろう (野中他・憲法Ⅱ90頁〔高見執筆〕)。

また、政治課題が複雑で多様になった今日の議会では委員会制を採用することが不可避となり、日本でも、国会法によって常任委員会と特別委員会からなる委員会制を定めている (国会法40条)。

(2)　両院の活動

憲法上、両議院は、同時に、かつ、相互に独立して活動を行う。両議院の召集、開会および閉会が同時に行われるべきことについては、憲法上、衆議院が解散されたときは、参議院は、同時に閉会となる（54条2項）とのみ定めるが、同時活動の原則は日本国憲法の二院制の性質に由来するといえる（参議院の緊急集会がその例外として定められることについて、本書376頁参照）。また、各議院が独立して議事・議決を行う独立活動の原則も、二院制から導かれる原則である（両議院の意思が異なる場合の両院協議会につき、本書389-390頁参照）。

次に、両議院の権能の関係は、両院を原則的に対等とするものと一方を優位させるものがありうる。旧憲法は両院の対等が原則とされたが、日本国憲法では、法律の議決等の重要な問題について、衆議院の優越を認めている。その理由は、第一に、優劣関係にある場合のほうが国会の意思形成が容易で緊急の必要にも対応できるため、第二に、議員の任期や解散制度等からして、衆議院のほうが参議院よりもより民意に密着していると考えられるためである（国会の権能や衆議院の優越については、後述する。本書389頁以下参照）。

3　会期制と国会の開閉

(1)　会期制度

一般に議会活動の方式には、議会の活動期間を予め一定期間に定める会期制と、期間を定めない常設制（無休国会制・通年国会制）が存在する。常設制は、政府に対する議会活動の独立制を保障する点で優れるが、政党の抗争や議会での討議を永続化させ、行政能力の低下を招く等の欠陥がある。そこで多くの国では会期制を採用している。

日本国憲法では、常会について「毎年一回これを召集する」（52条）とだけ定めて会期について明示していないが、53条で臨時会の規定をおいていることからして会期制の採用が推認される。国会法10条で「常会の会期は、百五十日間とする」として会期制が明示され、会期の開始日すなわち召集日については、同法2条で「常会は、毎年1月中に召集するのを常例とする」と定められる。会期の計算は召集日から起算し（同14条）、会期の延長は両議院の議決による（同12条・13条）とされる。

①　会期不継続の原則　　国会法では、明文で「会期中に議決に至らなかった案件は、後会に継続しない」（国会法68条）として、会期不継続の原則を

定めるとともに、特に付託された案件（懲罰事犯を含む）について継続審査の例外を定める（同47条2項・68条但書)。憲法ではこの原則が明示されていないため、その可否が問題となる。これは、本来、行政府が議会活動を制限することに意義があったが、最近では、いわば「多数決万能主義」のもとで議会内の少数派が多数派に抵抗するための手段として用いられており、与党の法案を「審議未了」に追い込むことが野党の重要な役割になる傾向がある。

学説では、国会法で会期不継続の原則が採用されたのは、明治憲法時代からの慣行のほか「国会は会期ごとに独立の意志をもつべきであり、前会の意志によって後会の意志を拘束するのは妥当でない」等の理由に基づくが、「それだけの理由で、前会に多くの時間と知能とがついやされた議案が全く葬られてしまってよいものか」（清宮・憲法Ⅰ225頁）という有力な批判があった。1949年の第5回国会で食料確保臨時措置法改正法案を継続審査に付した後、第6回国会で前会の参議院での議決を不継続とした事例に対しても批判があった（宮沢・コメ396頁)。ただ、立法期をこえて、総選挙前後の会期相互間に継続を認めることは、「新しい国民意思の反映の効果をいちじるしく弱めるものであり、憲法上も許されない」（樋口・憲法Ⅰ255頁）と考えられる。

なお、会期末の懲罰事犯について会期不継続原則の適用があるか否かが問題となった事例で、最高裁は、会期不継続の原則は適用なく、懲罰は当該会期中の事犯に限られないと解する立場をとった（最一判1953〈昭28〉.10.1民集7巻10号1045頁)。その後1958年の国会法改正により、前会の最終日（あるいはその前日）の懲罰事犯について審査の継続を認めた（国会法121条の2・68条但書)。

②　一事不再議の原則　　議院の議決があった案件と同一のものを同一会期中に再び審議してはならない、という原則が、一事不再議の原則である。旧憲法では明文で定めていたが、現憲法下では国会法・議院規則にも定めはない。そこで、衆議院での再議決を認める憲法59条2項との関係から、この原則を憲法上の要請とみるかどうかが問題となる。学説では、一事不再議の原則は「一般に会議体の運営に関してあてはまる合理的なルールであり、国会運営上も尊重されてよいもの」（樋口・憲法Ⅰ255-256頁）とされ、現実の国会運営もこの原則下に行われているが、これは憲法上の原則ではないと解される。たとえ、「会期制と関連して憲法上の原則とみるべきだとしても」、あまり厳格に解すべきではなく、「事情の変更により合理的な理由があれば、

再提案も可能と解すべき」(佐藤幸・憲法160頁）であるとされる。

(2)　常会・臨時会・特別会

①　常会　　憲法52条の常会は一般に通常国会と呼ばれる。予算や法律の議決のために、毎年1回召集される国会のことであり、毎年1月中に召集されるのを常例とする（国会法2条)。会期は150日であり、両院一致の議決で1回に限って延長が認められる。会期の延長について両院の議決が一致しないときや参議院が議決しないときは、衆議院の優越が認められる（同13条)。

②　臨時会　　国会の常会閉会後、国会の活動上必要とされる場合に、臨時に召集される会が臨時会であり、一般に臨時国会と呼ばれる。憲法53条は、内閣の臨時会召集決定権を定めるとともに、「いづれかの議院の総議員の四分の一以上の要求」があった場合に、内閣は召集を決定しなければならないと定めている（総議員の意味については、本書379頁参照)。これは、少数党にも国会運営への参加の機会を認め、国会に自律的な集会を保障するものであり、議員が連名で議長をつうじて内閣に要求書を提出すれば、内閣は臨時会召集の決定を行う法的義務を負う。憲法自体に召集期限が書かれていないことに問題があるにせよ、憲法解釈上も、「国民代表府が他者による召集をまたなければ開会できないという制度自体が、異常である」ため、「相当の期間内に召集を決定すべき法的義務」があると解すべきであろう（杉原・憲法Ⅱ287頁)。要求書の提出時期について、「国会閉幕の翌日から50日以内は要求書を提出できない」……等の「制限を加えることも憲法上認められない」(芦部・憲法310頁）と解される。ただし、「いづれかの議院の総議員の四分の一以上の要求」があるとき、内閣は必ず臨時会の召集を決定しなければならないとしても、召集期日について、先例では、ほとんどが期日を指定しての要求であるのに対して、内閣の決定は遅れるのが常であった。政府は、「諸般の状況を勘案して、合理的に判断してその最も適当と認める召集時期を決定すべき」であると解し（1949年8月27日国務相答弁)、議員の要求に拘束されない態度をとってきた。

2017年6月には臨時国会召集の要求書が野党4党から出されたが政府は応じず、3か月以上たった9月28日に招集した臨時国会の冒頭で、所信表明演説も代表質問もなく安倍首相は衆議院を解散した。2012年の自民党改憲草案でも臨時国会の召集期限を20日以内と定めていたこともあり、批判が起こった。

那覇地裁2020〈令2〉年6月10日判決は、「内閣は、臨時会を招集するべき憲法上の義務があるものと認められ、かつ、……法的義務であると解されることから、……同条（53条）後段に基づく召集要求に対する臨時会の召集決定が同条に違反するものとして違憲と評価される余地はあるといえる」としつつ、国賠請求は棄却した（裁判所ウェブサイト https://www.courts.go.jp/app/hanrei_jp/detail4?id=89566）。

学説は、（内閣が召集決定を法的に義務づけられるにしても）期日等の指定に拘束力を認めるか否かについては、見解が分かれる。「内閣はその期日に法律上拘束されると解すべき根拠はどこにも見出されない」（宮沢・コメ399頁）とする否定説（A説）が一般的であるが、この説でも、相当な期間（せいぜい2、3週間）のうちに召集の決定をすべきである、とする（同400頁）。一方、「憲法が召集要求権を認めた趣旨（国会における少数派の保護など）から、肯定説が妥当」であるとする説（B説）も、指定期日・期限に機械的に拘束されるのではなく、「社会通念上合理的と判断されるものであればよい」と解する点では前説と一致する（佐藤幸・憲法162-163頁）。

なお、臨時国会を召集する時期につき、国会法は、衆議院議員の任期満了による総選挙、参議院議員の通常選挙の際は、その任期が始まる日から30日以内に臨時会を召集しなければならないことを定める（国会法2条の3）。

臨時会の会期は、両議院一致の議決で定め（同11条）、議決が一致しない場合や参議院が議決しない場合には衆議院の優越が認められる（同13条）。

③　特別会　　衆議院の解散による総選挙後に召集される国会が特別会であり、一般には特別国会と呼ばれる。特別会は、解散の日から40日以内に行われる総選挙の日から30日以内、すなわち解散後70日以内に召集されることが定められ（憲法54条1項）、旧憲法の「五箇月以内」より短縮された（特別会の意義等につき、長谷部編・注釈(3)670頁以下〔土井真一執筆〕参照）。期日の起算は、国会法第14条が当日起算主義を定める（他の場合も同様）。

(3)　休会・閉会

国会または各議院が、国会会期中に一定期間を定めて活動を一時的に休止することを休会という。国会の休会には、両議院一致の議決が必要である（国会法15条1項）。休会中に緊急事態が生じた場合は、議長がその必要を認めたとき、または総議員の4分の1の議員の要求があったときは、他の議院と協議のうえで会議を開くことができる（同2項）。また、議院の休会は、議案の都合等によって議院の議決によって行うことができるが、その期間は10日以内に限られる（同4項等）。

国会は、会期の終了によって閉会する。閉会は、会期の満了のほか、会期中に衆議院が解散されたとき（憲法54条2項）、または、常会の会期中に議員の任期が満限に達したとき（国会法10条但書）にも行われる。

なお、衆議院の解散は、衆議院議員の全員に対して任期終了前に身分を失わせる効果をもつ。憲法は衆議院の解散について、内閣の不信任等に関する69条と天皇の国事行為に関する7条3号に定めるが、解散権の実質的決定権について明確な規定がないため議論がある（本書422頁以下で検討する）。

4　参議院の緊急集会

(1)　緊急集会の意義と手続

憲法54条2項但書は、「内閣は、国に緊急の必要があるときは、参議院の緊急集会を求めることができる」と定める。衆議院が解散されると両院同時活動の原則によって参議院も閉会となり、総選挙後に特別会が召集されるまで、国会はその機能を停止する。上記のように解散から70日以内に特別会が召集されるとしても、この間に、国会が議決すべき緊急の事態が生じた場合に何らかの措置をとる必要がある。そこで、衆参両議院の同時活動の原則の例外として、参議院の緊急集会の制度が設けられた。大日本帝国憲法下では、議会閉会中に緊急に立法や財政処分を必要とする事態が生じた場合には、天皇の緊急勅令（8条）や政府の緊急財政処分（70条）で対処することが定められたが、これに対する議会の承認は次の会期に行えばよいとされたため、行政府の専断に委ねる危険があった。このため日本国憲法では、国民主権に基づく国会中心主義の立場から国会が国政の民主的処理を行うことができるように、緊急の必要がある場合には参議院だけで国会の権能を行う「外国にもほとんど類例をみない」（清宮・憲法Ⅰ239頁）制度が設置されたのである。

緊急集会開催の要件は、(a)衆議院が解散中であること、(b)「国に緊急の必要があるとき」のときの二つである。(a)について、特殊な場合としては、総選挙と通常選挙が同時に行われるいわゆる同日選挙の際には、参議院の（任期満了の議員を除いた）半数の議員だけで緊急集会が開催され、議決されることが可能となる（緊急事態への対処というその趣旨からすれば、望ましいこととはいえないであろう）。(b)の「緊急の必要」とは、総選挙後の特別会を待つことができないほどの緊急性と必要性を意味する。旧憲法の緊急勅令の要件は「公共ノ安全ヲ保持シ又ハ其ノ災疫ヲ避クル為」と限定的に定められていたが、ここでは、このような国家緊急事態を念頭においたものではなく、憲法や法律を実施するための処置を含むと解される。

緊急集会の議事手続等は国会法第11章99条以下に定められる。「内閣が参議院の緊急集会を求めるには、内閣総理大臣から、集会の期日を決め、案件を示して、参議院議長にこれを請求しなければならない」（国会法99条1項）。請求を受けた参議院議長は、各議員に通知し、指定された期日に議員は集会しなければならず（同99条2項）、議長も議員も集会を拒むことはできない。また、緊急集会中は、参議院議員は不逮捕特権を有することが国会法に明示される（国会法100条、憲法50条）が、通常の会期中と同様に免責特権も認められる（憲法51条）。

実際に、これまでに参議院緊急集会が開かれた例は、1952年の最高裁判事の国民審査のための中央選挙管理委員会委員指名の際と1953年の暫定予算議決の際の二度だけであり、現状では臨時的な制度にとどまっている。現行法上は、さらに緊急事態時の活用も想定されている。武力攻撃事態法（武力攻撃等における我が国の平和と独立並びに国及び国民の安全の確保に関する法律）9条4項では、内閣総理大臣が自衛隊法76条等に基づいて防衛出動等を命ずる場合の国会の承認について、「衆議院が解散されているときは、日本国憲法第54条が定める緊急集会による参議院の承認」と付記されている。

⑵　緊急集会の権限と効果

緊急集会は、内閣の提示する案件について審議・議決し、緊急の必要がある案件について、参議院のみで国会の全権能を一時的に代行するものである。しかし、実際に、例外なくすべての国会の権能を行使しうるか否か、については、緊急集会の性格の理解と相まって見解の対立があった。

学説では、緊急集会の性格について、(A)国会の代行機関と捉える代行機関説と、(B)臨時機関と捉える臨時機関説があり、後者(B)が通説となった。(A)説のほうが(B)説よりも緊急集会の権能を広く解する傾向があるが、いずれも、緊急集会の権能が、国政の応急的措置をこえて、例外なく国会の全権能に及ぶとする趣旨ではない。国会法では、1955年の改正でこの点を明らかにし、「参議院の緊急集会においては、議員は、第99条第１項の規定により示された案件に関連のあるものに限り、議案を発議することができる」（国会法101条）と定めた。請願も同様にこの案件に関連するものに限られる（同102条）。

このように、議員による議案の発議権は制限されており、緊急集会の権能は、本来参議院だけで単独に議決することができない内容や、緊急性に欠けるものには、及ばないと解される。例えば、内閣総理大臣の指名は除外される（憲法71条によって、特別会での指名による新内閣総理大臣の任命までは旧内閣が職務を行うことが明示されている）。また、緊急性の要件からして、憲法改正の発議なども除外されるが、条約締結の承認を除外する見解もある。問題になりうるのは各議院の専権事項であるが、緊急集会の権能は、衆議院の専権事項である内閣に対する不信任決議には及ばないが、参議院の専権事項については及ぶ、と解することができよう（樋口・憲法Ｉ235頁）。

緊急集会で案件が可決された場合は、参議院議長から、公布を要するものは内閣を経由して奏上し、その他のものは内閣に送付する（国会法102条の３）。また、緊急集会で採られた措置は臨時のものであるため、「次の国会開会の後十日以内に、衆議院の同意がない場合には、その効力を失う」ことが憲法上に明示されている（憲法54条３項）。衆議院の同意を求める案件は、内閣から提出する（国会法102条の４）が、もし衆議院の同意が得られないときは、緊急集会の措置は（過去に遡及することなく）将来に向かって失効する。

5　会議の原則

(1)　定足数・議決方法

憲法56条は、両議院の議事と議決における定足数と、表決方法を定める。

定足数とは、議事を開き議決するために必要とされる出席者の数をいい、同条1項は、これらを各議院の「総議員の三分の一」と定める。また、表決については、同条2項は、特別の定めのある場合を除き「出席議員の過半数」で決することを定め、過半数主義（多数決主義）を採用する。また、可否同数のときは議長が決裁権を行使することを定めている。

多数決主義の「多数」には、（半数を超えた数を指す）絶対多数、（他の数に比較して多い数を指す）相対多数ないし比較多数、（3分の2など、過半数より引き上げた特別の数を指す）特別多数があるが、憲法56条は、このうち絶対多数を原則とする（2分の1以上ではなく、2分の1を超える数を指す）。

憲法56条2項の「特別の定めのある場合」とは、過半数主義の例外として特別多数を要求するものであり、以下の五つがある。(i)憲法96条1項：憲法改正の発議、(ii)憲法55条：議員の資格争訟の裁判により議員の議席を失わせる場合、(iii)憲法57条1項但書：秘密会の開催、(iv)憲法58条2項：議員の除名、(v)憲法59条2項：衆議院における法律案の再議決、であり、(i)は「総議員の三分の二以上の賛成」、(ii)以下は「出席議員の三分の二以上の多数」を要すると定められる。

表決方法（議決の際の議員の意思表示方法）には、(a)議長が異議の有無を諮る方法、(b)起立による方法、(c)記名投票による方法、の三つがある。実際には、記名投票の場合は、議場を閉鎖し、賛成者は白色の札、反対者は青色の札を投じる（衆院規則153条）が、参議院本会議では法案・人事案件等の採決は原則として押ボタン方式で実施される（野中他・憲法Ⅱ123頁以下〔高見執筆〕参照）。

①「総議員」の意味　　まず「総議員」の意味が問題となる。定足数を「総議員の三分の一」とする場合、「総議員」を法律で定められた議員数（法定数）とするか、現にその任にある議員数（現在議員数）とするかによって数値が異なるため、いずれを基準とするかが論点となる。死亡、辞任、除名、当選無効などによって、現在議員数がつねに法定数より少ないからである。現在議員数を基準にすると定足数が一定しない等の不都合があるため、帝国議会以来の先例は、法定数によっている（2020年12月末現在の法定数は、衆議院465人、参議院248人である）。

学説は、(A)現在議員数説と(B)法定数説、さらに各議院の決定に委ねる(C)裁量説がある。学説上は、議員として出席・活動しえない欠員を議員に含めることは妥当でないことから、(A)説の支持が多い（佐藤幸・憲法149頁、樋口他・注解Ⅲ〔樋口執筆〕など）が、(B)説が妥当であろう。法定数とする場合には、定足数が一定しているため争いが少ないほか、あまりに少ない議員で審議・議決することを防止できる点で、国民代表制の趣旨に沿う（杉原・憲法Ⅱ295頁）からである（(C)説につき、大石・憲法講義Ⅰ（第3版）171頁、木下＝只野編・新コメ492頁）。

②　「出席議員」の意味　　表決に要する「出席議員の過半数」の数値も、「出席議員」のなかに棄権者や無効票の数を含めるか否かによって異なるため、これらの算入の可否が問題となる。

学説は、(A)算入説（積極説）、(B)除外説（消極説）、(C)除外説にくわえて無効票等を定足数にも加えないとする説、(D)議院の自律権に委ねるとする説に分かれる。(A)算入説は、本条が「投票の過半数」ではなく「出席議員の過半数」としており、棄権者等を算入しないとこれらを欠席者と同じに扱うことになる（清宮説）ことを理由とし、(B)除外説では逆に、これらを算入すると反対投票をしたものと同じに扱うことになることを理由とする（宮沢説）。(A)説が支配的であるが（野中他・憲法Ⅱ128頁〔高見執筆〕参照）、慎重な審議を確保するためには(C)説も有効である（杉原説）。

国会の先例では、内閣総理大臣の指名や議長・副議長の指名等の議決において、白票（無記載票）・無効票を投票総数に算入している（(A)説）（野中他・憲法Ⅱ128頁〔高見執筆〕参照）。

1948年の内閣総理大臣指名投票に際して、投票総数400票のうち吉田茂議員が184票を得たが、白票が86票あり、過半数を得たものがいないとして、決選投票となり吉田茂議員が当選した。上記の算入説（(A)説）では、過半数とは201票以上となるが、除外説（(B)説）では過半数とは158票以上であるため、決選投票は不要であったことになる。なお、1975年の議案表決では除外説（(B)説）に従ったものと理解できる例があるため、選挙としての議決と議案の表決で区別したものと解する見解（樋口・憲法Ⅰ267頁）、あるいは、(D)説によるものと解する見解（佐藤幸・憲法166頁）も存在する。

③　「議事」の意味　　「議事」のなかに選挙も含まれるかが問題となる。選挙も議事に含まれるならば、56条2項の適用をうけて過半数主義に従うことになるためである。学説は、(A)選挙も含まれるとする積極説と、(B)含まれ

ないとする消極説に分かれるが、消極説が支配的である（野中他・憲法Ⅱ127頁〔高見執筆〕参照）。実務上は、議長・副議長など1人を選ぶ場合は過半数、弾劾裁判所の裁判員・両院協議会の委員など複数を選ぶ場合は比較多数によっている。なお、議長の裁決権に関する56条2項後段は選挙の際には適用されず、議院規則も得票数が同数のときは「くじ」で決めるとしている（樋口他・注解Ⅲ121頁、123頁〔樋口執筆〕参照）。

⑵　定足数・議決数を欠いた議決の争訟

憲法の定める定足数・議決数を欠いた議決は憲法56条1項に違反するもので無効となる。ただ、実際には、その認定は議院の自律性を尊重して議院の自主的判断に委ねられるものと解されるため、これらの議決の効力を裁判所で争うことができるかどうかが問題となる。学説は、議決の効力に対する司法審査につき、⒜積極説（肯定説）と⒝消極説（否定説）に分かれる。議院の自律性を尊重する見地から、消極説（清宮説）が通説的地位を占めてきた。

これに対して、法令についての実質的審査権をもつ裁判所が形式的審査権をもつことは当然であることを理由とする積極説や、院の自律権が定足数・議決数の認定にまで及びうるかは疑問であるとする積極説も有力である。判例は、議院の自主性を尊重する立場（消極説）をとっている（最大判1962〈昭37〉. 3. 7民集16巻3号445頁）。

⑶　会議の公開等

憲法57条1項は、両議院の会議について公開の原則を定める。この原則は、国民主権・国民代表制に基礎をおき、国民の「知る権利」に応えるために、傍聴の自由、報道の自由、会議録の公表を要求する。57条2項は、両議院がその会議の記録を保存し、公開し、原則として一般に頒布すべきことを定め、57条3項は、「出席議員の五分の一以上の要求があれば、各議員の表決は、これを会議録に記載しなければならない」と定める。

このように、憲法では、主権者である国民の「知る権利」に応えるため、国会の審議がたえず公開され、議事録に記録され、保存されることを明示している。反面、57条1項但書では、「出席議員の三分の二以上の多数で議決したときは、秘密会を開くことができる」と定めて非公開とすることを認めている。また、同条２項で「秘密会の記録の中で特に秘密を要するものと認められるもの」については、例外的に公表せず頒布しないことができる旨を定めている。

本条１項でいう「両議院の会議」とは、直接的には両議院の本会議を対象としていると解されるため、委員会にも公開原則が及ぶか否かが問題となる。この点、国会法52条１項（1955年改正）では、「委員会は、議員の外傍聴を許さない。但し、報道の任務にあたる者その他の者で委員長の許可を得たものについては、この限りでない」として非公開の原則をとるため、疑問がある。学説は、従来は、委員会での立ち入った審議を可能とするため、委員会での非公開原則を定める国会法改正を容認することが一般的であったが、最近では、委員会中心主義が進んだ現状、および、国民の「知る権利」から「委員会についてもできるだけ公開度を高めること」（樋口・憲法Ⅰ261頁）が要請され、「国民代表府の部分活動が国民に原則として秘密とされるべき合理的理由は存在しない」として国会法の規定が疑問視されてきた（杉原・憲法Ⅱ304頁）。このため実際には、委員会についても、インターネット中継が実施されるなど、実質的に公開とされている（野中他・憲法Ⅱ134頁〔高見執筆〕参照）。

三　国会議員の地位と権能

１　国会議員の身分と兼職禁止

⑴　身分の得喪・任期

国会議員の身分は、各議院の議員選挙の結果、当選の効力が発生した日に取得する。ただし前任者の任期が残っている場合には、任期開始日とされる（公選法102条、任期につき後述、同法256・257条参照）。国会議員が身分を失うのは、⒜任期満了のとき、⒝被選挙資格を喪失したとき（国会法109条）、⒞議員を辞職したとき（国会法107条）、⒟他の議院の議員になったとき（憲法48条、国会法108条）、⒠法律上兼職が禁止されている国または地方公共団体の公務員になったとき（国会法39条）、⒡選挙無効または当選無効の判決が確定したとき（公選法204条以下）、⒢資格争訟の裁判で資格のないことが確定したとき（憲法55

条）である。

国会議員の在任期間（任期）については、憲法が、衆議院議員は4年、参議院議員は6年と定める（45条・46条）。衆議院が解散されたときは衆議院議員の任期はその期間満了前に終了する（45条但書）。衆議院議員の任期は総選挙の期日から起算し、参議院議員の任期は前議員の任期満了の日の翌日、あるいは通常選挙の期日から起算する（公選法256条・257条）。議員の辞職・死亡等による欠員が一定数に達したときは補欠選挙が行われるが、そこで当選した両院の補欠議員の任期は、前任者の残任期間に限られる（公選法260条1項）。

(2) 兼職の禁止

憲法は二院制を採用するとともに、同時に両議院の議員になることはできない（48条）として兼職の禁止を定める。国会法その他の法律も、(a)普通地方公共団体の議会の議員および長（地方自治法92条1項・141条1項）、(b)国および地方公共団体の公務員（国会法39条）などと国会議員との兼職を禁止している。これに対して、議院内閣制の制度上、内閣総理大臣や国務大臣との兼職が認められることは当然であるが、そのほかにも、内閣官房副長官、内閣総理大臣補佐官、副大臣、大臣政務官および別に法律で定めた場合について兼職が認められている。また、両議院一致の議決に基づいて内閣行政各部における各種の委員、顧問、参与等の職につくことも例外として認められている（同39条）。現実に、法律で定められた兼職禁止の例外には、皇室会議・皇室会議予備議員、国土審議会委員、検察官適格審査会委員、地方制度調査会委員などがある。

2　議員の特権

(1) 不逮捕特権

憲法50条は、「両議院の議員は、法律の定める場合を除いては、国会の会期中逮捕されず、会期前に逮捕された議員は、その議院の要求があれば、会期中これを釈放しなければならない」と定める。いわゆる不逮捕特権の規定である。ここで「会期中」とは、国会の開会中のことであり、会期外（閉会中）にはこの特権は認められない。「逮捕」とは、広く公権力による身体の拘束のことを意味し、刑事訴訟法上の逮捕・勾引・勾留だけでなく、警察官職務執行法による保護措置も含むものと解される（清宮・憲法Ⅰ217頁）。「法律の定める場合」とは、(a)院外における現行犯罪の場合と、(b)院外における現行犯の場合以外で所属議院の許諾がある場合である（国会法33条）。(a)の特例を認めた理由は、犯罪事実が明白なため不当逮捕のおそれが少ないからであるが、(b)のように議院の許諾を要件とした理由については、不逮捕特権の目的や性格をどう解するかによって見解が分かれてきた。学説では、不逮捕特権の目的について、議員の身体的自由保障説（A説）と、議院の活動確保説（B説）がある。A説は、政治権力の不当な行使によって議員の身体が拘束され職務遂行が妨げられることがないように身体的自由を保障することが目的であると解するのに対して、B説は、議院の正常な活動を保障することが目的であると解する。最近では、両者を総合して「行政権または司法権による逮捕権の濫用から、議員の自由な活動を保障し、もって議院の自主性を確保しようとする」点にあると解する見解が有力である（野中他・憲法Ⅱ102頁〔高見執筆〕）。

さらに、不逮捕特権の目的をどのように解するかによって、議院の逮捕許諾の判断基準が異なることになる。A説では、逮捕請求の理由が正当である場合には、当該議員の逮捕によって議院活動に支障が生ずることがあっても議院は逮捕を許諾しなければならないと考えられるのに対して、B説では、逮捕請求を受けた議員が議院活動にとって特に必要か否かが判断基準となる。制度の沿革からみればA説が妥当である（樋口・憲法Ⅰ248-249頁）が、実際にはB説を加味して総合的に捉えざるをえないであろう。

また、逮捕請求を認める場合に、議院が条件や期限をつけることができるかどうかが問題となる。学説は、(A)逮捕許諾の請求に対して議院が許諾を全体として拒否できる以上、これに条件や期限を付することも可能であるとする積極説（野中他・憲法103頁〔高見執筆〕）と、(B)議院が逮捕請求に対して許諾を与える以上、刑事訴訟法の規定に従って検察庁ないし裁判所の判断にその後の措置を委ねるべきであるとする消極説に分かれる。

先例は、1954年2月23日の有田二郎議員に対する逮捕許諾に際して、衆議院が重要案件の審議を理由に3月3日までの期限を付した例がある。しかし検察庁は(B)説によって刑事訴訟法の規定どおり勾留請求を行い、裁判所も通常の勾留状を発して3月7日まで勾留した。これに対する準抗告手続でも、東京地裁は消極説にたって決定を下した（東京地決1954〈昭29〉. 3 . 6 判時22号3頁、百選Ⅱ366頁〔赤坂幸一執筆〕参照）。もし、不逮捕特権の目的のなかに議院活動の保障も含まれると解するなら、当該議員の活動の重要性に照らして条件や期限をつけることも認められると解される。

(2)　免責特権

憲法51条は、議院における議員の言論活動を最大限に保障するため、議員の発言・表決が院外で責任を問われないことを定める。このような議員の免責特権は、前条の不逮捕特権とならんで、一般に、議員の活動に対する他の国家機関の干渉を排除するとともに、国民代表制のもとで主権者からの議員の法的独立を確保するために近代憲法で保障されてきた（学説・現状につき、長谷部編・注釈(3)615頁以下〔駒村圭吾執筆〕参照）。

①　免責の範囲　　免責特権の主体、人的範囲が問題となる。学説には、(a)国会議員限定説と、(b)国務大臣包含説があるが、憲法の規定はあくまで「両議院の議員」であり、国務大臣等の他の資格をあわせもつ議員はこれに含まれるが、大臣の資格で行った演説等には免責は及ばないと解される。

②　免責の対象　　憲法は、両議院の議員が「議院で行った演説、討論又は表決」の免責を定める。ここでは、国会の開会中に限らず、議員としての職務を遂行するために行った本会議、委員会、懇談会等での院内活動、および院外での職務行為が免責の対象となる。また、職務行為と関係のない野次や私語は免責対象に含まれないと解されるが、演説等に付随して行われた行為にも、本条の保障が及ぶか否かが問題となる。

学説は、(A)議員の職務行為に付随する一切の行為（職務付随行為）に及ぶとする広義説と、(B)演説・討論・表決に限定されるとする限定説が対立し、(A)の広義説が通説である（佐藤幸・憲法203頁参照、同・憲法論514頁では例示説と称する）。職務付随行為の理解の仕方によっては、実際上両説の間に大差はない（野中他・憲法Ⅱ105頁〔高見執筆〕）といえるが、議員の職務に付随する犯罪行為の免責の可否が問題となった第一次・第二次国会乱闘事件（1955、56年）

では見解が対立した。また、その起訴に議院の告発を要するか否かについて、議院の自律性を重視するX説（告発必要説）では、議院の告発が必要であると解したのに対して、Y説では、当該犯罪行為を免責特権の対象外と捉える立場から議院の告発なしに裁判権が存在すると解した。

判例は、職務付随行為にも免責が及ぶとして広義説に立ちつつ、これと別個の行為について刑事免責を否定した（東京地判1962〈昭37〉. 1 . 22判時297号 7 頁）。また第二次国会乱闘事件二審判決も、職務に付随した一体不可分の行為が暴行等の犯罪行為である場合は免責されないとした（東京高判1969〈昭44〉. 12. 17高刑集22巻 6 号924頁）（なお、議員が国務大臣の資格で行った行為の免責を否定する判例に、東京高判1959〈昭34〉. 12. 26判時213号46頁がある）。

このような見解の対立の基礎には、免責特権を議院の自律権（および議員の活動の自由）保障の手段として広く解するか、一般国民との関係で平等原則の例外として限定的に解するか、という免責特権の性格・本質をめぐる対立がある。免責特権の意義を国民主権原理や代表制理論との関係で捉えなおすことにより、これを広く認めるべきか否かを決することが必要となろう。「国民（ナシオン）主権」原理のもとで命令的委任が禁止され、議員の選挙民からの法的独立が保障される代表制（「純粋代表制」）を前提とする場合は免責特権が重視されるのに対して、「人民（プープル）主権」原理・「半代表制」のもとでは、例外的・限定的に捉えることが要請されるためである。

③　免責の内容・責任の意味　　国会議員が院外で責任を問われないとする場合の責任とは、法的責任すなわち刑事責任と民事責任を意味する。したがって、議員は当該発言等を理由として刑事上の訴追を受けることはなく、民事上の損害賠償責任も免じられる。懲戒責任も含まれると解されるが、政治責任も含まれるか否かが、免責特権の意義との関係で問題となる。

政治責任については、従来から、法的な性格をもたない政治的・倫理的意味の責任は本条の責任に含まれないことが指摘されてきたが、最近では、主権・代表制原理との関係からその除外を強調する傾向にある。とくに「人民主権」・「人民代表」論を前提として15条 1 項の選定・罷免権とともに主権者の政治責任追及手段を重視する立場からは、本条が政治責任の免責を含まないことは当然の帰結となる（杉原・憲法Ⅱ168頁）。実際に、ロッキード事件の後に議員の政治倫理が問題となり、1985年に国会法が改正されて第15章の 2

が追加された。そこでは、議員は、各議院が定める政治倫理綱領および行為規範を遵守しなければならない（国会法124条の2）と定められ、各議院に政治倫理審査会が設置された。しかし、その審査会の活動は十分ではなく、政治責任追及の仕方には問題が残っている。

民事責任の免除については、議員の発言によって国民の名誉権・プライバシー権など基本的人権が侵害された場合に例外を認めるか否か等の問題も提起され、国に対する損害賠償請求を妨げない、と解する立場が有力となっている（佐藤幸・憲法204頁、争点208頁〔上脇博之執筆〕参照）。さらに、特定個人の犠牲において国民全体が自由な討議の促進という利益を得ていることから、損失補償による救済の可能性を示唆する見解も登場している（高橋・憲法160頁）。

判例も、国会議員の発言により名誉を害されたことが原因で当事者の病院長が自殺した事例で、国会議員の発言が名誉毀損にあたるような特別の事情がある場合には国の賠償責任が生じるとして、国家賠償責任の可能性を示唆した（札幌地判1993〈平5〉.7.16判時1484号115頁、札幌高判1994〈平6〉.3.15民集51巻8号3881頁）。札幌高裁判決では、賠償が認められる場合として「虚偽であることを通常払うべき注意義務をもってすれば知り得たにも拘らずこれを看過して摘示した」場合が想定されていた。これに対して、最高裁判決は、国家賠償が認められるためには「その職務とかかわりなく違法又は不当な目的をもって事実を摘示し、あるいは、虚偽であることを知りながらあえてその事実を摘示するなど、国会議員がその付与された権限の趣旨に明らかに背いてこれを行使したものと認め得るような特別の事情があることを必要とする」とし、結論的には特別の事情は認められないとして、原審同様、賠償請求を棄却した（最三判1997〈平9〉.9.9民集51巻8号3850頁、長谷部編・注釈(3)628頁〔駒村執筆〕、百選Ⅱ370頁〔光信一宏執筆〕参照）。

また、近年では、議員が所属する政党や政治団体等がその院内での活動を理由に議員に制裁を加え、または、除名を行うことが問題になっている。政党は通常、議員の行動に関して党議拘束という形で一定の強制を行うが、これに対する疑問がおこり、1996年には自民党でも党議拘束緩和の指針がだされた。

(3)　歳費請求権

憲法は、「両議院の議員は、法律の定めるところにより、国庫から相当額の歳費を受ける」（49条）として歳費を受ける権利を定める。歳費は議員の勤務に対する報酬としての性質をもち、年度ごとに一定額が支給される。その額は、一般職の国家公務員の最高額より少なくない額とされる（国会法35条）。議員には、ほかに旅費や文書通信交通費、退職金等が支給される。

3　国会議員の権能

国会議員は、議院の活動と国会の活動に参加する。国会議員の権能は以下のように定められる。

①　議案の発議権　　国会議員は、所属議院において議案を発議する権能をもち、発議には、衆議院では議員20人以上、参議院では議員10人以上、予算を伴う法律案については、衆議院では議員50人以上、参議院では議員20人以上の賛成を必要とする（国会法56条）。国会法が制定された当初は、新設の委員会制度を活性化するために議員は１人でも発議できたが、現実には、この制度が悪用されたため、1955年に法改正された。

②　動議提出権　　議員は、動議を提出できる。動議とは、議院の会議や委員会の議題を発議することであるが、国会法56条で議案の扱いをされるもの以外の議員の発議を、議案の発議と区別して動議の提出と呼ぶ。国会法および議院規則では、議案・予算の修正動議、懲罰動議、質疑・討論終局の動議などについて特別の規定をおいて必要な賛成者の人数を定める（国会法57条・57条の２・57条の３、衆院規則140条以下など）が、その他については、衆議院では１人、参議院では１人以上の賛成で提出できる（参院規則90条）。

③　質問権　　議員は、内閣に対して、議題と関係なく説明を求め所見をただすことができる。質問には一般質問と緊急質問の二種類がある。一般質問をするためには主意書を作成して議長に提出し、その承認を得なければならない。議長はこの質問主意書を内閣に転送し、内閣は、主意書を受け取った日から７日以内に答弁（この期間内に答弁しないときには、理由および答弁することができる期限）を示さなければならない（国会法74条・75条）。質問が緊急を要する場合には、議員は議院の議決により口頭で質問できる（同76条）。

④　質疑権　　議員が議案について疑義をただすことを、質問と区別して質疑という。質疑は口頭でなされる。

⑤　討論権　　議員は、議案について質疑終了後賛否の意見を表明できる（衆院規則118条、参院規則113条）。

⑥　表決権　　憲法51条では議員が表決権を自由に行使することを保障し、57条３項では、出席議員の５分の１以上の要求があれば、各議員の表決は、会議録に記載しなければならない旨を定める。56条２項は、特別の定めのある場合を除き「出席議員の過半数」で表決し、可否同数のときは議長が決することを定める。実際の慣行では、議長は議員として表決権を保持するが、この決裁権のみを行使し表決には加わらない。

四　国会の権能

１　法律案の議決

憲法59条は、両議院での可決による法律成立の手続と、両議院の議決が一致しない場合の衆議院の優越について定める。法律案（法律の原案として審議に付される議案）の発議については明示されていないため、両議院議員のほか内閣にも発案権があるかどうかが問題となる（本書413-414頁参照）。法律案は、「両議院で可決したとき」法律として確定し（59条１項）、議長から内閣を経て天皇に奏上され公布される（国会法65条・66条）。

憲法59条１項は、両議院での可決による成立という原則に対して、「この憲法に特別の定のある場合」について例外を認めている。その内容について、まず同条２項は、衆議院での出席議員の３分の２以上の特別多数による成立を認める。また、同条３項の両院協議会の規定により、衆議院の再議決の前に両議院の意思の調整が可能とされる。このほか、憲法54条では参議院の緊急集会において参議院の意思だけで法律が制定できることを定める。憲法95条が住民の同意を要件とすることも例外の一つである（本書507頁参照）。

憲法59条２項は、衆議院で可決し参議院がこれと異なった議決をした場合に、衆議院の再議決を認めることで衆議院の優越を定める。実際に、2008年１月11日に衆議院が３分の２以上の多数で再議決して、新テロ対策特別措置法が成立した（本書86頁参照）。同条４項では、「参議院が、衆議院の可決した法律案を受け取つた後、国会休会中の期間を除いて六十日以内に、議決しないときは、衆議院は、参議院がその法律案を否決したものとみなすことができる」と定めるが、先例では、参議院が否決したとみなすという決議が必要とされている。

なお、59条２項は、衆議院先議・可決後、参議院で異なった議決をした場合を想定している。これに対して、法律案が先に参議院に提出された場合、参議院が可決した送付案を衆議院が否決すればその法律案は廃案となるが、参議院が否決したときはどうなるかが問題となる。学説は、参議院で否決されたものと同一の法律案をあらためて衆議院に再提出できると解するのが通説である（樋口他・注解Ⅲ143頁〔樋口執筆〕)。この場合に、本条2項の再議決の場合と同様に、一事不再議の原則は適用されないと解される。

とくに最近の「ねじれ国会」では、例えば、参議院が否決した場合だけでなく、参議院で対案を可決した場合にも、衆議院の再議決が可能かどうか、などの新たな問題が考えられる。学説は、衆議院に再議決についての憲法解釈権があると解する立場（高見「『ねじれ国会』と憲法」ジュリスト1367号73頁）や、これと異なる見解などがあり、二院制の本質にまで遡った検討が求められている（宍戸・憲法解釈論232-234頁参照)。

次に、59条3項は、前項の場合に「衆議院が、両院協議会を開くことを求めることを妨げない」と定め、2項による再議決の前に両院で調整をはかることを可能としている。両院協議会は、各議院で選挙された各10人の委員で組織され（国会法89条)、出席委員の3分の2以上の多数で議決されれば両院協議会案が成案となる（同92条1項)。両院協議会を開いても成案が得られなかった場合、あるいは成案が得られてもそれについての両院一致の議決が得られなかった場合に、衆議院が憲法59条2項によって再議決をすることが可能かどうか問題となる。学説は、衆議院は再議決できるとする積極説（樋口他・注解Ⅲ145頁〔樋口執筆〕）と、両院協議会を開いた以上、両議院の意思が一致しなければ、その法律案は廃案になるとする消極説（宮沢説）に分かれる。先例は後者によっている。

2　予算の議決

憲法60条は、予算について、衆議院の先議権と議決価値の優位を定め、衆議院の優越を認める。予算とは、国会で議決されるべく提出された議案（予算案）であり、専属的な提出権限をもつ内閣は、60条1項に従ってこれを先に衆議院に提出する（予算につき、本書486頁以下参照)。60条2項は、参議院で衆議院と異なる議決をした場合に、必要的に両院協議会を開いても意見が一致しないとき、および参議院が衆議院の可決した予算を受け取った後、国会休会中の期間を除いて30日以内に議決しないときは、衆議院の議決を国会の議決とすることを定める。この点で、前条の法律案に対するよりも衆議院の優越度が強められており、その理由として、(a)予算成立を容易にするため、

(b)衆議院のほうが（任期や解散制度等により）国民の意思をよりよく反映するため、(c)内閣不信任権をもつ衆議院のコントロールに優位を与えるため、などが指摘される。

また、60条２項では、59条の法律案の議決の場合とは異なって、両院協議会の開催を任意ではなく必要的なものとして規定している。国会法では、衆議院が参議院の回付案に同意しなかったとき、または参議院が衆議院からの送付案を否決したとき、衆議院は両院協議会を求めなければならず、参議院をこれは拒否できないことを定める（国会法85条・88条）。

両院協議会で成案が得られても、参議院が議決せず、あるいは否決した場合が問題となる。これらの場合も、本条２項の「意見が一致しないとき」にあたると解して衆議院の議決を国会の議決とするか、さらに、その場合に国会の議決とするのは衆議院の最初の予算案なのか、両院協議会の成案を意味するのかは明文上明らかでない。学説は、「意見が一致しないとき」にあたるとして衆議院の議決を国会の議決とする場合に、両院協議会の成案を意味すると解するＡ説と、衆議院の最初の予算案を意味すると解するＢ説がありうるが、両院協議会の成案は両議院の賛成が得られない場合は廃案となるとすれば、Ｂ説が妥当であろう（樋口他・注解Ⅲ149頁〔樋口執筆〕）。

3　条約の承認

憲法61条は、条約の承認について衆議院の優越を定めるが、60条２項のみが準用されるため、衆議院の先議権は認められず、議決の優越のみが認められる。衆議院の先議権が認められない結果、内閣はいずれの院に先に提出してもよく、国会法は両方の場合を規定する（国会法85条、先例はおおむね衆議院先議である）。条約の承認について予算と同じく強度な衆議院優越を認めた趣旨につき、「条約は単なる国法形式であるよりは、むしろ国際法形式であり、なるべく速やかにその効力が確定することが、国際関係からいっても、のぞましいとおもわれるからである」（宮沢・コメ469頁）と説明されてきた。なお、条約の締結および承認・修正権については憲法73条の検討（本書417頁）に譲るが、国会が条約の修正権をもつと考えるか否かによって本条で準用した必要的両院協議会の実質的意味が異なる。修正権が認められないとすれば、両院協議会で両院の意思の一致をはかるために果たす「両院間調整機能は、きわめて小さい」のに対して、修正権を認めれば「両院協議会の役割は、それだけ大きくなる」(樋口他・注解Ⅲ151頁〔樋口執筆〕) からである。

4　その他の権能

①　内閣総理大臣の指名　　憲法では天皇が内閣総理大臣を任命することにしているが、実質的には、国会が国会議員のなかから内閣総理大臣を指名する（6条1項・67条1項)。

②　内閣の報告を受ける権能　　内閣総理大臣は、内閣を代表して、一般国務および外交関係について国会に報告することが憲法72条で定められるため、国会はこれらの報告を受ける権能をもつといえる。

③　弾劾裁判所の設置　　憲法64条は、「国会は、罷免の訴追を受けた裁判官を裁判するため、両議院の議員で組織する弾劾裁判所を設ける」と定める。裁判官は、憲法上、職権の独立を保障され、身分保障を与えられており(76条3項・78条)、「心身の故障のために職務を執ることができないと決定された場合」と「公の弾劾」による場合にしか罷免されない (78条) (前者は裁判官分限法による分限裁判の手続により、後者は本条の弾劾裁判の手続による)。弾劾制度の趣旨は、一方でこのような裁判官の身分保障を確保しつつ、他方で、公務員の罷免権 (憲法15条1項) のもとで裁判官を罷免しうる制度をつくるという「微妙なバランスのうえに成り立っている」(樋口他・注解Ⅲ168頁〔樋口執筆〕) といえる。さらに、その目的を裁判の公正確保と解するか (A説)、司法に対する信頼維持と解するか (B説) によって、裁判官自身の免官願出を広く認めるか否かに差異が生じる (A説なら免官願出でよく、強制は不要であるのに対して、B説なら強制罷免が必要となる)。

弾劾裁判所は、各院の議員の中から選出された同数の裁判員からなり、同じく国会に設置された訴追委員会の訴追をまって合議制で裁判を行う (国会法125条以下、裁判官弾劾法参照)。訴追は訴追委員会によってなされるほか、何人も訴追委員会に対して罷免の訴追を求めることができる (裁判官弾劾法15条1項)。(その実例として、1969年の平賀書簡問題における弁護士会の請求、1976年の「にせ電話事件」における最高裁の請求などがある)。訴追のための罷免事由調査については国政調査と同様の権能が認められるが、1953年の吹田黙祷事件では、裁判長の訴訟指揮に関する訴追委員会調査に対して、最高裁が司法権の独立を侵害するおそれがある旨の申し入れをした。

五　議院の権能

1　国政調査権

憲法62条は、各議院が「国政に関する調査」を行う権能をもち、証人の出頭および証言ならびに記録の提出を要求することができることを定める。議院の国政調査権は、国会が国政の中心的役割を果たすための固有の権限であり、政治家に対する政治責任追及が問題となる昨今では、主権者の国政についての「知る権利」に応えるものとしての重要度が増している（長谷部編・注釈(3)831頁以下〔川岸令和執筆〕参照）。調査の主体は、各議院であり、実際には各議院の委員会（常任委員会・特別委員会）が重要な役割を演じている。調査方法については、議院における証人の宣誓及び証言等に関する法律（議院証言法）が詳細な規定をおき、証人の出頭・宣誓・証言を、罰則を付して強制し、虚偽の陳述に対する処罰を定めている（同6条・7条）。実際にはこれらの強制を伴わない参考人として招致する例が多く、また、1988年法改正で1条の4が新設されて補佐人の制度が導入され、証人に対して宣誓・証言の拒否について助言できるようになった。さらに、議院証言法5条では、公務員の守秘義務を理由とする証言拒否等を認めている。この場合には、理由の疏明や「証言又は書類の提出が国家の重大な利益に悪影響を及ぼす」旨の内閣声明を要請し（同5条3項）、偽証罪等の告発を義務づけている（同8条）が、その運用にはかなり問題がある。

例えば、1954年造船疑獄事件の際には、衆議院決算委員会が佐藤検事総長ほかの検察官の証言を要求したのに対して、法務大臣が理由を疏明し、内閣が国家の重大な利益に悪影響を及ぼすものとする声明を発して証人らが証言を免れた。また、1976年のロッキード事件の際にも、前総理大臣田中角栄にかかわる「金脈問題」調査に対して、国税庁が守秘義務を理由に証言と書類提出を拒否し、内閣が統一見解を示すに至った例がある。このように、現実の議会政治のなかでは、国政調査権は、刑事裁判の公平等を理由とした証人喚問の抑制などによって大きく制限されており、1980〜90年代のリクルート事件、佐川急便事件、金丸事件等の政治腐敗を経験した後も、十分に実現されてこなかった。その後、

2007年7月の参議院選挙の結果、参議院で第一党になった民主党が国政調査権を積極的に活用する方針を打ち出したが、形骸化が否めない状況が続いた。

2011年3月の福島第一原発事故の原因を究明するために、「事故調査委員会」が「東京電力福島原子力発電所事故調査委員会法」（国会法附則）によって設置され、膨大な報告書が提出されたことが注目される（木下＝只野編・新コメ515頁参照）。その後、2013〈平25〉年12月の特定秘密保護法制定にともない、翌年6月に議院証言法が改正されて第5条の2～8が追加された（平成26年法律86号）。

(1)　国政調査権の性格

国政調査権の本質が、立法・財政その他の本来の国会ないし議院の権能とならぶ独立の権能であるのか、それとも、それを補充するための補助的な権能にとどまるのかについて学説が対立してきた。A説（独立権能説）は、国会が国権の最高機関であることに基づき国権の発動を統制するための独立の権能であるとした（佐々木惣一・大石義雄説など）。これに対して、通説であるB説（補助的権能説）は、国会ないし議院の諸権能を行使するための補助的な手段であると解した（宮沢・芦部説など、野中他・憲法Ⅱ144頁〔高見執筆〕参照）。

この学説対立は、戦後初期からの憲法史の展開のなかで生じたものであることを正しく認識しておくことが大切である。すなわち、1948年5月から「裁判官の刑事事件不当処理等に関する調査」が開始され、参議院法務委員会は浦和充子事件調査に関して確定判決を批判した（母子心中をはかって幼児を絞殺した母を懲役3年・執行猶予3年とした判決を軽すぎると非難した）。これに対して、最高裁判所が「国会又は各議院が憲法上与えられている立法権……等の適法な権限を行使するにあたりその必要な資料を集取するための補充的権限に他ならない」として参議院の権限逸脱を指摘したところ、参議院側は、国会の最高機関性に基づいて、「国政全般に亘って調査できる独立の権能」と解する立場を表明した。法務委員長は「国会の最高機関性に基き国政全般に関する国民の多数意思をすべての国家機関に知らしめうる権能と解すべきで、それは独立の権能である」として独立権能説の立場を表明し、最高裁は補助的権能説の立場から委員会の調査を「調査権の範囲を逸脱した措置」として批判した（学説も、当時、議院の独立権能説を支持する鈴木安蔵説・佐々木惣一説と、最高裁の補助的権能説を支持する宮沢俊義説・田中二郎説らが対立したが、裁判調査の可否については後者のなかでも立場が分かれた）。論争の当初には補助的権能説の優位性は自明のものではなかったが、やがて、本格的な比較研究を基礎に「沿革およびこれを継受した経緯にかんがみ議院の権能の及ぶ範囲外の事項については調査権を認めることはできない」とする補助的権能説の通説化が完了したといえる。

この時期（第一期）には、補助的権能説がもともと議院側の独走を抑制するために主張されたため国政調査権の限界論が強調されたこと、司法権の独立との関係が争点であったため主に権力分立論に依拠したこと、一方の独立権能説は、国会の最高機関性を論拠としたため調査権の限界論を十分に展開しえなかったことなどが理解される。しかし理論上も、補助的権能説の場合に何の補助であり、独立権能説の場合に何からの独立か、という基本的争点に不明瞭さが残った。また、実際にも、数多くの疑獄事件調査について並行調査が認められず、行政権の守秘義務を理由とする証言拒否がくりかえされたことで、行政権との関係でも、国政調査権の行使が大きく限界づけられることになった。

しかし、石油危機や田中金脈問題で国政調査権の運用が再び活発化した1970年代（第二期）には、アメリカの多国籍企業調査に端を発したロッキード事件調査を契機として論議が高揚した。学界では、従来の学説対立を「実益がない」として斥けたうえで、「国政調査権の役割とは、国政にかんする情報の収集と事実認定（ファクト・ファインディング）の作用に尽きるのではないか」として、国民の知る権利に応えるための機能を強調する見解（奥平説）が登場した。この時期には、証人のプライバシーや基本的人権による制約論が強調され、国政調査と司法・行政機関による犯罪調査との並行調査の可否が問題となった。

その後、行政国家現象を背景とした権力分立論の現代的変容や行政国家の行政統制手段としての国政調査権を強調する傾向が顕著となり、立法とならぶ行政統制機能に注目して「新独立権能説」を主張する見解が出現した（大石・講義Ⅰ162頁）。また、情報収集と事実認定作用にとどまらず、主権者人民の国政コントロール・政治責任追及手段としての意義を強調する学説として、「人民主権」・「人民代表」論に基づく杉原説が有力に展開された（杉原・憲法Ⅱ260頁）。たしかに、主権者の政治参加との関係では、主権者による政治責任追及手段を補完するものとしての情報収集・提供作用の意義を認めることが重要である。

さらに、議院内閣制のもとで議院が内閣の責任を追及するための情報収集と事実調査の手段として捉える場合には、この国政調査権に国政コントロールのための独自の機能を認めることが議会優位型議院内閣制の構造に相応しい解釈となるであろう。この意味でも、従来から補助的権能説を前提として論じられてきた国政調査権行使の限界、とりわけ、司法調査との並行調査の禁止（具体的には、司法当局の汚職捜査開始等を理由として、証人喚問された議員や大臣が出頭拒否や証言拒否をすること）は、政治責任追及という独自の使命と意義からして、再検討の余地があろう。「人民主権」を基礎として政治責任追及機能を重視する場合には、主権者から委任された独立の権能とあわせて、他の本来の権能を行使するための補充的権能を認めることができるため、国政調査権の限界をふまえつつ、調査の範囲を広く認める立論が要請されよう。

なお、裁判例では、国政調査権は国政統一のための独立の権能ではなく、立法・財政・行政監督などの諸権能を行使するについて必要な調査を行う補助的権能であるとする（日商岩井事件・東京地判1980〈昭55〉. 7 . 24判時982号 3 頁、百選Ⅱ372頁〔大林啓吾執筆〕参照）。

⑵　国政調査権の限界

①　司法権独立との関係　　国政調査権の行使は権力分立による限界をもち、とくに司法権の独立を侵害することは許されない。刑事手続開始後には国政調査権が制約されることが要請されているが、その範囲とそれを求める論理が問題となる。学説は、事件が裁判所に係属した後の国政調査は、司法権の独立を侵害するもので認められない、とする否定説が従来の通説であった（清宮・憲法Ⅰ289頁ほか）。また、先例も、浦和充子事件では、判決（浦和地判1948〈昭23〉. 7 . 2 ）確定後の参議院法務委員会の事件調査に対して、最高裁は、国政調査権を立法権・予算審議権などの権限行使のための補充的権限と解する立場にたち、事実認定・量刑の当否を審査批判したことは司法権の独立を侵害するものであったとして参議院議長に抗議した。

このように、従来は権力分立原則を重視して国政調査権を制約する傾向が強かったのに対して、最近では、司法権の独立を侵すような調査は認められないにせよ、議院が裁判所と異なる目的をもって適切な方法で行う調査は可能であるとする条件付肯定説（芦部・憲法330頁、樋口他・注解Ⅲ158頁〔樋口執筆〕など）が有力である。とくにロッキード事件以後の国政調査権の意義を重視する傾向からすれば、裁判所に事件が係属すれば国政調査権が中止されることなどは、国民の「知る権利」の観点からも認められない。裁判所の調査とは目的を異にする国政調査については、判決確定の前後を問わず議院独自の調査を裁判と並行して行うことが認められるべきであろう。

②　行政権の独立との関係　　犯罪捜査と公訴を職務とする検察権は行政

権に属する限りで当然に国政調査の対象になる。しかし、司法作用と密接な関係をもつため制約が存在し、国政調査と検察の事件捜査との並行調査の可否・限界が問題となる。学説は、事件係属中の検察活動との並行調査は抑制されなければならない、とする制約説が従来の通説であり、起訴・不起訴に関して政治的圧力を加えることが目的と考えられる調査、起訴事件に直接関連する調査、捜査の続行に重大な支障をきたすような方法による調査などは、違法ないし不当である、とされる（芦部・憲法331頁、野中他・憲法Ⅱ148頁〔高見執筆〕参照)。これに対して、刑事責任追及と政治責任追及では目的・手段も異なることから、検察の事件調査と国政調査権の並行調査を可能な限り認めようとする条件付肯定説が存在してきた（杉原・憲法Ⅱ265頁)。

判例は、二重煙突事件の公訴提起後の調査に関して、捜査報告書等の公表も「直ちに裁判官に予断を抱かせる性質のもの」でないと判断したものがあり（東京地判1956〈昭31〉. 7. 23判時86号3頁)、日商岩井事件判決も、「〔裁判所の審理との並行調査の場合とは異り〕行政作用に属する検察権の行使との並行調査は、原則的に許容されているものと解するのが一般であ〔る〕」としている（前掲東京地判1980〈昭55〉. 7. 24、百選Ⅱ(第5版)390頁〔孝忠延夫執筆〕参照)。

たしかに、犯罪捜査と並行する国政調査は、犯罪捜査の合目的性から大きな制約が付され、いわゆる灰色議員の証人喚問などは実現困難な状況にある。しかし、前述のように、政治責任追及を目的とする国政調査と刑事責任追及を目的とする犯罪捜査とは目的が異なり、主権者の国政コントロールの手段としての国政調査権の重要性からすれば、可能な限り並行調査を認めることが原則とされよう。

③　個人の人権・プライバシーとの関係　　国政調査権の限界の一つに、個人の人権・プライバシーがある。一般には、国政調査権の行使が個人の人権・プライバシーを侵害しえないことは当然であるが、国民の「知る権利」の前に、すでに一定の範囲でプライバシー権を放棄したものと考えられる公権力担当者・公人の場合には、プライバシー侵害を理由に証言等を拒むことができるか否かが問題となる。

学説は、個人の人権やプライバシーを侵害する国政調査は認められないとするのが通説であるが（佐藤幸・憲法197頁など)、国民主権・「知る権利」を重視する立場では、公人についてはプライバシーを理由として証言等を拒否しえないことが導かれる。

裁判例には、事件関係者の調査につき、犯罪捜査のような強制手段（住居侵入、捜索など）は認められないとした札幌高裁判決（1955〈昭30〉. 8 . 23高刑集 8 巻 6 号845頁）、証人に精神的圧迫を加え自白を強要しないよう注意を要するとした東京地裁判決（1982〈昭57〉. 1 . 26判時1045号24頁）などがある。

リクルート事件調査直前に議院証言法が改正され、証人等の人権を理由として、証言中の撮影が禁止された（1988年改正、同法 5 条の 3 の新設）。しかし、個人の人権・プライバシーと国政調査の必要性のどちらを優先すべきか、という問題に対して、国民の「知る権利」を重視する立場からの批判が強まり、1998年の法改正（上記 5 条の 3 の改正）で、宣誓・証言中の撮影・録音については、「委員長又は両議院の合同審査会の会長が、証人の意見を聴いた上で、委員会又は両院合同審査会に諮り、これを許可する」ことが定められた。

これまで検討したような国政調査権の国民主権原理上の意義、政治責任追及権能からすれば、少なくとも公人のプライバシー等に対しては、国政調査権が優越するものと考えることができよう。また、今後の課題としては、国政調査権の行政統制手段としての意義や政治責任追及手段としての意義を強めるため、さらに有効な活用が求められる。そのためにも、大統領制下の連邦議会で、おもに立法機能の補充のための調査を重視してきたアメリカでのスタッフの拡充、ドイツ連邦共和国基本法44条の少数者調査権の制度（議会内少数派主導の国政調査を認める制度）や予備的調査の制度、並行調査を認める運用などが検討に値する。これらは、国政コントロール機能を担う議院の政治責任追及手段としての国政調査権の活性化が待たれる日本にとって有効な指針であるといえよう。

2　議院の自律権

憲法は、議院の自律権という語を明示しているわけではないが、各議院が他の国家機関や他の議院から干渉などをうけることなく、自主的に内部の組織や運営について決定できるように種々の規定をおいている。(a)内部の組織にかかわる自律権について、議員の資格争訟（55条）や役員選任権（58条 1 項）、

(b)議院の運営にかかわる自律権に関して、議院規則制定権や議員懲罰権（58条2項）がこれに含まれる。

①　議員の資格争訟　　憲法55条は、議院の自律的機能の一つとしての議員の資格争訟について定める。議員の資格とは、「憲法44条に基づき法律で定められた、議員としての地位を保持しうる要件」（野中他・憲法Ⅱ150頁〔高見執筆〕）を意味する。国会法では、被選挙権の存在、および議員との兼職が禁じられている職務に任ぜられてないことが要件とされており（国会法39条・108条・109条）、これらの資格要件について争訟があるときは、議院で裁判を行う。その手続は各議院の議員から議長に提起し、委員会の審査を経た後に本会議で議決する（同111条）。議員の議席を失わせるには出席議員の3分の2の多数による議決を要し（憲法55条但書）、憲法56条2項の規定する特別多数によることが定められる。

まず、議決による裁判について、裁判所への出訴が認められるかが問題になる。憲法55条の裁判は、議院の自律権に基づくものであり、憲法76条の例外として、通常の司法裁判とは異なるものと解される。とすれば、本条の裁判に不服であっても、司法裁判所への出訴は認められないこととなる。学説は、議院による資格争訟の裁判については、裁判所に救済を求めて出訴することはできない、とするのが通説である（佐藤幸・憲法175頁、野中他・憲法Ⅱ158頁〔高見執筆〕）。その理由として、議院の自律権の保障の趣旨および憲法55条の場合が裁判所法3条1項にいう「日本国憲法に特別の定のある場合」にあたることなどが指摘されるが、「議決の定足数や議決数など手続上の瑕疵についても裁判所に出訴できないとすることには、疑問が残る」（杉原・憲法Ⅱ248頁）とする見解もある。

また、議員の資格争訟と異なって、当選訴訟の場合には司法裁判所への出訴が認められる。当選訴訟は、候補者を当選人と決定した行為の効力を争う訴訟であり、司法裁判所の管轄だからである。したがって、資格争訟と競合した場合には、両者は独立して裁判されるほかはなく、裁判所で資格を認められた議員が資格争訟の結果資格を否定される可能性もある、と解することで見解は一致している。

②　議院規則制定権　　憲法58条は、人事・立法・秩序維持での自主性を

確保するために、役員選任権（1項）とともに、規則制定権・議員の懲罰権（2項）について規定する。

議院規則制定権については、その法的性格と効力が問題となる。議院規則は議院の内部事項についての規律であり、国民の社会生活を一般に規律する法令とは異なる（議院規則が憲法7条1号の手続で公布されないのはその性格による。ただし、官報への掲載によって国民にも公知される）。法律との効力関係について、形式的効力では法律が優越するにしても、議院規則が自律権の制度的表現形態である限り、その排他的な所管事項について法律が介入しうるか否かが問題となる。

学説では、A説（法律優位説）は、法律の形式的効力が優越することから、本条で定められた議院規則の所管事項についても法律が定めをおくことが可能であるとする。これに対して、議院規則の排他的な所管事項については、国会法は拘束力をもたないというB説（議員規則優位説）もあり（野中他・憲法Ⅱ153頁〔高見執筆〕）、自律権の制限をめぐって見解が分かれる。もっとも、後者でも、議院活動に必要な事項でも一般国民の人権に関するものは原則として法律によるべきであるとされる。議院規則の効力については、規則違反の議事の有効性が司法審査の対象となるか否かという形で問題となることがある。会期延長決定が議院規則違反かどうかが問題となった警察法改正無効事件で、最高裁判決は、「裁判所は……議事手続に関する所論のような事実を審理してその有効無効を判断すべきでない」としている（最大判1962〈昭37〉. 3. 7民集16巻3号445頁、本書432頁参照）。

③　議員の懲罰権　　憲法58条が定める議員の懲罰とは、議院の秩序を維持するために議員に対して科される制裁であり、国会法は、公開議場による戒告・陳謝、登院停止、除名の四つを定める（122条）。懲罰の原因は議員の職務上の行為や会期中の行為に限定されない（なお、1985年の国会法改正による、各議院の「政治倫理審査会」の設置については、本書387頁参照）。

3　その他の権能

①　国務大臣等の議院出席要求権　　憲法63条は、内閣総理大臣およびその他の国務大臣が、大臣としての資格で衆議院・参議院のいずれにも出席し、

議案について発言できることを定める。同時に、議院から答弁または説明のために出席を求められたときは、出席することも義務づけられている。そこで、このような議院への出席要求権を議院の権能の一つとして位置づけることも可能となる。もっとも大臣が正当な理由なく出席しなかった場合の制裁措置・強制措置は存在せず、大臣の政治責任が追及されるにとどまる。

また、議案のために発言する際の「議案」は、内閣提出の議案に限られず、広く各議院で審議の対象となるべきすべての案件をさすと解すべきである。「議院」とは、本会議のみならず、委員会の会議をも含むと解すべきであり、国会法はこのことを前提にしている（国会法70条以下）。

なお、従来の国会法（1999年改正前）では第7章に国務大臣および政府委員の規定をおき、「内閣は、国会において国務大臣を補佐するため、両議院の議長の承認を得て政府委員を任命することができる」と定めていた（旧69条）。このため、従来の国会の審議の場では、議員以外の政府委員が大臣にかわって発言し答弁することが常態化し、政府委員のほとんどが官僚であったことから、官僚政治に対する批判が強まっていた（争点(第3版)188頁〔鈴木法日児執筆〕）。そこで、1999年の国会法改正と「国会審議の活性化及び政治主導の政策決定システムの確立に関する法律」の制定によって、政府委員制度は廃止され、副大臣等が新設された。これによって、内閣府および各省に副大臣と大臣政務官が置かれ、政務次官は廃止されることになった（国会審議活性化法、2006年改正、8条・10条・12条）。

②　以上に掲げた事項以外に議院に認められた権能には、議員逮捕の許諾および釈放要求（憲法50条、本書384頁参照）、会議の公開の停止（憲法57条1項但書）、請願の受理（国会法82条）、決議の表明（議長の発議や議員の動議による議院の意見表明であり、内閣信任・不信任や国政上の種々の事項に関してなされる）（野中他・憲法Ⅱ161頁〔高見執筆〕参照）などがある。

このほか、役員選任権については議院の組織に関連してすでに検討した（本書371頁参照）。さらに、衆議院のみに認められる権能としては、法律の単独議決権、予算先議権、内閣信任・不信任の決議、参議院の緊急措置に対する同意がある。参議院のみに認められる権能には、緊急集会に関するものがある（本書376-378頁参照）。

第4章　内閣

一　行政権と内閣

日本国憲法は、第5章（65条-75条）で内閣について定める。現代国家では、社会国家ないし福祉国家としての特質から、国民生活について積極的に配慮する行政作用が重要な意義を担っている。そのような行政活動全体を統括する機関が内閣である。

大日本帝国憲法では、第4章に「国務大臣及枢密顧問」の規定が置かれ、統治権を総攬する天皇のもとで、「国務各大臣ハ天皇ヲ補弼シ其ノ責ニ任ス」（55条）とされた。内閣は憲法上の制度ではなく天皇を補佐する機関にすぎなかったため、統帥権独立等による制約を受けていた。これに対して、日本国憲法では、内閣は憲法上の機関となり、行政権の主体としての地位が確立された。

1　行政権の観念

憲法65条は「行政権は、内閣に属する」と定める。公法学では、司法権や立法権の意味については、その内容を積極的に定義してきたのに対して、65条の「行政権」については、学説はそれを積極的に定義する立場をとらず、主に消極説ないし控除説を採用してきた。

①　消極説（控除説）　　通説は、行政権を、すべての国家作用のうちから、立法作用と司法作用を除いた残りの作用であると解する（控除説ないし消極説、芦部・憲法334頁、樋口・憲法Ⅰ288頁ほか）。国家作用の分化過程を歴史的にみると、一般的な法規範を定立する立法作用と、定立された法規範を個別・具体

的な事例に適用する執行作用が分けられることで、まず立法権と執行権が分化し、さらに執行権の内部で行政権と司法権が分かれたという沿革がある。そこで、このような沿革に注目して、控除説のなかに、(a)行政権を「国家作用から立法と司法とを除いた部分の総称」（清宮・憲法Ⅰ300頁）として捉える見解（国家作用内控除説）、あるいは、(b)「法規の下における〔執行〕作用で、司法に属しないものをいう」（橋本・憲法567頁）と解する見解（執行作用内控除説）が存在してきた。そのほか、「国家の人民支配作用から立法作用と司法作用を差し引く」という見解（小嶋説）もあるが、そもそも人民支配作用という発想自体が国民主権になじむものではない。また、上記のような控除説は、広範な行政活動を包括的に捉えることができる反面、現代国家における重要な作用の定義としては消極的にすぎる。そこで、行政概念を積極的に定義しようとする見解が展開されてきた。

②　積極説　　行政の内包を積極的かつ具体的に提示しようとする見解には、従来から、(c)行政とは「国家が、その目的を達成すべき現実の状態を惹起することに差し向けて行う作用」をいうと解する立場（佐々木・憲法279頁）、(d)「近代国家における行政は、法の下に法の規制を受けながら、現実に国家目的の積極的な実現をめざして行われる全体として統一性をもった継続的な形成的国家活動である」（田中二郎『行政法総論』有斐閣、1957年、22頁）と解する「国家目的実現説」が存在してきた。これに対して、(e)公共事務や公共性の観念を中心に構成する見解が提示され、「本来的および擬制的公共事務の管理および実施」としての新たな定式が行われた（手島孝＝中川剛後掲『憲法と行政権』22頁〔手島執筆〕）。しかし、これについても、「行政の特徴や傾向の大要を示すにとどまり、必ずしも多様な行政活動のすべてを捉えきれていない」（芦部・憲法334頁）等の批判があり、芦部説は控除説を妥当とする。

③　近年の学説　　学説では（行政権の定義よりむしろ）、65条の行政作用に関して、立法を「憲法の下での始源的法定立」、行政を「法律の『執行』」として説明する(f)法律執行説（高橋説、野中他・憲法Ⅱ189頁、争点23頁〔高橋執筆〕）や、(g)65条の行政とは、国家統治の基本方針について配慮するExecutive Power、執行権と捉える執政権説（争点222頁〔阪本昌成執筆〕）、(h)憲法が内閣に付与している機能を総合した内容をもつ「執政」であるとする見解（渋

谷・憲法591-592頁）などが唱えられている（学説の批判的検討として、安西他・論点154頁以下〔淺野博宣執筆、総称説〕、宍戸・憲法解釈論251頁、佐藤幸・憲法論525頁、渡辺他・憲法Ⅱ283-285頁〔松本執筆〕参照）。

全体としては、控除説を妥当とする見解が今日でもなお有力である（芦部・憲法334頁）が、仮に控除説をとる場合にも、(a)国家作用内控除説だと、国会と裁判所に憲法上留保された権限以外のものをすべて行政権に帰属させることになり、行政権の強大化をもたらす解釈となるおそれがある。そこで、立法機関が制定した法律を執行する作用として限定的に定義する(b)執行作用内控除説が導かれ、これを裏面から積極的に定義することで上記(f)の法律執行説の立場に到達したわけである。この法律執行説は、控除説が立憲君主制の憲法に適合的であることから、国民主権の憲法では「主権者国民が、憲法を制定し、立法権・行政権・司法権を創設した」という構造にたって、司法・立法をまず積極的に定義してこれを控除すべき、という見解（新控除説ないし限定的な控除説）であり、「内閣に属する権限の性格が法律の執行であるべきこと」を65条は定めているとする。憲法解釈論として妥当な面があるが、反面、議院内閣制のもとで国会〔多数派〕と内閣が一体となって広く国政（73条1号の国務）を担う実態の前では、その内容が法律の執行作用だけにとどまらないことも事実であろう。憲法原理上は、国民主権によって民主的正統性を付与された立法府が、内閣をコントロールする総合調整機能を果たすのが基本であり（長谷部・憲法384頁）、これを逆転させないような運用が必要である。

2　行政権の主体としての内閣

憲法65条が「行政権は、内閣に属する」と定め、内閣が実質的意味の行政権の主体であることを明示しているとしても、あらゆる行政を内閣がみずから行うという意味ではない。一般には、行政権は行政各部の機関が行使しており、内閣はその行政各部を指揮監督し、行政全体を総合調整し、統括する地位にある。

また、行政権の内閣への帰属に関して憲法が明文で例外を設けている場合もある。天皇の国事行為（6条・7条）、国会の内閣総理大臣指名（67条）、議員に対する議院の懲罰権（58条）、裁判官に対する裁判所の懲戒処分（78条）がそれである。これらは権力分立の例外として内閣以外の機関が実質的な行政権限をもつことを示しているが、逆に、内閣が行政以外の権限にかかわる例として、行政機関が行う前審としての裁判（76条2項）や恩赦の決定（73条7号）がある。さらに内閣には、憲法の明示的な根拠に基づいて、天皇の国事行為について「助言と承認」を与える機関としての地位があり、そのための任務と責任を有している（本書50頁参照）。

1996年以降、「行政改革」が断行され、1998年に「中央省庁等改革基本法」、1999年に「中央省庁等改革のための国の行政組織関係法律の整備等に関する法律」や「内閣府設置法」等が制定され、内閣法や国家行政組織法等が改正された。この「行政改革」は、内閣機能の強化と首相の指導性の強化、副大臣制の導入等を主要な特徴としている。また、1999年内閣法改正（平成11年法律88号）では、1条1項を「内閣は、国民主権の理念にのつとり、日本国憲法第七十三条その他日本国憲法に定める職権を行う」として国民主権の文言を挿入し、2項を追加して「内閣は、行政権の行使について、全国民を代表する議員からなる国会に対し連帯して責任を負う」とした。「全国民を代表する議員からなる」の語を挿入したことにより、一見、国民―国会―内閣の関係を明確にしようと努めたようにみえるが、法改正時にこの議論が全くなかったことも事実である。

二　議院内閣制

1　議院内閣制の本質と類型

近代以降の諸憲法では権力分立が民主政治の根幹とされ、大統領制や議院内閣制などの統治制度が採用された。立法権（議会）と行政権（政府）との関係に注目して分類する場合には、以下の制度が区別される（辻村・比較憲法174頁以下参照）。

(a)大統領制（議会と政府とを完全に分離し、政府の長たる大統領を民選とする制度で、アメリカなど多くの国が採用している）。(b)超然内閣制（君主制下で、政府は君主に責任を負い、議会に対しては何の責任も負わない制度で、ドイツ帝国憲法や大日本帝国憲法の制度などがその例である）。(c)議会統治制ないし会議政（assembly government, gouvernement assemblé）（政府が議会によって選任されて議会の意思に服し、内閣は議会の一委員会にすぎないとする制度で、スイスやフランス第一・第四共和制などに例がある）。(d)議院内閣制（parliamentary government, gouvernement parlementaire）（行政権を担当する内閣の存立が議会に依存する制度であり、イギリスやフランス、日本などで採用されている)。

これらの制度のうち、立法権と行政権が厳格に分立され、相互の抑制・共働が少ない大統領制では、議会による不信任による大統領の辞職や議会の解散の制度は存在しない。また、通常は、大統領は直接国民から選出され、議会に出席し発言する権利や義務をもたない。これに対して、議院内閣制では、立法権と行政権の分立を前提としつつも、権力分立は大統領制よりも緩やかであり、内閣が議会に対して責任を負うという関係が成立する。この制度では、議会と内閣との相互の協力関係が重視され、抑制と均衡のシステムとして機能する。そして、両者の関係が破綻した場合には、議会が内閣を不信任しうるのに対して、内閣は総辞職や議会の解散によってそれに対処する。また、議院内閣制では、大臣は通常、議員のなかから選出され、議院に出席して発言する権利・義務を有する。

議院内閣制の類型には、歴史上、内閣が議会と国王の両者に責任を負う二元型と、議会のみに責任を負う一元型の二つの類型が存在し、さらに議会と内閣の関係をめぐって議会優位型と均衡型が区別される。もともと議院内閣制は18世紀から19世紀初頭にかけてイギリスで成立したが、その特徴として、(a)行政権が国王（君主）と内閣に二元的に帰属し、内閣は国王と議会の両者の間にあってその双方に対して責任を負ったこと、(b)議会の内閣不信任決議権と国王（現実には内閣）の議会解散権という相互の抑制手段によって二つの権力が均衡を保ちながら協働の関係にあること、が指摘される。

このような二元型の議院内閣制は、フランスでも19世紀前半の七月王政期に、政府が国王と議会の双方に依存する形で最初に試みられた。ところが、19世紀後半になると、君主（ないし大統領）の権限が名目化して行政権が内閣に一元的に帰属する傾向が強まり、その内閣が議会の信任を存立の要件とすることが重視されるようになった。こうして、しだいに議会優位の一元型の議院内閣制が定着し、フランス第三共和制憲法下でも、大統領の議会解散権が名目化して行政府に対する議会の優位と議会中心主義が確立された（長谷部・憲法378-379頁では一元論として説明)。もっともフランスでは、第五共和制期になると、大統領の権限が強化されて大統領制と議院内閣制の混合形態が採用され（「半大統領制」とも呼ばれる)、議会優位の一元型議院内閣制の伝統は変化した。そして第二次大戦後の行政国家現象下で、イギリスのような均衡型議院内閣制が主流となった。

議院内閣制の要件については、以上の歴史的展開をふまえてみれば、(i)議会（立法府）と政府（行政府）との分立、(ii)政府が議会に対して連帯責任を負い、その存立を議会に依存させること、の二つが重要といえる（いわゆる責任本質説）。

これに対して、学説には、イギリスの古典的な均衡型議院内閣制の性格から、(iii)政府が議会の解散権をもつこと、という第三の要件を重視する見解が存在する（いわゆる均衡本質説）。（両説につき、渡辺他・憲法Ⅱ220頁〔松本執筆〕参照）。今日では、行政国家現象のもとで、たしかに政府の権力が強まり(iii)の要素が重要な意味をもってきているが、議院内閣制の本質は内閣の議会への依存にあり、均衡は必ずしも必要条件ではないことからすれば、(i)(ii)を要件と解することが妥当であろう。

2　日本の議院内閣制

日本国憲法では、内閣の連帯責任の原則（66条3項）や国会の内閣不信任決議権（69条）が定められているほか、内閣総理大臣を国会が指名し（67条）、内閣総理大臣および他の国務大臣の過半数は国会議員とすること（67条・68条）を定めるなど、内閣の存立を議会に依存させる議院内閣制の制度が採用されている。このような日本国憲法下の議院内閣制が、均衡型の古典的なイギリス型議院内閣制か、議会中心主義的なフランス第三共和制型かどうかは、憲法上は明らかにされていない。運用上は内閣に自由な解散権が認められているため均衡型（イギリス型）と解する見解も有力であるが、憲法が解散権の所在を明確にしているわけではなく、憲法上は69条の場合しか解散できないという解釈も可能であるため、議会優位型と解することも十分にありうる。憲法の構造自体を重視し、デモクラシーのあり方について、（「一元型の多数派デモクラシー」よりも）コンセンサス型ないし協調型デモクラシー（「多元型の分権デモクラシー」）を志向する立場にたてば、いわゆる均衡本質説よりも責任本質説のほうが妥当となる（本書339頁、日本の憲法学での学説対立については、争点(新版)180頁〔樋口陽一執筆〕、争点(第3版)194頁〔高見勝利執筆〕参照）。

これに対して、最近では、「行政改革」による内閣機能強化の傾向が続いてきた。また、行政国家現象を前提に、多数派支配型デモクラシー（一元型の多数派デモクラシー）（本書339頁、同(第４版)351頁参照）や国民と直結した均衡型の議院内閣制――「首長」型内閣（野中他・憲法Ⅱ167頁〔高橋執筆〕）――を重視する傾向も強まり、「国民内閣制」論（高橋和之説）も出現した（内容は、高橋後掲『国民内閣制の理念と運用』17頁以下、野中他・憲法Ⅱ173頁〔高橋執筆〕、宍戸・憲法解釈論236頁参照）。

そのほか、国会の指名にかえて国民が直接首相を選出する制度としての首相公選制にも関心が高まったことがある（1960年代に中曽根康弘元首相によって大統領制に近似した制度が提唱された後、2000年に小泉純一郎首相のもとで再び提唱された）。しかし、国民によって選出された首相と議会内多数派が一致しない場合には、フランスのコアビタシオン（行政権を担当する大統領と首相の政治的立場が異なる「保革共存」の状態をさす。詳細は、辻村・比較憲法51頁、179頁参照）のような問題が生じることになり、現実的な制度ではないといえる（高橋和之「議院内閣制――国民内閣制的運用と首相公選制」ジュリスト1192号171頁以下、吉田栄司後掲『憲法的責任追及制論Ⅰ』200頁以下参照）。

三　内閣の組織と権能

1　内閣と行政組織

内閣は、内閣総理大臣およびその他の国務大臣で組織する合議体である（憲法66条１項）。内閣総理大臣と国務大臣からなる内閣の構成員は、同時に各省庁の大臣でもあることが通例であるが、無任所の大臣の存在も妨げられない。国務大臣の数は、内閣法（昭和22年制定、平成31年最終改正）２条２項により14人以内（特別に必要のある場合は17人以内）と定められる。ただし特別法による増員が可能であり、復興庁設置法により15人、18人以内となり、2015年制定の「東京オリンピック競技大会・東京パラリンピック競技大会特別措置法」により「16人以内、19人まで」と時限的に拡大された。

この人数の枠内で、地方創生関連二法成立により第二次安倍内閣で2014年から新たに地方創生担当大臣が任命されたが、これは「内閣府特命大臣」ではなく、内閣府以外の特命事項担当大臣として任命された。「内閣府特命大臣」は2001年の内閣府設置法で認められたもので、2019年９月からの第四次安倍内閣（第二次改造）では、「原子力損害賠償・廃炉等支援機構担当」「少子化担当」「女性活躍担当」「一億総活躍社会担当」などが置かれて19人の国務大臣が任命された。2020

年9月からの菅義偉内閣では、「デジタル改革担当」が追加されて20人となった。

内閣の職権や組織等については内閣法が規定し、内閣が指揮監督する行政組織等については国家行政組織法が詳細に規定している。1998年の中央省庁等改革基本法、1999年の行政組織関係法律整備法など中央省庁等改革関連法（2001年1月施行）、2007年の防衛省設置法により、従来の府・省を改編して、内閣府・総務省・法務省・外務省・財務省・文部科学省・厚生労働省・農林水産省・経済産業省・国土交通省・環境省・防衛省をおく体制が整えられた。前述の内閣府設置法（2001年）によって内閣総理大臣を主任大臣とする内閣府が設置され、国家行政組織法の適用外の組織として機能することになった。また、経済財政諮問会議・総合科学技術会議・男女共同参画会議などが内閣府に置かれた。

その後も内閣法の改正により首相を補佐する内閣官房の体制が強化され、1人の官房長官と3人の内閣官房副長官が置かれた（内閣法13条・14条）。2013年には、内閣官房における情報通信技術の活用に関する総合調整機能を強化するために、内閣法16条に「内閣官房に、内閣情報通信政策監一人を置く」ことに関連する改正が行われた。このように、一連の法改正により、行政権の拡大強化、および現実的課題に対応する機動力の強化が図られている。

2　独立行政委員会

憲法の規定では、行政権は内閣あるいは内閣の指揮監督下にある行政各部が行使しなければならない。しかし、現実には、憲法上の明示的な根拠規定がないにもかかわらず、内閣から独立した機関が行政権を担当している例がある。いわゆる独立行政委員会がそれである。国家行政組織法では「内閣の統轄の下における行政機関組織」の基準を定め（1条）、そのなかで、内閣の統轄のもとで、行政事務をつかさどる省に、「その外局として」、委員会および庁が置かれることを規定する（3条3項）。委員会は、内閣の指揮監督権から職権行使のうえで独立して活動する合議体であり、国家行政組織法別表第1（3条関係）により、総務省には公害等調整委員会、法務省には公安審査委員会、厚生労働省には中央労働委員会、国土交通省には運輸安全委員会が、おのおのその外局として設置された（法改正前に「3条委員会」とされていた国家公安委員会・公正取引委員会などは、内閣府設置法64条により、金融庁とともに内閣府に置かれた）。また、国家公務員法3条以下で規定されている内閣の補助機関としての人事院も、独立行政委員会に含まれる。

このような独立行政委員会の制度は、戦後の民主化の過程で、政党の圧力を受けずに中立で公正な行政を確保することを目的としてアメリカにならって導入されたものである。その任務には、裁決・審決など準司法的作用や、規則制定など準立法的作用、および人事・警察・行政審判などの行政作用がある。これらの行政委員会は、内閣または内閣総理大臣の「所轄」の下にあるとされながら、実際には内閣から独立して活動しているため、国会のコントロール等との関係で問題が生じる（国会のコントロールが及ばず、内閣も国会に対して責任を負わないことになるからである）。そこで、従来からその合憲性が論じられてきた（長谷部・憲法385頁参照）。

学説は、憲法65条は、内閣が行政全般に統括権をもつことを意味するとしても、すべての行政について直接に指揮監督権をもつことまで要求しているわけではないため、政治的な中立性が要求される行政については、例外的に内閣の指揮監督から独立している機関が担当しても、最終的に国会のコントロールが直接に及ぶのであれば合憲である、と解するものが支配的である（佐藤幸・憲法216-217頁、同・憲法論529-530頁参照）。

学説のなかには、内閣が人事権と予算権をもっているから憲法65条に反しないと解するものもあるが、そのような形式的な理由で合憲とすることは不十分であり、少なくとも、委員の任命等についての国会の同意など国会のコントロールを条件とすることが必要であろう。もともと国会のコントロールに親しまない準司法作用を別としても、本来は国会のコントロールになじむ行政委員会の行政作用を、内閣の監督から独立させていること自体への疑問は残るといえよう。

3　内閣総理大臣と国務大臣

(1)　内閣構成員の要件

内閣構成員の資格要件として、憲法は、内閣総理大臣その他の国務大臣は文民でなければならないという要件（66条2項）と、内閣総理大臣が国会議員であること（67条1項）および国務大臣の過半数は国会議員の中から選ばれなければならない（68条1項但書）という要件の三つを定めている。

①　文民の要件　　内閣総理大臣その他の国務大臣は文民でなければなら

ないという要件は、憲法制定過程の第90帝国議会貴族院の審議中に挿入されたもので、「文民」はciviliansの訳語である。

「文民」の意味については、憲法学説上、(a)現在職業軍人でない者（非軍人説）、(b)これまで職業軍人であったことがない者（非軍人経歴者説）、(c)現在職業軍人でない者とこれまで職業軍人であったことがない者、という解釈が可能である。さらに、(d)軍国主義的思想の強くない者という要素を加える見解（後述の政府見解）も存在するが、この見解は、職業軍人の経歴があっても軍国主義に深く染まった人でなければよいというように要件を緩めるために主張されたものであり、軍国主義的思想の有無の判断は困難で思想信条の自由を侵害するおそれもあるため、この要件を掲げることは妥当ではない。そこで、憲法の平和主義の精神を徹底させるためにも、(a)・(b)ではなく(c)の要件が妥当となろう。もっとも、憲法9条が軍隊の保持を禁止していることからすれば、現在では職業軍人は存在しないはずであり、実際には自衛隊員の経歴をもつ者、および現在自衛隊員（自衛官）である者が「文民」にあたるか否かが問題となる。

この問題は、自衛隊の合憲・違憲論とも関連してなお議論の余地があるが、憲法の平和主義を尊重し、シビリアン・コントロールを徹底する趣旨からすれば、過去および現在の自衛隊員も文民でないとする見解が妥当であろう。今日の学説もこのように解するものが多い（芦部・憲法337頁、長谷部・憲法387頁。これと異なり、自衛官の経歴をもつ者を除く見解として、樋口・憲法Ⅰ298頁参照）。なお、政府は1965年5月31日の衆議院予算委員会での答弁以来、一貫して、「文民」の意味を「職業軍人の経歴を有する者であって軍国主義思想に深く染まっていると考えられる者」（浅野＝杉原監修・答弁集399頁参照）、および自衛官の職にある者以外の者、のように解している。

②　内閣総理大臣が国会議員であること　　憲法67条は、「国会議員の中から国会の議決で」内閣総理大臣を指名する、と定めているため、国会議員であることは内閣総理大臣の資格要件である。さらに、議院内閣制のもとで国会と内閣の関係を重視している憲法の構造からすれば、国会議員であることは内閣総理大臣の在職要件でもあると解すべきである。したがって、国会議員を辞職するなどの理由で国会議員でなくなったときは、当然に内閣総理大臣の地位も失うものとなり、内閣は総辞職すべきものと解される（70条）。

ただし、議員の任期満了や衆議院の解散によって議員の身分を失うときは、他の議員と同様の一般的理由によるものであるから、内閣総理大臣の地位を失うものと解すべきではない。憲法の規定では、新たな国会が召集されたときに内閣は総辞職するものとされている。

③　国務大臣の過半数が国会議員であること　　憲法68条1項但書は、国務大臣の過半数を国会議員のなかから選ばなければならないことを定めるが、これは、各国務大臣にとっては資格要件ではないため、内閣の構成要件にすぎないと考えられる。憲法は、一方で議院内閣制の採用によって国務大臣の過半数が国会議員であることを要請しつつ、他方で、国会議員以外の人材を登用することを可能にしている。国務大臣の過半数とは、実際に任命される大臣の数（内閣総理大臣も含む）を基準とすべきであり、法律上の定数を基準とする趣旨ではない。また、この過半数の要件は、内閣の成立時の要件であるのみならず存続の要件と解すべきである。ただし、任期満了や衆議院の解散など一般的に国会議員の身分を喪失している場合を除くことは、内閣総理大臣の場合と同様である。

(2)　内閣総理大臣の地位と権限

内閣総理大臣は、内閣という合議体の「首長」であり、憲法67条と6条は、「国会議員の中から国会の議決で」指名し、天皇が任命することを定める。旧憲法下では、内閣総理大臣は、「同輩中の首席」であり他の国務大臣と対等の地位にあったため、閣内の意見が一致しない場合に問題があった。これに対して、日本国憲法は、内閣総理大臣に首長としての地位を認め、国務大臣の任命権・罷免権をはじめ、種々の重要な権限を認めている。

①　国務大臣の任免権　　内閣総理大臣は国務大臣を任命し（憲法68条1項）、「任意に国務大臣を罷免することができる」（同条2項）。内閣総理大臣は「国務大臣の中から」各省大臣を任命し（国家行政組織法5条2項）、行政事務を分担管理させる。また、内閣総理大臣は、「任意に」、すなわち、いかなる法的制約も受けずに、一方的に国務大臣の職を解くことができる。このような任免権は内閣総理大臣の権限であり閣議の承認を必要としないが、国務大臣の任免には天皇の認証が必要であり、それについての「内閣の助言と承認」が

求められると解される。この点については、片山内閣時代に国務大臣の罷免についての天皇の認証行為に対する「内閣の助言と承認」がなかったことを理由に罷免を違法とする批判が生じ、国務大臣任免権が内閣総理大臣の専権事項かどうかが問題になった例がある。

②　国務大臣の訴追に対する同意権　　憲法75条は「国務大臣は、その在任中、内閣総理大臣の同意がなければ、訴追されない。但し、これがため、訴追の権利は、害されない」として、内閣総理大臣の訴追同意権を定める。その趣旨は、検察権行使の規制による国務大臣の活動の自由や内閣の安定性・継続性の確保のためと解することができる。

「訴追」には、公訴の提起のみならず、逮捕・勾留など身体の自由の拘束をも含むと解するのが支配的見解である。しかし、訴追に対する制約権限を拡大する方向での解釈は慎重であるべきであるという原則にたてば、逮捕等についても同意を要すると認めることは妥当ではない。

同様に、内閣総理大臣が正当な理由なく同意を拒むことが認められるとする解釈も、権限を不当に広く解する点で妥当ではないであろう。なお、ここでいう国務大臣のなかに内閣総理大臣も含まれるかどうかについても、若干の議論がある。従来の支配的見解は、摂政が訴追されないのと同様な意味で総理大臣も訴追されないか、あるいは自ら同意することはないから結局訴追は認められないと考えていたが（宮沢・コメ586頁）、総理大臣を国務大臣以上に保護すべきという原則は憲法上何ら根拠がないといわざるをえない。実際に贈収賄罪等で内閣総理大臣が訴追される可能性は十分存在するのであり、ここでも例外的に訴追を制限する方向での解釈は好ましくないと考えるべきであろう。

③　議案提出権・国務報告権・行政指揮監督権　　憲法72条は、「内閣総理大臣は、内閣を代表して議案を国会に提出し、一般国務及び外交関係について国会に報告し、並びに行政各部を指揮監督する」と定めている。ここで列挙された内容は、内閣総理大臣が内閣を代表して行う職務権限であるが、これらに尽きるわけではない。一般に内閣の権能に属する行為を対外的に行う際に、内閣総理大臣が代表することを例示する規定と解すべきである。「議案」とは国会で議決されるべき原案をさすが、法律案および憲法改正案

の発案権が内閣にあるかどうかについては憲法上に明文がないため、解釈論上議論になりうる（本書389頁、515-516頁参照）。また、「一般国務及び外交関係」とは、内閣に属する行政事務の総称と解すべきであり、それを国会に報告することは、議院内閣制下の内閣の義務であるといえよう。「行政各部」とは、内閣の統制下で行政事務を担当する各部門のことであり、現行国家行政組織法で定められる府・省・庁・委員会などを含む。

内閣総理大臣の指揮監督権限について、内閣法6条は「内閣総理大臣は、閣議にかけて決定した方針に基いて、行政各部を指揮監督する」と定めており、内閣としての方針がない場合に内閣総理大臣の独自の判断で指揮監督することは内閣総理大臣の権限をこえると考えられる。もっとも、内閣総理大臣が内閣の首長として、内閣の統一性を維持すべく独自の判断で関係大臣に指導・勧告等を行うことは職務権限内のことといえる。この点が問題になった例に、1972年にアメリカの航空会社が日本への航空機売り込みのために当時の日本政府高官に工作資金を提供し、航空会社に特定の航空機の選定購入を勧奨するよう運輸大臣に働きかけることが賄賂罪における職務行為に当たたかどうかが争点となったロッキード事件がある。

ロッキード事件丸紅ルート事件では、収賄罪の要件に関して内閣総理大臣の職務行為の認定が問題となった。第一審（東京地判1983〈昭58〉. 10. 12判時1103号3頁）で有罪が認定され、控訴審（東京高判1985〈昭62〉. 7. 29高刑集42巻2号77頁）でも受託収賄が認定された。最高裁多数意見は、運輸大臣と内閣総理大臣の職務権限を問題とし、「内閣総理大臣が行政各部に対し指揮監督権を行使するためには、閣議にかけて決定した方針が存在することを要するが、閣議にかけて決定した方針が存在しない場合においても、内閣総理大臣の右のような地位及び権限に照らすと、流動的で多様な行政需要に遅滞なく対応するため、内閣総理大臣は、少なくとも、内閣の明示の意思に反しない限り、行政各部に対し、随時、その所掌事務について一定の方向で処理するよう指導、助言等の指示を与える権限を有する」とした。そのうえで、「内閣総理大臣として運輸大臣に前記働き掛けをすることが、賄賂罪における職務行為に当たるとした原判決は、結論において正当として是認することができる」として上告棄却した（最大判1995〈平7〉. 2. 22刑集49巻2号1頁、百選Ⅱ378頁〔石川健治執筆〕参照）。ただし園部・大野・千種・河合裁判官の補足意見は、「内閣総理大臣の指揮監督権限は、本来憲法72条に基づくものであって、閣議決定によって発生するものではない」とし、

「〔閣議の〕方針決定を欠く場合であっても、それは、内閣法6条による指揮監督権限の行使ができないというにとどまり、……内閣総理大臣の自由な裁量により臨機に行使することができる」と述べた。

④　その他の憲法上・法律上の権限　　憲法74条は、「法律及び政令には、すべて主任の国務大臣が署名し、内閣総理大臣が連署することを必要とする」と定めて、内閣総理大臣の連署権限を認めている。また、63条は、内閣総理大臣と国務大臣について、両議院での議席の有無にかかわらず「何時でも議案について発言するため議院に出席することができる。又、答弁又は説明のため出席を求められたときは、出席しなければならない」として、議院への出席権能と義務を定めている。

このほかにも、内閣総理大臣は、内閣の活動の一体性と統一性を確保するために、内閣の運営について広範な権限と責任を有している。内閣法は、閣議の主宰と発議（4条2項、1999年改正により発議権を追加)、大臣の権限に関する疑義の裁定（7条)、行政各部の処分・命令の中止（8条)、内閣総理大臣および国務大臣の臨時代理の指定（9条・10条）などの権限を定めている。また、司法権との関係で行政権を代表すること（例えば、抗告訴訟における処分の執行停止に対する内閣総理大臣の異議（行政事件訴訟法27条))、大規模災害その他の緊急事態の布告・統制等（警察法71条～74条)、自衛隊の防衛出動命令（自衛隊法76条）のほか、国と地方公共団体の間の争訟において国を代表するなどの権限をもっている。

(3)　国務大臣の地位と権限

国務大臣は、内閣総理大臣によって任命され、天皇によって認証される。認証は効力要件ではなく、任命の時点で内閣が成立すると解される。国務大臣は、内閣の一員として閣議に参加し、内閣の運営に参加するとともに、主任の大臣として任命された場合には、「それぞれ行政事務を分担管理する」(国家行政組織法5条1項)。また、内閣法は「各大臣は、案件の如何を問わず、内閣総理大臣に提出して、閣議を求めることができる」（4条3項）と定める。

4　内閣の権能

(1)　内閣の職権

内閣は、行政権の中枢として、行政事務をみずから担当するか、あるいはその指揮監督のもとで他の行政機関に分担管理させる権限をもつ。憲法上、内閣に与えられている権限には、(a)憲法73条に列挙される事項、(b)憲法73条でいう「他の一般行政事務」、(c)憲法の他の諸規定によって定められる事項、(d)天皇の国事行為についての「助言と承認」の四種類がある。これらのうち(a)には、憲法73条が列挙する以下の内容が含まれる。

①「法律を誠実に執行し、国務を総理すること」(1号)　行政権の実質的意味が(執行作用から司法を除いた)法律の執行であると解するとすれば、この「法律の誠実な執行」権限こそが行政権の中心的内容であるといえる。したがって、仮に内閣が法律を違憲と判断する場合も、国会の判断を優先して執行すべきことになる。さらに、「国務を総理する」の「国務」の意味にも議論がある。あえて「国務」という広範な表現を用いたことから、行政事務のみならず立法・司法をも含む概念であり、それを総理するとは広く立法権・司法権の行使が支障なく進むための調整的配慮をすることであると解する見解がある(野中他・憲法Ⅱ197頁〔高橋執筆〕)が、権力分立の原則および、三権の調整的機能は41条ではむしろ「国権の最高機関」としての国会に委ねられていることからすれば、広範な権限を内閣に認めるのは妥当ではない。通説のように、「国務を総理する」とは、内閣が行政権の最高機関として、行政事務全般を統括し、行政各部を指揮監督することを意味すると捉えるのが妥当であろう(樋口・憲法Ⅰ332頁ほか)。

最高裁が法律に対して違憲判断を示した場合に内閣が執行義務を免れるかどうかについては、議論の余地がある。従来の学説は、(違憲判決の効果として一般的効力説にたった場合には法律が失効するため内閣の執行の余地はなくなるのに対して)個別的効力説をとった場合には執行をひかえることは違法である(宮沢・コメ681頁)と解することもあった。しかし、個別的効力説にたった場合でも、司法の違憲判断がだされた以上内閣の執行義務はいったん解除され、立法府の対応を考慮して執行の可否を判断することが妥当であると解すべきであろう。

②「外交関係を処理すること」（2号）　外交使節の任免、批准書・全権委任状・大使および公使の信任状など外交文書の作成、外交使節の接受などの外交関係に関する事務を行うことを意味する。実質的意味での行政を、法律の執行を中心として捉えるならば、外交関係の処理が当然に行政権の内容であるわけではなく、本項で内閣の権限としたことの意味を次の条約の締結とあわせて考察することが必要となる。

③「条約を締結すること。但し、事前に、時宜によつては事後に、国会の承認を経ることを必要とする」（3号）　条約とは国家間の合意であり、ここでは条約という名称をもつもののみならず、他の名称をもつ実質的な合意（協約、協定、宣言、議定書、憲章など）も含む。ただし、既存の条約を執行するため、あるいはその委任に基づいて具体的個別的問題について細部の取り決めを行うものは除外され、国会の承認を必要としないと解されている（現実には、日米安保条約に基づく行政協定等について議論がある（樋口他・注解Ⅲ246頁以下〔中村執筆〕参照。条約については本書37頁以下参照））。

なお、条約の締結は、当事国の署名によって成立するものと、批准により成立するものがあるため、いずれも、これらの成立時期（署名または批准）を基準にして、事前もしくは事後に、国会の承認を得ることが条件づけられている。したがって、国会の事後の承認が得られなかった場合には、条約は遡及的に無効となると解するのが妥当である。学説には、条約の国内法上の効力と国際法上の効力とを区別し、前者に瑕疵があった場合にも国際法の安定のために後者は有効であるとする有効説もあるが、妥当ではない。条約に国会の承認を要することは憲法上の要件であって相手国も承知しており、国際法の安定のために憲法の要請に反することは認められないからである。

また、国会の承認に際して条約の内容に修正を加えることができるか否かについても、解釈が分かれている。憲法61条が両院協議会の手続を定めていることからすれば、両院の見解が異なる場合に協議して妥協の道を探る可能性が示唆されるが、この点のみから条約修正の可否を論じることは妥当ではない。技術的な修正や訳文等の修正ではなく実質的な内容が問題になる場合には、条約の承認が拒否されたものとして、審議の慎重を期すことが望ましく、その意味でも、国会承認に際しての実質的修正は原則として否定されると解することが妥当であろう（本書391頁参照）。

④「法律の定める基準に従ひ、官吏に関する事務を掌理すること」（4号）　一般に、官吏とは、国の公務に従事する公務員（国家公務員）をさすと解されているため、本号の官吏も、国会議員や裁判官、国会・裁判所の職員等も含めたすべての公務員を意味するかどうかが問題になる。

学説は、内閣の権能に属する事務を担当する国家公務員を意味すると解するA説と、（国会議員や裁判官は除くとしても）国会・裁判所の職員等は含むとするB説があるが、内閣の権限としては、権力分立の趣旨からしてもA説のほうが妥当であろう。なお、事務を掌理するとは、任免・昇進・給与・懲戒等の処理を行うことのように広く認めることができ、広範な事務処理を認める場合には、いっそう「官吏」の範囲を限定することが求められよう。

⑤「予算を作成して国会に提出すること」（5号）　予算の作成は内閣の権限とされているが、国会の議決がないと執行することはできない（83条）（予算の議決手続と衆議院の優越については、本書389-390頁参照）。

⑥「この憲法及び法律の規定を実施するために、政令を制定すること。但し、政令には、特にその法律の委任がある場合を除いては、罰則を設けることができない」（6号）　政令とは、行政機関が制定する法形式である「命令」のうち、内閣が定めるものをいう。命令のなかには、省令・府令・規則などもあるが、そのなかで政令が最高の形式的効力をもつ。政令には主任の国務大臣が署名し、内閣総理大臣が連署することが必要であり（74条）、天皇がこれを公布する（7条1号）。憲法は、憲法および法律の規定を実施するためにのみ政令の制定を認めているため、執行の細則としての「執行命令」や、法律の授権に基づいて制定される「委任命令」は認められるが、法律の根拠をもたない「独立命令」や、法律の効力をもつ「緊急命令」などは認められない（本書367頁参照）。

委任命令については、一般的・包括的な白紙委任や、法律で予見できないような広い範囲についての委任は認められないため、規律対象や目的・内容が法律で予見されるほどに明確で、かつ、効力が法律に劣り、国会がいつでも授権を撤回しうることが条件であると考えられる。政令から他の命令に再委任することが許されるか否かも問題になりうるが、憲法が本来は政令制定の目的を憲法と法律の実施に限定しているところからすれば、委任の趣旨が政令で定めることを前提としていると解される場合には、再委任は認められないとすべきであろう。さらに、政令に罰則を付することは、特別の委任がある場合を除いて、憲法上明示的に禁止されている。

⑦「大赦、特赦、減刑、刑の執行の免除及び復権を決定すること」（7号）　大赦（有罪の宣告を失効させ、または公訴権を消滅させる行為)、特赦（有罪の宣告を受けた特定の者に対してその効力を失わせる行為）等のように、訴訟法上の手続によらずに、公訴権や有罪宣告の効力を消滅させたり、減刑もしくは刑の執行を免除したり、有罪宣告により停止された資格を回復させる行為の総称が恩赦である。政令で要件を定めて行われる一般的恩赦と、個別に中央公正保護審査会の申出に基づいて特定者に対して行われる個別的恩赦の二種類がある（本書53-54頁参照)。

以上のほか、憲法73条以外の規定による権限（前記(c)）には、最高裁判所長官の指名（6条2項)、その他の裁判官の任命（79条1項・80条1項)、国会の臨時会の召集（53条)、参議院の緊急集会の決定（54条2項・3項)、予備費の支出（87条)、決算審査および財政状況の報告（90条1項・91条）などがある（衆議院の解散権をめぐる問題については、本書422頁以下で後述する)。

(2)　内閣の権限行使の方法

内閣は合議体であるため、その職権の執行は構成員の合議によることが必要であり、内閣法も「内閣がその職権を行うのは、閣議によるものとする」と定める（4条1項)。閣議とは国務大臣全体の会議であり、内閣総理大臣が主宰する。従来は、議事に関する特別の規定はなく、議事が全会一致で決められることと、閣議の内容について高度の秘密が要求されることなどが、慣習により確立されてきた（とくに、閣議の議決方法については、学説上も多数決説と全員一致説が存在したが、憲法で内閣の連帯責任を明示しているところからすれば、全員一致説が妥当とされてきた)。

しかし、前記1997年の行政改革会議の最終報告で、内閣の機能強化・機動力強化を理由に閣議における多数決制が提言された（これに対する批判および学説の検討として、争点248頁〔今関源成執筆〕参照)。これに関しては賛否両論あるが、多数決を原則とした場合には、決定に反対した大臣の責任等が曖昧になることが予想され、仮に反対者がいた場合にも内閣の一体性から連帯責任が要求される以上、原則は全員一致とすべきであろう。憲法上に明示されていないことから多数決制を自由に導入できるとすることは疑問であり、内閣が一体として国民代表である議会に対して責任を負うとする憲法の構造から検討しなければならない。

なお、閣議決定の文書（閣議書）の要件、とりわけ国務大臣の署名の要否についても議論がある。閣議決定は要式行為ではないため、決定が文書にされ大臣の署名・連署がない場合にも閣議決定としての効力が認められると解すべきであろう。衆議院解散の効力に関する苫米地事件（本書434頁）において、一審判決（東京地判1953〈昭28〉.10.19行集4巻10号2540頁）は全員一致説（かつ署名必要説）をとったのに対して、控訴審判決（東京高判1954〈昭29〉.9.22行集5巻9号2181頁）は全員一致説（かつ署名不要説）をとった例がある（最高裁判決はこの点にはふれていない）。

四　内閣の責任と衆議院の解散

1　内閣の責任

憲法66条3項は「内閣は、行政権の行使について、国会に対し連帯して責任を負ふ」と定める。大日本帝国憲法では、「国務各大臣ハ天皇ヲ補弼シ其ノ責ニ任ス」（55条1項）と規定され、その責任は、天皇に対して国務各大臣が単独に負うものとされていた。これに対して、日本国憲法においては、内閣は、行政権全般について、国会に対し連帯して責任を負うことを明示して、議院内閣制の要素を示している。ここでいう責任の性質は、法的責任ではなく、政治責任と解するのが、学説上、一般的である。すなわち、国会が内閣の責任を追及する場合には、民事・刑事等の法定の行為（違法行為等）を理由にする必要はなく、政治問題一般を理由に追及できる。

責任の範囲については、行政権の範囲をどう解するかによって異なってくる。学説には、65条と同様、実質的意義の行政権を意味すると解するものもあるが、より広く、形式的意義のそれをもすべて含むとすべきであり、内閣の権限のすべてが対象になる。責任の相手方は、国会である。現実には、国会とは両議院のことであり、内閣は各議院に対して責任を負うことになる。

責任の形式は、「連帯責任」であり、内閣を組織する全国務大臣は一体となって行動し、責任をとらなければならない。各大臣が閣議と異なる意見をもつ場合は、それを外に向かって発表すべきでなく、辞職すべきであると解される。ただし、このような連帯責任の形式以外に、各国務大臣が、個人的理由につきまたはその所管事項に関して、単独に個別責任を負うことは、憲法上否定されているわけではない。したがって、個別の国務大臣に対する不信任決議も、直接辞職を強制する法的効力はもたないにしても、衆・参両院について認められる。なお、衆議院の場合には、内閣の不信任決議を行うことができるのに対して、参議院では、問責決議という形で責任を追及できるが、これはあくまで政治的な意味をもつにとどまる。

2　総辞職

内閣は、その存続が適当でないと考えるときは、任意に総辞職することができる。憲法は、(i)衆議院が不信任の決議案を可決し、または信任の決議案を否決したとき、10日以内に衆議院が解散されない場合、(ii)内閣総理大臣が欠けた場合、(iii)衆議院議員総選挙の後に初めて国会の召集があった場合は、必ず総辞職しなければならないことを定めている（69条・70条）。

ここでいう「内閣総理大臣が欠けたとき」とは、内閣総理大臣が死亡した場合、内閣総理大臣となる資格を失ってその地位を離れた場合のほか、辞職した場合も含む。病気または生死不明の場合は、通常は副総理が臨時に職務を代行する。総辞職した内閣は、「あらたに内閣総理大臣が任命されるまで引き続きその職務を行ふ」（71条）とされる。

実際には、内閣が更迭される場合、新内閣が成立するまでの手続は、総辞職の決定→衆参両院議長への通告（国会法64条）→国会による新内閣総理大臣の指名（憲法67条）→組閣→旧内閣総理大臣への通告→旧内閣の閣議、新内閣総理大臣の任命についての助言と承認→新内閣総理大臣・新国務大臣の任命および認証（皇居での任命式・認証式）→旧内閣総理大臣・旧国務大臣の地位喪失→新内閣成立の国会への通告、となる。

3　衆議院の解散

(1)　解散権の根拠

解散は、議院に属する議員全員に対して、その任期満了前に議員としての地位を喪失させる行為である。議会解散権は、君主主権から国民主権への展開、近代の「純粋代表制」から「半代表制」への展開のなかで重要な機能を果たしてきた。現代の議会政治や議院内閣制においては、任期満了前の解散・総選挙によって民意を的確に反映させる機能や、内閣と議会との協調関係の破綻に対処して内閣を安定させる機能などがある。議院内閣制の構造に関してみたように、解散権の位置づけが議院内閣制のあり方を左右するといってよい（本書406-407頁参照）。

日本国憲法では、内閣が国会に連帯責任を負うことが定められ（66条3項）、「内閣は、衆議院で不信任の決議案を可決し、又は信任の決議案を否決したときは、十日以内に衆議院が解散されない限り、総辞職をしなければならない」（69条）と定めるが、解散権の実質的決定権がどこにあるかを明示していない。そこで学説は、(I)衆議院自身が解散決定できるとする自律的解散説（①）と、(II)内閣に実質的解散権があるとする他律的解散説に分かれ、その根拠をめぐって、後者(II)はさらに、7条説（②）、65条説（③）、議院内閣制等の制度全体を根拠とする制度説（④）に分かれる。

解散は69条の場合に限定されるとする69条限定説（A説）と、69条以外の場合にも解散を認める69条非限定説（B説）に分かれ、前者（A説）では解散権の根拠として69条をあげることになる（69条説⑤）。これに対して、後者（B説）では69条以外に根拠を求めることが必要となるため、学説状況は錯綜している（最近では、7条説・69条説・制度説に大別して平面的に論じることが多いが、本来は、このような比較検討の仕方では十分ではない）。

これらのうち、解散の根拠を7条に求める②の7条説は、厳密には、天皇の解散は形式的・儀礼的な表示行為に限定されるため、実質的決定権は「助言と承認」を通して内閣にあるとする7条説(a)と、7条3号の解散は本来政治的なものであるとしても天皇は拒否権をもたないため結局内閣の「助言と承認」に拘束されると解する7条説(b)に区別される。7条説では、天皇の解散権を形式的な宣示行為と捉えるか否かは別として、いずれにせよ、内閣が「助言と承認」

を行うことから、解散の実質的決定権が内閣にあると解するものである（宮沢・コメ115頁以下）。これに対して、7条説(a)については、内閣の「助言と承認」は天皇の形式的・儀礼的解散宣示行為についての「助言と承認」となるためそこから実質的権限は導かれないとする批判が提示される（樋口・憲法Ⅰ315頁参照）。

③の65条説は、行政権の観念についての控除説から内閣の解散決定権を導き、69条所定の場合以外の解散も認める（B説）が、解散のような作用を控除説で論じる論法に対して疑問（佐藤幸・憲法170頁）がある。④は、議院内閣制または権力分立制の原理を根拠として援用するもので（清宮・憲法Ⅰ235頁）、これらの指標自体が明確でないことから、循環論法になるという批判が成立しうる。また、①の自律的解散説は、内閣が衆議院を解散しうるのは69条の場合に限定されるが、それ以外にも衆議院が特別多数によって自律解散の決議をなしうるとする（長谷川正安説）。しかし、憲法に自律解散や任期縮減に関する規定がない以上、選挙民の意思によらず憲法上保障された議員の任期を（特別）多数決で縮減することには根底的な批判が指摘される。⑤の69条説については、7条3号の文理解釈の不自然さや69条が解散の根拠規定ではないことが指摘される。

このように、解散の憲法上の根拠についていずれの理解も問題があることになり、さらに解散が69条に限定されるかどうかの点でも対応が微妙に分かれることになる。実際の運用では、憲法施行当初は野党が69条限定説をとって非限定説をとる政府と鋭く対立したが、結局、69条による解散は、1948年12月23日（第二次吉田内閣）、1953年3月14日（第四次吉田内閣）、1980年5月19日（第二次大平内閣）、1993年6月18日（宮沢内閣）で実施されたのみで、それ以外の解散（2017年9月28日解散までの24回中、上記を除く20回）はすべて7条3号に基づいて実施され、69条非限定説（B説）が定着している。そこで、学説は、69条非限定説を前提としつつ、②（②(b)）ないし④に落ち着くこととなる（佐藤幸・憲法170頁）。最近では②が多数説（芦部・憲法50頁、345頁、野中他・憲法Ⅱ216頁〔高橋執筆〕）であるが、④も有力である（浦部・教室529頁、中村・30講216頁など）。なお有力説は、②〜④のいずれにも難点があることを承知したうえで「解散権への期待の変化という事情の変化をとりこんで補強した制度論が、比較的無難であろう」とする（樋口・憲法Ⅰ318頁）。たしかに、憲法の明文上の限界や、主権者の意思を常時反映させるための解散の民主的機能を重視する必要からすれば、解散の現代的機能を前提とした現代的な制度説（④′）を構築することにも意味があろう。

従来の諸学説のうち、論理の点では相対的に②（②(b)）説は矛盾が少ないと思われるが、どの説にも問題がある以上、硬直した学説対立をこえて、現代における69条非限定説と新しい制度説の意義を検討することが必要であるといえよう。ただし、内閣による解散権の濫用や恣意的な運用を制約する意味では、69条限定説が重要な意味をもつことも否定できない。この点で、内閣の解散権の行使について、限界を明らかにすることが重要である。

(2)　解散権の制限

従来から、内閣が同じ理由で二度続けて解散することや、国会の会期外に解散をすることは否定的に捉えられてきたが、さらに、内閣や多数派の存続をもっぱら目的とする場合や党利党略による解散は認めることはできない（野中＝浦部・解釈Ⅲ116頁、長谷部・憲法402-405頁、浦部・教室578-579頁参照）。

そこで、衆参同日選挙の当否が問題となる。実例では、1980年5月に大平内閣の不信任案が可決された際と、1986年6月に中曽根内閣が解散を決定した際との二度の同日選挙の例があるが、後者では、同日選挙の実施を狙いとして解散が行われ、当時の与党自民党が衆議院で300議席をこえる「大勝」をしたことで問題となった。衆議院と参議院の議員の任期等に差を設けた憲法の趣旨や二院制のあり方からすれば、異なる時期の異なる民意を反映させるのが選挙の本来の機能であり、与党に有利な選挙を実現するために解散を利用することは、選挙の本旨にも解散の本旨にもそぐわないことになろう。もっとも、同日選挙を違憲と解するかどうかについては、学説上も十分に論じられていない。現在では合憲説が主流であり（佐藤幸・憲法235頁）、裁判例も、統治行為論によって憲法判断を避け、立法裁量の問題と解している（名古屋高判1987〈昭62〉. 3 . 25行集38巻2・3号275頁、百選Ⅱ376頁〔斎藤芳浩執筆〕参照）。

また、2017年9月28日に臨時国会の冒頭解散が行われた際には、野党の選挙準備が整わないうちの駆け込み解散で、首相の政権維持が目的であると批判された（本書375頁参照）。内閣は当初、「総理の専権事項であること」が憲法上で定められていると説明したが、憲法7条3項により内閣の助言と承認によって解散されることから実質的に内閣に解散権があると解するのが正確である。（この点は、2017年10月6日の閣議決定で確認されたが）実態は、自民党長期政権下で「解散権は総理大臣の専権事項」という慣行が定着し、内閣や政党の利益に即した解散が繰り返されてきたといえる。

比較憲法的に見れば、解散権が任意に行使されるという慣行は時代遅れであり、現代では、OECD加盟国中、イギリス・ドイツなど解散権制約が主流となり、任意に解散できるのは、日本、カナダ、デンマーク、ギリシア（小堀後掲書162-169頁）など少数である。イギリスでは、2011年に「議会任期固定法」を制定して首相の解散権を制限し、任期満了によらない下院の総選挙は、下院議会自体による自主解散の議決（3分の2以上の賛成）等に限られている（辻村・比較憲法177頁以下、辻村編・憲法研究2号〔植村勝慶「解散権制約の試み」〕参照）。

なお、2005年8-9月には、小泉内閣の公約であった郵政民営化法案が参議院で否決されたことから、小泉首相が衆議院を解散して民意を問い、総選挙に大勝した。この「郵政解散」に対しては、憲法上解散制度のない参議院の議決を契機として衆議院を解散したことは「筋違い」であり、憲法59条の両院協議会や衆議院での再議決等の手続が踏まれなかった点に批判もあった。しかし、憲法上は、内閣の浮沈を左右する重要法案について解散・総選挙によって民意を問うことや内閣と衆議院多数派との対立を克服する（造反を抑えこむ）意図で実施する解散も認められるといえよう（野中他・憲法Ⅱ222頁〔高橋執筆〕参照）。

ただし、郵政民営化を争点にした総選挙には世論誘導的なプレビシットの側面が濃厚に表れていた（ジュリスト1311号特集の糠塚康江論文参照）。与党の大勝後、選挙時に十分に争点化されてなかった教育基本法改正、防衛省昇格、国民投票法成立等が短期間に実現した政治過程を総合的にみる場合には、解散自体が（民意を利用した強引な政治手法を実行するための）「効果的な政治的武器」（樋口他・注解Ⅰ112頁〔樋口執筆〕）であったことが確認できる。

これらの視点から解散権の限界やコントロール方法を検討することも、今後の重要な課題である。

第5章　裁判所

一　司法権の意義

日本国憲法は、第6章（76条-82条）を司法にあてた。第4章・第5章のタイトルがそれぞれ国会（The Diet）・内閣（The Cabinet）のように立法権・行政権を担当する機関名になっているのに対して、第6章は「司法」（Judiciary）と表記された。大日本帝国憲法でも「司法」（第5章）とされていたが、そこでは、司法権は天皇に属し、「天皇ノ名ニ於テ」裁判所が司法権を行う（57条1項）ものとされていた。日本国憲法では、「すべて司法権は、最高裁判所及び法律の定めるところにより設置する下級裁判所に属する」と定め（76条1項）、司法権が名実ともに裁判所に属することを明示し、立法権（41条）・行政権（65条）とならぶ司法権の存在を明らかにした。もっとも、司法権の意味や内容については、憲法上に明文があるわけではなく、実質的意義の司法ないし司法権の観念を定義すること自体が課題であるといえる。

1　司法権の観念

まず司法の観念について、通説は「具体的な争訟について、法を適用し、宣言することによって、これを裁定する国家の作用」と定義してきた（清宮・憲法Ⅰ335頁）。より厳密にいえば、「当事者間に、具体的事件に関する紛争がある場合において、当事者からの争訟の提起を前提として、独立の裁判所が統治権に基づき、一定の争訟手続によって、紛争解決の為に、何が法であるかの判断をなし、正しい法の適用を保障する作用」であり、この司法の観念の構成要素は、(a)「具体的な争訟」ないし具体的な事件の存在、(b)適正手続の要請等に則った特別の手続（口頭弁論・公開主義など公正な裁判を実現するための諸原則）に従うこと、(c)独立して裁判がなされること、(d)正しい法の適用を保障する作用であること、であるとされる（芦部・憲法348頁）。

司法権は、このような司法作用を行う権能であり、裁判所という独立の国家機関に委ねられている。一般には(a)の具体的事件性の要素が司法権の観念の核心にあたるとされてきた。

これに対して、近年では、日本の裁判所に属する司法権の観念は、具体的事件性を要件とせず「適法な提訴を待って、法律の解釈・適用に関する争いを、適切な手続の下に、終局的に裁定する作用」と説明する見解も有力に展開されてきた（樋口編・講座(6)23-24頁〔高橋和之執筆〕、高橋・憲法訴訟32頁以下参照）。

事件性の要否をめぐるこの問題は、「法律上の争訟」にあたらない民衆訴訟や機関訴訟の合憲性の論点にもつながっている。すなわち、客観訴訟の合憲性を認める場合も、司法の観念を拡大する立場（高橋説）では当然に承認することができるが、通説では別の論拠が必要となる（安西他・論点7章〔南野森執筆〕、本書428頁以下、学説の展開につき、争点272頁〔畑尻剛執筆〕参照）。

また、「法によって拘束された裁判」という建前をめぐって二つの立場が提示され、議論が展開されている（樋口・憲法Ⅰ467頁参照）。その一方は、(A)「裁判には法創造ないし法形成の機能を一定の範囲内で積極的に営むことが期待されている」として、積極的に「一定の立法的な作用」すなわち法創造的機能や政策形成的機能を加味する立場（芦部・憲法348頁）である。他方は、(B)議会等の「政治部門」に対して「法原理部門」としての裁判所の意義を重視する立場（佐藤幸・憲法291頁以下、佐藤幸治後掲『現代国家と司法権』57頁以下）である。ほかに、アメリカのプロセス法学の立場をふまえて「司法権行使は、法原則の客観的な確認として正当化されるべき」であるとする見解（松井・憲法227頁）も提示されている。

2　司法権の範囲

(1)　司法権と裁判作用

司法権の範囲について、大日本帝国憲法では、「行政官庁ノ違法処分ニ由リ権利ヲ傷害セラレタリトスルノ訴訟ニシテ別ニ法律ヲ以テ定メタル行政裁判所ノ裁判ニ属スヘキモノハ司法裁判所ニ於テ受理スルノ限ニ在ラス」（61条）と定めて、行政事件の裁判権は司法権に入らないとしていた。通常裁判所に属するのは、私法上の権利義務に関する民事裁判と、刑事法の適用により刑罰を科することを目的とする刑事裁判のみであり、行政行為によって違法に権利・利益を害された者と行政機関との争訟については、行政裁判所に属するとしたのである（行政裁判所は、形式上は行政府に属するが内閣から独立の地位にあるとされていた）。

このように司法権の範囲を民事・刑事裁判に限る制度は、フランスやドイツなどの大陸法系の諸国で採用されていた。これに対して、イギリスやアメリカなど英米法系の国では、行政裁判所を設けず、「法の支配」の原則のもとで民事・刑事・行政に関する事件をすべて通常裁判所に係属させる制度が発達してきた。日本国憲法は後者にならったため、司法権の範囲は、旧憲法に比して著しく拡大されることとなった。

日本国憲法は、行政事件の裁判も含めてすべての裁判作用を「司法権」と捉え、通常裁判所に属するものとした。憲法76条２項で「特別裁判所は、これを設置することができない。行政機関は、終審として裁判を行ふことができない」として特別裁判所の設置と行政機関による終審裁判禁止を定めたことにもその趣旨が示される。

⑵　法律上の争訟

通説上、司法権の観念の中核をなすとされてきたのが、「法律上の争訟」の要件である。裁判所法３条が「一切の法律上の争訟」を裁判する権限を裁判所に認めているが、この「法律上の争訟」について、通説は、(i)当事者間の具体的な権利義務ないし法律関係の存否（刑罰権の存否を含む）に関する紛争であって、かつ、(ii)法律を適用することにより終局的に解決できるものであるという二要件を指摘している（野中他・憲法Ⅱ229頁〔野中執筆〕）。判例も、「『法律上の争訟』とは法令を適用することによって解決し得べき権利義務に関する当事者間の紛争をいう」とし（最一判1954〈昭29〉.２.11民集８巻２号419頁）、「法律上の争訟」の観念について、①当事者間の具体的な権利義務ないし法律関係の存否に関する紛争であって、かつ、②法令の適用により終局的に解決することができるもの、を意味する、のように二要件を認めた（「板まんだら事件」最三判1981〈昭56〉．４．７民集35巻３号443頁、本書431頁参照）。とくに②の法律の適用による解決可能性という要件を示したことから、裁判所の救済を求めるためには、原則として自己の権利、あるいは法律で保護される利益の侵害があったことが要件とされる。

このように、(i)事件性ないし争訟性と(ii)法律適用による解決可能性の二要件を前提とする考え方（芦部・憲法350頁）に依拠する場合には、これらを欠いた訴訟は、「法律上の争訟」にあたらず裁判所の審査権が及ばない事例と解される（上記高橋説のほか、市川・憲法313頁では、①の要件について「緩やかに解すべき」とされる）。(i)の事件性ないし争訟性の要件については、具体的事件性も権利侵害もないのに、抽象的に法令の解釈または効力について争う場合が問題となる。警察予備隊令およびそれに基づいて設置された警察予備隊の違憲性が争われた事件では、裁判所は訴えを却下した（本書76頁、458頁参照）。

さらに現状では、「法律上の争訴」には当たらないはずの事項が裁判所の権限として取り込まれており（争点251頁〔安念潤司執筆〕）、それには、客観訴訟、非訟事件、単なる事実や過去の法律関係の確認などがある。

(3)　客観訴訟の場合

ただし、「当事者の具体的な権利利益とは直接かかわりなく、客観的に、行政法規の正しい適用を確保することを目的とする訴訟」（市川・憲法315頁）としての、いわゆる客観訴訟は例外として合憲と解されてきた。これには、民衆訴訟や機関訴訟が含まれる（芦部・憲法350-351頁）。

民衆訴訟は、「国又は公共団体の機関の法規に適合しない行為の是正を求める訴訟で、選挙人たる資格その他自己の法律上の利益にかかわらない資格で提起するもの」（行政事件訴訟法５条）であり、地方自治法242条の２の住民訴訟、公職選挙法203条・204条の選挙無効訴訟などのように、具体的事件性を前提とせずに出訴する制度を法律で設けているものである。また、機関訴訟とは、「国又は公共団体の機関相互間における権限の存否又はその行使に関する紛争についての訴訟」（同６条）である。これらの民衆訴訟と機関訴訟は、ともに「法律に定める場合において、法律に定める者に限り、提起することができる」（同42条）とされる。

司法権の観念に「法律上の争訟」の要件を含めてきた憲法学の通説では、従来は立法政策上の見地から設けられたとして合憲性を問題にすることは少なかったが、前述（本書427頁）のように、司法権の観念について学説が分かれてきた今日では、客観訴訟の合憲性の根拠を問うことが必然となった（安西他・論点7章〔南野森執筆〕、宍戸・憲法解釈論283頁以下参照）。これについては、①客観訴訟も法律上の争訟に含まれると説明して事件性概念を拡大すること、②客観訴訟が司法権の対象に含まれないとしても、裁判所の「法原理的決定」になじむものであれば裁判所の作用に含めることができる、さらに、法律上客観訴訟とされるものの中にも実質的には主観訴訟とみるべきものがありうるなど境界線は曖昧であること（佐藤幸・憲法298頁、同・憲法論588頁）、あるいは、③機関訴訟を主観訴訟と観念するのは「強弁の感を免れない」（争点251頁〔安念執筆〕）が、訴訟手続になじむ問題であれば裁判所の権限として取り込んでも憲法に違反しないこと、などを根拠として、それぞれ合憲性を判断することになろう。

このうち佐藤説では、アメリカ合衆国のように手続法・実体法とならんで「救済法」的な観点を取り込むこむことによって、「実質的司法観念の構成が、権利の実現のための積極的・創造的な活動に資する」ようになることを指摘し、高田事件や議員定数不均衡事件のほか、最近の在外国民選挙権訴訟判決（最大判2005〈平17〉. 9. 14）が、救済の必要性を重視して、「法律上の争訟」性を柔軟に解釈したことに注目している（佐藤幸・憲法論639頁参照）。

なお、非訟事件の裁判権も、本来的な司法権とはいえないものの、法政策的に裁判権の範囲に含まれてきた。裁判所法3条1項で「その他法律によって特に定める権限」に位置づけられて非訟事件手続法で定められている。そのほか同法を準用ないし適用排除を定める法規も多い（民事調停法22条、借地借家法42条、会社法875条等参照）。（これらは、国民の「裁判を受ける権利」の問題としても検討を要するため、本書では277頁参照）。

(4)　法律適用による解決可能性

上記のほか、単に事実の存否や個人の主観的意見の当否を争うもの、学問上・技術上の論争なども、「法律上の争訟」の要件を欠いたものと解される。判例では、国家試験における合格・不合格の判定などは、学問・技術上の知識、能力、意見等の優劣・当否の判断を内容とする行為であるから、試験実施機関の最終判断に委ねられ、裁判の対象にならないとされる（技術士国家試験事件判決、最三判1966〈昭41〉. 2. 8民集20巻2号196頁）。

また、宗教上の教義や信仰対象の価値等に関する判断を求める訴訟や、宗教上の地位の確認の訴えなども、「法律上の争訟」の要件のうち、(ii)の法律適用による解決可能性の要件を欠いたものと考えられる。紛争の核心が宗教上の争いであって裁判所による解決に適しないものとされた代表的な事例に、「板まんだら」事件と日蓮正宗蓮華寺事件がある。

①　「板まんだら」事件　　創価学会に対して行った正本堂建立のための寄付金の返還を創価学会の会員が求めた訴訟で、正本堂に安置する本尊である「板まんだら」が偽物であること等が理由とされた。最高裁は「裁判所がその固有の権限に基づいて審判することができる対象は、裁判所法3条にいう『法律上の争訟』、すなわち当事者間の具体的な権利義務ないし法律関係の存否に関する紛争であって、かつ、法令の適用により終局的に解決することができるものに限られる」ことを確認したうえで、「本件訴訟は、具体的な権利義務ないし法律関係に関する紛争の形式をとっており、その結果信仰の対象の価値又は宗教上の教義に関する判断は請求の当否を決するについての前提問題であるにとどまるものとされてはいるが、本件訴訟の帰すうを左右する必要不可欠のものと認められ……ることからすれば、結局本件訴訟は、その実質において法令の適用による終局的な解決の不可能なものであって、裁判所法3条にいう法律上の争訟にあたらない」と判断した（最三判1981〈昭56〉. 4. 7民集35巻3号443頁、百選Ⅱ400頁〔宍戸常寿執筆〕）。

②　日蓮正宗蓮華寺事件　　住職に対する懲戒処分に関する本件最高裁判決（最二判1989〈平元〉. 9. 8民集43巻8号889頁）は、「宗教団体内部においてされた懲戒処分の効力が請求の当否を決する前提問題となっており、その効力の有無が当事者間の紛争の本質的争点をなすとともに、それが宗教上の教義、信仰の内容に深くかかわっているため、右教義、信仰の内容に立ち入ることなくしてその効力の有無を判断することができず、しかも、その判断が訴訟の帰趨を左右する必要不可欠のものである場合には、右訴訟は、その実質において法令の適用による終局的解決に適しない」として上告を棄却した。

3　司法権の限界

以上のように、裁判所法3条は裁判所が一切の法律上の争訟を裁判することを原則とするが、これには権力分立その他の理由によって一定の例外や限界が存在する。憲法上に明記されている、議員の資格争訟の裁判（55条）や裁判官の弾劾裁判（同64条）のような例外のほか、国際法や条約による裁判権の制約や、議院の自律権等を理由とする司法権の限界が認められる。

(1)　立法権との関係における限界

①　議院の自律権　　議院の自律権とは、議員の懲罰や定足数や議決の有無等の議事手続など、議院の内部事項について両議院が自律的に決定できる権能のことである。通説・判例は、国会内部の議事手続については、政治部門の内部的自律を尊重して、裁判所の審査権は及ばないとしている（本書398頁以下参照）。例えば、1954年の警察法改正無効事件では、野党議員の強硬な反対のため議場混乱のまま可決された議決が無効ではないかが争われ住民訴訟が提起されたが、最高裁は、「裁判所は両院の自主性を尊重すべく同法制定の議事手続に関する所論のような事実を審理してその有効無効を判断すべきでない」と判示した（最大判1962〈昭37〉. 3. 7民集16巻3号445頁）。

②　立法裁量（立法府の裁量）　　立法裁量とは、立法に関して立法府の判断に委ねることである。判例では、一般に、この裁量権を著しく逸脱するか濫用した場合でないと、裁判所の統制は及ばないと考えられている。とくに、経済政策立法や社会権の実現、あるいは選挙に関する事項の決定について、立法権を尊重して立法裁量を広く認める傾向にある。例えば、堀木訴訟最高裁判決や議員定数訴訟最高裁判決等でこの傾向が著しく、学説の批判をうけてきた（本書290頁、322頁以下参照）。

ところが、近年では、憲法上に法律によって定めることが明示されている選挙関係（47条）、国籍法（10条）、家族法（24条）関連の訴訟において、それぞれ立法裁量を重視して立法的解決に待つという従来の判例動向が変化し、選挙権（15条）や平等権（14条・24条）、個人の尊重・子どもの人権（13条）などを根拠に、立法行為や立法不作為の違憲性を認定する違憲判決が増えてきた。2005年の在外国民選挙権違憲判決（最大判2005〈平17〉. 9. 14民集59巻7号

2087頁）、2008年の国籍法違憲判決（最大判2008〈平20〉．６．４民集62巻６号1367頁）、2013年の衆議院選挙「一人別枠方式」違憲状態判決（最大判2011〈平23〉．３．23民集65巻２号755頁）、婚外子相続分差別訴訟違憲決定（最大決2013〈平25〉．９．４民集67巻６号1320頁）、などがそれである（本書322頁、104頁、174頁参照）。これらの諸判例は学説によっても高く評価されただけでなく、実際に法改正に結びついており、司法府が法改正を先導した点においても大いに注目すべき傾向と言える。この点は、2015年12月16日の再婚禁止期間規定違憲判決（民集69巻８号2427頁）も同様であり（本書171頁参照）、今後も、違憲の疑いが強い諸規定について違憲立法審査権が積極的に行使されることが期待される。

⑵　行政権との関係における限界

内閣総理大臣による国務大臣の任免（68条）や国務大臣の訴追に対する同意（75条）など、憲法上政治部門の自律や裁量に委ねられている事柄については、司法権は及ばない。さらに、行政訴訟において、行政権に対して司法権がどこまで介入できるかが問題となる。例えば、行政庁の裁量行為については、司法権が及ばないと解するのが行政法学の通説であるが、たとえ自由裁量行為であっても、裁量権の限界を踰越した場合や裁量権の濫用にあたる場合には、司法権の審査対象となる。

また、行政事件訴訟法27条が認めている内閣総理大臣の異議の制度も、司法権や裁判を受ける権利の侵害になるのではないかという疑問が提示される。行政事件訴訟法では、回復困難な損害を避けるため緊急の必要がある場合に、執行停止の権限を裁判所に認めている（同25条２項）が、内閣総理大臣は、やむをえない場合であることと事後の国会への報告を条件として（同27条６項）裁判所の決定に異議を述べることができ（同１項）、異議があれば裁判所は執行停止できず、あるいは執行停止決定を取り消さなければならない（同４項）として、行政権の介入を許容している。通説は付随的な執行停止も行政作用になるとして合憲と解し、判例も「本来的な行政作用の司法権への移譲」（東京地判1969〈昭44〉．９．26行集20巻８・９号1141頁）で立法政策の問題としてきたが、「内閣の命運にかかわるような非常事態の法理」以外は正当化されない（佐藤幸・憲法308頁）といえよう。

⑶　統治行為

統治行為は、一般に、「直接国家統治の基本に関する高度に政治性のある国家行為」で、法律上の争訟として、実際には司法府の法律的な判断が可能であるのに、政治的な性質を理由に司法審査の対象から除外される行為（芦部・憲法342-343頁）のように解される。アメリカ合衆国最高裁判所の判例理論のなかで、政治問題（political questions）として理論化されてきたものである。

日本の最高裁判所は、日米安保条約に基づく駐留米軍の違憲性が問題となった砂川事件判決（最大判1959〈昭34〉. 12. 16刑集13巻13号3225頁）において、日米安保条約のような「主権国としてのわが国の存立の基礎に極めて重大な関係をもつ高度の政治性を有する」条約が違憲かどうかという問題は、内閣・国会の「高度の政治的ないし自由裁量的判断と表裏をなす点がすくなくない」ため、「一見極めて明白に違憲無効であると認められない限りは、裁判所の司法審査権の範囲外のものである」とした（本書76頁参照）。ここでは「一見極めて明白に違憲無効」の場合には司法審査は可能であるとしたため、自由裁量論の要素が加味されたもので理論的にも疑問が残り、「例外つきの変型的統治行為論」（樋口・憲法Ⅰ477頁）と解されている。

1952年のいわゆる抜き打ち解散の効力が争われた苫米地事件最高裁判決（最大判1960〈昭35〉. 6. 8民集14巻7号1206頁）は、憲法7条を根拠に行われたこのような衆議院解散については「裁判所の審査権の外にあり、その判断は主権者たる国民に対して政治的責任を負うところの政府、国会等の政治部門の判断に委され、最終的には国民の政治判断に委ねられているものと解すべきである。この司法権に対する制約は、結局、三権分立の原理に由来し、……特定の明文による規定はないけれども、司法権の憲法上の本質に内在する制約と理解すべき」と判示して統治行為の存在を認めた（百選Ⅱ412頁〔高橋雅人執筆〕参照）。学説では、統治行為を認めるかどうかについて争いがある（争点254頁「政治問題の法理」〔渡邉賢執筆〕参照）。肯定説の一つは、国の統治の基本に関する高度に政治性のある国家行為を「統治行為」または「政治問題」として認め、たとえ法的判断が可能であっても司法審査をすべきではないとする立場であり、自制説と称される。また、民主主義の原理のもとでは、司法権に内在する限界があるとする内在的制約説がある。

近年では、個別的・実質的論拠を十分に示すことができる場合にのみ統治行為を認めることができるとする限定的肯定説が多数である（芦部・憲法355頁）。しかし、「高度に政治的」という指標だけでは「審査権を否定する論拠として弱い」（野中他・憲法Ⅱ281頁〔野中執筆〕）と指摘されるように、法治主義（法の支配）を原則とする日本国憲法下では不明瞭な統治行為の観念を用いることは妥当ではないといえる。そこで法治主義の原則と司法審査の貫徹が憲法の要請であると解して統治行為の観念を否定する否定説が有力説となったが（奥平康弘「『統治行為』理論の批判的考察」法律時報臨増『自衛隊裁判』1973年、80頁）、判例は、前述のように苫米地事件では、肯定説のうち内在的制約説の立場を示しており、なおも議論が必要である。さらに、肯定説に立つ場合も理論の射程・範囲は明らかでなく、苫米地事件判決では裁判所の審査権が及ばないのに対して、砂川事件では「一見極めて明白に違憲無効」な場合に限定しており、基準が明確ではないなど、課題が残っている。

(4)　部分社会

団体内部の紛争で団体の自律的な判断を尊重すべき場合には司法審査を控えるべきだとする考えが、「部分社会の法理」である。公的団体については、地方議会の議員懲罰問題や国立大学の単位認定をめぐる紛争、私的団体については、宗教団体・弁護士会・労働組合・政党などの内部紛争についてこのような議論がされている。判例では、国立大学の単位不認定処分に関する富山大学事件や、政党の党員の除名処分の効力が争われた共産党袴田事件が重要である。最高裁判所は、これらの団体の自律性を重視する論理を「部分社会」論として位置づけて当該事件を司法審査の対象外としたが、この論理を一般的に承認することは、司法審査が及ばない領域を広く解する傾向を正当化することとなり、法治主義の原則からして妥当ではない。団体内部の紛争であっても、それぞれ大学の自治や、結社の自由、あるいは（地方議会などの場合には）地方自治などの憲法原理に照らして理論を構成すべきであろう。

①　富山大学事件　　大学が、一教官の授業担当停止と代替科目受講の指示にかかわらず成績評価された単位の認定を行わなかったことに対して、学生側が違法確認等の訴訟を提起した。一審判決は司法審査の対象外として訴えを却下、二審判決は一部を司法審査の対象と認めて差戻した。その後最高裁判決は、国

公立と私立をとわず、自治が認められた大学については「一般市民社会とは異なる特殊な部分社会を形成している」とし、「単位授与（認定）行為は、他にそれが一般市民法秩序と直接の関係を有するものであることを肯認するに足りる特段の事情のない限り、純然たる大学内部の問題として大学の自主的、自律的な判断に委ねられるべきものであって、裁判所の司法審査の対象にはならない」と判示した（最三判1977〈昭52〉.３.15民集31巻２号234頁、百選Ⅱ396頁〔見平典執筆〕参照)。ただし、同日の最高裁判決（最三判・民集31巻２号280頁）は、学生が必要な要件を充足したのに大学が専攻科修了の認定をしないときは公的施設利用権が侵害されるため司法審査の対象になるとしており、部分社会論・大学の自治論と司法権との関係は不明確である。

②　袴田事件　　政党の除名処分の効力が争われた事件で、最高裁は、政党は結社の自由に基づき任意に結成される政治団体で、議会制民主主義を支える重要な存在であるから、「高度の自主性と自律性を与えて自主的に組織運営をなしうる自由を保障しなければならない」として「一般市民法秩序と直接の関係を有しない内部的な問題にとどまる限り、裁判所の審判権は及ばない」と判断した（最三判1988〈昭63〉.12.20判時1307号113頁、百選Ⅱ398頁〔片山智彦執筆〕参照)。

二　司法権の独立

1　司法権独立の意義

公正な裁判が確保されるためには、裁判の独立が不可欠である。そのためには、まず、行政権等の他の国家権力からの司法権自体の独立が前提となり、そのうえで裁判官がその良心に従って独立して職権を行使することが求められる。また、それを可能とするために、裁判官の身分が保障されなければならない。すなわち、司法権の独立には、広義の意義（立法権・行政権からの司法権の独立）と狭義の意義（裁判官の職権の独立）があり、憲法76条３項は後者について定めている。また裁判官の身分保障がその職権の独立を側面から支えるほか、裁判官の任命（80条）や裁判所の規則制定権（77条)、行政機関による裁判官の懲戒処分の禁止（78条後段）など、司法府の独立と自律性を確保するための諸規定も、司法権の独立を強化するためのものといえる。

広義の司法権独立の例としては、旧憲法下の大津事件（1891年）の際に大審院長が内閣の干渉を排除した例がある。この事件は、来日中のロシア皇太子を負傷させた巡査津田三蔵に対して、当時の政府が外交上の配慮から日本の皇族に対する罪を適用して死刑に処すように大審院に働きかけたが、大審院長児島惟謙はこれに抵抗して担当判事を激励し、旧刑法下で普通謀殺未遂罪として無期徒刑となった事件である。従来は司法権の独立を守った輝かしい事例として評価されてきたが、今日の憲法理論からみれば、大審院長が司法内部の裁判官の職権行使に干渉したという側面も見逃すことはできないであろう。もっとも旧憲法下では、判事も司法大臣の監督下にあり、制度的には司法権独立の原則が前提となっていたわけではないことも忘れてはならない。

2 裁判官の職権の独立

憲法76条3項は「すべて裁判官は、その良心に従ひ独立してその職権を行ひ、この憲法及び法律にのみ拘束される」と定める。「その良心に従ひ」の意味、すなわち裁判官の良心の意味については議論があり、通説は、いわゆる客観的良心説（良心二元説）にたっている。それによれば、ここでいう裁判官の良心は、憲法19条で保障されている個人的・主観的意味での良心ではなく、客観的な「裁判官としての良心」であると解する（清宮・憲法Ⅰ357頁、芦部・憲法368頁、長谷部・憲法425頁など）。これに対して、いわゆる主観的良心説は、憲法19条と76条の良心はともに主観的・個人的な良心の意味で、究極的には法律の解釈・運用も裁判官の主観的良心に依拠する部分をもたざるをえないことを指摘する（杉原・憲法Ⅱ376頁）。

判例は、「裁判官が有形無形の外部の圧迫乃至誘惑に屈しないで自己内心の良識と道徳感に従う」意味であり（最大判1948〈昭23〉.11.17刑集2巻12号1565頁）、「裁判官は法（有効な）の範囲内において、自ら是なりと信ずる処に従って裁判をすれば、それで憲法のいう良心に従った裁判といえる」（最大判1948〈昭23〉.12.15刑集2巻13号1783頁）としている。主観的良心説に近いようにもみえるが、客観的良心説も自説に与するものとして扱っており、必ずしも明らかではない。

憲法自身が「裁判官は……この憲法及び法律にのみ拘束される」と定める点からすれば、たとえ裁判官が法律の客観的解釈上の結論と異なる主観をもつ場合にも、客観的な法解釈によるべきであるとするのが憲法の趣旨と解すべきであり、その限りでは客観的良心説が妥当であるといえる。もっとも、主観的良心説も憲法の趣旨の理解においては同じであり、ただ、裁判官も人間である以上二つの良心をもつことはできないと考える立場から、(憲法76条の趣旨でなく)狭義の「良心」の解釈としては主観に依拠せざるをえないという現実を指摘したとみることができよう。

実際には、裁判官の個人的良心と法が食い違う場合に問題が生じるため、なるべく食い違いが生じないような思想・信条の持ち主であることを裁判官の条件とすることによって、裁判官の思想・信条差別が正当化されることが危惧される(野中他・憲法Ⅱ242頁〔野中執筆〕参照)。「客観的良心」説に立った場合も、その捉え方次第では、特定の考え方をもつ裁判官を排除することにも結びつきうるため、この点でも裁判官の身分保障が重要な意味をもつことになろう(南野森「司法の独立と裁判官の良心」ジュリスト後掲特集1400号13頁参照)。

次に、裁判官が「独立して職権を行う」こと、すなわち裁判官の職権の独立とは、裁判の公正を保つためにいかなる外部の干渉や圧力にも屈せずに、裁判官が自律して行動することを意味し、そのために他の国家機関や上級審裁判所からの独立が求められる。逆にいえば、裁判官の職権の独立に対する制約ないし限界の問題として、(i)国会や内閣からの干渉や、(ii)上級審裁判所からの圧力、(iii)国民(市民)の裁判批判等をあげることができる。

(i)の例として、1948年の浦和充子事件について議院の国政調査が司法権の独立の前に制約された例や、二重煙突事件など国政調査権との並行調査が問題になった例(本書397頁以下参照)、および内閣による裁判官の再任拒否や「偏向判決」批判の例(後述)がある。さらに(ii)の例として、吹田黙祷事件や「平賀書簡問題」がある。

① 吹田黙祷事件　1953年の大阪地方裁判所の公判中に、出廷の被告人たちが朝鮮戦争の犠牲者たちに黙祷を捧げたことを裁判長が黙認した。この訴訟指揮を非難して国会で訴追委員会の動きがおこったが、最高裁も「法廷の威信について」という通達を全国の裁判所宛に送って間接的に批判した。この通達は「裁判にいかなる影響を及ぼすものではない」と断っていたにせよ、上級審の監督権行使が裁判長の訴訟指揮に介入するものとなりえた点で問題があったといえよう(芦部・憲法369頁)。

② 平賀書簡問題　1969年の長沼ナイキ基地訴訟の際に、札幌地裁の平賀健太所長が、事件を担当する福島重雄裁判長に対して自衛隊の違憲審査を抑制するための私信を送った事例である。平賀所長が私信のなかで、執行停止の申

立てに対しては却下するのが妥当だと示唆したことを、福島裁判長は不当な干渉と受けとって書簡を公表した。最高裁はこれを遺憾とし、平賀所長を注意処分として東京高等裁判所判事に転任とした。その後、福島判事の行為に対する政治権力からの批判が強まり、訴追委員会が介入して平賀判事を不訴追、福島判事を訴追事由にあたるが訴追猶予とした。1960年代後半からは、いわゆる「司法の危機」キャンペーンが展開され、青年法律家協会問題や再任拒否事件問題（1971年）にもつながった（本書449頁、芦部・憲法369-370頁参照）。

(iii)の国民の裁判批判は、主権者国民の主権行使および表現の自由行使の一環であるため、健全な主張としては本来排除されてはならないものである。もっとも、直接的に裁判官に圧力を加えたり脅迫したりするようなものはその限界をこえており、裁判官の職権独立を侵すものといわざるをえない。終戦直後の松川事件（1949年）などの際には、演劇等の方法による裁判批判が行われ、その是非が問題になった時期もあった。この問題は、司法の民主化や市民の司法参加にも関係しており、後にふれる（本書449頁以下参照）。

なお、陪審制や「裁判員制度」も、陪審員や裁判員の決定に裁判官が拘束されるという点では裁判官が「この憲法及び法律にのみ拘束される」とする憲法76条3項に抵触すると解する見解もありうるが、裁判員を非常勤裁判官として扱い、かつ、評決に必ず1人以上の裁判官が含まれるとする現行法では、この問題はないといえよう（「裁判員制度」については、本書452頁以下参照）。

3　裁判官の身分保障

裁判官の職権独立の実効性をあげるためには、裁判官の身分保障が十分でなければならない。旧憲法は「裁判官ハ刑法ノ宣告又ハ懲戒ノ処分ニ由ルノ外其ノ職ヲ免セラルヽコトナシ」（58条2項）と定めていたが、日本国憲法では、「裁判官は、裁判により、心身の故障のために職務を執ることができないと決定された場合を除いては、公の弾劾によらなければ罷免されない。裁判官の懲戒処分は、行政機関がこれを行ふことはできない」（78条）と詳細な規定をおいている。さらに、裁判官に対する相当額の報酬の保障およびその減額禁止を定める（79条6項・80条2項）。裁判所法でも、最高裁判事の国民審査と心身の故障による分限裁判の場合、および公の弾劾裁判による以外は、裁判官の意に反して、免官・転官・転所・職務の停止または報酬の減額をされないことを明示している（裁判所法48条）。現行法上の裁判官の身分保障の例外には、以下の場合がある。

①　弾劾裁判　　「公の弾劾」すなわち弾劾裁判所による弾劾裁判によって、裁判官の罷免が認められる。憲法は64条2項で「弾劾に関する事項は法律でこれを定める」としており、実際には、国会法と裁判官弾劾法がその手続や組織を定めている。それによれば、弾劾裁判所は国会に設けられ、両議院の議員各7人で構成される。弾劾裁判の手続は、両議院の議員各10人で構成される裁判官訴追委員会の訴追を待って開始される（国会法125条・126条、裁判官弾劾法5条・16条）。罷免事由は、「職務上の義務に著しく違反し、又は職務を甚だしく怠つたとき」または「その他職務の内外を問わず、裁判官としての威信を著しく失うべき非行があつたとき」（裁判官弾劾法2条）に限定され、これらの事由があると認められたときは、審理に関与した裁判員の3分の2以上の多数の意見によって、裁判官は罷免の宣告によって罷免される（同31条2項・37条）（本書392頁参照）。

②　執務不能の裁判（分限裁判）　　憲法78条は「裁判により、心身の故障のために職務を執ることができないと決定された場合」を罷免事由として認める。これをうけて裁判官分限法は、心身の故障のために職務を執ることができないという分限上の理由による罷免を認め、その要件として、第一に、「回復の困難な心身の故障のために職務を執ることができないと裁判された場合及び本人が免官を願い出た場合」をあげる（裁判官分限法1条1項）。これは、心身の故障が相当長い期間にわたって継続することが確実に予想される場合で、裁判官の職務の執行に支障をきたす程度のものでなければならない。たとえ重大な心身の故障であっても一時的な故障は含まれないし、職務執行上支障がなければ、これにあたらない。精神的・肉体的な病気のほか、失踪や行方不明などが考えられる。第二に、その決定は裁判所の訴訟手続によることが必要とされ、分限裁判は、高等裁判所の「5人の裁判官の合議体」または最高裁判所の大法廷で行われる（同3条・4条）。

③　懲戒処分　　憲法78条後段は「裁判官の懲戒処分は、行政機関がこれを行ふことはできない」と定める。懲戒は、裁判官が「職務上の義務に違反

し、若しくは職務を怠り、又は品位を辱める行状があつたとき」（裁判所法49条）に、裁判官分限法によって分限裁判と同一の手続で行われる。一般公務員に対する懲戒処分には罷免も含まれるが、裁判官については罷免が憲法上制限されているため懲戒による罷免は許されない。現行法では「裁判官の懲戒は、戒告又は１万円以下の過料」と定められている（裁判官分限法２条）。

最近では、裁判所法52条１号が定める「積極的に政治運動をすること」に該当する行為を理由として、裁判官分限法の手続によって判事補の戒告処分が決定された寺西事件が注目される。この事件では、最高裁大法廷は、戒告決定に対する即時抗告を棄却する決定を行ったが（最大決1998〈平10〉. 12. １民集52巻９号1761頁）、５人の裁判官の少数意見も付され、裁判の独立と市民的自由の関係が問題となった。

寺西事件では、現職裁判官（判事補）が、通信傍受法の立法化に反対の立場から、令状実務上、通信傍受令状では国民の人権擁護の砦にはなりえないという趣旨の投書を行い、1997年10月２日の新聞紙上に掲載され、当時所属していた旭川地裁所長から書面で厳重注意処分を受けた。その後、同判事補は「盗聴法と令状主義」に関するシンポジウムに出席し、所属する仙台地裁所長の事前の警告等を紹介しつつパネリストを辞退した理由について発言した。この行為が「積極的に政治運動をすること」（裁判所法52条１号）に該当するとして裁判官分限法上の懲戒申立がなされ、1998〈平10〉年７月24日に一審仙台高裁で戒告の決定が下った（民集52巻９号1810頁）。これに対して即時抗告がなされたが、最高裁大法廷はこれを棄却した（最大判1998〈平10〉. 12. １民集52巻９号1761頁、百選Ⅱ386頁〔江藤祥平執筆〕参照）。最高裁決定多数意見は、裁判所法52条１号の禁止規定は、裁判官の独立・中立性と裁判に対する国民の信頼を確保する等の目的を有していて合憲であり、憲法21条の表現の自由が裁判官に及ぶとしても、禁止目的が正当で目的と禁止の間に合理的関連性がある場合の制約は認められるとした。そのうえで、法案の廃案をめざす運動の一環としての集会での発言等は、職業裁判官からみて法案には問題が多いというメッセージを言外に伝える効果や運動促進の効果をもつため、積極的な政治活動に該当するとした。

これに対して、反対意見を述べた５人の裁判官のうち、尾崎・遠藤裁判官らは、当該行為が、懲戒の対象行為としての「積極的に政治運動をすること」にあたらないとし、園部裁判官は、在任中の積極的な政治運動の場合にも（職務を甚だしく怠った場合や非行の場合に弾劾による罷免手続に従うほかは）それのみを理由に懲戒処分に付することはできない、として多数意見の結論に反対した。

学説も最高裁決定を批判するものが多いが、懲戒対象としての「積極的政治運動」の認定は限定的でなければならないことからすれば、最高裁多数意見が上記のように「言外の効果」を理由に「積極的政治運動」を認めた点は疑問であり、裁判官の市民的自由の範囲を過度に制限することは認められないと解すべきであろう（公務員の政治的自由の問題としては、猿払事件、堀越事件等との比較が必要となるため、本書122頁以下、220頁以下参照）。

なお、ほかに、ストーカー防止法違反の容疑で捜査対象となった妻の嫌疑を晴らすため、一方当事者（妻）の実質的弁護活動を行った高等裁判所判事について、裁判所法49条による懲戒処分が決定された事例がある（最大決2001〈平13〉.3.30判時1760号68頁）。

④　任命欠格事由の発生　　憲法上には明示されていないが、裁判所法46条は、裁判官の任命欠格事由の規定をおいている。そこでは、法律上一般の官吏に任命されることができない者のほか「禁錮以上の刑に処せられた者」と「弾劾裁判所の罷免の裁判を受けた者」を列挙している。これらの欠格事由が裁判官の在任中に生じた場合に、一般の公務員と同様に当然失職すると解するか否かについて議論がある。学説は、一般公務員と同様に裁判官も当然に失官すると解する説（当然失官説）（宮沢・コメ629頁）と、法律で公務員の任命欠格事由を拡大することもできることから、当然に失官するというのでは裁判官の身分保障が十分でなく、弾劾裁判を必要とすると解する説（弾劾裁判必要説）（野中他・憲法Ⅱ246頁〔野中執筆〕）に分かれているが、裁判官の身分保障を重視する点では、後説が妥当であろう。

⑤　定年　　憲法は、法律の定める年齢に達した場合に裁判官が退官することを明示している（79条5項・80条1項但書）。裁判所法は、最高裁判所と簡易裁判所の裁判官について70歳、その他の裁判官については65歳と定める（裁判所法50条）（任期については後述する）。

4　司法府の自律

広義における司法権の独立および裁判官の職権の独立を保障するために、憲法は、立法府・行政府からの司法府の独立を確保し、裁判機構の運用を可能な限り司法府の自律に委ねることに配慮している。旧憲法では行政機関である司法大臣が掌握していた司法行政権も、日本国憲法下では最高裁判所に委ねられている。また、すでに述べた行政機関による裁判官懲戒の禁止のほか、規則制定権の保障によって司法府の独立が実現されている。

①　司法行政権　　司法府の人事行政権がその中心である。下級裁判所裁判官については、憲法上、「最高裁判所の指名した者の名簿によって」内閣が任命権を行使する（80条1項）。内閣はこの名簿で指名されていない者を裁判官に任命することができず、指名権を通じて下級裁判所裁判官の人事についての司法府の自主性が保障されている。また、裁判官に対する分限や懲戒もすでにみたように裁判所によって行われる。ついで裁判官以外の裁判所職員の任免も、「最高裁判所の定めるところにより最高裁判所、各高等裁判所、各地方裁判所又は各家庭裁判所がこれを行う」（裁判所法64条）とされる。

このような司法人事権の根拠として、内閣の事務に関する憲法73条4号の「官吏」に裁判所職員が含まれていないと解されることのほか、憲法77条1項・3項が裁判所の内部規律や司法事務処理等に関する規則制定権を司法府に留保していることをあげることができる。すなわち、憲法77条1項が裁判所の内部規律および司法事務処理に関する事項について最高裁判所に規則制定権を認め、同条3項が下級裁判所に関する規則制定権の委任を認めていること、および第6章全体の趣旨からして、広く司法行政監督権が裁判所に認められていると解することができる。実際に裁判所法は、裁判官と裁判所職員に関する司法行政監督の権限を最高裁判所以下の各裁判所に認める規定を設け（裁判所法80条）、各裁判所の裁判官会議の議によって司法行政事務を行うことを定めている（同12条・20条・29条2項）。財政法上も、裁判所の経費は独立して予算に計上することが認められている。

②　規則制定権　　憲法77条1項は、「訴訟に関する手続、弁護士、裁判所の内部規律及び司法事務処理に関する事項」について規則を定める権限を最高裁判所に認め、司法運営における司法府の自主性を尊重している。この規則制定権は、司法に関する事項について国会や内閣の干渉を排除して裁判所の自主独立性を確保するという見地のみならず、裁判実務に精通している裁判所がその手続について最も適切な定めをなしうるという技術的見地から最高裁判所に与えられたものである。

「訴訟に関する手続」とは民事訴訟・刑事訴訟・行政訴訟等の実質的意味での訴訟のみならず、非訟事件、家事審判、少年保護処分、調停等に関する手続も含むものと解される。「弁護士」とは弁護士法上の正規のそれを意味するが、弁護士の資格や身分に関する事項は法律事項であり、訴訟に関与する弁護士の職務上の規則を意味すると解するのが妥当であろう。「裁判所の内部規律及び司法事務処理に関する事項」とは、職員の規律や裁判所内部の秩序に関する事項をはじめ司法行政事務の処理に関するものと解される。

このような規則と法律との関係が問題となる。従来は、ここに列挙された事項は必ず最高裁判所規則で定めなければならないと解する見解（A説・専属事項説）も存在したが、今日では、法律で定めることもできると解する見解（B説・競合事項説）が通説・判例である（野中他・憲法Ⅱ253頁〔野中執筆〕、最二判1955〈昭30〉. 4. 22刑集9巻5号911頁）。ほかに内部規律と司法事務処理に関する事項については規則の専属事項と解する見解（C説・一部専属事項説）もある（佐藤幸・憲法324頁）。次に、法律と規則の競合を認める場合の両者の効力が問題となる。(i)説（法律優位説）、(ii)説（同位説）、(iii)説（規則優位説）の三つが考えられるが、上記のA説では仮に競合する場合は(iii)説となるほかは、B説のほとんどでは(i)の法律優位説が主張されている（C説は事項の性質に応じて(i)〜(iii)がありうるとする）。法律と規則との形式的効力の問題としては、憲法41条、31条からして、(i)説の法律優位説が妥当であろう。

また、規則は、最高裁判所が裁判官会議で制定する（裁判所法12条）が、憲法は、下級裁判所に関する規則の制定を下級裁判所に委任できること（憲法77条3項）および、検察官が最高裁判所の規則に従わなければならないこと（同条2項）を明示している。

三　裁判所の組織と権能

1　裁判所の組織

憲法76条1項は「すべて司法権は、最高裁判所及び法律の定めるところにより設置する下級裁判所に属する」と定める。現実には、裁判所法によって、高等裁判所、地方裁判所、家庭裁判所、簡易裁判所の四種の下級裁判所が設置されている（2条）。日本では三審制が採用され、一般には、事件は地方裁判所・高等裁判所・最高裁判所の順に上訴される。家庭裁判所は、家事事件や少年事件の審判などを行うための裁判所であり、地方裁判所と同等の位置にある。簡易裁判所は、少額軽微な事件（現行法では、訴額140万円以下の請求）などを簡易かつ迅速に裁判する第一審裁判所である（本書447-448頁参照）。

ついで、憲法は「特別裁判所は、これを設置することができない」（憲法76条2項前段）ことを定める。特別裁判所とは、特定の人間や事件について裁判するために通常裁判所の系列から独立して設けられる裁判機関のことであり、戦前の軍法会議や皇室裁判所がその例である。

また、憲法76条2項後段は、「行政機関は終審として裁判を行ふことができない」として行政機関による終審裁判の禁止を定める。しかし、裁判所の裁判の前審として、行政機関が行政処分に関する審査請求や異議申立てに対して裁決や決定を下すことは認められる。

とくに日本では、法律上の争訟を裁判する権限には、法令の適用の前提としての具体的事件における事実認定も含まれると解される傾向にあるので、行政機関の認定した事実が裁判所を絶対的に拘束する場合には76条2項に反するかが疑問となる。実際に、例えば、独占禁止法に基づく公正取引委員会の認定事実に実質的証拠がある場合には、裁判所を拘束するとされている（独占禁止法80条1項）。一般には、（実質的証拠の有無の判断は裁判所が行うものとなっており、その判断がないときには裁判所は審決を取消すことができるとしているため）、違憲ではないと解されている。行政事件訴訟法が、一定の場合には不服審査を経なければ裁判所に出訴できないこと（審査請求前置主義）や、出訴期間を定めている（行政事件訴訟法8条・14条）ことについても、一般に違憲の問題はないとされている。

2　最高裁判所

(1)　最高裁判所の構成

最高裁判所は、「その長たる裁判官及び法律の定める員数のその他の裁判官」によって構成され、長たる裁判官（最高裁判所長官）以外は、内閣が任命する（憲法79条1項）。長官は、内閣の指名に基づいて天皇が任命する（憲法6条2項）。裁判所法は、最高裁判所判事の員数を14人としており（裁判所法5

条3項)、現在は、これに長官を加えた15人の裁判官で構成されている。最高裁判所の裁判官の任命資格について、裁判所法は「識見の高い、法律の素養のある年齢四十年以上の者」としており、少なくとも10人は、高等裁判所長官または判事の職に10年以上在った者、または高等裁判所長官・判事・簡易裁判所判事・検察官・弁護士・大学の法律学教授等の職歴が通算して20年以上の者など法律専門家の中から任命されなければならない（裁判所法41条)。

最高裁判所の裁判官の任命権が上記のように内閣に与えられていることは、行政権を担当する内閣に司法への関与を認めることで、権力分立下での三権の間の均衡を保つようにしたものであると一般に解されている。しかし、最高裁判所裁判官の任命を内閣の恣意的な判断に委ねる趣旨でないことはいうまでもない。違憲立法審査の最終決定権を有する最高裁判所の重要性からして、また、内閣が党派的性格の強い政治的機関で議院内閣制下の議会多数派からなることを考えれば、現行の任命制度が憲法の構造全体からして問題を含むことも事実である。戦後の憲法政治のもとで、政権交代がなく長期政権が続いた間に最高裁判所の違憲立法審査権行使が十分に機能しなかったことの原因の一端が、この任命制度にあったことを考慮するならば、公平で非党派的な選考委員会や諮問委員会等の設立が望ましいといえよう（樋口他・注解Ⅳ58頁〔浦部執筆〕)。

最高裁判所の裁判官は、国民審査に服する（本書449頁参照）ほかは、下級裁判所の裁判官と同様に在任中は定年（裁判所法50条により70歳）に達するまでその身分を保障され、定められた額の報酬を受ける。任期はとくに定められていない。

(2)　最高裁判所の権能

最高裁判所は、「上告」および「訴訟法において特に定める抗告」について裁判権を有する終審裁判所である（裁判所法7条)。最高裁判所への上告は、高等裁判所の判決について、(i)憲法違反ないし憲法解釈の誤りがある場合（刑訴法405条1号、民訴法312条1項)、(ii)最高裁判所の判例その他の判例と相反する判断がなされた場合（刑訴法405条2号・3号)、(iii)裁判所の構成等の違法、口頭弁論の公開規定への違反、判決理由の不備等がある場合（民訴法312条2

項）などに認められる。最高裁判所は、これらの上告事件について最終的な判断を下し、法令の解釈を統一し、違憲の疑いある法令等について憲法適合性を決定する権能をもつ（本書455頁以下参照）。最高裁判所の審理と裁判は、大法廷または小法廷で行われる（裁判所法9条1項）。大法廷は全員の裁判官の合議体、小法廷は最高裁判所の定める員数（3人以上と定められているが、現実には5人）の裁判官の合議体である。最高裁判例の変更や法令等の憲法適合性審査などは大法廷で裁判しなければならないことが裁判所法で定められている（同10条）。最高裁判所のその他の重要な権能である司法行政権および規則制定権については、前述したとおりである（本書443頁参照）。

3　下級裁判所

(1)　下級裁判所の構成と管轄

下級裁判所に属する高等裁判所・地方裁判所・家庭裁判所・簡易裁判所は、それぞれ法定の範囲内で裁判権をもつほか、法定の範囲内で司法行政事務を担当する。高等裁判所は、全国に8カ所設置され、法律の定めるところに従って控訴・抗告および上告についての裁判権をもつ（裁判所法16条・17条）。

高等裁判所は長官と相応な員数の判事によって構成され（同15条）、裁判は原則として3人の裁判官の合議体で行われる（同18条）。

地方裁判所は、都道府県庁所在地等に設置され、通常の訴訟事件の第一審裁判所であるほか、簡易裁判所の判決に対する控訴等について裁判権をもつ（同24条）。相応な員数の判事および判事補で構成され（同23条）、裁判は事件の性質に応じて1人の判事による単独裁判または3人の判事の合議体で行われる（同26条）。

家庭裁判所は、家事審判法で定められる家庭に関する事件の審判と調停、少年法で定められる少年の保護事件の審判などを行い（同31条の3）、相応な員数の判事および判事補で構成される（同31条の2）。原則は1人の裁判官で事件を取り扱うが、他の法律で定められた場合には合議体で事件を取り扱う（同31条の4）。

簡易裁判所は、民事事件では、行政事件を除いて訴訟の目的の価額が140万円をこえない請求、刑事事件では、罰金以下の刑にあたる罪または選択刑として罰金が定められている罪など比較的軽微な事件にかかる訴訟の第一審裁判所である（同33条１項）。刑事事件では禁錮以上の刑を科すことはできない（同２項）ため、それをこえる刑を科するのを相当と認めるときは地方裁判所に移さなければならない（同３項）。相応な員数の簡易裁判所判事を置き（同32条）、裁判は１人の裁判官で行う（同35条）。

(2)　下級裁判所の裁判官

裁判所法は、下級裁判所の裁判官として、高等裁判所長官・判事・判事補・簡易裁判所判事の四種類を定めており（同５条２項）、それぞれ任命資格や職権、定年等が異なっている。まず任命資格については、高等裁判所長官と判事は、判事補・簡易裁判所判事・検察官・弁護士・裁判所調査官・司法研修所教官・裁判所書記官研修所教官あるいは法律で定める大学の法律学の教授・准教授の職歴を通算して10年以上経ている者の中から任命され（同42条）、判事補は、司法修習生の修習を終えた者の中から任命される（同43条）。

任命は、「最高裁判所の指名した者の名簿によって」内閣が行う（憲法80条１項参照）が、とくに高等裁判所長官の任免は、天皇の認証事項とされている（憲法７条５号、裁判所法40条２項）。内閣の任命は、実質的な人事権を有する最高裁判所の指名に従うのが原則であり、明白な任命資格の欠如等の場合を除いて、内閣は拒否しえないと解するのが妥当である（実際には、任命する裁判官の数に１人を加えた名簿が作成されてそれに基づいて任命が行われており、内閣が任命を拒否した例もないという）。

下級裁判所の裁判官の任期は10年と定められているが、再任されることができる（憲法80条１項）。裁判官は、在任期間中はその身分を保障され、定年は65歳（簡易裁判所判事のみ70歳）で、一定額の報酬を受ける（78条・80条２項、裁判所法50条）。憲法80条１項の「再任されることができる」の解釈については議論があり、次の三つの立場に分かれている。

自由裁量説（Ａ説）は、任期制によって裁判官は任命から10年を経過すれば当然に退官し、再任は任命権者（指名権者）の自由裁量によると解するものである（最高裁判所の立場）。羈束裁量説（Ｂ説）は、任期は文字どおり任期であり、裁判官は任命の日から10年を経過すればその身分は消滅するが、特段の事由がない限り当然再任されるべきだと解するものである。身分継続説（C説）は、裁判官については身分継続の原則が前提であり、10年ごとに不適格者の再任を拒否しうる制度であるとする。この立場は、再任拒否が実質的に罷免の意味をもつこと、10年の任期制を原則とすると身分保障の点で不十分であることなどを理由とするもので、裁判官の身分保障の点からしても、身分継続説（C説）ないし羈束裁量説（B説）が妥当であろう。もっとも、再任を拒否できる事由については、これらの見解でも必ずしも明らかではない。C説は憲法78条が規定する場合に限定するのに対して、B説はこれを拡大することになるが、身分保障の点からすれば、例外の拡大はA説への接近を招くことになり望ましくないといえよう。現実には、1960年代後半から、青年法律家協会会員への不利益処分や1969年の平賀書簡問題以降の「司法の危機」論が議論を呼び、1971年に宮本判事補再任拒否事件がおこった。最高裁は、再任は任命権者の自由裁量であるという立場（A説）をとったが、再任拒否理由も明らかにされず、思想信条に基づく不合理な差別であるとする疑いが残った。再任制度を通して、事実上、下級裁判所裁判官の身分保障を弱めたことは問題であったといえよう。

4　司法の民主的統制

(1)　最高裁裁判官の国民審査

憲法79条2項は、最高裁裁判官に対する国民審査制を定める。この制度は、最高裁判所の裁判官の任命後初めて行われる衆議院議員総選挙の際に国民の審査に付し、その後10年を経過した後、はじめて行われる衆議院議員総選挙の際に再び審査に付してその後も同様に行うものである。国民審査の結果、投票者の多数が裁判官の罷免を可とするときは、その裁判官は罷免される（79条3項）。この制度の趣旨は、内閣の任命に対して国民の民主的なコントロールをすることにあり、憲法15条1項にいう国民固有の権利としての公務員の罷免権発動（リコール）の一環として捉えられる。このように解する場合には、国民主権下で司法の民主化を実現するための重要な制度といえるが、国民審査の法的性質については、学説が異なっている。

まずA説はこれを解職（リコール）の制度と解する（宮沢・コメ642頁）もの

で、通説である。判例も、国民審査制は「その実質において所謂解職の制度と見ることが出来る」（最大判1952〈昭27〉. 2.20民集6巻2号122頁）と指摘してこの立場に立っている。これに対して、B説は、解職とともに適任者の信任としての性格をもつと解し（清宮・憲法Ⅰ349頁）、C説は解職とともに任命の事後審査の性格をもつと解する（法協・註解(下)1176頁）。かつては、任命行為を完結確定させる行為とみるD説も存在したが、任命後国民審査までの地位を説明できないため、この見解は妥当ではない。結局、一元的に解職と解するか、信任ないし任命の事後審査の性格を併有させるかが問題になるが、通説・判例のようにA説に立ったとしても、任命後最初の審査の際には（解職よりむしろ）信任ないし事後審査機能と捉えるのが妥当であろう（芦部・憲法361頁は「内閣の任命を国民が確認する意味が含まれる」と解する）。これに対して、10年後の審査については解職と捉えることが妥当となり、一元的に捉える必要はないものといえる。いずれにしても、国民審査制度は、最高裁裁判官の任命に対する信任・不信任の機能とともに、10年ごとに審査し罷免する強い機能をもつ点で、民主的役割を担うものといえる。

実際には、最高裁判所裁判官国民審査法が定めるところに従って、審査対象となる裁判官の氏名を記載した投票用紙の罷免したい裁判官欄に×印をつける方法で行われ、×印（罷免を可とする者）の投票が過半数をこえた場合のみ罷免が成立するとされる。この方法は、任命が完了した裁判官の罷免の可否を問う解職制度という解釈に立つことを示しており、判例もそのように解している（最大判1952〈昭27〉. 2.20民集6巻2号122頁）。しかし解職の制度と解しても、×印がつかない白票はすべて罷免を不可とする票に数えられ、棄権票を投じることはできない仕組みとなっているため批判も多い。過去の実例をみても、国民が審査権を十分に行使するのに必要な情報も与えられないことや棄権票がすべて信任票となることから、×印が有効投票の1割に満たないのが現状であり、実効性には問題がある（史上最高比率は15.17%（約690万票）で、1972年（昭和47年）12月10日実施の第9回国民審査で下田武三裁判官に対するものである）。内閣の恣意的な任命を阻止し司法権の行使に対する民主的統制を行う手段がほかに存在しない状況では、この国民審査制度が重大な意義を担うため、投票方法の改善や判断資料の提供によってこの制度の実効性を高めることが必要である。

なお、最高裁裁判官国民審査の在外投票制がないことを違憲とする判断が、東京地裁2019〈令元〉年5月28日判決（判時2420号35頁）に続いて東京高裁2020

〈令2〉年6月25日判決（判時2460号37頁）でも示されており、国賠請求の可否を含め、最高裁判決が注目される（本書281頁参照）。

(2)　裁判の公開

憲法82条1項は「裁判の対審及び判決は、公開法廷でこれを行ふ」と定め、裁判の公正と批判可能性を確保するために、公開裁判を要求している。裁判の公開は、近代的な裁判制度にとっては基本原則であり、また、現代国家においても、国民の「知る権利」・表現の自由や主権者の司法参加の実現にとって重要である。憲法では、37条1項で「公開裁判を受ける権利」を刑事被告人の権利として保障しており、32条の「裁判を受ける権利」とあわせてその要請を理解することができる。

対審とは、裁判官の面前での訴訟当事者の直接的な口頭の弁論を意味し、民事訴訟では口頭弁論手続、刑事訴訟では公判手続と呼ばれる。裁判の公開とは、このような裁判の過程が公開されることであるが、裁判官たちが合議体で行う裁判の評議は公開されない（裁判所法75条）。

しかし、憲法82条は2項で「裁判所が、裁判官の全員一致で、公の秩序又は善良の風俗を害する虞があると決した場合には、対審は、公開しないでこれを行ふことができる」として公開原則の例外を定めている。さらに、例外の例外として、「但し、政治犯罪、出版に関する犯罪又はこの憲法第3章で保障する国民の権利が問題となつてゐる事件の対審は、常にこれを公開しなければならない」と明記する。これは旧憲法下の秘密裁判などの弊害をなくすための配慮であり、公開原則の形骸化を防ぐための規定である。

また、情報公開・個人情報保護審査会設置法で認められているインカメラ審査（裁判所だけが文書等を直接見分する方法により行われる非公開の審理）の合憲性については、最一小法廷2009〈平21〉年1月15日判決（民集63巻1号46頁）は、憲法82条に反しないとしつつ「民事訴訟の基本原則に反するから、明文がない限り許されない」とした（新基本法コメ441頁〔柏崎敏義執筆〕、辻村他・概説コメ367頁〔山元一執筆〕、渡辺他・憲法Ⅱ343頁〔渡辺執筆〕参照）。

裁判の公開との関係で問題になるのは、裁判の傍聴の自由である。この自由は、表現の自由とりわけ報道の自由を含むと解される。各裁判所には傍聴席が設けられて自由に傍聴できる建前になっているが、現実には、裁判所傍聴規則が種々の規制を定めている。そこには傍聴人の人数の制限や所持品の検査による危険物の持ち込み禁止のほか、相当な衣服を着用しない者の入廷の禁止などが含まれる。実際に、過度な制約にならない運用が求められる。また、裁判長が不当な行状をする者に対して退廷を命じたり、法廷警察権を発動することも認められており（裁判所法71条の2）、「法廷等の秩序維持に関する法律」がさらに詳細な規定をおいている。従来は傍聴人がメモを取ることが一般に禁止されてきたのに対して、法廷メモ事件（レペタ訴訟）最高裁判決を契機に、これが認められるようになった。

　法廷メモ事件は、研究目的で行った傍聴中のメモ採取を不許可とされたアメリカ人弁護士が、法廷傍聴権は憲法21条の知る権利に含まれメモする権利も含むこと、憲法82条の裁判公開は傍聴権やメモする権利を含むとして、国家賠償請求訴訟を提起したものである。一審判決（東京地判1987〈昭62〉. 2 . 12判時1222号28頁）と二審判決（東京高判1987〈昭62〉. 12. 25判時1262号30頁）は、メモを禁止しても合憲であると判断し、とくに東京高裁判決は一般のマスコミ機関に比して研究者のメモ採取のほうを制限的に解したため批判が強まった。これに対して、最高裁判決（最大判1989〈平元〉. 3 . 8 民集43巻 2 号89頁）は、憲法82条は、傍聴する自由や傍聴人が法廷でメモをとる権利まで具体的に保障したものではないとしつつも、「特段の事情のない限り、これを傍聴人の自由に任せるべきであり、それが憲法21条 1 項の規定の精神に合致する」と認めた。以後は各裁判所でメモ採取を認める扱いが広まったが、この問題は、憲法21条の表現の自由だけでなく、裁判の公正に対する市民の監視、市民の司法参加や司法の民主化にかかわる点で重要な意味をもった（本書210-211頁、百選 I 157頁〔山元一執筆〕参照）。

(3)　陪審制・参審制・「裁判員制度」

　市民と裁判の関係では、西欧で採用されている陪審制や参審制が問題となる。これらはいずれも、もっぱら職業裁判官が裁判を行うのでなく、一般市民の一定の司法参加を認める制度である。陪審制は、市民の中から選ばれた陪審員が合議体を構成し、職業裁判官と役割分担して事実認定の職分を担当するのに対して、参審制では、役割分担を前提とせずに両者が協力して審理し、合議によって結論を下すことに特徴がある。参審制はおもにドイツで採用され、民事・刑事事件以外の労働事件等では一般市民以外の専門家などが参審員として参加しているが、いずれの場合も職業裁判官の職権主義的な裁判に協力する性格が強い。陪審制は、イギリスを起源として英米を中心に広く採用されており、刑事事件で被疑者の起訴・不起訴を判断する大陪審（起訴陪審）と、民刑事事件で事実問題を評決する小陪審（審理陪審）に分かれる。アメリカの陪審裁判では、一般に12人の陪審員が全員一致で有罪・無罪の評決を下すことができ、有罪の場合には裁判官が量刑に関する証拠調べをしたうえで刑の宣告を行っている。

日本でも、大日本帝国憲法下で1923年に陪審法が制定され５年後に施行されたが、18年間ほとんど活用されず、うまく機能しないまま1943年に施行が停止された経緯がある。その理由は、大日本帝国憲法下の天皇大権と非民主的な統治制度のもとで、民主的な陪審制度が根づく条件がもともとなかったこと、国民の多くは「お上」によって裁かれることを望んだこと（国民の意識の未成熟）などが指摘される。日本国憲法下では、憲法は陪審制について何も規定していないが、憲法制定時の議論を反映して裁判所法３条３項に「刑事について、別に陪審の制度を設けることを妨げない」という規定がおかれ、陪審制の採用は可能とされている。1988年の記者会見で当時の矢口最高裁長官が国民の司法参加への積極的姿勢を示したことから陪審制導入への肯定的意見も聞かれるようになり、さらに、1999年に発足した司法制度改革審議会での検討を経て、2004年に「裁判員の参加する刑事裁判に関する法律」が制定され、2009年５月21日から実施された。

2009年から施行された裁判員制度は、「国民の中から選任された裁判員が裁判官と共に刑事訴訟手続に関与することが司法に対する国民の理解の増進とその信頼の向上に資する」（同法１条）ことにかんがみて定められた参審制の一種で、有権者の中から「くじ」で選定された裁判員が刑事事件の法廷（公判）に立ち会い、判決まで関与するものである。

地方裁判所に係属する刑事裁判（第一審）のうち、殺人罪、傷害致死罪、強盗致死傷罪、現住建造物等放火罪、身代金目的誘拐罪など一定の重大な犯罪についての裁判であり、例外として、「裁判員やその親族に危害が加えられるおそれがあり、裁判員の関与が困難な事件」は裁判官のみで審理・裁判する（同法３条）。これらの犯罪について、職業裁判官３人と裁判員６人が基本的に対等の立場でともに評議し、有罪・無罪の決定および量刑を行う（ただし被告人が事実関係を争わない事件については、裁判員４人、裁判官１人で審理することが可能で、裁判員の関与が困難な事件は除外される）。

最高裁が公表した「裁判員制度の実施状況について」（令和２年２月末までの速報値）によれば、2009（平成21）年５月21日から2020年２月末までに選任された裁判員の総数は73,022人、補充裁判員24,800人に及んだ。裁判員選任についてみると、候補者名簿記載者数は3,130,406人であり、そのうち、(a) 選出された候補者総数1,314,305人、(b) 呼出状送付者923,323人、(c) 選任手続期日の出席者362,261人、(d) 辞任が認められた裁判員候補者827,926人（(d)／(a)：63.0％）、(e) 裁判員数73,022人である。職務従事日数の平均は8.3日、平均開廷回数は4.5回、均評議時間は659.2分であった（最高裁判所「裁判員裁判の実施状況について（制度施行～令和２年２月末・速報値）」参照（http://www.saibanin.courts.go.jp/vc-files/saibanin/2020/r2_2_saibaninsokuhou.pdf））。

裁判員制度については、裁判員への強制（出頭拒否権なし）・守秘義務、性犯罪の評議方法とプライバシー保護の問題、量刑の拡散・厳罰化の危険、裁判員経験者のPTSD（心的外傷後ストレス障害）の問題など、多くの課題が指摘されている。判例では、裁判員制度の合憲性を争う訴訟において、最高裁大法廷は2011〈平23〉年11月16日に合憲判決を下した（刑集65巻８号1285頁、百選Ⅱ380頁〔土井真一執筆〕参照）。

本件は、覚せい剤取締法違反・関税法違反に問われたフィリピン人の被告人（上告人）が、裁判員制度の違憲性を①憲法80条１項、32条、37条１項、76条１項、31条、②76条３項、③76条２項、④18条に違反すると主張した事件である。これに対して、最高裁大法廷は、「憲法が採用する統治の基本原理や刑事裁判の諸原則、憲法制定当時の歴史的状況を含めた憲法制定の経緯及び憲法の関連規定の文理を総合的に検討して判断されるべき事柄である」としたうえで、「憲法は、一般的には国民の司法参加を許容しており、……その内容を立法政策に委ねている」と判断した。そのうえで、裁判員制度のもとで裁判官と国民で構成される裁判体が、……憲法上の要請に適合した「裁判所」といい得るか、という点につき、「公平な『裁判所』における法と証拠に基づく適正な裁判が行われること（憲法31条、32条、37条１項）は制度的に十分保障されている上、裁判官は刑事裁判の基本的な担い手とされているものと認められ、憲法が定める刑事裁判の諸原則を確保する上での支障はない」とし、①に列挙した諸規定に反しないとした。

②についても、憲法76条3項によれば、裁判官は憲法及び法律に拘束されるとしており、「裁判員法が憲法に適合するようにこれを法制化したものである以上、裁判員法が規定する評決制度の下で、裁判官が時に自らの意見と異なる結論に従わざるを得ない場合があるとしても、それは憲法に適合する法律に拘束される結果であるから」同項違反ではないとした。③についても、「裁判員制度による裁判体は、地方裁判所に属するものであり、その第一審判決に対しては、高等裁判所への控訴及び最高裁判所への上告が認められており、裁判官と裁判員によって構成された裁判体が特別裁判所に当たらないことは明らかである」とした。④の18条違反の点も、裁判員制度が国民主権の理念に沿って司法の国民的基盤の強化を図るもので、参政権と同様の権限を国民に付与するものであり、これを「苦役」ということは必ずしも適切ではない。また、辞退に関し柔軟な制度を設け、旅費、日当等の支給により負担を軽減するための経済的措置が講じられている事情からすれば、「憲法18条後段が禁ずる『苦役』に当たらないことは明らかであり、また、裁判員又は裁判員候補者のその他の基本的人権を侵害するところも見当たらない」とした。しかし、死刑の判断に市民が関与することが思想・良心の自由に反する等の論点はまだ残っており、「司法の国民的基盤の強化を目的とする」裁判員制度の定着には、さらに議論が必要であろう。

四　違憲審査制

1　意義と類型

(1)　意義

憲法の最高法規性を維持し、人権保障を徹底するためには、憲法違反の国家行為を無効としてそれを除去する制度が必要となる。違憲審査制は、法律・命令や国家行為が憲法に適合するかどうかを特定の国家機関とくに裁判所が審査する制度であり、その目的には、人権保障と憲法保障（憲法の最高法規性の保障）の二面がある。

違憲審査制は、19世紀初頭のアメリカで、1803年のマーベリー対マディソン事件におけるマーシャル判決を契機に憲法慣習として確立され、以後アメリカでは、とりわけ合衆国最高裁判所が人種差別や表現の自由、政教分離の問題等についてこの制度を積極的に活用して判例理論を積み重ねてきた（戸松・憲法訴訟46頁参照）。

しかしこの制度は、本来、議会が制定した法律を違憲無効としうる点で、議会が国の最高機関であるとする考えや議会主権の原則等に抵触する。そこで、議会中心主義が支配的であった19世紀のヨーロッパ諸国では違憲立法審査制についての関心は低くならざるをえない。例えばフランスでは、法律を主権者の一般意思の表明とみなすルソー的な議会中心主義が確立されていた第三共和制期には、明確にこれが否定されていた。ところが、20世紀の行政国家現象に伴う議会制の危機やファシズムによる人権侵害の経験を経て、第二次世界大戦後から、ヨーロッパでも多くの国で違憲審査制が採用されるようになり、裁判所を中心とする違憲審査機関が人権保障の重要な機能を果たすようになった。

ドイツでは、1949年の連邦共和国基本法で憲法秩序の保持を任務とする連邦憲法裁判所が設置され、重要な機能を果たしてきた。またフランスでも、1958年の第五共和制憲法下で設置された憲法院（Conseil constitutionnel）が、1970年代以降当初の政治的機関としての性格を脱して裁判機関・人権擁護機関として積極的に事前型の違憲審査権を行使し、2008年7月の憲法改正後に部分的な事後審査制が導入された。

こうして近年の違憲審査制の積極化傾向は、「違憲審査制革命」と呼ばれるほどになった（樋口他・憲法判例・第1章〔樋口執筆〕、辻村・比較憲法189頁以下、本書342頁参照）。

(2)　二類型と合一化傾向

裁判所による違憲審査の方式には、大きく分けて二つの方式がある。一つは、(A)付随的違憲審査制（付随的審査制）と呼ばれるもので、民事・刑事・行政の裁判を扱う通常の司法裁判所が、係属した訴訟事件の審理判断に付随して、事件解決のための前提として適用法令の合憲性を審査する方式であり、アメリカ、カナダ、デンマーク、日本などで採用されている。もう一つは、(B)抽象的違憲審査制（抽象的審査制）と呼ばれ、特別に設置された憲法裁判所が、法定された提訴権者の申立てに基づいて、具体的事件と関係なく法令そのものの合憲性を審査する方式であり、ドイツ、オーストリア、イタリア、韓国、東欧・南米・アフリカ諸国など多くの国で採用されている。前者(A)の付随的審査制型（いわゆるアメリカ型・非集中型・前提問題型）は、通常の司法裁判所が主体となることで、司法裁判所型と呼ばれることもある。この類型では、原告適格や訴えの利益など後述のような訴訟要件が必要とされ、違憲判決の効力も当該争訟についての個別的効力にとどまるが、その範囲内で遡及的効力も認められる。

これに対して、後者(B)の抽象的審査制型（いわゆるドイツ型・集中型・主要問題型）では、特別の憲法裁判所が違憲審査を行うため憲法裁判所型とも呼ばれる。この類型では、原告適格等の訴訟要件が厳しく制限されないで、抽象的な形で違憲審査を請求できる。さらに違憲判決の効力も違憲と認定された当該法律等が当然に無効とされ、一般的効力をもつことが特徴となる。もっとも、一般的効力をもつかわりにその効力は遡及せず、将来的な効力（将来効）のみが認められる（後述）。

実際には、以上のアメリカ型、ドイツ型の双方でも、最近ではそれぞれの欠点を補うべく制度を修正しており、両者の合一化傾向が認められる。例えば、アメリカ型では、個々の権利救済が違憲審査制の一義的な機能とされ訴訟要件が制限されていたことが改められ、しだいに当事者適格等を緩和するような運用が認められる。それによってドイツ型のような客観的な憲法秩序保障に近いものが導入されつつある。他方、ドイツ型でも、もともとは法律上の制度であった「憲法訴願（憲法異議）（Verfassungsbeschwerde）」の制度が憲法上の制度とされ（1969年改正後のドイツ連邦共和国基本法93条１項４(a)）、国民が憲法裁判所に個別的な基本権侵害の排除を申し立てることが認められて、個別的権利救済の機能が重視されている。

なお、諸国の制度がすべて以上の二類型にあてはまるわけではなく、折衷的な類型も多数存在する。例えばスイスでは、通常の司法裁判所である最高裁判所のなかに特別の部門を設置して違憲審査を行っている。また、これらの二類型とは異なって、違憲審査が法律制定後施行前に行われる事前審査型も存在する。フランスの憲法院による違憲審査制がそれであり、この制度では、提訴権者も大統領・首相・両院議長・60人以上の議員に限られ、立法府の第三院的な位置づけを与えられてきた。その後、2008年７月23日の憲法改正によって「抗弁による事後審査制」が導入され、2010年３月１日から新たな合憲性優先問題（QPC）の審査が始まった（辻村・比較憲法204頁以下、辻村後掲『フランス憲法と現代立憲主義の挑戦』135頁以下、辻村・著作集(1)第５章参照）。

(3)　日本の違憲審査制

日本国憲法は、81条で「最高裁判所は、一切の法律、命令、規則又は処分が憲法に適合するかしないかを決定する権限を有する終審裁判所である」と定める。このように定められる違憲審査制について、前記二類型のうちのいずれが採用されているかをめぐって、憲法制定当初から議論があった。しかし、自衛隊の前身である警察予備隊の違憲性の確認を求めて、1950年に社会党委員長鈴木茂三郎が出訴した警察予備隊違憲訴訟で、最高裁大法廷判決（1952〈昭27〉.10.8民集6巻9号783頁）は、「わが現行の制度の下においては、特定の者の具体的な法律関係につき紛争の存する場合においてのみ裁判所にその判断を求めることができるのであり、裁判所がかような具体的事件を離れて抽象的に法律命令等の合憲性を判断する権限を有するとの見解には、憲法上及び法令上何等の根拠も存しない」という判断を下した（本書76頁参照）。そして学説上の議論は残ったものの、日本の違憲審査制は付随的審査制であるとする通説・判例がこの判決を契機に確立することになった。

学説では、付随的審査制説（A説・司法裁判所説）（清宮・憲法Ⅰ371頁、野中他・憲法Ⅱ264頁〔野中執筆〕など）が、日本の制度はアメリカにならったものであり、抽象的審査を認めるためには憲法上の明記が必要であると解する。これに対して、抽象的審査制説（ないし独立審査権説・憲法裁判所併存説、B説）も存在し、憲法81条は最高裁判所に特別に抽象的違憲審査権をも付与するものであると解してきた（この立場は、さらに、抽象的違憲審査を認めるためには法定の手続が必要であるとする説と手続を不要とする説に分かれるが、前者が中心である〔佐々木惣一説〕）。さらに、法律事項説（C説）は、憲法81条が最高裁判所に憲法裁判所的性格を与えているとはいえないにせよ、法律等で手続を定めることにより最高裁判所が憲法裁判所的機能を果たすことも可能であるとする（小嶋説ほか。中村・憲法30講242頁、戸波・憲法441頁参照）。

近年では、抽象的審査制を採用するために憲法改正は必要ではないが、最高裁判所内に特別の憲法審査部を設けるなどの制度改革が必要であるとする見解も存在する（戸波「ドイツ連邦憲法裁判所の現況とその後」ジュリスト1932号、畑尻剛・公法研究63号110頁以下など）が、これを批判する見解のほうが有力である（奥平後掲『憲法裁判の可能性』2頁以下、樋口他・注解Ⅳ101頁〔佐藤幸治執筆〕参照)。日本の違憲審査制のあり方については、1990年代以降の憲法改正論議のなかで憲法裁判所創設による抽象的審査制の採用が提案されてきた(本書526頁参照)が、憲法改正論と法制度改革論議、現行憲法の解釈論とを十分区別して論じる必要があろう。

憲法81条の解釈論としては、通説・判例のように付随的審査制と解するのが妥当であるが、そのような枠組を前提としつつも、その運用とりわけ訴訟要件や適格性の扱いにおいて憲法適合性審査の場をどれだけ広く設定するか(どれだけ積極的に違憲審査権を行使するか)を問題にすべきであると思われる(樋口・憲法Ⅰ517頁参照)。

(4)　司法消極主義と司法積極主義

違憲審査権の行使について、司法消極主義と司法積極主義を区別することが一般的である。司法消極主義は立法府をはじめとする政治部門の判断を尊重して違憲審査権を控えめに行使する傾向、司法積極主義は反対に違憲審査権を積極的に行使する傾向をさしていわれることが多い。とくに日本では、違憲審査制50年の運用の実態がきわめて消極的で違憲判決がごく少数であることを司法消極主義と呼ぶ場合が多い。

しかし、司法消極主義という場合にも、憲法判断消極主義と違憲判断消極主義とを区別することが必要となろう。憲法判断回避の傾向など憲法判断消極主義の要素もあるが、全体としてみれば、日本の最高裁判例では合憲判決は数多く存在するのであり、合憲判断積極主義で違憲判断消極主義であるといえる。実際、2020年までの73年間の法令違憲の判決は、①尊属殺重罰規定違憲判決(最大判1973〈昭48〉.4.4刑集27巻3号265頁)、②薬事法距離制限違憲判決(最大判1975〈昭50〉.4.30民集29巻4号572頁)、③④衆議院議員定数不均衡違憲判決(最大判1976〈昭51〉.4.14民集30巻3号223頁、最大判1985〈昭60〉.7.17民集39巻5号1100頁)、⑤森林法違憲判決(最大判1987〈昭62〉.4.22民集41巻3号408頁)、⑥郵便法違憲判決(最大判2002〈平14〉.9.11民集56巻7号1439頁)、⑦在外国民選挙権制限違憲判決(最大判2005〈平17〉.9.14民集59巻7号2087頁)、⑧国籍法違憲判決(最大判2008〈平20〉.6.4民集62巻6号1367頁)、⑨婚外子相続分差別違憲決定(最大決2013〈平25〉.9.4民集67巻6号1320頁)、⑩再婚禁止期間規定違憲判決

（最大判2015〈平27〉. 12. 16民集69巻8号2427頁、本書171頁）の9種10件にすぎない状態であり、他国との比較にもならないほど少数である。

さらに違憲判決の内容からしても、①尊属殺重罰規定違憲判決では、法廷意見は尊属殺重罰の目的自体を合憲とする手段違憲論にすぎず、また、②薬事法違憲判決と⑤森林法違憲判決はともに経済的自由を拡大する方向での違憲判決である。さらに、③④の議員定数違憲判決では事情判決にとどまり選挙無効には至っておらず、⑩も国家賠償請求は棄却されるなど、違憲判断における消極的側面を否定することは困難である。

反面、⑧国籍法違憲判決では、違憲判断だけでなく国籍を付与するという救済にまで到達し、⑨婚外子相続分差別違憲決定などでは、違憲審査権行使が積極化されたことで、法改正の実施にもつながって司法の役割が重視されたことが注目される（市川正人他編著後掲『日本の最高裁判所』第2章〔市川執筆〕参照）。

さらに、⑩2015年12月16日の再婚禁止期間規定違憲判決の場合も、最終的には請求棄却されたものの、最高裁が民法733条のうち100日を超える部分について違憲判断をした直後に、法務省の通達により、離婚後100日を超える再婚の届出を受理することが周知され、2016年6月に法改正が実現されるなど、速やかな対応がとられた（本書171-172頁参照）。

このように、判例理論のうえでは立法裁量を重視しつつも、実際の政治部門に大きな影響を与えていることが歓迎される。

そのほかにも、1990年代後半以降の愛媛玉串料訴訟違憲判決（最大判1997〈平9〉. 4. 2民集51巻4号1673頁、本書192頁）、砂川政教分離（空知太神社）訴訟違憲判決（最大判2010〈平22〉. 1. 20民集64巻1号1頁、本書195頁）、孔子廟政教分離訴訟違憲判決（最大判2021〈令3〉. 2. 24裁判所ウェブサイト、本書196頁）や、堀越事件最高裁無罪判決（2012〈平24〉. 12. 7刑集66巻12号1377頁、本書123頁）など、精神的自由に関連する領域でも、最高裁によって実質的な違憲（処分違憲）判断や権利重視の判断が示されたことが歓迎される。判例理論上も、法的安定性の観点から、違憲審査基準が厳格になったとは言えない場合も、実際には権利救済のための総合判断や具体的判断がされていることが注目される。2014〈平成26〉年11月26日参議院議員定数不均衡判決（民集68巻9号1363頁、本書331頁、辻村・選挙権と国民主権157頁以下）でも、最高裁判決の山本裁判官の反対意見で初めて違憲無効の判断が下され、2015〈平27〉年12月16日夫婦別姓訴訟最高裁判決（民集69巻８号2586頁、本書173-174頁、辻村・憲法と家族263頁以下参照）でも、国家賠償請求は棄却されたものの、５人の裁判官が違憲説を述べ、女性裁判官の３人が全員違憲説の側に立ったこと、山浦裁判官の反対意見が国家賠償請求をも容認したことなど、最高裁の違憲審査が進展したことが認められる。

これらの背景には、国際人権条約や国際人権機関勧告等の影響、マスコミや世論の動向、比較憲法的検討結果の深化のほか、女性最高裁判事の任命（３人）や弁護士出身・元内閣法制局長官の裁判官への任用などの人事面や、人権保障システム面での進展があり、違憲審査制の活性化に期待する面が大きい。このように、判例理論のうえでは立法裁量が重視されているとしても、実際の政治部門に大きな影響を与えていることが歓迎される。この点で、国会と裁判所の関係に関連して、「裁判所独自の観点から厳格な審査を行うべきという立場」にたって「通常審査」を標榜する見解も出現している（高橋・憲法138頁）。これは、「憲法が裁判所に期待する役割に対応する独自の観点から立法事実を具体的に検討して結論を出し理由づけを行う」という審査のあり方のことである（本書468頁も参照）。

反面、司法審査権は、もともと主権者国民に直接選出されず主権者に直接責任を負わない裁判所が国民によって選挙された議会の判断を無効にできる制度であるため、民主的正統性の観点からの批判や、立法裁量を重視する傾向など、問題がないわけではない。さらに日本の最高裁裁判官の国民審査機能の不十分さを前提とすれば、違憲審査権を強化する司法積極主義の考えが常に妥当するとは限らない面がある。最高裁判所をはじめ司法府に対する民主的コントロールのあり方を再検討し、最高裁の積極的な違憲判断とともに、むしろ下級審の積極的な憲法判断に期待することで、アメリカ型とドイツ型とも異なる第三の類型としての日本の違憲審査制の独自性を追求してゆくことが望ましいとする立場もあり得る（樋口他・憲法判例９頁以下〔樋口執筆〕参照）。

また、憲法改正の脈絡において、憲法裁判所を導入しようとする主張もあるため、少数派の権利を保護する機能や憲法解釈の限界の問題も含めて、今後の課題であるといえよう（樋口他・憲法判例［18］〔山内執筆〕参照）。

2　違憲審査権の主体と対象

(1)　違憲審査権の主体

違憲審査権の主体に最高裁判所が含まれることは、憲法81条の規定から疑いはない。問題は、下級裁判所も違憲審査権を有するかどうかである。この点、日本の違憲審査制を先にみた付随的違憲審査制の類型として捉え、違憲審査を司法権の機能の一環として捉える以上は、違憲審査権は最高裁判所のみならず、司法権を担当する下級裁判所によっても担われると解するのが当然である。憲法81条の規定は、下級裁判所の違憲審査権を排除する趣旨ではなく、むしろ終審裁判所としての最高裁判所が違憲審査権においても最終的な判断者であることを述べたものと解される。下級裁判所も違憲審査権の主体であることは、判例・通説も一致しており、現行法もそれを前提にしている（刑訴法405条、民訴法312条１項等）。

(2)　違憲審査の対象

憲法81条は、違憲審査の対象として「一切の法律、命令、規則又は処分」を列挙している。これは国内法規範をすべて含む趣旨であり、法律とは国会が制定する形式的意味の法律を、命令・規則は法律以外の一般的・抽象的法規範をさしたものと考えられるため、条例や、人事院等の独立行政委員会が制定する規則なども含まれると解される。処分とは、公権力による個別的・具体的な法規範の定立行為をさし、行政機関の行為のみならず、立法機関や司法機関の行為、裁判所の判決についても処分にあたると解するのが判例・通説である。

違憲審査の対象に関して問題になるのは、①国際的な法規範としての条約、②統治行為、③私法行為、④立法不作為などである。②についてはすでに司法権の限界に関連して検討した（本書434-435頁以下参照）。

①　条約　　条約については、憲法との法体系上および形式的効力上の関係が前提として論じられなければならない（本書37-38頁参照）。国内法である憲法と国際法である条約との法体系が異なることを認める二元説にたつならば、条約の憲法適合性を前提とした違憲審査の問題はおこらないことになる。この点、ほとんどの憲法学説は条約も国内的効力を有することを根拠として

憲法体系と同一の法体系で論じる一元説にたつため、条約の憲法適合性が問題となりうる。さらに、形式的効力の点で、通説のような憲法優位説にたつ場合には条約も違憲審査の対象になると解されるのに対して、条約優位説にたつ場合には条約は違憲審査の対象に含まれないことになる。今日の学説では、憲法優位説にたちつつも、憲法81条の列挙事項のなかに条約が含まれていないことと、国家間の合意としての条約が政治的内容を含むことを根拠に条約の違憲審査制を否定する学説（Ａ説・否定説）も存在する（清宮・憲法Ⅰ375頁）。これに対して、多くの学説は条約についての違憲審査を肯定する方向にあるが、81条の「規則又は処分」に含まれるとして全面的に肯定するもの（Ｂ説・肯定説）と、81条の列挙を例示列挙と解しつつ人権保障を侵害するような内容の条約については部分的に審査権が及ぶとするもの（Ｃ説・部分的肯定説）に分かれ、Ｃ説が多数説である（野中他・憲法Ⅱ278頁〔野中執筆〕）。また、条約自体は違憲審査の対象にならないとしても法令等の審査にあたって条約を前提問題として審査しうるとする見解（橋本・憲法635-636頁）も存在する。

実際には、条約の違憲審査が問題となった砂川事件において、一審の東京地裁伊達判決（1959〈昭34〉. ３. 30下刑集１巻３号776頁）が、憲法優位説の立場から条約の違憲審査制を認めて日米安保条約を違憲と判断したが、跳躍上告後の最高裁判決（最大判1959〈昭34〉. 12. 16刑集13巻13号3225頁）では、高度の政治的性格を理由にいわゆる統治行為論を採用して憲法判断を避けたという例がある（本書76頁参照）。もっとも、これをもって最高裁判決が一般的に条約の違憲審査制を否定したと解すべきではない。

②　統治行為　　（本書434-435頁参照）。

③　私法行為　　私法行為は、私人の行為と国の行為が区別できるが、前者は私人間効力の問題としてすでにみた（本書126頁以下参照）。後者についても、自衛隊基地用地の売買契約の有効性が問題となった百里基地訴訟に関してふれた（本書77頁参照）。一般には、公的機関が公権的行為に付随して私人との間で売買契約等の私法行為を行うことは可能であり、この行為の違憲審査が除外される理由はない。ただし、手続上の問題は残っており、百里基地訴訟控訴審判決（東京高判1981〈昭56〉. ７. ７判時1004号３頁）が示唆するように、

事実上の支配関係が顕著な場合等は、81条の「処分」にあたるとするか、上告審判決（最三判1989〈平元〉．6．20民集43巻6号385頁）のように、原則として私人間効力の問題とするかは、なお検討の余地がある。

④　立法不作為　　立法不作為の違憲審査については、社会権の法的権利性に関連した立法不作為の違憲確認訴訟の是非や国家賠償請求権の認定をめぐって議論されてきた（本書278頁以下参照）。

1980年代、1990年代には、在宅投票制廃止違憲訴訟（最一判1985〈昭60〉．11．21民集39巻7号1512頁、本書280頁）、再婚禁止期間規定違憲訴訟（最三判1995〈平7〉．12．5判時1563号81頁、本書172頁）等の多くの判決では「国会議員の立法行為は、立法の内容が憲法の一義的な文言に違反している」場合などで「容易に想定し難いような例外的な場合でない限り、国家賠償法1条1項の規定の適用上、違法の評価を受けない」と解してきた。しかし、この「例外的な場合」の判断に関して、2000年以降、進展がみられた。

下級審では、ハンセン病国家賠償請求事件で熊本地裁判決（2001〈平13〉．5．11判時1748号30頁）が、ハンセン病患者の隔離規定について、「他にはおよそ想定し難いような極めて特殊で例外的な場合として、遅くとも昭和40年以降に新法の隔離規定を改廃しなかった国会議員の立法上の不作為につき、国家賠償法上の違法性を認めることが相当である」とした。政府の控訴断念によってこの判決が確定し、その後のハンセン病家族訴訟の勝訴にもつながった（本書110頁、280頁、百選Ⅱ416頁〔佐藤修一郎執筆〕参照）。

最高裁では、2005年の在外国民選挙権制限違憲判決（最大判2005〈平17〉．9．14民集59巻7号2087頁）において、10年以上立法措置がとられなかったことは例外的な場合にあたるとして、立法不作為を理由とする国家賠償法請求を認容した。この判決では、上記在宅投票制廃止違憲訴訟判決の論理を変更してないことが明示されており、従来の判例理論の枠内で、違憲判断が示されたことに留意すべきである（本書281頁参照）。また、2015年には、再婚禁止期間規定違憲訴訟の上告審判決（最大判2015〈平27〉．12．16民集69巻8号2427頁）において、民法733条の違憲性を認定し、法令違憲判決の10件目となったが、国賠請求の要件を変更せず、国家賠償請求は棄却された（本書172-173頁参照）。

⑶　憲法訴訟の要件

日本の違憲審査制が付随的審査型・司法裁判所型であるとすると、司法裁判所の通常の訴訟手続のなかで違憲審査権が行使される。憲法上の争点を含む憲法訴訟の要件も、通常の訴訟要件と同様なものとなる（本書428頁以下参照）。すなわち、民事・刑事・行政事件について、それぞれ民事訴訟法・刑事訴訟法・行政事件訴訟法の定める要件と手続に従って訴訟が進行される。

検察官の公訴提起で訴訟が開始される刑事訴訟ではとくに訴訟要件は必要とされない。しかし、私人である当事者の請求によって訴訟が開始される民事訴訟では、事件性ないし争訟性、裁判所法のいう「法律上の争訟」性のほかに、原告適格や訴えの利益などの要件が必要となる。訴えの利益は、訴訟提起の時点だけでなく、訴訟進行中も継続していることが求められる。

また、行政庁の公権力行使等の違法・違憲性が問題となる行政事件訴訟には、抗告訴訟・当事者訴訟・民衆訴訟・機関訴訟の四種類が定められ（行政事件訴訟法2条）、これら以外の無名抗告訴訟も認められている。行政訴訟では、民事の場合よりも厳格な形で、事件性・処分性（事件の成熟性）のほか、原告適格や訴えの利益などが求められることになる（野中他・憲法Ⅱ292頁以下〔野中執筆〕、戸松・憲法訴訟71頁以下、高橋・憲法訴訟106頁以下参照）。

行政訴訟の場合の原告適格は、「処分又は裁決の取消しを求めるにつき法律上の利益を有する者」（行政事件訴訟法9条）、すなわち、法律上保護された権利・利益を侵害され、または侵害されるおそれのある当事者について認められる。また、処分性の点では、行政庁の公権的行為が国民の権利・利益に十分具体的な影響を与え、訴えの提起を認めることができるような事件の成熟性があることが必要となるため、立法行為や計画等について処分性が認められるか否かが問題となる例が多い。訴えの利益の継続についても、実質的争点がなくなれば訴えの利益が喪失したと解されるため、権利救済手段が国家賠償請求訴訟などに限定される場合が多い。アメリカでは、ムートネスの法理のように、「争訟性の喪失」の場合に憲法判断をしうるか否かをめぐって議論がある。

なお、近年では民衆訴訟や機関訴訟などいわゆる客観訴訟の類型が活用されている。前述のように（本書429頁）、民衆訴訟は「国又は公共団体の機関の法規に適合しない行為の是正を求める訴訟で、選挙人たる資格その他自己の法律上の利益にかかわらない資格で提起するもの」（行政事件訴訟法5条）であり、公職選挙法における選挙無効訴訟、当選無効訴訟、地方自治法における住民訴訟などが重要な機能を果たしている（戸松・憲法訴訟139頁以下参照）。

また、機関訴訟は、「国又は公共団体の機関相互間における権限の存否又はその行使に関する紛争についての訴訟」（行政事件訴訟法6条）である（その代表的なものは国の機関委任事務に関して自治体が上級行政庁の職務命令に従わない場合の職務執行命令訴訟であったが、1999年の地方自治法改正によりこれを定めた同法旧151条の2は削除された）。（これに該当する沖縄県知事の代理署名に関する職務執行命令訴訟・最大判1996〈平8〉.8.28民集50巻7号1952頁については、本書78頁、1999年の地方自治法改正については本書493頁参照）。

3　違憲審査の方法と基準

(1)　審査の方法

通常の訴訟では、裁判所は、当該事件に関する具体的な事実を認定し（事実認定）、その事実について法を適用して判断する。さらに法令等の合憲性が問題となる憲法訴訟においては、当該法令の基礎を形成しその合理性を支える社会的・経済的事実等の「立法事実」の認定が必要となる。

すなわち、違憲審査においては憲法上の争点に関連する事実（憲法事実）が考慮されるが、この中では、法律の制定時に法律による規制目的の正当性、規制の必要性、および規制方法・手段の相当性を裏付け、法律の存続をさせる事実（立法事実）の存在が重要な位置を占める。例えば、薬事法距離制限違憲判決（最大判1975〈昭50〉.4.30民集29巻4号572頁）では、立法目的と薬局の距離制限という規制手段との関係を論じるにあたって、立法事実に関して詳細な検討がなされ、立法目的達成のために配置規制の手段をとる必然性を裏付ける立法事実が存在しないと判断されたことが評価される（佐藤幸・憲法論718頁、戸松・憲法訴訟243頁以下、高橋・憲法訴訟149頁以下、本書241-242頁参照）。

(2)　審査の基準――「二重の基準」論と「三段階審査」論

違憲審査にあたっては、立法事実をふまえ、権利の規制目的と規制手段との関連性などについて判断をしなければならないため、その厳格度が問題となる。そこで、アメリカ合衆国最高裁判所の判例理論のなかで形成されてきた違憲審査基準論が日本の判例・学説にも大きな影響を与えており、現に、日本の判例でも、「二重の基準」論をはじめ、合理性判断の基準について明白性の原則や（規制目的と規制手段との）合理的関連性の基準などが採用されている。

もっとも、日本では、「二重の基準」論を本来の趣旨である精神的自由権の厳格な保障のために用いず、むしろ薬事法違憲判決など経済的自由の規制について、より厳格な基準を用いてきたことに対して、学説からの批判が提起されてきた。学説では、精神的自由規制に対する厳格な審査の基準として、(a)事前抑制・過度に広範な規制についての文面上無効の手法、(b)表現内容の規制についての「明白かつ現在の危険」の原則、(c)表現の時・場所・方法の規制についての「LRA の基準」や「必要最小限度の基準」などを重視してきた。さらに経済的自由権では、積極目的規制に対して「合理性の基準」、消極目的規制に対して「厳格な合理性の基準」の適用を指摘している（芦部・憲法105頁、193頁以下参照、佐藤幸・憲法論713頁以下、渋谷・憲法654頁以下、本書135-136頁、201頁以下、238頁以下参照。薬事法判決を「二重の基準」と目的二分論の視点で理解してきたことについての批判は、百選Ⅰ199頁〔石川健治執筆〕）。

すなわち、芦部説などの通説によれば、①規制目的が正当な利益（legitimate interest）をもち、手段に目的との合理的関連性が認められることで足りると考えるのが「合理性の基準」であるのに対して、②厳格審査の場合は、規制目的がきわめて重大な（やむにやまれぬ）政府の利益（compelling interest）に関わり、手段も目的達成のための必要最小限のものであることが求められる。③両者の中間の「厳格な合理性の基準」では、目的が重要な利益（important interest）をもち、手段が目的との間に実質的関連性を有することが求められる。これに対して、最近では、厳格な合理性の基準の観念や基準論の理解について批判論も提示されている（市川・憲法174頁以下参照）。

また、ドイツ憲法判例理論を基礎とした「三段階審査」論が、近年、ドイツ憲法研究者を中心に有力に唱えられている。この審査論は、第一段階で、ある憲法上の権利が何を保障するのか（保護領域）を確定し、第二段階で、法律および国家の具体的措置が保護領域に制約を加えているのか（制限）を明らかにし、第三段階で、制限は憲法上正当化されるのか、という順で審査を行うものである（本書136-137頁、小山・作法10頁、松本和彦後掲『基本権保障の憲法理論』18頁以下、山本龍彦「三段階審査・制度準拠審査の可能性」法律時報82巻10号101頁以下、宍戸・憲法解釈論４頁、26頁、200頁、高橋・憲法訴訟239頁以下参照）。

例えば、この審査形式によって薬事法距離制限違憲判決を読む場合には、①職業の自由が人格的価値と不可分に関連した重要な基本権であることを確定し、②職業の自由に対して種々の目的から様々の態様の規制が加えられていることを明らかにしたうえで、③その制約（消極目的による許可制）が正当化されるか否かを検討する。そして、「人格的価値と不可分に関連した重要な基本権である職業の自由に対して、許可制という強力な制限を加えてよいのは、重要な公共の利益を実現するための規制であり（立法目的の重要性）、かつ、より緩やかな制限によっては立法目的を十分に達成できない（手段の必要性）と認められる場合に限られる」という結論に到達した、と解することができる（小山・作法20-21頁）。ここでは、最終的に、「二重の基準」論における「厳格な合理性の基準」と同様な結論に到達しているが、これは、比例原則を厳格に適用した結果であり、「重要な権利に対する強力な制限であれば、特段の事情がない限り、比例原則が厳格に適用される」ことが明らかにされる。

上記のドイツ憲法理論に即した審査基準における比例原則、とくに、「制限によって得られる利益と失われる利益が均衡していること」という要件は、アメリカや日本の個別的利益衡量の手法に近くなることが指摘される（芦部・憲法106頁〔高橋執筆〕）。ドイツの利益衡量論を批判する高橋説では、アメリカの中間審査程度の厳格度を通常審査のベースラインにする見解が示されている（高橋「『通常審査』の意味と構造」法律時報83巻５号12-19頁参照）。また、日本の憲法訴訟に一般的に導入された場合に「司法権の行使に付随して行われる違憲審査と無条件に適合するのか」（佐藤幸・憲法論664頁、同第２版718頁注86参照）などが、検討課題として提示されてきた（議論の背景と課題につき、市川「最近の『三段階審査』論をめぐって」法律時報83巻５号6-11頁、松本「三段階審査論の行方」同34-40頁参照）。ドイツの判例理論かアメリカの審査基準論かという二者択一的な対応ではなく、比較憲法研究の有効性と限界を理解しつつ、日本の憲法判例理論の構築にとって重要な論理とくに審査技術論だけでなく救済対象となる権利論の精査を十分に行うことが必要であろう（辻村他・概説コメ

357頁〔渡辺康行執筆〕参照）。

⑶　憲法判断の方法と回避

憲法訴訟で当事者から違憲・無効の主張がなされている場合に、裁判所が必ず憲法判断を下すわけではない。現実には裁判所はその憲法上の争点にふれずに事件を解決できるならば憲法判断をしなくてもよいし、判断すべきでもない、という憲法判断回避原則が支配的である。これは、アメリカ合衆国最高裁判所で採用されてきたブランダイス・ルールに基づく考えであり、付随的審査制では、事件解決に必要でない限り裁判所はできるだけ政治部門の判断に介入すべきではないという自制論がその主要な論拠である。このような憲法判断回避の手段として、①憲法判断自体の回避と、②違憲判断の回避（合憲限定解釈）の手法がある。

ブランダイス・ルールは、1936年に合衆国最高裁判所アシュワンダー判決の補足意見のなかでブランダイス判事が七つの準則として示したもので、第四準則と第七準則が憲法判断回避に関連している。第四準則は「裁判所は、憲法問題が記録によって適切に提出されていても、もし事件を処理することのできる他の理由が存在する場合には、その憲法問題には判断を下さない」、第七準則は「連邦議会の法律の効力が問題となった場合、合憲性について重大な疑いが提起されても、裁判所がその憲法問題を避けることができるような法律の解釈が可能か否かを最初に確かめることが、基本原則である」とする。第七準則はA（憲法問題を避ける解釈が可能ならそれに従うべきである）とB（憲法問題の解釈上、可能ならば合憲となる解釈を採用すべし）の内容を含む。このうち第四準則と第七準則Aが(i)の憲法判断自体の回避を、第七準則Bが(ii)の合憲限定解釈を意味する（長谷部・憲法430頁）。

①　憲法判断回避の手法　　この手法は、恵庭事件判決（札幌地判1967〈昭42〉．3．29下刑集9巻3号359頁）で採用された（本書77頁参照）。本判決では、自衛隊の通信線を切断した行為が自衛隊法121条の「防衛の用に供する物」を損壊したという構成要件にあたらないとして無罪の判断がなされ、自衛隊法自体の違憲性についての判断は「おこなう必要がないのみならず、これをおこなうべきでもない」とされた。

学説は、(a)憲法判断回避を原則とする立場からこれを支持するものが多数であった（宮沢俊義「恵庭事件について」ジュリスト300号26頁など）が、逆に、(b)裁判官が当該法律を適用して有罪判決を下す場合には当該法律の合憲性が前提となることからすれば、理論的には法令の違憲審査が先行すべきであり、裁判官は憲法審査義務を負っている（有倉遼吉「恵庭事件」法学セミナー135号14頁）とする見解も提示されて議論があった（宮沢・有倉論争）。

その後、基本的には憲法判断回避を原則としつつ、事件の重大性や違憲状態の程度、影響の範囲、権利の性質等を総合的に考慮して、憲法判断に踏み切ることが是認ないし要請されるとする折衷的な芦部説が有力となった（芦部・憲法393頁）。もっとも、論理的には、(b)の見解のほうが、筋が通っている（ただしこれを常に判決のなかに明記することは必要ではない）と思われるため、(a)の立場をとる場合には憲法判断よりもむしろ回避を原則とすることの積極的根拠づけが必要であるといえよう。このほか、憲法判断が回避された事例には、教科書裁判第二次訴訟の控訴審判決（東京高判1975〈昭50〉.12.20行集26巻12号1446頁）などがある（本書235頁以下参照）。なお、近年の最高裁では、千葉勝己裁判官の補足意見がブランダイス・ルールとの関係に言及した（最二決2014〈平26〉.7.9判時2241号20頁、同決定につき、辻村・選挙権と国民主権176頁参照）。

②　違憲判断回避の手法　　この手法は、実質的に違憲判断がされうる場合にも、なるべく合憲であるように限定的に法令を解釈するものである。具体的には、法令自体の違憲性を認めるのでなく、当該法令の解釈運用の問題として事件を処理する手法であり、公務員の労働基本権に関する都教組事件判決（最大判1969〈昭44〉.4.2刑集23巻5号305頁）が典型例である。ここでは、違法な争議行為の「あおり行為」を処罰の対象とする地方公務員法61条4項を違憲とすることなく、「刑事罰をもってのぞむ違法性」の認定に際して二重のしぼりをかけることで当該被告人を無罪とした。しかし、最高裁は続く全農林警職法事件判決によってこの手法を否定した（本書304頁参照）。

また、税関検査事件判決（最大判1984〈昭59〉.12.12民集38巻12号1308頁）でも、最高裁は関税定率法21条1項（旧）3号の解釈について「限定解釈によって初めて合憲なものとして是認し得る」ことを認め、「合理的な法解釈の範囲内において可能である限り、憲法と調和するように解釈してその効力を維持すべく、法律の文言にとらわれてその効力を否定するのは相当でない」として合憲判断を下した（本書203頁、204頁参照）。

(4)　違憲判断の方法

判決のなかで明示的に違憲の判断がされる場合でも、その審査方法や違憲判断の方法には種々のものがある。

違憲審査の方法では、文面審査と適用審査が区別される。これらはアメリカ合衆国で採用されてきた審査方法であるが、付随的審査制をとる日本でも妥当すると考えられており、前者の文面審査は、法令それ自体の（文面上の）合憲性を検討する審査方法である。後者の適用審査は、法令の合憲性を「当該訴訟当事者に対する適用関係においてのみ個別に判断しようとするもの」である（争点・276頁〔市川正人執筆〕、宍戸・憲法解釈296頁）。文面審査の結果、法令違憲の判決が下されることもあるが、当該事件に適用される限りでの法令の違憲性を審査する適用審査の手法によって、「適用違憲」などの判決が下されることもある。違憲判断の方法には、下記のように、法令審査－法令違憲判決の他、適用審査－適用違憲の手法があり、後者の手法が重視されるようになっている（市川・憲法353頁、高橋・憲法訴訟317頁以下）。

(ア)　法令違憲　　これは、当該法令の規定そのものを違憲と判断する方法である。違憲判決の最も典型的な形態であり、尊属殺重罰規定違憲判決や薬事法違憲判決等の9種10件（本書459-460頁①～⑩）の例はこれにあたる。

(イ)　適用違憲　　これは、当該法令の規定そのものを違憲とすることなく、当該事件における適用の仕方だけを違憲とする方法である。適用違憲の方法は、芦部説にしたがって、おおむね次の三つの類型に分けられてきた（芦部・憲法399-401頁）。

(a)　法令の合憲限定解釈が不可能な場合に、違憲的適用を含むような広い解釈に基づいて法令を当該事件に適用することを違憲とするものがある。この例としては、国家公務員の政治活動に関する猿払事件一審判決（旭川地判1968〈昭43〉. 3.25下刑集10巻3号293頁。「本件被告人の所為に、国公法110条1項19号が適用される限度において、同号が憲法21条および31条に違反するもので、これを被告人に適用することができない」と判示した）があげられる（百選Ⅱ420頁〔芦部信喜執筆〕、本書122-123頁、220頁以下参照）。

(b)　法令の合憲限定解釈が可能であるにもかかわらず、法令執行者がその方法によらず法令を違憲的に適用した場合にその適用行為を違憲とするものがある。その例に、全逓プラカード事件一審判決（東京地判1971〈昭46〉. 11. 1判時646号26頁）がある（「右各規定〔人事院規則14-7第5項4号、6項12号〕を合憲的に限定解釈すれば、本件行為は、右各規定に該当または違反するものではない。したがって、本件行為が右各規定に該当または違反するものとして、これに右各規定を適用した被告の行為は、その適用上憲法21条1項に違反する」と判示した)。

(c)　法令自体は合憲であるが、その法令の執行者が憲法に抵触ないし人権を侵害するような形で解釈適用した場合に、その適用行為を違憲とするものがある。一般には、その例として、第二次教科書裁判一審判決（東京地判1970〈昭45〉. 7. 17行集21巻7号別冊1頁）があげられる。

ただし、最高裁は、猿払事件上告審判決において、(a)の例として示された同事件一審判決について「法令が当然に適用を予定している場合の一部につきその適用を違憲と判断するものであって、ひっきょう法令の一部を違憲とするものにひとしい」と批判しており、適用違憲の手法に消極的である。

また、(c)の例とされた第三者没収事件最高裁判決（最大判1962〈昭37〉. 11. 28刑集16巻11号1593頁、本書258頁）では、「関税法118条1項によって第三者の所有物を没収することは、憲法31条、29条に違反する」とされたものの関税法自体を違憲としたわけではなく、その適用の手続が憲法違反とされたものであるため、適用違憲の手法(c)と解することが可能とされてきた（芦部・憲法401頁)。しかし、これについては、この事件は手続保障を欠いた没収処分に問題があったのであるから、法令違憲でも適用違憲でもなく、処分違憲とみるべきであるとする見解もある（争点287頁〔野坂泰司執筆〕参照)。

(ウ)　処分違憲　　公権力の行使として個別的・具体的な行為（処分）そのものの憲法適合性を問題とする類型である（佐藤幸・憲法論711頁以下、戸松秀典・憲法訴訟393頁以下、野坂・憲法判例38頁)。多くの学説では、この処分違憲を適用違憲の類型に含めてきたが、最近では、愛媛玉串料訴訟判決や砂川政教分離（空知太神社）訴訟判決などもこの類型で捉える傾向があり、議論が錯綜している（学説につき、渡辺他・憲法Ⅱ375頁〔渡辺執筆〕参照)。

(エ)　違憲確認　　違憲判決の効果として、当該法令を違憲・無効とするのが通例であるのに対して、違憲の確認のみを行う方法も存在する。特別の事情がある場合に、当該法令の違憲を宣言するにとどめてそれを無効とはしない、いわゆる「事情判決」の手法もこれにあたる。1976年の衆議院議員定数訴訟最高裁判決でこの手法が採用されて以降、同種の投票価値平等に関する判決のなかでくりかえし用いられている（本書326頁以下参照）。

4　違憲判決の効力

違憲審査権の主体である最高裁判所および下級裁判所で違憲判決が下された場合の効力が次に問題となる。最初にみた違憲審査制の二つの類型（本書456-457頁）では、(A)付随的審査制型の場合は当該事件に関する限りで法令を違憲無効とする個別的効力、(B)抽象的審査制型では、当然に法令を一般的に無効とする一般的効力を認めることが通例である。付随的審査制型に属すると解される日本の場合も、違憲審査の終審裁判所である最高裁判所で違憲判決が確定したときも個別的効力を有するにすぎないと解され、学説上も個別的効力説が通説である。実際にも、尊属殺重罰規定違憲判決の場合なども、当然に法令が無効とされたわけではない。権力分立原則からすれば、立法者がすすんで法令の改廃を行わない限り、司法府の判断が立法府等を拘束しえないとすることが理論上の帰結だからである。

もっとも、学説上は、憲法98条1項の最高法規性を根拠に、一般的効力説を主張する見解も存在する。個別的効力のみでは同じ法律が場合によって有効であったり無効であったりして法的安定性を害することからすれば、その理屈には説得力がある。学説には、上記の個別的効力説・一般的効力説以外に、法律委任説がある。これは、憲法はどちらとも明示していないため法律の定めに委ねるとするものであるが、現実には、このような法律は制定されていない。ただし、実際の運用においては、個別的効力説にたちながらも、その欠陥を補うために、法改正が促進されることが通例であり、前述のように世界的にも二つの類型の合一化傾向が確認される。

また、遡及効や将来効との関係で判決の効力が問題にされることが多い。従来は、一般的効力説にたつ場合に遡及効を認めると法的安定性が損なわれるため遡及しないことが原則とされ、個別的効力の場合には、当事者のみ遡及効を認めることが原則とされてきた。しかし、実際には、刑事法の領域では遡及効を認めるべきか否かについて問題があり、尊属殺重罰規定違憲判決後の実務で遡及効を認めないことに関して、過去に違憲とされた法律によって不利益を被った受刑者に対する救済制度の必要も指摘されている（戸波・憲法462頁）。

さらに、議員定数訴訟違憲判決を契機に、判決の効力を将来の一定時期から発生させる将来効判決の当否が問題となっている。これは、一定期間内に憲法に適合するように是正することを立法府に求め、そのように是正されない場合には、将来的に選挙を無効にするなどの条件を付して、立法府に対する一種の勧告的な見解を示すものである。これについては、個別的効力説の立場からは原則的に将来効は認められないのに対して、議員定数訴訟などでは例外的に将来効判決も可能であるとする見解（芦部・憲法402-403頁）も提示されている。

実際にも、これらの最高裁判決が立法府に法改正等を促す手段として有効に機能してきたことが注目される。さらに、近年の最高裁判決では、国籍法違憲判決等が、司法権による人権救済を実践してきたことが大いに評価される（本書104頁以下参照）。反面、権力分立制の現代的意義をふまえて、このような司法権の権限ないし責務の本質と限界を検討することも必要となろう（争点280頁〔大沢秀介執筆〕、高橋・憲法訴訟367頁以下参照）。

第６章　財政

一　財政の基本原則――財政民主主義

日本国憲法は、第７章を「財政」にあて、９カ条の規定をおいてその基本原則を定めている。財政とは、国家がその任務を遂行するために必要な財源を調達し、管理・使用する作用である。現代では、単に国民から税金を徴収して公的活動の財源を確保するという機能だけでなく、公債や金利、財政投融資政策等を通じて国民生活や国民経済のあり方を左右する重要な機能となっている。

大日本帝国憲法では、会計に関する第６章に11カ条をおいて、租税法律主義（大日本帝国憲法62条１項）、国債と予算外国庫負担契約に対する議会の協賛（同62条３項）、予算に対する議会の協賛（同64条１項）、決算の議会審査（同72条１項）などの財政議会主義の原則を定めていた。しかし、実際には、皇室経費や行政上の収納金、政府の義務に属する歳出（義務費）など議会の権限から除外されている領域が多く、さらに、政府は予算が不成立の場合に議会の議決なしに前年度の予算を執行し（同71条）、緊急の需用がある場合に緊急財政処分を行う（同70条）権限をもつなど、議会の監督が制限されていた。

これに対して、日本国憲法では、83条で、「国の財政を処理する権限は、国会の議決に基いて、これを行使しなければならない」として、財政の基本原則を定めている。すなわち、国の財政処理権限を国民の代表機関である国会の議決に基づかせる原則としての国会中心財政主義ないし財政議会主義を定めるが、さらに財政民主主義を含むと解される。この財政民主主義とは、「国民の、国民による、国民のための財政」の実現を企図するもので、憲法

83条の財政議会主義をその中心的な内容としつつ、これを拡大したものといえる（新基本法コメ・443-446頁〔小沢隆一執筆〕参照）。

歴史的には、もともと1215年のマグナ＝カルタで、国王による課税に対して一般評議会の同意が必要とされて以来、イギリスの議会制の発達に伴って権利請願や権利章典等のなかで具体的に財政議会主義が確立されてきた。アメリカ独立革命当時の「代表なければ課税なし」というスローガンも、課税への同意を条件として近代的な議会政治が確立されてきたことを端的に示している。

また、フランスでは、1789年の人権宣言のなかで、「人および市民の権利の保障には、公的強制力を必要とする」（第12条)、「公的強制力の維持および行政の支出のために、共同の租税が不可欠である。共同の租税は、すべての市民の間で、その能力に応じて、平等に分担されなければならない」（第13条）と定められた。そのうえで、「すべての市民は、自らまたはその代表者によって、公の租税の必要を確認し、それを自由に承認し、その使途を追跡し、かつその数額、基礎、取立ておよび期間を決定する権利をもつ」（第14条）と定めて、主権者による財政の民主的決定の原則が明らかにされた（初宿＝辻村訳・憲法集248頁〔辻村訳〕)。

これらの歴史的展開をふまえると、日本国憲法の原則も、財政議会主義にとどまらず、財政民主主義として内容を広く解することが必要である。すなわち、憲法83条が定める「国会の議決」についても、単に財政の統制を国会に委ねるだけではなく、主権者としての国民（市民）が直接に財政運営を監視し、具体的な政策決定に参与すべきことが求められる。

「財政を処理する権限」の内容も、租税の賦課や徴収などの強制的な権力作用にとどまらず、国費の支出や国有財産の管理などの財政管理作用も含むと解すべきであり、これらの作用が、広く国会ひいては主権者の決定ないし統制のもとにおかれることが導かれる。

この意味でも、財政の問題を内閣の項目で扱うことは妥当ではなく、より広範な視座から検討すべきである。また、地方自治を重視する日本国憲法の全体構造からすれば、財政は、国家だけでなく、地方公共団体がその任務を行うために住民から税金を徴収し、住民の生活のために有効に支出する機能としても重要な意義を担っているといえる。このような前提にたつならば、国会中心財政主義についても、財政における地方公共団体の自主性を否定する方向で狭く解すべきではないといえよう（本書500頁参照）。

二　租税法律主義

1　意義

憲法84条は「あらたに租税を課し、又は現行の租税を変更するには、法律又は法律の定める条件によることを必要とする」と定める。租税の定義について、通説は、「国（または地方公共団体）が、特別の役務に対する反対給付としてではなく、その経費にあてるための財力取得の目的で、その課税権に基づいて、一般国民に対して一方的・強制的に賦課し、徴収する金銭給付」であると解している（佐藤功・註釈1093頁、野中他・憲法Ⅱ336頁〔中村執筆〕など）。判例も、「租税は、国家が、その課税権に基づき、特別の給付に対する反対給付としてではなく、その経費に充てるための資金を調達する目的をもって、一定の要件に該当するすべての者に課する金銭給付である」（大島訴訟・最大判1985〈昭60〉．3．27民集39巻2号247頁）とする。上記84条は、租税の新設や税制の変更は法律の形式によってなされ、国会の議決を要することを明らかにしている。これがいわゆる租税法律主義の原則であり、この原則は、「国民は、法律の定めるところにより、納税の義務を負ふ」として国民の納税義務を定める憲法30条でも、別の視点から明らかにされている。

租税法律主義は、租税の賦課（実体）と徴収（手続）がともに法律で定められることを含むが、その内容で重要なものは、(i)課税要件法定主義、および、(ii)課税要件明確主義である。(i)は、納税義務者・課税物件・課税標準・税率などの課税要件、租税の賦課・徴収の手続の法定を意味し、(ii)はその課税要件と賦課・徴収手続の内容が明確に定められなければならないことを意味する（辻村他・概説コメ378頁以下〔片桐直人執筆〕参照）。

租税法律主義は、法律以外の行政府の命令によって課税・徴収することを禁じることを意味するが、租税に関する事項の細目をすべて法律で定めることは現実的でなく、憲法の規定も「法律の定める条件による」としているところからすれば、命令への委任も認められると解される。ただし、課税要件法定主義からすると、命令への委任は厳格な要件に従うものでなければならず、委任は個別的・具体的でなければならない。その点では、上級行政庁が下級行政庁を指揮監督する手段である通達によって課税する、いわゆる通達課税が問題となる。

通達は法令の解釈・運用の方針を示す行政規則であって、行政組織内では拘束力をもつが一般の国民や裁判所を拘束する法規ではない。にもかかわらず、行政における通達は、単に租税法の解釈・運用の指針であるにとどまらず、法律改正をまたずに特定の措置を導入する手段として用いられている。

実際に、パチンコ球遊器が、通達によって課税物件としての遊戯具に該当するとして課税対象とされたことから、通達課税の違憲性が争われた事件がある。この訴訟で最高裁判決（最二判1958〈昭33〉. 3.28民集12巻4号624頁）は、「本件の課税がたまたま所謂通達を機縁として行われたものであっても、通達の内容が法の正しい解釈に合致するものである以上、本件課税処分は法の根拠に基く処分と解する」とした。この判決は、租税法律主義および法律解釈の変更の可否の点から批判を受けている（樋口・憲法Ⅰ340頁。学説状況は、百選Ⅱ（第6版）430頁〔甲斐素直執筆〕参照。条例による課税につき、本書504頁参照）。

また、国民健康保険法76条に基づく保険税ないし保険料の賦課・徴収を条例に委ねていることが、租税法律主義に反しないかどうかが秋田市国民健康保険税条例訴訟で問題になり、地裁・高裁で違憲判決が下された。

秋田市に住所を有する原告らは、市長（被告）が地方税法および秋田市国民健康保険税条例により世帯主に対して国民健康保険税の賦課処分および再賦課処分をしたことを違憲として提訴した。一審判決（秋田地判1979〈昭54〉. 4.27行集30巻4号891頁）は、地方税法の範囲内で地方税の租税要件・手続等を条例で定めることは租税法律主義に反しないとして租税（地方税）条例主義を認めたうえで、課税総額の確定を課税権者に委ねた秋田市条例2条・6条の規定は一義的明確性を欠き、課税総額の認定、税率の確定について課税庁である被告の裁量を許容するもので、租税法律主義の原則に反するため、憲法84条に違反し無効であつて、右条例の規定に基づいてなされた本件賦課処分は違法である、とした。控訴審判決（仙台高判1982〈昭57〉. 7.23行集33巻7号1616頁）も、一審判決を支持して控訴棄却し、本件条例2条の課税総額規定は「上限内での課税総額の確定を課税権者に委ねた点において、課税要件条例主義にも課税要件明確主義にも違反するというべきであつて、憲法92条、84条に違反し、無効といわざるをえない」とした。条例6条も課税総額を基礎として税率を決定する点において、「憲法84条・92条に違反し、無効である」とした。

この判決後、多くの地方公共団体が保険料徴収方式に転じたため、今度は、保険料徴収方式と租税法律主義・租税条例主義との関係が問題となった。

旭川市国民健康保険料条例訴訟で、一審判決（旭川地判1998〈平10〉.4.21判時1641号29頁）は前記秋田市条例違憲判決に準じて違憲としたが、控訴審判決は、賦課・徴収の根拠を条例で定め、保険料率等を下位の法規に委任することは許される、として合憲判断を下し（札幌高判1999〈平11〉.12.21判時1723号37頁）、最高裁大法廷は2006〈平18〉年3月1日判決（民集60巻2号587頁）において上告を棄却した。

旭川市国民健康保険料に関する2006〈平18〉年最高裁判決は、(i)国民健康保険料と憲法84条の「租税」との関係について、「国又は地方公共団体が、課税権に基づき、その経費に充てるための資金を調達する目的をもって、特別の給付に対する反対給付としてでなく、一定の要件に該当するすべての者に対して課する金銭給付は、その形式のいかんにかかわらず、憲法84条に規定する租税に当たる」とした。そのうえで、市町村が行う国民健康保険の保険料は、これと異なり「被保険者において保険給付を受け得ることに対する反対給付として徴収されるもの」であり、「保険料に憲法84条の規定が直接に適用されることはない」が、「形式が税である以上は、憲法84条の規定が適用されることとなる」とした。(ii)「国民健康保険は、……強制加入とされ、保険料が強制徴収され、賦課徴収の強制の度合いにおいては租税に類似する性質を有するものであるから、これについても憲法84条の趣旨が及ぶと解すべきであるが、他方において、保険料の使途は、国民健康保険事業に要する費用に限定されているのであって、法81条の委任に基づき条例において賦課要件がどの程度明確に定められるべきかは、賦課徴収の強制の度合いのほか、社会保険としての国民健康保険の目的、特質等をも総合考慮して判断する必要がある」とし、(iii)本件の旭川市国民健康保険条例が賦課総額の決定や公示を委任し、市長が公示したこと等は、国民健康保険法81条および憲法84条の趣旨に反しない、とした。また、(iv)恒常的に生活が困窮している状態にある者を保険料の減免の対象としていないことは、国民健康保険法77条の委任の範囲を超えるものではなく、憲法25条、14条に違反しない、とした（(iv)では適用違憲の余地も指摘された。百選Ⅱ424頁〔齊藤一久執筆〕参照）。

2　適用範囲

憲法84条でいう租税は、上記のように定義される「固有の意味の租税」のほかに、実質的に租税と同様に強制的に徴収される負担金（都市計画負担金、道路負担金、河川負担金など）や手数料（免許手数料、試験手数料など）、国の独占事業の料金（〔郵政民営化以前の〕郵便料金など）も含まれると解されるが、この点については議論がある。

財政法３条は、「租税を除く外、国が国権に基いて収納する課徴金及び法律上又は事実上国の独占に属する事業における専売価格若しくは事業料金については、すべて法律又は国会の議決に基いて定めなければならない」と規定している。これが、憲法83条・84条の当然の帰結かどうかについて、学説が分かれている。立法政策説（Ａ説）は、財政法３条は憲法の要求するところではなく、立法政策上の判断によって設けられたと解する（小嶋説）。憲法83条説（Ｂ説）は、財政法３条は憲法84条の租税法律主義でなく、憲法83条の財政民主主義（国会中心財政主義、財政立憲主義）の原則に基づいて制定されたものと解する（佐藤幸・憲法180頁、野中他・憲法Ⅱ337頁〔中村執筆〕）。憲法84条説（Ｃ説）は、財政法３条は憲法84条の租税法律主義の要求するところであると解する（清宮・憲法Ⅰ262頁、杉原・憲法Ⅱ430頁など）。Ａ・Ｂ説がＣ説と基本的に異なる点は、財政法３条の「法律又は国会の議決に基いて」は、憲法84条の「法律又は法律の定める条件による」とは異なって、具体的な金額または金額算定基準まで直接法律で定めることまで要求するものではなく、租税以外の負担金・手数料・専売価格等については、憲法83条による国会の基本的なコントロールを行使すれば足りるとすることである。固有の意味の租税とその他の負担との間に性質上の差異があるとしても、国民の側からすれば後者を84条から除外する積極的な理由もないため、国会のコントロールを厳密にする意味では多数説（Ｃ説）が妥当であろう。

また、2004〈平16〉改正後の租税特別措置法（損益通算廃止）が納税者に不利益な遡及立法であって憲法84条に違反するとして通知処分の取消しが請求された訴訟では、一審・控訴審共に請求が棄却された後、最高裁も下記のように合憲判断して上告を棄却した（最一判2011〈平23〉．９．22民集65巻６号2756頁）。

「憲法84条は、課税要件及び租税の賦課徴収の手続が法律で明確に定められるべきことを規定するものであるが、これにより課税関係における法的安定が保たれるべき趣旨を含むものと解するのが相当である。……そして、法律で一旦定められた財産権の内容が事後の法律により変更されることによって法的安定に影響が及び得る場合における当該変更の憲法適合性については、当該財産権の性質、その内容を変更する程度及びこれを変更することによって保護される公益の性質などの諸事情を総合的に勘案し、その変更が当該財産権に対する合理的な制約として容認されるべきものであるかどうかによって判断すべきものである」。「諸事情を総合的に勘案すると、本件改正附則が……納税者の租税法規上の地位に対する合理的な制約として容認されるべきものと解するのが相当である」。したがって、憲法84条・憲法30条の趣旨に反するものといえない（百選Ⅱ426頁〔片桐直人執筆〕）。

三　国費の支出と国会の議決

1　国費の支出および国の債務負担行為

憲法85条は「国費を支出し、又は国が債務を負担するには、国会の議決に基くことを必要とする」と定める。この規定は、国会中心財政主義、財政民主主義の原則を、支出面から具体化したものと解されている。ここでいう国費の支出とは、「国の各般の需要を充たすための現金の支払」（財政法2条1項）のことであり、支払いの根拠が法令の規定に基づくもののほか、私法上の契約に基づくものやその他の根拠に基づくものも国費の支出に含まれる。

さらに、国費の支出に対する国会の議決は、法律の形式ではなく、憲法86条が定める「予算」の形式によって行われる。このように、憲法85条は、国費の支出は国会の議決を要するという実質的側面から、憲法86条はそれが予算という形式で議決されるという形式的側面から規定しており、財政法では、「歳入歳出は、すべて、これを予算に編入しなければならない」（同14条）と定めている。

憲法87条1項は「予見し難い予算の不足に充てるため、国会の議決に基いて予備費を設け、内閣の責任でこれを支出することができる」と定める。しかし、使途内容が確定した支出についての国会の議決は憲法85条の議決といえるのに対して、87条1項の議決は予備費を設けることについての議決にすぎないため85条との関係で問題となる。そこで同条2項では、「すべて予備費の支出については、内閣は、事後に国会の承諾を得なければならない」ことを規定した。

次に、国が債務を負担する行為も、国会の議決に基づかなければならない(憲法85条)。国の債務負担行為とは、国が財政上の需要を充足するのに必要な経費を調達するために債務を負うことを意味する。債務とは通常は金銭債務を意味するが、ここでは、直接に金銭を支払う義務でなくても、債務支払保証や損失補償の承認なども結局は国費の支出を伴うものであるため、債務の負担に含まれる。憲法は、国費の支出に対する議決が予算の方式でなされることを明示する反面、国の負担債務に対する国会の議決については別段の定めをおいていない。これに対して、財政法は、国の債務負担に対する議決の方式として法律と予算の形式を認め、合計三種の債務負担行為を定める。

前者の法律の形式による債務負担行為は、国が財政上の目的で負担する債務(財政公債)であり、償還期が次年度以降にわたるもの(固定公債、長期公債)のことである。後者の予算の形式によるものには、(i)歳出予算内の債務負担で、財務省証券や一時借入金のように年度内に返済されるもの(流動公債、短期公債)と、(ii)法律によるものおよび歳出予算内のもの以外の債務負担行為がある。財政法は、(ii)だけを「国庫債務負担行為」と定義しており(15条5項)、外国人傭入契約、各種の補助契約、土地建物賃貸借契約などがこれに含まれる。

2　公金支出の制限

(1)　意義

憲法89条は、「公金その他の公の財産は、宗教上の組織若しくは団体の使用、便益若しくは維持のため、又は公の支配に属しない慈善、教育若しくは博愛の事業に対し、これを支出し、又はその利用に供してはならない」と定めて、公の財産の支出を制限する基準について規定している。ここでは、89条前段で宗教上の組織・団体に国が財政的援助を行わない、として憲法20条の政教分離原則を財政面から定める一方、後段では、「公の支配」に属しない教育や福祉事業についても国の財政的援助を行わないことを定める。この後段の立法趣旨や私学助成との関係などについては、下記のように見解が分かれている。

(2)　宗教団体に対する公金等の支出

①　宗教団体　　公金の支出等が禁止される宗教上の組織もしくは団体が、宗教法人法上の宗教団体等に限定されるか否かについて議論がある。従来の通説では、宗教上の組織とは「寺院、神社のような物的施設を中心とした財団的なもの」を意味し、団体とは「教派、宗派、教団のような人の結合を中心とした社団的なもの」を意味するとして、宗教上の組織と団体を区別して厳格に解していた（法協・註解(下)1333頁）。しかし最近では、組織と団体を区別せず、ともに何らかの宗教上の事業ないし活動を目的とする団体をさすと緩やかに解している（樋口他・注釈(下)1353頁〔浦部執筆〕）。この立場では、有志のグループのような緩やかな意味での団体が宗教活動を行うような場合も、宗教上の団体となり、憲法上の公金支出の制限の対象となるとされる。

判例は、当初、「目的・効果基準論」にたって、憲法にいう「宗教団体」または「宗教上の組織若しくは団体」とは、「宗教と何らかのかかわり合いのある行為を行っている組織ないし団体のすべて」を意味するものではないとして狭く解していたが、砂川政教分離（空知太神社）訴訟最高裁判決（最大判2010〈平22〉.1.30民集64巻1号1頁）では、「氏子集団」を「宗教上の組織もしくは団体」に含めて広く解した。審査基準論も、「目的・効果基準論」によらず「社会的通念に照らして総合的に判断すべきであるとした（本書195頁、辻村他・概説コメ402頁〔片桐直人執筆〕参照）。憲法の趣旨を厳格に解するためには、最近の学説のように広く解するほうが妥当であろう（本書188-189頁参照）。

判例は、箕面忠魂碑・慰霊祭訴訟最高裁判決（最三判1993〈平5〉.2.16民集47巻3号1687頁）にも示されるように、憲法にいう「宗教団体」または「宗教上の組織若しくは団体」とは、「特定の宗教の信仰、礼拝又は普及等の宗教的活動を行うことを本来の目的とする組織ないし団体を指すものと解するのが相当である」と狭く解していた。この判決は合憲判断を下したが、愛媛玉串料訴訟最高裁判決（最大判1997〈平9〉.4.2民集51巻4号1673頁）は、憲法89条違反とした。とくに園部反対意見は、憲法20条3項を問題とする以前に89条違反となると解して注目された（本書192-193頁参照）。上記砂川（空知太神社）事件判決も、20条3項の問題ではなく、89条と、20条1項後段の問題であるとした。

②　免税措置　　法人税法（７条）や地方税法（72条の５）等による宗教法人に対する免税措置が憲法89条前段で禁止される公金の支出にあたるかどうか、という論点がある。租税法上、宗教法人は「公益法人等」として扱われ、収益事業以外から得た所得について法人税や事業税が課されないことになっている点について、学説は、合憲説と違憲説に分かれる。

(A)合憲説は、「一般に公益法人に対して、国がこの種の利便をはかることはかならずしもその事業を特に援助する意味をもつわけではない」とする（宮沢・コメ748頁）。(B)違憲説は、免税措置は一種の補助金であるとし、憲法89条前段を厳格に解する立場から「憲法上疑義がある」と解する（伊藤・憲法486頁）。憲法の禁止を厳格に解する立場からすれば、違憲説が妥当であるが、文化財保護目的からする他の補助と同様なものである限りで合憲とされよう（樋口・憲法348頁）。なお、判例は、「社寺等に無償で貸し付けてある国有財産の処分に関する法律」（1947年）が無償貸与中の寺院等に譲与または時価の半額で売り払うことを定めたことについても、沿革上の理由を重視して、合憲と解している（最大判1958〈昭33〉.12.24民集12巻16号3352頁）。

(3)　慈善・教育・博愛事業に対する公金等の支出

①　立法趣旨　　「公の支配に属しない慈善、教育若しくは博愛の事業」に対する公金支出・利用を禁じている憲法89条後段の立法趣旨については、学説は基本的に次の三つに分かれる。公費濫用防止説（(A)説）は、教育等の私的事業に対して公金支出を行う場合に公費の濫用をきたさないように当該事業を監督すべきことを要求する趣旨と解する（小嶋・憲法514頁）。自主性確保説（(B)説）は、教育等の私的事業の自主性を確保するために公権力による干渉の危険を除く趣旨と解する（宮沢・コメ746頁）。中立性確保説（(C)説）は、政教分離の補完、すなわち宗教や特定の思想信条が教育等の事業に浸透するのを防止するために必要な「公の支配」を成立させない限り国の財政的援助を禁止する趣旨と解するものである（学説の呼称は、野中他・憲法Ⅱ343-344頁〔中村執筆〕、内野・論点182頁参照）。これらの諸説は強調点が異なるとはいえ、相互に排他的な内容をもつわけではなく、89条後段の内容が政教分離原則を具体化する89条前段と同一条文に規定されていることからしても、これらのう

ち、(A)・(C)説の二つを立法趣旨と解する（野中他・憲法Ⅱ344頁〔中村執筆〕）ことや、三つの説を総合的に捉えることも可能と思われる。

②　私学助成の合憲性　「公の支配」の理解との関係で私学助成の合憲性が問題となる。現実には、私立学校法59条が「別に法律で定めるところにより、学校法人に対し、私立学校教育に関し必要な助成をすることができる」と定め、さらに私立学校振興助成法が具体的な助成措置を定めている。実際に助成を受ける学校法人に対する国の監督権限は、業務や会計の報告要求と調査、収容定員を著しく超えて入学させた場合の是正命令、予算が不適当な場合の変更勧告、法令等に違反した役員の解職勧告などとされている（同12条）。

これに対して、憲法の「公の支配」の理解については学説が分かれる。

A説（厳格説）は、「その事業の予算を定め、その執行を監督し、さらに人事に関与するなど、その事業の根本的な方向に重大な影響をおよぼすことのできる権力を有すること」のように厳格に解し、私立学校振興助成法12条の定める国の監督が「公の支配」に属するかどうかは疑問（すなわち私学助成は違憲の疑いがある）と解する（宮沢・コメ742頁、清宮・憲法Ⅰ266頁など）ものである。従来はこのような私学助成違憲説が有力であったが、今日では違憲説は少数であり、予算執行の監督等による緩やかな「公の支配」を認めることが一般的になった。すなわち、1960年代にはB説（柔軟説、非厳格説）が有力に主張された。この見解では、「公の支配」に属する事業を「国家の支配の下に特に法的その他の規律を受けている事業」のように緩やかに解し、教育基本法や学校教育法によって法的な支配を受けている私立学校は「公の支配」に属するため、私学助成は合憲であると解された（田畑忍『憲法学講義』憲法研究所出版会、1964年、323頁）。その後、多数説は両説の中間にあるC説（総合考慮説）になり、憲法14条、23条、25条、26条などの条項を総合的にみて「公の支配」を解釈し、私立学校振興助成法等の監督の程度で「公の支配」の要件を満たしているとして、私学助成を合憲と解するようになった（野中他・憲法Ⅱ345-346頁〔中村執筆〕、市川・憲法391頁）。

学説のうちA説は、前述の憲法89条後段の立法趣旨についての(B)説（自主性確保説）の立場から国が財政的援助をする以上は事業の自主性は認められないとする前提にたつが、厳格にすぎるであろう。現実には、私立学校は公教育にとって不可欠な存在であり、憲法23条や26条の要請のもとで教育事業の自主性が尊重され、さらに近時は慈善・博愛の事業も含むという社会保障の観点からの議論もある（尾形健「『公の支配』の意義と射程」甲南法学45巻1＝2号83頁）ことからすれば、C説が妥当となろう。

裁判例も、千葉地裁判決（1986〈昭61〉. 5.28判時1216号57頁）において、「公の支配」の意味は、「憲法19条、20条、23条の諸規定のほか、教育の権利義務を定めた憲法26条との関連、私立学校の地位・役割、公的助成の目的・効果等を総合勘案して決すべきものと解される」として、教育基本法、学校教育法等の教育関係法規による法的規制を受けている私立学校に対する助成は憲法89条後段に反しないと判断したものがある。

また、幼稚園類似の無認可の幼児教室に対して町が土地建物を無償供与し補助金支出したことが争われた幼児教室助成違憲訴訟で、一審判決（浦和地判1986〈昭61〉. 6. 9判時1221号19頁）は「公の支配」を緩やかに解して、「本件教室は……公の支配に属する事業を行っている」と判断して土地建物の無償貸与や補助金支出等の助成は憲法89条に反しないとした。控訴審の東京高裁（1990〈平2〉. 1.29高民集43巻1号1頁）も、「〔憲法89条前段については〕国家と宗教の分離を財政面からも確保することを目途とするものであるから、その規制は厳格に解すべきであるが、……同条後段の教育の事業に対する支出、利用の規制については、……もともと……私的な教育事業に対して公的な援助をすることも、一般的には公の利益に沿うものであるから、同条前段のような厳格な規制を要するものではない」とした（百選Ⅱ430頁〔佐々木くみ執筆〕）。

四　財政監督制度

1　予算制度

(1)　予算の内容

憲法は、国の財政に対する国会の監督が予算という法形式によってなされることを定めている。86条で「内閣は、毎会計年度の予算を作成し、国会に提出して、その審議を受け議決を経なければならない」と定めたうえで、予算の作成・提出を内閣の職務とし（73条5号）、国会の議決について衆議院の予算先議権を認めて衆議院の優越を確保している（60条）（本書391-392頁参照）。

予算は、会計年度における国の歳入歳出に関する財政行為の準則であり、予算には、本予算、補正予算（追加予算・修正予算）、暫定予算という種類がある。補正予算のうちの追加予算は、経費の不足を補い緊急の経費の支出や債務負担のために必要な予算を追加するもので、修正予算は、予算作成後に生じた事由に基づいて、予算に追加以外の変更を加えるものをいう（財政法29条）。また、予算の内容には、予算総則、歳入歳出予算、継続費、繰越明許費、国庫債務負担行為が含まれる（同16条）。

予算については、一会計年度（財政法11条で、毎年4月1日から3月31日までと定める）内に、その年度の経費の支出を終えるという会計年度独立の原則がある（同12条）が、内閣の総辞職や衆議院の解散等の理由で予算が新しい会計年度の開始前に成立しない場合は、内閣は、一会計年度の一定期間にかかる暫定予算を作成し、国会に提出することができる（同30条1項）。また、継続費は、工事その他の事業で、単年度で完成しないものについて特別に必要がある場合に数年度にわたる支出を認めるものであり（同14条の2）、会計年度独立の原則の例外である（旧憲法と異なって日本国憲法では継続費が明文で認められていないため、財政法には当初継続費に関する規定がなかったが、現実の必要性から1952年の財政法改正によって新設された）。繰越明許費は、歳出予算の経費のうち性質上または予算成立後の事由に基づき年度内にその支出を終わらない見込みのあるものについて、翌年度に繰り越して使用できるものであり（同14条の3）、同じく会計年度独立の原則の例外である。

⑵　予算の法的性格

予算は政府の行為を規律する法規範であるが、その法的性格については旧憲法下から議論がある。欧米では、一般に予算と法律とを区別しないのに対して、日本では、もともと⒜予算の法的性格を行政として捉える見解（予算行政説ないし承認説）が有力であったこともあり、⒝予算を法律とは異なる法形式であると解する見解（予算法規説ないし予算法形式説）が一般的となった。近年では、⒞法律と同視する説（予算法律説）も有力となっているが、なお、⒝予算法規説との間で見解が対立している。

まず、⒜承認説または予算行政説は、予算の法的性格を否定する見解であり、「予算は国会が政府に対し一年度間の財政計画を承認する意思表示であって、専ら国会と政府との間に其の効力を有する」と解する（美濃部・原論344頁。今日では支持者はいないようである）。(B)予算法規説（または予算法規範説・予算国法形式説・予算法形式説）は、予算に法的性格を認めるが、法律とは異なった国法形式と解し、「予算とは、一会計年度における、国の財政行為の準則、主として、歳入歳出の予定準則を内容とし（実質的意味の予算）、国会の議決を経て定立される、国法の一形式をいう（形式的意味の予算）」とする（清宮・憲法Ⅰ269頁）。この見解では、予算は政府を規律する法規範であり「普通の法令とあまり異ならない」が、「予算は、いわば、国家内部的に、国家機関の行為のみを規律し、しかも、一会計年度内の具体的の行為を規律するという点で、一般国民の行為を一般的に規律する法令と区別される」と指摘する。

これに対して、(C)予算法律説は、予算という名称の法律であると解するもので、近現代の市民憲法の国民代表制下では租税法律主義とともに予算法律説が適合的であるとされる（杉原・憲法Ⅱ444頁）。この立場では、予算という名称の法律の議決には原則として憲法59条１項が適用され、特別の場合に衆議院の先議権と衆議院の優越の規定が適用されるとする。また、予算が法律として議決され成立した場合には、国務大臣の署名（74条）と天皇の公布（７条１号）が必要となるという（小嶋後掲『憲法と財政制度』254頁以下、吉田・憲法論208-209頁参照。なお予算の法的性格論議への疑義につき、大石・講義Ⅰ295頁以下参照）。

以上の学説の中では、(B)説が多数説である（芦部・憲法375頁、渋谷・憲法627頁）。(B)説と(C)説の主たる差異は、予算と法律の不一致と予算修正権にあり、違いも小さいと解されている（木下＝只野・新コメ674頁〔只野執事〕）が、その根源には41条の立法概念や権力分立原則の理解の差異が存在するといえる。なお、予算は、効力の範囲が限定された特殊な法規範〔歳出法〕であると解する見解（予算歳出法説）もある（渋谷・憲法629頁参照）。

(3)　予算と法律の不一致

予算と法律の法形式や制定手続が異なるため、両者の間に不一致が生ずることが予想される。とくに、(i)予算措置や予算の裏づけを必要とする法律が成立しているにもかかわらず、予算が不存在ないし不成立の場合、(ii)予算は成立しているが、その予算の執行を命ずる法律が不成立の場合、がありうる。(i)では予算が伴わなければ法律を実施することができないし、(ii)では法律がないために内閣は予算を執行することができなくなる。現実に、予算の裏づけのない法律が議員立法として多く制定されたことから、国会法改正によって、予算を伴う法律案の発議には、衆議院で50人以上、参議院で20人以上の賛成を要する（国会法56条1項）とされた。

この点、上記(B)説（予算法規説）では、予算と法律とは本来一致させられるべきもので、内閣は法律を誠実に執行しなければならないため、補正予算を組むか（財政法19条）、予備費を支出する（憲法87条、財政法24条等）などの措置をとるべきであるとされる。(C)説（予算法律説）では「予算が法律として成立すれば、内閣は予算法という法律を執行する義務を負うことになり（憲法73条1号）、法律と予算法の不一致は解決される」と主張される（吉田・憲法論193頁）。これについては、不一致問題は予算を法律と解しただけでは解決されないという批判も存在し（佐藤幸・憲法186-187頁）、「予算への抱きあわせ」も危惧される（小嶋『憲法と財政制度』109頁）ほか、実際にも補正予算等が組まれている。ただ理念の問題としては、予算法律説の利点を否定することもないため、今後も検討を要する。

(4)　国会の予算修正権

国会が予算の議決権をもつこととの関係で、予算に対して国会が修正権をもつか否かが問題になる。予算の修正には減額修正と増額修正とがあり、旧憲法では増額修正はできない（規定費・法律費・義務費の減額修正も憲法67条により政府の同意がなければできない）とされていた。これに対して日本国憲法下では、国会中心財政主義原則が確立していることから、一般に減額修正には制限がないと解されている。

増額修正については、上記の(A)説（承認説）では国会に予算発案権がないことから増額修正権を否定するが、(B)説（予算法規説）では、「国会を財政処理の最高議決機関とする憲法の精神からみて、ある程度の国会の増額修正は可能なものとみなされる」が、憲法は「予算発案権を内閣に専属せしめている」から「予算の同一性をそこなうような大修正は許されない」とする（清宮・憲法Ⅰ275頁)。この立場でも国会中心財政主義を根拠に増額修正にも制限がないという見解も存在する(佐藤幸・憲法188頁)。(C)説(予算法律説)は、予算の性格を法律と解することから、当然に国会が予算を自由に修正できるとする。これには、法律とは異なって予算の作成・提出権が内閣に専属する(73条5号・86条)ことからすれば、予算修正権に限界がないとする根拠を別に明らかにすべきであるという批判が提示されている。

実際には、財政法19条、国会法57条の2など国会の増額修正を予想する規定が存在しており、政府見解(1972年)も、「憲法の規定からみて、国会の予算修正は内閣の予算提案権を損わない範囲内において可能と考えられる」としている((B)説の立場)(浅野＝杉原監修・答弁集472頁参照)。

2　決算

一会計年度の国の歳入歳出の実績を示す確定的な計数書のことを決算という。決算は予算と違って法規範性はもたない。決算の制度は、予算が適正に執行されたかを検討し、予算執行者である内閣の責任を明らかにすることによって、将来の財政計画や予算編成に役立てるために設けられている。

憲法は「国の収入支出の決算は、すべて毎年会計検査院がこれを検査し、内閣は、次の年度に、その検査報告とともに、これを国会に提出しなければならない」(90条1項)と定めて、決算の審査を、会計検査院と国会に委ねている。

決算は、財務大臣が歳入歳出予算と同一の区分により作成し(財政法38条)、内閣は翌年度の11月30日までに会計検査院に送付して、その検査に服する(同39条)。会計検査院は、内閣に対して独立の地位をもつ憲法上の機関で、3人の検査官で構成される検査官会議と事務総局からなる(会計検査院法1～2条)。会計検査院は、国の収入支出の決算を確認して、違法・不当な事項の有無などを含む検査報告を作成する。

会計検査院の検査が終わると、内閣は、決算を翌年度開会の常会で国会に提出するのを常例とする(財政法40条)。国会の審査は、両議院で別々に行われるが、従来の慣行と同様に各議院の議決で足りるか、あるいは国会の議決を要するかが問題になる。

A説（議院議決説）は、決算についての国会の議決には法律的効果はなく内閣の政治責任を問うためのものであるから、国会の審査は、各議院それぞれが行えばよいと解する（宮沢・コメ752頁）。これに対して、B説（国会議決説）では、国会の審査・議決権は憲法83条の原則に由来するものであり、行政権の作用である決算について内閣が国会に対して責任を負うことから、決算については、両議院交渉の議案として、国会としての意思決定を行うべきであるとする（佐藤功・註釈1188頁、清宮・憲法Ⅰ283頁）。先例は、各議院で別々に審査・議決しており、両議院交渉の案件ではなく、報告案件とされている。

3　財政状況の報告

憲法91条は「内閣は、国会及び国民に対し、定期に、少なくとも毎年一回、国の財政状況について報告しなければならない」と定める。いわゆる財政公開原則によるものであり、財政法は、「内閣は、予算が成立したときは、直ちに予算、前前年度の歳入歳出決算並びに公債、借入金及び国有財産の現在高その他財政に関する一般の事項について、印刷物、講演その他適当な方法で国民に報告しなければならない」（同46条１項）と定めるほか、「内閣は、少くとも毎四半期ごとに、予算使用の状況、国庫の状況その他財政の状況について、国会及び国民に報告しなければならない」（同46条２項）とする。財政民主主義の大原則からして当然のことといえる。

第7章　地方自治

一　地方自治の意義

1　地方自治制度の意義と展開

地方自治は、「民主主義の源泉であり学校である」（ブライス）といわれるが、その制度は、住民の生活に密着した地域での民主政治の実現にとって不可欠である。地方の問題は地方住民の意思に基づいて地方団体が解決する、という原理のもとで住民の人権保障と民主主義を実践することにこそ、地方自治制度の意義があるといえよう。実際、国家レベルでは実現しえない直接民主制の手続も、規模の小さい地方公共団体では実現が可能となる。また、地方政治の目的である住民の人権保障の点でも、国の画一的な処理ではなく、住民の利益に即した、個別・具体的な解決が可能であり、この面での地方自治体の積極的な役割が期待されている。

このような意義を担う地方自治制度は、西欧では、近代市民革命期に国民代表の定めた法律に従って地方団体の自治権が確立されて以来、憲法的な保障を得て発展を遂げてきた。とりわけ1980年代以降、ヨーロッパの多くの国で地方分権法が制定されて分権化が志向された。

日本では、1878年の郡区町村編成法・府県会規則、1880年の区町村会法によって地方制度が形成されたが、中央集権的再編の気運が高まるなかで、1888年に市町村制、1890年に府県制と郡制が確立された。ほぼ同時期に制定された大日本帝国憲法には地方自治の規定はおかれず、府県知事を国の官吏とするなどの中央集権体制下の官僚的拘束のもとで、地方公共団体の自治権拡張や住民自治の要求が実現されることはなかった。これに対して、第二次大戦後は、連合国軍総司令部の指導のもとに地方制度改革が実施され、1946年９月に従来の府県制・東京都制・市制・町村制に関する諸法律が改正された。ここでは、地方公共団体の自治権を強化し住民自治を導入することによる地方自治の確立がはかられた。同時に、日本国憲法制定の過程で、総司令部案に地方行政（local government）に関する規定がおかれ、日本国憲法第８章に４カ条が設けられて地方自治の原則が憲法的に保障された。1947年４月に従来の法律を一本化して地方自治法が制定され、同年５月３日に憲法とあわせて施行された。さらに、1949年８月のシャウプ勧告、およびこれに基づく翌年の地方行政調査委員会勧告でも、「市町村最優先の原則」が明らかにされ、地方自治制度の強化が目標とされた。

ところが、講和条約後、国と地方公共団体との高度な協力体制を確保するという名目のもとで、中央集権化が推進され、しだいに地方公共団体の権限が弱められた。1952年の特別区の区長公選制廃止や、自治体警察の廃止、教育委員の公選制廃止なども、その例である。こうして、新たな憲法的保障を得て地方自治がスタートを切ったにもかかわらず、実際には事務配分と財源の面で中央の下請機関化が著しく、中央集権的色彩を強めてきた。

これに対して、1970年代には、全国に多くの革新自治体が生まれて「地方の時代」が叫ばれた。各自治体では、環境整備や公害対策・教育・福祉等に国とは異なる独自のシステムをとりいれ、住民の人権保障の担い手たることを理想として種々の活動を行った。しかし、住民の生活防衛と人権保障機能の実現に財源や権限等の関係等で多くの困難を伴ったことから、1990年代の連立政権下で「地方分権」構想が政治課題となった。

1990年代には、地方分権推進法の成立（1995年５月）・地方分権推進委員会の勧告提出（1996年12月～97年10月）を経て、1999年７月に「地方分権の推進を図るための関係法律の調整等に関する法律」（いわゆる地方分権一括法）（平成11年法律87号）が制定され、地方自治法等が大改正された（この1999年の法律87号による地方自治法改正は、原則として2000年４月１日から施行。一部は2001年４月１日ないし2003年１月１日に施行された）。これにより、地方公共団体の機関委任事務が廃止されて事務の類型が変更され、国と普通地方公共団体の間および普通地方公共団体相互間の紛争処理機関が創設されるなど、新たな制度がスタートした。2004年以降の度重なる地方自治法改正で、国等による違法確認訴訟制度の創設（2012年、251条の７）、監査制度の強化（2017年改正）など、分権改革が進められている。

2　「地方自治の本旨」――地方自治保障の性格と根拠

憲法92条は「地方公共団体の組織及び運営に関する事項は、地方自治の本旨に基いて、法律でこれを定める」とする。総司令部案にはもともと存在せず日本政府側の意向で追加された本条は、地方自治の総則的規定であり、「地方自治の本旨」の語はその基本精神を意味している。

一般には、それは団体自治と住民自治の二つの要素からなり、前者は国から独立した地方公共団体が自己の責任で地域の事務を処理すること、後者は、地域の住民が地域的な行政需要を自己の意思に基づき自己の責任において充足することであると説明されてきた（田中二郎『新版行政法〔中巻・全訂第2版〕』弘文堂、1976年、73頁）。このような理解を前提とした場合にも、「地方自治の本旨」の具体的内容や地方自治保障の法的性格については明らかでない点が多く、学説上も議論が分かれている。

まず、地方自治保障の性格について、従来から(A)固有権説、(B)承認説（伝来説・保障否定説）、(C)制度的保障説の間で学説が対立してきた。(A)固有権説は、地方公共団体の自治権は地方公共団体に固有のものとする考え方であり、フランス革命期の「地方権」（pouvoir municipal）の思想を起源としている。(B)承認説（伝来説）は、単一の主権国家内に成立した地方公共団体の自治権はつねに法律に基づく伝来的なもの（法律による地方自治制度の承認または許容によるもの）と解し、固有の自治権の保障を否定する考え方である（柳瀬良幹説）。19世紀末のドイツ公法学の影響下に主張されたが今日では支持されていない。これに対して、(C)制度的保障説は、広義の伝来説を基礎にしつつ「地方自治という歴史的・伝統的・理念的な公法上の制度を保障したもの」（争点(新版)244頁〔成田頼明執筆〕）と解するもので、ドイツの判例・通説であるとともに、日本でも長く通説の地位を占めてきた（清宮・憲法Ⅰ80頁、佐藤幸・憲法267頁など）。この立場は、憲法は伝統的に形成されてきた地方自治制度を確認的に保障しており、その本質的内容（二段階制、議会の設置、首長直接公選制、条例制定権等）の侵害を禁止することに意味があるとする。

ところが、1970年代以降、このような通説のいう本質的内容に関して疑問が提起され、本質部分の捉え方次第で地方自治を有名無実化するのではないかとの批判が出現した。また、革新自治体の展開を基礎とした地方自治権拡大の社会的要請とも相まって、地方自治の本質論の再検討が始められた。

その結果、地方公共団体の自然発生的前国家性等を根拠として地方自治権の前国家性・前憲法性を認めて固有権説を再評価しつつ、住民の直接請求権等の具体的内容を明らかにしようとする(D)新固有権説（手島孝後掲『憲法の開拓線』256頁以下）、憲法全体の構造のなかで地方自治の本旨を解明することを主張し、住民の人権を実現するための「人民主権」原理に適合的な「市町村最優先の原理」に即して解釈する(E)人民主権説と称すべき見解（杉原・憲法Ⅱ 460頁以下）が有力に展開された。

従来の学説はいずれも憲法の全体構造のなかで主権論や人権論とリンクさせて地方自治の本旨を明らかにすることをしてこなかったため、地方自治の保障についての原理的なアプローチの点で不十分な点があった。今日では、後にみる条例制定権の展開や住民自治の積極化の動向をうけて、これらの動向を推進し基礎づけるための憲法原理を確立し、憲法の国民主権原理の活性化（ないしは「人民主権」の実現）と住民の人権尊重をめざした地方分権のヴィジョンが求められているといえよう。解釈論的には、国の立法権をも拘束する自治権が存在するか否かの問題およびその根拠が問われ、これを肯定的に解する諸学説（(B)以外の諸説）の具体的な内容を明らかにすることが課題となる（大津編著後掲『地方自治の憲法理論の新展開』〔小林武執筆〕、争点274頁〔大津浩執筆〕、辻村他・概説コメ416頁〔大津執筆〕参照）。

二　地方公共団体

1　地方公共団体の意味と二段階制

憲法上、地方公共団体の組織は法律に委ねられているが、法律を拘束する憲法の要請がいかなるものかは明らかではない。現実には、地方自治法（1999年改正後の1条の3、旧1条の2）によって、普通地方公共団体（都道府県と市町村）と特別地方公共団体（特別区・地方公共団体の組合・財産区・地方開発事業団）に分類されており、ここでいう普通地方公共団体のみが憲法上の地方公共団体であるのか、特別区はこれに含まれないのか、また、都道府県と市町村といういわゆる二段階制が憲法上の要求であるか否か、などが問題とならざるをえない。

(1)　二段階制

二段階制について、従来の学説は、まず、二段階制を憲法上の要請と解する説（A説）と立法裁量と解する説（B説）とに分かれる。前者（A説）はさらに、(i)都道府県と市町村という固定的な二段階制を憲法上の要請と解する立場（法協・註解(下)1376頁）と、(ii)二段階制を憲法上の要請としつつも、都道府県のかわりに行政の広域化に対応した道州制等の地方公共団体を設けることは「地方自治の本旨」に反しない限り立法政策の問題とする立場（伊藤・憲法603-604頁）に分かれる。後者（B説）の立法裁量説（(iii)）は、現存する地方公共団体がそのまま憲法上の要請であるわけではなく、一段階制や三段階制などの選択をも立法政策の問題として認めるものである。

今日では、二段階制の歴史的展開や道州制の必要性を考慮したうえでしだいに立法裁量の枠を広げて解釈し、A(ii)説を妥当とする傾向が強いようである（野中他・憲法Ⅱ365頁以下〔中村執筆〕参照。芦部・憲法380頁も、「地方自治の本旨を生かすために広域化する必要があるとすれば、現在の二段階制を維持しつつ、都道府県制をいわゆる道州制に再編するか否かは、立法政策の問題だと解することも許される」とする）。しかし、この場合も「地方自治の本旨」をどのように解するかという問題に関連している。道州制による広域化は、住民自治の観点からしても「市町村最優先の原則」の方向に逆行する問題を含んでおり、合併の際に住民投票や同意を要することとの関係からも問題が残るといえよう（宍戸・憲法解釈論262頁以下、小山＝駒村編・論点339頁以下〔小山執筆〕参照）。

道州制とは、広域の行政単位（「道」「州」「省」など）を設置して広範な行政機能を活性化させて地方分権を図る制度であり、その形態は多様である。例えばフランスでは、1982年の地方分権法で憲法上の地方公共団体である「県」を包括する広域行政単位として、「レジオン＝région（地方圏または州と訳される）」が設置されたが、「県」が廃止されたわけではない。日本でも、2004年の地方自治法改正により都道府県の合併が推進されるなど、広域行政化の要請に応える方向での検討が進められてきた。内閣総理大臣の諮問機関である第28次地方制度調査会は、2006年２月に「道州制のあり方に関する答申」を発表した。この答申では、北海道を除く都府県を廃止して行政を広域化し、道州と市町村という二層制に転換するとともに、「区域例」として、「９道州」「11道州」「13道州」の３例を示していた。例えば、「９道州」では、北海道・東北・北関東信越・南関東・中部・関西・中国四国・九州・沖縄に分けられていた。

(2)　特別区

特別区についても、憲法上の地方公共団体に該当するか否かが問題となる。もし、憲法上の地方公共団体であるとすれば、憲法93条2項によって特別区の長である区長も直接選挙で公選されなければならないからである。地方自治法は制定当初は区長の公選制を定めていたが、1952年に区議会が知事の同意を得て選任する方法に変更し、さらに、1974年には、地方自治法改正によって市に関する規定を特別区に適用して（地方自治法283条、1999年改正後も同じ）区長公選制を復活するという経過があった。

これに対して、従来の通説は、憲法にいう地方公共団体とは「基礎的・普遍的な地方公共団体」を意味し、歴史的・実体的にみて大都市の内部組織としての性格をもつ特別区は憲法上の地方公共団体と考える必要はない、としていた（佐藤功・憲法537頁以下）。判例も、憲法上の地方公共団体といえるためには「事実上住民が経済的文化的に密接な共同生活を営み、共同体意識をもっているという社会的基盤が存在し、沿革的にみても、また現実の行政の上においても、相当程度の自主立法権、自主行政権、自主財政権等地方自治の基本的機能を附与された地域団体であることを必要とする」として、特別区は憲法上の地方公共団体にあたらないと判示した（最大判1963〈昭38〉. 3 . 27刑集17巻2号121頁）。しかし、東京都で1960年後半から区長準公選制の運動が展開されて公選制復活に至ったように、特別区には一定の共同体意識や地方自治の基本的機能もそなわっていると考えられる。また、東京都以外の二段階制保障との均衡上、むしろ特別区を憲法上の地方公共団体として認めて、その機能を高め、住民の参政権の保障を強めることが重要であろう（野中他・憲法Ⅱ368-370頁〔中村執筆〕参照）。

なお、2011年以降、大阪市・大阪府の二重行政を廃して特別区にする「大阪都構想」が提示されて話題をよんだ。これには特別区を東京23区に限定しないための法整備が必要となり、2012年9月に、「大都市地域における特別区の設置に関する法律」（平成24年9月5日法律24号、最終改正同年9月30日）が制定された。しかし、同法が定める手続によって特別区設置を進める大阪市では、2015年5月17日に大阪市民の住民投票を実施したものの、特別区の設置に反対の市民が僅差（賛成694,844票、対、反対705,585票）で多数となった。この住民投票には法的拘束力が認められていたため大阪市廃止の取組みは挫折した。2020年11月1

日に2回目の住民投票が実施されたが、約1万7,000票の僅差で否決された。

2　地方公共団体の組織と権限

(1)　地方公共団体の組織

憲法93条は、地方公共団体に議事機関として議会を設置すべきことを定め、さらに、地方公共団体の長、議会の議員等についての住民の直接選挙制を定めている。立法機関と執行機関との関係は明示されていないが、通説は、執行機関の首長制をとるものと解し、実際に地方自治法も首長主義を採用している。これに対して、委員会制等の採用を可能とする見解も存在するが、首長制を採用した場合でも、憲法の「地方自治の本旨」に従った組織・運営をどのように実現するかについての選択の幅は決して小さくない。現に、地方自治法は条例によって町村総会制を採用することを認めており（94条）、もし、このような直接民主制的な手続が実施されることが憲法の「地方自治の本旨」により高い程度において適合する（宮沢・コメ765頁）と解する場合には、地方公共団体の首長との間で権限関係が問題とならざるをえないであろう。

(2)　地方議会における議員定数の均衡

地方議会の構成にあたっては、住民の選挙権の平等を保障するため選挙区ごとの議員定数が均衡でなければならない。ところが、定数不均衡が存在したため各地で定数訴訟が提起され、最高裁は、東京都議会議員定数訴訟上告審において、特別区間での人口比率での最大較差1対5.15、全選挙区間では1対7.45となっていた議員定数の不均衡を公職選挙法15条7項（現8項）違反と判断した（最一判1984〈昭59〉．5．17民集38巻7号721頁、百選Ⅱ328頁〔加藤一彦執筆〕）。この判決では、同条項は、「人口比例を最も重要かつ基本的な基準とし」、投票価値の平等を「強く要求している」と解したが、その後は、1対2.81（特例選挙区を含めた場合1対3.98、最一判1989〈平元〉．12．18民集43巻12号2139頁）や1対2.89（同1対5.02、最二判1993〈平5〉．10．22民集47巻8号5147頁）、1対2.15（同1対3.95、最二判1999〈平11〉．1．22判時1666号32頁）の不均衡について合法と判断した。他方、1対3.81（同1対4.52）や1対3.09の不均衡について違法（最一判1989〈平元〉．12．21民集43巻12号2297頁、最三判1991〈平3〉．4．23民集45巻4号554頁）

の判断を示した。判断基準は、衆議院議員定数訴訟の最高裁判決を基本的に踏襲しているといえる（本書323頁以下参照）が、公職選挙法15条８項（旧７項）は、人口比例を原則としつつも「特別の事情があるときは、おおむね人口を基準とし、地域間の均衡を考慮して定めることができる」とするため、特例選挙区等について、人口比例原則の緩和を許容する傾向がある。

東京都議会の定数不均衡に関する訴訟で、最高裁（最三判2019〈平31〉. 2. 5 判時2430号10頁）は、特定選挙区の存置、および、特定選挙区（島部選挙区を除く）の最大較差が１対2.48であった定数配分規定を合憲・合法（公選法15条８項）とした（重判令和元年度18頁〔木下和朗執筆〕参照）。しかし、地方議会議員選挙についても、憲法15条・14条の保障が及ぶ以上、人口比例原則を可能な限り貫くことが憲法の趣旨であると解されよう。

(3)　地方公共団体の事務

地方公共団体の事務につき、憲法94条は、「地方公共団体は、その財産を管理し、事務を処理し、及び行政を執行する権能を有し、法律の範囲内で条例を制定することができる」と定める。ここに掲げられる条例制定権以外のものは、いずれも事務内容を具体的に示したものではなく、地方自治法で定めている。

1999年改正前の地方自治法２条２項では、普通地方公共団体の事務は、(a)公共事務（固有事務）、(b)団体委任事務（委任事務）、(c)行政事務、と呼ばれる三種の事務（地方公共団体が自主的にみずからの責任で処理する「自治事務」）に分けられていたが、このほかに、国または他の地方公共団体の事務で、地方公共団体の長その他の機関に委任された「機関委任事務」が存在した。その対象は、国で実施する選挙や統計、生活保護・義務教育、各種試験・免許等広い範囲に及び、国などの指揮監督を受けるほか、議会の権限が制約されるなどの特徴をもっていた。現実には、通達によって一方的に地方公共団体に委任される「機関委任事務」の比率が増大し、都道府県のその割合が全体の事務の７～８割にも達していたことは、地方が中央の下請機関化している実情を示すものであった。このような状況を改善するために、前記地方自治法大改正によって、「機関委任事務」が廃止された。

1999年に改正された地方自治法では、「普通地方公共団体は、地域における事務及びその他の事務で法律又はこれに基づく政令により処理することとされるものを処理する」（2条2項）とされ、地方公共団体の事務は「自治事務」と「法定受託事務」に区別された。「自治事務」とは、「地方公共団体が処理する事務のうち、法定受託事務以外のものをいう」と定められ（2条8項）、「法定受託事務」として、「法律又はこれに基づく政令により都道府県、市町村又は特別区が処理することとされる事務のうち、国が本来果たすべき役割に係るものであつて、国においてその適正な処理を特に確保する必要があるものとして法律又はこれに基づく政令に特に定めるもの」（第1号法定受託事務）と、「法律又はこれに基づく政令により市町村又は特別区が処理することとされる事務のうち、都道府県が本来果たすべき役割に係るものであつて、都道府県においてその適正な処理を特に確保する必要があるものとして法律又はこれに基づく政令に特に定めるもの」（第2号法定受託事務）の二つが規定されている（2条9項、具体的な内容は別表で定められている）。

このように、改正地方自治法では、従来の公共事務・団体委任事務・行政事務がいずれも「自治事務」とされ、従来の「機関委任事務」は廃止されて、その内容が「自治事務」と「法定受託事務」に再分配された。

近年は、2014年9月の閣議決定で地方創生大臣と「まち・ひと・しごと創生本部」が設置されたこともあり、地方分権の推進にとって重要な意味をもつ地方財政制度についても、改革の成果が注目されている。

従来は、地方が中央の下請機関になるような団体自治の実態は、1950年代後半以降「三割自治」という用語で説明され、地方公共団体固有の「自治事務」のみならず、地方公共団体の自主財源が三割程度にとどまっていた現状が批判されてきた。実際に、地方公共団体の自主財源（地方公共団体が自主的に徴収できる地方税や分担金・負担金、使用料・手数料などの収入で、国などから交付される地方交付税・地方譲与税・国庫支出金などの依存財源と区別される）の比率は、おおむね30～40％で、「三割自治」か、せいぜい「四割自治」にとどまっていた。

現在の地方財源状況は、総務省の「地方財政調査関係資料」などで知ることができるが、例えば、2018年度の「主要財政指標（財政力指数）」は、全国平均0.52（第1位東京都1.18、第2位愛知県0.92、第3位神奈川県0.90、下位は鳥取県0.28、高知県0.27）で、大都市を含む都道府県ほど財源に余裕があることがわかる（https://www.soumu.go.jp/iken/zaisei/H30_chiho.html）。

3　条例制定権

憲法94条が、地方議会に「法律の範囲内で」条例制定権を認めたことは、住民の意思を条例という自主立法を通じて実現することができる点で民主主義の実現にとって大きな意味をもつ。

(1)　条例の意味と根拠

条例の意味については、まず、普通地方公共団体の議会の議決によって制定された条例に限るか（狭義説）、長の制定する規則や委員会規則等も含むか（広義説・多数説）という問題がある。

条例の自主立法としての民主的な意味を重視する場合には、多数説のように条例の意味を広く解することも可能であるが、逆に、後にみるような法律との関係で条例の効力を強く解する傾向を前提とすれば、条例の意味は厳密に解しておく必要があろう。

条例の根拠についても、従来の学説は、(A)地方自治権の一つとして92条にすでに含まれると解する立場（憲法保障説、清宮説）、(B)41条の例外を定める94条を根拠として、創設的に条例制定権が付与されたと解する立場（創設規定説、宮沢説・成田頼明説など）、(C)92条・94条の両者を根拠とする説（小林直樹説・室井力説）、(D)条例を委任立法と解する説（条例委任立法説）などに分かれ、多数説および判例は、(B)ないし(C)の立場をとってきた（野中他・憲法Ⅱ381頁以下〔中村睦男執筆〕参照）。しかし「地方自治の本旨」から地方優先の原則を導いて条例の効力を重視する最近の傾向からすれば、(A)の92条を根拠としつつ94条で確認したものと解することが妥当となろう。

(2)　条例制定権の限界

条例制定権の限界ないし法律と条例の効力関係も問題となる。従来の学説では、条例は「法律の範囲内で」制定されると憲法に規定される以上、条例の効力が法律に劣ることが前提とされてきた。ところが、最近では、既述のように「地方自治の本旨」から地方優先の原則を導き、条例の自主立法としての意義を強調する傾向にあり、例外なく当然に条例の効力が法律に劣ると解することは妥当ではなくなった。現に、公害規制条例について、同一事項につき法令の規制より強い規制を行う「上乗せ条例」や、規制対象を法令より広げる「横出し条例」に対して、学説も、住民の生存権保障に寄与するものであること等を理由として、その存在を肯定している（樋口・憲法Ⅰ370頁は、これらの条例による規制を禁止する法令は、「地方自治の本旨」に反し違憲と考えるべきであるとする）。立法的にも、（水質汚濁防止法3条3項、大気汚染防止法4条1項、騒音規制法4条3項など）明示的に「上乗せ」や「横出し」条例が承認された例がある。

ただし、これについての理論的な説明の仕方が問題となる。学説には、まず、地方自治の本旨についての通説（制度的保障説）を基礎として、国の法令が明示的・黙示的に先占している事項については法律の明示的委任がない限り条例を制定しえないことを前提とする「法律（国法）先占論」が存在する。そのなかでも、先占領域の範囲を、法令が条例による規制を明らかに認めていない場合に限定する見解（成田説）が通説であるといってよいであろう。

これに対して、近年では、地方自治の本旨に関する憲法論（新固有権説の立場）や、生存権的基本権と経済的基本権との衡量から、条例と法令の関係を再解釈する傾向が生じている。この見解は、「法律の範囲内で」とは法令と条例が直接抵触する場合をいい、それ以外の場合にはできるだけ地域性や自主性を尊重しようとするものであり、次のように説明する。地方自治行政の核心部分は「固有の自治事務領域」として第一次的責任と権限が地方公共団体に留保されるべきであり、この「固有の自治事務領域」について国が規制措置を定めた場合、それは全国的な規制を最低基準として規定している（ナショナル・ミニマム）と解される。この場合は、独自に条例で「上乗せ」や「横出し」規制を加えることが認められる、と（ナショナル・ミニマム論、原田尚彦説など）。

このような最近の学説や立法傾向は、地方公共団体の固有事務や条例の自主立法としての意義を重視するもので、歓迎されるべきものであろう。今後は、さらに法令と条例の規制関係を明確化することが課題となる。

判例（徳島市公安条例事件判決・最大判1975〈昭50〉.9.10刑集29巻8号489頁）も、「条例が国の法令に違反するかどうかは、……それぞれの趣旨、目的、内容及び効果を比較し、両者の間に矛盾抵触があるかどうかによってこれを決しなければならない」とし、「両者が同一の目的に出たものであっても、……その地方の実情に応じて、別段の規制を施すことを容認する趣旨であると解されるときは、……条例が国の法令に違反する問題は生じえない」としている（ほかに、河川管理条例について法令違反とした判例として、最一判1978〈昭53〉. 12. 21民集32巻9号1723頁がある）。なお、都道府県の条例と市町村の条例の内容が抵触する場合には、地方自治法（2条16-17項）の定める都道府県優位の原則に従って解決がはかられることになる。しかし、すでにみたように、地方自治の本旨について市町村最優先の原則を前提にする場合には、住民の生活に密着した市町村の意思が可能なかぎり尊重されることが望まれよう。

(3)　条例をめぐる諸問題

条例をめぐっては、憲法31条の罪刑法定主義や84条の租税法律主義等との関係で、罰則や課税条項等を定めることができるか否かの問題がある。また、条例と人権の関係についても、かつては、人権の規制は法律によるものだけが認められると考えられる傾向があったが、奈良県ため池条例に関する最高裁判決（最大判1963〈昭38〉. 6 . 26刑集17巻5号521頁）以降は、条例による財産権の制約が認められてきた。

①　条例による罰則　　地方自治法14条3項（「普通地方公共団体は、法令に特別の定めがあるものを除くほか、その条例中に、条例に違反した者に対し、2年以下の懲役若しくは禁錮、100万円以下の罰金、拘留、科料若しくは没収の刑又は5万円以下の過料を科する旨の規定を設けることができる」）は条例による罰則を認めている。反面、憲法31条は法律によらない刑罰の禁止を定めており、また73条6号も「政令には、特にその法律の委任がある場合を除いては、罰則を設けることができない」と規定するため、上記地方自治法の合憲性が問題となる。

判例は、条例で刑罰を定める場合は、「法律の授権が相当な程度に具体的であり、限定されておればたりる」と解する（最大判1962〈昭37〉. 5 . 30刑集16巻5号577頁）。学説も、条例による罰則を合憲と解するが、その根拠については、以下のような見解がある。

(A)実質的に条例を法律に準じるものとし、条例への罰則の委任は一般的・包括的でよいとする立場（条例準法律説ないし一般的・包括的法律授権説）（成田「法律と条例」清宮他編・憲法講座(4)203頁など)、(B)法律による個別的・具体的委任を要するとしつつ要件を緩和する立場（限定的法律授権説）（宮沢・コメ577頁、判例の立場)、(C)条例制定権は当然に罰則設定権をも含むため法律による委任を要しないとする立場（条例法律説ないし憲法直接授権説）（佐藤幸・憲法285頁、杉原・憲法Ⅱ480頁）である（学説につき、争点282頁〔前田徹生執筆〕参照)。最近では、条例の民主的性格や準法律的性格を承認することから、(A)説ないし(C)説を支持する傾向にあるといえるが、国民主権（人民主権）下における地方自治の本旨の重要性を前提とし、73条6号との文言上の差異や94条に留保が存在しないことを重視するならば、(C)説が妥当であろう。

②　条例による課税　　租税法律主義を定める憲法84条の「法律」に条例が含まれるか否かが問題となる。従来は自治体の課税権は法律の委任によるものと解したり、条例による課税を租税法律主義の例外として説明したりする学説が多数であったが、84条の「法律」には条例が含まれていると解されるようになった（野中他・憲法Ⅱ385頁〔中村執筆〕)。それは、地方自治の本旨についての新固有権説等の主張に伴って、本来、自治権のなかに課税権が含まれているという解釈や、民主的手続で制定された条例は法律に準じるものであるという解釈に依拠する。地方税法3条も「地方団体は、その地方税の税目、課税客体、課税標準、税率その他賦課徴収について定をするには、当該地方団体の条例によらなければならない」と規定する。

判例にもこの立場を受容したものが存在する（大牟田電気税訴訟・福岡地判1980〈昭55〉. 6. 5判時966号3頁)。

なお、東京都が大銀行を対象に課税したいわゆる東京都外形標準課税条例については、一審に続いて二審東京高裁判決（東京高判2003〈平15〉. 1. 30判時1814号44頁）も地方税法違反（無効）と判断したが、最高裁に上告後2003年10月に和解が成立した。その後2005年の地方税法改正（平成15年法律9号）によって、資本金1億円以上の法人に対して外形標準課税が導入され、立法的に解決された。

法改正前の事件である神奈川県臨時特例企業事件では、地方税法（平成15年改正前のもの）が法人事業税について欠損繰越控除を認めていたが、神奈川県は、2001年に特例企業税条例を制定して、繰越控除制度の適用を遮断する措置を講じた。これに対して、一審は条例の地方税法違反（無効）を主張した原告の主張を認容し、控訴審がこれを取り消したのに対して、最高裁2013年3月21日判決（最一判2013〈平25〉．３．21判時2193号３頁）は地裁判決を支持し、条例の違法を認めた。これによって、神奈川県は、過去10年位に遡って総額636億円の還付を行った（百選Ⅱ434頁〔須賀博志執筆〕）。判旨は下記のとおりである。

「普通地方公共団体は、地方自治の不可欠の要素として、その区域内における当該普通地方公共団体の役務の提供等を受ける個人又は法人に対して国とは別途に課税権の主体となることが憲法上予定されているものと解される。……憲法は、普通地方公共団体の課税権の具体的内容について規定しておらず、……普通地方公共団体が課することができる租税の税目、課税客体、課税標準、税率その他の事項については、憲法上、租税法律主義（84条）の原則の下で、……これらの事項について法律において準則が定められた場合には、普通地方公共団体の課税権は、これに従ってその範囲内で行使されなければならない。そして、……普通地方公共団体は、地方税に関する条例の制定や改正に当たっては、同法の定める準則に拘束され、これに従わなければならないというべきである。したがって、法定外普通税に関する条例において、同法の定める法定普通税についての強行規定に反する内容の定めを設けることによって当該規定の内容を実質的に変更することも、これ〔法定普通税〕と同様に、同法の規定の趣旨、目的に反し、その効果を阻害する内容のものとして許されないと解される。

……以上によれば、特例企業税を定める本件条例の規定は、地方税法の定める欠損金の繰越控除の適用を一部遮断することをその趣旨、目的とするもので、特例企業税の課税によって各事業年度の所得の金額の計算につき欠損金の繰越控除を実質的に一部排除する効果を生ずる内容のものであり……同法の規定との関係において、その趣旨、目的に反し、その効果を阻害する内容のものであって、法人事業税に関する同法の強行規定と矛盾抵触するものとしてこれに違反し、違法、無効であるというべきである。」（裁判官金築誠志の補足意見がある）。

三　住民自治と住民投票

1　住民自治の意義

憲法は、団体自治とならんで「地方自治の本旨」の内容をなす住民自治を保障するため、地方議会の議員や地方公共団体の長などの住民の直接選挙（93条）、および、地方自治特別法に関する住民投票（95条）に関する規定をおいている。このほか、地方自治法では、次のような住民の直接請求権について定めている。

地方自治法上の直接手続には、(a)議員・長・役員の解職請求（地自法80～88条）、(b)議会の解散請求（同76～79条）、(c)条例制定・改廃請求（同74～74条の4）、(d)事務監査請求（同75条）が含まれる。

これらのうち(a)と(b)は住民の3分の1以上の署名による発案で住民投票が義務的に組織され、その過半数で決定する（ただし(a)の役員解職手続はこれと異なり議会で決する）。また、(c)と(d)は、有権者の50分の1以上の署名による発案が可能とされる。(c)の場合、条例制定等を目的として住民が条例制定・改廃を請求しうるとしても、最終的な条例制定権は議会にあり、住民投票は必要な要件とされない（1999年法改正により、上記のうち同法75・77・82・86条の一部が修正され、投票結果の自治大臣への報告規定の削除等が行われた）。

これらの手続は直接民主制を部分的に実現する「半直接制」の採用を示すものであり、公務員罷免権を定めた憲法15条1項に適合的な手続でもある。リコールの制度等を認め、住民と地方公共団体の長・地方議会議員との間に事実上の拘束関係を認める代表制を構築することで住民が議員等をコントロールし、報告制度等によって情報を得つつ、直接に地方の政治に参与することこそ、憲法15条1項の国民主権（フランス流にいう「人民（プープル）主権」）を、住民を主体とする地方政治の場で実現することにつながると思われる。

実際、これらの直接的な請求手続が、1970年代後半以降各地の地方公共団体で活発に実行され、消費者保護条例・環境アセスメント条例など生活環境の保護・改善をめざした運動が展開されたことは、民主主義の実現にとって大きな意義をもった。その成果として、1977年からの一連の運動の成果である中野区教育委員準公選制の採用（1981年）、高知県窪川町の町長リコール（1981年）と原発反対運動、逗子市の米軍集合住宅建設反対運動などがあるが、これらの運動の多くはその後困難な展開過程をたどった。しかし、1990年代以降は、世界の各国で国民や住民を主体とするレファレンダムを重視する動きが強まり、日本でも、議会制の危機や議会制民主主義の停滞がいわれるなかで、地方自治体の住民投票に民主主義の再生を期待する傾向が強まった。

このほか、住民自治を充実させるための手段として、民衆訴訟の一形態としての住民訴訟が注目される。住民訴訟には、地方自治法（242条の2）に定められた財務会計上の行為の差止請求や、違法な行政処分の取消しまたは無効確認請求、損害賠償請求などがあり、憲法訴訟の展開にとって重要な役割を果たしている。津市の体育館建設費用の支出に関する地鎮祭訴訟や岩手・愛媛靖国神社訴訟などの重要な訴訟の多くがこの訴訟形態で提起されており、民主主義と憲法政治の展開に対して地方住民が果たす役割の大きさが示されている。

2　地方自治特別法の住民投票

憲法95条は、「一の地方公共団体のみに適用される特別法」についての住民投票制を定めている。一般の法律に対して特別の内容をもった法律という意味であるため、必ずしも一個の地方公共団体である必要はなく、複数の地方公共団体に関する法律の場合も含まれる。実際に、横須賀・呉・佐世保・舞鶴の４市に適用された旧軍港市転換法が95条の地方自治特別法（ないし地方特別法）に該当するとして住民投票にかけられたという先例がある。

ただし、国法上の地方公共団体がまだ成立していない特殊な地域について一般の地方公共団体と異なる特例を定める法律は、地方自治特別法に該当しないと解されている（佐藤功・註釈1240-1241頁）。例えば、秋田県の八郎潟の干拓によってできた大潟村について村長および村議会を暫定的におかないことを定めた「大規模な公有水面の埋立てに伴う村の設置に係る地方自治法等の特例に関する法律」（1964年）や小笠原諸島の復帰に際して制定された「小笠原諸島の復帰に伴う法令の適用の暫定措置等に関する法律」（1968年）については、住民投票は認められなかった。また、他の例では、特定地域を対象とする法律でも、国の事務や組織について規定していて地方公共団体の組織や運営等に関係がない場合には、地方自治特別法に該当しないとされる。例えば、北海道開発法（1950年）なども特定の地方公共団体の地域を対象とする法律であったが、北海道という地方公共団体を対象とするものではないとして住民投票には付されなかった。

結局、憲法95条の適用例は、前記旧軍港市転換法のほか、1949〜51年に広島平和記念都市建設法等の15件18都市について制定されたが、国際観光都市宣言等の観光目当てと思われるものも含まれ、あまり有効に機能していない。

しかし、すでにみたような地方自治の本旨に基づいた住民自治の充実という観点、さらに、地方優先原則に基づいた立法についての直接制の導入という点では、本条のもつ意義は大きい。地方を土俵とする民主政治の展開を促す意味でも、この制度の有効な利用が期待される。

3　住民投票の意義と課題

1996年8月新潟県巻町で原発をめぐる住民投票が実施され、投票率88%、原発反対61%、賛成39%の結果となった。巻町条例では投票結果に法的拘束力はないものの、町長は過半数の意思を尊重しなければならないことになっていたため議論を呼んだ。同年9月には日米地位協定見直しと米軍基地整理縮小の賛否を問う初の県民投票が沖縄で実施され、投票率は59%であったものの投票者の89%が基地の整理・縮小に賛成した。1997年6月の産業廃棄物処理施設をめぐる岐阜県御嵩町の住民投票や、2000年1月の吉野川可動堰計画をめぐる徳島市の住民投票など、公共事業等をめぐる住民投票の制度化が注目された。2010年時点の集計（総務省）では、条例に基づく住民投票は約400件を超えた。その後も、2015年5月に大阪都構想の是非を問うために行われた大阪市民投票を除き、多くは拘束力を持たせない形で実施された。ただし、愛知県小牧市ではレンタル大手が運営する新図書館計画へ反対票が多数を占めて計画が白紙撤回され（2015年10月）、埼玉県所沢市では住民投票の結果小中学校の一部にエアコン設置が求められる（同年2月）など、政策決定に投票結果が影響した例も多い。

この傾向は、一面では、住民自治を強め、市民の直接的な政治参加による「人民主権（ないし市民主権）」実現の方向に歩を進める点で評価される。しかし反面、住民投票の憲法上の根拠や理論的な位置づけが必ずしも明確でないだけでなく、制度の運用や実態にまで目をむけた場合には、種々の欠陥や危険性が指摘される。以下では、住民投票の類型からみよう（辻村・市民主権262頁以下参照）。

(1)　住民投票の諸類型

国民（人民）投票や住民投票は世界各国で実施されているが、その形態は一様ではない。範囲・根拠規定・対象・効力・発案者等に注目して、以下の諸類型に分類することができる。(i)実施の範囲・基盤について、国レベルの国民投票と地方レベルの住民投票に区別され、後者はさらに連邦制をとる場合の州や、その他の県・市町村等での住民投票に細分される。(ii)根拠規定は、憲法、法律、条例、その他（事実上のもの）等が存在する。(iii)対象となる事項は、憲法の制定・改正、法律の制定・改廃、条約・国際協約の承認等〔国際型〕、条例等の制定・改廃、その他の諸問題、に関するものが区別されうる。(iv)法的効力については、投票結果が拘束的効力をもちうる裁可型（決定型）と、単なる助言的効果にとどまる諮問型（助言型）が区別される。また、(v)実施条件・手続については、憲法・法律等の規定によって当然かつ自動的に実施される必要型（義務型）と、一定の手続・要件に従って任意に実施される任意型に区別される。(vi)発案者については、国の行政担当者（大統領・首相）、国の議会・議員、地方行政担当者（知事・市長等）、地方議会・議員、一定数の国民（有権者）、一定数の住民（有権者）などが区別される。

このうち、ここで問題とするのは、住民の意思を問うために実施される地方レベルの住民投票である。上記の類型中の(ii)根拠規定・(iv)法的効力・(v)実施条件・(vi)発案者等の選択肢の組み合わせによってさまざまな類型が成立しうる。一般には、法律や条例を根拠に、議会や住民を発案者として義務型ないし任意型で実施されるものが多く、県や市町村を単位とする場合には、その性格上、対象から憲法改正や条約承認等は除外される。

日本の事例についてみると、憲法95条に基づく地方自治特別法の住民投票（根拠規定は憲法、対象は立法で、投票の過半数の賛成が条件となる決定型であり、発案権は国会にある）、および、地方自治法上の直接請求手続のほか、条例に基づく住民投票と、事実上の住民投票が存在する。

条例に基づく住民投票は、地方議会が制定する条例を根拠規定とする。その規定に従って原則として自動的に投票が組織されるが、効力については裁可型と諮問型の両者が可能であり、対象も多様である。現実には、東京都中野区の教育委員準公選制の区民投票条例に基づく投票が実施された例や、高知県窪川町の原発に関する町民投票条例が制定されたが投票は凍結された例などが多数存在する。

次に、事実上の住民投票は、法律や条例等の法的根拠によらずに、市町村等の行政当局や住民の代表が作成した実施要領や協定に基づいて、あるいは部落総会決議や住民の自主管理のもとで、事実上、住民投票が実施されるものである。部落総会決議に基づく石川県志賀町の原発に関する住民投票（1972年）など実例は多く、対象は、町村合併や町名変更、共有林売却、原発建設、道路建設等多岐にわたる。

これらは、その憲法適合性のみならず、地方自治法との関連でもその合法性を明確にし、住民投票の理論的基礎や憲法的位置づけを明らかにすることが急務である。条例に基づく住民投票の合法性についても、裁可型住民投票の可否、諮問型住民投票における法的拘束力の問題等に即して検討が求められる。

(2)　住民投票の問題点と課題

住民投票や国民投票（レファレンダム）の功罪については、すでに各国で多くの議論がある。一方では、民主主義と人民の主権を実現する最も徹底した手段、あるいは代表（間接）民主制を補完する手段、意思決定の正統性を高め、市民の政治参加の潜在能力を最大限に活用する手段として、その意義が高く評価されている。反面、多くの難点が指摘され、批判が提示されている。国民投票と住民投票に共通する批判点としては下記のものがある。

①　間接民主制との矛盾・抵触　　国民投票・住民投票が間接民主制に矛盾し、代議制を弱体化させるという制度論的論点がある。このような批判論の根底には民主主義を実現するうえで代議制のほうが優れているという認識がある。理論上はたしかに間接民主制の利点も認めることができるが、主権者意思の正確な反映という機能上の難点を克服し、これを補完するために、直接民主制の手続を活用することの意義は完全に否定しえないといえよう。また日本国憲法の解釈論としては、憲法95条・96条等で憲法自身が明示的にレファレンダムを採用していることに加えて、すでにみたように「人民主権」と「半直接制」という理解を前提として、憲法41条や59条等と抵触しない範囲で法律についての諮問型国民投票制を容認することも、十分可能であると考えられる。まして「民主主義の学校」として直接民主制を実現するのに適している地方政治の場面では、住民投票の積極的活用をより肯定的に捉えることが可能となろう。

さらに地方自治法は、地方における直接民主制の契機としての住民自治原則を重視したからこそ、種々の直接請求手続を住民に保障しているのであり、また、地方自治法94条が、町村では、条例によって、議会をおかずに町村総会（「選挙権を有する者の総会」）を設けて直接決定する制度を認めているのも、同じ趣旨と考えられる。このような枠組のもとでは、地方議会を（憲法41条で唯一の立法機関と定められている国会とは異なって、必ずしも唯一の「議決機関」ではなく）「議事機関」として位置づけたうえでこれに政策決定上の種々の原案を作成・提示する機能を委ね、住民が最終決定する手段を認める制度も含まれていると解することができる。実際、憲法93条を厳密に間接民主制採用の規定と解するならば、前記地方自治法94条を違憲とする解釈論も可能だが、そのような見解は見当たらないようである（宮沢・コメ756頁は合憲と明記している。辻村他・概説コメ421頁〔大津浩執筆〕参照）。

②　プレビシットとして機能する危険　　レファレンダムが政治権力者や独裁者を正当化するために機能する危険がある（本書350頁参照）。たしかに、行政権担当者が自己の政策の信任投票と人気投票のために利用した経験が実在し、その危険への警戒の必要性は今日でも基本的に変わっていない。ただし、その危険は、現代の「行政国家」現象のもとでの国レベルのレファレンダムで、発案権が行政権担当者に専属している場合に生じる可能性が大きいため、主権者みずからのイニシアティブ制度やリコール等の責任追及手段、および議会のコントロールと裁判所の違憲審査等の装置を完備することによって防止することが可能といえる。地方の住民投票の場合にも、住民のイニシアティブと地方議会解散権、議員と官吏の解職請求権を併用し、政治責任追及機構を完備することによって、プレビシットの危険を予防することは不可能ではない。

③　世論操作・誘導の危険　　情報の不足や主権者の分析能力の欠如等による世論操作の危険である。この論点はすでにレファレンダムの経験を積んだ各国でもたえず指摘されるため、これを克服するためには前提的な条件整備や経験の蓄積が必要となる。とくに、情報の公開や住民の「知る権利」の保障が重要な意味をもつ。さらに投票のための政治運動の自由化が前提となるため、投票誘致運動のあり方や資金の規正と公的補助の問題が大きな課題となるであろう。またレファレンダムの対象となる事項の限定や争点の提示の仕方、とりわけ、可否の選択を迫る場合の質問事項のあり方には、投票者の判断が明瞭簡潔に示せるような選択肢とし、投票者を誘導するものにならないための注意が求められる。総じて、直接民主制の「実験」には多くの危険が伴うものであるが、（選挙の公正を守るために選挙運動規制を厳格にするだ

けでは主権者の民主的成熟が期待できないのと同様に）一旦は主権者への信頼を前提にした自由化の挑戦が必要であるといえよう。さらに地方公共団体で実施される住民投票の問題点として、上記①～③に下記の点（④⑤）を加えることができる。

④　住民投票の対象事項の制約　　住民投票の対象となりうる事項は、原則として国の固有の権限に含まれる事項は除外され、地方や住民に関係の深い事項に限られる。憲法95条が「一の地方公共団体のみに適用される特別法」を対象としていることからしても、法律や条例による住民投票が、憲法改正や条約締結あるいは全国レベルで問題となる一般的法律の制定・改廃を本来の対象としえないことが理解される。実際の事例も、地方の行政組織の変更・市町村合併や地方の環境保全に関する問題等が中心であり、それはこの原則の範囲内にある。もっとも前述の巻町の事例は国の原子力政策・エネルギー政策に関係し、また、沖縄の県民投票も日米安保条約に基づく地位協定のあり方が問題となったため、住民投票の対象となりうるか否かの議論が生じた。いずれも、一面では、国の固有の政策に関するものであるとはいえ、他面では、当該地方住民の利益や権利と深くかかわり、国は地方に協力を求める立場であるため、地方の対応如何が住民投票の対象になりうる事例であったと解される。しかも、住民投票が裁可型でなく、諮問型である以上、住民の意思を国の政策に反映させるために、これを対象として地方の意思を示すことは、地方自治の本旨からしても本来可能であると考えられる。

これに対して、基本的人権の制約を伴う政策判断については、住民投票が人権保障に対してもつ「負のインパクト」をおそれることから、住民投票の対象となしえないかどうかが論点となる。

少数者の人権保護の点では、直接民主制よりも間接民主制のほうが危険性が少ないことは一般に指摘されるところであり、少数者の人権侵害や個人の思想・良心の自由の侵害に通じる問題は対象から除外すべきであろう。もっとも、地方自治の本旨を住民の人権保障を中心に捉えるならば、人権にかかわる問題をすべて対象からはずすというのは議論の方向として妥当ではないと思われる（現実には、公安条例等多くの条例で精神的自由権の制約を含む住民の人権制約が認められてきたことの是非ともあわせて議論すべきであろう）。権利の性格に応じて、住民の環境権や「知る権利」の保障、平等保障等に通じる問題であれば、一定の政策判断に対して住民の意思を問うことも可能であるといえよう。

⑤　住民投票結果の法的拘束力　　一般に国民投票の場合でも、諮問型ないし助言型である限り、結果についての法的拘束力はなく助言的な問題提起にとどまらざるをえない。したがって、諮問型投票の対象となる事項が明確でない場合にはあまり意味をもたないため、諮問型の場合にはとくに諮問内容が事前に限定されていることが必要となる。

また、法的拘束力をもたない投票結果に、事実上の拘束力をもたせるか否かの問題は、困難な検討課題である。下級審判例では、米軍ヘリポート基地建設をめぐる住民投票結果に「尊重義務規定」を定めていた名護市市民投票条例に関して、那覇地裁判決（2000〈平12〉.５.９判時1746号122頁、百選Ⅱ（第５版）462頁〔新村とわ執筆〕）は、「仮に、住民投票の結果に法的拘束力を肯定すると、間接民主制によって市政を執行しようとする現行法の制度原理と整合しない結果を招来することにもなりかねない」として、住民投票の法的拘束力を認めず、住民の損害賠償請求を棄却した。この点は、諸条件を考慮して住民投票の実現に踏み切った以上、その結果が地方行政上にまったく反映されないのは住民自治の趣旨に反することになり、地方自治の本旨に適合するものであれば、行政執行権を有する長の意思は、事実上、住民の意思に拘束されるというのが基本的な考え方であろう。地方自治法で首長リコールや議会解散請求手続が定められているのは、住民の意思に反する地方政治を排するためであり、住民投票の結果が尊重されない場合にはこれらの手続に移行することが可能である。事実上の拘束力とは政治責任追及手段を伴うという趣旨に解するのが妥当であろう。

以上のような諸論点は、今後、日本で国民投票や住民投票を実現してゆくうえで、必ず克服しなければならない課題でもある。プレビシットや世論操作の危険に陥ることのないように、発案方法や実施方法、運動や実施時期の制約等の諸条件についても具体的に検討し、審査・監督機構を構築することが求められている。

第8章　憲法改正と憲法保障

一　憲法改正

1　憲法改正の意義

憲法をめぐる社会的・政治的状況はたえず変化している。そこで憲法は、そのような変化に抗して安定性を維持するために、最高法規性の保障や公務員の憲法尊重擁護義務などを定める。また他方で、変化に対応する可変性を確保するため、憲法改正の手続を規定している。憲法改正とは、成文憲法の内容について、憲法典の定める所定の手続に従って意識的に変更を加えることである。改正は、個別の憲法条項に修正・削除・追加を行う部分改正（狭義の改正）、または新しい条項を設ける追加修正などが通常の形であるが、成文憲法を全面的に書き改める全面改正が行われることもある。

憲法改正は、成文憲法の存在を前提として、「憲法によって設けられた権力（pouvoir constitué）」としての改正権に基づくものであり、憲法が定める手続に従わなければならない。憲法制定権力（pouvoir constituant）に基づいて、始源的に新たな憲法を制定する「憲法制定」とはこの点で明確に異なっている（本書33頁参照）。18世紀のフランス革命前夜にシィエスがこの二つの観念を区別したところである。また、20世紀にシュミットは、憲法律の上位に「憲法」を位置づけ、憲法改正手続によっても変更できないとしつつ、ひとたび「大衆の喝采」などによって憲法制定権が発動されれば、どんな憲法変更もなしうるという議論を展開した（樋口・憲法Ⅰ383頁、大須賀他編・辞典121頁〔樋口執筆〕参照）。

なお、憲法改正は明文の条項の変更を伴うものであり、条項を変更しないままに規範の意味内容の変更を認める「憲法の変遷」とも、概念的に区別されなければならない（後述520-521頁参照）。

2　憲法改正の手続

(1)　憲法上の改正手続

憲法改正手続を一般の法改正よりも厳格にすることで憲法保障を高めようとする憲法を「硬性憲法（rigid constitution）」、一般の法改正と同程度の改正要件を定めるものを「軟性憲法」ということはすでにみた（本書9頁参照）。世界の多くの国では、「硬性憲法」の手法を採用し、憲法の改正手続を認めつつ、その改正要件を厳しくすることで憲法の安定性と可変性の両方の要請に応えている。

日本国憲法も「硬性憲法」に属し、96条と7条1号で改正手続を定める。それは、(i)国会の発議、(ii)国民の承認、(iii)公布という三段階で行われる。

憲法96条は、「この憲法の改正は、各議院の総議員の三分の二以上の賛成で、国会が、これを発議し、国民に提案してその承認を経なければならない」（1項前段）と定める。国会の発議は、各議院の総議員の3分の2以上の賛成が要件となる。この場合の総議員数は現在議員数ではなく法定議員数と考えるべきことは、国会の議決との関係ですでに述べた（本書379-380頁）。

なお、2013年以降の憲法改正論の高まりのなかで、96条改正論（各議院の総議員の過半数で発議できるようにする提案など）が提唱されたが、日本国憲法の改正手続が、諸外国と比べて最もハードルが高いわけではなく、諸外国でも、議会の4分の3以上の賛成の要件や総選挙実施の要件を課すなど、硬性憲法として厳正な手続を定めている（辻村・改憲論第1章、辻村・比較憲法XII章、辻村他・概説コメ434頁〔愛敬浩二執筆〕参照）。

内閣に憲法改正案の発案権を認めるべきか否かについても、すでにふれたように議論がある（本書413-414頁参照）。A説（肯定説）は議院内閣制下の内閣と国会との協働関係や内閣に発案権を認めても国会の自主性が失われるわけではないことを理由にこれを認める。B説（否定説）は、憲法改正は国民の憲法制定権力の作用であり、国民に最終決定権を認める憲法の趣旨からして、国民代表としての議員に発案権があることが当然の理であるとする。実際には、議院内閣制のもとで議員の資格をもつ国務大臣その他の内閣構成員が原案を提出することができるため、内閣の発案権の有無を議論する実益は乏しい。しかし、ここでも、主権原理をふまえた憲法の趣旨から厳格に解しておくことが妥当であり、Ｂ説が支持されよう。

次に、国民の承認については、「特別の国民投票又は国会の定める選挙の際行はれる投票において、その過半数の賛成を必要とする」（96条１項後段）と定められる。ここでは、国民の投票結果に基づいて憲法改正の可否が最終的に決せられるのであり、国民の承認を停止条件として国会の議決で決せられるのではないことが重要である。国民主権原理のもとでは、主権者国民こそが憲法改正権者であり、最終決定権をもつことは当然のことだからである。

また、国民の憲法改正の承認が得られた場合には、その時点で憲法改正が確定する。しかし憲法上は、成立した憲法改正を国民に公示するために天皇の公布行為が必要とされ、国民の承認が得られた時は、「天皇は、国民の名で、この憲法と一体を成すものとして、直ちにこれを公布する」（96条２項）とされる。天皇の公布行為は形式行為であり、７条１号に基づいて、内閣の助言と承認のもとで天皇は、「国民の名で」これを公布する。「国民の名で」と記されたのは、憲法改正権の主体が国民であることをあえて明示する趣旨であり、「直ちに」と記されたのも、公布を恣意的に遅らせてはならないことを定めたものであるが、施行時期はこれとは別に定められる。なお「この憲法と一体を成すものとして」の規定は、憲法の部分改正を念頭においたものであり、改正されなかった部分と同一の最高法規としての形式的効力をもつことを示している。その結果、部分改正と相いれない従来の法律や命令等はすべて効力を失うと解される（98条１項）。

(2)　法律上の憲法改正手続

2000年に両院に憲法調査会が設置され、2005年に報告書が提出されたのち、2006年５月に憲法改正のための国民投票に関する与党案および民主党案が国会に提出された。継続審議・修正を繰り返した末、2007年５月14日「日本国憲法の改正手続に関する法律」（通称 国民投票法）（平成19年法律51号）が与党の強行採決によって成立した（同年５月11日の参議院特別委員会での採決の際に、

18項目の附帯決議が付された)。この法律は同年5月18日に公布されたが、一部を除き、公布後3年間は憲法原案の発議は凍結され、2010年5月18日から施行され（附則1条)、その改正案が2014年6月20日から施行された。

この法律では、(a)国民投票の対象が、憲法改正のみに限定されること（1条)、(b)国会が憲法改正を発議した日から60日以後、180日以内の国会が議決した日に国民投票が実施されること（2条)、(c)日本国民で満18歳以上の者は投票権を有すること（3条)、(d)衆参両院の議員各10人からなる国民投票広報協議会が改正案の要旨作成等の事務を行うこと（11条以下)、(e)憲法改正案は、有効投票（賛成票と反対票の合計）の過半数の賛成で成立すること（126条)、(f)公務員や教育者の地位を利用した投票運動は禁止され、テレビ等のコマーシャルは投票日の2週間前から禁止されること（103条・105条）などのほか、在外国民投票・不在者投票等の手続（33条以下）などについて定められた。このうち(c)の投票資格年齢については、経過措置により施行4年（2018年6月21日）後から18歳とされ、2015年6月の公職選挙法改正により選挙資格年齢も18歳で統一された（本書319頁参照)。(e)については、無効票を除いたことに批判がある。仮に投票率がきわめて低く（棄権率が高く)、無効票が多い場合にはごく少数の賛成によって憲法改正が実現されることになるため、憲法改正の重要性や硬性憲法の構造等からして、憲法改正の国民投票ではせめて「投票総数の過半数」の賛成を要するように厳格に解することが妥当であろう（同旨、野中他・憲法Ⅱ386頁〔野中執筆〕、樋口・憲法Ⅰ378頁)。(f)についても、政治的な意思表明に萎縮効果が生じることを危惧する立場からの批判が強い。

さらに、とくに重要な意味をもつ憲法改正原案の発議方法については、同法ではなく国会法の改正によって定めることとされ、同法151条で「国会法の一部を次のように改正する」と定めて「第6章の2　日本国憲法の改正の発議」という章を置いた。そして国会法68条の2では、(g)発議に必要な人数を衆議院議員100人以上、参議院議員50人以上とし、(h)68条の3では、「前条の憲法改正原案の発議にあたっては、内容において関連する事項ごとに区分して行う」ことを定めた。これは、例えば憲法9条の改正と環境権規定の創設という異なった事項を一括して投票に付することは好ましくない、という配慮によるものであるが、実際に発議がどのように行われるかは不明である。

このほか、国会審議の際に問題になった重要な論点に、最低投票率の設定問題がある。上記の(e)で有効投票を基準とする場合には、最低投票率の定めがないと極度に低い賛成比率で憲法改正が実現する危険があるため、附帯決議のなかで、これについて施行までに検討することが確認された。このように上記の「国民投票法」には多くの問題点があるため、拙速を避けて、今後も十分な議論と検討を尽くすべきであろう。

実際には、2009年8月の「政権交代」後、民主党政権のもとで国会内の憲法改正論議はトーンダウンしたが、2011年9月に衆議院・参議院の憲法審査会（各50人、45人）が組織され、2011年10月から審議が続けられてきた。2012年12月総選挙による自民党の政権復帰後、第二次安倍政権下で「96条改正論」などが出現し、改憲の具体的目標が明示された。2017年10月22日の衆議院議員選挙時には、自民党の公約のなかに、改憲の4項目（①自衛隊の明記、②教育無償化、③緊急事態対応、④参院選の「合区」解消）が含まれた。以後、同党の憲法改正推進本部内で議論されているが、改憲の発議には，与野党および国民の間の十分な議論が必要である。とくに、立憲主義と硬性憲法の本質からしても、熟慮を欠いた手続緩和論の主張などには慎重でなければならないであろう（辻村・改憲論3頁、第1章参照）。

3　憲法改正の限界

憲法改正には、憲法上に明記された手続に従ってなされなければならないという手続的制約が存在する。そのほかに、実体的な内容面での制約が存するかどうかが、憲法改正の限界の問題である。これについては学説が分かれている。

通説である(A)憲法改正限界説は、そもそも憲法改正には法的な限界があるとする見解で、憲法の基本原理に属する内容を変更することは許されないとする（本書33頁参照）。もっとも、その根拠や限界とされる内容については見解が異なる点もある。根拠について、(a)根本規範の存在を根拠とする説（根本規範説ないし自然法論的改正限界説）、(b)憲法制定権力の法的全能を肯定しつつ、これと憲法改正権力を区別する説（制憲権従属型改正限界説ないし法実証主義的改正限界説）などがある。(a)説は、憲法制定に先行する一定の歴史的社会的状況のなかで不文の「根本規範」が決定され、それが憲法制定権によって創出される実定憲法によって憲法の原理として確認的に規定されると考える。したがって、憲法規定の上位に位置する「根本規範の定める原理に触れるような憲法の変改」は憲法の破壊であり「憲法の自殺にほかならない」ため、憲法改正には限界が伴う、と解する（清宮・憲法Ⅰ410-411頁）。(b)説は、（シュミットの理論の影響下に）憲法改正権は始源的な憲法制定権とは異なり、実定憲法によって設けられた権力にすぎないため、憲法制定権の基本的な決定を変更することまではできないと解するものである（学説状況は、争点328頁〔芹沢斉執筆〕、樋口・憲法Ⅰ379頁以下、辻村他・概説コメ435頁以下〔愛敬執筆〕参照）。

このように改正限界説にも諸類型が存在するが、これらの見解はいずれも、具体的には、日本国憲法の前文の趣旨や人権の根本規範性等を根拠に、人権保障や国民主権、平和主義という基本原理を限界内容と解する点では一致している。また、96条の憲法改正の国民投票制も国民の憲法制定権力を具体化したもので、それを廃止することは国民主権原理をゆるがすため認められないと通説は解している（清宮・憲法Ⅰ411頁、佐藤幸・憲法40頁、同・憲法論52頁など）。反対に、憲法の平和主義の改正には限界があるとしても、戦力不保持を定めた９条２項を修正しえないかどうかについては議論があり、通説はその改正までは理論上不可能としているわけではない（芦部・憲法411頁）。

一方、(B)憲法改正無限界説は、憲法改正手続によりさえすれば内容面で法的な限界はないとする見解である。この立場もその根拠は一定ではなく、〔憲法改正限界説の(a)を批判して根本規範の存在を認めること自体を否定する〕(c)法実証主義的無限界説と、〔(c)を批判して〕(d)憲法制定権と憲法改正権を同視する説などに分類されてきた（芦部後掲『憲法制定権力』88頁以下参照）。

現実には、根本規範の存在等の立証や立論の点で、理論上は(A)憲法改正限界説にも問題がないわけではない。しかし、(B)憲法改正無限界説のように国民主権や人権保障の基本構造をも変更できるとすると、日本国憲法が国民主権を採用して権力の源泉を国民に求めている構造や、国家権力の存在意義として人権保障をおいてきた近代以降の立憲主義の構造自体を否定することになり、憲法本来の目的に反することになる。このため、(A)憲法改正限界説が妥当であろう。もっとも、国民主権・人権保障・平和主義の基本構造を変更することはできないとしても、技術的な点や細則的規定の改善は認められると解することができる。

二　憲法の変動と憲法保障

1　憲法の変動と変遷

憲法状況の変化によって憲法の保障内容と実態が乖離し、憲法規定の枠内での解釈の変更では対応できなくなったときに、憲法改正が行われる。通常は解釈の変更や憲法改正によって憲法の変動が行われるが、革命のように既存の憲法秩序とその基礎にある憲法制定権力をも排除する場合もありうる。

カール・シュミットは、革命のように憲法と憲法制定権力を排除する場合を「憲法の廃棄」と呼び、クーデターのように既存の憲法を排除するが憲法制定権力の所在が変わらない場合を「憲法の排除」と呼んで、これらを憲法の変動として説明した。また、シュミットによれば、憲法（Verfassung）と憲法律（Verfassungsgesetz）が区別され、憲法律の変動としては、憲法律の修正としての憲法改正のほかに、例外的に憲法律に反する措置をとる「憲法の破毀」、憲法律の効力を一時的に停止する「憲法の停止」があげられる。

このほか、憲法の変動には「憲法の変遷（Verfassunswandlung）」と呼ばれる現象がある。これは、一般に、憲法改正の手続を経ることなく憲法改正と同じ効果が生じることをいう。このように憲法改正と同様の効果が「憲法の変遷」として認められるためには、第一に、憲法に違反する事態が存在し、さらに第二に、違憲の実例が法的効力を認められてこれと矛盾する憲法規定のほうが効力を失っているような事態が存在することが必要であるとされる。この理論を構築したゲオルク・イェリネックは、もともと客観的な現象を説明するためにこの概念を用いたが、その後、違憲の実例を正当化するための概念としても用いられるようになった（ドイツ学説の研究として、赤坂後掲『立憲国家と憲法変遷』第3部参照）。

日本の憲法学界でも、このような法的意味における「憲法の変遷」を認める学説と、認めない学説があるが、後者が多数説である（野中他・憲法Ⅱ395頁以下〔高橋執筆〕、芦部・憲法412頁参照）。とくに9条の解釈をめぐって議論があるが、立憲主義と硬性憲法の本質を前提とするならば、違憲状態を「憲法の変遷」という概念で正当化することは疑問であり、かりに社会学的意味において「憲法の変遷」という現象の存在を認めることができると解するとしても、法的意味ないし解釈学的意味においてこれを認めることには問題があることになろう。

2　憲法保障と憲法尊重擁護義務

憲法保障とは、憲法が守られることを確保すること、またはその方法を意味する。憲法を尊重・擁護するためには憲法違反に対する制裁が必要となり、ドイツ連邦共和国基本法やアメリカ合衆国憲法には、大統領の憲法擁護の宣誓義務や故意に憲法違反をした場合の制裁の規定も存在する。日本国憲法には、憲法保障の手段については違憲審査の方法（81条）と、公務員の憲法尊重擁護義務（99条）を定めるほかは、制裁の規定もおいていない。主権者であり憲法制定権者＝憲法改正権者である国民が憲法を擁護することについても別段義務とは明記しておらず、これに反する行為に対する刑罰等の制裁も定めていない。

日本国憲法は「天皇又は摂政及び国務大臣、国会議員、裁判官その他の公務員は、この憲法を尊重し擁護する義務を負ふ」（99条）と定めて、「天皇又は摂政」および大臣等の公務員に憲法尊重擁護義務を課すことで、憲法の最高法規性を確保しようとした。ここで義務を負う者は、主権者の信託によって憲法の運用を任務とすることになった広義の公務員である（文言上は天皇・摂政は公務員に含まれないが、公務を担当する者という意味では広義の公務員に含まれると解することができる。その他の公務員には、地方公務員も含まれる（樋口他・注解Ⅳ353頁〔佐藤幸治執筆〕））。彼らは、公務担当者として当然に、憲法を擁護し尊重しなければならない義務を負う。この義務は、単なる道徳的義務ではなく、「積極的な作為義務違反は場合によっては政治責任追及の対象となりうるにとどまるが、憲法の侵犯・破壊を行わないという消極的作為義務違反については法律による制裁の対象となることがありうる」（佐藤幸・憲法46頁）という意味での法的義務であるといえる。彼らは、憲法改正を主張することはできるが、あくまで憲法96条の手続に従った改正であり、96条に反する憲法変更の主張や憲法改正の限界をこえる憲法改正の主張を（その公務員としての資格では）なしえないという制限を受けたものと解することができる（樋口・憲法Ｉ398頁以下参照）。

また、一般には国民の義務が主張されることがあるが、本条に国民の憲法尊重擁護義務が明記されていないことの意味が重要である。日本国憲法は、この点について、主権者（ないし憲法制定権力者）としての国民が、国家の権力機構を構成する「公務員」に対して、上記のような法的義務を課すことで憲法を保障するという構造をとったものであり、それによって主権者国民自身も憲法の究極的保障を自らの責務としたと解するのが妥当である（辻村後掲『比較のなかの改憲論』第2章参照）。

3　抵抗権と緊急権

抵抗権や国家緊急権など憲法保障の手法を憲法典に明記することには、理論的にも技術的にも困難があり、通常は憲法上に明示することは少ない。

抵抗権は、ヨーロッパ中世で法の支配を最終的に担保するものとして主張され、ロックなどの理論化を経て、フランス1789年人権宣言2条後段（「これらの諸権利〔自然権〕とは、自由、所有、安全および圧制への抵抗である」）や1793年人権宣言35条（「政府が人民の諸権利を侵害するとき、蜂起は人民および人民の部分にとって最も神聖な権利であり、最も不可欠な義務である」）などで自然権として保障された。しかし、もともと、抵抗権は、実定法が自然法に反している場合に、それに対する最終的なサンクション（制裁）として公権力に対して行使される権利として構成された。既存の法秩序を否定する革命とは異なって、現状維持的な自然法回復手段といえるが、それでも実定法に反する形で抵抗権を行使した場合にはその行為は違法な法秩序違反行為であり、当該法秩序のもとで正当化することは本来理論的に不可能な性格をもっている。そこで、自然法上のサンクションとして認めることはできても、実定法的権利としてこれを保障することは、権力にとって自己矛盾となるため困難である。

反対に、国家緊急権は、戦争や内乱などの非常時に立憲主義の前提である国家の存立自体が脅かされたときの秩序回復手段であり、国家の自然権という理由でこれを正当化する議論も多い。しかし、国家緊急権が立憲主義の一時停止にほかならず、具体的には人権保障や権力分立の停止である以上、立憲主義を守るための立憲主義の停止という形でこれを認めることには矛盾が伴う。そこで、国家緊急権は権力が憲法の拘束を免れることを正当化するものであることを重視し、超憲法的に国家緊急権に訴えることは立憲主義に反するものとして容認しえないとするのが妥当であろう。

とくに、日本では、大日本帝国憲法が国家緊急権に関する規定をおいていた（14条の戒厳大権、31条の非常大権）。これに対して、現行憲法ではこのような規定は存在しない。戦前の濫用の経験や戦争放棄の規定の存在からして、日本国憲法にその明文規定がないことは偶然ではない。それどころか、意識的に除外されたと考えられる以上、自然権的に緊急権が認められるとして人権保障や権力分立の停止を容認すべきではないといえる。現行の警察法（71条以下）や自衛隊法（76条以下）の規定を含めて、緊急事態法理を安易に認めることは問題であろう。仮に、国家緊急権を容認する場合にも、国家存立目的ではなく人権保障目的に限られることが前提であり、「その最終決定権の留保にこそ人権の究極の核心がある」ことが銘記されなければならない（岩間後掲『憲法破毀の概念』237頁、井上典之「国家緊急権」長谷部編後掲『憲法と時間』209頁参照）。

三　改憲論と国民の意識

1　戦後の改憲論の展開

戦後日本の憲法政治では、憲法改正を求める運動がくりかえし出現した。その態様は、憲法96条の改正手続を求める「明文改憲」論であったり、あるいは、憲法改正と同等の効果を解釈の名でひきだす「解釈改憲」の手法であったりした。いずれにせよ、憲法制定時以降の日本の憲法史、とりわけ55年体制下の自民党長期単独政権期の憲法政治は、憲法改正や自主憲法制定の追求と憲法の軽視の政治によって特徴づけられていたといえる（時代区分と資料につき杉原他編・日本国憲法史年表774頁以下〔渡辺治執筆〕、渡辺・改正問題資料(上)(下)参照）。

戦後の改憲論の経過は、(I)1954年から56年の吉田・鳩山内閣時代におこった（第一次）明文改憲論、(II)1956年に憲法調査会が発足し64年に報告書が提出されるまでの時期、(III)1970年から76年頃までの自民党憲法調査会の活動期、

⑷1982年の自民党憲法調査会の中間報告を中心とする1980年代の（第二次）改憲論の時期、⑸国際貢献論を背景におこった新たな1990年代（第三次）改憲論、⑹両議院に憲法調査会が設置されて活動開始した2000年代（第四次）改憲論、⑺憲法改正手続法下の改憲論の時期に区分することができる。

（Ⅰ）1945年から50年頃までは、平和主義をはじめとする憲法の基本原理が一般に受容されたが、その一方で戦争責任の回避現象が認められる。例えば、9条をはじめ新憲法の意義を強調した1947年の『あたらしい憲法のはなし』（文部省刊）にも「天皇陛下は、たいへんごくろうをなさいました」という記述があるように、日本は、アジアへの加害責任を曖昧にし、戦争責任を未解決にしたままで、高度成長以後、大国主義ナショナリズムへと邁進していった。そして1950年代には、講和条約後いわゆる第一次明文改憲論が展開され、1964年の憲法調査会報告につながっていった。

⑵　1957年以降の1960年代の改憲論では、天皇の元首化や再軍備のための9条改正、個人主義的人権原理の見直しと家族制度の強化などが主要な内容を占めていた。憲法調査会最終報告書（1964年7月3日）では改憲意見が多数を占めたとはいえ、賛否両論併記となり、護憲勢力が議会内の3分の1をこえたことで「明文改憲」は実現せず、政府与党は「解釈改憲」論へと方向を転換した。そして1960年以降は日米安保問題が国民の関心事となったが、この時期の世論調査の結果では、60年安保について、「よかった」12%、「やむをえない」34%、「よくない」22%（1960年7月の毎日新聞調査）という消極的支持傾向が認められる。

⑶　1970年代にも、経済大国意識が醸成されるなかで現状肯定傾向が強まり、自衛隊も安保も憲法も、まるごと容認する傾向が認められる。例えば、1970年代末の調査では、「自衛隊が必要」に80%賛成、「憲法改正に反対」も80%賛成という結果が得られている。この時期には、自民党憲法調査会の報告書（「憲法改正大綱草案」1972年6月16日）が提出され、天皇制（天皇を国の代表とする）、安全保障（自衛力の保持と集団的安全保障機構による）、公共の福祉（社会の秩序を尊重すべき責務）の強化等の明文化が提案された（辻村編・資料集58-59頁参照）。

⑷　高度成長を過ぎた1980年代にも、中曽根内閣のもとで、経済大国化に伴う防衛力の増強や第二次改憲論の展開が認められた。このⅣ期には、自民党憲法調査会が憲法全体にわたる改憲案を決定して報告書を提出し、中曽根首相が改憲論者を自認する改憲発言を行った（1982年12月13日）。国民の側は、1980年代末の世論調査では、「自衛隊の現状を肯定するもの」が61%、「改憲に反対す

るもの」60％、「安保を肯定するもの」55％という結果（1988年10月の朝日新聞調査）に示されるように世論が矛盾する傾向が進行した。

(V)　1990年代には、1991年の湾岸戦争を契機とする国際貢献論の高まりとPKO法の成立を背景に、マスコミなどを動員して新たな明文改憲論がおこった。とくに1994年11月３日に読売新聞紙上で発表された「憲法改正試案」のような全面的な憲法改正案が提示されたことが特徴的である。この試案は、一方では、第１章に国民主権の章を設けて国民主権と象徴天皇制を分離したり、環境権などの「新しい人権」を明文化したり、憲法裁判所の設置や国民投票の導入をうたっている。しかし、他方で、現在の９条２項を廃止して「自衛のための組織」（自衛隊）の存在を明文化し、国際協力の章を新設して自衛隊の海外派遣の合憲化をはかるなど、憲法の基本原理の変更を盛りこんでいる。憲法改正の手続について各議院の３分の２以上の賛成があるときには国民投票手続を省略できる点も問題である（同試案108条２項）。前者の諸改革が後者の９条２項廃止等のカモフラージュとしての意味をもつという見方も否定できないであろう（辻村編・資料集61頁以下参照）。

これに対して世論のほうは、憲法改正について、読売新聞の調査では、1991年には「改憲賛成」が33.3％、「改憲反対」が51.1％であったのが、1993年には逆転して「改憲賛成」50.5％、「反対」が33.0％となった。1995年にも、「賛成」50.4％、「反対」が33.9％となっており、国際貢献論の影響をうかがい知ることができる（調査結果は、和田進後掲『戦後日本の平和意識』192頁などによる。国際貢献論等の状況については、本書85頁参照）。また、1997年の日米新ガイドライン合意と翌年４月の周辺事態法案提出以降は、とくに北朝鮮（朝鮮民主主義人民共和国）の脅威を理由に危機管理を求める傾向が強まった。例えば、1999年３月に能登半島沖で発見された「不審船」に対して自衛艦が1,300発の警告射撃を行い、初の海上警備行動を発動した事件がおこった後、周辺事態法が同年５月に採択された。その後、７月に国会法が改正され、第11章の２が新設され「日本国憲法について広範かつ総合的に調査を行うため、各議院に憲法調査会を設ける」（102条の６）と定められた。

(VI)　2000年代（小泉内閣～第一次安倍内閣時代）には、2000年１月から両院の憲法調査会の活動が開始され、５年後の2005年４月に衆議院憲法調査会報告書および参議院憲法調査会報告書が提出された。これらの報告書では統一的な結論は提示されておらず、報告書というよりは、むしろ、調査会で証言した研究者・知識人や議員の発言を掲載した膨大な議事録というべきものとなっている。このなかでは、「明文改憲」を希求する与党議員や与党推薦の多数の証言者たちが、いずれも、憲法9条の改正（軍隊の保持、自衛隊の国際貢献の明示など）、前文における日本の文化・伝統の明示、人権規定における義務規定の強化、公共の福祉による人権制約の強化、家族規定の見直し、統治機構における行政権の強化、国民の憲法尊重擁護義務の明示などを明確にしていたことが特徴的である。軍隊の保持を明記した2005年11月の自由民主党「新憲法草案」の公表（辻村編・資料集86頁以下参照）、防衛庁の省への昇格、2007年5月の憲法改正手続法（国民投票法）制定にもつながった。

(Ⅶ)　憲法改正手続法の制定と憲法審査会の設立の後も、2009〜2012年の民主党政権時代に自由民主党「日本国憲法改正草案」（2012年4月27日）（辻村編・資料集119頁以下参照）が公表された。そして、2012年総選挙による自民党政権復活後は、第二次・第三次安倍政権下での「96条改正論」、2014年7月の集団的自衛権容認の閣議決定、2015年9月の安保法制採択に続いて、2018年3月の自民党憲法改正推進本部決定（4項目改憲案）など、「明文改憲」の道が準備されてきた。

このような動向の背景には、安倍内閣への高い支持率、2001年9月11日以降のテロリズムや北朝鮮の脅威、挑戦経済状況悪化のなかでの国民の「安全への渇望」や危機管理論、国際貢献論や経済財政政策への期待があった。しかし、「政治の論理」に翻弄されない熟議が求められていることも事実である（辻村・改憲論、終章参照）。

2　熟議のために

世論調査の結果では、2000年には、憲法を「改正する方がよい」と答えた人が過去最高の60%に上っていた（読売新聞2000年4月15日朝刊）のに対して、リーマン・ショック（2008年9月）以来の経済不況や2009年8月の総選挙による政権交代、2011年3月11日の東日本大震災を経験して、「明文改憲」論は一時的に影を潜めたようにみえた。2011年5月3日の憲法記念日に公表された世論調査結果では、「憲法9条は変えない方がいい」は59%と過半数を占めた（憲法全体から見ると、「改正の必要がある」は54%、「必要がない」が29%であった）（朝日新聞2011年5月3日朝刊参照）。

2012年12月の自民党政権復帰後は、2014年7月の閣議決定による集団的自衛権容認等の解釈改憲によって、憲法の空洞化が危ぶまれる状況となった。しかし2015年の世論調査では、政府の意向とは逆に、憲法を「変える必要はない」が48%（2011年、29%）で、「変える必要がある」43%（2011年、54%）

をやや上回った。9条についても、「変えない方がよい」が63％（2011年、59％）であった（朝日新聞2015年5月1日朝刊参照。なお、読売新聞2015年3月調査〈読売新聞3月22日朝刊〉では、改正賛成51％、反対46％で賛成が上回った）。

また、2017年5月3日に、安倍首相（自民党総裁）が、2020年の東京オリンピックの年に憲法9条に自衛隊を明記する憲法改正を実現したいという意見を公表し、その後も改憲論議が推し進められてきた。しかし、この発言の直前に実施された新聞各社の世論調査結果では、憲法9条を改正せよという意見は以前よりも大幅に少なくなっていた。NHKが発表した世論調査結果でも、「憲法9条の改正は必要か」という質問に対して、「必要」と答えたのは25％、「必要ない」と答えたのが57％に及んでいた（NHK世論調査「日本人と憲法2017」NHK NEWS WEB https:www3.nhk.or.jp/news/special/kenpou70/yoron2017.html）。2020年5月3日には、新型コロナウイルス感染に対する緊急事態宣言が出されるなかで、自民党総裁（首相）や党幹部からは憲法改正による緊急事態法制の導入も主張された。しかし世論調査では、国会での憲法改正の議論を急ぐ必要はないという回答が72％を占めた（朝日新聞2020年5月3日朝刊参照）。

このように、日本国憲法の70年余の運用のなかで、しだいに憲法と立憲主義の空洞化が進展し、国民の意見も揺れ動いてきたことがわかる。この状況にある今こそ、日本国憲法の原理と運用の実態をもう一度見直して、憲法の今後を慎重に見極めるべきであろう。

市民が真の主権者として行動することで「市民主権」を実現できるかどうか、日本国憲法を「市民の、市民のための憲法」として十分に活かすことができるか否かは、憲法の担い手としての私たちの努力にかかっている。

参考文献（凡例〈本書 xxxii 頁以下〉に掲載した体系書等は原則として除く）

第1部　憲法総論

第1章　憲法の意義と立憲主義の展開

愛敬浩二『立憲主義の復権と憲法理論』日本評論社、2012年
杉原泰雄『憲法の歴史――新たな比較憲法のすすめ』岩波書店、1997年
高見勝利『宮沢俊義の憲法学史的研究』有斐閣、2000年
辻村みよ子『フランス革命の憲法原理』日本評論社、1989年
辻村みよ子『人権の普遍性と歴史性――フランス人権宣言と現代憲法』創文社、1992年
樋口陽一『比較憲法(全訂第3版)』青林書院、1994年
宮沢俊義『憲法の原理』岩波書店、1967年
ルソー（桑原武夫＝前川貞次郎訳）『社会契約論』岩波書店、1954年
シィエス（稲本洋之助＝伊藤洋一他訳）『第三身分とは何か』岩波書店、2011年
ジョン・ロック（加藤節訳）『完訳　統治二論』岩波書店、2010年

第2章　日本国憲法の成立

家永三郎『植木枝盛研究』岩波書店、1960年
家永三郎他編『明治前期の憲法構想(増補版)』福村書店、1968年
家永三郎『歴史のなかの憲法（上・下)』東京大学出版会、1977年
色川大吉他編『民衆憲法の創造』評論社、1970年
古関彰一『日本国憲法の誕生』岩波書店、2009年
鈴木安蔵『憲法制定前後』青木書店、1977年
高見勝利『宮沢俊義の憲法学史研究』有斐閣、2000年
辻村みよ子『人権の普遍性と歴史性――フランス人権宣言と現代憲法』創文社、1992年
永井憲一＝利谷信義編集代表『資料日本国憲法Ⅰ』三省堂、1986年
原秀成『日本国憲法制定の系譜Ⅰ―Ⅲ』日本評論社、2004～06年
ベアテ・シロタ・ゴードン（平岡磨紀子訳）『1945年のクリスマス』柏書房、1995年
森肇志他・座談会「憲法学と国際法学との対話に向けて」法律時報87巻9・10号、2015年
山本草二『国際法(新版)』有斐閣、1994年

第3章　国民主権

芦部信喜『憲法制定権力』東京大学出版会、1983年
杉原泰雄『国民主権の研究』岩波書店、1971年
杉原泰雄『国民主権と国民代表制』有斐閣、1983年
高見勝利『宮沢俊義の憲法学史的研究』有斐閣、2000年
辻村みよ子『国民主権と選挙権――「市民主権」への展望（辻村みよ子著作集第3巻)』信山社、2021年（近刊）
長谷部恭男編『憲法と時間　岩波講座憲法(6)』岩波書店、2007年
樋口陽一『近代立憲主義と現代国家』勁草書房、1973年
樋口陽一『近代憲法学にとっての論理と価値』日本評論社、1994年
宮沢俊義『憲法の原理』岩波書店、1967年
横田耕一＝江橋崇編『象徴天皇制の構造』日本評論社、1990年

第4章　平和主義

麻生多聞『憲法9条学説の現代的展開』法律文化社、2019年

浦田一郎『政府の憲法九条解釈』信山社、2013年
浦田一郎『集団的自衛権容認とは何か』日本評論社、2016年
浦田一郎＝加藤一彦＝阪口正二郎＝只野雅人＝松田浩編『立憲平和主義と憲法理論（山内敏弘先生古稀記念論文集）』法律文化社、2010年
浦田一郎＝前田哲男＝半田滋『ハンドブック集団的自衛権』岩波書店、2013年
後藤光男『人権としての平和——平和的生存権の思想研究』成文堂、2019年
小林武『平和的生存権の弁証』日本評論社、2006年
阪田雅裕編著『政府の憲法解釈』有斐閣、2013年
自衛隊イラク派兵差止訴訟の会編『自衛隊イラク派兵差止訴訟全記録』風媒社、2010年
辻村みよ子『憲法から世界を診る——人権・平和・ジェンダー〔講演録〕』法律文化社、2011年
長谷部恭男「平和主義と立憲主義」『憲法の理性』東京大学出版会、2006年
長谷部恭男『憲法と平和を問い直す』ちくま書房、2005年
深瀬忠一＝浦田賢治＝杉原泰雄＝樋口陽一編『恒久世界平和のために』勁草書房、1998年
前田朗『軍隊のない国家——27の国々と人びと』日本評論社、2008年
水島朝穂『武力なき平和』岩波書店、1997年
水島朝穂『（ライブ講義・徹底分析）集団的自衛権』岩波書店、2015年
水島朝穂『平和の憲法政策論』日本評論社、2017年
毛利正道『平和的生存権と生存権が繋がる日——イラク派兵違憲判決から』合同出版、2009年
山内敏弘『平和憲法の理論』日本評論社、1992年
山内敏弘編『有事法制を検証する』法律文化社、2002年
有斐閣編『憲法第９条——いま、ふたたび平和を考えるとき（改訂版）』1986年
渡辺治他『集団的自衛権容認を批判する』日本評論社、2014年

第５章　基本的人権の尊重

小泉良幸『リベラルな共同体——ドゥオーキンの政治・道徳理論』勁草書房、2002年
辻村みよ子『人権の普遍性と歴史性』創文社、1992年
辻村みよ子「近代人権論批判と憲法学」全国憲法研究会編『憲法問題』13号、三省堂、2002年
辻村みよ子『ジェンダーと人権』日本評論社、2008年
辻村みよ子『憲法とジェンダー』有斐閣、2009年
辻村みよ子『人権の歴史と理論——「普遍性」の史的起源と課題（辻村みよ子著作集第２巻）』信山社、2021年
中村睦男他編『世界の人権保障』三省堂、2017年
西原博史編『人権論の新展開　岩波講座憲法⑵』岩波書店、2007年
樋口陽一『国法学　人権原論（補訂）』有斐閣、2007年

第２部　権利の保障

第１章　総論

愛敬浩二編『人権の主体　講座人権論の再定位⑵』法律文化社、2010年
石川健治『自由と特権の距離——カール・シュミット「制度体保障」論・再考（増補版）』日本評論社、2007年
市川正人『司法審査の理論と現実』日本評論社、2020年
井上典之『「憲法上の権利」入門』法律文化社、2019年
木下智史『人権総論の再検討』日本評論社、2007年
君塚正臣『憲法の私人間効力論』悠々社、2008年
小山剛『基本権の内容形成』尚学社、2004年
近藤敦『「外国人」の参政権』明石書店、1996年

佐藤幸治『日本国憲法と「法の支配」』有斐閣、2002年
佐藤幸治「人権の観念」ジュリスト884号、1987年
佐藤幸治「人権の観念と主体」公法研究61号、1999年
宍戸常寿「『憲法上の権利』の解釈枠組み」安西文雄ほか『憲法学の現代的論点(第2版)』有斐閣、2009年
高見勝利編『人権論の新展開』北海道大学図書刊行会、1999年
高橋和之「人権論の論証構造(1)〜(3)完」ジュリスト1421〜1423号、2011年
谷口洋幸＝斉藤笑美子＝大島梨沙編著『性的マイノリティ判例解説』信山社、2011年
辻村みよ子「人権の観念」樋口陽一編『講座憲法学3』日本評論社、1994年
辻村みよ子「人権の観念」高橋和之＝大石眞編『憲法の争点(第3版)』有斐閣、1999年
辻村みよ子『フランス憲法と現代立憲主義の挑戦』有信堂、2010年
辻村みよ子＝三浦まり＝糠塚康江編著『女性の参画が政治を変える』信山社、2020年
中村睦男『アイヌ民族法制と憲法』北海道大学出版会、2018年
長谷部恭男「国家権力の限界と人権」樋口陽一編『講座憲法学3』日本評論社、1994年（長谷部『憲法の理性』東京大学出版会、2006年所収）
長谷部恭男編『人権の射程　講座人権論の再定位(3)』法律文化社、2010年
畑博行＝水上千之編『国際人権法概論(第2版)』有信堂、1999年
樋口陽一『人権』三省堂、1996年
松井茂記『二重の基準論』有斐閣、2007年
松本和彦『基本権保障の権利理論』大阪大学出版会、2001年
三並敏克『私人間における人権保障の理論』法律文化社、2005年

第2章　包括的権利と基本原則

蟻川恒正「最高裁判例に現れた『個人の尊厳』」東北大学『法学』77巻6号、2014年
岩村正彦他編集『岩波講座現代の法(11)　自己決定と法』岩波書店、1998年
奥田喜道編著『ネット社会と忘れられる権利』現代人文社、2015年
君塚正臣『性差別司法審査基準論』信山社、1996年
木村草太『平等なき平等条項論』東京大学出版会、2008年
金城清子『ジェンダーの法律学』有斐閣、2002年
阪本昌成『プライヴァシー権論』日本評論社、1986年
佐藤幸治「憲法学において自己決定権をいうことの意味」法哲学年報、1989年（佐藤『日本国憲法と「法の支配」』有斐閣、2000年所収）
辻村みよ子『ポジティヴ・アクション――「法による平等」の技法』岩波書店、2011年
辻村みよ子『憲法とジェンダー』有斐閣、2009年
辻村みよ子『代理母問題を考える』岩波書店、2012年
辻村みよ子『憲法と家族』日本加除出版、2016年
西原博史編『人権論の新展開　岩波講座憲法(2)』岩波書店、2007年
茂木洋平『Affirmative Action 正当化の法理論』商事法務、2015年
安西文雄「平等」樋口陽一編『講座憲法学3』日本評論社、1994年
山内敏弘『人権・主権・平和――生命権からの憲法的省察』日本評論社、2003年
山本龍彦『プライバシーの権利を考える』信山社、2017年
吉田仁美『平等権のパラドクス』ナカニシヤ出版、2015年
ヨンパルト、ホセ『人間の尊厳と国家の権力』成文堂、1990年

第3章　自由権Ⅰ　精神的自由権

芦部信喜『憲法判例を読む』岩波書店、1987年

蟻川恒正『憲法的思惟――アメリカ憲法における「自然」と「知識」』創文社、1994年
市川正人『表現の自由の法理』日本評論社、2003年
内野正幸『差別的表現』有斐閣、1990年
奥平康弘『なぜ「表現の自由」か』東京大学出版会、1988年
駒村圭吾＝鈴木秀美編『表現の自由Ⅰ・Ⅱ』尚学社、2011年
阪口正二郎＝毛利透＝愛敬浩二『なぜ表現の自由か』法律文化社、2017年
杉原泰雄『憲法と公教育――「教育権の独立」を求めて』勁草書房、2011年
鈴木秀美＝砂川浩慶＝山田健太編著『放送法を読みとく』商事法務、2011年
園田寿＝曽我部真裕編著『改正児童ポルノ禁止法を考える』日本評論社、2014年
高橋和之＝松井茂記＝鈴木秀美編『インターネットと法(第4版)』有斐閣、2010年
高柳信一『学問の自由』岩波書店、1983年
西原博史『良心の自由』成文堂、1995年
西原博史『学校が「愛国心」を教えるとき』日本評論社、2003年
長谷部恭男『テレビの憲法理論』弘文堂、1992年
松井茂記『少年事件の実名報道は許されないのか』日本評論社、2000年
松井茂記『マス・メディア法入門(第5版)』日本評論社、2013年
松井茂記『表現の自由に守る価値はあるか』有斐閣、2020年
毛利透『表現の自由』岩波書店、2008年
横大道聡『現代国家における表現の自由』弘文堂、2013年
渡辺康行『「内心の自由」の法理』岩波書店、2019年

第3章Ⅱ　経済的自由権

今村成和『損失補償制度の研究』有斐閣、1968年
今村成和＝畠山武道補訂『行政法入門(第8版補訂版)』有斐閣、2011年
宇賀克也『国家補償法』有斐閣、1997年
大石和彦「財産権制約をめぐる近時の最高裁判例における違憲審査基準について」慶應法学13号、2009年
岡田与好『経済的自由主義――資本主義と自由』東京大学出版会、1987年
中島徹『財産権の領分―経済的自由の憲法理論』日本評論社、2007年
中村睦男「職業選択の自由」芦部信喜編『憲法Ⅲ人権(2)』有斐閣、1981年
藤田勇『近代の所有観と現代の所有問題』日本評論社、1989年
室井力＝芝池義一＝浜川清編著『行政事件訴訟法・国家賠償法(第2版)』日本評論社、2006年

第3章Ⅲ　身体的自由権

市川正人「適正手続と31条」樋口陽一編『講座憲法学4』日本評論社、1994年
小田中聰樹『刑事訴訟法の変動と憲法的思考』日本評論社、2006年
杉原泰雄「適法手続」・「被疑者の権利」芦部信喜編『憲法Ⅲ人権(2)』有斐閣、1981年
団藤重光『死刑廃止論(第6版)』有斐閣、2000年
根森健「最高裁と死刑の憲法解釈」高柳信一古稀祝賀論文集『現代憲法の諸相』専修大学出版局、1992年
棟居快行「適正手続と憲法」樋口陽一編『講座憲法学4』日本評論社、1994年

第4章　国務請求権

芦部信喜「裁判を受ける権利」芦部編『憲法Ⅲ人権(2)』有斐閣、1981年
宇賀克也『国家補償法』有斐閣、1997年
宇賀克也『行政法概説Ⅱ　行政救済法(第5版)』有斐閣、2015年

西埜章『国家補償法概説』勁草書房、2008年
松井茂記『裁判を受ける権利』日本評論社、1993年
室井力＝芝池義一＝浜川清編著『行政事件訴訟法・国家賠償法(第２版)』日本評論社、2006年
渡辺久丸『請願権の現代的展開』信山社、1993年

第５章　社会権

浅倉むつ子『労働とジェンダーの法律学』有斐閣、2000年
浅倉むつ子＝西原博史編『平等権と社会的排除』成文堂、2017年
朝日訴訟記念事業実行委員会『人間裁判10年——朝日茂の手記』大月書店、2004年
大須賀明『生存権論』日本評論社、1984年
尾形健『福祉国家と憲法構造』有斐閣、2011年
葛西まゆこ『生存権の規範的意義』弘文堂、2011年
杉原泰雄『憲法と公教育——「教育権の独立」を求めて』勁草書房、2011年
辻村みよ子『概説　ジェンダーと法(第２版)』信山社、2016年
中村睦男＝永井憲一『生存権・教育権』法律文化社、1989年
中村睦男「生存権」芦部編『憲法Ⅲ人権(2)』有斐閣、1981年
西谷敏『労働法における個人と集団』有斐閣、1992年
西谷敏『労働法の基礎構造』法律文化社、2016年
堀木訴訟運動史編集委員会編『堀木訴訟運動史』法律文化社、1987年
棟居快行「生存権と『制度後退禁止原則』をめぐって」佐藤幸治先生古稀記念論文集『国民主権と法の支配（下巻)』成文堂、2008年
吉村良一「差止め訴訟の展開と航空機騒音公害」立命館法学308号、2006年

第６章　参政権

奥平康弘「参政権論」ジュリスト総合特集「選挙」、1985年
岡田信弘「選挙権・被選挙権の本質と選挙の公正」憲法判例百選Ⅱ(第４版)、2000年
ジュリスト特集「在外邦人選挙権最高裁大法廷判決」1303号、2006年
杉原泰雄「参政権論についての覚書」法律時報52巻３号、1980年
辻村みよ子『「権利」としての選挙権』勁草書房、1989年
辻村みよ子「選挙権論の『原点』と『争点』・再論」法律時報62巻11号、1990年（杉原泰雄＝樋口陽一編『論争憲法学』日本評論社、1994年所収）
辻村みよ子『国民主権と選挙権——「市民主権」への展望（辻村みよ子著作集第３巻)』信山社、2021年（近刊）
野坂泰司「在外日本国民の選挙権」『憲法基本判例を読み直す』有斐閣、2011年
野中俊彦『選挙法の研究』信山社、2001年

第７章　国民の義務

兼子仁『教育法（新版)』有斐閣、1978年
只野雅人「国民の義務」杉原泰雄編『新版体系憲法事典』青林書院、2008年
野中俊彦＝中村睦男＝高橋和之＝高見勝利『憲法Ⅰ(第４版)』有斐閣、2006年
樋口陽一＝佐藤幸治＝中村睦男＝浦部法穂『注解法律学全集・憲法Ⅱ』青林書院、1997年

第３部　統治機構

第１章　統治原理と権力分立

佐藤幸治『現代国家と司法権』有斐閣、1988年
佐藤幸治『日本国憲法と「法の支配」』有斐閣、2002年

セイバイン（柴田平三郎訳）『デモクラシーの二つの伝統』未来社、1977年
ダイシー（伊藤正己＝田島裕訳）『憲法序説』学陽書房、1983年
高橋和之『国民内閣制の理念と現実』有斐閣、1994年
高橋和之『現代立憲主義の制度構想』有斐閣、2006年
辻村みよ子『フランス憲法と現代立憲主義の挑戦』有信堂、2010年
辻村みよ子＝糠塚康江『フランス憲法入門』三省堂、2012年
糠塚康江『現代代表制と民主主義』日本評論社、2010年
樋口陽一『近代国民国家の憲法構造』東京大学出版会、1994年
山元一＝只野雅人＝新井誠編（辻村みよ子編集代表）『政治変動と立憲主義の展開』信山社、2017年
モンテスキュー（野田良夫他訳）『法の精神(1)〜(3)』（岩波書店、1987年
ロック（加藤節訳）『完訳　統治二論』岩波書店、2010年

第2章　選挙と代表

加藤一彦『政党の憲法理論』有信堂、2003年
加藤一彦『議会政治の憲法学』日本評論社、2009年
上脇博之『政党助成法の憲法問題』日本評論社、1999年
上脇博之『政党国家論と国民代表制論の憲法問題』日本評論社、2005年
大山礼子『日本の国会――審議する立法府へ』岩波書店、2011年
杉原泰雄＝只野雅人『憲法と議会制度』法律文化社、2007年
高見勝利「岐路にたつデモクラシー」ジュリスト1089号、1996年
高見勝利『現代日本の議会政と憲法』岩波書店、2008年
只野雅人『代表における等質性と多様性』信山社、2017年
辻村みよ子『「権利」としての選挙権』勁草書房、1989年
辻村みよ子『ポジティヴ・アクション――「法による平等」の技法』岩波書店、2011年
辻村みよ子＝糠塚康江『フランス憲法入門』三省堂、2012年
糠塚康江『現代代表制と民主主義』日本評論社、2010年
糠塚康江編『代表制民主主義を再考する』ナカニシヤ出版、2017年
西平重喜『各国の選挙』木鐸社、2003年
樋口陽一『近代国民国家の憲法構造』東京大学出版会、1994年
本秀紀『政治的公共圏の憲法理論』日本評論社、2012年
森英樹編『政党国庫助成の比較憲法史的総合的研究』柏書房、1994年
ルソー（桑原武夫＝前川貞次郎訳）『社会契約論』岩波書店、1954年

第3章　国会

浅野一郎編著『国会事典(第3版)』有斐閣、1997年
浅野一郎＝河野久（編著）『新・国会事典　用語による国会法解説』有斐閣、2003年
浦田一郎＝只野雅人編『議会の役割と憲法原理』信山社、2008年
大石眞『議会法』有斐閣、2001年
大石眞『憲法秩序への展望』有斐閣、2008年
大山礼子『国会学入門(第2版)』三省堂、2003年
大山礼子『日本の国会――審議する立法府へ』岩波書店、2011年
孝忠延夫『国政調査権の研究』法律文化社、1990年
加藤一彦『議会政治の憲法学』日本評論社、2009年
加藤一彦『議会政の憲法規範統制』三省堂、2019年
杉原泰雄＝只野雅人『憲法と議会制度』法律文化社、2007年
高見勝利「『ねじれ国会』と憲法」ジュリスト1367号、2008年

辻村みよ子「『政治責任』の論理と態様」法律時報62巻6号、1990年
辻村みよ子「国政調査権の本質・再論」法律時報65巻10号、1993年
原田一明『議会制度』信山社、1997年
吉田栄司『憲法的責任追及論Ⅰ・Ⅱ』関西大学出版部、2010年

第4章　内閣

芦部信喜『憲法と議会政』東京大学出版会、1971年
大石眞『立憲民主制』信山社、1996年
小堀眞裕『ウェストミンスター・モデルの変容』法律文化社、2012年
高見勝利『現代日本の議会政と憲法』岩波書店、2008年
高橋和之『国民内閣制の理念と運用』有斐閣、1994年
高橋和之『現代立憲主義の制度構想』有斐閣、2006年
辻村みよ子『比較憲法(第3版)』岩波書店、2018年
手島孝＝中川剛『憲法と行政権』法律文化社、1992年
糠塚康江『現代代表制と民主主義』日本評論社、2010年
長谷部恭男『権力への懐疑』日本評論社、1991年
吉田栄司『憲法的責任追及制論Ⅰ・Ⅱ』関西大学出版部、2010年

第5章　裁判所

芦部信喜『憲法訴訟の理論』有斐閣、1973年
芦部信喜『人権と憲法訴訟』有斐閣、1994年
芦部信喜編『講座憲法訴訟』(全3巻)有斐閣、1987年
新正幸『憲法訴訟論(第2版)』信山社、2010年
市川正人『司法審査の理論と現実』日本評論社、2020年
市川正人他編著『日本の最高裁判所――判決と人・制度の考察』日本評論社、2015年
奥平康弘『憲法裁判の可能性』岩波書店、1995年
カペレッティ(谷口安平＝佐藤幸治訳)『現代憲法裁判論』有斐閣、1974年
憲法訴訟研究会＝戸松秀典編『続・アメリカの憲法判例』有斐閣、2014年
工藤達朗編『ドイツの憲法裁判』中央大学出版部、2002年
駒村圭吾『憲法訴訟の現代的展開』日本評論社、2013年
佐々木雅寿『対話的違憲審査の理論』三省堂、2013年
笹田栄司『司法の変容と憲法』有斐閣、2008年
佐藤幸治『現代国家と司法権』有斐閣、1988年
宍戸常寿『憲法裁判権の動態』弘文堂、2005年
ジュリスト特集『憲法訴訟と司法権』ジュリスト1400号、2010年
高橋和之『憲法判断の方法』有斐閣、1995年
高見勝利『芦部憲法学を読む』有斐閣、2004年
千葉勝美『憲法判例と裁判官の視線』有斐閣、2019年
辻村みよ子『フランス憲法と現代立憲主義の挑戦』有信堂、2010年
土井真一編著『憲法適合的解釈の比較憲法』有斐閣、2019年
中谷実『日本における司法消極主義と積極主義――憲法訴訟の軌跡と展望Ⅰ』勁草書房、2015年
野中俊彦『憲法訴訟の原理と技術』有斐閣、1995年
フランス憲法判例研究会(辻村みよ子編集代表)『フランスの憲法判例Ⅱ』信山社、2013年
松本和彦『基本権保障の憲法理論』大阪大学出版会、2010年
渡辺康行他編『憲法学から見た最高裁判所裁判官』日本評論社、2017年

第6章　財政

憲法理論研究会編『現代行財政と憲法』敬文堂、1999年
小嶋和司『憲法と財政制度』有斐閣、1988年
小嶋和司『日本財政制度の比較法史的研究』信山社、1996年
北野弘久『税法学原論(第5版)』青林書院、2003年
甲斐素直『財政法規と憲法原理』八千代出版、1996年
小沢隆一『予算議決権の研究』弘文堂、1995年

第7章　地方自治

今井一『住民投票——観客民主主義を超えて』岩波書店、2000年
岩崎忠「地方自治法2011年改正案の論点」自治総研通刊391号、2011年
大津浩編著『地方自治の憲法理論の新展開』敬文堂、2011年
大津浩『分権国家の憲法理論』有信堂、2015年
ジュリスト特集「住民投票」1103号、1996年
上代庸平『自治体財政の憲法的保障』慶應義塾大学出版会、2019年
新藤宗幸編著『住民投票』ぎょうせい、1999年
杉原泰雄『地方自治の憲法論』勁草書房、2002年
杉原泰雄他編『資料　現代地方自治』勁草書房、2003年
妹尾克敏『現代地方自治の軌跡』法律文化社、2004年
手島孝『憲法学の開拓線』三省堂、1985年
原田尚彦『地方自治の法としくみ(改訂版)』学陽書房、2005年

第8章　憲法改正と憲法保障

赤坂正浩『立憲国家と憲法変遷』信山社、2008年
浅野一郎＝杉原泰雄監修『憲法答弁集1947-1999』信山社、2003年
芦部信喜『憲法制定権力』東京大学出版会、1983年
イェリネック（芦部信喜ほか訳）『一般国家学』学陽書房、1974年
石村修『憲法国家の実現——保障・安全・共生』尚学社、2006年
岩間昭道『憲法破毀の概念』尚学社、2002年
奥平康弘＝樋口陽一編『危機の憲法学』弘文堂、2013年
奥平康弘＝愛敬浩二＝青井未帆編『改憲の何が問題か』岩波書店、2013年
菅野喜八郎『続・国権の限界問題』木鐸社、1988年
駒村圭吾＝待鳥聡史編『「憲法改正」の比較政治学』弘文堂、2016年
シュミット（尾吹善人訳）『憲法理論』創文社、1972年
全国憲法研究会編『続・憲法改正問題』日本評論社、2006年
高見勝利『憲法の改正』国立国会図書館調査及び立法考査室、2005年
高見勝利『憲法改正とは何だろうか』岩波書店、2017年
辻村みよ子『憲法改正論の焦点——平和・人権・家族を考える』法律文化社、2018年
長谷部恭男編『憲法と時間　岩波講座憲法(6)』岩波書店、2007年
樋口陽一『いま、「憲法改正」をどう考えるか』岩波書店、2013年
樋口陽一＝小林節『「憲法改正」の真実』集英社、2016年
福井康佐『国民投票制』信山社、2007年
吉田利宏『国民投票法　論点解説集』日本評論社、2007年
和田進『戦後日本の平和意識——暮らしの中の憲法』青林書院、1997年

事項索引

あ

愛国心教育……234
アイヌ新法……109,164
あおり行為……303
秋田相互銀行賃金差別事件……308
アクセス権……198,200
「悪徳の栄え」事件……214
上尾市福祉会館事件……224
「憧れの中心」説……39,46
旭川介護保険料訴訟……291
旭川市国民健康保険料条例訴訟……479
朝日訴訟……287,289
芦田均……30,65
芦田修正……30,65,67
アシュワンダー判決……469
アダムズ方式……358
新しい市民権……349
新しい人権……15,62,90,98,138,141,142
アニマル・ライツ……102
アファーマティブ・アクション……158,162
尼崎公害訴訟……295
アメリカ合衆国憲法……8,338,521
アメリカ独立宣言……138,156
アリストテレス（Aristoteles）……153
安全保障関連法……iii,1,74,85

い

委員会制……371
　——中心主義……382
イェリネック（Jellinek, G.）
　……99-100,275,312,362,520
イギリス1998年人権法……95
違憲確認……473
違憲審査基準……134,136,157,159,242,466
違憲審査制革命……15,342,456
違憲即違法説……280
違憲判決の効力……473
違憲判断消極主義……459
違憲判断の回避……470
違憲判断の方法……471
違憲（立法）審査（制）……342,446,458
　——の意義……455
　——の主体・対象……462
　——の方法……466
石に泳ぐ魚事件……145,147
萎縮的効果……201,204
泉佐野市民会館事件……224
「板まんだら」事件……431
イタリア共和国憲法（1947年）
　……15,61,247,298
一院制……368
一億総懺悔論……25
一事不再議の原則……373,390
一事不再理……272,273
一段階画定説……99,140
逸失利益算定……169
一般意思……348
一般的効力……473
一般的自由（権）説……140,151
イデオロギー批判……2,41
伊藤博文……21
伊東巳代治……21
イニシアティブ→人民発案
委任命令……367,418
井上毅……21
違法収集証拠排除の原則……262,264
イラク特措法……81,86
入会権者の資格要件……169
入江俊郎……26,28
岩手銀行家族手当差別事件……308
岩手靖国訴訟……192
インカメラ審査……451
淫行条例……108

インターネット…………4,207,218-219,228
　　——規制…………218-219

う

ヴァージニア権利宣言…………138,197
ヴァッテル（Vattel, E. de）…………61
ウィーン（世界）人権会議…………90,107
ウィーン宣言…………17
植木枝盛…………21
上杉慎吉…………23
「宴のあと」事件…………145,147
訴えの利益…………465
浦和充子事件…………394,396,438
上乗せ条例…………502

え

「営業の自由」論争…………239
営造物利用者説…………232
栄典（制度）…………54,154,365
営利的表現…………217
恵庭事件…………77,469
NHK 受信料訴訟…………iii,218
NHK 番組改編損害賠償請求事件…………212
Nシステム…………149
愛媛玉串料訴訟…………192,460
エホバの証人…………151,185
エマソン（Emerson, T）…………196
LGBT…………iii,2,111
LRA の基準…………220,242
　→「より制限的でない他の選びうる手段」
「エロス＋虐殺」事件判決…………147
冤罪…………274,282
エンドースメント・テスト…………189

お

欧州憲法…………16
欧州市民（権）…………349
欧州人権裁判所…………16
欧州人権条約（ヨーロッパ人権規約）…………16
押収令状…………264
欧州連合（EU）…………1,16
オウム真理教事件…………186
大阪空港公害訴訟…………294
大阪都構想…………497,508
大津事件…………436
公の支配…………482
沖縄県知事代理署名拒否訴訟…………78,466
沖縄県民投票（条例）…………508,512
「お言葉」…………56
「押しつけ憲法」（論）…………20,32
尾高朝雄…………40
オブライエン・テスト…………206
恩赦…………53,419

か

海外渡航の自由…………245
会期（制）…………372
　　——の延長…………372
　　——不継続の原則…………373
会計検査院…………490
外形標準課税…………504
外見的立憲主義…………7,14,19
外国人
　　永住——（永住者）…………113
　　定住——…………113
　　——入浴差別事件…………114
　　——の権利主体性…………112
　　——の公務就任権…………117-118
　　——の参政権問題…………116-118,350
　　——排外主義…………1
解散権（議会の）…………407,422-425
解散（権）→衆議院の解散
解釈改憲…………523,524,526
外務省秘密漏洩事件（西山記者事件）
　　…………208,211
カイロ行動綱領…………17
下級裁判所…………447-449
閣議…………415,419
学習権…………233,296
学生無年金障害者訴訟…………291
拡大連座制…………317
学問の自由…………229-232
学力テスト訴訟（学テ訴訟）……236,237,296
加持祈祷事件…………185
過失責任主義…………279
家族形成権…………150,152
家庭裁判所…………447
過度の広汎性のゆえに無効…………204

兼松事件……309
金森徳次郎……39, 46
可分説……327
カレ・ドゥ・マルベール（Carré de Malberg, R.）……312
過労死……306
カロリーヌ判決（カロリーヌ・ドクトリン）……136
川崎民商事件……259
簡易裁判所……447-448
環境アセスメント条例……506
環境権……15, 285, 292-293
関係性の理論……91
間接差別（禁止の法理）……163-164
間接適用説……127
間接民主制……346
完全補償説……253
カント（Kant, E.）……61
管理職選考事件→東京都管理職選考試験事件

き

議案提出権・発議権……388, 413
議員→国会議員
議院……370, 393, 398
　――の自律……398, 432
　――の組織……370
　――の逮捕許諾……384
　――の役員……371
　両議院同時（独立）活動の原則……372
議院規則（制定権）……399
議院証言法……393
議員定数不均衡……322-332, 498-499
議院内閣制……340, 405-408, 422
　一元型――……406
　二元型――……406
議会主権（国会主権）……8, 456
議会制民主主義……339, 344, 348, 351, 436
議会中心主義……406, 456
議会統治制（会議政）……405
議会任期固定法（イギリス）……425
機関委任事務廃止……493, 499
機関訴訟……427, 429, 465
キケロ（Cicero）……153
棄権の自由……318
議事……380
議席喪失説……360
基地騒音訴訟……295
記帳所事件……57
喫煙の自由……152
岐阜県青少年保護条例事件……203
基本権……94, 96
基本権保護義務論……128
君が代……58
　起立斉唱命令事件……59, 181
　ピアノ伴奏事件……59, 181
義務教育……297
客観訴訟……429, 465
休会……376
96条改正論……518, 526
9条自衛隊追加論……1, 75, 86, 527
九条の会……62
宮廷費……60
教育基本法改定……234, 297
教育の自由……233
　教師の――……231, 234
教育を受ける権利……296, 334
教科書裁判（家永訴訟）……234-236
行政改革……405, 419
行政機関保有情報公開法……199
行政権……402-404
行政国家……407, 511
行政裁判所……428
強制性交等罪（旧強姦罪）……iii, 168
強制投票の禁止……318
京大滝川事件……230
供託金制度……315
京都府学連事件……139, 147
京都府勤労会館事件……224
共同体主義（コミュニタリアニズム）……91, 97
共犯者の自白……269
共謀罪……216
協約憲法……9
共和主義（リパブリカニズム）……91, 97
許可抗告制度……277
極東委員会……29
居住・移転の自由……244
緊急権→国家緊急権
緊急集会……376

緊急事態（法理）（法制）……………………523
緊急逮捕……………………………………261
均衡本質説………………………………340,407
近代（市民）憲法…………………………12,13
近代国民国家……………………………1,6,338
近代立憲主義………………………………7,338
欽定憲法……………………………………9
勤務条件法定主義…………………………304
勤労権（労働権）…………………………298
勤労の義務…………………………………335

く

クオータ制（割当制）……………………159
具体的権利説……………………………285,287
具体的事件性………………………………427
区長公選制…………………………………497
グナイスト（Gneist R. v.）……………21
国の債務負担行為…………………………481
組合の統制権………………………………300
グラッター判決……………………………158
繰上げ当選…………………………………360
グロチウス（Grotius, H.）……………61
君主…………………………………………47
軍法会議……………………………………445
群馬司法書士会事件………………………121

け

傾向企業…………………………………165,179
経済的自由権……………………………238-239
警察法改正無効事件……………………400,432
警察予備隊………………………………70,71
　——違憲訴訟…………………………76,458
形式的平等………………………………157-158
刑事施設被収容者…………………………125
刑事収容施設及び被収容者処遇法……125,229
刑事被告人の権利………………………264,276
刑事補償請求権……………………………282
刑罰法規の不遡及…………………………272
刑法改正（2017年）………………………168
「月刊ペン」事件…………………………215
決算…………………………………………490
結社の自由…………………………………227
ゲリマンダリング…………………………358
ゲワース（Gewirth, A.）………………97
検閲……………………201,202-203,228,235
厳格審査基準
　……135-136,155,161,163,220,467
厳格な合理性の基準
　…………136,162,163,240,241,467
現行犯逮捕………………………………260,264
原告適格……………………………………465
元号制………………………………………58
兼職の禁止…………………………………382
元首…………………………………………47
憲政擁護運動………………………………23
現代的人権保障……………………………9
現代立憲主義………………………………7,9
剣道実技拒否事件…………………………185
憲法
　近代的意味の——………………………8
　形式的意味の——……………………7,8
　現代的意味の——………………………8
　——の国際化……………………………15
　——の種類………………………………9
　——の定義………………………………7
　——（の）変遷（論）…………64,515,520
　——の法源………………………………10
　固有の意味の——………………………8
　実質的意味の——……………………7,8
　市民の規範としての——………………4
憲法訴願（憲法異議）……………………457
憲法改正…………………………………514-515
　——権……………………………………516
　——限界説……………………33,518,519
　——国民投票……………………………516
　——の手続……………………………515-518
　——無限界説……………………………519
憲法解釈……………………………2,3,11-12
憲法改正草案要綱…………………………29
憲法改正論（議）……………………459,523-527
憲法慣習……………………………………11
憲法研究会案（憲法草案要綱）…………20,31
憲法審査会…………………………………518
憲法制定権（力）……………33,36,43,44,514
憲法前文→日本国憲法前文
憲法尊重擁護義務……………12,37,334,521
憲法調査会（1956年）…………………523,524
憲法調査会（2000年）………516,524,525-526

憲法判断回避……75,459,469
憲法判断消極主義……459
憲法判断の方法……469
憲法保障……521
憲法問題調査委員会……25
憲法優位説……37,463
権利章典（1689年）……255
権利請願（1628年）……255
権力分立……7-8,35,338-341,395

こ

公安条例……225-226
皇位の継承……47,48
合一化傾向……456-457,473
公開裁判……265,276
強姦罪（旧）……168
公共の福祉……131-133,238,239
　一元的外在制約説……132
　二元的制約説……132
皇居前広場事件……223
公金（公の財産の）支出……187,193,482
合区……331,354
合憲限定解釈……304,469,471
合憲判断積極主義……459
抗告訴訟……465
皇室会議……48,60
皇室経済会議……60
皇室裁判所……445
皇室自律主義……45,59
皇室典範……48,49,55,167
　――特例法　生前退位……48
孔子廟政教分離訴訟……196
公衆浴場判決……240,242
麹町中学内申書事件……180
公序良俗……78,128,309
硬性憲法……9,515
公正取引委員会……445
交戦権……68
拘束名簿式比例代表制……354,355
皇族……48
皇族費……60
公的自由……96
高等裁判所……447
公判廷の自白……269
公布……52
幸福追求権……139-141
公平な裁判所……264,275
抗弁による事後審査制……457
公務員
　――選定罷免権……310,347
　――の人権……122
　――の労働基本権……125,301
拷問および残虐刑の禁止……269
小売市場許可制事件判決……241
合理性の基準……135,467
公立図書館の図書廃棄事件……199
合理的関連性……206,220,333
合理的期間論……326,328,329,330,331
高齢社会対策法……108
国際協調主義……36,38
国際刑事裁判所……15
国際貢献論……524,525,526
国際人権規約
　……16,38,79,115,184,257,272,276
国際人権法……3,37
国際平和共同対処事態……86
国際平和支援法……iii,85,86
国際法上位説……37
国際連合憲章……16,83,84
国事行為……49-55,404
　――の性格……50
　――の代行……55
国政調査権……393-398,438
　――の限界……396
　――の性格……394
国籍
　――要件法定主義……103
　――離脱の自由……246
国籍法違憲判決……104-106,433,460,474
国選弁護人制度……267
国体……23,25,39
国体明徴問題→天皇機関説事件
国体論争（天皇機関説論争）……23
告知と聴聞……258
国内法上位説……37
国法二元主義……22,45
国民……42,43,103
　――の意味……43

国民健康保険法……478
国民主権……8,33,42-45,338
国民（ナシオン）主権（論）
……13,41,43-45,344-347,362
国民代表制……344-346,347,364
国民代表機関……362
国民代表のイデオロギー的機能……351
国民投票……350,510
国民投票法……349,516-518
国民内閣制……340,408
「国民の教育権」説……233,235,297
国務請求権……275
国務大臣……410,415
——の認証……53
——の任免……412,433
国約憲法……9
国立女子大学……168
国立歩道橋訴訟……293
個人主義……139
個人情報保護法……146,199
個人の尊重……138
コース別採用……309
戸籍法違憲訴訟……176
国家……6
——の意義……6
国会
——の開閉……372
——の最高機関性……362,394
——の召集……52
——の組織……368
国会議員
——の資格……371
——の資格争訟……398
——の懲罰権……399
——の定数……371
——の身分……382
国会主権→議会主権
国会審議活性化法……401
国会単独立法の原則……367
国会中心財政主義……475-476
国会中心立法の原則……366
国会乱闘事件……385
国家神道……182
国家からの自由……99,238,339
国家緊急権……522-523
国家行政組織法改正……409
国家主権……42
国家による自由……339
「国家の教育権」説……233,235,297
国家賠償請求権……278
国家法人説……24,43,312
国家無答責の原則……279
国旗・国歌法……58-59
国教制度……188
国教分離の指令（神道指令）……183
国権の最高機関……363
古典的代表制……362
子どもの権利条約……18,299
小西反戦自衛官訴訟……78
個別的効力……473,474
戸別訪問禁止……221,332
婚姻の（婚姻をする）自由……172,307
婚姻適齢（婚姻最低年齢）……171
婚外子相続分差別違憲決定（訴訟）
……18,106,170,175,433,460
コンスタン（Constant, B.）……89
根本規範……11,518

さ

在外国民選挙権制限違憲判決
……280,321,432,459,464
罪刑法定主義……255,258,272
最高裁裁判官の国民審査……347,449-450
最高裁判所
——長官の任命……51
——の権能……446
——の構成……445
最高法規（規範）……12
再婚禁止期間規定違憲判決
……38,160,172,281,433,460,464
財産権……238,247-248
再審……274
財政監督制度……486
財政議会主義……475-476
財政公開原則……491
財政民主主義……475-476
在宅投票制廃止違憲訴訟……280,320,464
在日米軍地位協定……79

再入国の自由……114
裁判……276
裁判員制度……265,276,439,452-455
裁判員制度違憲訴訟……454-455
裁判官
——の市民的自由……442
——の職権の独立……437
——の懲戒処分……440
——の定年……442
——の独立……276
——の任期……448
——の身分保障……439,449
裁判所……276
——の組織……444
裁判の公開……451-452
裁判の傍聴……451
裁判を受ける権利……264,275,451
歳費……387
在留カード……113
佐川急便事件……393
酒類販売免許制事件……243
佐々木・和辻論争……39-40
佐藤達夫……26,29
差別的表現（ヘイトスピーチ）……216,217
猿払三基準……220
猿払事件……122-123,206,220,471,472
3月2日案……28,88
参議院議員定数不均衡……325,329-332,460
参議院議員の任期……370
参議院の緊急集会……376,389
参議院の特殊性……329
参議院の問責決議……421
残虐刑の禁止……269
サンケイ新聞意見広告事件……200
三公社五現業……301
三乗比の法則……354
参審制……452
参政権……96,99,100,320
三段階審査……136,467
サン・ピエール（Saint-Pierre）……61
三割自治……500

し

GPS端末利用捜査……148,263
自衛官合祀訴訟……191
自衛権……83
自衛戦争……66,67,69
自衛隊（海外派遣・派兵）……68,73,74,85
自衛隊イラク派兵違憲訴訟……64,81
自衛力……70,73,84
シィエス（Sieyès, E. J.）……369,514
ジェファーソン（Jefferson, T.）……138
シェンク事件判決……205
ジェンダー……4,165,351
ジェンダーギャップ指数（GGI）……i,107
塩見訴訟……116
私学助成の合憲性……485-486
指揮監督権限……414
私擬憲法草案……20
自救戦争……67
死刑……270
——存置論……271
——廃止論……271
——廃止条約……272
事件性……427,429
自己決定権……150-152
自己負罪拒否の特権……267
事後法の禁止……272
事情判決……326,328,330,460,473
私人間の人権保障……126-128
自然権……97
事前審査型……457
事前抑制の禁止……202
思想・良心の自由……177-179
思想の自由市場……197
自治事務……500
地鎮祭事件→津地鎮祭事件
市町村最優先の原則……493,503
実質的平等……157-158
実体的デュー・プロセス……257
質疑権……388
執政権説……403
実名報道……208
質問権……388
児童買春・児童ポルノ禁止法……108,213
児童虐待防止法……108
幣原・マッカーサー会談……28
自白の証拠能力・証明力……268

芝信用金庫訴訟……309
シビリアン・コントロール……411
ジブスケ（デュ・ブスケ Du Bousquet）……21
司法行政権……443
司法権
——の意義……426
——の限界……432
——の独立……276,396,436
——の範囲……427
司法裁判所型……456
司法消極主義……76,459
司法書士法違反事件……243
司法制度改革審議会……453
司法積極主義……459
司法の危機……439,449
司法の民主的統制……449
司法府の自律……442
資本主義憲法……10,14
市民（権）……348-350
市民主権……9,45,310,348-350,508,527
市民的自由……95
自民党憲法調査会……523,524
自民党新憲法草案……526
氏名権……142,173
指紋押捺……115
社会学的代表……310,347,348
社会契約説（論）……89,345
社会国家（憲法）……14,15
社会主義憲法……10,14
社会的身分……165
謝罪広告事件……180
シャウプ勧告……493
シャピロ華子事件……104
集会の自由……222
就学義務……334
住基ネット（住民基本台帳法）……146,149
宗教……183
宗教教育・宗教宣伝の自由……183
宗教的結社・行為の自由……183
宗教団体……483-484
衆議院議員の任期……370
衆議院の解散……53,372,376,422-425
衆議院の優越……372,374,389,390
衆参同日選挙……424
集団行動の自由……225
集団的自衛権（容認）……1,74,84,86,526
集団の人権……98
周辺事態法……85,525
住居等の不可侵……228,263
従軍慰安婦訴訟……107
住民自治……494,505
自由民主党新憲法草案……63
住民訴訟……506
住民投票……350,507-513
住民票続柄差別訴訟……175
重要影響事態安全確保法……85
受益権……275
受刑者の選挙権制限……316
主権……42-45
——の意味……42
——の帰属……43-45
主権免除……79
主権論……41,312
ネガティブな——……42
ポジティブな——……41
授権規範……12
出席議員……379
出入国管理及び難民認定法……113,115
受動市民……345
純粋代表制……345,346,362
私有財産制度……101
自由選挙……318,332
自由民権運動……20,21
首相公選制……408
シュタイン（Stein, L. v.）……21
シュミット（Schmitt, C.）……101,519,520
準正子……104-105
常会……374
障害者基本法……109
障害者権利条約……18
障害者自立支援法……109
消極的団結権……300
消極目的規制……201,238-240
証券取引法判決……249
少数代表制……354
少数民族（先住民族）……102
少数者調査権……398
小選挙区制……352,353

小選挙区比例代表制……………352,356-357
肖像権……………………………………144-145
象徴天皇制………………………………45,56
証人証言拒絶事件……………………211-212
証人審問権・喚問権……………………265
情報公開…………………………………198,511
条約………………………………………462
——の違憲審査…………………………462
——の国内的効力………………………37
——の修正権……………………391,417
——の承認………………………391,417
——優位説…………………………37,463
将来効（判決）……………………326,457,473
条理…………………………………………11
条例………………………………………501-505
——制定権……………………………501-503
——による課税…………………………504
——による罰則…………………………503
昭和女子大学事件………………………130
職業選択の自由（営業の自由）……………239
職能代表………………………………329,370
食糧管理法事件……………………………288
女性国際戦犯法廷…………………………212
女性差別撤廃条約……17,48,79,107,158,167
女性天皇・女系天皇……………………48,167
女性活躍促進法……………………………1,307
女性労働者の権利…………………………306
処分違憲……………………………………472
除名（処分）………………………………360
白鳥決定……………………………………274
白山比咩神社訴訟………………190,195-196
知る権利
………198-199,208,381,396,397,451,511
人格権…………………………293,294,295
人格的利益………………………………140,142
人格的利益説（人格的自律（権）説）
………………………………………140,151
信教の自由………………………………182-186
神権主義（天皇制）…………………22,33,58
人権…………………………94-97,130-133
——概念の質的限定………………………98
——概念の量的拡張………………………98
——教育及び人権啓発推進法…………106
——教育のための国連10年に関する国内行動計画……………………106,110
——のインフレ化…………………………90
——の観念…………………………………94
——の固有性………………………………94
——の主体…………………………………102
アイヌ………………………………………109
HIV 等の疾病感染者……………………110
公務員………………………………122-125
高齢者………………………………………108
刑事施設被収容者（受刑者）
………………………………………125-126
死者…………………………………………103
障害者……………………………………102,109
女性…………………………………………106
性的マイノリティ…………iii,2,111
胎児…………………………………………103
同和関係者…………………………………110
未成年者（子ども）………………………108
——の不可侵性……………………………94
——の普遍性……………………87-88,94
——の類型論………………………………99
切り札としての——………97,98-99,133
第一世代の——……………………………90
第二世代の——……………………………90
第三世代の——…………………62,90,98
人権外交……………………………………89
信仰の自由…………………………………183
人工妊娠中絶………………………………152
人口比例（原則）…………322,357,498-499
審査請求前置主義…………………………445
信条…………………………………………164
人種…………………………………………164
人種差別撤廃条約……………………18,164
人身保護法（1679年）……………………255
人事院………………………………………409
人事院規則……………………………122,220
新テロ対策特別措置法………………86,389
新独立権能説………………………………395
人民（プープル）…………………………43
人民（プープル）主権（論）
……13-41,43-45,310,345,347,363,364,386,395,508
人民代表（制）論……………………347,363
人民投票……………………………………350

人民発案（イニシアティブ）…………350,511
侵略戦争……………………………………67
森林法違憲判決………………………249,459

す

推知報道……………………………………208
枢密院………………………………………30
吹田黙祷事件…………………………392,438
菅義偉内閣…………………………………409
杉本判決……………………………………235
鈴木安蔵………………………………20,31
ステート・アクションの理論………………128
ストーカー行為規制法………………107,143
ストーン判事………………………………136
ストラスブール条約…………………………246
砂川事件最高裁判決………75,76,84,434,463
砂川政教分離（空知太神社）訴訟
　………………………………189,195,460
砂川政教分離（富平神社）訴訟……………195
スペイン1931年憲法…………………………61
住友セメント結婚退職制事件………………307
住友電工事件…………………………128,309

せ

生活権補償…………………………………254
請願権………………………………………283
税関検査事件…………………………203,204
政教条約（コンコルダート）………………188
政教分離（原則）……………101,186-188,483
　絶対的分離説（政教分離）………………187
　相対的分離説（政教分離）…………187,192
制限規範……………………………………12
政権交代……………………………………360
制限選挙………………………………318,345
制限列記（式）………………………354,358
制裁戦争……………………………………67
政治改革……………………………………359
政治資金規制………………………………359
政治スト………………………………301,304
政治責任…………………………348,395,398
政治的美称説………………………………363
政治的表現の自由……………………………220
政治問題……………………………………434
青少年保護育成条例…………………………108
生殖補助医療………………………………152
政治倫理審査会………………………387,400
精神障害による在宅投票制訴訟……………281
精神的自由権（精神活動の自由）…………177
生前退位（特例法）……………………48,49
正戦論…………………………………67,83
生存権………………………………………286
性的指向（セクシュアル・オリエンテーション）……………………………2,111
性的自由……………………………………111
性的表現……………………………………212
性的マイノリティ………………………iii,2,111
政党………………………………………359-361
性同一性障害者特例法………………………111
政党助成法…………………………………361
正当な補償…………………………………250
制度的保障…………101,187,190,192,232,247
成年被後見人の選挙権………………………319
政府委員（制度）……………………………401
政府言論……………………………………199
生物学的・身体的性差………………………165
成文憲法……………………………………9
性別役割分業…………………………107,165
政務次官廃止………………………………401
政令…………………………………………418
政令201号……………………………………301
世界環境会議………………………………292
世界人権宣言………………………………16
責任本質説……………………………340,407
セクシュアル・ハラスメント……107,308,309
世田谷事件……………………………124-125
積極規制・消極規制二分論（目的二分論）
　……………………………………………241
積極的格差是正措置…………………………158
積極的団結権………………………………300
積極目的規制…………………………201,238-240
接見交通権…………………………………266
摂政…………………………………………55
接受…………………………………………54
セミ・パブリック・フォーラム……………224
前科照会事件………………………………146
選挙………………………………………350-351
選挙の機能…………………………………350
選挙のルール論………………………………333

選挙運動規制……317
選挙活動の自由……221,333
選挙区制……352,358
選挙権年齢（18歳選挙権）
……108,315,319,349,517
選挙権の法的性格……311-313
　請求権説……312
　権利説（主権的権利説）
　……311-313,345,348
　公務説……312,345
　二元説……312
選挙権論争……312
選挙制度（論）……352
戦後補償……252
全国民主体説……43,44
全体の奉仕者（論）……125,302
選択的夫婦別姓（氏）制……174
全逓東京中郵事件……134,303
全逓名古屋中郵事件……305
全逓プラカード事件……472
全農林警職法事件……302,304
戦力……65,67,84
　――の不保持……67
先例拘束性の原則……11

そ

総議員……379
争議権……301
総合考慮基準……161,175
捜索令状……264
争訟性……428
総司令部案（マッカーサー草案）
……19,20,24-32,87,138,298
総辞職……421
総選挙施行の公示……53
造船疑獄事件……393
相当性の法理……215,219
相当補償説……253
即位・大嘗祭等違憲訴訟……49
組織犯罪処罰法……iii,216
租税法律主義……336,475,477-479
措置的法律……365
即決裁判手続……278
空知太神社訴訟
　→砂川政教分離（空知太神社）訴訟
ソ連憲法……14
尊属殺重罰規定違憲判決……166,459,473
存立危機事態……85

た

大学の自治……101,232,435
第三者所有物没収事件……258,472
大嘗祭（参列違憲）訴訟……193
ダイシー（Dicey, A. V.）……341
大選挙区制……352,353
大統領制……340,405
大都市地域における特別区設置法……497
大日本帝国憲法……7,19
　――下の法令の効力……34
　――の改正……19,25,32,33
第八次選挙制度審議会……353
代表なければ課税なし……476
代用監獄制度……274
代理出産……152
代理母（ホストマザー）……152
高田事件……265
高津判決……235
高野岩三郎……31
多元主義（プリュラリズム）……91
多数代表制……354
多選禁止……316
闘う民主制……178
立川反戦ビラ事件……207
伊達環境権訴訟……292
建物区分所有法合憲判決……250
多文化主義……1,91
弾劾裁判所……392,440
団結権……300
男女共同参画社会基本法……1,107,158
男女雇用機会均等法……168,306
男女別定年制事件判決……307
団体交渉権……300
団体行動権……301
団体自治……494

ち

治安維持法……23,25,255
地域代表……329,370

千葉卓三郎……21
地方議会……498-499
——議員定数訴訟……498-499
地方公共団体……495,498,506
地方裁判所……447
地方自治特別法……347,367,507,509
地方自治の本旨……494-495,498
地方自治法改正（1999年）……493,499
地方制度調査会……496
地方創生関連二法……408
地方創生大臣……408,500
地方分権推進法……493
チャタレー事件……213
中央省庁等改革基本法……405,409
抽象的（違憲）審査制……456,458-459
抽象的権利説……285-287
中選挙区制……353
駐留軍用地特別措置法……78
超然内閣制……405
町村総会……510
重複立候補制……357
徴兵制……256
直接差別……163-164
直接選挙……318
直接適用説……128
沈黙の自由……178

つ

通常審査……343
通信の秘密……228-229
通信傍受法（盗聴法）……229,441
通達課税……478
津地鎮祭事件……101,190

て

定義づけ衡量……135,212
抵抗権……522
訂正放送請求事件……200
定足数……379,381
TBS ビデオテープ差押事件……208,210
適正手続主義……255,257,273
敵対的聴衆の理論……225
適法手続主義……255
適用違憲……471,472
デジタル手続法……146
手続的デュー・プロセス……257,277
テヘラン国際人権会議……79
デモクラシー……339
一元型・多数派——……339,407
多元型・分権——……339,407
デュー・プロセス……257,264,274,277
デュヴェルジェ（Duverger, M.）……347
寺西事件……441
テロ対策特別措置法……86
伝習館事件……237
天皇……22-24,45-60,524,525
——主権……22-23,28,39-40,45,58
——の国事行為→国事行為
——の生前退位特例法……iii,48,49
——の即位の礼……49
——の人間宣言……183
——の民事裁判権……57
天皇機関説（事件）……24,230
天皇コラージュ事件……57,199
伝聞証拠禁止の原則……265

と

ドイツ連邦共和国基本法（1949年）
……15,61,119,139,178,230,247,456,521
ドイツ連邦憲法裁判所……456
ドゥ・メストル（De Mestre）……89
ドゥオーキン（Dworkin, R.）……97
統括機関説……363
動議提出権……388
東京オリンピック特別措置法……408
東京都管理職就任権訴訟……118
東京都公安条例事件……225
当事者訴訟……465
道州制……496
統帥権……22
同性婚カップル（パートナー）……3,111
同性婚法……111,171
同性パートナーシップ制度……171
党籍離脱・移籍問題……360
当然の法理……117,247
統治行為……64,75,76,434,463
投票価値の平等……318,322
投票検索の禁止……318

投票の自由……318
投票の秘密……318
投票方式……358
同和問題……110
都教組事件……303,470
徳島市公安条例事件……204,226
独占禁止法……239
特定秘密保護法……199,394
特定枠制度……331,354
特別会……375
特別犠牲説……251
特別区……497
特別権力関係論……121
特別裁判所……428,445
特別地方公共団体……495
独立行政委員会……410
独立権能説……394
特例企業税条例……504
特例選挙区……498
苫米地事件……420,434
富平神社訴訟
→砂川政教分離（富平神社）訴訟
ドメスティック・バイオレンス防止法……107
富山大学事件……435
トリーペル（Triepel, H.）……359
ドループ式……356
奴隷的拘束からの自由……256
ドント式……356

な

内閣……402,404-405
——の構成……410
——の職権……416
——の助言と承認……50,423
——の責任……420
——の総辞職……421
内閣官房……409
内閣総理大臣……410,412-415
——の異議……415,433
——の指名……378,380,392
——の訴追同意権……413
——の任命……51
内閣不信任決議（権）……406,421
内外人平等主義……16
内在的制約論……130
内申書裁判……180-181,237
内奏……56
内廷費……60
ナイロビ将来戦略……79
長沼ナイキ基地訴訟……64,77
永山基準……271
長良川リンチ殺人事件……208
名古屋新幹線訴訟……295
ナシオン主権→国民（ナシオン）主権
ナショナル・ミニマム論……502
夏島草案……21
成田新法事件……225,259
軟性憲法……9,515
難民条約……113

に

新潟県公安条例事件……225
二院制……368-370,372,424
西陣ネクタイ訴訟……243
二重煙突事件……397,438
二重処罰の禁止……272,273
二重の危険禁止……272,273
「二重の基準」論
……135-136,201,238,240,241,466-468
二重のしぼり……302,304
二段階画定説……99,140
二段階制……496
日米安保条約……63,72,76,84
日米防衛協力のための指針（ガイドライン）
……74
日曜参観日訴訟……185
日蓮正宗蓮華寺事件……431
日産自動車男女別定年制事件……130,307
二風谷ダム事件……109
日本学術会議問題……230
日本国憲法前文……35-36,62,80-81
——の裁判規範性……36
日本国憲法の構造……35
日本国憲法の制定……19,24-30
——の法理……32-34
人間主義……97
人間の尊厳……97,139
認証……54

ね

ねじれ国会……370, 390

の

農業共済組合事件……244
納税の義務……336, 477
農地法許可制判決……250
能動市民……345
ノージック（Nozick, R.）……90
野村證券コース別差別訴訟……309
ノモス主権（論）……40

は

排外主義……1
背景的権利……95, 96
配信サービスの抗弁……215
陪審制……452
配分的正義……153
破壊活動防止法……227
博多駅テレビフィルム提出命令事件……208
袴田事件……436
ハーグ条約（陸戦法規）……33, 61
バーク（Burke, E.）……89
漠然性のゆえに無効……204
漠然不明確または過度に広汎な規制……201
ハーゲンビショップ式……356
パソコン通信……228
パターナリズム……108, 133, 152, 213
働き方改革関連法……306
八月革命（説）……33, 34, 40
バッキ判決……158
発展の権利……15, 98
ハート（Hart, H. L. A）……97
パートナーシップに関する法律……111
パブリック・フォーラム……223
パリテ（男女同数）……159
犯罪煽動表現……215
バーンズ回答……25, 34
ハンセン病（家族訴訟）……110, 244, 464
ハンセン病問題基本法……111
半大統領制……340, 406
半代表制……310, 346, 347, 362, 386, 422
半直接制……310, 346, 347, 348, 350, 506, 510
判例（拘束力）……11
反論権……200

ひ

PKO 協力法……74, 85
被害者救済制度……110
比較衡量論……134-135, 137
東日本大震災……1
被疑者補償規程……283
非訟事件……277
被選挙権……311, 313-314
被選挙資格年齢……315, 349
非拘束名簿式比例代表制……354, 355
必要最小限度の基準……206, 467
ヒト・クローン研究……232
一人一票原則……318
一人別枠方式違憲判決……433
一人別枠方式（制度）……323, 327-328, 358
日の丸……58
「日の丸・君が代」予防訴訟……59
秘密選挙……318
百里基地訴訟……77, 463
表決権……389
表現内容規制……201, 205
表現内容中立規制……201, 206
表現の自由……196-200
　優越的地位……196-197
表現の時・所・方法の規制……206
平等（平等権）……153-156, 164
平等原則……156
平等選挙……318
避雷針憲法……29-30
平賀書簡問題……438, 449
ビラ帖り（ビラ配布）事件……206
比例原則……137, 468
比例代表（制）……355-356
広島国労地本事件……120
広島市暴走族条例事件……204, 226

ふ

ファシズム憲法……14
夫婦別姓訴訟（夫婦同氏制違憲訴訟）……38, 142, 170, 173, 461
フェミニズム……89

不可分説……326
福島第一原発事故調査委員会……394
副大臣……401
不敬罪……57
父系優先血統主義……104
付随的違憲審査制（付随的審査制）…456,458
不戦条約……61,66
不逮捕特権……345,383
普通選挙（制）……317,345
普通地方公共団体……493
復興庁設置法……408
不当労働行為……300
プープル主権→人民（プープル）主権
不文憲法……9,11
部分社会の法理……435
不文法源……11
父母両系主義……103
踏絵……178
プライバシー……4,209,397,398
プライバシー権……15,115,144-149,387
　公人の――……397-398
ブラジル1891年憲法……61
フランス革命……12,312,338
フランス憲法
　1791年憲法……8,61,338,345
　1793年憲法……13,156,350
　1848年憲法……61,298
　1946年憲法……61,298
　第三共和制憲法……406
　第四共和制憲法……15
　第五共和国憲法……36,456
フランス憲法院……456,457
フランス1789年人権宣言
　……8,13,96,131,141,247,338,476,522
ブランダイス・ルール……469,470
ブランデンバーグ・テスト（事件）…205,216
不利益供述強要の禁止……267
「武力なき自衛権」説（非武装自衛権説）…83
プレビシット……350,511,513
プログラム規定説……285,286
プロセス的基本的人権観……91
プロセス法学……427
文化相対主義……89
多文化主義……97
分限裁判……440
文民……411

へ

ヘアー式……356
ベアテ・シロタ（Beate Sirota）……27
並行調査……397,398,438
ヘイトスピーチ（解消法）……iii,4,217
ヘイビアス・コーパス……262
平和安全法制整備法……iii,85
平和維持活動（PKO）……85
平和的生存権……3,15,62-64,77,79-82
平和への権利……80
北京綱領（宣言）……17,107
別件逮捕……262,274
弁護人依頼権……266
ベンサム（Bentham, J.）……89

ほ

帆足計事件……246
保安隊……72
ホイットニー（Whitney）……27
防衛省……74,409
包括的権利（基本権）……139,141
法人……118-121
放送の自由……218
放送法……218
法治国家……343
法定受託事務……500
法廷メモ採取事件（レペタ訴訟）……210,452
法的権利……95,96,142,285
報道・取材の自由……207
法の支配……35,341-343
方法二元論……41
法律執行説……403
法律上の争訟……428,465
法律中心主義……131
法律の発案権……367
法律の留保……22,131
法令違憲……471
補強証拠の法則……269
補佐人……393
ポジティブ・アクション……158,159,162,168
補助的権能説……394

ポスト・ノーティス命令……179
ポスト＝モダン……90
母性保護……168
ボダン（Bodin, J.）……13
北海タイムズ事件……207
牧会活動事件……185
北方ジャーナル事件……146,203
ポツダム宣言……24,32-34,42
穂積八束……23
ポピュリズム……1
ポポロ事件……231-233
ホームズ判事……197,205
堀木訴訟……290
堀越事件……123-125,220,460
ポルノ（ハード・コア・ポルノ）……4,212,214
本質的機関説……363
本人の自白……269

ま

牧野訴訟……290
マグナ＝カルタ……255,257,476
マクリーン事件……112
まち・ひと・しごと創生本部……500
マタニティ・ハラスメント（マタハラ）……309
松川事件……439
マッカーサー・ノート……27
マッカーサー（MacArthur, D.）……25-29
マッカーサー三原則……27,64,66,154
マッカーサー草案→総司令部案
松本烝治……28
松本四原則……26
松山事件……274
マーベリー対マディソン事件……455
マルクス（Marx, K.）……89
マンションビラ事件……207

み

三井美唄炭鉱事件……314
三菱樹脂事件……129,165
南九州税理士会事件……120
美濃部達吉……23,43,99
箕面忠魂碑訴訟……191,483
身分制議会……344
宮沢・尾高論争……40,43
宮沢俊義……2,26,33,40
宮本判事補再任拒否事件……449
ミランダ事件……266
民衆訴訟……429,465
民事連帯契約法（PACS）……111
民定憲法……9
民法改正（731・733・900条）……171,173,176

む

無効力説（不適用説）……128
無罪推定の原則……255,274
ムートネスの法理……465
無名抗告訴訟……287,465

め

明確性の原則……203-205
明治憲法→大日本帝国憲法
名城大学事件……366
明白かつ現在の危険……202,205,216,467
メイプルソープ写真集事件……214
明文改憲……523,524,526
名誉毀損表現……215
名誉権……141,149,387
命令的委任（の禁止）……345
免責特権……345,385
免田事件……274

も

目的・効果基準（論）……188-190,483
目的（規制目的）二分論……241-243,248
黙秘権……267
森川キャサリン事件……114
門地……165
モンテスキュー（Montesquieu, C. L. S.）……339

や

役員選任権……371,400
薬事法違憲判決……241,459,466
靖国神社公式参拝違憲訴訟……194
八幡製鉄献金事件……119

ゆ

「夕刊和歌山時事」事件……215

郵政解散……425
郵便法違憲判決……279, 459
ユニオン・ショップ協定……300

よ

横田基地夜間飛行差止請求訴訟……79
抑留・拘禁手続……262
横出し条例……502
横浜教科書検定訴訟……237
予算……486-487
　――修正権……489-490
　――と法律の不一致……488-489
　――の議決……390
　――の作成……418
　――の法的性格……487-488
吉田茂……27, 71-72
「四畳半襖の下張」事件……214
よど号ハイジャック事件記事抹消事件……126
予備費……481
予防接種禍の補償……252
読売新聞「憲法改正試案」……525
「より制限的でない他の選びうる手段」の基準（LRAの基準）……174, 202, 206, 467

ら

ライフスタイルの自己決定権……150
ラーバント（Laband, P.）……312

り

リクルート事件……393
リコール……346, 506, 511
リスボン条約……16
立憲主義……1, 6-7
立法……364-367
　形式的意味の――……364
　実質的意味の――……365
　――の委任……367
立法裁量……287, 333, 432
立法事実……466
立法不作為……280, 287, 322, 432, 464
立候補の自由……314, 315, 361
リバタリアニズム……90
リプロダクティブ・ライツ……17, 107, 152
リプロダクションの自己決定権……150
リベラリズム（古典的自由主義）……90
両院協議会……390, 391
両院合同審査会……398
臨時会……374

る

累進税……157
累積投票法……354
ルーズヴェルト（Roosevelt, F. D.）……80
ルソー（Rousseau, J. -J.）……12, 153, 345, 456

れ

令状主義……148, 260, 263
レットパージ事件……178, 179
レファレンダム……346, 350, 506, 511
レーモン・テスト……189
連座制……317

ろ

労災保険……169
労働基本権……299-300, 301
労働組合……300
労働権（勤労権）……298
労働三権……300
老齢加算廃止違憲訴訟……288, 292
ロッキード事件……386, 396, 414
ロック（Locke, J.）……12, 138, 153, 339
ロールズ（Rawls, J.）……97

わ

わいせつ概念……212
わいせつ罪……212
ワイマール憲法……27, 32, 101, 153, 247, 285, 298
和歌山カレー毒物混入事件……148
忘れられる権利……146, 149
早稲田大学江沢民講演会事件……148
和辻哲郎……39, 40

判例索引

最高裁判所

最大判1948〈昭23〉. 3 . 12刑集2-3-191……270
最大判1948〈昭23〉. 5 . 5 刑集2-5-447……265
最大判1948〈昭23〉. 5 . 26刑集2-6-529……57
最大判1948〈昭23〉. 6 . 23刑集2-7-722……34
最大判1948〈昭23〉. 6 . 30刑集2-7-777……269
最大判1948〈昭23〉. 7 . 19刑集2-8-952……266
最大判1948〈昭23〉. 7 . 29刑集2-9-1012……269
最大判1948〈昭23〉. 7 . 29刑集2-9-1045……266
最大判1948〈昭23〉. 9 . 29刑集2-10-1235…288
最大判1948〈昭23〉. 11. 17刑集2-12-1565…437
最大判1948〈昭23〉. 12. 15刑集2-13-1783…437
最大判1948〈昭23〉. 12. 27刑集2-14-1934…266
最大判1949〈昭24〉. 3 . 23刑集3-3-352……276
最大判1949〈昭24〉. 5 . 18刑集3-6-839
……………………………133,216
最大判1950〈昭25〉. 4 . 26刑集4-4-700……273
最大判1950〈昭25〉. 6 . 21刑集4-6-1049……240
最大判1950〈昭25〉. 9 . 27刑集4-9-1799……332
最大判1950〈昭25〉. 9 . 27刑集4-9-1805……274
最大判1952〈昭27〉. 1 . 9 刑集6-1-4………251
最大判1952〈昭27〉. 2 . 20民集6-2-122……450
最大決1952〈昭27〉. 4 . 2 民集6-4-387……179
最大判1952〈昭27〉. 10. 8 民集6-9-783
……………………………76,458
最大判1953〈昭28〉. 4 . 1 刑集7-4-713……267
最大判1953〈昭28〉. 4 . 8 刑集7-4-775……302
最一判1953〈昭28〉. 10. 1 民集7-10-1045…373
最大判1953〈昭28〉. 12. 23民集7-13-1523
……………………………253,254
最大判1953〈昭28〉. 12. 23民集7-13-1561…223
最一判1954〈昭29〉. 2 . 11民集8-2-419……428
最二判1954〈昭29〉. 7 . 16刑集8-7-1151……268
最大判1954〈昭29〉. 11. 24刑集8-11-1866…225
最大判1955〈昭30〉. 1 . 26刑集9-1-89……240
最大判1955〈昭30〉. 2 . 9 刑集9-2-217
……………………………311,314
最大判1955〈昭30〉. 3 . 30刑集9-3-635……332
最大判1955〈昭30〉. 4 . 6 刑集9-4-663……262
最大判1955〈昭30〉. 4 . 6 刑集9-4-819……221
最二判1955〈昭30〉. 4 . 22刑集9-5-911……444
最大判1955〈昭30〉. 4 . 27刑集9-5-924……263
最三判1955〈昭30〉. 11. 22民集9-12-1793…179
最大判1955〈昭30〉. 12. 14刑集9-13-2760…261
最大判1956〈昭31〉. 7 . 4 民集10-7-785……180
最大判1957〈昭32〉. 3 . 13刑集11-3-997……214
最大判1957〈昭32〉. 6 . 19刑集11-6-1663…115
最大決1958〈昭33〉. 2 . 17刑集12-2-253……207
最二判1958〈昭33〉. 3 . 28民集12-4-624……478
最大判1958〈昭33〉. 5 . 28刑集12-8-1718…269
最大判1958〈昭33〉. 9 . 10民集12-13-1969
……………………………246
最大判1958〈昭33〉. 10. 15刑集12-14-3305
……………………………166
最大判1958〈昭33〉. 10. 15刑集12-14-3313…52
最大判1958〈昭33〉. 12. 24民集12-16-3352
……………………………484
最大判1959〈昭34〉. 12. 16刑集13-13-3225
……………………………76,85,434,463
最大決1960〈昭35〉. 4 . 18民集14-6-905……179
最大判1960〈昭35〉. 6 . 8 民集14-7-1206…434
最大決1960〈昭35〉. 7 . 6 民集14-9-1657…277
最大判1960〈昭35〉. 7 . 20刑集14-9-1243…226
最大判1961〈昭36〉. 2 . 15刑集15-2-347……217
最大判1962〈昭37〉. 3 . 7 民集16-3-445
……………………………381,400,432
最大判1962〈昭37〉. 5 . 2 刑集16-5-495……268
最大判1962〈昭37〉. 5 . 30刑集16-5-577……503
最大判1962〈昭37〉. 11. 28刑集16-11-1593
……………………………259,472
最二判1963〈昭38〉. 3 . 15刑集17-2-23……302
最大判1963〈昭38〉. 3 . 27刑集17-2-121……497

最大判1963〈昭38〉. 5.15刑集17-4-302……185
最大判1963〈昭38〉. 5.22刑集17-4-370……231
最大判1963〈昭38〉. 6.26刑集17-5-521
……………………………………251,503
最二決1963〈昭38〉. 12.25判時359-12…………76
最大判1964〈昭39〉. 2. 5民集18-2-270
……………………………………323,325
最大判1964〈昭39〉. 2.26民集18-2-343
……………………………………297,334
最大決1965〈昭40〉. 6.30民集19-4-1089…277
最三判1966〈昭41〉. 2. 8民集20-2-196……431
最大判1966〈昭41〉. 10.26刑集20-8-901
…………………………134,302,303
最大判1967〈昭42〉. 5.24民集21-5-1043
……………………………………287,289
最三決1967〈昭42〉. 9.13刑集21-7-904……261
最大判1968〈昭43〉. 11.27刑集22-12-1402
……………………………………251,252
最大判1968〈昭43〉. 11.27民集22-12-2808
…………………………………………252
最大判1968〈昭43〉. 12. 4刑集22-13-1425
…………………………227,300,314
最大判1968〈昭43〉. 12.18刑集22-13-1549
…………………………………………206
最大判1969〈昭44〉. 4. 2刑集23-5-305
…………………………302,303,470
最大判1969〈昭44〉. 4. 2刑集23-5-685……301
最大判1969〈昭44〉. 4.23刑集23-4-235
……………………………………221,332
最大判1969〈昭44〉. 6.25刑集23-7-975
……………………………………150,215
最二判1969〈昭44〉. 7. 4民集23-8-1321…252
最大判1969〈昭44〉. 10.15刑集23-10-1239
…………………………………………214
最大決1969〈昭44〉. 11.26刑集23-11-1490
……………………………………208,210
最大判1969〈昭44〉. 12.24刑集23-12-1625
…………………………139,146,147
最大判1970〈昭45〉. 6.24民集24-6-625……119
最大判1970〈昭45〉. 9.16民集24-10-1410
……………………………………126,152
最大決1972〈昭47〉. 11.22刑集26-9-586……241
最大判1972〈昭47〉. 11.22刑集26-9-554
……………………………………259,268
最大判1972〈昭47〉. 11.22刑集26-9-586……136
最大判1972〈昭47〉. 12.20刑集26-10-631…265
最大判1973〈昭48〉. 4. 4刑集27-3-265
……………………155,160,166,459
最大判1973〈昭48〉. 4.25刑集27-4-547
…………………………302,304,470
最大判1973〈昭48〉. 12.12民集27-11-1536
…………………………………………129
最一判1974〈昭49〉. 4.25判時737-3…………325
最三判1974〈昭49〉. 7.19民集28-5-790……130
最大判1974〈昭49〉. 11. 6刑集28-9-393
……………………122,123,206,220
最大判1975〈昭50〉. 4.30民集29-4-572
……………………136,242,459,466
最一決1975〈昭50〉. 5.20刑集29-5-177……274
最三判1975〈昭50〉. 8.29労判233-45………307
最大判1975〈昭50〉. 9.10刑集29-8-489
…………………………204,226,502
最三判1975〈昭50〉. 11.28民集29-10-1698
…………………………………………120
最大判1976〈昭51〉. 4.14民集30-3-223
……155,314,323,324,325,326,327,459
最大判1976〈昭51〉. 5.21刑集30-5-615
……………………………………236,297
最三判1977〈昭52〉. 3.15民集31-2-234……436
最三判1977〈昭52〉. 3.15民集31-2-280……436
最大判1977〈昭52〉. 5. 4刑集31-3-182
……………………………………302,305
最大判1977〈昭52〉. 7.13民集31-4-533
……………………………………101,190
最一決1978〈昭53〉. 5.31刑集32-3-457
……………………………………208,211
最大判1978〈昭53〉. 7.12民集32-5-946……248
最一判1978〈昭53〉. 9. 7刑集32-6-1672…264
最大判1978〈昭53〉. 10. 4民集32-7-1223
……………………………………112,115
最一判1978〈昭53〉. 12.21民集32-9-1723…503
最一決1980〈昭55〉. 10.23刑集34-5-300……143
最二判1980〈昭55〉. 11.28刑集34-6-433
……………………………………213,214
最三判1981〈昭56〉. 3.24民集35-2-300
……………………………………130,308
最三判1981〈昭56〉. 4. 7民集35-3-443
……………………………………429,431
最三判1981〈昭56〉. 4.14民集35-3-620……146
最一判1981〈昭56〉. 4.16刑集35-3-84………215

最二判1981〈昭56〉．6．15刑集35-4-205
……………………………206,221,333
最三判1981〈昭56〉．7．21刑集35-5-568
………………………………221,333
最大判1981〈昭56〉．12．16民集35-10-1369
………………………………293,294
最三判1982〈昭57〉．3．23刑集36-3-339……333
最一判1982〈昭57〉．4．8民集36-4-594……235
最大判1982〈昭57〉．7．7民集36-7-1235
………………………………287,290
最一判1982〈昭57〉．9．9民集36-9-1679……77
最三判1983〈昭58〉．3．8刑集37-2-15……214
最大判1983〈昭58〉．4．27民集37-3-345
……………………………325,329,370
最大判1983〈昭58〉．6．22民集37-5-793……126
最二判1983〈昭58〉．7．8刑集37-6-609……271
最大判1983〈昭58〉．11．7民集37-9-1243
………………………………324,326
最三判1984〈昭59〉．2．21刑集38-3-387……333
最三判1984〈昭59〉．3．27刑集38-5-2037…268
最一判1984〈昭59〉．5．17民集38-7-721……498
最大判1984〈昭59〉．12．12民集38-12-1308
………………………………203,470
最三判1985〈昭60〉．1．22民集39-1-1……246
最大判1985〈昭60〉．3．27民集39-2-247……477
最大判1985〈昭60〉．7．17民集39-5-1100
…………………155,324,326,459
最大判1985〈昭60〉．10．23刑集39-6-413……205
最一判1985〈昭60〉．11．21民集39-7-1512
…………………107,280,321,464
最一判1986〈昭61〉．3．27判時1195-66……325
最大判1986〈昭61〉．6．11民集40-4-872
………………………………150,203
最二判1987〈昭62〉．1．19民集41-1-1……169
最二判1987〈昭62〉．3．3刑集41-2-15……206
最大判1987〈昭62〉．4．22民集41-3-408
………………………………249,459
最二判1987〈昭62〉．4．24民集41-3-490……200
最一判1987〈昭62〉．9．24判時1273-35……325
最三判1988〈昭63〉．2．16民集42-2-27……143
最大判1988〈昭63〉．6．1民集42-5-277……191
最二判1988〈昭63〉．7．15判時1287-65……181
最二判1988〈昭63〉．10．21民集42-8-644……324
最二判1988〈昭63〉．10．21判時1321-123
………………………………325,329
最三判1988〈昭63〉．12．20判時1307-113……436
最二判1989〈平元〉．1．20刑集43-1-1……242
最二決1989〈平元〉．1．30刑集43-1-19
………………………………208,210
最一判1989〈平元〉．3．2判時1363-68……116
最三判1989〈平元〉．3．7判時1308-111……242
最大判1989〈平元〉．3．8民集43-2-89
……………………………208,211,452
最三判1989〈平元〉．6．20民集43-6-385
………………………………78,463
最二判1989〈平元〉．9．8民集43-8-889……431
最三判1989〈平元〉．9．19刑集43-8-785
……………………………203,205,213
最二判1989〈平元〉．11．20民集43-10-1160…58
最一判1989〈平元〉．12．14刑集43-13-841…152
最一判1989〈平元〉．12．18民集43-12-2139
……………………………………498
最一判1989〈平元〉．12．21民集43-12-2297
……………………………………498
最一判1990〈平2〉．1．18民集44-1-1……237
最三判1990〈平2〉．2．6訟月36-12-2242
……………………………………243
最三判1990〈平2〉．3．6判時1357-144……179
最二決1990〈平2〉．7．9刑集44-5-421
………………………………208,210
最二判1990〈平2〉．9．28刑集44-6-463……216
最二判1991〈平3〉．2．22判時1393-145……179
最三決1991〈平3〉．3．29刑集45-3-158……283
最二判1991〈平3〉．4．19民集45-4-367……253
最三判1991〈平3〉．4．23民集45-4-554……498
最三判1991〈平3〉．9．3判時1401-56……151
最二決1991〈平3〉．9．24…………………192
最三決1992〈平4〉．4．28判時1422-91……116
最大判1992〈平4〉．7．1民集46-5-437
………………………………222,260
最一判1992〈平4〉．11．16集民166-575……114
最三判1992〈平4〉．12．15民集46-9-2829…243
最大判1993〈平5〉．1．20民集47-1-67
……………………………324,326,327
最三判1993〈平5〉．2．16民集47-3-1687
………………………………192,483
最一判1993〈平5〉．2．25民集47-2-641……295
最二判1993〈平5〉．2．26判時1452-37……117
最三判1993〈平5〉．3．16民集47-5-3483…235
最二判1993〈平5〉．10．22民集47-8-5147…498

最大判1995〈平７〉．２．22刑集49-2-1……415
最三判1995〈平７〉．２．28民集49-2-639……117
最三判1995〈平７〉．３．７民集49-3-687
……223-224
最一判1995〈平７〉．５．25民集49-5-1279…361
最一判1995〈平７〉．６．８民集49-6-1443…324
最大決1995〈平７〉．７．５民集49-7-1789
……161,175
最三判1995〈平７〉．12．５判時1563-81
……172,464
最三判1995〈平７〉．12．15刑集49-10-842…115
最一決1996〈平８〉．１．30民集50-1-199……186
最二判1996〈平８〉．３．８民集50-3-469……186
最二判1996〈平８〉．３．15民集50-3-549
……223,224
最三判1996〈平８〉．３．19民集50-3-615……121
最一判1996〈平８〉．７．18判時1599-53……151
最大判1996〈平８〉．８．28民集50-7-1952
……79,466
最大判1996〈平８〉．９．11民集50-8-2283
……323,325,329,330
最一判1997〈平９〉．３．13民集51-3-1453…317
最大判1997〈平９〉．４．２民集51-4-1673
……192,460,483
最三判1997〈平９〉．８．29民集51-7-2921…236
最三判1997〈平９〉．９．９民集51-8-3850…387
最二判1998〈平10〉．３．13集民187-409……117
最三判1998〈平10〉．３．24刑集52-2-150……243
最一判1998〈平10〉．３．26判時1639-36……243
最三決1998〈平10〉．７．13判時1651-54……277
最一判1998〈平10〉．７．16判時1652-52……243
最大判1998〈平10〉．９．２民集52-6-1373
……325,330
最三判1998〈平10〉．11．17判時1662-74……317
最大決1998〈平10〉．12．１民集52-9-1761…441
最二判1999〈平11〉．１．22判時1666-32……498
最三判1999〈平11〉．２．23判時1670-3……215
最大判1999〈平11〉．３．24民集53-3-514……266
最大判1999〈平11〉．11．10民集53-8-1441
……324,327
最大判1999〈平11〉．11．10民集53-8-1577…357
最大判1999〈平11〉．11．10民集53-8-1704
……327,357
最三判1999〈平11〉．12．16刑集53-9-1327…229
最一判2000〈平12〉．１．27判時1707-121……175
最三判2000〈平12〉．２．８刑集54-2-1……244
最三判2000〈平12〉．２．29民集54-2-582……151
最三判2000〈平12〉．６．13民集54-5-1635…267
最大判2000〈平12〉．９．６民集54-7-1997
……325,330
最一判2000〈平12〉．９．７判時1728-17……126
最二決2000〈平12〉．10．27判例集未登載
……57,199
最三判2001〈平13〉．２．13判時1745-94……278
最大決2001〈平13〉．３．30判時1760-68……442
最一判2001〈平13〉．４．５判時1751-68……116
最三判2001〈平13〉．９．25判時1768-47……116
最一判2001〈平13〉．11．22判時1771-83……252
最二決2001〈平13〉．12．７刑集55-7-823……283
最三判2001〈平13〉．12．18民集55-7-1647
……324,327
最三判2002〈平14〉．１．29民集56-1-185……215
最大判2002〈平14〉．２．13民集56-2-331……249
最二判2002〈平14〉．４．５刑集56-4-95……250
最二判2002〈平14〉．４．12民集56-4-729……79
最一判2002〈平14〉．４．25判時1785-31……121
最三判2002〈平14〉．６．４判時1788-160……243
最三判2002〈平14〉．６．11民集56-5-958……254
最三判2002〈平14〉．７．９判時1799-101……194
最一判2002〈平14〉．７．11民集56-6-1204…194
最一判2002〈平14〉．９．９判時1799-174……222
最三判2002〈平14〉．９．10判時1799-176……222
最大判2002〈平14〉．９．11民集56-7-1439
……279,459
最三判2002〈平14〉．９．24判時1802-60
……145,148
最二判2002〈平14〉．11．22判時1808-55……104
最二判2003〈平15〉．３．14民集57-3-229……209
最二判2003〈平15〉．３．28判時1820-62……175
最一判2003〈平15〉．３．31判時1820-64……175
最二判2003〈平15〉．９．12民集57-8-973
……146,148
最一判2003〈平15〉．12．４判時1848-66……254
最大判2004〈平16〉．１．14民集58-1-56
……325,330
最三判2004〈平16〉．３．16民集58-3-647……288
最三判2004〈平16〉．４．13刑集58-4-247……268
最一判2004〈平16〉．11．25民集58-8-2326…200
最大判2005〈平17〉．１．26民集59-1-128……118
最一決2005〈平17〉．４．７……38

最三判2005〈平17〉. 4 . 26判時1898-54……244
最一判2005〈平17〉. 7 . 14民集59-6-1569…200
最大判2005〈平17〉. 9 . 14民集59-7-2087
…280, 321-322, 430, 432, 459, 464
最三判2005〈平17〉. 9 . 27判タ1192-247……324
最一判2005〈平17〉. 11. 10民集59-9-2428
……145, 148
最一判2005〈平17〉. 12. 1 判時1922-72……237
最一判2005〈平17〉. 12. 11刑集57-11-1147
……144
最大判2006〈平18〉. 3 . 1 民集60-2-587……479
最二判2006〈平18〉. 3 . 17民集60-3-773……169
最一判2006〈平18〉. 3 . 23判時1929-37……126
最三判2006〈平18〉. 3 . 28判時1930-80……292
最二判2006〈平18〉. 6 . 23判時1940-122……195
最一判2006〈平18〉. 7 . 13判時1946-41
……281, 321
最三決2006〈平18〉. 10. 3 民集60-8-2647…212
最大判2006〈平18〉. 10. 4 民集60-8-2696
……325, 330
最三判2007〈平19〉. 2 . 27民集61-1-291
……59, 181
最大決2007〈平19〉. 3 . 23民集61-2-619……152
最三判2007〈平19〉. 5 . 29判時1978-7……296
最大判2007〈平19〉. 6 . 13民集61-4-1617
……324, 327, 358
最三判2007〈平19〉. 9 . 18刑集61-6-601……226
最二判2007〈平19〉. 9 . 28民集61-6-2345…291
最三判2008〈平20〉. 2 . 19民集62-2-445……214
最一判2008〈平20〉. 3 . 6 民集62-3-665
……146, 149
最二判2008〈平20〉. 4 . 11刑集62-5-1217…207
最大判2008〈平20〉. 6 . 4 民集62-6-1367
……104, 161, 433, 459
最一判2008〈平20〉. 6 . 12民集62-6-1656…212
最二判2008〈平20〉. 10. 10判時2027-3……291
最二判2008〈平20〉. 10. 15……291
最一判2009〈平21〉. 4 . 23判時2045-116……250
最三判2009〈平21〉. 7 . 14刑集63-6-623……278
最大判2009〈平21〉. 9 . 30民集63-7-1520
……331, 325
最三判2009〈平21〉. 10. 20……309
最二判2009〈平21〉. 11. 30刑集63-9-1765…207
最大判2010〈平22〉. 1 . 20民集64-1-1
……189, 195, 460
最大判2010〈平22〉. 1 . 20民集64-1-128……195
最三判2010〈平22〉. 2 . 23判時2076-40……253
最一決2010〈平22〉. 3 . 15刑集64-2-1……219
最一判2010〈平22〉. 7 . 22判時2087-26
……190, 195
最大判2011〈平23〉. 3 . 23民集65-2-755
……323, 324, 328, 358, 433
最二判2011〈平23〉. 5 . 30民集65-4-1780
……59, 181
最一判2011〈平23〉. 6 . 6 民集65-4-1855
……59, 181
最三判2011〈平23〉. 6 . 14民集65-4-2148
……59, 181
最三判2011〈平23〉. 6 . 21判時2123-35
……59, 181
最一判2011〈平23〉. 7 . 7 判時2130-144……59
最一判2011〈平23〉. 9 . 22民集65-6-2756…480
最大判2011〈平23〉. 11. 16刑集65-8-1285
……276, 454
最一判2012〈平24〉. 1 . 16判時2147-127……182
最一判2012〈平24〉. 2 . 16民集66-2-673……195
最三判2012〈平24〉. 2 . 28民集66-3-1240…292
最二判2012〈平24〉. 4 . 2 民集66-6-2367…292
最大判2012〈平24〉. 10. 17民集66-10-3357
……323, 325, 331
最二判2012〈平24〉. 12. 7 刑集66-12-1337
……122, 123, 220, 460
最二判2012〈平24〉. 12. 7 刑集66-12-1722
……122, 124
最一判2013〈平25〉. 3 . 21判時2193-3……504
最大決2013〈平25〉. 9 . 4 民集67-6-1320
……106, 161, 170, 175, 433, 459
最一判2013〈平25〉. 9 . 26民集67-6-1384…176
最大判2013〈平25〉. 11. 20民集67-8-1503
……323, 324, 328, 358
最二決2014〈平26〉. 7 . 9 判時2241-20……316
最一判2014〈平26〉. 10. 6 賃金と社会保障1622-40……292
最一判2014〈平26〉. 10. 23民集68-8-1270…309
最大判2014〈平26〉. 11. 26民集68-9-1363
……323, 325, 331, 460
最一判2015〈平27〉. 2 . 26判時2253-107……309
最三判2015〈平27〉. 3 . 10民集69-2-265……106
最二判2015〈平27〉. 3 . 27民集69-2-419……245
最大判2015〈平27〉. 11. 25民集69-7-2035

…………………………323, 324, 328
最大判2015〈平27〉. 12. 16民集69-8-2427
……160-161, 172, 175, 281, 433, 460, 464
最大判2015〈平27〉. 12. 16民集69-8-2586
…………………………142, 173, 461
最三判2017〈平29〉. 1 . 31民集71-1-63……149
最大判2017〈平29〉. 3 . 15刑集71-3-13
…………………………148, 263
最大判2017〈平29〉. 9 . 27民集71-7-1139
…………………………325, 331
最大判2017〈平29〉. 12. 6 民集71-10-1817
…………………………218
最大判2018〈平30〉. 12. 19民集72-6-1240
…………………………323, 324, 329
最三決2019〈平31〉. 1 . 23判時2421-4……111
最三判2019〈平31〉. 2 . 5 判時2430-10……499
最大判2020〈令 2 〉. 11. 18裁判所ウェブ
…………………………325, 331
最大判2021〈令 3 〉. 2 . 24裁判所ウェブ……196

高等裁判所

東京高判1947〈昭22〉. 6 . 28…………………57
東京高判1952〈昭27〉. 11. 15行集3-11-2366
…………………………223
東京高判1952〈昭27〉. 12. 10高刑集5-13-2429
…………………………213
東京高判1953〈昭28〉. 1 . 26判タ28-57……336
東京高判1954〈昭29〉. 9 . 22行集5-9-2181
…………………………420
札幌高判1955〈昭30〉. 8 . 23高刑集8-6-845
…………………………398
東京高判1956〈昭31〉. 5 . 8 高刑集9-5-425
…………………………231
東京高判1959〈昭34〉. 12. 26判時213-46……386
東京高判1963〈昭38〉. 1 . 30行集14-1-21…325
東京高判1963〈昭38〉. 11. 4 行集14-11-1963
…………………………289
東京高判1963〈昭38〉. 11. 21判時366-13……214
東京高判1963〈昭38〉. 11. 27刑集20-8-1012
…………………………303
東京高判1964〈昭39〉. 11. 21行集15-10-1976
…………………………324
東京高判1965〈昭40〉. 11. 16高刑集18-7-742
…………………………303
東京高判1966〈昭41〉. 1 . 31高民集19-1-7
…………………………119
東京高判1968〈昭43〉. 6 . 12労民19-3-791
…………………………129
札幌高判1968〈昭43〉. 6 . 26下刑集10-6-598
…………………………236
広島高判1968〈昭43〉. 7 . 30行集19-7-1346
…………………………241
東京高判1968〈昭43〉. 9 . 30高刑集21-5-365
…………………………304
札幌高判1969〈昭44〉. 6 . 24判時560-30……123
名古屋高判1969〈昭44〉. 10. 29刑集31-3-528
…………………………305
東京高判1969〈昭44〉. 12. 17高刑集22-6-924
…………………………386
東京高決1970〈昭45〉. 4 . 13高民集23-2-172
…………………………147
東京高判1970〈昭45〉. 5 . 12判時619-93……166
名古屋高判1971〈昭46〉. 5 . 14行集22-5-680
…………………………184, 190
広島高判1973〈昭48〉. 1 . 25判時710-102…120
東京高判1975〈昭50〉. 9 . 25行集26-9-1055
…………………………112
大阪高判1975〈昭50〉. 11. 10行集26-10・
11-1268…………………………290
大阪高判1975〈昭50〉. 11. 27判時797-36……294
東京高判1975〈昭50〉. 12. 20行集26-12-1446
…………………………235, 470
東京高判1976〈昭51〉. 7 . 20高刑集29-3-429
…………………………211
札幌高判1976〈昭51〉. 8 . 5 行集27-8-1175
…………………………77
東京高判1977〈昭52〉. 1 . 31刑月9-1・2-14
…………………………78
札幌高判1978〈昭53〉. 5 . 24高民集31-2-3
…………………………320
札幌高判1978〈昭53〉. 5 . 24判時888-26……280
東京高判1979〈昭54〉. 3 . 12判時918-24……130
東京高判1979〈昭54〉. 3 . 12労民30-2-283
…………………………307
東京高判1979〈昭54〉. 3 . 14高民集32-1-33
…………………………103
東京高判1979〈昭54〉. 3 . 20判時918-17……214
広島高松江支判1980〈昭55〉. 4 . 28
判時964-134…………………………333

東京高判1981〈昭56〉. 7. 7判時1004-3 ……78,463
東京高判1981〈昭56〉. 8. 21判時1019-20…271
東京高判1982〈昭57〉. 5. 19判時1041-24…180
広島高判1982〈昭57〉. 6. 1判時1046-3……191
東京高判1982〈昭57〉. 6. 23行集33-6-1367 ……104
仙台高判1982〈昭57〉. 7. 23行集33-7-1616 ……478
福岡高判1983〈昭58〉. 12. 24行集34-12-2242 ……237
東京高判1984〈昭59〉. 4. 25民集41-3-469 ……249
名古屋高判1985〈昭60〉. 4. 12判時1150-30 ……295
東京高判1985〈昭62〉. 7. 29高刑集42-2-77 ……414
大阪高判1985〈昭60〉. 9. 25……242
東京高判1986〈昭61〉. 3. 19判時1188-1……235
名古屋高判1987〈昭62〉. 3. 25行集38-2・3-275……424
大阪高判1987〈昭62〉. 7. 16行集38-6・7-561 ……192
東京高判1987〈昭62〉. 11. 26判時1259-30…243
東京高判1987〈昭62〉. 12. 25判時1262-30 ……211,452
東京高判1989〈平元〉. 6. 27行集40-6-661 ……235
東京高判1989〈平元〉. 7. 19民集43-10-1167 ……58
東京高判1990〈平2〉. 1. 29高民集43-1-1 ……486
高松高判1990〈平2〉. 2. 19判時1362-44…151
仙台高判1991〈平3〉. 1. 10行集42-1-1……192
仙台高判1992〈平4〉. 1. 10判時1410-36…308
福岡高判1992〈平4〉. 2. 28判時1426-85…194
福岡高判1992〈平4〉. 4. 24判時1421-3……121
高松高判1992〈平4〉. 5. 12行集43-5-717 ……192
大阪高判1992〈平4〉. 7. 30判時1434-38…194
東京高判1992〈平4〉. 10. 15高刑集45-3-85 ……229
東京高判1992〈平4〉. 12. 18高民集45-3-212 ……253
東京高判1993〈平5〉. 3. 30判時1455-97…224
東京高決1993〈平5〉. 6. 23高民集46-2-43 ……175
福岡高判1993〈平5〉. 8. 10判時1471-31…253
東京高判1993〈平5〉. 10. 20判時1473-3……236
大阪高判1993〈平5〉. 12. 16判時1501-83…329
札幌高判1994〈平6〉. 3. 15民集51-8-3881 ……387
東京高判1994〈平6〉. 11. 29判時1513-60…360
大阪高判1994〈平6〉. 12. 22行集45-12-2069 ……186
福岡高那覇支判1996〈平8〉. 3. 25行集47-3-192……78
大阪高判1996〈平8〉. 3. 27訟月43-5-1285 ……117
名古屋高金沢支判1996〈平8〉. 10. 30判タ950-193……308
大阪高判1997〈平9〉. 3. 18訟月44-6-910 ……315
東京高判1997〈平9〉. 9. 16判タ986-206…111
東京高判1997〈平9〉. 10. 20判時1637-20…357
東京高判1997〈平9〉. 11. 20労判728-12……308
東京高判1997〈平9〉. 11. 26判時1639-30…118
東京高判1998〈平10〉. 2. 9高民集51-1-1 ……151
仙台高判1998〈平10〉. 7. 24民集52-9-1810 ……441
東京高判1998〈平10〉. 12. 25判時1665-64……79
東京高判1999〈平11〉. 3. 10判時1677-22…121
札幌高判1999〈平11〉. 12. 21判時1723-37…479
名古屋高金沢支判2000〈平12〉. 2. 16判時1726-111……57,199
大阪高判2000〈平12〉. 2. 29判時1710-121 ……209
名古屋高判2000〈平12〉. 6. 29判時1736-35 ……209
東京高判2000〈平12〉. 10. 25判タ1046-296 ……148
東京高判2000〈平12〉. 12. 22労判796-5……309
東京高判2001〈平13〉. 2. 15判時1741-68…148
広島高判2001〈平13〉. 3. 29判時1759-42…107
東京高判2001〈平13〉. 4. 25判時1759-59…327
東京高判2001〈平13〉. 7. 18判時1761-55…200
東京高判2001〈平13〉. 8. 20判時1757-38…169
東京高判2002〈平14〉. 1. 16判時1772-17…148
東京高判2002〈平14〉. 1. 23判時1773-34…114

東京高判2002〈平14〉. 5 . 29判時1796-28…237
東京高判2003〈平15〉. 1 . 30判時1814-44…504
東京高判2004〈平16〉. 3 . 23判時1855-104 ……148
名古屋高判2004〈平16〉. 5 . 12判時1870-29 ……209
東京高判2004〈平16〉. 7 . 7 民集61-1-457 ……181
福岡高那覇支判2004〈平16〉. 9 . 7 判時1870-39……169
札幌高判2004〈平16〉. 9 . 16……38
東京高判2005〈平17〉. 3 . 25判時1899-46…291
大阪高判2005〈平17〉. 7 . 26訟月52-9-2955 ……194
広島高判2005〈平17〉. 7 . 28高刑集58-3-32 ……226
大阪高判2005〈平17〉. 9 . 30訟月52-9-2979 ……194
東京高判2005〈平17〉. 11. 30判時1938-61…296
東京高判2005〈平17〉. 12. 9 刑集62-5-1376 ……207
東京高判2006〈平18〉. 2 . 28家月58-6-47…105
東京高判2006〈平18〉. 9 . 29判時1957-20…152
大阪高判2006〈平18〉. 11. 30判時1962-11…149
名古屋高金沢支判2006〈平18〉. 12. 11 判時1962-40……149
東京高判2007〈平19〉. 1 . 29民集62-6-1837 ……212
札幌高判2007〈平19〉. 6 . 26民集64-1-119 ……195
東京高判2007〈平19〉. 12. 11判タ1271-331 ……207
東京高判2008〈平20〉. 1 . 31労判959-85……309
名古屋高金沢支判2008〈平20〉. 4 . 7 判時2006-53……190, 195
名古屋高判2008〈平20〉. 4 . 17判時2056-74 ……79, 81
大阪高判2008〈平20〉. 5 . 19……250
東京高判2009〈平21〉. 1 . 30判タ1309-91…219
東京高判2009〈平21〉. 2 . 29判タ1295-193 ……149
東京高判2010〈平22〉. 2 . 28判時2085-43…292
東京高判2010〈平22〉. 3 . 29刑集66-12-1687 ……123
東京高判2010〈平22〉. 5 . 13刑集66-12-1964 ……124
福岡高判2010〈平22〉. 6 . 14判時2085-76…292
札幌高判2010〈平22〉. 12. 6 民集66-2-702 ……195
広島高判2013〈平25〉. 3 . 25判時2185-36…328
広島高岡山支判2013〈平25〉. 3 . 26……328
大阪高判2013〈平25〉. 9 . 27判時2234-29…316
東京高判2013〈平25〉. 12. 9 判例集未登載 ……316
東京高判2014〈平26〉. 3 . 28民集69-8-2741 ……173
東京高判2015〈平27〉. 5 . 28判時2278-21…182
名古屋高判2016〈平28〉. 6 . 29判時2307-129 ……148
東京高判2020〈令 2 〉. 6 . 25判時2460-37 ……281, 451

地方裁判所

東京地判1946〈昭21〉. 11. 2……57
浦和地判1948〈昭23〉. 7 . 2……396
東京地判1952〈昭27〉. 1 . 18判時105-7……213
東京地判1952〈昭27〉. 4 . 28行集3-3-634…223
東京地判1953〈昭28〉. 10. 19行集4-10-2540 ……420
東京地決1954〈昭29〉. 3 . 6 判時22-3……385
東京地判1954〈昭29〉. 5 . 11判時26-3……231
東京地判1956〈昭31〉. 7 . 23判時86-3……397
東京地判1959〈昭34〉. 3 . 30下刑集1-3-776 ……76, 463
東京地判1959〈昭34〉. 8 . 8 刑集14-9-1281 ……225
東京地判1960〈昭35〉. 10. 19行集11-10-2921 ……289
東京地判1962〈昭37〉. 1 . 22判時297-7……386
東京地判1962〈昭37〉. 4 . 18下刑集4-3・4-303 ……303
東京地判1962〈昭37〉. 5 . 30下刑集4-5・6-485 ……303
東京地判1962〈昭37〉. 10. 16判時318-3……214
東京地判1963〈昭38〉. 4 . 5 下民集14-4-657 ……119
東京地判1963〈昭38〉. 4 . 19下刑集5-3・4-363 ……304
東京地判1963〈昭38〉. 11. 12行集14-11-2024

……366
名古屋地判1964〈昭39〉. 2 . 20下刑集6-1・2-80……305
東京地判1964〈昭39〉. 9 . 28下民集15-9-2317……145,147
旭川地判1966〈昭41〉. 5 . 25下刑集8-5-757……236
東京地判1966〈昭41〉. 12. 20労民17-6-1406……307
津地判1967〈昭42〉. 3 . 16行集18-3-246……190
東京地判1967〈昭42〉. 3 . 27判時493-72……332
札幌地判1967〈昭42〉. 3 . 29下刑集9-3-359……77,469
東京地判1967〈昭42〉. 4 . 11行集18-4-390……336
広島地判1967〈昭42〉. 4 . 17行集18-4-501……241
東京地判1967〈昭42〉. 7 . 17労民18-4-766……129
旭川地判1968〈昭43〉. 3 . 25下刑集10-3-293……123,220,471
東京地判1968〈昭43〉. 7 . 15行集19-7-1196……290
松江地判1969〈昭44〉. 3 . 27判タ234-別冊30……333
長野地佐久支判1969〈昭44〉. 4 . 18 判タ234-別冊32……333
宇都宮地判1969〈昭44〉. 5 . 29判タ237-262……166
東京地判1969〈昭44〉. 9 . 26行集20-8・9-1141……433
東京地判1970〈昭45〉. 7 . 17行集21-7-別冊 1……235,472
東京地判1971〈昭46〉. 11. 1 判時646-26……472
神戸地判1972〈昭47〉. 9 . 20行集23-8・9-711……290
東京地判1973〈昭48〉. 3 . 23判時698-36……130,307
東京地判1973〈昭48〉. 3 . 27行集24-3-187……112
東京地判1973〈昭48〉. 5 . 31行集24-4・5-471……293
札幌地判1973〈昭48〉. 9 . 7 判時712-24……77
和歌山地判1973〈昭48〉. 9 . 12判時715-9……305
東京地判1974〈昭49〉. 1 . 31判時732-12……211
大阪地判1974〈昭49〉. 2 . 27判時729-3……294
東京地判1974〈昭49〉. 7 . 16判時751-47……235
札幌地小樽支判1974〈昭49〉. 12. 9 判時762-8……280,320
新潟地判1975〈昭50〉. 2 . 22判時769-19……78
秋田地判1975〈昭50〉. 4 . 10労民26-2-388……308
和歌山地判1975〈昭50〉. 6 . 9 判時780-3……305
東京地判1976〈昭51〉. 4 . 27判時812-22……214
水戸地判1977〈昭52〉. 2 . 17判時842-22……78
松山地西条支判1978〈昭53〉. 3 . 30 判時915-135……333
福岡地判1978〈昭53〉. 7 . 28判時900-3……237
静岡地判1978〈昭53〉. 10. 31民集41-3-444……249
松江地出雲支判1979〈昭54〉. 1 . 24 判時923-141……333
山口地判1979〈昭54〉. 3 . 22判時921-44……191
東京地判1979〈昭54〉. 3 . 28判時921-18……180
秋田地判1979〈昭54〉. 4 . 27行集30-4-891……478
東京地判1979〈昭54〉. 7 . 10刑集37-6-690……270
福岡地柳川支判1979〈昭54〉. 9 . 7 判時944-133……333
盛岡地遠野支判1980〈昭55〉. 3 . 25 判時962-130……333
福岡地判1980〈昭55〉. 6 . 5 判時966-3……504
東京地判1980〈昭55〉. 7 . 24判時982-3……396,397
名古屋地判1980〈昭55〉. 9 . 11判時976-40……295
札幌地判1980〈昭55〉. 10. 14判時988-37……292
新潟地判1981〈昭56〉. 3 . 27刑月13-3-251……78
東京地判1981〈昭56〉. 3 . 30行集32-3-469……104
東京地判1982〈昭57〉. 1 . 26判時1045-24……398
大阪地判1982〈昭57〉. 3 . 24判時1036-20……191
大阪地判1983〈昭58〉. 3 . 1 行集34-3-358……192
大阪地判1983〈昭58〉. 3 . 8 判タ494-167……164
青森地判1983〈昭58〉. 6 . 28行集34-6-1084……243
東京地判1983〈昭58〉. 10. 12判時1103-3……414
東京地判1984〈昭59〉. 5 . 18判時1118-28……252

京都地判1984〈昭59〉. 6 . 29訟月31-2-207 ……243
大阪地判1985〈昭60〉. 2 . 20判例地方自治 19-34……242
盛岡地判1985〈昭60〉. 3 . 28判時1149-79…308
熊本地判1986〈昭61〉. 2 . 13判時1181-37…121
東京地判1986〈昭61〉. 3 . 20行集37-3-347 ……185
神戸地判1986〈昭61〉. 4 . 24刑集49-10-1080 ……115
千葉地判1986〈昭61〉. 5 . 28判時1216-57…486
浦和地判1986〈昭61〉. 6 . 9 判時1221-19…486
東京地判1987〈昭62〉. 2 . 12判時1222-28 ……211, 452
盛岡地判1987〈昭62〉. 3 . 5 行集38-2・3-166 ……192
大阪地判1987〈昭62〉. 9 . 30判時1255-45…253
松山地判1989〈平元〉. 3 . 17行集40-3-188 ……192
千葉地判1989〈平元〉. 5 . 24民集43-10-1166 ……57
東京地判1989〈平元〉. 10. 3 判時臨時増刊1990. 2 . 15-3……236
京都地決1990〈平 2 〉. 2 . 20判時1369-94…224
東京地判1991〈平 3 〉. 6 . 21判時1388-3…151
浦和地判1991〈平 3 〉. 10. 11判時1426-115 ……224
神戸地判1992〈平 4 〉. 3 . 13行集42-3-329 ……109
福岡地判1992〈平 4 〉. 4 . 16判時1426-49…308
神戸地判1993〈平 5 〉. 2 . 22判タ813-134…185
大阪地判1993〈平 5 〉. 6 . 29判タ825-134…117
札幌地判1993〈平 5 〉. 7 . 16判時1484-115 ……387
東京地判1994〈平 6 〉. 3 . 30判タ859-163…111
東京地判1995〈平 7 〉. 5 . 19判タ883-103…147
大阪地判1995〈平 7 〉. 12. 19判時1583-98…147
東京地判1996〈平 8 〉. 4 . 22判時1597-151 ……219
東京地判1996〈平 8 〉. 5 . 16判時1566-23…118
神戸地判1996〈平 8 〉. 8 . 7 判時1600-82…315
前橋地判1996〈平 8 〉. 12. 3 判時1625-80…121
東京地八王子支判1997〈平 9 〉. 3 . 14 判時1612-101……79
札幌地判1997〈平 9 〉. 3 . 27判時1598-33…109
東京地判1997〈平 9 〉. 5 . 26判時1610-22…219
旭川地判1998〈平10〉. 4 . 21判時1641-29…479
横浜地判1998〈平10〉. 4 . 22判時1640-3…237
山口地下関支判1998〈平10〉. 4 . 27 判時1642-24……107
富山地判1998〈平10〉. 12. 16判時1699-120 ……199
大阪地判1999〈平11〉. 6 . 9 判時1679-26…209
東京地判1999〈平11〉. 6 . 22判時1691-91…147
名古屋地判1999〈平11〉. 6 . 30判時1688-151 ……209
神戸地判2000〈平12〉. 1 . 31判時1726-20…295
東京地八王子支判2000〈平12〉. 2 . 24 判タ1031-285……148
那覇地判2000〈平12〉. 5 . 9 判時1746-122 ……513
大阪地判2000〈平12〉. 7 . 31労判792-48 ……128, 309
東京地判2001〈平13〉. 4 . 11判時1752-3…148
熊本地判2001〈平13〉. 5 . 11判時1748-30 ……110, 244, 280, 464
東京地判2001〈平13〉. 8 . 31判時1781-112 ……229
東京地判2002〈平14〉. 2 . 20判時1781-34…309
金沢地判2002〈平14〉. 3 . 6 判時1798-21…296
横浜地判2002〈平14〉. 10. 16判時1815-3…296
札幌地判2002〈平14〉. 11. 11判時1806-84 ……38, 114
那覇地判2003〈平15〉. 11. 19判時1845-119 ……169
東京地判2003〈平15〉. 12. 3 判時1845-135 ……181
大阪地判2004〈平16〉. 2 . 27判時1857-92…149
大阪地判2004〈平16〉. 2 . 27判時1859-76…194
東京地判2004〈平16〉. 3 . 24民集62-6-1777 ……212
福岡地判2004〈平16〉. 4 . 7 判時1859-125 ……194
広島地判2004〈平16〉. 7 . 16刑集61-6-645 ……226
東京地八王子支判2004〈平16〉. 12. 16 判時1892-150……207
東京地判2005〈平17〉. 3 . 24判時1852-3…291
東京地判2005〈平17〉. 4 . 13判時1890-27…105
金沢地判2005〈平17〉. 5 . 30判時1934-3…149

札幌地判2006〈平18〉．3．3民集64-1-89…195
名古屋地判2006〈平18〉．4．14………………81
東京地判2006〈平18〉．6．29刑集66-12-1627
……………………………………123
東京地判2006〈平18〉．8．28刑集63-9-1846
……………………………………207
東京地判2006〈平18〉．9．21判時1952-44…59
金沢地判2007〈平19〉．6．25判時2006-61…195
大阪地判2007〈平19〉．10．30………………250
東京地判2007〈平19〉．12．26訟月55-12-3430
……………………………………149
東京地判2008〈平20〉．2．29判時2009-151
……………………………………219
東京地判2008〈平20〉．6．26判時2014-48…292
東京地判2008〈平20〉．9．19刑集66-12-1926
………………………………124-125
岡山地判2009〈平21〉．2．24判時2046-124…82
東京地判2010〈平22〉．4．9判時2076-19…211
京都地判2010〈平22〉．5．27判時2093-72…169
大阪地判2011〈平23〉．10．31判タ1397-104
……………………………………270
東京地判2013〈平25〉．3．14判時2178-3…319
東京地判2013〈平25〉．5．29判時2196-67…173
さいたま地決2015〈平27〉．12．12判時2282-78
……………………………………149
横浜地川崎支決2016〈平28〉．6．2
判時2296-14……………………217
東京地判2019〈平31〉．2．5LEX/DB25563072
……………………………………49
東京地判2019〈平31〉．3．25LEX/DB25562555
……………………………………174
東京地判2019〈令元〉．5．24LEX/DB25563149
……………………………………316
東京地判2019〈令元〉．5．28判時2420-35
………………………………281，450
仙台地判2019〈令元〉．5．28判時2413＝2414-3
……………………………………111
熊本地判2019〈令元〉．6．28判時2439-4…110
宇都宮地真岡支判2019〈令元〉．9．18
裁判所ウェブサイト…………112
那覇地判2020〈令2〉．6．10
裁判所ウェブサイト…………375

簡易裁判所

和歌山・妙寺簡判1968〈昭43〉．3．12
判時512-76……………………332
神戸簡判1975〈昭50〉．2．20判時768-3……185

辻村みよ子（つじむら・みよこ）
東北大学名誉教授・弁護士（東京弁護士会）

〔主な著書〕

フランス革命の憲法原理 ——近代憲法とジャコバン主義（日本評論社、1989年）
「権利」としての選挙権（勁草書房、1989年）
人権の普遍性と歴史性——フランス人権宣言と現代憲法（創文社、1992年）
市民主権の可能性——21世紀の憲法・デモクラシー・ジェンダー（有信堂、2002年）
憲法とジェンダー——男女共同参画と多文化共生への展望（有斐閣、2009年）
フランス憲法と現代立憲主義の挑戦（有信堂、2010年）
ポジティヴ・アクション——「法による平等」の技法（岩波新書、2011年）
憲法理論の再創造（辻村＝長谷部恭男編、日本評論社、2011年）
憲法判例を読みなおす（樋口陽一＝辻村ほか共著）（日本評論社、2012年）
人権をめぐる十五講——現代の難問に挑む（岩波書店、2013年）
比較のなかの改憲論——日本国憲法の位置（岩波新書、2014年）
選挙権と国民主権——政治を市民の手に取り戻すために（日本評論社、2015年）
憲法と家族（日本加除出版、2016年）
憲法研究創刊号～7号（辻村責任編集、信山社、2017～2020年）
比較憲法（第3版）（岩波書店、2018年）
最新 憲法資料集——年表・史料・判例解説（辻村編著、信山社、2018年）
憲法改正論の焦点——平和・人権・家族を考える（法律文化社、2018年）
新解説 世界憲法集（第5版）（初宿正典＝辻村編、三省堂、2020年）
フランス憲法史と立憲主義——主権論・人権論研究の源流［辻村みよ子著作集第1巻］（信山社、2020年）
人権の歴史と理論——「普遍性」の史的起源と現代的課題［辻村みよ子著作集第2巻］（信山社、2021年）

憲(けん)　法(ぽう)〔第7版〕

2000年4月30日　初　版第1刷発行
2004年3月1日　第2版第1刷発行
2008年3月31日　第3版第1刷発行
2012年3月31日　第4版第1刷発行
2016年4月10日　第5版第1刷発行
2018年4月30日　第6版第1刷発行
2021年3月31日　第7版第1刷発行
2025年6月10日　第7版第2刷発行

著　者——辻村みよ子
発行所——株式会社日本評論社
〒170-8474　東京都豊島区南大塚3-12-4
電話　03-3987-8621（販売）　FAX　03-3987-8590（販売）　振替　00100-3-16
印　刷——株式会社平文社
製　本——牧製本印刷株式会社

ISBN 978-4-535-52537-5